전통적인 미국단위계(USCS)의 국제단위계(SI)로의 변환

USCS 단위		X 변환계수		2SI 단위	
		정밀	실제		
가속도					
foot per second squared	ft/s^2	0.3048*	0.305	meter per second squared	m/s^2
inch per second squared	$in./s^2$	0.0254*	0.0254	meter per second squared	m/s^2
면적					
square foot	ft^2	0.09290304*	0.0929	square meter	m^2
square inch	$in.^2$	645.16*	645	square millimeter	mm^2
밀도(질량)					
slug per cubic foot	$slug/ft^3$	515.379	515	kilogram per cubic meter	kg/m^3
에너지, 일					
foot-pound	ft-lb	1.35582	1.36	joule	J
kilowatt-hour	kWh	3.6*	3.6	megajoule	MJ
British thermal unit	Btu	1055.06	1055	joule	J
힘					
pound	lb	4.44822	4.45	newton	N
kip(1000 pounds)	k	4.44822	4.45	kilonewton	kN
힘의 세기					
pound per foot	lb/ft	14.5939	14.6	newton per meter	N/m
kip per foot	k/ft	14.5939	14.6	kilonewton per meter	kN/m
길이					
foot	ft	0.3048*	0.305	meter	m
inch	in.	25.4*	25.4	millimeter	mm
mile		1.609344*	1.61	kilometer	km
질량					
slug		14.5939	14.6	kilogram	kg
힘의 모멘트, 토크					
foot-pound	ft-lb	1.35582	1.36	newton meter	N·m
inch-pound	in.-lb	0.112985	0.113	newton meter	N·m
foot-kip	ft-k	1.35582	1.36	kilonewton meter	kN·m
inch-kip	in.-k	0.112985	0.113	kilonewton meter	kN·m
관성능률(질량)					
slug foot squared		1.35582	1.36	kilogram meter squared	$kg·m^2$
관성능률(면적2차모멘트)					
inch to fourth power	$in.^4$	416,231	416,000	millimete to fourth power	mm^4
inch to fourth power	$in.^4$	0.416231×10^{-6}	0.416×10^{-6}	meter to fourth power	m^4

전통적인 미국단위계(USCS)의 국제단위계(SI)로의 변환(계속)

USCS 단위		X 변환계수		2SI 단위	
		정밀	실제		
동력					
foot-pound second	ft-lb/s	1.35582	1.36	watt	W
foot-pound per minute	ft-lb/min	0.0225970	0.0226	watt	W
horsepower					
(550 foot-pounds per second)hp		745.701	746	watt	W
압력, 응력					
pound per square foot	psf	47.8803	47.9	pascal(N/m^2)	Pa
pound per square inch	psi	6894.76	6890	pascal	Pa
kip per square foot	ksf	47.8803	47.9	kilopascal	kPa
kip per square inch	ksi	6894.76	6890	kilopascal	kPa
단면계수					
inch to third power	in.^{3}	16,387.1	16,400	millimeter to third power	mm^3
inch to third power	in.^{3}	$16,3871 \times 10^{-6}$	16.4×10^{-6}	meter to third power	m^3
비중량(중량밀도)					
pound per cubic foot	lb/ft^3	157.087	157	newton per cubic meter	N/m^3
pound per cubic inch	lb/in.^{3}	271.447	271	kilonewton per cubic meter	kN/m^3
속도					
foot per second	ft/s	0.3048*	0.305	meter per second	m/s
inch per second	in./s	0.0254*	0.0254	meter per second	m/s
mile per hour	mph	0.44704*	0.447	meter per second	m/s
mile per hour	mph	1.609344*	1.61	kilometer per hour	km/h
체적					
cubic foot	ft^3	0.0283168	0.0283	cubic meter	m^3
cubic inch	in.^{3}	16.3871×10^{-6}	16.4×10^{-6}	cubic meter	m^3
cubic inch	in.^{3}	16.3871	16.4	cubic centimeter	cm^3
gallon	gal.	3.78541	3.79	liter	L
gallon	gal.	0.00378541	0.00379	cubic meter	m^3

*정확한 변환계수
주) SI 단위를 USCS 단위로 변환할 때에는 변환계수로 나누어준다.

Strength of Materials

재료역학

한문식 지음

청문각

머 리 말

재료역학은 응용역학의 한 분야로서 일반대학의 기계공학 계열학과나 토목·건축 계열학과의 기초과정에서 필수적으로 배우는 과목으로 공학의 넓은 분야에 걸쳐 매우 중요시되는 기초학문이다. 또한, 재료역학은 설계에 직결되는 학문으로서 현장에서도 이용도가 높으므로 중요시된다.

따라서 기초적인 개념을 쉽게 이해할 수 있는 교과서로서의 역할뿐만이 아니라 현장실무에 종사하는 공학도들에게 필요로 하는 지식을 제공하는 참고서로서의 역할을 동시에 충족시켜야 한다.

교재 및 참고서로서의 역할을 충족시키기 위해서는 이 학문을 처음 접하는 공학도들이 쉽게 그 본질을 파악하고 필요한 지식을 습득할 수 있어야 한다.

이 책에서는 이러한 모든 여건을 염두에 두고 기존 선배 학자들이 축척해 놓은 지식과 저자가 오랫동안 강의해 온 경험을 바탕으로 하여 필요한 기초적인 이론의 전개와 요약을 독자들이 이해하기 쉽도록 표현하였으며, 각 장에서 이론적 개념을 쉽게 이해시키기 위해 여러 가지 예제를 두었다.

그리고 각 장 마지막에는 기초적인 문제에서부터 현장에서 다루어지는 실용적이고 난해한 문제에 이르기까지 여러 문제를 충분히 다루어 각 단원의 이해를 돕도록 하였다.

각 장의 전개는 하중, 응력, 변형률, 변위 등의 연결고리를 순차적으로 연결하여 최대한 읽는 독자, 즉 공학도들이 이해하기 쉽도록 하였다.

문제해결능력을 배양함과 동시에 문제접근능력 배양에도 중점을 두어 독자들이 실제문제를 이상화하여 해결해 가는 능력을 함양하는데 많은 도움이 될 것이다.

이 책의 내용 중 미비한 점이나 이해하기 난해한 부분에 대해서는 독자들의 조언을 바라며, 저자로서 계속해서 수정·보완하여 보다 나은 내용으로 만들 것을 약속드린다.

이 책을 저술하는데 참고로 한 많은 서적의 저자, 특히 Gere 교수와 Timosenko 교수에게 다시 한 번 마음 깊이 감사 드리며, 끝으로 이 책의 출판을 위해 수고하신 청문각 출판사의 김홍석 회장님 이하 직원 여러분, 특히 김훈 전무님께 깊은 감사를 드린다.

2009년 8월
저자 씀

차 례

Chapter 1 　인장, 압축 및 전단

1.1 서 론 ··· 3

1.2 수직응력과 변형률 ··· 4

1.3 응력－변형률선도 ··· 10

1.4 탄성과 소성 ·· 19

1.5 선형탄성과 Hooke의 법칙 ··························· 23

1.6 전단응력과 전단변형률 ································· 28

1.7 허용응력과 허용하중 ····································· 33

■ 문 제 ··· 40

Chapter 2 　축하중부재

2.1 서 론 ··· 61

2.2 축하중부재의 변형 ··· 62

2.3 변위선도 ·· 69

2.4 부정정 구조물(유연도법) ······························ 73

2.5 부정정 구조물(강성도법) ······························ 81

2.6 온도효과와 기변형효과 ································· 87

2.7 경사단면상의 응력 ··· 98

2.8 변형에너지 ·· 106

*2.9 동하중 ·· 115

*2.10 비선형 거동 ·· 127

■ 문 제 ··· 134

Chapter 3 비 틀 림

3.1 서 론 ·· 177

3.2 원형단면봉의 비틀림 ·· 178

3.3 비균일분포 비틀림 ·· 184

3.4 순수전단 ··· 189

3.5 탄성계수 E와 G의 관계 ··· 195

3.6 원형축에 의한 동력의 전달 ·· 197

3.7 부정정 비틀림부재 ·· 200

3.8 순수전단과 비틀림에서의 변형에너지 ······························ 204

3.9 두께가 얇은 관(Thin-Walled Tubes) ······························· 211

3.10 원형단면봉의 비선형비틀림 ··· 219

■ 문 제 ·· 223

Chapter 4 전단력과 굽힘모멘트

4.1 보의 종류 ··· 245

4.2 전단력과 굽힘모멘트 ·· 248

4.3 하중, 전단력 및 굽힘모멘트 사이의 관계 ························· 255

4.4 전단력선도와 굽힘모멘트선도 ·· 259

■ 문 제 ·· 268

Chapter 5 보의 응력

5.1 서 론 ·· 281

5.2 보의 수직변형률 ··· 284

5.3 보의 수직응력 ··· 289

5.4 보의 단면형상 ··· 299

5.5 직사각형보에 있어서의 전단응력 ······································ 306

5.6 플랜지를 갖는 보의 웨브에서의 전단응력 ························· 314

*5.7 원형보에서의 전단응력 ·· 318

5.8 조립보 ··· 321

5.9 비균일단면보의 응력 ····················· 325

*5.10 합성보 ··· 334

5.11 축하중을 받는 보 ····························· 344

■ 문 제 ··· 351

Chapter 6 응력과 변형률의 해석

6.1 서 론 ·· 381

6.2 평면응력 ·· 382

6.3 주응력과 최대전단응력 ··················· 390

6.4 평면응력에 대한 Mohr원 ················ 400

6.5 평면응력에 대한 Hooke의 법칙 ······ 411

6.6 구형과 원통형 압력용기(2축응력) ···· 415

6.7 조합하중(평면응력) ·························· 424

6.8 보에서의 주응력 ······························· 426

6.9 3축응력 ·· 429

*6.10 3차원 응력 ·· 435

6.11 평면변형률 ·· 438

■ 문 제 ··· 452

Chapter 7 보의 처짐

7.1 서 론 ·· 477

7.2 처짐곡선의 미분방정식 ··················· 477

7.3 굽힘모멘트방정식의 적분에 의한 처짐 ··· 482

7.4 전단력과 하중방정식의 적분에 의한 처짐 ··· 488

7.5 모멘트−면적법 ································· 493

7.6 중첩법 ·· 508

7.7 불균일단면보 ····································· 513

7.8 굽힘변형에너지 ································· 516

*7.9　불연속함수 ·· 524

7.10　보의 처짐을 구하기 위한 불연속함수의 이용 ······························ 534

*7.11　온도의 영향 ·· 542

7.12　전단변형영향 ·· 544

*7.13　보의 큰 처짐 ·· 553

■ 문 제 ·· 557

Chapter 8　부정정 보

8.1　부정정 보 ··· 579

8.2　처짐곡선의 미분방정식 ·· 581

8.3　모멘트 면적법 ·· 584

8.4　중첩의 원리 ··· 589

8.5　연속보 ··· 598

8.6　열 효과 ··· 606

8.7　보 단부의 수평변위 ·· 608

■ 문 제 ·· 611

Chapter 9　기 둥

9.1　좌굴과 안정성 ·· 629

9.2　양단이 핀 연결된 기둥 ·· 632

9.3　다른 단부조건을 갖는 기둥 ·· 641

9.4　편심축하중을 받는 기둥 ·· 648

9.5　Secant 공식 ·· 652

*9.6　기둥의 결함 ·· 657

9.7　탄성과 비탄성거동 ··· 660

*9.8　비탄성좌굴 ·· 662

9.9　기둥의 설계공식 ·· 669

■ 문 제 ·· 675

Chapter 10 에너지법

10.1 서 론 ·· 693

10.2 가상일의 원리 ······································· 693

10.3 단위하중법 ··· 698

10.4 상반정리 ·· 714

10.5 변형에너지와 공액에너지 ····················· 722

10.6 변형에너지법 ·· 735

10.7 공액에너지법 ·· 746

10.8 Castigliano의 제2정리 ·························· 758

10.9 보의 전단처짐 ······································· 764

■ 문 제 ·· 769

■ 참고문헌 및 주석 ······································· 783

부 록

A 단위계 ··· 805

B 유효숫자 ·· 814

C 평면도형의 도심과 관성모멘트 ·················· 817

D 평면도형의 성질 ······································ 848

E 구조용 형강의 단면성질 ···························· 853

F 구조용 목재의 단면성질 ···························· 859

G 보의 처짐과 경사 ····································· 860

H 재료의 기계적 성질 ·································· 865

■ 문제해답 ·· 871

■ 찾아보기 ·· 883

기 호 표

A	면적, 작용력(힘 또는 우력), 상수
a, b, c	치수, 거리, 상수
C	적분상수, 도심
c	보의 중립축으로부터 외단면까지의 거리
D	변위, 운동학적 미지수
d	지름, 치수, 거리
E	탄성계수, 제2종 타원적분
E_r	감소된 탄성계수
E_t	접선탄성계수
e	편심거리, 치수, 거리, 단위체적변화(팽창계수, 체적변형률)
F	힘, 제1종 타원적분, 유연도계수
f	전단흐름, 소성굽힘의 형상계수, 유연성, 주파수(Hz)
f_s	전단형상계수
G	전단탄성계수
g	중력의 가속도
H	거리, 힘, 반력, 마력
h	높이, 치수
I	면적의 관성모멘트(또는 단면 2차모멘트)
I_x, I_y, I_z	x, y, z축에 관한 관성모멘트
I_p	극관성모멘트
I_1, I_2	주관성모멘트
I_{xy}	x 및 y축에 관한 면적의 상승적모멘트
J	비틀림상수
K	체적탄성계수, 기둥의 유효길이 계수
k	$\sqrt{P/EI}$에 대한 기호, 스프링상수
L	길이, 경간
L_e	기둥의 유효길이
M	굽힘모멘트, 우력, 질량

M_p	보의 소성모멘트
M_y	보의 항복모멘트
m	단위길이당 모멘트, 단위길이당 질량
N	축력
n	안전계수, 수, 비, 정수, 매분당회전수
O	좌표원점
O'	곡률중심
P	집중력, 하중, 축력, 힘
P_{allow}	허용하중(사용하중)
P_{cr}	기둥의 임계하중
P_r	기둥의 감소계수하중
P_t	기둥의 접선계수하중
P_u	극한하중
P_y	항복하중
p	압력
Q	집중력, 면적의 1차모멘트(또는 정적모멘트), 힘
q	분포하중의 강도(단위길이당 하중), 분포비틀림의 세기(단위길이당 비틀림)
q_u	극한하중세기
q_y	항복하중세기
R	반력, 반지름, 힘
r	반지름, 거리, 회전반지름$(r = \sqrt{I/A}\,)$
S	힘, 보의 단면계수, 전단중심, 강성도계수
s	거리, 곡선에 따른 거리
T	온도, 비틀림우력 또는 비틀림모멘트, 인장력
T_u	극한비틀림모멘트
T_y	항복비틀림모멘트
t	두께, 시간
U	변형에너지
u	단위체적당 변형에너지
u_r	레질리언스계수
u_t	인성계수
U^*	공액에너지

u^* 단위체적당 공액에너지

V 전단력, 체적

v 처짐, 속도

v', v'' 등 $dv/dx, d^2v/dx^2$ 등

W 무게, 일

W^* 공액일

X 정적 과잉력

x, y, z 직교좌표계, 거리

$\bar{x}, \bar{y}, \bar{z}$ 도심좌표

Z 보의 전단소성계수

α 각, 열팽창계수, 무차원비, 스프링상수, 강성도

α_s 전단계수

β 각, 무차원비, 스프링상수, 강성도

γ 전단변형률, 단위체적당 무게

$\gamma_{xy}, \gamma_{yz}, \gamma_{zx}$ xy, yz, zx 평면 내의 전단변형률

γ_θ 경사축에 관한 전단변형률

δ, Δ 처짐, 변위, 신장

ε, ϵ 수직변형률

$\epsilon_x, \epsilon_y, \epsilon_z$ x, y, z 방향의 수직변형률

$\epsilon_1, \epsilon_2, \epsilon_3$ 주 수직변형률

ϵ_y 항복변형률

ϵ_θ 경사축에 관한 수직변형률

θ 각, 단위길이당 비틀림각, 보축의 회전각

θ_p 주면 또는 주축에 대한 각

θ_s 최대전단응력면에 대한 각

κ 곡률 $(\kappa = 1/\rho)$

κ_y 항복곡률

λ 거리

ρ 반지름, 곡률반지름, 극좌표계의 동경경방향거리, 밀도

v Poisson의 비

σ 수직응력

$\sigma_x, \sigma_y, \sigma_z$ x, y, z 축에 직각인 면상의 수직응력

σ_{x1}, σ_{y1} 회전각 $x_1 y_1$에 직각인 면상의 수직응력

σ_θ 경사면상의 수직응력

$\sigma_1, \sigma_2, \sigma_3$ 주응력

σ_{cr} 기둥의 임계하중($\sigma_{cr} = P_{cr}/A$)

σ_{pl} 비례한도응력

σ_r 잔유응력

σ_u 극한응력

σ_y 항복응력

τ 전단응력

$\tau_{xy}, \tau_{yz}, \tau_{zx}$ x, y, z에 수직이고 y, z, x축에 평행인 면상의 전단응력

τ_{x1y1} 회전각 x_1에 수직이고 y_1축에 평행인 면상의 전단응력

τ_θ 경사면상의 전단응력

τ_{allow} 허용전단응력

τ_u 극한전단응력

τ_y 항복전단응력

ϕ 각, 비틀림각

ψ 무차원계수

ω 각속도

*는 어렵거나 또는 수준이 높은 절, 예제 또는 문제를 표시한다.

그리스문자

A	α	Alpha	N	ν	Nu
B	β	Beta	Ξ	ξ	Xi
Γ	γ	Gamma	O	o	Omicron
Δ	δ	Delta	Π	π	Pi
E	ϵ	Epsilon	P	ρ	Rho
Z	ζ	Zeta	Σ	σ	Sigma
H	η	Eta	T	τ	Tau
Θ	θ	Theta	Υ	υ	Upsilon
I	ι	Iota	Φ	ϕ	Phi
K	κ	Kappa	X	χ	Chi
Λ	λ	Lambda	Ψ	ψ	Psi
M	μ	Mu	Ω	ω	Omega

Chapter 1

인장, 압축 및 전단

1.1 서 론

1.2 수직응력과 변형률

1.3 응력–변형률선도

1.4 탄성과 소성

1.5 선형탄성과 Hooke의 법칙

1.6 전단응력과 전단변형률

1.7 허용응력과 허용하중

1.1 서론

재료역학은 여러 종류의 하중을 받고 있는 고체의 거동을 다루는 응용역학으로 '재료의 강도' 또는 '변형체역학'으로도 불린다. 이 책에서 고려하고자 하는 고체는 축방향의 하중을 받는 부재, 비틀림을 받는 축, 얇은 원통(shell), 보 및 기둥과 이들의 요소를 결합한 구조물 등이다. 일반적으로 해석의 목적은 하중에 의해 생기는 응력, 변형률 및 변형을 결정하는 것이며, 파괴하중에 도달할 때까지의 모든 하중에 대하여 이들의 양을 구할 수 있다면 그 고체의 역학적 거동에 대한 상태를 구할 수 있다.

건물과 교량, 기계와 모터(motor), 잠수함과 선박 또는 항공기와 안테나 등 모든 구조물의 설계를 함에 있어서 역학적 거동을 완전히 파악하는 것이 무엇보다도 중요하다. 따라서 재료역학은 공학분야에 있어 기초가 되는 학문이라 할 수 있다. 정역학과 동역학은 주로 질점이나 강체에 작용하는 힘과 운동을 다루지만 재료역학에서는 한 걸음 더 나아가 하중을 받아 변형을 일으키는 변형체 내부에 생기는 응력과 변형률을 다룬다. 이 책에서는 다음 절에서 설명하고자 하는 여러 가지 이론적 법칙과 개념뿐만 아니라 실험을 토대로 얻은 재료의 물리적 성질이 이용된다.

재료역학을 연구함에 있어서 이론적인 해석과 실험적인 결과는 똑같이 중요한 역할을 한다. 역학적 거동을 예측하기 위한 방식이나 방정식을 이론적으로 해석하는 경우가 많으나, 재료의 성질을 명확히 알지 못하는 경우는 실제로 이런 공식들을 사용할 수 없다는 것을 알아야 한다. 이러한 성질은 실험을 거친 뒤에야 비로소 사용할 수 있다. 공학에서 다루어지는 실제적인 문제들은 이론적인 방법에 의해서는 효과적으로 다룰 수 없기 때문에 실험적인 예측이 중요하게 되었다.

재료역학의 역사적인 발전은 이론과 실험을 잘 조화시켜 이루어져 왔는데, 어떤 경우에는 실험을 통하여 유용한 결과를 얻었으며, 또 다른 경우에는 이론을 통하여 유용한 결과를 얻었다. Leonardo da Vinci(1452~1519)와 Galileo Galilei(1564~1642) 같은 유명한 과학자들은 철사, 봉 및 보에 대한 강도를 구하는 실험은 하였으나, 오늘날과 같이 그 실험결과를 설명하기 위한 적합한 이론을 밝히지는 못하였으며, 그러한 이론은 훨씬 훗날에 정립되었다. 이와는 대조적으로, 유명한 수학자인 Leonhard Euler(1707~1783)는 1744년에 기둥에 대한 수학적인 이론을 정립하여 기둥의 이론적 임계하중을 계산하였는데, 오랜 후에야 그의 이론의 중요성이 실험적으로 입증되었다. 비록 Euler의 결과가 오늘날에는 기둥이론의 기초를 이루고 있으나, 지난 수년 동안 실험적인 뒷받침이 없었기 때문에 이 이론이 사용되

지 않았었다.

이 책에서 재료역학을 공부할 때, 독자들은 두 가지 방법으로 노력을 하여야 한다: 즉 첫째는 개념을 이론적으로 이해하는 것이고, 둘째는 이런 개념을 실제적 상황에 응용하는 것이다. 전자는 식의 유도, 토의 및 예제를 공부함으로써 이루어질 것이고, 후자는 연습문제를 풀음으로써 이루어질 것이다. 연습문제와 예제는 어떤 문제에서는 숫자로 주어지며, 어떤 것은 기호로 주어진다. 수치문제의 이점은 계산의 과정에서 모든 양의 크기가 명확하다는 것이다. 이러한 값들은 때로는 실제적 제한값(허용응력과 같은)을 넘지 않는가에 유의하여야 한다. 대수해는 결과적으로 공식으로 나타나므로 최종결과에 영향을 미치는 변수들을 확실히 알 수 있다는 이점이 있다. 예를 들면, 수치문제에서는 확실히 알 수 없으나 어떤 양은 실제로는 해에서 제거되기도 한다. 대수해에서는 어떤 변수는 분자에 있고, 또 어떤 변수는 분모에 있음을 보고 변수가 미치는 영향을 분명히 알 수 있다. 더구나 부호로 표시되는 해는 어느 단계에서나 차원을 검토해야 한다. 대수해를 얻는 가장 중요한 이유는 컴퓨터에 프로그램이 작성되어 여러 문제에 적용할 수 있는 일반공식을 얻을 수 있기 때문이다. 반대로 수치해는 오직 한 가지 경우에만 적용된다. 독자들은 이 책에서 수치문제와 대수문제들을 모두 취급하므로 두 종류의 문제들에 대하여 잘 적용할 수 있을 것이다.

수치문제에서는 측정자가 정한 단위를 사용해야 한다. 이 책에서는 국제단위(SI)와 미국 실용단위(USCS)를 공용으로 사용한다. 두 단위에 대한 자료는 부록 A에 수록되어 있으며, 유용한 표와 환산율도 주어진다. 공학에서 중요하게 여기는 유효숫자는 부록 B에 설명되어 있으며, 이 책에서는 통상 유효숫자 3자리로 문제가 풀어져 있다.

1.2 수직응력과 변형률

응력과 변형률의 기본개념은 그림 1-1에서와 같이 양단에 축하중 P를 받는 **균일단면봉**(prismatic bar)을 고찰하여 설명하고자 한다. 여기서 균일단면봉이란 전체 길이에 걸쳐 일정한 단면을 갖는 곧은 구조용부재를 말한다. 이 그림에서 축하중은 봉의 균일한 신장을 일으키게 하고, 이때 봉은 **인장**(tension)을 받는다고 말한다.

축하중에 의해서 봉에 생기는 내부응력들을 고찰하기 위해 그림 1-1에서와 같이 면 mn

---

* Leonardo와 Galileo로 시작되는 재료역학의 역사는 참고문헌 1-1, 1-2 및 1-3에 수록되어 있다.

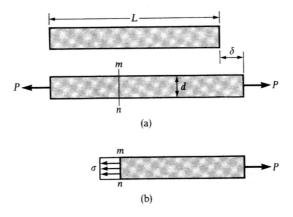

그림 1-1 인장을 받은 균일단면봉

을 절단한다. 이때 면 mn은 봉의 종축에 대하여 직각이며, 이 면을 **단면**(cross section)이라 부른다. 이제 봉의 잘린 부분을 자유물체도[그림 1-1(b)]로 분리하면, 인장하중 P는 물체의 우단에 작용하고, 좌단에는 제거된 부분이 남아 있는 부분에 대해 미치는 작용력을 나타낸다. 이 힘들은 마치 물에 잠긴 물체의 수평면에 수압이 연속적으로 균일하게 분포되는 것과 같이 단면에 걸쳐 연속적으로 분포된다. 이 힘의 세기, 즉 단위면적당 힘을 **응력** (stress)이라 부르며, 기호로는 σ로 표기한다. 응력이 단면에 균일분포된다고 가정하면, 그 합력은 단면적 A와 강도 σ를 곱한 것과 같음을 알 수 있다. 그림 1-1(b)에 보인 물체의 평형으로부터 이 합력은 작용하중 P와 크기가 같고 방향은 반대이어야 한다는 사실도 알 수 있다. 따라서 임의의 단면을 갖는 균일단면봉이 축하중을 받고 있는 경우, 응력을 구하는 공식은

$$\sigma = \frac{P}{A} \tag{1-1}$$

이다. 그림에서와 같이 하중 P에 의해 봉이 신장이 되는 경우의 응력을 **인장응력**(tensile stress)이라 하고, 하중 P의 방향이 반대로 되어 봉이 압축이 되는 경우의 응력을 **압축응력** (compressive stress)이라 한다. 이와같이 응력이 단면에 수직으로 작용할 때는 **수직응력** (normal stress)이라 부르며, 수직응력의 경우는 인장 또는 수축응력으로 나타난다. 또한 단면에 수평으로 작용하는 경우의 응력을 **전단응력**(shear stress)이라 부르며 이에 대해서는 뒷부분에서 다루기로 한다.

수직응력에 대한 부호규약은 인장력은 장으로, 압축응력은 음으로 하는 것이 통상이다.

수직응력 σ는 축하중을 단면적 A로 나눔으로써 얻으므로 그 단위는 단위면적당 힘이다. SI 단위에서는 힘의 단위가 N(Newton), 면적의 단위는 m^2이므로 응력의 단위는 N/m^2 또

는 Pa(파스칼)이 된다. 1 psi가 거의 7,000 Pa에 해당되므로, Pa 단위로 응력을 표시할 때는 큰 승수(multiples)를 사용해야 함을 알 수 있다.*

예를 들면, 강철봉의 대표적인 인장응력의 크기는 140 MPa(메가 파스칼), 140×10^6 Pa이다. 이 값은 편의상 다른 단위로 킬로 파스칼(kPa)과 기가 파스칼(GPa)을 사용하는데, 전자는 10^3 Pa, 후자는 10^9 Pa을 나타낸다. SI 단위에서는 잘 사용되지 않으나, MPa과 같은 단위인 N/mm^2로 표시되는 응력도 있다.

USCS 단위에서는 응력이 평방인치당 파운드(psi) 또는 평방인치당 킬로 파운드(ksi)**로 표시된다. 예를 들면, 강철봉의 경우 응력이 20,000 psi 또는 20 ksi로 표시된다.

방정식 $\sigma = P/A$는 봉의 단면에 응력이 균일분포되어 있는 경우에만 성립한다. 이런 조건이 만족되기 위해서는 예제 1에서 설명하는 것과 같이 축하중 P가 단면의 도심(centroid)을 지나는 경우에만 성립한다. 만일 축하중 P가 도심에 작용하지 않으면, 봉에 굽힘이 생기며 복잡한 해석이 필요하게 된다(5.11절 참조). 이 책에서는 특별한 경우를 제외하고는 모든 축하중이 단면의 도심에 작용한다고 가정한다.

그림 1-1(b)에 보인 균일응력의 조건은 양단에 가까운 부분을 제외한 부재의 전 부분에 대해 성립된다. 봉의 양단에서의 응력분포는 축하중이 실제로 어떻게 작용하느냐에 따라 결정된다. 하중 자체가 봉의 끝에서 균일하게 작용한다면, 봉의 끝에서의 응력은 다른 부분에서의 모양과 똑같을 것이다. 그러나 하중은 통상 작은 면적 위에 집중되므로 하중 부근의 단면에서는 높은 국부응력을 가지며 응력분포도 불균일하게 된다. 그러나 양단에서 점점 멀어질수록 응력분포는 그림 1-1(b)에 보인 바와 같이 균일분포를 가지게 된다. 그림 1-1(a)에서 d를 봉의 폭이라 하면 양단에서 최소한 d 거리 이상 떨어진 봉의 임의점에서 공식 $\sigma = P/A$가 정확하게 사용될 수 있다고 가정하는 것이 안전하다. 응력이 균일하지 않은 경우에도 $\sigma = P/A$라는 식은 **평균수직응력**(average normal stress)을 나타낸다.

축하중을 받는 봉의 전체 길이는 인장을 받을 때는 신장되고, 압축을 받을 때는 줄어든다. 길이의 전 신장량은 희랍문자 δ로 표기하며, 그림 1-1(a)에 표시되었다. 이 신장량은 재료가 전체 길이에 걸쳐 늘어난 결과이다. 봉의 반쪽만 생각하면 신장량은 전 신장량의 반인 $\delta/2$가 되며, 봉의 단위길이에 대한 신장량은 전 신장량 δ에 $1/L$을 곱한 값이다. 이런 식으로 단위길이당 신장량인 **변형률**(strain)의 개념이 정의되며, 희랍문자 ϵ으로 표기되고 다음과 같은 식으로 쓰인다.

---

* USCS와 SI 단위안에 대한 환산율은 부록 A 표 A-3 참조.

** 1 kip(또는 킬로파운드)는 1000 lb이다.

$$\epsilon = \frac{\delta}{L} \tag{1-2}$$

봉이 인장을 받으면 변형률은 **인장변형률**(tensile strain)이라 부르며 봉은 늘어난다. 반면에 봉이 압축을 받으면 변형률은 **압축변형률**(compressive strain)이라고 불리며 봉 자체는 줄어든다. 인장변형률은 장으로, 압축변형률은 음으로 표시되며, 이때의 변형률은 수직응력과 관계되기 때문에 **수직변형률**이라 불린다.

수직변형률은 길이의 비이므로 무차원량으로 어떤 단위제도를 사용하든 간에 숫자만으로 나타난다. 특히 구조용 재료의 변형률은 매우 작은 값이므로 길이의 변화가 아주 미소하다.

예로서, 길이가 $L = 2$ m인 강철봉이 인장을 받을 때 봉의 신장량이 $\delta = 1.4$ mm라면, 변형률은

$$\epsilon = \frac{\delta}{L} = \frac{1.4 \times 10^{-3}\,\text{m}}{2.0\,\text{m}} = 0.0007 = 700 \times 10^{-6}$$

이다. 실제에 있어서는 δ와 L의 원래 주어진 단위가 변형률에 사용되는 경우도 있으며, 그때에는 변형률은 mm/m, μm/m 및 in/in 등으로 표시된다. 예를 들면, 앞에서 설명된 변형률은 700 μm/m 또는 700×10^{-6} in/in로 쓸 수 있다.

수직응력과 변형률의 정의는 정역학적, 기하학적인 면에 기초를 둔 것이므로, 식 (1-1)과 식 (1-2)는 어떤 하중이나 어떤 재료든 간에 적용할 수 있다. 이때 중요한 것은 봉의 변형이 균일하게 일어나야 하고, 봉이 균일단면을 가지며, 하중이 단면의 도심을 통하여 작용하고 재료가 **균질**(homogenous), 즉 봉의 전 부분에 대해 같은 재료가 되어야 한다는 점이다.

이런 경우 응력과 변형률은 **일축응력과 변형률**(uniaxial stress and strain)이라 부른다. 봉의 종방향이 아닌 곳의 응력과 변형률 등을 포함한 일축응력에 대해서는 후에 토의될 것이며 2축응력과 평면응력과 같은 복잡한 응력상태에 관해서는 나중에 나오는 장에서 다루기로 한다.

예제 1

그림 1-1의 균일단면 부재에서 균일한 인장이나 압축이 되기 위해서는 축하중 P가 단면의 도심을 통과해야 한다는 사실을 증명하라.

풀이 단면이 그림 1-2(a)에 보인 바와 같이 임의의 모양을 가지고 있다고 가정하고, 단면평면을 xy축으로 정하면 z축은 봉의 축방향에 평행하게 된다[그림 1-2(b) 참조]. 그림 1-2(b)에 보인 단면 위의 응력분포는 균일인장응력 $\sigma = P/A$라고 가정한다. 이때 응력분포의 합력은 축하중 P이다.

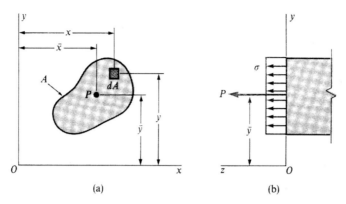

그림 1-2 예제 1. 단면의 도심에 작용하는 축하중

하중작용선의 x 및 y좌표는 그림에서 $\bar{x}$와 $\bar{y}$로 표시한다. 이때 이들의 좌표를 구하기 위해 하중 P의 x, y축에 대한 모멘트인 M_x 및 M_y가 균일분포응력에 대응되는 모멘트와 같아야 된다는 것을 알 수 있다. 따라서 힘 P의 모멘트는

$$M_x = P\bar{y}, \quad M_y = -P\bar{x} \tag{a}$$

여기서 모멘트는 벡터가 축의 양의 방향으로 작용할 때를 양으로 취급한다(우수법칙 사용). 분포응력의 모멘트를 구하기 위해, 단면상의 미소면적 dA를 고려하면 이 요소에 작용하는 힘은 σdA이고, 요소의 dA의 좌표를 x, y라 할 때 요소에 작용하는 힘의 x, y축에 관한 모멘트는 각각 $\sigma_x dA$와 $-\sigma_x dA$가 된다. 전체 모멘트는 이 값을 전 단면에 대해 적분하여 얻는다. 따라서 x, y축에 대한 각각의 모멘트는 다음과 같다.

$$M_x = \int \sigma y\, dA, \quad M_y = -\int \sigma x\, dA \tag{b}$$

이때 식 (a)와 식 (b)로 나타나는 모멘트를 같게 놓으면

$$P\bar{y} = \int \sigma y\, dA, \quad P\bar{x} = -\int \sigma x\, dA$$

이다. 힘 P는 σdA와 같으며 응력 σ는 상수이므로 $\bar{x}, \bar{y}$ 좌표에 대한 공식은 다음과 같이 구할 수 있다.

$$\bar{y} = \frac{\int y\, dA}{A}, \quad \bar{x} = \frac{\int x\, dA}{A}$$

이 식은 합력의 작용선의 좌표가 단면적의 1차 모멘트를 단면적으로 나눈 값과 같다는 사실을 보여 준다. 그러므로 이 식이 면적의 도심의 좌표를 정의하는 식과 같음을 알 수 있다.*

---

* 면적의 도심은 부록 C의 C.1절에서 설명된다.

이렇게 하여 일반적인 결론을 얻었다. 즉 균일단면봉이 균일한 인장이나 압축을 받으려면 축힘은 단면적의 도심을 지나야 한다.

예제 ②

20×40 mm의 직사각형 단면을 가지고 길이가 $L = 2.8$ m인 균일단면봉의 축인장력 70 kN을 받고 있다(그림 1-3 참조). 이때 봉의 신장량이 $\delta = 1.2$ mm로 측정되었다. 봉의 인장응력과 변형률을 구하라.

그림 1-3 예제 2. 직사각형 단면의 균일단면봉

풀이 축하중이 양단에 있는 단면의 도심을 지난다고 가정하면 식 (1-1)을 이용하여 인작응력 σ 를 계산할 수 있다.

$$\sigma = \frac{P}{A} = \frac{70\ \text{kN}}{(20\ \text{mm})(40\ \text{mm})} = 87.5\ \text{MPa}$$

또한 식 (1-2)를 사용하여 변형률은

$$\varepsilon = \frac{\delta}{L} = \frac{1.2\ \text{mm}}{2.8\ \text{m}} = 429 \times 10^{-6}$$

σ와 ε은 각각 봉의 축방향에서의 인장응력과 변형률을 나타낸다.

예제 ③

그림 1-4에서와 같이 펌프가 피스톤을 상하로 움직이게 하는 크랭크에 의해 작동되고 있다.

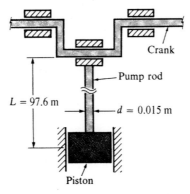

그림 1-4 예제 3. Deep-well 펌프 로드

이때 펌프 로드의 지름은 $d = 0.015\,\text{m}$ 이고 길이는 $L = 97.6\,\text{m}$ 이며, 강제로 비중량이 $\gamma = 76930$ N/m^3 이다. 하향행정시 피스톤의 저항력이 $890\,\text{N}$ 이고, 상향행정시는 $8900\,\text{N}$ 이다. 저항력과 로드의 무게만을 고려하여 펌프 로드의 최대인장응력 및 압축응력을 구하라.

풀이 하향행정시 피스톤의 저항은 로드의 길이를 통해 $C = 890\,\text{N}$ 의 압축력을 유발하며, 상향행 정시는 $T = 8900\,\text{N}$ 의 인장력을 유발한다. 로드의 무게는 최하단에서는 0이고 최상단에서 는 최대까지 변하는 인장력을 유발한다. 따라서 최대중량은 로드의 전 하중과 같으며 그 값은 다음과 같다.

$$W = \gamma L A$$

여기서 γ 는 재료의 비중량, L 은 로드의 길이, A 는 로드의 단면적을 나타낸다. 따라서 최 대중량 W 는

$$W = (76930\,\text{N}/\text{m}^3)(97.6\,\text{m})\left(\frac{\pi}{4}\right)(0.015)^2 = 1326.84\,\text{N}$$

이며, 이것은 자중에 의해 상단에 걸리는 인장력이다.

그리고 최대인장력은 상향행정시 펌프 로드의 상단에서 일어나면 그 값은 $T + W$, 즉 2308 lb이다. 따라서 최대 인장력은 다음과 같다.

$$\sigma_t = \frac{P}{A} = \frac{10270.6\,\text{N}}{\pi(0.015\,\text{m})^2/4} = 58.12\,\text{MPa}$$

같은 방법으로, 하향행정시 하단에서 일어나는 최대 압축응력은

$$\sigma_c = \frac{P}{A} = \frac{890\,\text{N}}{\pi(0.015\,\text{m})^2/4} = 5.04\,\text{MPa}$$

이다. 이 계산은 이상적인 조건하에서 특정하중만에 의한 펌프 로드의 축응력을 나타낸다. 펌프 로드의 굽힘이나 동적 효과와 다른 고려사항은 여기서는 포함되지 않는다.

1.3 응력−변형률선도

공학에서 사용되는 재료의 기계적 성질은 재료의 시편을 이용하여 실험적으로 결정된다. 이 실험은 인장과 압축의 정하중 및 동하중을 포함한 여러 가지의 형태로 시편에 하중을 가할 수 있는 시험기를 갖춘 재료시험실에서 이루어진다. 이러한 실험 중의 하나가 그림

그림 1-5 다목적 시험기

1-5에서 보인 것이며, 시편은 하중장치의 중앙에 위치시키고 제어콘솔은 좌측에 독립된 유니트로 되어 있다.

시험결과를 쉽게 비교하기 위해 통상 시편의 치수와 하중을 가하는 방법이 표준화되어 있다. 이때 중요한 표준기구의 하나가 미국재료표준시험협회(ASTM)인데, 이 기구는 재료와 시험에 대한 시방서와 표준에 관한 간행물을 발간하는 국립협회이다. 또 다른 기구로는 미국표준협회(ASA)와 국립표준국(NBS) 등이 있다.

그런데 가장 일반적인 재료시험은 인장시험이며, 이 시험은 그림 1-6에서와 같이 원기둥 모양의 시편에 인장하중을 가하는 방법이다. 이 방법은 지름이 크게 되어 있는 시편의 양쪽 끝은 그림에 의해 고정되어 있어, 응력분포가 복잡한 양쪽 끝보다는 응력을 보다 쉽게 계산할 수 있는 중앙 부분에서 파단이 일어나게 한다. 또한 그림에서 하중을 받아 끊어진 강철시편을 보여주고 있다. 시편에 두 개의 arm으로 연결된 좌측의 장치는 하중을 받는 동안에 늘어나는 신장량을 측정하는 신장측정기이다.

ASTM의 표준인장시편은 지름이 0.5 in이고 표점(gauge mark) 사이의 길이가 2 in이다.

그림 1-6에서 보인 바와 같이 표점은 시편에 부착된 신장측정기의 arm이 부착되는 점임을 알 수 있다. 하중 P는 시편이 늘어나는 대로 자동적으로 다이얼에서 읽어서 측정, 기록된다.

11

그림 1-6   신장측정기가 부착된 전형적 인장시편

게이지 길이 사이의 늘어남은 하중에 따라 동시에 측정되는데, 보통 그림 1-6에 보인 기계적 게이지를 사용하기도 하지만 전기 저항식 스트레인 게이지를 사용하기도 한다. 정적시험에서는 하중이 아주 천천히 가해지지만, 동적 시험에서는 하중을 가하는 속도가 빠르기 때문에 재료의 성질에 영향을 미치므로 이 속도가 측정되어야 한다. 시편의 축방향 응력 σ는 축하중 P를 단면적 A로 나눈 값이다. 이 응력을 계산함에 있어 봉의 최초단면적을 사용하며 이때의 응력을 **공칭응력**(nominal stress), **재래응력** 또는 **공학응력**이라 부른다. 축응력의 더욱 정확한 값을 **진응력**(true stress)이라 하는데, 이 응력은 최초 단면적보다 작게 되는 봉의 실제 단면적을 사용하여 구할 수 있다. 진응력에 대해서는 이 절 뒷부분에서 다루기로 한다.

봉의 평균변형률은 표점 사이의 늘어난 길이 δ를 게이지 길이 L로 나눈 값이다. 이때도 마찬가지로 최초의 게이지 길이를 사용하면(예를 들면 2인치), 공칭변형률이 얻어진다. 물론 표점 사이의 거리는 인장하중이 가해지면 늘어나며, 변형률 계산시 실제 길이를 사용하면 **진변형률**(true strain) 또는 **고유변형률**(natural strain)을 구할 수 있다.

압축시험에는 통상 정육면체나 원기둥 모양의 시편을 사용한다. 정육면체의 한 면의 길이는 보통 2 in이며, 원기둥의 지름은 약 1 in, 길이는 1～12 in이다. 시험기의 하중과 시편의 줄어듦이 측정된다. 시편 끝부분의 영향을 제거시키기 위해 시험의 전 길이보다 작은 게이

지 길이 사이의 줄어듦이 측정된다. 모든 건축사업에서 콘크리트가 필요한 강도를 가지고 있는가를 확인하기 위해서 주로 압축시험을 하게 된다. ASTM의 표준 콘크리트 시편은 지름이 6 in 길이가 12 in이며 양생기간이 28일이 경과된 것이어야 한다(콘크리트는 양생기간이 길수록 강도가 강해지기 때문에 콘크리트의 양생기간이 매우 중요한 역할을 한다).

인장이나 압축시험에서 여러 하중치에 대하여 응력과 변형률을 계산하여 응력 대 변형률의 선도를 그릴 수 있다. 이러한 응력–변형률 선도는 재료의 특성을 나타내 주며, 기계적 성질과 거동의 유형에 관한 중요한 정보를 제공해준다.[*] 연강 또는 저탄소강으로 알려진 구조용강에 대해 고찰하기로 하자.

구조용강은 가장 널리 사용되는 금속으로, 건물, 교량, 탑 등 여러 형태의 구조물에 사용되는 기본 강철이다. 그림 1-7은 인장을 받는 전형적인 구조용강의 응력–변형률 선도이다(스케일은 비례적이 아님). 변형률은 수평축에, 응력은 수직축에 표정된다. 이 선도에서 보는 바와 같이 O점에서 A점까지는 직선인데, 이 영역에서는 응력과 변형률은 비례하며 재료의 거동은 선형이라 불린다. 또한 A점을 지나서는 응력과 변형률 사이의 선형관계가 더 이상 유지되지 않는데, 이때 A점을 **비례한도**(proportional limit)라 부른다. 저탄소강의 경우 비례한도는 206.7∼27.56 MPa이며, 고탄소강(고탄소함유량을 가지며 다른 합금들과 섞인)에서는 551.2 MPa 이상의 비례한도를 가진다.

비례한도를 넘어 하중을 점차로 증가해 가면 응력에 비해 변형률이 훨씬 급속도로 증가하며, 응력–변형률 곡선은 경사가 점차로 작아지다가 수평이 되는 점 B에 도달하게 된다. 이

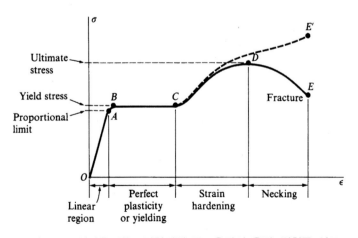

그림 1-7 인장을 받는 전형적인 구조용강의 응력–변형률 선도

---

[*] 응력–변형률 선도는 Jacob Bernouilli(1654∼1705)와 J.V. Poncelet(1788∼1867)에 의해 창안되었다 (참고문헌 1-4 참조).

점으로부터 인장력은 거의 증가하지 않더라도 상당한 신장이 일어난다(그림의 B점에서 C점 까지). 이런 현상을 재료의 **항복**(yielding)이라 하며, B점의 응력을 **항복응력**(yieldi stress) 또는 **항복점**(yield point)이라고 한다. 그리고 B점에서 C점까지의 영역에서는 재료가 **완전 소성**(perfectly plastic)상태로 되어 작용하중의 증가 없이도 변형이 일어난다. 완전소성 영 역에서는 연강 시편의 신장이 비례한도까지의 신장의 $10 \sim 15$배나 된다.

BC 영역의 항복과정에서는 큰 변형률이 생긴 후, 강은 **변형경화**(strain harden)가 시작 되는데 이때 재료는 원자 및 결정구조의 변화를 일으키며 더 이상의 변형에 대한 재료의 저 항력을 증가시킨다. 따라서 인장력이 증가해야 추가적인 신장이 일어나며 응력-변형률 선도 는 C점에서 D점까지 양의 경사를 가지게 된다. 즉 하중은 결국 최대값에도 도달하게 되며 이때의 응력을 **극한응력**(ultimate stress)이라 한다. 또한 이 점을 넘어서면 하중이 감소하 는 데도 봉이 계속 늘어나서 E점에서 **파단**(fracture)이 일어난다.

시편이 축방향으로 늘어나는 동안에 가로수축이 일어나며, 이 결과로 단면적도 감소한다.

C점까지는 단면적의 감소량이 비교적 적어 응력계산에 별로 영향을 주지 않았으나, C점 을 지나서는 단면적의 감소량이 선도의 모양에 변화를 일으키기 시작한다. 진응력은 작은 단면적으로 계산되므로 공칭응력보다는 통상 크게 된다. 극한응력 부근에서는 봉의 단면적 의 감소가 현저하여 눈에 보일 정도로 되며 봉의 **네킹**(necking) 현상이 일어난다(그림 1-6 및 1-8 참조). 응력을 계산하는데 네크의 좁은 부분에서의 실제 단면적을 사용하면 그림 1-7에서와 같이 **진응력**(true stress)-**변형률 선도**(strain curve)는 점선 CE'과 같이 된다. 극한응력에 도달한 후에는 봉이 견딜 수 있는 전하중이 실제로 감소하는데(곡선 DE), 이는 단면적의 감소에 의한 것이지 재료 자체의 강도의 손실에 의한 것이 아니다. 실제로 재료는 파단(점 E')에 이르기까지 응력의 증가에 견딘다. 그러나 대개의 경우 시편의 원래 단면적 을 기준으로 한 응력-변형률 선도 $OABCDE$는 계산이 용이하므로 설계에 사용되는 충분한 자료를 제공한다.

그림 1-7의 선도는 연강에 대한 응력-변형률 곡선의 일반적인 특성을 나타낸 것으로 실제 와는 다르다. 왜냐하면 이미 설명한 바와 같이 B점에서부터 C점까지의 사이에서 일어나는 변형률은 O점에서부터 A점까지 일어나는 변형률의 15배나 되기 때문이다. 게다가 C점에 서 E점까지의 변형률은 B점에서 C점까지의 변형률보다 몇 배나 크다. 그림 1-9는 바른 스 케일로 그린 연강의 응력-변형률 선도를 나타낸다. 이 그림에서는 O점에서 A점까지의 변형

그림 1-8 인장 봉의 네킹

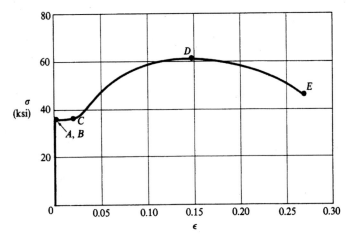

그림 1-9 인장을 받는 대표적인 구조용강의 응력-변형률 선도

률이 A점에서 E점까지의 변형률에 비해 매우 작기 때문에 눈으로는 식별할 수 없으며 선도의 선형부분은 수직선으로 나타난다.

큰 소성변형 후에 나타나는 항복점의 존재는 실제 설계에 있어 연강의 중요한 성질이다 (예로서 10장의 소성굽힘의 설명 참조). 파단이 일어나기까지 큰 변형률에 견디는 재료를 **연성재료**(ductile)라 부른다. 연성의 장점은 하중이 아주 클 때 눈에 현저하게 보이는 찌그러짐이 일어나며 실제의 파단이 일어나기 전에 예방조치를 할 수 있는 기회를 부여한다는 것이다. 또한 2.8절과 2.9절에서 설명되는 바와 같이 연성재료는 파단 전에 많은 양의 에너지를 흡수하게 된다. 연성재료는 연강, 알루미늄과 그 합금, 구리, 마그네슘, 납, 몰리브덴, 니켈, 황동, 청동, 모넬메탈, 나이론 및 테프론 등이 포함된다.

구조용강은 0.2%의 탄소를 함유하는 합금이며 저탄소강에 포함된다. 탄소함유량의 함유율이 증가될수록 강은 연성이 약해지고, 높은 항복응력과 높은 극한응력을 가지게 된다. 강의 물리적 성질은 열처리, 다른 합금의 존재여부 및 롤링과 같은 제작과정의 영향을 받는다. **알루미늄 합금**(alumium alloys)은 주로 상당한 연성을 가지나 명확한 항복점을 가지지 못한다. 그러나 그림 1-10에서처럼 선형영역에서 비선형영역으로 점진적으로 변이된다.

구조용으로 사용되는 알루미늄 합금은 비례한도가 68.9~413.4 MPa이며, 극한응력은 137.8~551.2 MPa이다.

알루미늄과 같이 명확한 항복점이 없고 비례한도를 지나 큰 변형이 일어날 경우는 **오프셋 방법**(offset method)에 의해서 임의의 항복점을 구할 수 있다. 즉 응력-변형률 선도에서 곡선의 최초 선형부분(그림 1-11 참조)에 평행한 직선을 그리되 0.002(0.2%)와 같은 표준 변형률 값만큼 오프셋(offset)시킨다. 오프셋선과 응력-변형률 곡선과의 교점(그림의 A점)

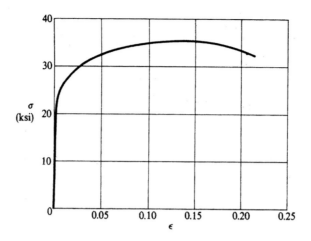

그림 1-10 알루미늄 합금의 대표적인 응력-변형률 선도

을 항복응력으로 정의한다. 이 응력은 임의의 방법으로 구했기 때문에 재료 고유의 성질이
아니며 **오프셋 항복응력**(offset yield stress)이라 부른다. 알루미늄 같은 재료는 오프셋 항
복응력이 비례한도보다 약간 크다. 선형영역에서 소성영역으로 급하게 변하는 구조용강의
경우는 오프셋 응력이 항복응력이나 비례한도와 실제로 값이 같다.

　고무(rubber)는 0.1이나 0.2의 매우 큰 변형률에 이르기까지 응력과 변형률의 관계는 선
형적이다. 비례한도를 지난 뒤의 거동은 고무의 종류에 따라 달라진다(그림 1-12 참조). 어
떤 종류의 연성고무는 파단이 되지 않고 무척 많이 늘어나게 되며, 하중에 대한 저항력을 계
속 증가시켜 가므로 응력-변형률 곡선 파단 전에 현저하게 위로 올라간다. 이런 성질은 고
무 밴드를 댕기어 보면 알 수 있다.

　인장을 받는 경우 재료의 연성은 신장량과 파단면의 단면적의 감소에 따라 특징지워진다.
　신장백분율(percent elongation)은 다음과 같다.

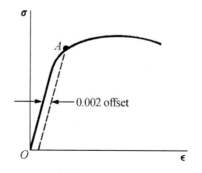

그림 1-11 오프셋 방법에 의해 결정되는 임의의 항복응력

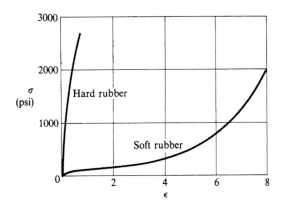

그림 1-12   인장을 받는 2종류의 고무의 응력–변형률 선도

$$신장백분율 = \frac{L_f - L_0}{L_0}(100) \tag{1-3}$$

여기서 L_0는 최초의 게이지 길이, L_f는 파단 시의 표점 간의 길이이다. 신장량은 시편의 전 길이에 걸쳐 균일하지는 않으나 네킹영역에 집중되며, 신장 백분율은 게이지 길이에 의해 좌우된다. 따라서 신장 백분율을 계산할 때는 게이지의 길이를 주어줘야 한다. 게이지의 길이가 2 in인 경우에는 성분에 따라 강은 10~40% 범위의 신장률을 가지며 구조용강은 보통 25%나 30%의 신장률을 가진다. 또한 알루미늄 합금의 경우에는 신장률이 성분과 열처리에 따라 1~45%의 값을 가진다.

단면감소백분율(percent reduction in area)은 네킹의 양을 측정할 수 있으며, 다음과 같이 정의된다.

$$단면감소백분율 = \frac{A_0 - A_f}{A_0}(100) \tag{1-4}$$

여기서 A_0는 최초의 단면적, A_f는 파단면의 최종 단면적을 나타낸다. 연성강의 경우는 단면 감소 백분율이 약 50%이다.

인장할 때 비교적 작은 변형률 값에서 파단을 일으키는 재료를 **취성**(brittle)**재료**라 한다. 취성재료는 콘크리트, 돌, 주철, 유리, 세라믹 재료 및 많은 금속합금 등이 있다. 이런 재료들은 비례한도(그림 1-13의 A점)를 지나서 조금 더 늘어난 후 바로 파단되며, 파단응력(B점)은 극한응력과 같다. 고탄소강은 취성적으로 거동하며 매우 높은 항복응력(어떤 경우에는 689 MPa 이상)을 가지나 파단은 아주 작은 신장률에서 일어난다.

보통 **유리**(glass)는 연성이 전혀 없기 때문에 거의 완벽한 취성재료이다. 인장을 받는 유

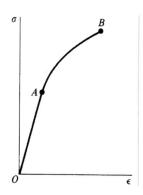

그림 1-13 취성재료의 대표적인 응력-변형률 선도

리의 응력-변형률 곡선은 직선이며 항복이 일어나기 전에 파단된다. 어떤 종류의 판유리의
극한응력은 68.9 MPa이며, 유리의 종류, 시편의 크기, 미시적 결함의 유무 등에 따라 값이
달라진다. 유리섬유는 대단히 큰 강도를 가지도록 개발된 것이기 때문에 6890 MPa 이상의
극한응력을 가지는 것도 있다.

  압축(compression)에 대한 응력-변형률 선도는 인장의 경우와는 또 다른 형태는 갖는다.
  강(鋼), 알루미늄 및 구리 같은 연성재료는 인장의 경우와 거의 비슷한 비례한도를 가지
며, 압축응력-변형률 선도의 최초 영역은 인장의 경우와 거의 비슷하나 항복이 일어나면서
부터 그 거동은 다르게 나타난다. 인장시험에서는 시편이 늘어나서 네킹이 생기고 궁극적으

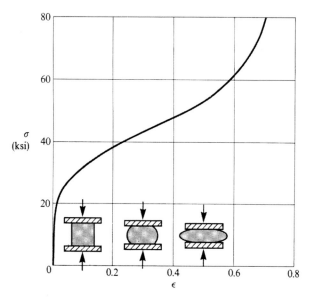

그림 1-14 구리의 압축 응력-변형률 선도

로는 파단이 일어나게 된다. 연성재료의 작은 시편이 압축될 경우 양쪽이 부풀어 올라 통 모양이 형성된다. 또한 하중이 증가되면 시편은 더 납작하게 되고 더 이상의 줄어듦에 대하여 저항력이 커진다(응력-변형률 곡선의 상향을 의미). 이런 특성은 구리에 대한 응력-변형률 선도를 보여 주는 그림 1-14에 나타난다.

압축을 받는 취성재료는 최초에는 선형영역을 가지며, 그 후에는 하중에 비해 큰 비율로 줄어드는 영역을 가진다. 따라서 압축응력-변형률 선도는 인장의 경우와 그 모양이 같다.

그러나 취성재료는 인장에서 보다 압축에서 훨씬 더 큰 항복응력을 갖는다. 연성재료와는 달리(그림 1-14 참조) 취성재료는 압축시 최대하중에서 파단되거나 파괴된다. 그림 1-15는 특수 주철에 대한 인장과 압축시의 응력-변형률 선도이다. 콘크리트나 돌 같은 또 다른 취성재료에 대한 곡선은 비슷한 모양을 가지나 그 수치값은 전혀 다르다.

각종 재료의 **기계적 성질**(mechanical properties)에 대한 자료는 부록 H에 수록되어 있다. 재료의 성질 및 응력-변형률 선도는 여러 가지 제작과정, 화학적 성분, 내부결함, 온도 및 기타 요인 등에 따라 다르다. 따라서 일반표에서 얻은 자료는 대표적인 것이며 특수한 경우에는 적용되는 것이 아니다.

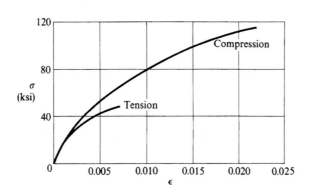

그림 1-15 인장과 압축시의 주철의 응력-변형률 선도

1.4 탄성과 소성

앞 절에서 설명된 응력-변형률 선도는 재료가 인장이나 압축을 받는 경우 정하중을 받을 때 재료의 거동을 나타낸다. 그러나 이제는 하중이 제거될 때 재료의 거동이 어떻게 일어나는가를 살펴보기로 하자. 예로서 인장시편에 하중을 가하여 응력과 변형률이 그림 1-16(a)

의 O점에서 A점으로 변화한다고 가정하고, 하중이 제거되었을 때 재료는 똑같은 곡선으로 O점으로 복귀한다고 가정하자. 이와 같이 하중이 제거될 때 원래의 모양으로 돌아가는 재료의 성질을 **탄성**(elasticity)이라 하고, 그 재료는 탄성을 갖는다고 말한다. 재료가 탄성이기 위해서는 응력-변형률 곡선상의 O점에서 A점까지가 선형일 필요가 없다는 점에 유의하여야 한다.

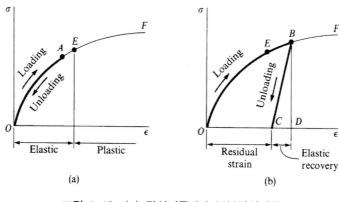

그림 1-16 (a) 탄성거동 (b) 부분탄성거동

똑같은 재료에 훨씬 큰 하중을 가하여 응력-변형률 선도[그림 1-16(b)]의 B점에 도달했다고 가정하자. 이 경우 하중이 제거되면 재료는 선도상의 선분 BC에 따른다. 이런 하중제거선은 통상 하중곡선의 최초 부분에 평행한데, 선분 BC는 O점에서의 응력-변형률 곡선의 기울기에 평행한다. 또한 C점에 도달하면 하중은 완전히 제거되지만, **잔유변형률**(residual strain) 또는 **영구변형률**(permanent strain)인 OC가 재료에 남게 된다. 이에 대응하는 봉의 잔류신장을 **영구셋트**(permanent set)라 한다. 하중이 걸리는 O점에서 B점까지의 사이에서 생긴 전 변형률 OD 중에서 변형률 CD는 탄성적으로 회복되었으나 변형률 OC는 영구변형률로 남게 된다. 따라서 하중이 제거되는 동안에 봉은 부분적으로 최초의 모양으로 돌아오므로 이 재료는 부분탄성을 가진다고 말한다.

봉을 시험할 경우에는 하중은 0에서 어떤 선정된 값까지 증가되다가 제거된다. 또한 영구세트가 없다면(즉, 봉의 신장이 0으로 돌아온다면), 그 재료는 선정된 하중에 의한 응력까지는 탄성적이다. 이런 경우 하중을 가하거나 제거시키는 과정을 계속 하중값을 변경하면서 실험하여 결과적으로 응력 하중이 제거되는 동안에 변형률이 완전복귀가 안되는 값까지 도달하게 된다. 이러한 과정을 통해 탄성영역의 상한응력을 결정할 수 있는데, 예를 들면 그림

1-16(a)와 (b)의 E점에서의 응력이 바로 그 값이다. 이 응력을 재료의 **탄성한도**(elastic limit)라 한다.

대부분 금속재료는 응력-변형률 곡선에서 초기에는 선형영역을 가진다(그림 1-7 및 그림 1-10 참조). 1.3절에서 설명한 바와 같이, 이 선형영역의 상한을 비례한도라 하는데, 탄성한도는 이 비례한도보다 크거나 거의 같다. 따라서 대부분의 재료는 이 두 가지 한도가 거의 같은 수치를 갖게 된다. 연강의 경우 항복응력이 비례한도와 거의 비슷하므로, 실제로는 항복응력과 탄성한도와 비례한도가 같다고 본다. 물론 이런 경우는 모든 재료에 적용되는 것은 아니다. 고무의 경우는 비례한도보다 훨씬 큰 값까지 탄성적인 재료의 하나이다.

탄성한도를 지난 후 비탄성적 변형이 일어나는 재료의 성질을 **소성**(plasticity)이라 한다.

그림 1-16(a)의 응력-변형률 곡선에서는 탄성영역 다음에 소성영역이 된다. 연성재료에서 소성영역으로 하중을 받는 경우 큰 변화가 일어난다면 그 재료는 **소성흐름**(plastic flow)이 일어난다고 말한다.

재료가 탄성영역에서 하중을 받을 때는, 하중을 가하고 제거하고 다시 하중을 가하더라도 거동의 변화는 거의 없게 된다. 그러나 소성영역에서 하중을 받을 때는 재료의 내부구조가 변하며 그 성질도 바뀐다. 또한 소성영역에서 하중을 제거하면 영구변형률이 존재한다는 사실을 관찰한 바 있다[그림 1-16(b)]. 그림 1-17에서와 같이 하중을 제거한 뒤에 다시 하중을 가하게 되면, 선도의 C점에서 시작되어 B점까지 상향이 계속되는데, 이때 B점은 첫 번째 하중을 가하는 사이클에서 하중제거가 시작되는 점이 된다. 두 번째 하중을 가할 때는 재료는 C점에서 B점까지 직선적으로 거동하게 되어 전에 비해 더 높은 비례한도와 항복응력을 가지게 된다. 따라서 계속 재료를 잡아 늘여서 항복점을 높일 수는 있으나 B점에서 F점까지의 항복이 E점에서 F점까지의 항복보다 작으므로 연성이 감소된다.[*]

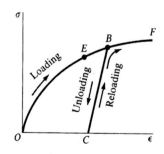

그림 1-17 재료의 하중 재작용과 항복응력의 증가

---

[*] 여러 가지 환경과 하중작용 조건하에서의 재료거동에 관한 연구는 응용역학의 중요한 분야이다. 더욱 상세한 정보를 얻으려면 이러한 제목의 교과서를 참고하기를 바란다.

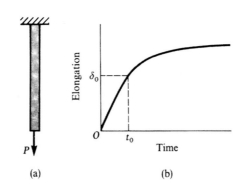

(a) (b)

그림 1-18 일정 하중하의 봉에서의 크리프

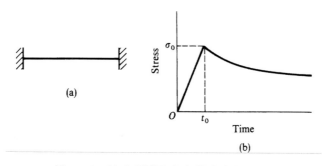

그림 1-19 일정 변형률하의 철사에서의 이완

크리프(creep). 앞에서 언급된 응력-변형률 선도는 단지 시편에 정하중을 가한 인장시험에서 얻은 것이므로 시간의 경과는 토의에서 제외되었다. 그러나 어떤 재료는 장시간에 걸쳐 추가로 변형이 일어나게 되는데, 이런 현상을 **크리프**(creep)라 한다. 이것은 여러 가지 방법으로 증명할 수 있다. 그 예로서, 그림 1-18에서 보인 바와 같이 수직봉이 일정한 힘 P 의 작용을 받는다고 가정하자. 최초에 하중을 받을 때는 봉은 δ_0 만큼 늘어난다. 이러한 하중 작용과 이에 대응하는 신장이 t_0 라는 시간간격에 걸쳐 일어난다고 가정하면 t_0 까지 하중은 일정하지만, 하중의 변화 없이도 그림 1-18(b)에서 보는 바와 같이 크리프현상에 의해 봉은 점점 더 늘어나게 된다. 이런 현상은 많은 재료에서 발생하는데, 때로는 이 변화가 너무 작기 때문에 관심을 두지 않아도 좋다.

크리프의 두 번째 예로서, 움직이지 않는 두 지점 사이에서 늘어나 최초의 인장응력 σ_0 를 갖는 철사를 생각하자[그림 1-19(a)]. 여기서 철사에 t_0 의 시간에 이르기까지 하중이 가해지는 경우를 생각하자. 이때 시간이 경과하면 철사의 양 지점이 움직이지 않더라도 철사의 응력은 점점 없어져 일정한 값에 이르게 된다. 이렇게 크리프현상을 명시하는 과정을 **재료의**

이완(relaxation)이라 부른다.

크리프는 상온보다는 고온에서 더욱 고려되어야 하므로, 엔젠, 노 및 오랜 시간 동안 높은 온도에서 작동하는 기타 구조물의 설계시에 반드시 고려되어야 한다. 그러나 강, 콘크리트와 같은 재료에서는 상온에서도 약간의 크리프현상이 일어나기 때문에 보통 구조물에서도 크리프의 영향을 고려하는 것이 필요하다. 예를 들면, 콘크리트의 크리프는 지지대 사이에서 늘어나기 때문에 교량 덱크의 지형을 일으킬 수 있다. 이에 대한 대책의 하나는, 최초의 처짐을 수평보다 높게 한 상향 **캠버**(camber)를 가진 덱크를 만들어 크리프현상이 발생할 때 스팬을 수평 위치보다 낮게 하는 것이다.

1.5 선형탄성과 Hooke의 법칙

구조용 재료는 대부분 응력-변형률 선도상에 재료가 탄성적으로, 또한 선형적으로 거동하는 초기영역을 갖는다. 구조용강에 대한 응력-변형률 선도의 경우 그림 1-7에 보인 바와 같이 O점에서 A점까지 비례한도의 영역이 그 하나의 예이다. 그림 1-10부터 그림 1-15까지의 선도에서는 비례한도와 탄성한도 이하의 영역이 그 또 다른 예가 된다. 재료가 탄성적으로 거동하면서 응력과 변형률 사이의 관계가 선형적일 때 이를 **선형탄성**(linearly elastic)이라 한다. 많은 구조물과 기계에서 항복이나 소성흐름으로부터의 영구변형을 피하기 위하여 응력이 낮은 수준에서 기능을 발휘할 수 있도록 설계되기 때문에, 이런 형태의 거동은 공학에서 매우 중요하게 다루어져야 한다. 선형탄성은 금속, 목재, 콘크리트, 플라스틱 및 세라믹을 포함한 많은 고체재료들의 성질이다.

인장이나 압축을 받는 봉에 대한 응력과 변형률 사이의 선형적인 관계는 다음과 같이 표시된다.

$$\sigma = E\epsilon \tag{1-5}$$

여기서 E는 재료의 **탄성계수**(modulus of elasticity)라고 알려진 비례상수이다. 탄성계수는 선형탄성영역에서 응력-변형률 선도의 기울기를 나타내며, 그 값은 재료에 따라 다르다. 변형률은 무차원량이므로 탄성계수 E의 단위는 응력의 단위와 같음을 알 수 있다.

USCS 단위에서는 E의 단위가 psi 또는 ksi로 표시되며, SI 단위계에서는 Pa로 표시된다. 방정식 $\sigma = E\epsilon$은 유명한 영국 과학자인 Robert Hooke(1635~1703)의 이름을 따라

Hooke의 법칙으로 잘 알려져 있다. Hooke은 재료의 연성거동을 연구한 최초의 사람으로, 금속, 목재, 돌, 뼈 및 건 등과 같은 다양한 재료를 이용하여 시험하였다. 그는 또한 추를 매달은 긴 철사의 늘어난 값을 측정함으로써 추에 따른 신장량이 언제나 같은 비율로 변함을 관찰하여(참고문헌 1-5 및 1-6 참조), 작용하중과 이에 따른 신장량이 선형관계가 있음을 발견하였다.

식 (1-5)는 보통 인장과 압축의 경우에만 적용되는 것이고, 좀더 복잡한 상태의 응력에 대해서는 일반화된 Hooke의 법칙을 이용해야 한다(6장 참조). 또한 계산을 행할 때는 인장응력과 변형률은 양으로, 압축응력과 변형률은 음으로 생각한다.

구조용 금속과 같이 기울기가 급한 재료의 경우는 탄성계수는 비교적 큰 값을 가지게 된다. 강의 탄성계수는 보통 약 30,000 ksi나 200 GPa이고, 알루미늄의 경우는 10,600 ksi나 70 GPa이다. 더욱 연한 재료는 더 작은 탄성계수값을 가지며, 목재는 1,600 ksi나 11 GPa의 경우가 대표적이다. E의 대표적인 값을 부록 H의 표 H-2에 수록하였으며, 이 경우 재료에 대해 압축시의 E값은 인장시의 E값과 같다.

탄성계수는 영국의 과학자인 Thomas Young(1773~1829)의 이름을 따라 **Young 계수**라고도 부른다. 균일단면봉의 인장과 압축에 대해 시험한 Young은 탄성계수의 개념을 도입하게 되었다. 그러나 그때에는 재료뿐만 아니라 봉의 성질이 관련되어 있기 때문에, Young이 사용한 계수는 오늘날에 사용되는 값과 일치하지는 않는다(참고문헌 1-7 및 1-8 참조).

푸아송의 비(Poisson's radio). 균일단면봉이 인장하중을 받으면 축방향 인장량은 **가로수축**(lateral contraction: 작용하중 방향에 대하여 수직으로)을 수반한다. 그림 1-20은 이런 봉의 모양의 변화를 보여 주는데, 점선은 하중을 가하기 전의 모양을 나타내며, 실선은 하중이 가해진 후의 모양을 나타낸다. 가로수축현상은 잡아 눌린 고무밴드에서 볼 수 있으나 금속에서는 가로방향의 길이 변화가 너무 작기 때문에 눈에 보이지 않는다. 그러나 이 변화량은 계측기에 의한 측정이 가능하다.

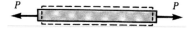

그림 1-20 인장봉의 축신장과 가로수축

재료가 동질이고 등방성이면, **가로변형률**(lateral strain)은 선형탄성 영역에서는 축변형률에 비례한다. 재료가 전 부분에 대해 똑같은 성분을 가지는 경우를 **동질**(homogeneous)이라 하는데, 이때는 탄성이 재료의 모든 점에서 똑같다. 그러나 재료가 동질이기 위해서 성

질이 모든 방향에 대해 같을 필요는 없다는 점에 유의하여야 한다. 예를 들면 축방향의 탄성계수와 가로방향의 탄성계수는 다를 수도 있기 때문이다. 등방성 재료는 모든 방향에 대해 같은 탄성적 성질을 가지고 있다. 따라서 인장봉의 가로변형률이 모든 점에서 같기 위해서는 재료가 동질이면서 등방성을 가져야 한다는 점이다(그림 1-20). 구조용 재료는 보통 이런 요구조건을 만족시킨다.

가로방향 변형률의 축방향 변형률에 대한 비를 푸아송의 비라고 하며 희랍문자 ν(nu)로 표기한다.

$$\nu = -\frac{\text{가로방향 변형률}}{\text{축방향 변형률}} \tag{1-6}$$

인장봉에서 가로변형률은 폭의 감소를 나타내며(음변형률), 축변형률은 신장률(양변형률)을 나타낸다. 그리고 압축일 때는 정반대 현상이 일어나서 봉은 짧아지며(음의 축변형률), 폭은 넓어진다(양의 가로 변형률). 푸아송의 비는 주로 양의 값을 가진다.

푸아송의 비는 유명한 프랑스의 수학자인 S.D. Poisson(1781~1840)의 이름을 따서 지어졌는데, 푸아송은 재료의 분자이론에 의해 이런 비를 계산하려고 시도하였다(참고문헌 1-9). 등방성 재료에서는 $\nu = 1/4$이었으나, 원자구조의 모델에 의해 최근에 계산한 값은 $\nu = 1/3$이다. 이들 값은 실제 측정한 값과 매우 근사하며 재료에 따라 0.25~0.35의 범위 내에 있다.

코르크는 극히 작은 값의 푸아송의 비를 가지며, 실제로는 0이고*, 콘크리트의 경우는 0.1이나 0.2이다. 푸아송의 값은 이론적으로 상한값은 다음에 설명되는 체적변화에서 보듯이 0.5이다. 고무의 경우가 이 상한값에 거의 접근한다. 탄성영역에서 각종 재료에 대한 푸아송의 비의 값들을 주는 표가 부록 H에 수록되어 있다(표 H-2 참조). 대부분의 경우 ν값은 인장에서나 압축에서나 똑같다고 취급한다.

인장봉의 가로수축이나 압축봉의 팽창은 대응되는 응력이 없는 변형률의 예이다. 축방향으로 하중을 받는 봉의 경우 가로방향에는 수직응력이 없으나 푸아송 효과 때문에 변형률은 있다. 응력이 없는 변형률의 또 다른 예는 열변형률로서 이는 온도변화에 의해 생긴다(2.6절 참조).

체적변화. 그림 1-20에서 보듯이 하중이 작용할 때 인장이나 압축을 받는 봉의 치수가 변하므로 봉의 체적도 바뀐다. 체적변화는 축방향 및 가로방향 변형률로부터 계산될 수 있다.

등방성 인장봉에서 잘라낸 재료의 작은 요소를 살펴보기로 하자(그림 1-21 참조). 요소의

---

* 따라서 병마개로 적합하다.

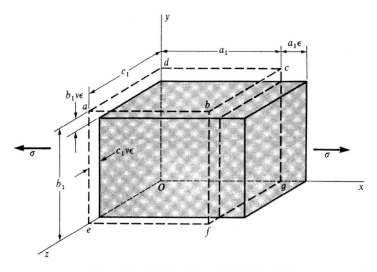

그림 1-21 인장을 받는 요소모양의 변화

최초 모양은 x, y, z 방향의 변의 길이가 각각 a_1, b_1, c_1 인 정육면체 $abcdefgo$ 로 주어진다.[*]

봉의 축방향을 x 축으로 잡았으며, 그림에서 보인 바와 같이 축하중에 의해 발생하는 수직 응력 σ 의 방향을 나타낸다. 요소의 최종모양은 실선으로 나타낸다. ϵ 을 축변형률이라 할 때 하중방향에서 요소의 신장량은 $a_1\epsilon$ 이다. 가로변형률은 식 (1-6)에서 $-\nu\epsilon$ 이 되므로 y 와 z 방향의 가로 치수가 $b_1\nu\epsilon$ 및 c_1, $\nu\epsilon$ 만큼 감소된다. 따라서 요소의 최종 치수는 $a_1(1+\epsilon)$, $b_1(1-\nu\epsilon)$, $c_1(1-\nu\epsilon)$ 이 되고 최종체적 V_f 는 다음과 같다.

$$V_f = a_1 b_1 c_1 (1+\epsilon)(1-\nu\epsilon)(1-\nu\epsilon)$$

위의 식을 전개하면 ϵ 의 제곱이나 3제곱을 포함하는 항을 얻게 되나, ϵ 값이 1보다 아주 작으므로 ϵ 의 제곱이나 3제곱의 항은 ϵ 과 비교하여 무시할 수 있다. 따라서 요소의 최종 체적은 다음과 같이 간단해진다.

$$V_f = a_1 b_1 c_1 (1+\epsilon - 2\nu\epsilon)$$

또한 체적 변화량은

$$\Delta V = V_f - V_0 = a_1 b_1 c_1 \epsilon (1-2\nu)$$

---

[*] 육면체는 바닥이 평행사변형인 프리즘으로, 각각이 평행사변형인 6개의 면을 가지고 있다. 반대편 면은 서로 평행하며 똑같은 평행사변형이다. 정육면체는 모든 면이 서로 직각이다.

여기서 V_0는 최초의 체적 $a_1 b_1 c_1$을 나타낸다. 그리고 체적 변화율 e는 체적 변화량을 최초의 체적으로 나눈 값으로 정의된다.

$$e = \frac{\Delta V}{V_0} = \epsilon(1 - 2\nu) = \frac{\sigma}{E}(1 - 2\nu) \tag{1-7}$$

e값은 또한 **팽창**(dilatation)이라 불린다. 인장봉의 체적의 증가는 축변형률 ϵ과 Poisson의 비 ν만 알면 식 (1-7)에서 구할 수 있다. 이 식은 압축에서도 사용할 수 있는데, 이때는 ϵ이 음변형률이며 봉의 체적은 감소한다.

식 (1-7)에서 보통 재료에 대한 ν값의 최대값은 0.5임을 알 수 있는데, 더 큰 값을 갖는다는 것은 재료가 늘어날 때 체적이 감소함을 의미하며, 이런 경우는 물리적으로 생각할 때 일어날 수가 없다. 이미 언급한 바와 같이 대부분의 재료는 선형탄성영역에서 ν값이 1/4이거나 1/3이 되며, 이에 따라 체적 변화율이 $0.3\epsilon \sim 0.5\epsilon$의 범위에 있다. 소성영역에서는 보통 체적의 변화가 일어나지 않으므로 푸와송의 비는 0.5로 잡아도 무방하다.

예제 1

원형단면봉이 축하중 $P = 85\,\text{kN}$을 받고 있다(그림 1-20). 봉의 길이는 $L = 3\,\text{m}$이고 지름은 $d = 30\,\text{mm}$이며 탄성계수 $E = 70\,\text{GPa}$이고 푸아송의 비가 $\nu = 1/3$인 알루미늄으로 되어 있다. 신장량 δ, 지름의 감소량 Δd 및 봉의 체적증가량 ΔV를 각각 구하여라.

풀이 봉의 축방향 응력 σ는 다음과 같이 얻을 수 있다.

$$\sigma = \frac{P}{A} = \frac{85\,\text{kN}}{\pi(30\,\text{mm})^2/4} = 120\,\text{MPa}$$

이 응력은 비례한도 이내이기 때문에 이 재료는 선형탄성적으로 거동한다고 가정한다(부록 H의 표 H-3 참조). 축변형률은 Hooke의 법칙으로 구한다.

$$\epsilon = \frac{\sigma}{E} = \frac{120\,\text{MPa}}{70\,\text{GPa}} = 0.00171$$

전 신장량 δ는

$$\delta = \epsilon L = (0.00171)(3.0\,\text{m}) = 5.14\,\text{mm}$$

Poisson의 비로부터 가로변형률은

$$\epsilon_{\text{lateral}} = -\nu\epsilon = -\frac{1}{3}(0.00171) = -0.000570$$

지름의 감소량은 가로변형률과 지름을 곱한 값이므로

$$\Delta d = \epsilon_{\text{lateral}} d = (0.000570)(30\,\text{mm}) = 0.0171\,\text{mm}$$

끝으로 체적변화는 식 (1-7)로 계산된다.

$$\Delta V = V_0 \epsilon (1 - 2\nu)$$
$$= \left(\frac{\pi}{4}\right)(30\,\text{mm})^2(3.0\,\text{m})(0.00171)\left(1 - \frac{2}{3}\right) = 1210\,\text{mm}^2$$

봉이 인장을 받으므로 ΔV는 체적의 증가를 나타낸다.

1.6 전단응력과 전단변형률

앞 절에서는 주로 축하중에 의한 수직응력의 영향에 대해 다루었다. 이제는 표면에 평행하게 작용하거나 접선방향으로 작용하는 전단응력이라는 다른 종류의 응력을 취급하기로 한다.

그림 1-22(a)에 보인 바와 같이 전단응력이 존재하는 대표적인 예로서 볼트 연결체를 고찰하기로 하자. 이 연결체는 평평한 봉 A, U자형 링크(clevis) 및 봉 C와 U자형 링크의 구멍을 지나는 볼트 B로 구성되어 있다. 이때 인장하중 P가 작용하면 봉과 U자형 링크는 볼트를 누르게 되며, **변압응력**(bearing stress)이라 부르는 접촉응력이 볼트에 발생한다. 그림 1-22(b)의 볼트의 자유물체도는 이러한 베어링 응력을 보여 준다. 볼트에 대한 베어링 응력의 실제분포를 결정하기는 어려우나, 단순하게 하기 위하여 응력이 등분포된 것처럼 보여 준다. 평균 베어링 응력은 등분포되었다는 가정하에 전체하중을 베어링 면적으로 나누어 구할 수 있다. 이 면적은 곡면으로 된 베어링 면의 투영면적으로, 이 경우에는 사각형이다.

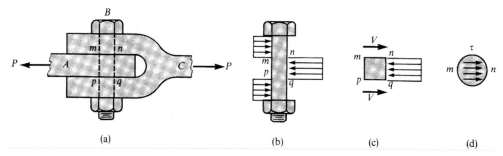

그림 1-22 직접 전단을 받는 볼트

그림 1-22(b)의 자유물체도는 단면 mn과 pq를 따라 볼트를 전단하려는 경향이 있음을 나타낸다. 볼트의 $mn\,pq$ 부분의 자유물체도에서[그림 1-22(c) 참조] 전단력 V가 볼트의 전단면 위에 작용해야 함을 볼 수 있다. 이 예에서는 각 전단력 V가 $P/2$와 같다. 이러한 전단력은 볼트의 단면적에 걸쳐 분포된 전단응력의 합이다. 단면적 mn 위에 전단응력은 보통 희랍문자인 τ(tau)로 표기한다.

볼트 단면적의 평균 전단응력은 전체 전단력 V를 이 힘이 작용하는 면적 A로 나눈 값이다.

$$\tau_{\text{aver}} = \frac{V}{A} \tag{1-8}$$

그림 1-22의 예에서는 전단력이 $P/2$이고 볼트의 단면적은 A이다. 따라서 식 (1-8)로부터, 수직응력과 마찬가지로 전단응력도 힘의 세기 또는 단위면적당 힘을 나타낸다. 따라서 전단응력의 단위도 수직응력의 단위와 같으며, USCS 단위계에서는 psi 또는 ksi를 쓰고 Si 단위계에서는 Pa을 쓴다. 그림 1-22(a)에 보인 하중의 배열은 **직접전단**(direct shear) 또는 **단순전단**(simple shear)의 예로서, 여기서는 전단응력이 재료를 절단시키도록 직접 작용한 힘에 의해 발생한다. 직접전단은 볼트, 핀, 리벳, 키, 용접부 및 접착조인트 등의 설계에서 발생한다. 전단응력은 부재가 인장, 비틀림 및 굽힘을 받을 때 간접적인 방법으로 발생하기도 하는데, 이에 대해서는 다음에 토의하기로 한다.

전단응력의 작용에 대해 완전히 알기 위해서 그림 1-23(a)에 보인 바와 같이 각 변의 길이가 Δx, Δy 및 Δz가 되는 정육면체 모양의 미소 요소를 생각하자. 그리고 요소의 전, 후 면에는 아무 응력도 작용하지 않는다고 가정한다. 전단응력 τ가 요소의 상면에 등분포된다고 가정하면 요소가 x방향으로 평형을 유지하기 위해서는 크기가 같고 방향이 반대인 전단응력이 하면에 존재해야 한다. 상면의 전체 전단력은 $\tau\Delta x\Delta z$이고, 이 힘은 하면에 작용하는 크기가 같고 방향이 반대인 힘에 의해 평형이 유지된다. 이 두 힘은 그림 1-23에서와 같

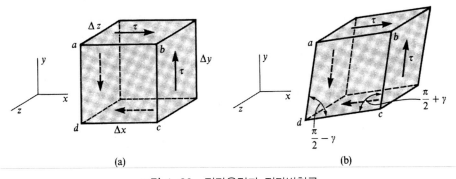

(a)   (b)

그림 1-23 전단응력과 전단변형률

이 시계방향으로 회전하고 크기는 $\tau \Delta x \Delta y \Delta z$인 z축에 관한 우력이 발생된다.

요소가 평형을 이루기 위해서는, 이 모멘트가 요소의 측면에 작용하는 전단응력으로 인해 크기가 같고, 방향이 반대인 모멘트와 균형을 이루어야 한다. 측면의 응력을 τ_1이라 할 때 수직전단력은 $\tau_1 \Delta y \Delta z$이고 크기가 $\tau_1 \Delta x \Delta y \Delta z$인 반시계방향의 우력을 일으킨다. 이때 모멘트의 평형상태로부터 $\tau_1 = \tau$가 되고 요소의 사면에서의 전단응력의 크기는 그림 1-23(a)에서와 같이 표시된다. 따라서 다음과 같은 결론을 얻을 수 있다.

1. 요소의 반대편 면에 작용하는 전단응력은 크기는 같고 방향은 서로 반대이다.

2. 요소의 서로 직교하는 면에 작용하는 전단응력들은 크기가 같고 방향은 두 면의 교차점을 향하거나 교차선의 바깥쪽을 향하게 된다.

전단응력에 관한 결론은 수직응력이 요소의 각 면에 작용할 경우에도 똑같이 적용된다.

그림 1-23(a)와 같이 요소가 전단응력만을 받고 있을 때를 순수전단(pure shear) 상태에 있다고 한다.*

이렇게 전단응력의 작용하에서 재료는 변형되어 **전단변형률**(shear strain)이 생긴다. 이런 변형률을 생각할 때에는 먼저 전단응력은 x, y, z방향으로 요소를 신장하거나 단축시키는 경향이 없음에 유의하여야 한다. 즉 다시 말하면, 요소의 각 면의 길이는 변하지 않는다는 사실이다. 그림 1-23(b)에 보인 바와 같이 전단응력은 요소 모양의 변화를 일으키게 하며, 최초의 요소는 찌그러진 정육면체로 변형된다.** 그리고 요소의 전면 $abcd$는 장사방형(rhomboid)이 된다.† b점과 d점에서 면 사이의 각은 변형 전에는 $\pi/2$이다. 이 각이 작은 각 γ만큼 줄어들어 $\dfrac{\pi}{2} - \gamma$가 된다[그림 1-23(b) 참조]. 또한 동시에 a점과 c점에서의 각은 $\dfrac{\pi}{2} + \gamma$로 늘어나게 된다. 이때 각 γ는 요소의 찌그러짐 또는 모양의 변화를 나타내는 척도로 전단변형률이라 부른다. 그리고 전단변형률의 단위는 라디안(radian)이다.

그림 1-23에 보인 방향을 갖는 전단응력과 변형률을 양으로 취급한다. 이런 부호의 규약을 명확히 하기 위해 축의 양방향을 향하는 면을 요소의 양면이라 부른다. 다시 말하면 양면(positive face)은 좌표 축의 양의 방향에 수직이 된다는 말이다. 반대면을 음면이라 부른다. 따라서 그림 1-23(a)에서는 우측면, 상면 및 전면이 각각 양의 x, y, z면이고, 반대면들이 음의 x, y, z면이다. 그러므로 전단응력의 부호규약은 다음과 같이 설명된다. 요소의 양면에 작용하는 전단응력은 그것이 좌표 축에 대해 양의 방향으로 작용하면 양이고, 축의 음의 방향으로 작용하면 음이다. 반대로 요소의 음면에 작용하는 전단응력은 그것이 축에 대

---

* 순수전단에 대해서는 3.4절에서 상세히 설명한다.

** 사각은 예각이나 둔각은 될 수 있으나 직각은 아니다.

† 장사방형이란 사각을 가진 육면체로 네 변이 모두 같지는 않다.

해 음의 방향으로 작용하면 양이고, 축의 양의 방향으로 작용하면 음이다. 따라서 그림 1-23(a)에 보인 모든 전단응력은 양이다.

그리고 전단변형률의 부호규약은 전단응력의 규약과 똑같이 취급한다. 요소에서의 전단변형률은 두 개의 양면(또는 두 개의 음면) 사이의 각이 줄어들면 양이고, 증가하면 음이다.

따라서 그림 1-23(b)에 보인 바와 같이 변형률은 양이고, 양의 전단응력은 양의 전단변형률을 유발함을 알 수 있다.

전단을 받는 재료의 성질은 직접전단시험이나 비틀림시험으로부터 구할 수 있다. 비틀림시험은 3장에서 설명되겠지만 속이 빈 원관을 비틀어서 수행하며 순수전단상태에 이르도록 한다. 이 실험으로부터 전단에서의 응력-변형률 선도를 그릴 수 있다. 같은 재료의 경우라면 τ 대 γ에 관한 선도는 인장시험선도(σ 대 ϵ)의 모양과 비슷하다. 전단선도를 이용하여 비례한도, 항복점, 극한응력과 같은 전단성질을 얻을 수 있다. 이 전단성질들은 보통 인장에서의 성질에 비해 반 정도로 된다. 예를 들면, 전단을 받는 구조용강의 항복응력은 인장의 경우에 비해 0.5~0.6배에 불과하다.

전단응력-변형률 선도(stress-strain diagrams in shear)의 앞부분은 인장에서와 같이 직선이다. 이러한 선형탄성영역에서는, 전단응력과 전단변형률은 비례관계이며 전단에 관한 **Hooke의 법칙**(Hooke's law in shear)을 나타내면 다음과 같은 식으로 표시된다.

$$\tau = G\gamma \tag{1-9}$$

여기서 G는 **전단탄성계수**(shear modulus of elasticity)이며, 강성계수(modulus of rigidity)라고도 부른다. 전단탄성계수 G는 인장탄성계수 E와 같은 단위를 가지며, USCS 단위계에서는 psi나 ksi, SI 단위계에서는 Pa을 사용한다. 연강에 대해 예를 들면, G값이 11,000 ksi나 75 GPa이고, 알루미늄에 대한 G값은 4,000 ksi나 28 GPa이다. 또 다른 재료들에 대한 자료는 부록 H의 표 H-2에 수록되었다.

그리고 인장탄성계수 E와 전단탄성계수 G와는 다음과 같은 관계를 가지고 있다.

$$G = \frac{E}{2(1+\nu)} \tag{1-10}$$

여기서 ν는 Poisson의 비이다. 3.5절에서 유도되는 이 관계는 E와 G 및 ν가 탄성 재료에 있어서 독립된 성질이 아님을 보여 준다. 즉 어떤 재료든지 푸아송의 비가 0에서 0.5이므로, 식 (1-10)으로부터 G값은 E의 $\frac{1}{3} \sim \frac{1}{2}$임을 알 수 있다.

예제 1

지름이 19.05 mm인 펀치가 6.35 mm 두께의 강판에 구멍을 뚫으려 한다(그림 1-24 참조). $P = 115.7$ kN의 힘이 필요하다면 강판의 평균전단응력과 펀치의 평균압축응력은 얼마인가?

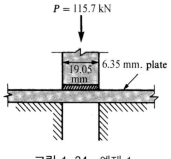

그림 1-24 예제 1

풀이 평균전단응력은 힘 P를 펀치에 의해 전단되는 면적으로 나누어 구한다. 이 면적은 구멍의 원둘레에 판의 두께를 곱한 값이다.

$$A_s = \pi(19.05 \text{ mm})(6.35 \text{ mm}) = 380 \text{ mm}^2$$

따라서 평균전단응력은

$$\tau_{\text{aver}} = \frac{P}{A_s} = \frac{115.7 \text{ kN}}{380 \text{ mm}^2} = 405.93 \text{ MPa}$$

이고 또한 펀치의 평균압축응력은

$$\sigma_c = \frac{P}{A_c} = \frac{115.7 \text{ kN}}{\pi(19.05 \text{ mm})^2/4} = 405.93 \text{ MPa}$$

이 된다. 여기서 A_c는 펀치의 단면적이다.

예제 2

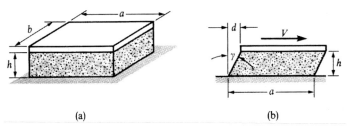

(a)　　　　　　　　　　(b)

그림 1-25 예제 2

그림 1-25(a)와 같이 치수 $a \times b$인 얇은 강판 밑에 놓인 높이가 h인 연성 재료로 구성된 베어링 패드가 수평방향의 전단력 V를 받고 있다[그림 1-25(b)]. 이때 패드의 평균전단응력과 변형률, 판의 수평이동거리 d를 구하라.

풀이 평균전단응력은 힘 V를 이 힘이 작용하는 면의 면적으로 나누어 구한다.

$$\tau_{\text{aver}} = \frac{V}{ab}$$

이에 대응하는 전단변형률(전체 패드에 걸쳐 균등하다고 가정하면)은

$$\gamma_{\text{aver}} = \frac{\tau_{\text{aver}}}{G} = \frac{V}{abG}$$

이고 여기서 G는 재료의 전단탄성계수이다. 판의 수평이동거리인 d는 $h \tan \gamma$인데[그림 1-25(b)], γ가 아주 작은 경우에는 $\tan \gamma ≒ \gamma$이므로 다음과 같이 구할 수 있다.

$$d = h\gamma = \frac{hV}{abG}$$

1.7 허용응력과 허용하중

공학설계에 있어서 고려해야 될 또 하나의 사항은 하중을 지지하거나 이동시키도록 설계된 물체의 내하능력이다.

하중을 견뎌야 하는 물체로는 건축구조물, 기계, 항공기, 차량, 선박 및 기타 많은 인조물이 포함된다. 이런 모든 물체를 간단하게 구조물이라 하는데, 주로 구조물이란 하중을 지지하거나 이송시키는 물체를 말한다.

구조물의 파단을 피하기 위해, 구조물이 실제로 지지할 수 있는 하중이 사용 중에 필요한 하중보다 커야 한다. 이때 구조물의 내하능력을 **강도**(strength)라 부르며, 앞에서 언급한 것을 다시 설명하면, 구조물의 경우 실제 강도가 요구되는 강도보다 커야 한다는 것이다. 이때 실제의 강도에 요구되는 강도에 대한 비를 **안전계수**(factor of safety) n이라 한다.

$$\text{안전계수 } n = \frac{\text{실제의 강도}}{\text{요구되는 강도}} \tag{1-11}$$

안전계수는 파단을 방지하기 위해서 1보다 항상 커야 하며, 경우에 따라서는 1.0 이상 10 까지로 한다.

강도와 파단은 서로 다른 의미를 가지고 있기 때문에 설계 시에 안전계수를 적절히 설정한다는 것은 매우 어려운 일이다. 파단이란 구조물의 균열이나 완전 붕괴를 의미하거나, 변형이 어느 한계값을 넘어 구조물이 기능을 더 이상 수행할 수 없음을 의미한다. 이때 후자와 같은 의미의 파단은 실제 붕괴를 일으키는 하중보다 작은 하중에서 일어나기도 한다. 즉 안전계수를 결정함에 있어서 다음과 같은 사항들을 고려하여야 한다: 구조물의 우발적인 과하중의 확률, 하중의 형태(정하중, 동하중 또는 반복하중), 하중값의 정확성, 피로파괴의 가능성, 구조의 부정확성, 세공의 질, 재료 성질의 다양성, 부식이나 환경의 영향에 의한 악화, 해석방법의 정확성, 파단이 점진적으로 일어나는가(충분한 경고) 또는 갑자기 일어나는가(무경고) 하는 문제, 파단의 결과(손상의 대소) 등을 고려하여야 한다. 안전계수가 너무 작으면 파단될 확률이 높아지기 때문에 구조물은 부적합하며, 안전계수가 반대로 너무 크면 구조물의 재료가 낭비되어 기능을 발휘함에 있어 부적합할 것이다(예를 들면, 너무 무겁게 된다). 이런 여러 가지 이유 때문에 안전계수를 결정할 때는 공학적으로 합리적인 판단을 요한다. 안전계수는 다른 설계자들이 사용하는 규정이나 시방서를 토대로 경험 있는 공학인에 의해 결정된다.

실제로 안전계수를 정하는 데는 몇 가지 방법이 있다. 구조물에서는 하중제거시 영구변형이 일어나지 않도록 재료가 선형탄성영역에 있게 하는 것이 매우 중요하다. 따라서 설계함에 있어서 보통 구조물의 항복에 대해 안전계수를 사용한다. 구조물의 경우 구조물 내에서 항복응력이 어느 점에 도달할 때 항복이 일어나기 시작한다. 이때 안전계수를 항복응력에 적용함으로써 **허용응력**(allowable stress) 또는 **사용응력**(working stress)을 얻을 수 있으며, 이 값은 구조물의 어떤 지점에서든 초과해서는 안된다. 따라서 허용응력은

$$허용응력 = \frac{항복응력}{안전계수}$$

또는

$$\sigma_{\text{allow}} = \frac{\sigma_y}{n} \tag{1-12}$$

여기서 σ_{allow}는 허용응력, σ_y는 항복응력을 나타낸다. 건축물을 설계할 경우 항복에 관한 안전계수는 보통 1.67이며, 250 MPa의 항복응력을 가진 연강의 경우는 149.7 MPa의 인장허용응력을 갖는다.

또 다른 설계방법은 항복응력 대신에 **극한응력**(ultimate stress)에 대한 안전계수를 적용하여 허용응력을 구하는 것이다. 이 방법은 콘크리트와 같은 취성재료에 적합하며, 목재에도 사용된다. 따라서 허용응력은 다음의 식으로 나타낸다.

$$\sigma_{\text{allow}} = \frac{\sigma_u}{n} \qquad (1\text{-}13)$$

여기서 σ_u는 극한응력이다. 일반적으로 안전계수는 항복응력에 대한 값보다는 극한응력의 경우가 더 크다. 연강의 경우 항복응력에 대한 안전계수는 1.67인데 비해 극한응력에 대한 값은 2.8이다.

마지막 방법으로 응력보다는 하중에 안전계수를 적용하는 것이다. 구조물의 경우 파단이나 붕괴를 일으키는 하중을 극한하중이라 하며, 실질적으로 구조물이 지지해야 하는 하중을 **부하하중**(service loads) 또는 **사용하중**(working loads)이라고 한다. 안전계수는 후자에 대한 전자의 비로 정의된다. 즉

$$\text{안전계수 } n = \frac{\text{극한하중}}{\text{부하하중}} \qquad (1\text{-}14)$$

부하하중은 주로 값이 주어지므로 부하하중에 안전계수를 곱하여 극한 하중을 구하는 것이 통상적인 설계과정이다. 이러한 설계방법을 **강도설계**(strength design) 또는 **극한하중설계**(ultimate-load design)라 하며, 안전계수는 부하하중에 대한 승수이므로 **하중계수**(load factor)라고도 한다.

$$\text{극한하중} = \text{부하하중} \times \text{하중계수} \qquad (1\text{-}15)$$

보강된 콘크리트 구조물 설계에 사용하는 하중계수는 구조물 자체의 무게인 사하중(dead load)에 대해서는 1.4이고, 구조물에 작용되는 하중인 활하중(live load)에 대해서는 1.7이다. 또한 강도설계방법은 보강된 콘크리트 구조물에 대해서는 보통으로 사용되며 강 구조물에 대해서는 간혹 사용된다. 다른 간단한 구조물에 대하여 극한하중을 결정하는 방법은 2.10절과 10장에서 설명된다.

항공기 설계에서는 안전계수보다는 **안전경계계수**(margin of safety)를 따지는 것이 보통이다. 안전경계계수는 안전계수에서 1을 뺀 값으로 정의된다.

$$\text{안전경계계수} = n - 1 \qquad (1\text{-}16)$$

따라서 요구강도의 2배가 되는 극한강도를 갖는 구조물의 경우, 안전계수는 2이고 안전경

계계수는 1이다. 안전경계계수가 0 이하로 떨어지면 구조물은 파괴될 것으로 추정된다.

예제 ①

주철로 만든 짧은 중공원기둥이 축압축하중 $P = 578.5$ kN을 지지하고 있다(그림 1-26 참조). 재료의 압축에 대한 극한응력은 $\sigma_u = 241.15$ MPa이다. 두께는 25.4 mm이고 극한강도에 대한 안전계수가 3인 원기둥을 설계하고자 한다. 원기둥의 최소 바깥지름을 구하라.

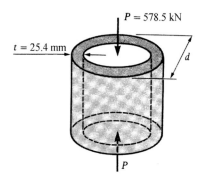

그림 1-26 예제 1

풀이 허용압축응력은 극한응력을 안전계수로 나눈 값이다.

$$\sigma_{\text{allow}} = \frac{\sigma_u}{n} = \frac{241.15 \text{ MPa}}{3} = 80.38 \text{ MPa}$$

필요한 단면적은

$$A = \frac{P}{\sigma_{\text{allow}}} = \frac{578.5 \text{ kN}}{80.38 \text{ MPa}} = 7200 \text{ mm}^2$$

실제의 만면적은

$$A = \frac{\pi d^2}{4} - \frac{\pi(d-2t)^2}{4} = \pi t(d-t)$$

이고, 여기서 d는 바깥지름, $d-2t$는 안지름을 표시한다. $t = 25.4$ mm, $A = 7200$ mm²를 대입하여 d에 관해 풀면

$$d = t + \frac{A}{\pi t} = 115.57 \text{ mm}$$

주어진 안전계수를 고려하면 바깥지름은 최소한 이 값이 되어야 한다.

예제 ②

직사각형 단면(10×40 mm)을 가진 강철봉이 인장하중 P를 받고 있으며, 지름이 15 mm인 둥근 핀에 의해 지지대에 부착되어 있다(그림 1-27 참조). 봉의 허용인장응력과 핀의 허용전단응력은 각각 $\sigma_{\text{allow}} = 120$ MPa, $\tau_{\text{allow}} = 60$ MPa이다. 작용할 수 있는 하중 P의 최대값은 얼마인가?

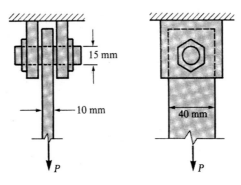

그림 1-27 예제 2

풀이 직사각형 봉의 인장응력은 핀구멍을 포함하는 순 단면적에 의해 계산되어야 한다. 이 단면적은

$$A_{\text{net}} = (40 \text{ mm} - 15 \text{ mm})(10 \text{ mm}) = 250 \text{ mm}^2$$

이므로, 봉의 인장을 고려하여 계산된 허용하중 P_1은

$$P_1 = \sigma_{\text{allow}} A_{\text{net}} = (120 \text{ MPa})(250 \text{ mm}^2) = 30 \text{ kN}$$

이 계산은 구멍으로 인한 국부응력을 무시한 것이다.

다음으로 핀의 전단을 고려한 허용하중을 계산하자. 핀은 두 개의 단면에서 전단되려 하기 때문에 전하중은

$$P_2 = \tau_{\text{allow}}(2A)$$

이고, 여기서 A는 핀의 단면적이다. 이 식에 수치를 대입하면

$$P_2 = (60 \text{ MPa})(2)\left(\frac{\pi}{4}\right)(15 \text{ mm})^2 = 21.2 \text{ kN}$$

이 된다. 두 개의 P값을 비교하면 허용하중은 핀의 전단에 의한 계산값이 된다는 것을 알 수 있으므로, 답은 다음과 같이 된다.

$$P_{\text{allow}} = 21.2 \text{ kN}$$

예제 3

그림 1-28(a)에 보인 지주가 자체하중과 상단에 압축력 P를 지지해야 한다면, 지주의 체적을 최소로 하기 위한 지주의 원형단면의 반지름 r과 높이 h는 얼마인가? 단, 허용압축응력은 σ_c, 재료의 비중량은 γ이다.

풀이 지주 상단에 필요한 단면적 A_0와 이에 대응하는 반지름 r_0는[그림 1-28(b) 참조]

$$A_0 = \frac{P}{\sigma_c} \quad r_0 = \left(\frac{A_0}{\pi}\right)^{\frac{1}{2}} = \left(\frac{P}{\pi \sigma_c}\right)^{\frac{1}{2}} \tag{1-17}$$

밑으로 내려갈수록 지주 자체의 하중을 지지해야 하므로 필요한 단면적은 점점 커진다. 이러한 하중을 계산하는 데 편리하도록 그림 1-28(b)와 같은 xy축을 사용한다.

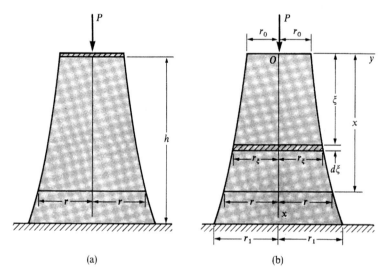

(a)　　　　　(b)

그림 1-28　예제 3

지주의 상단에서 ξ만큼 떨어진 위치의 단면적 A_ξ는

$$A_\xi = \frac{P + W_\xi}{\sigma_c}$$

여기서 W_ξ는 $x - 0$과 $x = \xi$ 사이의 단면 사이의 지주의 자중이다. $\xi + d\xi$ 거리의 필요단면적은 A_ξ에다 그림 1-28(b)의 사선친 미소요소의 자중으로 인한 dA_ξ를 더하여 구할 수 있다.

$$A_{\xi + d\xi} = A_\xi + dA_\xi = \frac{P + W_\xi}{\sigma_c} + \frac{\gamma A_\xi d\xi}{\sigma_c}$$

따라서 단면적의 증분인 dA_ξ는

$$dA_\xi = \frac{\gamma A_\xi d\xi}{\sigma_c}$$

또는

$$\frac{dA_\xi}{A_\xi} = \frac{\gamma d\xi}{\sigma_c}$$

이 식을 $\xi = 0$과 $\xi = x$ 사이의 단면적에 대해 적분하면, ξ가 0과 x일 때 이에 대응하는 A_ξ의 하한과 상한은 A_0와 A_x이므로

$$\int_{A_0}^{A_x} \frac{dA_\xi}{A_\xi} = \frac{\gamma}{\sigma_c} \int_0^x d\xi$$

가 되고 적분 후에 상한값과 하한값을 대입하면* 다음과 같게 된다.

$$\ln \frac{A_x}{A_0} = \frac{\gamma x}{\sigma_c}$$

또는 이 식을 다시 정리하여 다음과 같이 쓸 수 있다.

$$A_x = A_0 \exp(\gamma x / \sigma_c) \tag{1-18}$$

이 방정식은 지주의 상단에서 x만큼 떨어진 위치에 필요한 단면적 A_x를 구하는 식이다. $x = 0$이면 $A_x = A_0$이다. 지주 상단의 단면적은

$$A_1 = A_0 \exp\left(\frac{\gamma h}{\sigma_c}\right) \tag{1-19}$$

가 되고 단면적에 대응하는 반지름은 다음과 같게 된다.

$$r = \left(\frac{A_x}{\pi}\right)^{\frac{1}{2}}, \quad r_1 = \left(\frac{A_1}{\pi}\right)^{\frac{1}{2}} \tag{1-20}$$

이 식들이 최소체적(따라서 최소하중)을 가지는 최적 지주의 치수를 구하는 데 사용된다. 왜냐하면 지주의 모든 단면적은 중첩하중을 지지하는 데 충분하기 때문이다.
최적 지주의 체적은 다음과 같이 구해진다.

---

* 부호 ln는 자연대수를 나타내고, $\exp(z)$는 e^z를 나타낸다. 여기서 e는 자연대수의 밑이다.

$$V = \int_0^h A_x dx = \int_0^h A_0 \exp(\gamma x / \sigma_c) dx$$

$$= \frac{A_0 \sigma_c}{\gamma} [\exp(\gamma h / \sigma_c) - 1] = \frac{P}{\gamma} [\exp(\gamma h / \sigma_c) - 1] \qquad (1\text{-}21)$$

이 식을 다르게 표시하면

$$V = \frac{\sigma_c}{\gamma} (A_1 - A_0) \qquad (1\text{-}22)$$

인데, 이는 체적을 상하단의 단면적으로 나타낸 것이다.

이 예제는 최소체적이나 최소중량과 같은 어떤 범주를 만족시키는 가상적인 구조물인 **최적구조물**(optimun structure)의 개념을 설명한다. 실제에 있어서는 이상적인 최적 구조물의 특성을 갖는 구조물을 만든다는 것은 불가능하다. 그럼에도 불구하고, 실제 구조물의 효율성을 결정하기 위해 실제구조물의 특성과 이상구조물의 특성을 비교할 수 있으므로, 최적구조물의 특성에 대한 지식은 설계에 있어서 중요한 역할을 한다. 예를 들면, 이 예제에서 유도된 공식은 초적구조물이 균일단면구조물과 별로 차이가 없다. 대표적인 경우로, 하단에 필요단면적 A_1은 상단에 필요단면적과 불과 몇 %만의 차이밖에 없다(그림 1-28에 그린 지주는 상단에서 하단까지 반지름이 변하는 모양을 과장하여 그린 것이다). 이 예제로부터 이러한 하중상태에서는 균일단면구조물이 최적구조물과 거의 같으므로 단면적을 변화시켜 더 개선하려고 할 필요가 없다(문제 1.7-16 참조).

문제

1.2-1 두 개의 서로 다른 단면을 가진 봉 ABC가 축하중 $P = 442.75$ kN을 받고 있다(그림 참조). 봉의 두 부분의 단면의 지름은 각각 AB 부분은 101.6 mm이고, BC 부분은 63.5 mm이다. 이때 각 봉에서의 응력 σ_{ab}와 σ_{bc}를 구하라.

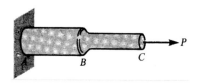

문제 1.2-1

1.2-2 길이가 2.4 m인 막대 CBD가 하중을 받으면서 수평을 유지하고 있다(그림 참조). 수직부재 AB의 단면적은 550 mm²이다. 부재 AB에 수직응력이 40 MPa일 때 하중 P를 구하라.

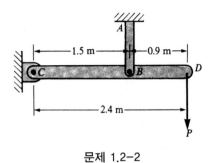

문제 1.2-2

1.2-3 자중을 가지고 길이가 80 m인 알루미늄선이 매달려 있다(그림 참조). 알루미늄의 비중량 $\gamma = 26.6$ kN/m³라고 가정하면 선에 작용하는 수직응력은 얼마인가?

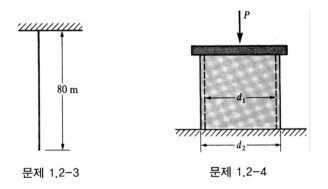

문제 1.2-3	문제 1.2-4

1.2-4 안지름이 $d_1 = 101.6$ mm, 바깥지름이 $d_2 = 114.3$ mm인 원통이 축하중 $P = 244.75$ kN을 받고 있다(그림 참조). 이때 원통에 작용하는 평균압축응력을 구하라.

1.2-5 빌딩의 2층 기둥 ABC가 속이 빈, 정사각형 단면으로 되어 있다(그림 참조). 정사각형 단면의 외곽이 203.2 mm×203.2 mm로 되어 있으며, 벽 두께는 15.875 mm이다. 기둥의 꼭대기에서의 하중은 $P_1 = 356$ kN이며, 중앙에서의 하중은 $P_2 = 445$ kN이다. 이때 기둥의 두 부분에서의 압축응력 σ_{ab}와 σ_{bc}를 구하라.

1.2-6 그림에 보인 바와 같이 콘크리트 받침대가 압축하중을 받고 있다. (a) 균일수직응력이 발생하도록 하기 위해 집중하중이 작용해야 하는 $\bar{x}, \bar{y}$ 좌표를 결정하라. (b) 만일 하중이 20 MN이라면 압축응력 σ_c는 얼마인가?

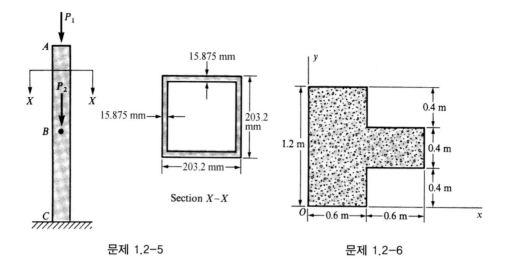

문제 1.2-5   문제 1.2-6

1.2-7 콘크리트 보에 기응력을 주기 위해 사용될 고강도 강선의 길이가 $24.4\,\mathrm{m}$이고, $0.076\,\mathrm{m}$ 신장하였다. 이때 강철선의 인장변형률은 얼마인가?

1.2-8 그림에 보인 바와 같이 길이가 $L = 1.5\,\mathrm{m}$인 봉이 인장을 받고 있다. 보에 부착된 스트레인 게이지에 의해 변형률이 $\epsilon = 2 \times 10^{-3}$임이 측정되었다. 이때 하중에 의한 봉의 신장량 δ는 얼마인가?

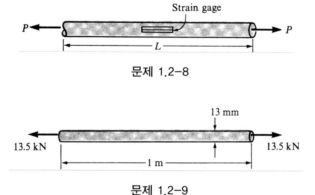

문제 1.2-8

문제 1.2-9

1.2-9 길이가 $1\,\mathrm{m}$이고 지름이 $13\,\mathrm{mm}$인 강철봉이 인장하중 $13.5\,\mathrm{kN}$을 받고 있다(그림 참조). 하중이 작용될 때 봉은 $0.5\,\mathrm{mm}$의 신장을 보였다. 수직응력과 변형률을 구하라.

1.2-10 봉재와 케이블로 조합된 ABC(그림 참조)는 수직하중 $P = 15\,\mathrm{kN}$을 지탱하고 있다. 케이블의 단면적은 $120\,\mathrm{mm}^2$이며, 봉재의 단면적은 $250\,\mathrm{mm}^2$이다. (a) 케이블과 봉재에 작용하는 응력 σ_{ab}와 σ_{bc}를 구하고, 그들이 인장을 받는가 압축을 받는가를 밝혀라. (b) 케이블이 1.3

mm만큼 늘어났다면 변형률은 얼마인가? (c) 봉재가 0.62 mm만큼 짧아졌다면 변형률은 얼마인가?

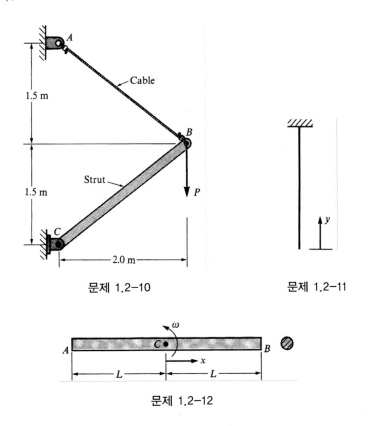

문제 1.2-10

문제 1.2-11

문제 1.2-12

1.2-11 자중하에서 비중량 γ를 가지고 있는 긴 선이 매달려 있다. 하단으로부터 y만큼 떨어진 지점에서의 인장응력 σ_y를 구하여라.

1.2-12 전체 길이가 $2L$인 봉 ABC가 중앙점 c를 지나는 축 주위로 일정 각속도 ω로 회전하고 있다. 봉의 재질의 비중량은 γ이다. c점에서 x만큼 떨어진 지점에서의 인장응력 σ_x를 구하라. 최대인장응력은 얼마인가?

1.3-1 자중하에서 긴 선이 수직으로 매달려 있다. 다음의 재료가 항복이 일어나지 않을 최대 길이는 얼마인가? (a) 248.04 MPa의 항복응력을 가진 강철, (b) 124.02 MPa의 항복응력을 가진 알루미늄. (단, 강철의 비중량은 76930 N/m³이고, 알루미늄은 26690 N/m³이다.)

1.3-2 세 가지 재료 A, B, C에 대해 지름이 12.8 mm, 표점길이 50.8 mm인 표준시험시편을 가지고 인장실험을 하였다. 시험편이 파단된 후에 표점 간의 길이가 각각 54.1, 55.37, 70.6 mm이며, 파단단면의 지름이 12.29, 10.11, 6.43 mm였다. 각 시편에 대해서 신장률과 면

적감소백분율을 구하고, 취성인가 연성인가를 구분하라.

1.3-3 고강도강철에 대한 실험의 결과, 표 1.3-3과 같은 자료를 얻었다. 시편은 지름이 12.8 mm 이고, 표점길이가 50.8 mm이다. 파괴시 표점 간의 길이가 10.67 mm이고, 최소 지름이 9.4 mm였다. 강철에 대해 응력-변형률 선도를 그리고 비례한도, 0.1% offset에서의 항복 응력, 극한응력 50.8 mm에 대한 신장률과 면적감소백분율을 구하라.

문제 1.3-3 인장시험자료

Load(N)	Elongation(mm)	Load(N)	Elongation(mm)
4450	0.00504	62300	0.2286
8900	0.01524	64060	0.29972
26700	0.04826	67640	0.42418
44500	0.08382	74760	0.66802
53400	0.1016	81880	0.9652
57405	0.10922	89000	1.28778
59630	0.11938	99680	2.81432
60520	0.13716	113030	fracture
61410	0.16002		

1.5-1 지름이 10 mm, 표점길이가 50 mm인 황동시편을 가지고 인장실험을 하였다. 하중 $P = 25$ kN을 가하여, 표점 간의 길이가 0.152 mm만큼 늘어난 것을 발견하였다. 이때 황동 의 탄성계수를 구하라.

1.5-2 지름이 25.4 mm인 단면을 가진 강철봉($E = 206.7$ GPa)에서 변형률 $\epsilon = 0.0007$을 얻을 수 있는 인장축하중 P를 구하라.

1.5-3 알루미늄 합금시편에 대한 인장 실험 결과 표 1.5-3과 같은 자료를 얻었다. 선도를 그리고, 탄성계수 E와 합금의 경우 비례한도 σ_{pl}을 구하라.

문제 1.5-3을 위한 응력-변형률 자료

Stress(kN)	Strain	Stress(kN)	Strain
55120	0.0006	399620	0.0052
117130	0.0015	427180	0.0058
186030	0.0024	440960	0.0062
241150	0.0032	447850	0.0065
296270	0.0040	461630	0.0073
344500	0.0046	468520	0.0081

1.5-4 알루미늄 합금으로 인장시험을 하였다. 변형률이 0.0075, 응력이 443 MPa에 이를 때까지 하중을 증가시켰다. 하중을 제거했을 때 영구변형률이 0.0013임을 알았다. 이때 알루미늄 의 탄성계수 E는 얼마인가? [힌트: 그림 1-16(b) 참조].

1.5-5 알루미늄과 강철봉에 수직응력 $\sigma = 165.36\,\mathrm{MPa}$을 갖게 하기 위해 인장하중을 가했다. 만일 알루미늄에 대해 $E = 73.043\,\mathrm{GPa},\ \nu = 0.33$, 강철의 경우 $E = 206.7\,\mathrm{GPa},\ \nu = 0.30$이라면 알루미늄, 강철봉에 대한 가로변형률 $\epsilon_a,\ \epsilon_s$를 각각 구하라.

1.5-6 지름이 $38.1\,\mathrm{mm}$인 둥근 막대기가 인장하중 P를 받고 있다(그림 참조). 지름의 변화가 $0.07874\,\mathrm{mm}$이다. 만일 $E = 2756\,\mathrm{MPa}, \nu = 0.4$로 가정하면 막대기에 가해진 축하중 P는 얼마인가?

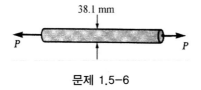

문제 1.5-6

1.5-7 압축부재가 강철관($E = 200\,\mathrm{GPa}, \nu = 0.30$)으로 되어 있다. 바깥지름은 $90\,\mathrm{mm}$이고, 단면적은 $1{,}580\,\mathrm{mm}^2$이다. 바깥지름이 $0.0094\,\mathrm{mm}$만큼 늘어난다면 축하중 P는 얼마인가?

1.5-8 고강도강철봉($E = 200\,\mathrm{GPa}, \nu = 3$)이 축하중에 의해 압축되고 있다(그림 참조). 하중을 가하지 않았을 때의 지름은 $50\,\mathrm{mm}$이다. 어떤 간극을 유지하기 위해 봉의 지름이 $50.02\,\mathrm{mm}$를 초과해서는 안된다. 이때 가할 수 있는 최대허용하중은 얼마이가?

1.5-9 콘크리트 원통이 압축을 받는 동안(그림 참조) $152.4\,\mathrm{mm}$인 최초 지름이 $0.01016\,\mathrm{mm}$만큼 늘어났고, 압축하중 $P = 231.4\,\mathrm{kN}$하에서 최초 길이 $304.8\,\mathrm{mm}$는 $0.1651\,\mathrm{mm}$만큼 줄어들었다. 이때 탄성계수 E와 푸아송의 비 ν를 구하라.

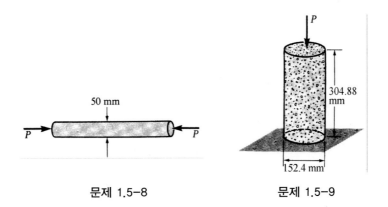

문제 1.5-8　　　　　　　문제 1.5-9

1.5-10 길이가 $1.83\,\mathrm{mm}$, 바깥지름이 $d = 4.5\,\mathrm{in}$, 그리고 벽 두께 t가 $7.62\,\mathrm{mm}$인 강철관이 압축하중을 받고 있다(그림 참조). $P = 178\,\mathrm{kN}, E = 206.7\,\mathrm{GPa}, \nu = 0.3$이라고 가정할 때 (a) 관이 줄어든 양을 구하라. (b) 바깥지름의 신장량 Δd를 구하라. (c) 벽 두께의 신장량 Δt를 구하라.

1.5-11 길이가 L, 폭 b인 철판의 양 끝단에 균일인장응력이 작용하고 있다(그림 참조). 하중을 가하기 전에는 대각선 OA의 기울기가 b/L이다. 응력 σ가 작용할 때의 기울기를 구하라.

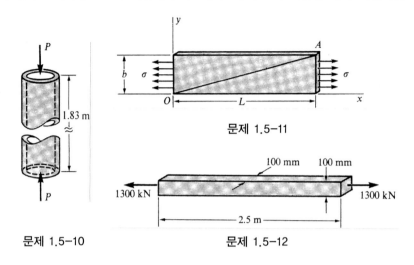

문제 1.5-11

문제 1.5-10

문제 1.5-12

1.5-12 각 면이 100 mm인 정사각형 단면을 가진 길이가 2.5 m의 강철 막대가 1300 kN의 인장하중을 받고 있다. $E = 200\,\text{GPa}, \nu = 0.3$이라 가정할 때 (a) 막대의 신장량을 구하라. (b) 단면의 변화량을 구하라. (c) 체적의 변화량을 구하라(그림 참조).

1.5-13 지름이 57.15 mm, 길이가 381 mm인 주철봉($E = 86.125\,\text{GPa}, \nu = 0.30$)에 축하중 $P = 200.25$ kN으로 압축이 가해지고 있다(그림 참조). (a) 봉의 지름의 증가량 Δd를 구하라. (b) 봉의 체적감소량 ΔV를 구하라.

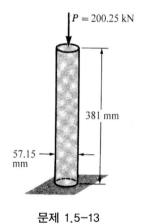

문제 1.5-13

***1.5-14** 자중하에 수직으로 매달려 있는 길이 L인 균일단면 봉의 체적증가량 ΔV를 공식으로 나타내라(W=봉의 총 중량).

1.6-1 그림에 보인 바와 같이 시편으로 사용된 나무토막에 직접 전단을 받도록 하였다. 하중 P는 면 AB를 따라서 시편에 전단을 유발시킨다. 시편의 폭(종이면에 대해 수직)이 50.8 mm이고, 면 AB의 높이는 50.8 mm이다. 하중 $P = 7565$ N에 대해 나무토막에 걸리는 평균전단응력 τ_{aver}는 얼마인가?

1.6-2 그림에 보인 바와 같이 각 선반이 두 개의 볼트에 의해 기둥에 매달려 있다. 이때 선반은 하중 $P = 35$ kN을 받고 있다. 선반과 기둥 간의 마찰을 무시할 때 두 볼트에 걸리는 평균 전단응력 τ_{aver}를 계산하라.

1.6-3 알루미늄 봉을 구리관에 서서히 끼워 맞췄다(그림 참조). 봉과 관은 지름이 6.35 mm인 볼트로 연결되어 있다. 봉에 하중 $P = 1780$ N이 가해진다면 평균 전단응력은 얼마인가?

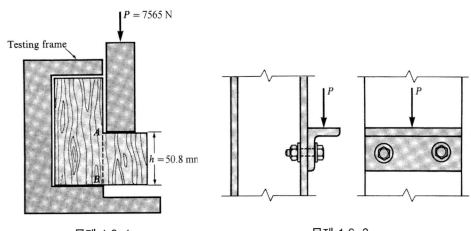

문제 1.6-1

문제 1.6-2

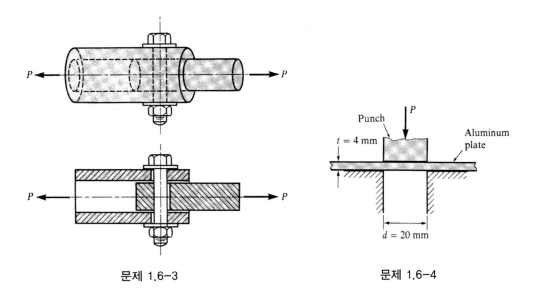

문제 1.6-3

문제 1.6-4

1.6-4 지름 $d = 20\,\text{mm}$인 펀치로 두께 $t = 4\,\text{mm}$인 알루미늄 판을 뚫으려 한다. 알루미늄의 극한 전단응력이 275 MPa이라면, 판을 뚫기 위한 펀치의 필요한 하중은 얼마인가?

1.6-5 나무토막 세 개가 아교로 붙여져 있으며 그림과 같이 하중 $P = 136\,\text{kg}$를 받고 있다. 각 부재의 단면은 38.1 mm × 88.9 mm이고, 아교로 붙인 면의 길이는 152.4 mm이다. 이때 아교로 붙인 면에서의 평균 전단응력 τ_{aver}는 얼마인가?

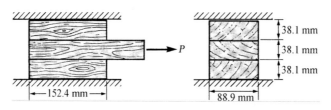

문제 1.6-5

1.6-6 세 개의 나무토막(그림 참조)이 아교로 붙여져 있다. 각 나무토막의 단면은 50.8 × 101.6 mm(실제 치수)이고, 길이는 203.2 mm이다. 하중 $P = 10680\,\text{N}$이 강철 판을 통해 위의 나무토막에 가해지고 있다. 이때 아교로 붙인 면에서의 평균전단응력은 얼마인가?

1.6-7 세 개의 철판이 그림과 같이 두 개의 리벳에 의해 조여져 있다. 리벳의 지름이 20 mm, 리벳의 극한전단응력이 210 MPa일 때, 리벳을 전단에 의해 파괴시키기 위한 하중 P는 얼마인가?

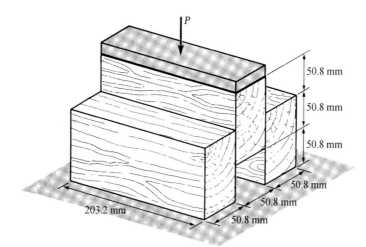

문제 1.6-6

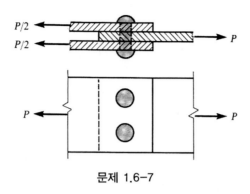

문제 1.6-7

1.6-8 그림에 보인 바와 같이 맞물려 있는 두 개의 재료가 하중 P에 의해 잡아당겨지고 있다. 재료의 극한전단응력이 38 MPa이라면, 전단에 의해 조각들이 파괴가 생길 때의 하중 P는 얼마인가?

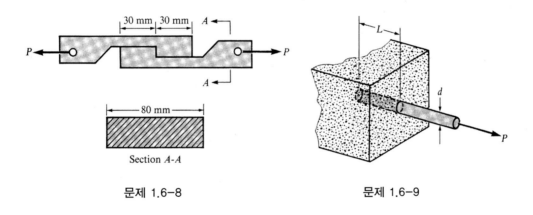

문제 1.6-8   문제 1.6-9

1.6-9 그림에 보인 바와 같이 콘크리트 안에 넣은 봉을 잡아 당김으로써, 봉과 콘크리트 사이의 결합력에 대한 실험을 하였다. 지름이 d, 콘크리트 안에 묻힌 길이가 L인 봉의 끝에 인장하중을 가하고 있다. $P = 17800\,\text{N}$, $d = 12.7\,\text{mm}$, $L = 304.88\,\text{mm}$일 때 강철봉과 콘크리트 사이에 생기는 평균전단응력 τ_{aver}는 얼마인가?

1.6-10 길이 L인 속이 빈 보 ABC는 그림에서 보인 바와 같이 보를 통과하는, 지름이 22.225 mm인 핀에 의해 지지되고 있다. A점에서 $L/3$만큼 떨어진 지점 B에서 롤러로 보를 지탱하고 있다. 하중 P가 13350 N일 때, 핀에 걸리는 평균전단응력 τ_{aver}를 계산하라.

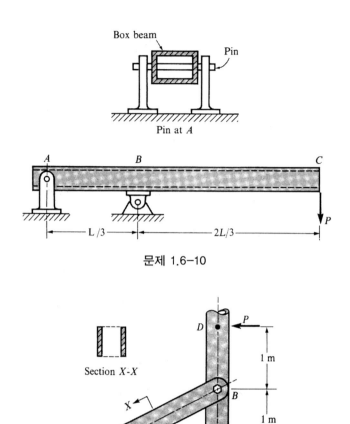

문제 1.6-10

문제 1.6-11

1.6-11 프레임의 2 m의 긴 수직관 *CD*와 두 개의 평평한 막대로 된 브레이스 *AB*로 구성되어 있다. 프레임은 점 *A*와 2 m 떨어진 점 *C*에 볼트로 조여져 있다. 브레이스는 점 *C*에서 1 m 떨어진 점 *B*에 지름 20 mm인 볼트에 의해 관에 묶여져 있다. 만일 하중 *P* = 12 kN이 점 *D*에 수평으로 가해진다면, 점 *B*의 볼트에 걸리는 평균전단응력 τ_{aver} 는 얼마인가?

1.6-12 네 개의 20 mm 볼트에 의해 플랜지 이음을 한 두 개의 축에 토크 $T_0 = 10$ kN·m 가 전달되고 있다(그림 참조). 볼트 중심거리 *d* = 150 mm 라면, 각 볼트에 걸리는 평균전단응력 τ_{aver} 는 얼마인가?

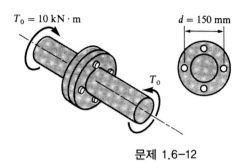

문제 1.6-12

1.6-13 두 개의 콘크리트 슬래브 A와 B가 구부릴 수 있는 epoxy로 연결되어 있다(그림 참조). 연결부의 폭 $b = 101.6\,\text{mm}$, 종이면의 수직방향 길이가 $L = 1016\,\text{mm}$ 이며, 두께가 $t = 12.7\,\text{mm}$ 이다. 전단력 V가 가해질 때 슬래브들은 서로 $d = 0.0508\,\text{mm}$ 의 간격을 가지고 움직인다. (a) epoxy의 평균전단변형률 γ_{aver} 를 구하라. (b) epoxy의 경우 $G = 964.6$ MPa이라면 전단력 V의 크기는 얼마인가?

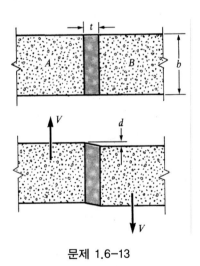

문제 1.6-13

1.6-14 그림에 보인 바와 같이 연결선이 철판 사이에 고무대를 넣어 접착시켜 구부리기 쉽게 되어 있다. (a) 하중이 $P = 16\,\text{kN}$이고, 고무의 전단탄성계수가 $G = 800\,\text{kPa}$일 때 고무의 평균전단변형률 γ를 구하라. (b) 내면의 판과 외면의 판 사이의 상대수평변위를 구하라. (c) 철판이 강성체라 가정할 때, 연결선의 강성도 k(또는 스프링 상수)를 구하라.

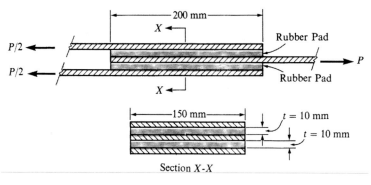

문제 1.6-14

*1.6-15 충격마운트가 기계를 지탱하기 위해 그림과 같이 설계되어 지지하고 있다. 지지대는 안지름이 b인 강철관으로 되어 있고, 하중 P를 받는 지름이 d인 중심부의 강철봉이 있다. 이 강철관과 봉은 속이 빈 고무원통(높이 h)과 서로 붙어 있다. (a) 지지대의 중심으로부터 거리 r만큼 떨어진 지점에서의 고무에 걸리는 전단응력 τ를 구하라. (b) 고무의 전단탄성계수가 G이고, 강철관이 강성체라 가정할 때, 봉의 끝단에서 아랫방향의 처짐 변위를 공식으로 구하라.

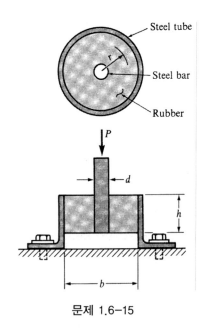

문제 1.6-15

1.7-1 자중하에 긴 선이 수직으로 매달려 있다(그림 참조). 허용인장응력이 σ_t이고, 재질의 비중량이 γ라면 선의 최대허용길이 L은 얼마인가?

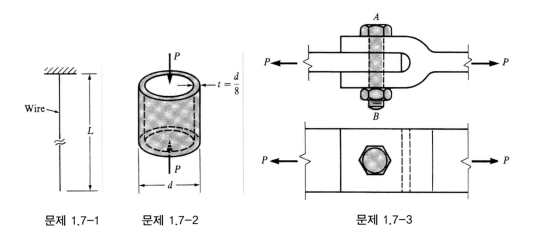

문제 1.7-1   문제 1.7-2   문제 1.7-3

1.7-2 항복에 대한 안전율이 1.8인 짧은 강철관($\sigma_y = 270\,\mathrm{MPa}$)이 압축하중 $P = 1200\,\mathrm{kN}$을 받고 있다. 만일 관의 두께 t가 바깥지름의 1/8이라면, 필요한 최소 바깥지름 d는 얼마인가? (그림 참조)

1.7-3 그림에 보인 바와 같이 볼트 AB에 의해 두 개의 부재가 연결되어 있다. 이때 하중이 $P = 36\,\mathrm{kN}$, 볼트의 허용전단응력이 $\tau_{\mathrm{allow}} = 90\,\mathrm{MPa}$이라면 볼트의 최소 지름이 얼마인가?

1.7-4 그림과 같이 막대기 CD에 의해 지탱되고 있는 보 AB는 하중 $P = 13350\,\mathrm{N}$을 받고 있다. 막대기는 두 부재로 이루어져 있으며, 점 C에서 볼트로 보에 연결되어 있다. 만일 볼트의 허용평균전단응력이 $103.35\,\mathrm{MPa}$이라면, 볼트에 필요한 최소지름은 얼마인가?

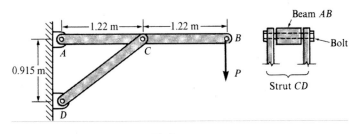

문제 1.7-4

1.7-5 평판 뚜껑이 볼트로 조여진 원통 안에, 압력이 p인 가스로 가득 차 있다(그림 참조). 볼트의 지름은 $d_b = 12.7\,\mathrm{mm}$이고, 허용인장응력은 $68.9\,\mathrm{MPa}$이다. 원통의 안지름이 $D = 254\,\mathrm{mm}$이고, 압력이 $p = 1929.2\,\mathrm{kPa}$일 때 뚜껑을 조이는 데 필요한 볼트의 수를 구하라.

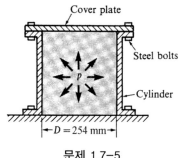

문제 1.7-5

1.7-6 원형 단면인 봉(지름 $d = 38.1$ mm)에 봉의 중심을 통하는 작은 구멍을 축에 수직하게 뚫었다(그림 참조). 구멍의 지름은 $d/4$이다. 구멍 부근에서 봉의 순단면에 대한 허용인장력이 $\sigma_{\text{allow}} = 68.9$ MPa일 때, 봉이 인장을 받을 수 있는 허용하중 P를 구하라.

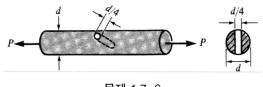

문제 1.7-6

1.7-7 알루미늄 봉 AB가 점 A에서 지름이 16 mm인 핀에 의해 붙어 있다(그림 참조). 봉의 두께 $t = 15$ mm 이고, 폭 $b = 40$ mm 이다. 봉의 허용인장응력이 150 MPa, 핀의 허용전단응력이 85 MPa일 때 허용하중 P를 구하라.

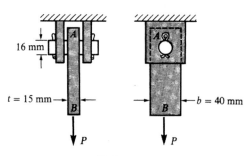

문제 1.7-7

1.7-8 인장하중 P를 받고 있는 두 개의 평평한 봉이 지름이 15 mm인 두 개의 리벳에 의해 이어져 있다(그림 참조). 봉의 폭과 두께가 각각 $b = 20$ mm, $t = 10$ mm 이다. 봉은 극한응력이 400 MPa인 강철로 만들어져 있다. 리벳의 경우는 극한전단응력이 180 MPa이다. 극한하중에 대한 안전율이 3.0일 때 허용하중 P를 구하라(봉은 리벳을 통과하는 단면에서 인장시 파괴가 되지 않으며, 봉 사이에 마찰이 없다고 가정하라).

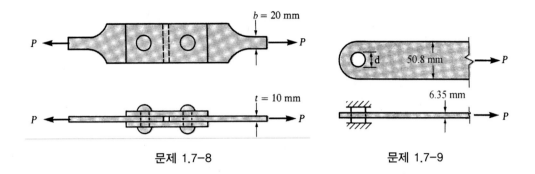

문제 1.7-8	문제 1.7-9

1.7-9 폭이 50.8 mm, 두께가 6.35 mm인 평평한 봉에 하중 P가 가해지고 있다(그림 참조). 핀을 고정하기 위해 봉에 드릴로 지름이 d인 구멍을 뚫었다. 봉의 순 단면에 대해 허용인장응력이 144.69 kPa이고, 핀의 허용전단응력은 82.68 kPa이다. 이때 하중 P가 최대이기 위한 핀의 지름 d를 구하라.

1.7-10 원판과 콘크리트 받침대 위에 강철 원통기둥이 놓여 있다(그림 참조). 원통의 바깥지름이 250 mm이고 벽 두께는 10 mm이다. 콘크리트에 대한 허용평균압축응력이 15 MPa이고, 강철의 경우 150 MPa이다. 원통에 전달되는 최대하중 P를 지지한다면 원판에 필요한 최소 지름 d는 얼마인가?

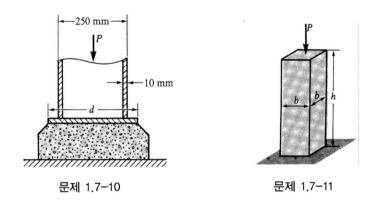

문제 1.7-10	문제 1.7-11

1.7-11 정사각형 단면(치수 $b \times b$)을 가진 균일단면 기둥 꼭대기에 압축하중 P를 받고 있다(그림 참조). 기둥의 재질의 비중량은 γ이고, 허용압축응력은 σ_c이다. 하중 P와 기둥의 무게를 고려하여, 기둥의 최대 허용높이 h를 구하라.

1.7-12 팔길이가 L인 균일단면봉재끝에 매달린 질량 M_1이 각속도 ω를 가지고 수직축 주위로 매끄러운 수평면 위를 돌고 있다(그림 참조). 팔의 질량을 무시할 때 허용인장력이 σ_t라면 팔에 필요한 단면적 A는 얼마인가?

1.7-13 팔의 질량을 고려하여 앞의 문제를 풀어라. 팔의 재질의 밀도는 ρ라고 가정하라.

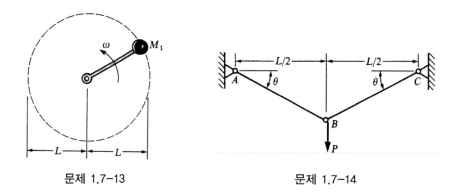

문제 1.7-13　　　　　　　　　　　　　문제 1.7-14

1.7-14 두 개의 봉재 AB와 BC가 수직하중 P를 지탱하고 있다(그림 참조). 지지점 사이의 길이 L은 일정하다. 그러나 봉재의 길이가 변하면 각도 θ가 변화하게 된다. 두 개의 봉재의 면적은 같고 줄이 허용인장응력을 받는다고 가정할 때 체적이 최소이기 위한 각 θ를 결정하라(봉재의 무게는 무시하라.)

1.7-15 두 개의 봉재 AB와 BC(그림 참조)가 수직하중 P를 지탱하고 있다. 두 개의 봉재는 같은 재질이며, 단면적은 원하는 값으로 조정될 수 있다. 수평 봉재 BC의 길이 L은 일정하다. 그러나 각 θ는 점 a가 연직방향으로 움직이고, AB의 길이가 변함에 따라 변화된다. 허용인장응력이 압축의 경우와 같고, 두 개의 봉재가 같은 허용응력을 받는다고 가정하라. 체적이 최소가 되기 위한 각 θ를 구하라(줄의 무게는 무시하라).

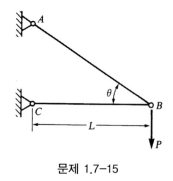

문제 1.7-15

1.7-16 원형 단면을 가진 큰 콘크리트 교각이 자중에 부가하여 하중 $P = 234.26\ \text{MPa}$을 받고 있다(그림 참조). 교각의 높이는 24.4 m이고, 콘크리트의 허용압축응력은 $\sigma_c = 13.78\ \text{MPa}$이다. (a) 교각은 균일단면을 가지며, 콘크리트의 비중량이 $\gamma = 23550\ \text{N/m}^3$라 가정할 때 필요한 교각의 지름을 구하라. (b) 구해진 체적 V_p와 최적의 체적 V와 비교하라[예제 3, 식 (1-21)을 보라].

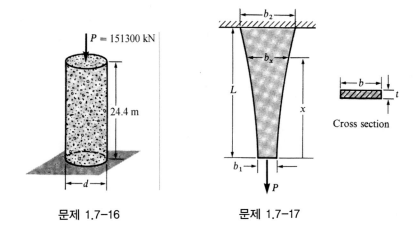

문제 1.7-16   문제 1.7-17

1.7-17 직사각형 단면을 가진 긴 봉이 아래쪽으로 하중 P를 받고 있으며, 자중도 부가되고 있다 (그림 참조). 봉의 두께 t는 일정하며, 폭 b는 길이에 따라 변하고 있다. 봉의 길이가 L이고, 재질의 비중량은 γ이다. 봉이 일정한 인장응력 σ_t를 갖기 위해 아래 끝단으로부터 거리 x만큼 떨어진 지점의 단면에서의 폭 b_x를 유도하라. 또한 봉의 상단과 하단의 폭 b_1, b_2를 각각 구하고, 봉의 체적 V를 결정하라.

Chapter 2

축하중부재

2.1 서 론

2.2 축하중부재의 변형

2.3 변위선도

2.4 부정정 구조물(유연도법)

2.5 부정정 구조물(강성도법)

2.6 온도효과와 기변형효과

2.7 경사단면상의 응력

2.8 변형에너지

*2.9 동하중

*2.10 비선형 거동

2.1 서 론

이 장에서는, 직선 길이방향 축을 갖는 구조물요소가 오직 축력(인장 또는 압축)만을 받는 경우인 **축하중 부재**(axially loaded member)의 거동을 다룬다. 이러한 유형의 부재들은 트러스(truss)의 대각부재, 엔진에서의 커넥팅 로드(connecting rod), 다리(橋)의 케이블(cable), 건축물의 기둥(column) 및 비행기 엔진대의 지주 등에서와 같이 다양한 형태로 나타나게 되며, 이들의 단면은 중실(solid), 중공(hollow) 또는 얇은 두께의 개단면(thin-walled and open) 등이다(그림 2-1). 지정된 구조부재물을 설계할 경우나, 기존 구조물을 해석하려 할 때에는 부재 내의 최대 응력(1장에 기술된 바와 같은)뿐만 아니라 처짐(deflection)도 구할 필요가 있게 된다. 예로서, 처짐은 어떤 간격을 충분히 지지할 한계 이내의 값으로 유지되어야만 하는 것이다. 변형해석은 2.4절에서 취급할 많은 문제의 부정정구조물(statically indeterminate structure) 해석에서도 필요하게 된다. 이 장에 포함되는 다른 개념들은 온도효과(temperature effect), 경사 단면에서의 응력, 변형에너지(strain energy), 동하중(dynamic loading) 및 비선형 거동(nonlinear behavior) 등이다. 이 장에서, 비록 축하중을 받는 부재만을 생각하게 되나, 뒤에 바로 이 개념들이 구조물부재의 모든 유형에 대하여 매우 중요하다는 것을 알게될 것이다. 이들 일반적 부재에 대한 문제들을 취급함에 있어서, 인장(tension), 압축(compression) 및 1장에 기술된 전단(shear)상태에 있는 재료를 다루게 될 것이다.

이 책에서, 이 이후에 '해석' 및 '설계'라는 말이 많이 나오게 되는데, **해석**(analysis)이란 용어는 역학분야에서 통상적으로 사용되는 말로서, 응력(stress), 변형률(strain), 변형(deflection) 및 내하능력(load-carrying capacity) 등을 계산하는 것을 의미한다. 일개 구조물 또는 구조물의 부분을 해석할 때에는 구조물의 치수와 그것을 구성하고 있는 재료를 알고 있는 것으로 가정한다. 따라서 주어진 하중(기지하중)을 받고 있는 구조물의 거동을 구하기 위하여 구조물을 해석한다고 말할 수가 있다. **설계**(design)를 한다는 일은, 좀더 어려운 일로서, 지정된 기능을 충족할 수 있도록 구조물의 기하학적 형상, 배치, 단면치수 등을 결정하는 것이다. 예를 들면, 어떤 주어진 하중을 지지하도록 구조물을 설계한다고 말할 수 있다. 구조물을 설계할 때에는 반드시 그 구조물에 대한 해석을 **보통 1회 이상** 수행할 것이 요구된다. **최적화**(optimization)란 설계과정의 일부로서 모든 설계변수를 최적치로 결정하기 위한 한계적인 설계기법 및 그 절차로 의미한다. 최적화란, 최소중량을 갖는 구조물을 설계한다는 것과 같은, 특정 목표를 만족시키는 '최선(best)'의 구조물을 설계하는 기법을

Solid cross sections

Hollow cross sections

Thin-walled open cross sections

그림 2-1 구조부재의 전형적인 단면

일컫는다. 물론 그 목표는 어떤 제약조건하에서 성취되어야 하며, 예로서, 최소중량을 갖는 구조물을 설계하되, 변형이 특정량을 넘지 않도록 한다는 것이 목표일 수도 있다. 이와 같이 해석, 설계 및 최적화는, 이 장과 뒤의 장들에 나오는 예제와 문제들에서 볼 수 있는 바와 같이, 서로 밀접하게 연관되어 있는 것이다.

2.2 축하중부재의 변형

축력 P의 인장력을 받고 있는 길이 L인 균일단면 봉재를 그림 2-2에 보이고 있다. 만약 힘 P가 단면의 도심에 작용한다면, 봉재의 끝에서 멀리 떨어진 단면에 발생하는 균일응력 (uniform stress)은, 단면적을 A라 할 때 $\sigma = P/A$의 식으로 주어진다[식 (1-1)을 보라]. 또한, 만약 봉재가 균질재로 되어 있다면, 축력에 의한 전 신장량(total elongation)을 δ라 할 때, 축방향 변형률(axial strain)은 $\epsilon = \delta/L$이다[식 (1-2)]. 또 재료가 선형탄성재(linearly elastic)로서 Hooke의 법칙($\sigma s = E\epsilon$)이 적용된다고 가정하면, σ와 ϵ에 대한 위의 표현

들을 조합함으로써 아래와 같이 봉재의 **신장량**(elongation)을 구하는 식을 얻게 된다.

$$\delta = \frac{PL}{EA} \qquad (2\text{-}1)$$

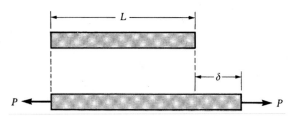

그림 2-2 인장을 받는 균일단면 봉재의 신장

이 식은, 선형탄성재로 만들어진 균일단면 봉재의 신장량이 하중 P와 길이 L에 정비례하며, 탄성계수 E와 단면적 A에 반비례한다는 것을 보이고 있다. EA의 곱을 재료의 **축강도**(axial rigidity)라 한다. 물론, 식 (2-1)은 압축부재에 대하여도 사용할 수가 있으며, 이 경우 δ는 봉재의 수축량(shortening)을 나타낸다. **부호규약**(sign convention)이 필요할 때에는, 신장량은 정(+)으로, 수축량은 부(−)로 표시한다.

식 (2-1)로부터, 인장력을 받고 있는 봉재는 축하중을 받는 스프링(spring)과 유사함을 알 수 있다(그림 2-3). 힘 P의 작용하에서 spring은 δ만큼 늘어날 것이며, 원 길이를 L이라 할 때, 총 길이는 $L+\delta$가 된다. **스프링상수**(spring constant) k는 스프링을 단위 길이만큼 신장시키는 데 필요한 힘, 즉 $k = P/\delta$로 정의된다. 스프링의 **컴플라이언스**(compliance)는 스프링상수의 역수, 즉 단위 하중에 의한 변형량이다. 인장을 받는 봉재(그림 2-2)나 보(beam) 등과 같은 다른 구조물 요소의 경우에는 통상적으로, 스프링상수와 컴플라이언스란 술어 대신에 강성도와 유연도란 용어를 쓴다.

축하중을 받는 봉재의 **강성도**(stiffness) k는 단위 변형을 일으키는 데 필요한 힘으로 정의되므로, 그림 2-2에 보인 봉재의 강성도는 식 (2-1)로부터 다음과 같다.

$$k = \frac{EA}{L} \qquad (2\text{-}2)$$

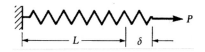

그림 2-3 인장을 받는 선형탄성 스프링

유사한 방법으로, **유연도**(flexibility) f는 단위 하중으로 인한 변형으로 정의되고, 축하중 봉재의 유연도는 다음의 식과 같고, 이것은 강성도의 역수이다.

$$f = \frac{L}{EA} \tag{2-3}$$

강성도와 유연도는 여러 종류의 구조물을 해석하는 데 있어서 중요한 역할을 하게 된다. 봉재의 길이(L)가 증가하면 강성도는 감소하고 유연도는 증가하게 된다.

단지 양단에만 하중이 작용하는 균일단면 봉재의 길이의 변화는 식 (2-1)을 사용하여 쉽게 구할 수 있다. 그런데 이 식은 좀더 일반적인 경우에도 적용할 수가 있는 것이다. 예로서 봉재가 1개 이상의 중간축력을 받고 있는 경우(그림 2-4)에는 봉재가 각 부분(즉 AB, BC 및 CD 부분)에서의 축력을 결정하고, 각 부분마다 각각 신장량이나 수축량을 계산한 다음, 이들 길이변화를 대수적으로 합하여 봉재 전체의 총 길이변화를 구할 수가 있다. 봉재가, 단면적이 서로 다른 몇 개의 균일단면부분들로 이루어져 있을 때에도 같은 방법이 사용될 수 있다(그림 2-5).

일반적으로, 축력이 다르고, 단면적이 다른 몇 개의 부분들로 이루어진 봉재의 전신장량 δ는 다음의 방정식에서 구할 수가 있다.

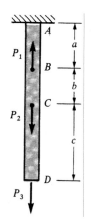

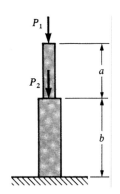

그림 2-4 중간에 축력을 받는 봉재   그림 2-5 횡단면적이 변화하는 봉재

$$\delta = \sum_{i=1}^{n} \frac{P_i L_i}{E_i A_i} \tag{2-4}$$

여기서 하첨자 i는 봉재의 각 부분을 나타내는 지수이고, n은 부분의 총수이다. 이 식의 사용 예는 이 절 끝에 있는 예제 1에 예시되어 있다.

축하중이나 단면적이 봉재의 축에 따라 연속적으로 변화해갈 때에는 식 (2-4)는 그대로 적용할 수가 없다. 그 대신에, 봉재의 미소요소(differential element)를 생각하여 이 요소의 신장량을 나타내는 식을 얻은 다음, 봉재 전 길이에 대하여 적분함으로써 전 신장량을 구할 수가 있다. 이러한 개념이 그림 2-6에 예시되어 있다. 즉 테이퍼(taper) 봉재가 연속적으로 분포하는 축하중(예로서 봉재가 연직하게 매달려 있을 때의 자중)을 받고 있어 봉재 내에는 변화해가는 축력이 발생하게 된다. 봉재 좌단으로부터 거리 x의 위치에 있는, 길이 dx인 요소를 잘라낸다고 가정하고, 절단면[그림 2-6(b)]에 작용하는 축력 P_x와 요소의 단면적 A_x를 x의 함수로 표시해야 한다. 그러면 요소의 신장량에 대한 방정식은

$$d\delta = \frac{P_x dx}{EA_x}$$

이고, 봉재의 전 신장량은 다음과 같다.

$$\delta = \int_0^L d\delta = \int_0^L \frac{P_x dx}{EA_x} \tag{2-5}$$

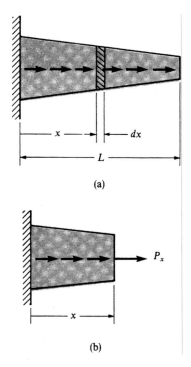

그림 2-6 단면적이 변화하고 축력이 변화하는 봉재

만약 P_x와 A_x의 표현이 그렇게 복잡하지 않다면, 적분은 해석적으로 이루어져 δ를 얻는 식을 구할 수가 있다(예제 2를 보라). 그러나 적분이 곤란하든가 불가능할 때에는 적분치를 구하기 위하여 수치적분법을 사용할 수가 있다.

식 (2-5)가 균일단면 봉재에 대한 식 $\sigma = P/A$로부터 얻어진 것이기 때문에 테이퍼 봉재인 경우 봉의 측면 사이 각이 작을 때에만 정확한 결과를 얻을 수 있다. 예를 들면, 측면 사이 각이 $20°$일 때 $\sigma = P/A$의 식으로부터 계산된 수직응력(normal stress)은, 정확한 응력과 비교할 때 최대 오차가 3%이며, 이보다 작은 각에서는 오차가 더 작다. 만약 봉재의 테이퍼가 클 경우에는 좀더 정밀한 해석방법이 필요하게 된다(참고문헌 2-1을 보라).

예제 ①

연직 강봉(steel bar) ABC가, A에서 B까지는 길이 L_1, 단면적 A_1이고, B에서 C 사이는 길이 L_2, 단면적 A_2이며[그림 2-7(a)], 하중 P_1이 C점에 작용한다. 수평봉재 BD는 B점에서 연직봉재와 핀(pin)으로 연결되고, D점에 하중 P_2를 받는다. $P_1 = 10$ kN, $P_2 = 26$ kN, $a = b$, $L_1 = 0.5$ m, $A_1 = 160$ mm^2, $L_2 = 0.8$ m, $A_2 = 100$ mm^{2}이고, 강재에 대하여 $E = 200$ GPa일 때 C점의 연직처짐(vertical deflection) δ를 구하라(봉재의 자중은 무시한다).

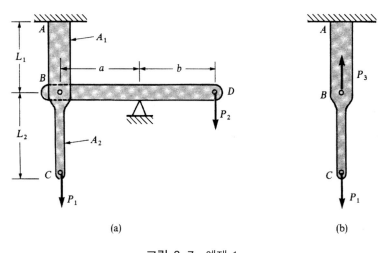

(a)　　　　　　　　　　(b)

그림 2-7　예제 1

풀이　봉재 BD의 모멘트평형으로부터, B점의 핀을 통하며 전달되는 연직력은 $P_3 = P_2 b/a$임을 알 수 있고, 이 힘은 연직봉재 ABC에서 위쪽으로 작용한다[그림 2-7(b)]. 이 예제에서, $a = b$이므로 $P_3 = P_2 = 26$ kN이고, 연직봉재의 AB 부분은 $P_3 - P_1$, 즉 16 kN의 압축축력을 받으며, BC 부분은 P_1과 같은 인장력, 즉 10 kN의 인장축력을 받는다. 따라서, 인장을

정(+)으로 생각하면, 식 (2-4)는 다음과 같다.

$$\delta = \sum \frac{P_i L_i}{E_i A_i} = \frac{(10\,\text{kN})(0.8\,\text{m})}{(200\,\text{GPa})(100\,\text{mm}^2)} = -\frac{(16\,\text{kN})(0.5\,\text{m})}{(200\,\text{GPa})(160\,\text{mm}^2)}$$

$$= 0.400 - 0.250 = 0.150\,\text{mm}$$

δ가 정(+)이므로 신장량임을 나타내고, C점의 처짐은 아래쪽이다.

예제 2

길이가 L이고 원형단면을 갖는 약간 테이퍼진 봉재 AB가 B단에서 지지되어 있고, 자유단에 하중 P를 받고 있다[그림 2-8(a)]. A와 B단에서의 봉재의 지름이 각각 d_1과 d_2일 때, 하중 P로 인한 봉재의 신장량 δ를 구하는 식을 유도하라.

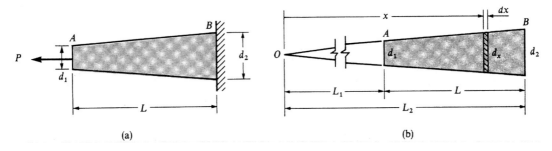

그림 2-8 예제 2. 원형단면의 테이퍼 봉재

풀이 예제에서, 봉재는 전 길이에 걸쳐서 일정한 축력 P를 받게 되나, 단면적은 변화해 간다. 따라서 해를 구하는 첫 단계는, 임의 단면에서의 단면적 A_x의 표현을 얻어야 하는 것이다. 뒤에 수행해야 할 적분을 간단하게 하기 위하여, 테이퍼 봉재의 측면들을 연장하며 O점에서 맞나도록 하고[그림 2-8(b)], 이 점을 거리 x의 원점으로 사용한다. 원점에서부터 A단과 B단까지의 거리 L_1과 L_2는, 닮은 삼각형들을 생각함으로써 다음과 같은 비로 표시된다.

$$\frac{L_1}{L_2} = \frac{d_1}{d_2} \tag{a}$$

원점으로부터 거리가 x인 지점에서의 봉재단면 지름 d_x는[그림 2-8(b)]

$$d_x = \frac{d_1 x}{L_1}$$

이고, 대응하는 단면적은

$$A_x = \frac{\pi d_x{}^2}{4} = \frac{\pi d_1{}^2 x^2}{4L_1{}^2}$$

이다. δ를 구하기 위하여 식 (2-5)에 대입하면 다음을 얻는다.

$$\delta = \int \frac{P_x dx}{EA_x} = \int_{L_1}^{L_2} \frac{Pdx(4L_1^2)}{E(\pi d_1^2 x^2)} = \frac{4PL_1^2}{\pi E d_1^2} \int_{L_1}^{L_2} \frac{dx}{x^2}$$

적분을 수행하고, 상한과 하한을 대입하면 다음을 얻는다.

$$\delta = \frac{4PL_1{}^2}{\pi E d_1{}^2}\left[-\frac{1}{x}\right]_{L_1}^{L_2} = \frac{4PL_1{}^2}{\pi E d_1{}^2}\left(\frac{1}{L_1} - \frac{1}{L_2}\right)$$

δ에 대한 이 표현은

$$\frac{1}{L_1} - \frac{1}{L_2} = \frac{L_2 - L_1}{L_1 L_2} = \frac{L}{L_1 L_2}$$

로 표시함으로써 간단화할 수 있으며, 이때 δ에 대한 식은

$$\delta = \frac{4PL}{\pi E d_1{}^2}\left(\frac{L_1}{L_2}\right)$$

이 된다. 마지막으로 $L_1/L_2 = d_1/d_2$ [식 (a)를 보라]를 대입하면 다음을 얻는다.

$$\delta = \frac{4PL}{\pi E d_1 d_2} \tag{2-6}$$

이 방정식은 테이퍼 봉재의 신장량을 구하는 데 사용되는 공식이다. 특별한 경우로서, 만약 봉재가 $d_1 = d_2 = d$로서 균일단면을 갖는다면, 식 (2-6)은 아래와 같이 간단히 됨에 유의하라.

$$\delta = \frac{4PL}{\pi E d^2} = \frac{PL}{EA}$$

여기서 $A = \pi d^2/4$이다.

테이퍼 봉재의 신장량이, 테이퍼 봉재의 중앙단면(중앙단면이란 A단과 B단 사이의 중앙지점에서의 단면이다)에서의 단면적과 같은 단면적을 갖는 균일단면 봉재의 신장량과 같다고 가정하는 것은 보통 범하기 쉬운 잘못이다. 식 (2-6)을 검토해 보면, 이 예제에서의 테이퍼 봉재에 대하여 이 개념이 성립하지 않으며, 또한 일반적인 경우에도 이러한 개념은 성립하지 않는다.

2.3 변위선도

전절에서, 축하중을 받는 부재들의 길이 변화를 구하는 방법을 설명하고 또 예시를 하였다. 이러한 부재 내에 있는 임의점의 변위(displacement)는, 부재 각 부분들의 길이의 변화들을 결정한 다음에, 쉽게 구할 수가 있다. 예를 들면, 그림 2-4에 보인 봉재의 자유단에서의 변위는, 봉재의 세 부분의 길이 변화를 대수적으로 합해줌으로써 구할 수가 있다. 그러나 구조물이 1개 이상의 부재로 구성되어 있을 때에는, 변위 결정이 훨씬 더 복잡해진다.

이 절에서는, 구조물이 끝점에서 핀으로 연결되어 있는 두 개의 축하중 봉재로 구성되어 있을 때, 변위를 결정하는 기하학적인 방법에 대하여 설명한다. 이러한 구조물은 실제로 **트러스**(truss)의 가장 간단한 형태이며, 트러스의 **변위**(displacement)[또는 **처짐**(deflection)]를 구하기 위하여 사용되는 선도를 **변위선도**(displacement diagram)라 한다. 이들 선도는 각 부재의 길이 변화를 계산한 다음에 기하학적으로 그려지게 된다.

변위를 구하는 기하학적인 방법을 예시하기 위하여, 그림 2-9(a)와 같이 수평봉재 AB와 경사봉재 BC로 구성된 트러스를 생각한다. 목적하는 바는 연직하중 P에 의한 절점(joint) B의 처짐을 구하는 것으로서, 순서는 봉재들의 축력을 계산하고, 길이 변화를 구한 다음 마지막으로 B의 변위를 구하게 된다.

부재 AB와 BC의 축력 F_{ab}와 F_{bc}는, 절점 B에 작용하는 힘들의 평형(equilibrium of forces)으로부터 얻어진다.

$$F_{ab} = P \cot \theta \qquad F_{bc} = P \csc \theta$$

여기서 F_{ab}는 인장력, F_{bc}는 압축력이고 θ는 봉재들 사이의 각이다. 각 부재의 전 길이 변화는 다음과 같다.

$$\delta_{ab} = \frac{PL_{ab}\cot\theta}{E_{ab}A_{ab}} \quad \delta_{bc} = \frac{PL_{bc}\csc\theta}{E_{bc}A_{bc}} \qquad \text{(2-7a, b)}$$

이 식들에서 하첨자들은 L, E, A의 값들이 적용되는 부재를 나타낸다. 실제적인 경우는, 이들 길이 변화는 보통 식으로 표시되는 것이 아니고 수치로 구해진다.

절점 B의 변위를 결정하기 위하여, 먼저 부재들이 B점에서 서로 분리되었다고 가정하고, 부재 AB가 δ_{ab}만큼 늘어남으로써 그 끝이 B점에서 B_1점으로 이동[그림 2-9(b)]하였다고 가정한 다음, 부재 AB가 A점 주위로 회전함으로써, A점을 중심으로 하고 거리 AB_1을 반

지름으로 하는 원호를 그린다고 생각한다. 절점 B의 실제 변위가 극히 작기 때문에 이 원호는 B_1점을 지나고 부재 AB의 축에 수직한 직선으로 대치할 수가 있다. 절점 B의 최종 위치는 이 수직선[그림 2-9(b)에서 직선 $B_1 B'$]상의 어떤 지점이 되어야 한다.

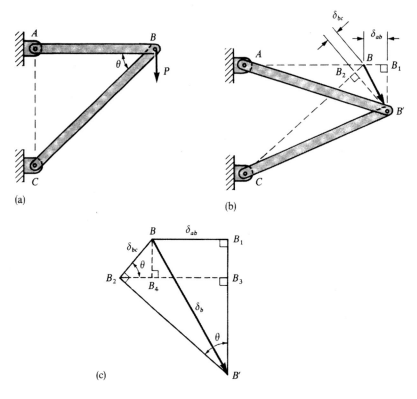

그림 2-9   2개 봉재 트러스의 처짐

같은 방법으로, 부재 BC는 δ_{bc}만큼 짧아져서 그 끝은 B점에서 B_2점으로 이동한다. 다음에 부재 BC가 C점 주위로 회전함으로써, C점을 중심으로 하고 거리 CB_2를 반지름으로 하는 또 한 개의 원호가 그려지는데, 이 원호는, B_2점을 지나고 BC에 수직인 직선으로 대치되어 절점 B의 최종 위치는 이 직선(직선 $B_2 B'$)상의 어떤 위치에 있어야 한다. 이 두 수직선의 교점(또는 두 원호의 교점)이 절점 B의 최종 위치로서, 그림에 B'점으로 되어 있다. 따라서 B점으로부터 B'점까지의 벡터 $\overrightarrow{BB'}$가 트러스의 절점 B의 변위 δ_b를 나타낸다.

변위 δ_b는 그림 2-9(b)의 기하학적인 관계로부터 계산할 수가 있다. 그러나, 변위들만을 나타내는 별도의 선도를 그리는 것이 일을 더 쉽게 하며, 이러한 선도를 그림 2-9(c)에 보인다.

직선 BB_1은 신장량 δ_{ab}를 나타내고, BB_2는 수축량 δ_{bc}를 나타내며, 수직선들은 B_1B'과 B_2B'으로서 B'점에서 교점을 이룬다. 이들 직선들이 각각 AB와 BC에 수직하므로 이들 사이의 각은 θ와 같다. 따라서 그림 2-9(c)의 선도는 그림 2-9(b)의 변위를 나타낸 부분과 같은 것이다(크기만 다르다). 변위선도로부터 절점 B의 합변위(resultant displacement) δ_b와 이 변위의 수평 및 연직성분을 계산할 수 있다(선도가 배척으로 그려져 있으면 측정으로 구할 수도 있다). 이 예제에서는 수평성분(horizontal component) δ_h가 δ_{ab}와 같으며 우측방향이다.

$$\delta_h = \frac{PL_{ab}\cot\theta}{E_{ab}A_{ab}} \tag{2-8}$$

연직성분(vertical component) δ_v는 아래쪽 방향이며, 그림에서 두 부분으로 되어 있다. BB_4와 같은 길이인, 길이 B_1B_3는 $\delta_{bc}\sin\theta$이고, 길이 B_3B'은, $B_2B_3 = \delta_{bc}\cos\theta + \delta_{ab}$를 한 변으로 갖는 삼각형 B_2B_3B'으로부터 구할 수 있다. 따라서 연직성분 δ_v는 다음과 같다.

$$\begin{aligned}\delta_v &= B_1B' = \delta_{bc}\sin\theta + (\delta_{bc}\cos\theta + \delta_{ab})\cot\theta\\ &= \delta_{bc}\csc\theta + \delta_{ab}\cot\theta\end{aligned} \tag{2-9}$$

절점 B의 변위의 수평 및 연직성분을 구한 다음, 두 성분의 자승의 합에 평방근을 취함으로써(피타고라스 정리) 합변위 δ_b를 구할 수 있다.

위에 기술한 방법은, 임의의 기하학적 배치가 된 2개 봉재의 트러스에 사용할 수가 있는데, 각 경우마다 해석을 하려는 특정 트러스에 대응하는 다른 형상의 변위선도가 그려져야 한다. 이와 같은 선도는 1877년에 프랑스의 기술자인 J.V. Williot(참고문헌 2-2)가 제안한 것이기 때문에 **Williot 선도**(Williot diagram)라고도 부른다. 이 선도들은 그림 2-9에 기술된 것과 같은 아주 간단한 구조물에서만 유용하며, 규모가 더 큰 트러스에서는 단위하중법(unit-load method; 12장을 보라)과 같은 좀더 일반적인 해석방법이 필요하게 된다.

예제 **1**

그림 2-10(a)에 보인 대칭 트러스에서 절점 B의 처짐 δ_b에 대한 식을 구하라. 양쪽 봉재의 단면적은 A이고, 탄성계수는 E라 가정한다.

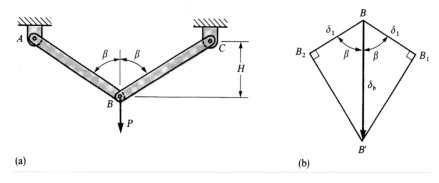

(a)   (b)

그림 2-10   예제

풀이   먼저 절점 B에서의 힘의 평형으로부터 부재들의 인장력 F를 결정한다.

$$F = \frac{P}{2\cos\beta}$$

다음에, 각 부재의 길이 L_1이 $L_1 = H/\cos\beta$인 것을 알고, 각 봉재의 신장량 δ_1을 구한다.

$$\delta_1 = \frac{FL_1}{EA} = \frac{PH}{2EA\cos^2\beta}$$

마지막으로, 변위선도를 그린다[그림 2-10(b)]. 절점의 원위치를 나타내는 B점을 출발점으로 하고, 두 부재를 분리했다고 가정할 때, 부재 AB는 B에서 B_1점까지 늘어날 것이며, B_1점을 지나고 BB_1에 수직인 직선을 그리면 이 직선은 절점 B의 최종 위치점을 통과해야할 것이다. 트러스와 하중이 대칭상태이므로 B점의 수평변위는 없을 것이므로 B는 B점에서 B'점까지 변위해야만 한다. 이때 B'점은 B_1점에서 그린 수직선과 B점을 통과하는 연직선과의 교점이다. 같은 방법으로 선도의 왼쪽 부분은 부재 BC의 신장량을 생각함으로써 얻어진다. 이 경우 BC가 δ_1만큼 늘어난 것이므로 B는 B_2점까지 이동할 것이며 BB_2에 수직한 직선을 그림으로써 절점 B의 최종 위치인 B'점을 얻게 된다.

절점 B의 연도 처짐 δ_b는, 이 변위선도로부터 삼각법을 써서 다음과 같이 구해진다.

$$\delta_b = \frac{\delta_1}{\cos\beta 1} = \frac{PH}{2EA\cos^3\beta} \tag{2-10}$$

2.4 부정정 구조물(유연도법)

이제까지의 논술에서는, 축하중을 받는 봉재와 정역학적 평형으로부터 해석이 가능한 간단한 구조물을 다루었으며, 모든 예제에서 부재의 축력과 지지물에서의 반력(reaction)들은, 자유물체도(free-body diagram)를 그린 다음 평형방정식(equilibrium equation)을 풂으로써 결정할 수가 있었다. 이러한 구조물을 **정정**(statically determinate)이라 한다.

그러나 많은 구조물들에서는, 축력과 반력을 계산하는데 있어서 정역학적 평형방정식만으로는 불충분한 때, 이러한 구조물을 **부정정**(statically indeterminate)이라 한다. 이러한 구조물은, 평형방정식에 구조물의 변위에 관련된 방정식들을 추가함으로써 해석이 가능하다.

부정정 구조물을 해석하는 데는, 일반적으로 두 가지 방법, 즉 **유연도법**(flexibility method)과 **강성도법**(stiffness method)이 있는데, 이 절과 다음 절에서 설명하게 된다. 이들 방법은 서로 공액적(complementary)이며, 각기 장점들을 가지고 있다. 재료가 선형탄성역(linearly elastic range) 내에 있을 때, 이 방법들은 여러 가지 각종 구조물에 적용된다.

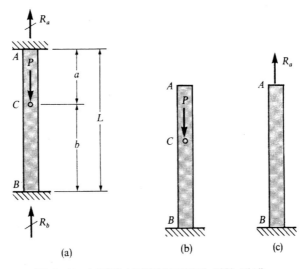

그림 2-11 부정정 봉재(유연도법에 의한 해석)

유연도법을 설명하기 위하여, 그림 2-11에 보인 부정정 봉재의 해석에 대하여 생각해 보기로 한다. 균일단면 봉재 AB가 양단에서 강성지지(rigid support)되어 있으며, 중간에 있는 점 C에 힘 P가 축방향으로 작용한다. 이때 봉재의 양단에는 반력 R_a와 $R_b{}^*$가 발생

---

* 하중과 반력을 구별하기 위하여, 그림 2-11(a)에 보인 바와 같이, 반력에는 그 화살표를 가로질러서 슬래

할 것이나 반력들은 정역학적 개념만 가지고는 구할 수가 없다. 왜냐하면 이 봉재에 적용할 수 있는 독립적인 정역학적 평형방정식이 아래와 같은 식 하나뿐이기 때문이다.

$$R_a + R_b = P \tag{a}$$

이 방정식은 두 개의 미지반력을 포함하고 있기 때문에, 반력들을 계산하기에는 불충분하므로, 봉재의 변형으로부터 제2의 방정식을 얻어야만 한다.

해석을 시작하려면, 미지반력중 1개를 **정역학적 과잉량**(statical redundant), 즉 정력학적인 개념만으로 구할 수 있는 힘의 개수를 초과한 힘으로 취급한다. 이 예제에서, R_a를 과잉반력(redundant reaction)으로 취급하기로 한다. 만약 R_a가 구해질 수 있다면, 다른 반력 R_b는 식 (a)의 정력학적 평형으로부터 구할 수가 있다. 미지반력 R_a를 구조물로부터 제외 한다면, A점에서의 지지물을 제거하는 것이 되며, 이 경우 그림 2-11(b)에 보인 바와 같이 정정이고 안정(stable)한 구조물을 얻게 된다. 그러므로 주어진 하중을 지지할 수 있는 구조물을 만든다는 관점에서 보면, A단에서의 반력은 필요가 없고 따라서 과잉량(redundant)이 된다. 과잉량(반력)을 제외시킨 뒤에 남는 구조물을 **이완구조물**(released structure) 또는 **기본구조물**(primary structure)이라 부른다.

이제 이완구조물[그림 2-11(b)]에서, 하중 P가 A점의 변위에 미치는 영향을 생각한다. 이 변위는

$$\delta_P = \frac{Pb}{EA}$$

이고, 아래쪽이다. 다음에 과잉반력 R_a가 점 A의 변위에 미치는 영향[그림 2-11(c)]을 생각한다. 비록 R_a가 미지량이기는 하나 이제는 이완 구조물에 작용하는 하중으로 나타나 있으므로, R_a로 인한 A점의 윗방향 변위는 다음과 같다.

$$\delta_R = \frac{R_a L}{EA}$$

P와 R_a가 모두 동시에 작용했을 때의 A점의 최종 변위 δ는, δ_P와 δ_R을 조합함으로써 구해지며, 아래쪽 변위를 정(+)으로 하면 다음을 얻는다.

$$\delta = \delta_P - \delta_R$$

A점의 실제적인 변위 δ는 0이므로[그림 2-11(a)] 위의 식은 다음과 같이 된다.

시(slash), 즉 경사선을 그려서 표시하기로 한다.

$$\delta_R = \delta_P \tag{b}$$

또는

$$\frac{R_a L}{EA} = \frac{Pb}{EA} \tag{c}$$

따라서

$$R_a = \frac{Pb}{L} \tag{2-11}$$

이와같이, 과잉반력은 봉재의 변위에 관련된 방정식[식 (b)]으로부터 계산되었다. 이제 과잉량이 결정되었으므로 식(a)를 사용하여, 평형방정식으로부터 R_b를 구한다.

$$R_b = P - R_a = \frac{Pa}{L} \tag{2-12}$$

이렇게 하여, 봉재에 대한 두 반력이 구해진다.

그림 2-11(a)의 부정정 봉재를 해석하는 위의 방법을 다음과 같이 종합할 수가 있다. 처음에 미지반력 중의 하나를 과잉량으로 선택하고, 봉재를 절단하여 지지물을 제거함으로써, 구조물로부터 제외시킨다. 다음에 정정이고 안정한 상태인 이완구조물에 실제적인 작용하중과, 과잉반력 자체를 별도로 작용시키고 이 두 하중들에 의한 변위를 계산한 다음 **변위의 적합조건**(compatibility of displacement)방정식[식 (b)]을 만든다. 이 적합방정식(compatibility equation)은, 원 구조물에서 변위에 관한 조건을 표현한 것으로서, 예를 들면, A단에서의 처짐 δ가 0이라는 것 등이다. 변위에 관한 식들을 대입하면 적합방정식은 식 (c)와 같은 꼴이 된다. 이것으로부터 과잉력 R_a를 구하고 [식 (2-11)], 마지막으로, 나머지 미지력을 정역학적으로 구한다.

이 해석방법은, 적합방정식 속에 유연도가 나타나기 때문에 **유연도법**(flexibility method)이라 불린다. 이 예제에서는 적합방정식[식 (c)]이 미지 과잉량 R_a의 계수인 유연도 L/EA을 포함한다[식 (2-3)을 보라]. 다른 명칭으로는, 힘이 미지량이기 때문에 **하중법**(force method)이라고도 부른다. 이 방법은 다른 형태의 구조물 및 많은 과잉력들을 갖는 구조물인 경우에도 사용될 수 있으나, 이 절에서는 한 개의 과잉력을 갖는 간단한 부정정 구조물만을 생각하기로 한다. 이 방법은, 서로 다른 힘에 의하여 발생하는 변형들을 합해 줄 필요가 있기 때문에 재료가 선형탄성 거동을 나타낼 경우에만 유용하다.

유연도법을 좀더 설명하기 위하여, 그림 2-12(a)에 보인 평면 트러스를 해석해 보기로 한다. 이 트러스는, A, B, C점에서 핀 지지되어 있고, 절점 D에서 함께 핀으로 결합되어 있으며, 이 절점에 하중 P가 연직 방향으로 작용한다. 모든 봉재들은 똑같은 축강도 EA를 갖는다고 가정한다. 이 트러스에는 3개의 미지 부재축력이 있으나, 단지 2개의 정력학적 평형방정식만이 유용하므로 부정정이다. 수평방향의 힘의 대수화(평형방정식)에 의하여, 또는 단순히 트러스의 배치가 대칭인 것을 감안한다면, 두 외측부재(경사 부재)에 발생하는 인장축력이 같다는 것을 알 수 있다. 다음에 연직방향의 힘의 평형으로부터 다음을 얻는다.

$$2F_1\cos\beta + F_2 = P \tag{d}$$

여기서 β는 연직봉재와 경사봉재 사이의 각이다. 이 방정식은 두 개의 미지력(F_1과 F_2)을 포함하므로 또 한 개의 방정식이 필요한데, 절점 D의 변위에 대한 적합조건으로부터 필요한 방정식을 얻게 된다.

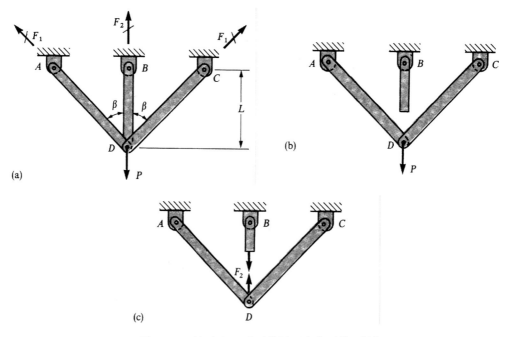

그림 2-12 부정정 트러스(유연도법에 의한 해석)

이 예제에서, 부재 BD의 축력 F_2를 과잉량으로 선택하기로 한다면(다른 봉재의 축력을 과잉량으로 선택할 수도 있다), 이 축력을 제외시키기 위하여 부재 BD의 하단을 절단했다고 가정한다[그림 2-12 (b)]. 이때 필요하다면 다른 어느 단면에서 절단할 수도 있으며, 이

경우에도 계산법은 유사하다. 이완구조물에 하중 P가 작용하면[그림 2-12(b)], 절점 D의 하향변위는[전절의 식 (2-10) 참고]

$$\delta_P = \frac{PL}{2EA\cos^3\beta} \tag{e}$$

이고, 이때 L은 연직봉재의 길이이다. 과잉력 F_2를 이 이완구조물에 작용시켰을 때에는 [그림 2-12(c)], 절단되었던 봉재 BD가 아래쪽으로 잡아 당기는 힘 F_2에 의하여 인장이 되는 반면, 절점 D는 크기가 같고 반대방향인 점에 의하여 위쪽으로 당겨지게 된다. 이 후 자의 힘은 절점 D를 아래 변위량만큼 위쪽으로 변위시키게 된다[식 (e)와 비교하라].

$$\delta_F = \frac{F_2 L}{2EA\cos^3\beta} \tag{f}$$

P와 F_2가 동시에 작용할 때 절점 D의 전 하향변위는 $\delta_P - \delta_F$이며, 봉재 BD가 $F_2 L/EA$만큼 늘어나야 한다는 것을 알 수 있다. 절점 D에서 변위의 적합조건은, 절점 D의 하향변위가 봉재 BD의 신장량과 같다는 사실로 표시된다. 즉

$$\delta_P - \delta_F = \frac{F_2 L}{EA}$$

이 식에, 식 (e)와 식 (f)를 대입하고 F_2에 대하여 풀면 다음을 얻는다.

$$F_2 = \frac{P}{1 + 2\cos^3\beta} \tag{2-13}$$

마지막으로, 평형방정식[식 (d)]으로부터 다음을 얻는다.

$$F_1 = \frac{P\cos^2\beta}{1 + 2\cos^3\beta} \tag{2-14}$$

이 예제에서, 중간 봉재의 축력이 바깥쪽 봉재의 축력보다 크다는 것을 알 수 있으며, 극단적인 경우로 $\beta = 0$이라 놓으면, 기대되는 바와 같이 $F_1 = F_2 = P/3$를 얻는다.

이 예제는, 앞에서 설명한 유연도법을 써서 해를 구하는 일반적인 방법을 예시하고 있다.

미지력 F_2를 과잉량으로 취급하여, 그림 2-12(b)에 보인 이완구조물을 얻은 다음, 이 구조물에 처음에는 하중 P를 작용하고, 다음번에 과잉량 자체를 작용한다. 이 두 힘들에 의한 절점 D의 변위를 결정하여 적합방정식을 작성한다. 이때 P로 인한 변위는 기지값이나, 과

잉량과 이것으로 인한 변위는 미지값이다. 그러나 적합방정식을 풀면 과잉량의 값을 구할 수 있고, 그 다음에 다른 미지 봉재축력은 정력학적으로 구할 수 있다.

그림 2-12의 트러스를 해석하는데 있어서, 그 다음 단계로 절점 D의 연직 처짐 δ_d를 구할 수 있다. 이 변위는, 단순히 봉재 BD의 신장량과 같다는 것을 알고 있으므로

$$\delta_d = \frac{F_2 L}{EA} = \frac{PL}{EA(1 + 2\cos^3 \beta)} \tag{2-15}$$

물론, 절점 D의 수평변위는, 트러스와 그 하중상태가 대칭이므로, 0이다.

유연도법에 대한 앞의 두 예제에서는, 과잉량을 정의하는 것이 필요했으며, 이 과잉량을 제거하여 얻어진 이완구조물에서 변위들을 구했다. 그러나 다른 종류의 문제들에서는, 이 과정이 불필요하고, 그 대신 구조물의 일부를 잘라내어 미지력들을 표시한 다음, 단순히 변위조건을 검토하여 적합방정식을 얻는 것으로 충분한 경우가 있다. 아래의 두 예제에서는 이러한 방법을 예시한다.

예제 ①

강성체인 수평봉 AB가 두 개의 같은 줄 CE와 DF에 의하여 지지되어 있다[그림 2-13(a)]. 각 줄의 단면적이 A일 때, 줄 CE와 DF에 발생하는 인장응력 σ_1과 σ_2를 각각 구하라.

풀이 이 구조물은 두 줄에 발생하는 축력들을 정역학적으로 구할 수가 없기 때문에 부정정이다. 즉 강성봉의 자유물체도[그림 2-13(b)]에서 A점에 대한 모멘트 평형 방정식은 다음과 같다.

$$F_1 b + 2F_2 b - 3Pb = 0 \quad \text{또는} \quad F_1 + 2F_2 = 3P \tag{g}$$

이 방정식에서 F_1과 F_2는 줄들의 미지축력들이다. 연직방향에 대한 평형방정식은 새로운 미지력인 반력 R를 포함하게 되므로 F_1과 F_2를 구하는데 도움이 되지 않는다. 따라서 줄들의 변형을 포함하는 방정식이 필요하게 된다.

하중 P가 작용하면 봉재 AB는 지점 A 주위로 회전하게 되므로 두 줄은 늘어나게 된다. 변형이된 후의 변위선도는 그림 2-13(c)와 같으며, δ_1과 δ_2는 각각 줄 CE와 DF의 신장량을 나타낸다. 적합조건은, 변위선도의 기하학적인 관계로부터 다음과 같이 표시된다.

$$\delta_2 = 2\delta_1$$

줄의 길이를 L, 축강도를 EA라 할 때, 줄의 신장량들은 아래와 같이 미지축력들로 표시되며, 이들 δ_1과 δ_2의 표현을 적합방정식에 대입하면 다음을 얻는다.

$$\delta_1 = \frac{F_1 L}{EA} \quad \delta_2 = \frac{F_2 L}{EA}$$

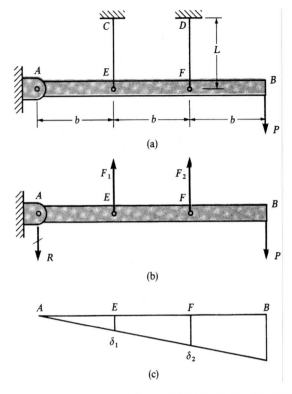

그림 2-13 예제 1. 부정정 구조물(유연도법에 의한 해석)

$$F_2 = 2F_1 \qquad\qquad (h)$$

마지막으로, 식 (g)와 (h)를 조합하면 줄의 축력들이 구해진다.

$$F_1 = \frac{3P}{5} \quad F_2 = \frac{6P}{5}$$

따라서 대응되는 인장응력들은 다음과 같다.

$$\sigma_1 = \frac{F_1}{A} = \frac{3P}{5A} \quad \sigma_2 = \frac{F_2}{A} = \frac{6P}{5A}$$

F_1과 F_2를 구한 다음에, 필요하다면 줄의 실제 신장량들을 구할 수 있다.

예제❷

강제의 원형단면실린더와 동제의 중공튜브[그림 2-14(a)에 S와 C로 표시되어 있다]가 시험기의 헤드 사이에서 압축되고 있다. 축력 P의 작용으로 인한 강과 동 내의 평균응력과 연직방향의 평균 압축변형률을 구하라.

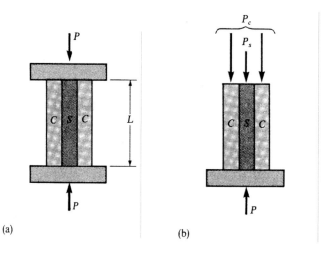

그림 2-14　예제 2. 부정정계(유연도법에 의한 해석)

풀이　유연도법을 사용하기 위하여, 윗판을 제거하면 그림 2-14(b)에 보인 구조물을 얻게 된다. 강과 동 내의 축력을 각각 나타내는 미지력 P_S와 P_C는 아래와 같은 평형방정식을 만족하게 된다.

$$P_S + P_C = P \tag{i}$$

강제실린더의 수축량은 $P_S L / E_S A_S$($L / E_S A_S$은 강제실린더의 유연도)이고, 동제튜브의 수축량은 $P_C L / E_C A_C$($L / E_C A_C$은 동제튜브의 유연도)이다. 적합방정식은, 강제실린더와 동제튜브가 같은 양만큼 수축된다는 사실로부터 얻어진다. 즉,

$$\frac{P_S L}{E_S A_S} = \frac{P_C L}{E_C A_C} \tag{j}$$

두 방정식 (i)와 (j)를 연립으로 풀면 두 개의 미지력을 구할 수 있다.

$$P_S = \frac{E_S A_S}{E_S A_S + E_C A_C} P \quad P_C = \frac{E_C A_C}{E_S A_S + E_C A_C} P \tag{2-16a, b}$$

이들 방정식은 강과 동 내의 축력이 그들의 축강도에 비례한다는 것을 나타내고 있다. 강재 내의 압축응력 σ_S는 P_S를 A_S로 나누어줌으로써 얻을 수 있으며, 응력 σ_C도 같은 방법으로 얻을 수 있다. 두 재료에서 같은 값이 되어야 하는 압축변형률 ϵ은 Hooke의 법칙으로부터 구해진다. 즉

$$\epsilon = \frac{P}{E_S A_S + E_C A_C} \tag{2-17}$$

이 방정식은, 변형률이 전하중을 강과 동재의 축강도의 합으로 나누어 준 값과 같다는 것을 나타내고 있다.

2.5 부정정 구조물(강성도법)

부정정 구조물을 해석하기 위한 **강성도법**(stiffness method)은 변위(하중이 아니고)를 미지량으로 취급한다는 점에서 유연도법과 다르다. 따라서 이 방법을 **변위법**(displacement method)이라고도 부른다. 미지량 변위들은 평형방정식(적합방정식이 아니고)을 품으로써 구해지며, 이 방정식은 강성도(stiffness)의 모양인 계수들을 포함하게 된다[식 (2-2)를 보라]. 강성도법은 아주 일반적인 방법으로서 무척 다양한 구조물에 사용될 수가 있으나, 유연도법에서와 같이 선형탄성적으로 거동을 하는 구조물에 한한다.

강성도법을 설명하기 위하여, 강성지지물 사이에 지지되어 있는 균일단면 봉재 AB를 다시 해석해 보기로 한다[그림 2-15(a)]. 지지물에서의 반력(reaction)들은 전과 같이 R_a와 R_b로 표시한다. 이 새로운 해법에서는, 이 봉재의 두 부분의 적합점인 C점의 연직변위 δ_c를 미지량으로 취급한다. 봉재의 윗부분과 아랫부분의 축력 R_a와 R_b는 δ_c를 써서 다음과 같이 표시할 수 있다.

$$R_a = \frac{EA}{a}\delta_c \quad R_b = \frac{EA}{b}\delta_c \tag{a}$$

이들 방정식에서, δ_c는 아래쪽 방향을 정(+)으로 가정했으며, 따라서 봉재의 윗부분은 인장을 받고 아랫부분은 압축을 받는다.

다음 단계는 봉재 내의 점 C를 자유물체도로 분리시킨다[그림 2-15(b)]. 이 자유물체에 작용하는 하중은 하향하중 P와 윗부분에서의 인장력 R_a 및 아랫부분에서의 압축력 R_b이다. 정역학적 평형으로부터 다음을 얻는다.

$$R_a + R_b = P \tag{b}$$

또는 식 (a)를 대입함으로써

$$\frac{EA}{a}\delta_c + \frac{EA}{b}\delta_c = P \tag{c}$$

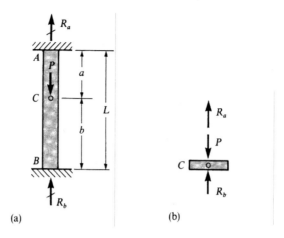

그림 2-15 부정정 봉재(강성도법에 의한 해석)

이고, $a + b = L$이므로 다음을 얻는다.

$$\delta_c = \frac{Pab}{EAL} \tag{d}$$

변위 δ_c를 구한 다음 식 (a)로부터 R_a와 R_b를 구할 수가 있다.

$$R_a = \frac{Pb}{L} \quad R_b = \frac{Pa}{L} \tag{e}$$

물론 이 결과들은 2.4절에서 얻은 결과와 같다[식 (2-11)과 식 (2-12)를 보라].

강성도법에 의한 해석 순서를 요약하면 다음과 같다. 맨 먼저 적당한 변위를 미지량으로 선택하는데, 적당한 변위란 구조물 각 부분의 축력들이 이 변위의 항으로 표시될 수 있는 것을 말한다[식 (a) 참고]. 다음에 앞 예제의 식 (b)에서와 같이 **평형**(equilibrium)방정식에 의하여 하중들 사이의 관계를 구한다. 그다음 미지변위의 항으로 표시한 힘들의 표현을 평형방정식에 대입하여, 선택했던 변위만이 미지량인 방정식을 얻는다[식 (c)]. 이 방정식에서 δ_c의 계수들이 강성도임에 유의하라. 이 방정식을 미지변위에 대하여 풀고[식 (d)], 마지막으로 이 변위로부터 힘들이 구해진다[식 (e)]. 이렇게 하여 강성도법을 써서 모든 필요한 결과들을 구할 수 있다.

강성도법의 두 번째 예로서 그림 2-16(a)에 보인 평면 트러스를 해석해 보기로 한다(같은 트러스를 앞절에서 다루었다). 연직봉재의 길이는 L이고 경상봉재들의 길이는 $L/\cos\beta$이며, 세 봉재 모두가 같은 축강도 EA를 갖는다. 연직하중 P가 절점 D에 작용함으로써 트러스와 그 하중상태가 대칭이고 절점 D의 수평변위는 발생하지 않는다. 절점 D의 연직

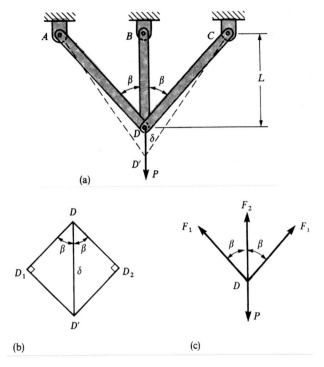

그림 2-16 부정정 트러스(강성도법에 의한 해석)

변위 δ는 그림에서 길이 DD'이며, 점선 AD'과 CD'은 트러스의 변형된 모양을 나타낸다.

절점 D에 대한 변위선도는 그림 2-16(b)에 그려져 있다(변위선도에 관한 논술은 2.3절을 보라). 선 DD_1과 DD_2는 각각 봉재 CD와 AD의 신장량을 나타내며, 선 DD'은 절점 D의 연직변위 δ를 나타낸다. 그림에서 경사봉재의 신장량은

$$DD_1 = DD_2 = \delta \cos\beta$$

이고, 따라서 두 경사봉재의 축력 F_1은

$$F_1 = \frac{EA(\delta\cos\beta)}{L/\cos\beta} = \frac{EA\delta\cos^2\beta}{L} \tag{f}$$

이며, 연직봉재의 축력 F_2는 다음과 같다.

$$F_2 = \frac{EA\delta}{L} \tag{g}$$

식 (f)와 (g)는 봉재 축력을 한 개의 미지량, 즉 변위 δ의 항으로 표시하고 있다.

해석의 다음 단계는 평균방정식을 얻는 것이다. 절점 D의 자유물체도[그림 2-16(c)]에서 다음 관계를 얻는다.

$$2F_1 \cos \beta + F_2 = P \tag{h}$$

이 방정식에 F_1과 F_2[식 (f)와 (g) 참고]의 표현을 대입하면

$$\frac{2EA\delta \cos^3 \beta}{L} + \frac{EA\delta}{L} = P \tag{i}$$

이고, 이 방정식에는 미지량으로서 단지 변위 δ만을 포함하므로 δ에 대하여 풀 수가 있다.

$$\delta = \frac{PL}{EA} \frac{1}{1 + 2 \cos^3 \beta} \tag{j}$$

해석의 마지막 단계는 δ에 대한 이 표현을 식 (f)와 (g)에 대입하여 봉재축력 F_1과 F_2를 구하는 것이다. 즉

$$F_1 = \frac{P \cos^2 \beta}{1 + 2 \cos^3 \beta} \quad F_2 = \frac{P}{1 + 2 \cos^3 \beta} \tag{k}$$

이 결과는, 앞에서 유연도법으로 구한 결과와 같다[식 (2-13), (2-14) 및 (2-15) 참고].

예제 ❶

높이가 h이고 정사각형(각 변은 $b = 0.5 \,\mathrm{m}$) 단면을 갖는 철근 콘크리트 지주가 지름 $d = 25 \,\mathrm{mm}$인 12개의 철근을 포함하는 구조[그림 2-17(a)와 (b)]이며, 강성판재(rigid bearing plate)를 통하여 압축하중 P를 지지한다. 강과 콘크리트의 허용응력을 각각 70 MPa과 8 MPa이라 하고, 선형탄성을 가정할 때 하중 P의 최대 허용치를 구하라. 지주 자체의 무게는 무시하며, 강재의 탄성계수는 $E_S = 200 \,\mathrm{GPa}$, 콘크리트의 탄성계수는 $E_C = 25 \,\mathrm{GPa}$이라 가정한다.

풀이 이 구조물을 강성도법으로 해석하기 위하여, 탄성판을 제거하고 이것의 지주에 대한 작용을, 강재와 콘크리트에 각각 작용하는 두 개의 힘 P_S와 P_C로 대치한다[그림 2-17(c)]. 이 지주는, 이들 힘을 정역학적 방정식만으로는 계산할 수가 없기 때문에 부정정이다[그림 2-17(d)의 강성판에 대한 자유물체도를 보라]. 따라서 지주의 상단에서의 연직변위 δ를 미지변위로 선택한다. 이 변위는 지주의 수축량과 같으므로 P_S와 P_C를 다음과 같이 δ의 항으로 표시할 수 있다.

$$P_S = \frac{E_S A_S \delta}{h} \quad P_C = \frac{E_C A_C \delta}{h} \tag{l}$$

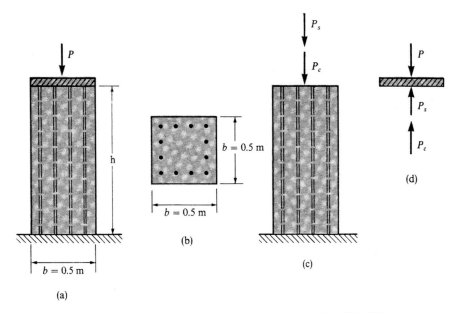

그림 2-17 예제 1. 철근콘크리트 기둥(강성도법에 의한 해석)

여기서 A_S와 A_C는 각각 강재와 콘크리트의 단면적이다. 평형방정식[그림 2-17(d)로부터]

$$P_S + P_C = P \tag{m}$$

또는 식 (l)을 대입하며

$$\frac{E_S A_S \delta}{h} + \frac{E_C A_C \delta}{h} = P \tag{n}$$

이고, 따라서 다음을 얻는다.

$$\delta = \frac{Ph}{E_S A_S + E_C A_C} \tag{2-18}$$

δ에 관한 이 표현을 식 (l)에 대입하면 아래와 같이 축력들을 구하는 식들이 얻어진다.

$$P_S = \frac{E_S A_S}{E_S A_S + E_C A_C} P \quad P_C = \frac{E_C A_C}{E_S A_S + E_C A_C} P \tag{2-19a, b}$$

이와 같이 축력과 변위가 구해졌으므로 강성도법에 의한 해석은 끝났다.

그러나, 이 예제에서는 강재와 콘크리트에 발생하는 응력 σ_S와 σ_C를 구할 필요가 있다(허용 하중을 결정하기 위하여).

$$\sigma_S = \frac{P_S}{A_S} = \frac{E_S P_S}{E_S A_S + E_C A_C} \quad \sigma_C = \frac{P_C}{A_C} = \frac{E_C P}{E_S A_S + E_C A_C} \tag{o}$$

위의 각 방정식은 하중 P를 재료의 응력항으로 표시할 수 있다.

$$P = \left(A_S + \frac{E_C}{E_S} A_C \right) \sigma_S \quad P = \left(A_C + \frac{E_S}{E_C} A_S \right) \sigma_C \qquad \text{(2-20a, b)}$$

이들 방정식으로부터 하중 P의 허용치는 강재와 콘크리트의 허용응력을 바탕으로 하여 구해지며, 두 하중 중 작은 것이 지주에 허용되는 하중 P이다. 따라서 하중계산은 다음과 같다. 강재(12개)와 콘크리트의 단면적은

$$A_S = 12 \left(\frac{\pi d^2}{4} \right) = 3\pi (25 \text{ mm})^2 = 5{,}890 \text{ mm}^2$$

$$A_C = b^2 - A_S = (0.5 \text{ m})^2 (1{,}000)^2 - 5{,}890 = 244{,}100 \text{ mm}^2$$

이고, 탄성계수의 비는

$$\frac{E_S}{E_C} = 8$$

이므로, 이들 값을 허용응력과 함께 식 (2-20a와 b)에 대입하면 하중 P에 관한 두 값을 얻는다.

$$P = \left(A_S + \frac{E_C}{E_S} A_C \right) \sigma_S = \left(5{,}890 \text{ mm}^2 + \frac{244{,}100}{8} \text{ mm}^2 \right)(70 \text{ MPa})$$
$$= 2.55 \text{ MN}$$
$$P = \left(A_C + \frac{E_S}{E_C} A_S \right) \sigma_C = (244{,}100 \text{ mm}^2 + 8 \times 5{,}890 \text{ mm}^2)(8 \text{ MPa})$$
$$= 2.33 \text{ MN}$$

첫 번째 결과는 강재의 허용응력을 기준한 것이고 두 번째 결과는 콘크리트의 허용응력을 기준한 것이다. 허용하중 P는 두 값 중 작은 것이다.

$$P_{\text{허용}} = 2.33 \text{ MN}$$

이 하중에서, 콘크리트의 응력은 8 MPa(허용응력)이고, 콘크리트의 응력을 기준했기 때문에, 강재의 응력은 허용응력보다 낮아지며 $(2.33/2.55)(70 \text{ MPa}) = 64.0 \text{ MPa}$이 된다.

이 장에서 해석했던 형태의 기초적인 부정정 구조물의 경우에는, 변위법과 하중법이 계산의 수고량에서 거의 차이가 없기 때문에(물론 두 방법은 해석 순서와 생각하는 방법의 관점에서 근본적으로 차이가 있다) 두 방법 중 어느 것을 택하건 임의이다. 그러나 좀더 복잡한 구조물에서는 한 방법이 다른 방법보다 훨씬 계산량이 작아질 수가 있다. 예로서, 그림

2-12와 2-16에 보인 대칭 트러스에 몇 개의 봉재를 추가하여(그림 2-18) 좀더 복잡한 구조물(대칭 구조물)을 만들었다고 생각한다. 이때 강성도법에 의한 해는 위에 기술된 방법대로 진행되어 아주 간단한데 비하여 유연도법에 의한 해는 훨씬 더 복잡하며 3개의 연립방정식을 풀어야 한다. 다른 경우의 예에서는 이 상황이 반대가 되어 유연도법이 더 쉽게 해를 구할 수 있게 한다.*

역사적인 관점에서 살펴보면, 1774년에 Euler가 처음으로 부정정계를 해석한 것으로 나타나 있는데, 그는 탄성기초(elastic foundation) 위에 지지되어 있는 네 개의 발을 갖는 강성테이블 문제를 생각했다(참고문헌 2-4와 2-5). 그다음 해석은 프랑스의 수학자이며 기술자인 L.M.H. Navier에 의한 것인데, 그는 1825년에, 부정정 구조물의 반력은 구조물의 탄성을 고려해야만 구할 수 있다는 것을 지적했으며(참고문헌 2-6), 그는 그림 2-16(a)에 보인 것과 유사한 트러스의 해를 구했다.

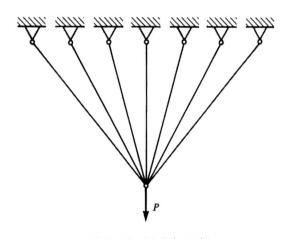

그림 2-18 부정정 트러스

2.6 온도효과와 기변형효과

물체의 온도가 변화하면 그 치수가 변화하게 된다. 이 효과의 간단한 예가 그림 2-19에 주어져 있는데 균질(homogeneous)이고, 등방성(isotropic)재료로 된 사각봉재가 모든 방

---

* 구조해석에 관한 컴퓨터 프로그램을 작성할 때에는 일반적으로 강성도법이 더 좋다. 예로서 참고문헌 2-3을 보라.

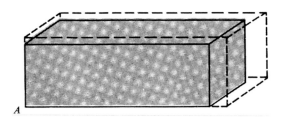

그림 2-19 균일한 온도상승을 일으킨 블록

향으로 자유롭게 팽창할 수 있는 모양을 보이고 있다. 이 재료가 균일하게 가열된다면 사각봉재의 각 변은 길이가 증가할 것이며, 모서리 A를 기준점으로 하면 이 사각봉재는 점선으로 표시한 모양이 될 것이다. 재료는 아래와 같이 표현되는 **균일열변형률**(uniform thermal strain) ϵ_t를 일으키게 된다.

$$\epsilon_t = \alpha(\Delta T) \tag{2-21}$$

여기서 α는 **열팽창계수**(coefficient of thermal expansion)이고 ΔT는 온도증가량이다. 계수 α는 재료의 특성치*로서 온도변화의 역수와 같은 단위를 갖는다. 즉 SI 단위계로는, 온도변화가 Kelvin과 Celsius도로 표시했을 때 수직적으로 같기 때문에, α는 1/k (Kelvin의 역수) 또는 1/℃(Celsius도의 역수)의 단위로 표시된다. USCS 단위계로는, α의 단위는 1/°F(Fahrenheit도의 역수)**이다. 열변형률(thermal strain) ϵ_t는 무차원량이며 팽창을 나타낼 때는 정(+)이고, 수축을 나타낼 때는 부(−)이다.

보통의 재료들은 가열하면 팽창하고 냉각하면 수축하므로 온도를 증가시키면 정의 열변형률을 발생한다. 열변형률은 일반적으로, 온도를 원상태로 되돌렸을 때 재료가 원상태의 형상으로 복귀한다는 점에서 가역적(reversible)이다. 그러나 최근에 개발된 어떤 특별한 물질은 위와 같은 통상적인 거동을 보이지 않으며, 어떤 온도범위를 넘으면 그 물질이 가열되었을 때 치수가 줄어들고 냉각되었을 때 치수가 증가하게 된다. 또한 이들 물질은 보통 재료들과는 달리 변형률이 온도에 대하여 비선형적인 관계를 가지며, 때로는 재료의 내부구조가 변화됨에 따라 비가역성(irreversible)이 된다. (또 다른 통상적이 아닌 물질로서 물을 들수 있는데, 4℃ 이상의 온도에서 가열함에 따라 팽창하며 4℃ 이하의 온도에서 냉각해도 팽창하게 된다. 따라서 물은 4℃에서 최대 밀도를 갖는다).

그림 2-19에 보인 사각봉재 물질의 치수변화는 원 치수에 열변형률을 곱하여 계산할 수가

---

* 선팽창계수 α의 대표적인 값들이 부록 H의 Table H-4에 주어져 있다.

** 온도의 단위와 눈금에 대한 설명에 대하여는 부록 A의 A.2와 A.3을 보라.

있다. 예를 들어 치수 중의 하나를 L이라 하면 이 치수는 다음의 길이만큼 증가하게 된다.

$$\delta_t = \epsilon_t L = \alpha(\Delta T)L \tag{2-22}$$

여기서 δ_t는 온도 증가 ΔT로 인한 팽창량을 나타낸다.

식 (2-22)는, 그림 2-20에 보인 봉재와 같이 좌단이 지지되어 있고 타단이 자유롭게 변위할 수 있도록 되어 있는 구조부재의 길이 변화를 계산하는데 사용된다. 봉재의 가로 방향 치수도 또한 변화할 것이나, 이 치수 변화는 일반적으로 부재에 의하여 전달되는 힘들에 영향을 미치지 않으므로 그림에 표시하지 않았다.

그림 2-20 균일온도상승으로 인한 봉재의 길이 증가[식 (2-22)]

일반적으로 열변형률에 의한 길이 변화는, 부재들이 자유롭게 팽창 또는 수축을 할 수 있는 경우, 즉 정정구조물인 상태일 때, 식 (2-22)로부터 계산할 수가 있다. 따라서 정정구조물 내의 1개 또는 그 이상의 부재들이 균일한 온도변화를 일으켰을 때 구조물 내에는 응력이 발생하지 않는다. 반면에, 부정정구조물에서 온도변화가 있으면 일반적으로 부재들에는 **열응력**(thermal stress)이라 부르는 응력이 발생하게 된다. 이러한 응력은 또한, 구조물이 정정이거나 부정정이거나를 막론하고 부재가 불균일하게 가열될 때 발생할 수도 있다.

열효과(thermal effect)에 대한 이들 개념들을 살펴보기 위하여 그림 2-21(a)와 같이 대칭인 두 봉재 트러스 ABC를 생각하고 그 온도를 ΔT만큼 상승시켰다고 가정한다. 트러스가 정정이므로 봉재들은 자유롭게 늘어나서 절점 B에 연직변위를 일으키게 된다. (만약 트러스가 대칭이 아니거나 또는 온도변화가 두 봉재에서 똑같지 않은 경우에는, 절점 B는 연직방향과 함께 수평방향으로 변위를 일으키게 된다.) 이때 봉재들의 신장량은 식 (2-22)로부터 다음과 같이 구해진다.

$$\delta_{ab} = \delta_{bc} = \frac{\alpha(\Delta T)H}{\cos\beta}$$

여기서 $H/\cos\beta$는 봉재의 길이이다. 절점 B의 변위를 구하기 위하여, 온도변화에 의한 길이변화를, 이들이 봉재의 축력에 의하여 발생했을 때와 같은 방법(2.3절 참고)으로 취급한다. 절점 B의 최종 변위선도는 그림 2-21(b)와 같으며, 연직변위 δ_b는 배척을 써서 그린

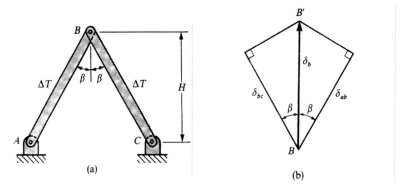

그림 2-21 부재들에 균일하게 온도상승을 일으킨 트러스

선도에서 측정하거나 그림에서 직접 계산할 수가 있다.

$$\delta_b = \frac{\delta_{ab}}{\cos\beta} = \frac{\alpha(\Delta T)H}{\cos^2\beta} \tag{2-23}$$

이 변위는 ΔT가 정(가열)일 때에는 윗방향이고 부(냉각)일 때에는 아랫방향이다. 비록 절점 B가 변위를 일으키나, 두 봉재에는 응력이 발생하지 않으며 지지물에서도 반력이 나타나지 않는다. 따라서 온도변화는 정정구조물에 대하여 대응하는 응력을 발생시키지 않으면서 변형률을 발생시킬 수 있다.

만약 구조물이 부정정일 때에는 자유로운 팽창이나 수축이 불가능하게 된다. 한가지 예로서 그림 2-22(a)에 보인 바와 같이 부동지지물 사이에 지지된 봉재 AB를 들 수 있다. 온도를 균일하게 ΔT만큼 상승시키면 압축축력 R이 봉재 내에 발생할 것이며, 이 힘은 2.4절과 2.5절에서 설명한 두 방법 중 하나를 써서 계산할 수가 있다.

유연도법을 사용한다면, 봉재의 상단을 절단하여 지지물을 제거한다[그림 2-22(b)]. 온도변화 ΔT는 이 이완구조물에 신장을 일으키게 되어 A점은 $\delta_T = \alpha(\Delta T)L$인 윗방향 변위를 발생하게 된다. 이완구조물[그림 2-22(c)]에 작용하는 힘 R은 아랫방향 변위 $\delta_R = RL/EA$을 일으키게 되며 봉재 상단의 실제 변위가 0이므로[그림 2-22(a)] 아래와 같은 적합방정식을 얻는다.

$$\delta_T - \delta_R = \alpha(\Delta T)L - \frac{RL}{EA} = 0 \tag{a}$$

이 방정식으로부터 반력 R은

$$R = EA\alpha(\Delta T) \tag{2-24}$$

이며, 이때 R이 봉재의 길이에 의존하지 않는 것에 주의하라. 다음에 봉재의 압축응력을 구하면

$$\sigma = \frac{R}{A} = E\alpha(\Delta T) \tag{2-25}$$

이고, 이 응력은 단면적과 상관이 없다.

위의 예제는 부정정계에서 하중이 작용하지 않았을 때, 온도 변화가 어떻게 응력을 발생시킬 수 있는가를 보여 준다. 더구나 이 예제에서의 봉재는 고정단에서 뿐만아니라 모든 단면에서 길이 방향 변위가 0이며, 따라서 이 봉재에는 축방향 변형률이 0으로서, 변형률이 발생하지 않으면서 응력이 발생하는 경우인 것이다. 봉재가, 단면적이 서로 다른 두 부분으로 되어 있는 경우와 같이 좀더 일반적인 경우에는 온도변화에 의하여 축방향 변형률과 응력이 함께 발생하게 된다(문제 2.6-12와 2.6-13 참고).

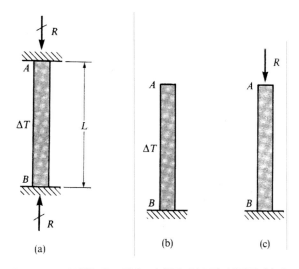

그림 2-22 균일한 온도상승 ΔT를 일으킨 부정정 봉재

예제 ①

그림 2-23(a)에 보인 바와 같이 세 개 봉재의 대칭 트러스를 생각하고, 온도를 균일하게 ΔT 만큼 상승시켰다고 가정한다. 또 세 봉재에 대하여 E, A 및 α가 모두 같다고 가정한다.

풀이 이 부정정 트러스에서 부재의 축력 F_1과 F_2를 구하기 위하여 유연도법을 사용하기로 한다. 연직봉재 BD를 그 하단에서 절단하여 그림 2-23(b)에 보인 정정이완구조물을 형성한다. 이 이완구조물은 온도변화 ΔT가 일어나는 동안 자유롭게 변형하며, 두 바깥쪽 봉재의 온도변화에 의하여 발생하는 절점 D의 아래쪽 변위는[식 (2-23) 참고]

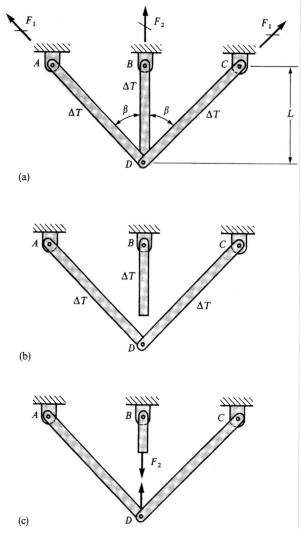

그림 2-23 예제 1. 균일온도상승을 받은 부정정 트러스

$$\delta_1 = \frac{\alpha(\Delta T)L}{\cos^2\beta}$$

이고, 연직봉재의 신장량은 다음과 같다.

$$\delta_2 = \alpha(\Delta T)L$$

다음에 이완구조물이 봉재 BD의 절단단면에 작용하는 과잉력 F_2를 받는 것을 생각하면 [그림 2-23(c)], 이 힘은 절점 D에 다음과 같은 윗방향 변위를 일으키고[식 (2-10) 참고]

$$\delta_3 = \frac{F_2 L}{2EA\cos^3\beta}$$

BD의 신장량은 다음과 같다.

$$\delta_4 = \frac{F_2 L}{EA}$$

절점 D의 아래쪽 전변위는 $\delta_1 - \delta_3$이고, 봉재 BD의 전신장량은 $\delta_2 + \delta_4$이므로 이들 변위를 등치하면 절점 D의 변위에 대한 적합방정식이 된다.

$$\delta_1 - \delta_3 = \delta_2 + \delta_4$$

또는

$$\frac{\alpha(\Delta T)L}{\cos^2\beta} - \frac{F_2 L}{2EA\cos^3\beta} = \alpha(\Delta T)L + \frac{F_2 L}{EA} \tag{b}$$

이 방정식은 연직봉재의 축력 F_2에 대하여 쉽게 풀려

$$F_2 = \frac{2EA\alpha(\Delta T)\sin^2\beta\cos\beta}{1 + 2\cos^3\beta} \tag{2-26}$$

를 얻으며, 이 힘은 ΔT가 정(즉, 온도가 상승)일 때 인장력이다.

경사봉재들의 축력 F_1은 트러스에 작용하는 힘들의 평형으로부터 결정되며[그림 2-23(a)]

$$2F_1\cos\beta + F_2 = 0 \tag{c}$$

또는

$$F_1 = -\frac{EA\alpha(\Delta T)\sin^2\beta}{1 + 2\cos^3\beta} \tag{2-27}$$

이다. 이때 $(-)$부호는 온도가 상승할 때 압축력임을 나타낸다.

절점 D의 아래쪽 변위 δ_d는 식 (2-26)의 F_2에 대한 표현을 적합방정식[식 (b)]의 좌변이나 우변의 어느 한쪽에 대입함으로써 얻어진다. 즉

$$\delta_d = \delta_1 - \delta_3 = \delta_2 + \delta_4 = \frac{\alpha(\Delta T)L(1 + 2\cos\beta)}{1 + 2\cos^3\beta} \tag{2-28}$$

이 표현은 ΔT가 정이면 δ_d가 항상 아래쪽(정)임을 나타낸다.

예제 ②

길이가 L인 튜브형의 슬리브(Sleeve)에 볼트가 끼워져서 초기 응력이 발생하지 않도록 너트로 조립되어 있다[그림 2-24(a)]. 슬리브와 볼트가 다른 재질일 때 전 조립품의 온도를 ΔT

만큼 상승시킨다면 슬리브와 볼트에 발생하는 힘은 얼마인가?

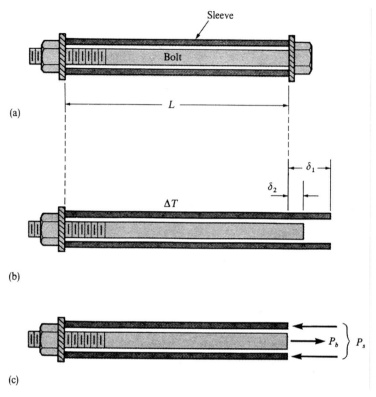

그림 2-24   예제 2. 균일한 온도상승 ΔT를 받은 슬리브와 볼트의 조립체

풀이   슬리브와 볼트가 다른 재질이기 때문에 이들이 자유롭게 팽창할 수 있다면 신장량이 다를 것이다. 그러나 이들은 같이 조립되어 있기 때문에 열응력이 발생할 것이며, 응력들을 정역학적 평형방정식만으로는 결정할 수 없기 때문에 이 계는 부정정이다. 예시를 위하여, 유연도법과 강성도법 두 가지를 써서 응력을 구해보기로 한다.

유연도법에서는, 먼저 정정인 이완구조물을 얻기 위하여 조립체를 절단하게 되는데, 이를 위한 간단한 방법은 그림 2-24(b)에 보인 바와 같이 볼트의 머리를 제거하는 것이다. 그리고나서 온도변화 ΔT가 일어났다고 가정하면 슬리브와 볼트에 각각 δ_1과 δ_2인 신장량이 발생하게 된다.

$$\delta_1 = \alpha_s (\Delta T) L \quad \delta_2 = \alpha_b (\Delta T) L$$

여기서 α_s와 α_b는 선팽창계수들이며, 그림에서는 임의로 δ_1이 δ_2보다 크다고(즉, $\alpha_s > \alpha_b$) 가정했다.

원래의 조립체에서 슬리브와 볼트에 작용할 힘들은, 슬리브는 압축시키고 볼트는 인장시켜

서 슬리브와 볼트의 최종 신장량이 같아지도록 하는 크기여야 한다. 이들 힘은 그림 2-24(c)에 표시되어 있는 P_s는 슬리브 내의 압축력을 나타내면 P_b는 볼트에 작용하는 인장력을 나타낸다. 대응하는 슬리브의 수축량 δ_3와 볼트의 신장량 δ_4는

$$\delta_3 = \frac{P_s L}{E_s A_s} \quad \delta_4 = \frac{P_b L}{E_b A_b}$$

이며, 여기서 $E_s A_s$와 $E_c A_c$는 각각의 축강도이다.

이제 최종 신장량 δ는 두 부재에서 같다는 사실을 나타내 줄 적합방정식을 쓸 수 있다. 슬리브의 신장량은 $\delta_1 - \delta_3$이고 볼트의 신장량은 $\delta_2 + \delta_4$이므로

$$\delta = \delta_1 - \delta_3 = \delta_2 + \delta_4 \tag{d}$$

또는

$$\delta = \alpha_s (\Delta T) L - \frac{P_s L}{E_s A_s} = \alpha_b (\Delta T) L + \frac{P_b L}{E_b A_b} \tag{e}$$

이다.

축력들에 대한 두 번째 방정식은 정역학적인 평형[그림 2-24(c) 참고]으로부터 얻어진다.

$$P_s = P_b \tag{f}$$

즉, 슬리브 내의 압축력은 볼트 내의 인장력과 같다는 것이다. 식 (e)와 (f)를 조합함으로써 온도변화를 받는 원래의 조립체[그림 2-24(a)]의 축력들을 구하게 된다.

$$P_s = P_b = \frac{(\alpha_s - \alpha_b) \Delta T}{\dfrac{1}{E_s A_s} + \dfrac{1}{E_b A_b}} \tag{2-29}$$

만약 α_s가 α_b보다 크다면 힘 P_s는 압축력이고 P_b는 인장력이다. 이 힘들은 길이 L과는 상관이 없다는 것에 주의하라.

이 계의 최종 신장량은 식 (2-29)를 식 (e)에 대입함으로써 구해진다.

$$\delta = \frac{(\alpha_s E_s A_s + \alpha_b E_b A_b)(\Delta T) L}{E_s A_s + E_b A_b} \tag{2-30}$$

특별한 경우로서, 두 부재가 같은 재질이고 $\alpha_s = \alpha_b$라면, 기대되는 바와 같이 $P_s = P_b = 0$이고 $\delta = \alpha_b (\Delta T) L$이다.

이번에는 강성도법을 써서 이 조립체를 해석해 보기로 한다. 이 경우에는 볼트 머리(head)의 변위 δ를 미지량으로 취급하고 두 부재의 축력을 이 변위의 항으로 표시한다. 다음에 힘들에 관한 평형방정식을 쓰고, 변위 δ에 대하여 푼다.

부재들이 최종 변위 δ와 같은 양만큼 신장되며, 이 변위는 온도변화로 인한 변위와 축력으로 인한 변위를 합한 것이므로, 아래와 같은 축력과 변위 사이의 관계식을 얻을 수 있다.

$$P_s = \frac{E_s A_s}{L}[\delta - \alpha_s(\Delta T)L] \quad P_b = \frac{E_b A_b}{L}[\delta - \alpha_b(\Delta T)L] \tag{g}$$

이들 식에서, 대괄호 내의 항들은 축력 P_s 및 P_b만에 의한 길이 변화를 나타내며, 첫째 식에서의 $(-)$부호는 P_s가 압축력인데도 양의 값으로 가정되었기 때문에 붙인 것이다. 이들 P_s와 P_b의 표현을 평형방정식 $P_s = P_b$에 대입하면

$$-\frac{E_s A_s}{L}[\delta - \alpha_s(\Delta T)L] = \frac{E_b A_b}{L}[\delta - \alpha_b(\Delta T)L]$$

을 얻고, 변위를 구하면 다음과 같다.

$$\delta = \frac{(\alpha_s E_s A_s + \alpha_b E_b A_b)(\Delta T)L}{E_s A_s + E_b A_b}$$

이 결과는 유연도법을 써서 얻은 결과[식 (2-30)]와 같다. 이 δ에 대한 표현을 식 (g)에 대입하면 P_s와 P_b를 얻게 되는데, 이 결과도 유연도법에서 얻은 것[식 (2-29)]과 같다.

기변형률 구조물의 어떤 부재의 길이가 우연히 그것의 이론적인 길이와 다른 길이로 제작되었다고 가정한다면, 길이 변화를 일으킨 원인은 다를지라도 그 효과는 온도 변화를 일으켰을 때와 유사하다. 즉 정정구조물에 있어서의 이러한 효과는, 비록 변형률이나 응력은 발생시키지 않는다 할지라도 그 구조물이 이론적인 형상과 달라질 것이고, 부재의 길이 변화에 대한 조정이 자유롭지 못한 부정정구조물에서는 내부변형률을 발생시키게 된다. 이러한 변형률은 아직 하중을 가하기 전인 구조물을 제작할 당시에 나타나게 되므로 이것을 **기변형률**(prestrain)이라 부르며, 이 변형률은 구조물에 **기응력**(prestressed)상태를 일으킨다. 때로는, 구조물이 하중을 받았을 때 좀더 양호한 응력상태가 되도록 하기 위하여 일부러 기응력상태가 되도록 하는 경우가 있는데, 이러한 구조물의 보통 볼 수 있는 예로는 기응력상태인 콘크리트 보(beam), 가열 끼워 맞춤된(shrink-fitted) 기계부품 및 자전거의 기응력상태인 스포크(spoke - 만약 기응력상태가 아니라면 붕괴를 일으킨다) 등을 들 수 있다.

기변형률상태에 있는 부정정구조물의 해석은 온도변화를 받았을 때와 같은 방법으로 할 수 있다. 이 점은 예시하기 위하여, 다시 그림 2-25(a)에 보인 3봉재 트러스를 생각하고 연직봉재의 응력이 걸리지 않은 상태에서의 길이를 L 대신 $L + \Delta L$로 가정한다. 그러면 봉재들은, 연직봉재는 압축이 되고 경사봉재들은 늘어난 상태이어야만 트러스로 조립될 수 있다.

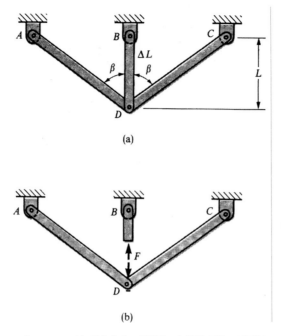

(a)

(b)

그림 2-25 연직봉재에 기변형 ΔL을 갖는 트러스

F를 연직봉재의 압축력이라 하면[그림 2-25(b)] 이 힘은 절점 D의 하향변위 δ_1을 일으키킨다[식 (2-10) 참고]. 연직부재의 길이를 L이라 하고 모든 봉재가 같은 축강도 EA를 갖는다고 가정하면

$$\delta_1 = \frac{FL}{2EA\cos^3\beta}$$

이고, 힘 F로 인한 연직부재의 수축량 δ_2는 다음과 같다.

$$\delta_2 = \frac{FL}{EA}$$

절점 D의 적합조건은, 절점 D의 하향변위가 연직봉재의 초기 길이 증가량 ΔL에서 F로 인한 수축량을 뺀 값과 같아야 하므로, 적합방정식은 아래와 같다.

$$\delta_1 = \Delta L - \delta_2$$

또는

$$\frac{FL}{2EA\cos^3\beta} = \Delta L - \frac{FL}{EA} \tag{h}$$

이 방정식을 힘 F에 대하여 풀면 다음을 얻는다.

$$F = \frac{2EA(\Delta L)\cos^3 \beta}{L(1 + 2\cos^3 \beta)} \tag{2-31}$$

이 힘은 ΔL이 정, 즉 ΔL이 길이의 증가를 나타낼 때)일 때 압축력이다. 연직봉재의 축력 F를 알면 평형방정식으로부터 경사봉재들의 축력을 쉽게 구할 수 있다.

이 예제는 기변형률에 의한 부정정구조물의 해석이 온도 변화에 의한 경우와 본질적으로 같다는 것을 보여 주고 있다. 이러한 해석 결과는 한쪽 경우로부터 다른 쪽 경우로 쉽게 전환할 수가 있다. 예를 들면, 그림 2-25(a)의 트러스에서 경사봉재들의 온도는 일정하게 유지하고 연직봉재에만 ΔT의 온도변화를 주었다고 가정한다. 이때 봉재들의 축력에 나타나는 효과는, 마치 연직봉재의 길이를 ΔL(연직봉재가 자유롭게 팽창할 수 있는 상태에서 ΔL만큼 열팽창을 한다고 할 때)만큼 크게 만들어 조립했을 경우와 같게 된다. 따라서 온도 변화로 인한 연직봉재의 축력 F를 구하기 위하여, 식 (2-31)에서 ΔL을 $\alpha(\Delta T)L$로 대치한다.

2.7 경사단면상의 응력

봉재의 인장과 압축에 관한 앞의 논술에서는, 우리가 다루었던 응력이 단지 그림 2-26(a)에 보인 봉재 AB의 mn단면과 같이 봉재의 축에 수직한 횡단면들에 작용하는 수직응력(normal stress)이었다. 이제 축과 경사를 이루는 pq와 같은 단면[그림 2-26(a)]에 작용하는 응력들에 대하여 생각해 보기로 한다.

먼저, 횡단면 mn 위에 작용하는 수직응력은, 응력분포가 전단면상에서 균일하다는 전제하에, $\sigma = P/A$의 공식으로부터 계산될 수 있다는 것을 알고 있다. 앞에서 설명한 대로, 이 조건은 봉재가 균일단면(prismatic)으로 되어 있고, 봉재가 균질(homogeneous)이며, 축력 P가 단면의 도심에 작용하고, 이 단면이 높은 국소응력상태에 있을 수도 있는 봉재의 양단으로부터 멀리 떨어져 있어야 한다는 것을 전제로 한다. 그림 2-26(a)의 봉재가 이 모든 조건을 만족함으로써 횡단면 mn 위의 수직응력 분포가 균일하다고 가정한다. 이 단면이 길이방향 축에 수직하게 절단되었기 때문에, 단면상에는 물론 전단응력이 발생하지 않는다.

봉재 내의 응력을 표시하는 편리한 방법은 그림 2-26(a)에서 C로 표시한 요소와 같이 재

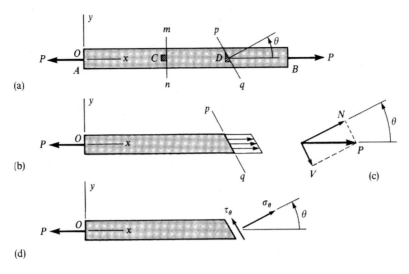

그림 2-26 횡단면 mn과 경사단면 pq를 나타낸 균일단면 인장봉재

료의 작은 요소를 분리해 내고, 이 요소의 각 측면에 작용하는 응력을 표시하는 것이다. 이러한 요소를 **응력요소**(stress element)라 한다. C점에서의 응력요소는 직육면체의 형이 되며, 이것의 오른쪽 면(또는 정의 x면)은 mn 단면이다. 물론 응력요소의 치수는 무한히 작은 것이나, 편의상 그림 2-27(a)에서와 같이 크게 그린다.

요소의 각 모서리는 x, y 및 z축에 평행이며, 이 요소에 작용하는 응력은 오직 x면상의 수직응력 σ_x뿐이다. 때로는 편의상 그림 2-27(b)에 보인 바와 같이 2차원적으로 그려진 요소를 사용한다.

경사단면(inclined section) pq는 봉재를 x축과 면의 법선방향(normal) 사이가 각 θ가

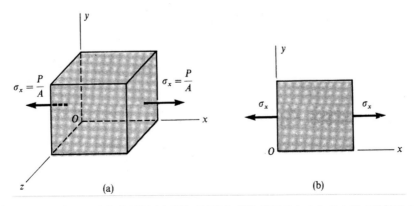

그림 2-27 그림 2-26(a)에 보인 봉재의 C 점에 대한 응력요소 (a) 요소의 3차원적 표현
(b) 요소의 2차원적 표시

되도록 절단한 것이다[그림 2-26(a)]. 따라서 횡단면 mn은 $\theta = 0$인 면이고 길이 방향으로 절단한 단면은 $\theta = 90°$ 또는 $\theta = \dfrac{\pi}{2}$ radian인 단면이 된다. 봉재의 모든 부분에서 축변형률이 같으므로 단면 pq상에 작용하는 응력은 균일하게 분포해야 한다[그림 2-26(b)]. 이 응력들의 합력(resultant)은, 봉재의 왼쪽 부분이 평형을 이루기 위하여 축력 P와 크기가 같은 힘이어야 한다. 이 합력은, 경사평면 pq에 각각 법선(normal) 및 접선(tangental) 방향인, 수직력 N과 전단력 V의 두 분력으로 분해할 수 있으며, 이 분력들은 다음과 같다.

$$N = P\cos\theta \quad V = P\sin\theta \tag{2-32a, b}$$

힘 N과 V에 대응하는 응력은 각각 수직응력 σ_θ와 전단응력 τ_θ[그림 2-26(d) 참조]로서 경사면상에 균일하게 분포한다. 이 응력들은 그림에 정(+)의 방향으로 그려져 있는데, σ_θ는 인장응력일 때를 정으로 하고, τ_θ는 재료를 기준으로 하여 반시계 방향으로 회전할 때를 정으로 한다. A가 횡단면의 면적일 때 경사면의 면적 A_1은 $A/\cos\theta$이므로 응력 σ_θ와 τ_θ는 아래와 같은 방정식으로 표시된다.

$$\sigma_\theta = \frac{N}{A_1} = \frac{P}{A}\cos^2\theta = \sigma_x \cos^2\theta \tag{2-33a}$$

$$\tau_\theta = -\frac{V}{A_1} = -\frac{P}{A}\sin\theta\cos\theta = -\sigma_x \sin\theta\cos\theta \tag{2-33b}$$

여기서 $\sigma_x = P/A$는 횡단면의 수직응력이다.

σ_θ와 τ_θ에 대한 위의 식들은 그림 2-26(a)에서 봉재 내의 점 D에 대한 응력요소의 평형을 생각함으로써 얻을 수도 있다. 이 경우 요소는 쐐기(wedge) 형상이며 경사단면 pq에 따른면을 갖는다. 이 요소는 그림 2-28(a)에 다시 그려져 있으며, 경사면상에 작용하는 응력 σ_θ와 τ_θ 및 왼쪽면에 작용하는 응력 σ_x가 그려져 있다. 이 요소의 2차원적인 그림[그림 2-28(b)]이 여러 가지 목적에서 유용하다. σ_θ와 τ_θ를 구하기 위하여 이 요소의 평형을 생각한다. 면 위에 작용하는 힘은 응력과 그들이 작용하는 면적(즉, 그 면의 면적)을 곱하여 얻어진다. 예를 들면 왼쪽면에 작용하는 힘은 그 면의 면적을 A_0라 할 때 $\sigma_x A_0$[그림 2-28(c)]가 되며, 이 힘은 $-x$방향으로 작용한다. 요소의 두께가 일정하므로 경사면의 면적은 $A_0 \sec\theta$이고, 따라서 이 면상의 수직 및 전단력은 각각 $\sigma_\theta A_0 \sec\theta$와 $\tau_\theta A_0 \sec\theta$이다[그림 2-28(c)]. 왼쪽 면상의 힘 $\sigma_x A_0$를 경사면에 직각인 방향과 평행한 방향으로 분해할 수 있으며, 직각방향 분력은 $\sigma_x A_0 \cos\theta$ 평행방향 분력은 $\sigma_x A_0 \sin\theta$이다. 이제 위에 기술한 각 방향에 대하여 이 요소에 대한 정역학적인 평형방정식 두 개를 쓸 수 있다. 경사면에 수직한 방향(즉, σ_θ 방향)의 힘의 대수화로 얻어지는 첫 번째 방정식은

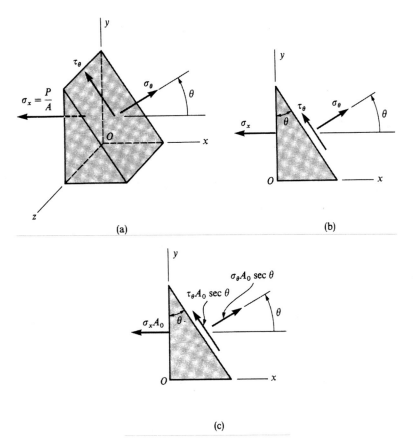

(a)

(b)

(c)

그림 2-28 그림 2-26(a)에 보인 봉재의 D에 대한 응력요소

$$\sigma_\theta A_0 \sec\theta - \sigma_x A_0 \cos\theta = 0$$

또는

$$\sigma_\theta = \sigma_x \cos^2\theta$$

이고, 이것은 식 (2-33a)와 같다. 두 번째 방정식은 τ_θ 방향의 힘의 대수화로부터 얻어지며

$$\tau_\theta A_0 \sec\theta + \sigma_x A_0 \sin\theta = 0$$

또는

$$\tau_\theta = -\sigma_x \sin\theta \cos\theta$$

이고, 이것은 식 (2-33b)와 같다. 응력요소의 평형을 바탕으로하여 경사면상의 응력을 구하는 이 방법은 순수절단(pure shear) 상태(3.4절)와 좀더 일반적인 응력상태(6장)의 해석에서 사용할 것이다.

식 (2-33a와 b)는 임의 경사단면상에 작용하는 수직응력과 전단응력을 표시한다. 그림 2-29는 단면이, $\theta = -90°$로부터 $\theta = +90°$까지 변화하는 각도로 절단될 때, 응력이 변화해 가는 양상을 보여 준다. 정(+)의 각도 θ는 x축으로부터 반시계방향으로 측정되며, 부(−)의 각도는 시계방향으로 측정된다(그림 2-26과 2-28). $\theta = 0$일 때에는, 면 pq는 횡단면이 되며, 기대되는 바와 같이 그림에서 $\sigma_\theta = \sigma_x$이다. θ가 증가하거나 감소함에 따라 응력 σ_θ는, $\theta = \pm 90°$에서 0이 될 때까지 점차 감소해 가는데, 이것은 봉재의 축(길이 방향)에 평행한 방향으로 절단된 평면상에는 수직응력이 나타나지 않는다(기대되는 바와 같이)는 것을 나타낸다. 최대수직응력은 $\theta = 0$에서 발생하며

$$\sigma_{\max} = \sigma_x \tag{2-34}$$

이고, $\theta = \pm 45°$에서는 수직응력이 최대값의 1/2이다.

전단응력 τ_θ는 횡단면($\theta = 0$)과 길이방향 단면($\theta = \pm 90°$)에서 0이고, 이들 각도 사이에서 응력은 그림 2-29에 보인 바와 같이 변화하며 $\theta = -45°$에서 정의 최대값이 되고 $\theta = +45°$에서 부의 최대값이 된다. 이들 최대전단응력은 크기가 같으나 요소에 대하여 회전하는 방향이 서로 반대이다. 따라서 최대전단응력은 수치적으로

$$\tau_{\max} = \frac{\sigma_x}{2} \tag{2-35}$$

이고, x축과 45°인 평면에 발생하다고 말할 수 있다.

축과 45°를 이루도록 절단된 단면 위의 완전한 응력상태는 그림 2-30에 보인 응력요소에 표시되어 있다. 면 $ab(\theta = 45°)$상의 수직응력과 전단응력은 각각 $\sigma_x/2$와 $-\sigma_x/2$ [식

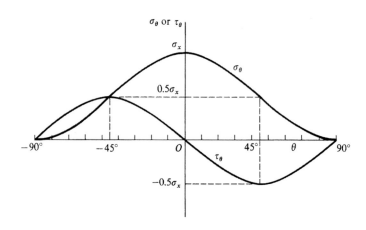

그림 2-29 경사단면 pq의 각 θ에 대한 수직응력 σ_θ와 전단응력 τ_θ의 선도[그림 2-26(a) 참고]

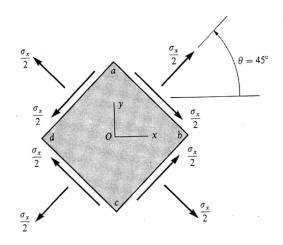

그림 2-30 인장봉재에서 $\theta = 45°$에 대한 응력요소

(2-33a와 b로부터)]이며, 따라서 그림에 보인 바와 같이 수직응력은 인장응력이고, 전단응력은 요소에 대하여 시계방향으로 작용한다. 나머지 면들, 즉 bc, cd 및 ad 위에 작용하는 응력들도 식 (2-33a와 b)에 각각 $\theta = -45°$, $-135°$ 및 $135°$를 대입함으로써 같은 방법으로 구해진다. 이 특별한 경우에는, 수직응력이 네면 상에서 모두 같고 전단응력은 최대값이 되는 것에 주의하라. 또한 1.6절에서 지적했던 바와 같이, 서로 직교하는 평면상에 작용하는 전단응력들은 크기가 같으며, 두 평면의 교선쪽을 향하거나 또는 멀어지는 쪽 방향을 취한다.

만약 봉재가 인장력 대신에 압축력을 받는다면 응력 σ_x는 부($-$)의 값을 갖게 되고, 요소에 작용하는 응력들은 인장을 받는 봉재일 때의 방향과 반대방향을 취할 것이다. 식 (2-33a와 b)에 σ_x를 부의 값으로 대입하여 응력을 수치적으로 계산할 수 있음은 물론이다.

축하중을 받는 봉재에서, 비록 최대전단응력이 최대수직응력의 1/2값에 불과하나[식 (2-35)], 재료가 인장에서보다 전단에 훨씬 약한 경우에는 전단응력이 응력을 지배할 수도 있다. 이러한 전단파괴(shear failure)의 한 예가 그림 2-31에 사진으로 주어져 있는데, 이것은 축방향 압축력을 받은 짧은 나무기둥이 45° 방향에 따라서 전단파괴를 일으킨 모양을 보이고 있다. 이와 관련된 양상의 거동이 인장을 받는 연강재(mild steel)에서도 나타나는데, 표면을 연마한 저탄소강 평판재를 가지고 인장시험을 하는 동안 판재 표면에 축과 대략 45°를 이루는 방향으로 **슬립밴드**(slip bands)가 나타나는 것을 볼 수가 있다(그림 2-32). 이 밴드들은 그 재료가 전단응력이 최대인 평면을 따라서 전단에 의하여 파괴되고 있다는 것을 나타낸다. 이러한 밴드는 처음에 1842년 G. Piobert에 의하여 또 1860년 W. Lüders

그림 2-31 압축을 받는 목재블록의
45° 평면에 따른 파단

그림 2-32 축인장력을 받는 연마된 강철시험
편상에 나타난 슬립밴드(Lüder's
band)

에 의하여 관찰되었으며, 오늘날 이것을 Lüder's bands 또는 Piobert's bands라 부른다(참고문헌 2-7부터 2-10을 보라). 이 밴드들은 봉재의 응력이 항복응력(yield stress: 그림 1-7의 B점)에 도달했을 때 나타나기 시작한다.

이 절에 기술된 응력상태를 **1축응력**(uniaxial stress)이라 부르는데, 그 이유는 봉재가 오직 단순인장 또는 단순압축만을 받고 있어서 봉재의 축방향 응력요소에는 단지 1방향 응력만이 작용하기 때문이다(그림 2-27). 일축응력 상태에 대한 응력요소에서 가장 중요한 두 방향은 분명히 $\theta = 0$(그림 2-27)과 $\theta = 45°$(그림 2-30) 방향으로서 전자의 경우에는 최대 수직응력이 나타나고 후자의 경우에는 최대 전단응력이 나타난다. 만약 봉재에서 단면을 다른 각도로 절단했다면, 대응하는 응력요소의 면들에 작용하는 응력들은, 아래의 예제에 예시한 바와 같이 식 (2-33a와 b)로부터 결정될 수가 있다. 일축응력 상태는, **평면응력**(plane stress) 상태(6장에서 상세하게 다룬다)로 알려져 있는 좀더 일반적인 응력 상태의 특수한 경우이다.

예제 ①

압축력을 받는 균일단면 봉재가 횡단면적은 $A = 1200\,\text{mm}^2$이고 하중 $P = 90\,\text{kN}$을 받는다[그림 2-33(a)]. 이 봉재에서 $\theta = 25°$로 절단된 평면 위에 작용하는 응력들을 구하라. 다음에 응력요소의 모든 면상의 응력들을 구하여 $\theta = 25°$인 경우의 완전한 응력 상태를 그려라.

풀이 $\theta = 25°$일 때의 응력들은

$$\sigma_x = \frac{P}{A} = -\frac{90\,\text{kN}}{1200\,\text{mm}^2} = -75\,\text{MPa}\,(\text{압축})$$

을 계산하여 식 (2-33a와 b)에 대입함으로써 쉽게 구할 수 있다. 즉

$$\sigma_\theta = \sigma_x \cos^2\theta = (-75\,\text{MPa})(\cos 25°)^2 = -61.6\,\text{MPa}$$
$$\tau_\theta = -\sigma_x \sin\theta \cos\theta = (75\,\text{MPa})(\sin 25°)(\cos 25°) = 28.7\,\text{MPa}$$

그림 2-33(b)는 이들 응력이 경사평면상에 작용하는 모양을 실제 방향대로 그린 것이다. 그림 2-33(c)는 $\theta = 25°$ 방향을 갖는 응력요소의 각 면에 작용하는 응력들을 보인 것이다. 면 ab는 그림 2-33(b)에 보인 경사평면과 같은 방향이므로 응력들은 같다. 면 cd상의 응력들은 면 ab상의 응력들과 같은데 이러한 사실은 식 (2-33a와 b)에 $\theta = 25° + 180°$를 대입해 봄으로써 확인할 수 있다. 면 bc와 ad에 대하여는 각각 $\theta = -65°$와 $\theta = 115°$를 대입하여 얻을 수 있는데 이 면들이 요소의 반대 그림 2-31 압축을 받는 목재블록의 45° 평면에 따른 파단 그림 2-32 축인장력을 받는 연마된 강철시험편상에 나타난 슬립밴드(Lüder's band)쪽에 있으므로 σ_θ와 τ_θ의 값들은 이 두 면에서 같게 된다.

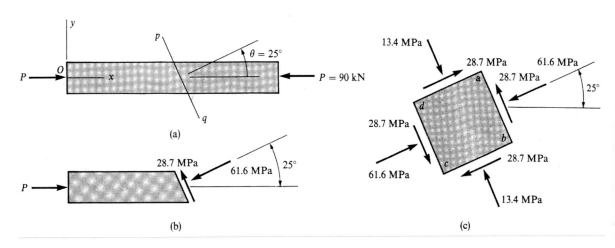

그림 2-33 예제

2.8 변형에너지

변형에너지(strain energy)의 개념은 응용역학(applied mechanics)분야에서 상당히 중요한 것이며, 변형에너지 원리들(strain-energy principles)은 기계나 구조물들이 정하중 및 동하중을 받았을 때의 거동을 해석하는데 널리 사용된다. 이 절에서는, 예로서 축하중부재만을 사용하여, 가장 간단한 방법으로 이 개념을 소개한다. 좀더 복잡한 구조물 요소들은 뒤의 장들에서 다루게 된다.

기본적인 개념을 설명하기 위한 수단으로, 인장력 P를 받는 길이 L인 균일 단면 봉재(그림 2-34)를 생각한다. 하중은 천천히 가해져서 0으로부터 최대값 P까지 점차 증가해 간다고 가정한다. 이러한 하중은, 운동으로 인한 동적효과나 관성효과(inertial effect)가 없기 때문에 정하중(static load)이라 부른다. 봉재는 하중이 작용함에 따라 점차로 늘어나서, 하중이 최종치 P에 도달할 때 최대 신장량 δ에 도달하게 되고, 그 이후는 하중이 일정한 값을 유지한다. 하중을 가하는 과정 동안 하중은 거리 δ만큼 이동하게 되며, 이때 하중이 한 일(work)량을 계산하기 위하여 그림 2-35에 그려져 있는 **하중-변위선도**(load-deflection diagram)를 사용한다. 이 그림에서 연직축은 하중을 나타내고, 수평축은 대응하는 봉재의 신장량을 나타낸다. 물론 이 선도의 모양은 해석을 하고 있는 봉재의 재질에 따라 다르다.

0으로부터 최대값 P까지의 사이에 있는 어떤 하중값을 P_1이라 하고, 이에 대응하는 봉재의 신장량을 δ_1이라 하면 하중이 dP_1만큼 증가할 때 신장량은 $d\delta_1$만큼 증가하게 된다. 이 신장량의 증가가 일어나는 동안 P_1에 의하여 이루어진 일량은 $P_1 d\delta_1$이며, 그림에 검게 칠해진 미소면적으로 표시된다. P_1이 0으로부터 최대값 P까지 변화하고 동시에 δ_1이 0으로부터 최대 신장량 δ까지 변화하는 동안 하중에 의하여 이루어진 총 일량 W는 이 미소면적들을 모두 합한 값이 된다. 즉

$$W = \int_0^\delta P_1 d\delta_1 \qquad (2\text{-}36)$$

다시 말하면, 하중에 의하여 이루어진 일량은 하중-변위선도 아래의 면적과 같다.

하중의 작용으로 봉재에는 변형률이 발생하며, 이 변형률의 효과는 봉재 자체의 에너지를 증가시키게 된다. 따라서 **변형에너지**(strain energy)라 부르는 새로운 양은 하중이 작용하는 동안 봉재에 흡수된 에너지로 정의한다. 이 변형에너지(U로 표시하기로 한다)는, 열의 형태로 가해지거나 감해지지 않을 때 하중에 의하여 이루어진 일량과 같다. 따라서

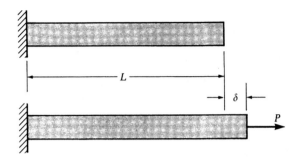

그림 2-34 하중을 정적으로 받고 있는 균일단면 봉재

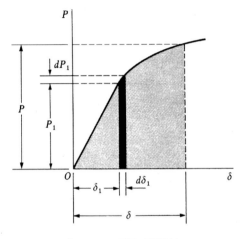

그림 2-35 하중-변형선도

$$U = W = \int_0^{\delta} P_1 d\delta_1 \tag{2-37}$$

때로는 변형에너지를 외부일(external work) W와 구별하기 위하여 **내부일**(internal work)이라고도 한다.

일과 energy의 SI 단위계에 의한 단위는 joule(J)로서 1 newton meter와 같다(1J=1N ·m). USCS 단위계에서는 일과 에너지가 foot-pounds(ft-lb), foot-kips(ft-k), inch-pounds(in.-lb) 및 inch-kips(in.-k)로 표시된다.*

만약 힘 P를 봉재(그림 2-34)로부터 천천히 제거하면 봉재는 점차 줄어들게 되며, 탄성한계를 넘었었는지의 여부에 따라 부분적으로 또는 완전히 봉재의 원 길이로 되돌아온다.

따라서 하중을 제거하는 동안 봉재의 변형에너지는 그 일부가 또는 모두가 일의 형태로

---

* 일과 에너지에 대한 변환계수들은 부록 A, 표 A-3에 주어져 있다.

회복될 수 있다. 이 거동이 하중-변위선도를 다시 보여 주는 그림 2-36에 그려져 있는데, 하중을 가하는 동안 이루어진 일은 곡선하의 면적, 즉 $OABCDO$이다. 만약 B점이 탄성한도를 넘었다면, 하중을 제거할 때에 하중-변형선도가 선 BD를 따르게 되고 영구변형(permanent elongation) OD를 남기게 된다. 따라서 하중을 제거하는 동안 회복되는 변형에너지는 검게 칠해진 삼각형 BCD로 표시되며, 이와 같이 회복이 가능한 에너지를 **탄성 변형에너지**(elastic strain energy)라 한다. 면적 $OABDO$는 봉재가 영구변형을 일으키는 과정에서 손실되는 에너지를 표시하며, 이 에너지는 **비탄성 변형에너지**(inelastic strain energy)라 한다.

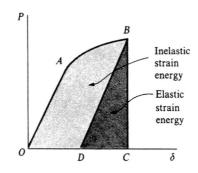

그림 2-36 탄성 및 비탄성 변형에너지

이번에는 봉재에 작용하는 하중 P가 탄성한도하중(elastic limit load)보다 작게(즉, 재료내의 응력이 탄성한도에 도달하게 될 때의 하중보다 작게) 유지된다고 가정한다. 탄성한도 하중은 그림 2-36의 선도에서 A점에 연직 좌표로 표시된다. 하중이 이 탄성한도하중보다 작은 값인 한 하중 제거시에 변형에너지는 모두 회복이 되며 영구변형은 남지 않는다. 따라서 봉재는 마치 하중이 작용되고 또 제거됨에 따라 에너지를 저장하고 또 방출하는 탄성 스프링(elastic spring)과 같이 거동하게 된다.

만약 봉재의 재료가 탄성체이고 또 Hooke의 법칙을 따른다면 하중-변위선도는 직선(그림 2-37)이 되며 이 경우 봉재 내에 저장되는 변형에너지 U(하중 P에 의하여 이루어진 전 일량 W와 같다)는

$$U = W = \frac{P\delta}{2} \qquad (2\text{-}38)$$

이며, 그림에 검게 칠해진 삼각형 OAB의 면적과 같다.*

---

* 선형탄성거동의 경우에 외부 하중의 일이 변형에너지와 같다는 원리는 프랑스의 기술자 B.P.E. Clapeyron

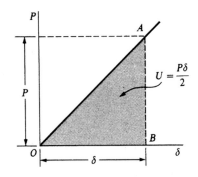

그림 2-37 선형탄성재료 봉재의 하중-변형선도

균일단면 봉재에 대하여 $\delta = PL/EA$임을 알고 있으므로 식 (2-38)에 대입하면 변형에너지가 아래와 같은 두 가지 형태로 표현될 수 있다.

$$U = \frac{P^2 L}{2EA} \quad U = \frac{EA\delta^2}{2L} \qquad \text{(2-39a, b)}$$

이들 방정식의 첫째 것은 봉재의 변형에너지를 하중 P의 함수로 표시하고 있으며, 두 번째 것은 신장량 δ의 함수로 표시하고 있다. 만약 균일 단면봉재의 강성도 EA/L를 스프링의 강성도 k로 대치한다면 같은 방정식들이 선형 탄성스프링에 적용된다[식 (2-2) 참고].

단면이 균일하지 않은 봉재 또는 축력이 변화해 가는 봉재(그림 2-38)의 변형에너지는 미소요소(사선이 그려진)에 식 (2-39a)를 적용하고 적분함으로써 구할 수 있다.

$$U = \int_0^L \frac{P_x^{\ 2} dx}{2EA_x} \qquad \text{(2-40)}$$

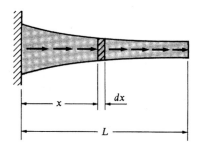

그림 2-38 축력이 변화해 가는 비불균-단면 봉재

(1799~1864)가 처음으로 제안한 것으로, 이것을 Clapeyron의 원리라 한다(참고문헌 2-11).

이 표현에서 P_x와 A_x는 봉재 끝으로부터 거리 x인 지점에서의 축력과 횡단면적이다.

때로는 **변형에너지 밀도**(strain energy density) u로 알려진 양을 사용하는 것이 편리할 때가 있는데 이것은 재료 단위 체적당의 변형에너지이다. 선형탄성의 경우 u의 표현은 전 변형에너지 U[식 (2-39a와 b) 참고]를 봉재의 체적 AL로 나누어줌으로써 얻을 수 있는데, 그 이유는 이러한 경우 체적 전체를 통하여 변형에너지 밀도가 균일하기 때문이다. 따라서

$$u = \frac{\sigma^2}{2E} \quad u = \frac{E\epsilon^2}{2} \qquad\qquad (2\text{-}41\text{a, b})$$

이때 $\sigma = P/A$와 $\epsilon = \delta/L$는 각각 수직응력과 변형률이다. 변형에너지 밀도는, 원점에서부터 응력 σ와 변형률 ϵ을 나타내는 곡선상의 점까지의 응력-변형률선도(stress-strain curve)하의 면적과 같다.

변형에너지 밀도는 에너지를 체적으로 나눈 단위를 갖게 되므로, u에 대한 SI 단위는 J/m^3이고 USCS 단위는 $ft\text{-}b/ft^3$ $in.\text{-}lb/in^3$등이다. 이들 단위는 모두가 응력의 단위와 같기 때문에 u의 단위로서 pascal 또는 psi를 사용할 수도 있다[식 (2-41a와 b) 참고].

재료가 비례한도(proportional limit)에 해당하는 응력을 받고 있을 때의 변형에너지 밀도를 **레질리언스계수**(modulus of resilience) u_r이라 부르며 이 값은 식 (2-41a)에 비례한도응력 σ_{pl}을 대입하여 얻는다.

$$u_r = \frac{\sigma_{pl}^2}{2E} \qquad\qquad (2\text{-}42)$$

예를 들면, $\sigma_{pl} = 30{,}000$ psi 이고 $E = 30 \times 10^6$ psi 인 연강은 레질리언스계수가 $u_r = 15$ psi (또는 $103\,kPa$)이다. 레질리언스계수는 비례한도까지의 응력-변형률선도하의 면적과 같다. **레질리언스**란 재료가 탄성범위내에서 에너지를 흡수할 수 있는 능력을 표시하며, **인성**(toughness)이란 재료가 파단되기 전까지 에너지를 흡수할 수 있는 능력을 나타낸다. 따라서 **인성계수**(moduls of toughness) u_t는 재료가 파단점까지 응력을 받았을 때의 변형에너지 밀도를 말하며 응력-변형률선도하의 전면적과 같다.

위의 인장부재에 대한 변형에너지에 관한 논술은 압축부재에도 적용된다. 축력에 의하여 이루어진 일량은 그 힘이 인장력이거나 압축력이거나에 상관 없이 정(+)의 값이므로 변형에너지는 항상 정의 값이다. 이 결론은 변형에너지의 표현[식 (2-39로부터 2-41)]에서 부호를 갖는 양들이 자승으로 표시되어 있기 때문에 정의 값을 갖는다는 것은 분명하다.

예제 1

같은 길이 L을 갖고 모양이 다른 세 개의 원형단면 봉재가 그림 2-39에 주어져 있다. 첫 번째 봉재는 전 길이에 걸쳐 지름이 d이고, 두 번째 봉재는 길이의 1/4이 지름 d로 되어 있으며, 세 번째 봉재는 길이의 1/8이 지름 d로 되어 있다. 세 봉재가 같은 하중 P를 받고 있을 때 이 봉재들에 저장되는 변형에너지의 양을 비교하라. 선형탄성 거동을 가정한다.

풀이 첫 번째 봉재의 변형에너지는 식 (2-39a)로부터

$$U_1 = \frac{P^2 L}{2EA}$$

이고, 여기서 $A = \pi d^2/4$이다. 모든 횡단면에서의 응력분포가 균일하다고 가정하면 두 번째 봉재의 변형에너지는

$$U_2 = \frac{P^2(L/4)}{2EA} + \frac{P^2(3L/4)}{2E(9A)} = \frac{P^2 L}{6EA} = \frac{U_1}{3}$$

이며, 세 번째 봉재에 대하여는 다음과 같다.

$$U_3 = \frac{P^2(L/8)}{2EA} + \frac{P^2(7L/8)}{2E(9A)} = \frac{P^2 L}{9EA} = \frac{2U_1}{9}$$

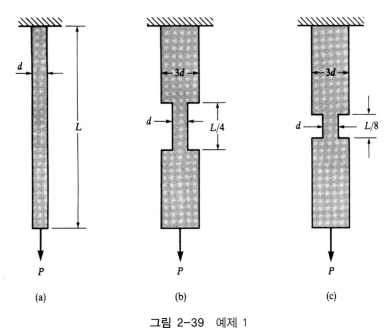

그림 2-39 예제 1

이들 결과를 비교해 보면, 세 봉재 모두가 같은 최대응력을 나타낼지라도 봉재의 체적이 증가할수록 변형에너지는 감소한다는 것을 알 수 있다. 즉 세 번째 봉재는 다른 두 봉재보다, 에너지 흡수능력이 작다. 따라서 홈(groove)을 갖는 봉재에서는 높은 인장응력을 발생시키는데 작은 일량만으로 충분하며, 이 홈이 좁으면 좁을수록 이러한 경향은 더 커진다. 하중이 동적으로 작용하고 에너지 흡수능력이 중요할 경우 홈이 존재한다는 것은 매우 위험하다. 물론 정하중에서는, 에너지 흡수능력보다 최대응력이 설계에서 더 중요하다.

예제 2

상단이 고정되고 자중에 의하여 연직하게 매달려 있는 균일 단면 봉재(그림 2-40)에 저장되는 변형에너지를 구하라. 선형탄성 거동을 가정한다.

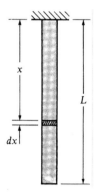

그림 2-40 예제 2. 자중하에 매어달린봉재

풀이 먼저 길이가 dx인 봉재의 요소(그림에서 사선을 친 부분)를 생각하면, 이 요소에 작용하는 축력 P_x는 이 요소 아래쪽 봉재의 무게와 같다.

$$P_x = \gamma A(L-x) \tag{a}$$

여기서 γ는 재료의 비중량이고 A는 봉재의 횡단면적이다. 식 (2-40)에 대입하고 적분하면 전 변형에너지를 얻는다.

$$U = \int_0^L \frac{[\gamma A(L-x)]^2 dx}{2EA} = \frac{\gamma^2 A L^3}{6E} \tag{2-43}$$

변형에너지밀도를 적분해도 같은 결과를 얻을 수 있다. 지지점으로부터 거리 x인 지점에서의 응력은

$$\sigma = \frac{P_x}{A} = \gamma(L-x)$$

이고, 따라서 변형에너지 밀도는 식 (2-41a)로부터

$$u = \frac{\sigma^2}{2E} = \frac{\gamma^2(L-x)^2}{2E}$$

이므로 전 변형에너지는 u를 봉재의 전 체적에 대하여 적분함으로써 얻어진다.

$$U = \int u\,dV = \int_0^L u(A\,dx) = \int_0^L \frac{\gamma^2 A(L-x)^2\,dx}{2E} = \frac{\gamma^2 AL^3}{6E}$$

이 결과는 식(2-43)과 일치한다.

예제 ③

고정된 상단으로부터 연직하게 매달린 균일 단면 봉재가 그의 자중 이외에, 하단에 하중 P를 받을 때(그림 2-41) 변형에너지를 구하라.

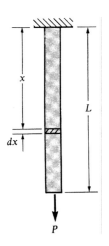

그림 2-41 예제 3. 자중과 하중 P를 지지하며 매달린 봉재

풀이 이 경우에는 그림에서 사선을 친 요소에 작용하는 축력 P_x가 다음과 같다[식 (a) 참고].

$$P_x = \gamma A(L-x) + P$$

식 (2-40)으로부터 다음을 얻는다.

$$U = \int_0^L \frac{[\gamma A(L-x) + P]^2\,dx}{2EA} = \frac{\gamma^2 AL^3}{6E} + \frac{\gamma PL^2}{2E} + \frac{P^2 L}{2EA} \tag{2-44}$$

이 결과를 검토해 보면 첫 번째 항은 자중으로 매달려 있는 봉재의 변형에너지인 식 (2-43)과 같고, 마지막 항은 축하중 P만 받고 있는 봉재의 변형에너지[식 (2-39a)]와 같다. 가운데 항은 γ와 P를 둘 다 포함하므로 봉재의 자중과 작용하중의 크기에 모두 관계한다는 것을 알 수 있다.

위의 예제로부터 얻게 되는 중요한 결론은 1개 이상의 하중을 받는 구조물의 변형에너지는 각 하중이 단독으로 작용했을 때의 변형에너지를 단순히 합해서 얻을 수 없다는 것이다. 그 이유는 변형에너지가 하중의 1차 함수가 아니고 2차 함수이기 때문이다[식 (2-40) 참고].

단일하중으로 인한 처짐

단일 집중하중 P를 받는 선형탄성 구조물을 생각하면, 이 하중에 의하여 이루어진 일 W는 구조물에 저장되는 변형에너지 U와 같을 것이며, 식 (2-38)에 의하여

$$U = W = \frac{P\delta}{2}$$

이고, 이때 δ는 하중 P(P의 작용점)가 이동한 변위이다. 이 방정식은 변형에너지를 구할 수 있을 경우 변위 δ를 구하는 간단한 방법을 제시해 준다. 그러나 이 방법을 사용할 때에는 다음 사항에 유의해야 한다. (1) 구조물에는 단지 한 개의 하중만 작용하여야 하고, (2) 이 방법에 의하여 결정할 수 있는 변위는 하중 자체의 변위일 때에 한한다. 아래 예제에서 이 방법을 예시한다.

그림 2-42의 트러스에서 절점 B의 연직변위 δ_b를 구하라. 트러스에 작용하는 하중은 절점 B에 작용하는 연직하중 P뿐이고, 두 부재는 같은 축강도 EA를 갖는다고 가정한다.

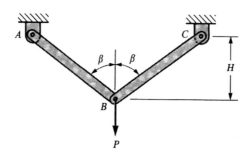

그림 2-42 예제 4.

풀이 이 예제에서 절점 B의 변위는 하중이 한 일량과 부재들에 저장되는 변형에너지를 등치함으로써 구할 수 있다. 두 봉재의 축력 F는 절점 B의 평형으로부터 구해지며

$$F = \frac{P}{2\cos\beta}$$

이다. 각 봉재의 길이는 $L_1 = H/\cos\beta$이므로, 식 (2-39a)를 써서 두 봉재의 변형에너지를 얻을 수 있다.

$$U = \frac{F^2 L_1}{2EA}(2) = \frac{P^2 H}{4EA\cos^3\beta}$$

하중 P의 일은

$$W = \frac{P\delta_b}{2}$$

이므로, U와 W를 등치하면 절점 B의 변위가 구해진다.

$$\delta_b = \frac{PH}{2EA\cos^3\beta}$$

이 결과는 앞서 변위선도를 써서 구한 결과 식 (2-10)과 같다.

---

*2.9 동하중

동하중(dynamic load)은 그것이 시간에 따라 변화한다는 점에서 정하중(static load)과 다르다. 정하중은 천천히 가해지고, 0으로부터 점차로 증가하여 최대값에 이른 다음 일정한 값으로 유지되는 것인데 반하여, 동하중은 매우 급속히 가해져서, 구조물에 진동을 일으키거나, 그 크기가 시간의 경과에 따라 변화해 간다. 예를 들면, 두 물체가 충돌할 경우 또는 낙하하는 물체가 구조물에 부딪칠 경우와 같은 충격하중(impact load)과, 회전기계에 의하여 야기되는 주기하중(cyclic load)이 이것에 속한다. 다른 예로는 통행, 돌풍, 물, 파도, 지진 및 제조공정 등에서 발생하는 하중들이 그 특성상 동적이다. 이러한 하중들의 본질을 이해하기 위하여, 이 절에서는 가장 기본적인 동하중의 형태인 **충격하중**(impact load)에 대하여 생각해보기로 한다.

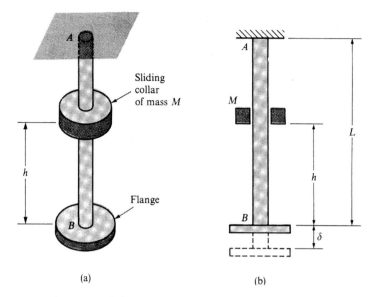

(a)   (b)

그림 2-43 낙하질량으로 인한, 균일단면봉재상의 충격하중

충격하중의 한 예로서 그림 2-43에 보인 단순한 계를 생각한다. 질량이 M인 칼라(collar)가, 처음에는 정지해 있다가 높이 h로부터 봉재의 하단에 있는 플랜지(flange) 위로 낙하한다. 이 칼라가 플랜지에 부딪칠 때, 봉재는 늘어나기 시작하며, 봉재 내에 축응력과 변형률을 발생시킨다. 매우 짧은 시간 동안 플랜지는 그의 최대 변위점까지 아래쪽으로 이동할 것이며, 그 다음 봉재는 즉시 수축을 시작하며 봉재의 길이방향 진동을 일으키게 된다.

이 상태는 스프링이 달린 죽마(pogo stick) 위에서 뜀뛰기를 하는 경우 또는 스프링 위에 물체를 떨어뜨렸을 때와 유사하다. 얼마 후에 이 진동은 감쇄효과(damping effect) 때문에 멈추게 되며 질량 M은 플랜지 위에 지지가 된 채로 정지하게 된다. 낙하하는 칼라의 작용으로 인한 이 계의 거동은 분명히 매우 복잡하며, 이 계의 완전한 해석은 좀더 고급 수학적인 방법을 사용해야 한다. 그러나 변형에너지 개념과 몇 가지의 문제를 단순화하기 위한 가정들을 씀으로써 근사적인 해석을 할 수가 있다.

질량 M의 플랜지에 대한 연직높이로 인한 위치에너지(potential energy)는 Mgh이며, 이때 g는 중력가속도*이다. 이 위치에너지는 질량이 낙하할 때 운동에너지(kinetic energy)로 변환되며, 질량이 플랜지에 부딪치는 순간, 이것의 위치에너지(플랜지의 높이를 기준한)는 0이 되고 운동에너지는 $Mv^2/2$이 된다(이때 $v = \sqrt{2gh}$는 질량의 속도이다). 다음에 질

---

* SI 단위로는 $g = 9.81\,\text{m/s}^2$이고, USCS 단위로는 $g = 32.2\,\text{ft/s}^2$이다. 좀더 정밀한 g의 값과, 질량 및 무게에 대한 설명은 부록 A를 보라.

량의 낙하로 인한 이 운동에너지는 또다른 형태로 변환되는데 그 일부는 늘어난 봉재의 변형에너지로 변환된다. 또한 이 에너지의 일부분은 열의 형태로 소실되고 또 일부분은 봉재와 플랜지의 국소 소성변형을 일으키는데 소모되며, 일부분은 질량의 운동에너지로 남아서 이 질량을 플랜지와 함께 아래쪽으로의 운동을 계속하게 하거나, 발발하여 튀어 오르게 한다. 질량 M이 플랜지에 부착되어 함께 아래쪽으로 운동한다고 가정한다. 이 가정은 낙하하는 물체의 질량이 봉재와 플랜지의 질량보다 훨씬 더 클 때에만 합리적이다. 또한 낙하질량의 모든 운동에너지가 봉재의 변형에너지로 변환된다고 가정함으로써 에너지 손실을 무시하기로 한다. 이 두 번째 가정은 에너지 손실이 있을 때 보다 봉재에 더 큰 응력을 발생시키리라는 관점에서 에너지보존을 뜻한다. 또한 봉재의 위치에너지 변화는 무시하기로 한다. 마지막으로 봉재 내의 응력은 선형탄성 범위 내에 유지되고 응력분포는 정하중을 받을 때와 같다고 가정한다. 이 가정들을 근거로 하여 충격하중으로 인한 봉재의 최대 인장응력과 최대 신장량을 계산할 수 있다.

봉재의 최대 신장량 δ[그림 2-43(b)]는, 낙하 질량에 의한 위치에너지 감소량과 봉재에 저장되는 변형에너지를 등치함으로써 구해진다. 위치에너지 감소량은 $W(h+\delta)$인데, 이때 $W = Mg$는 칼라의 무게이며 $h+\delta$는 그 칼라가 이동하는 거리이다. 봉재의 변형에너지는, 봉재의 축강도를 EA, 길이를 L이라 할 때, $EA\delta^2/2L$이다[식 (2-39b) 참고]. 따라서 **에너지보존**(conservation of energy) 원리로부터 아래의 방정식을 얻는다.

$$W(h+\delta) = \frac{EA\delta^2}{2L} \qquad (2\text{-}45)$$

이 식은 δ에 관한 2차 방정식이며, 그 정의 근을 구하면 다음을 얻는다.

$$\delta = \frac{WL}{EA} + \left[\left(\frac{WL}{EA}\right)^2 + \frac{2WLh}{EA}\right]^{1/2} \qquad (2\text{-}46)$$

따라서, 봉재의 신장량은 낙하 물체의 질량이나 낙하 높이가 증가하면 증가하고, 강성도 EA/L가 증가하면 감소하는 것을 알 수 있다. 위의 방정식은 하중 W로 인한 정적 처짐(static deflection)

$$\delta_{st} = \frac{WL}{EA} \qquad (2\text{-}47)$$

을 쓰면 간단한 형으로 표시할 수 있다. δ_{st}를 식 (2-46)에 대입하면 다음과 같이 된다.

$$\delta = \delta_{st} + (\delta_{st}^2 + 2h\delta_{st})^{1/2} \qquad (2\text{-}48)$$

만약 정적 처짐이 높이 h에 비하여 무척 작은 값이라면 위의 식은 아래와 같이 좀더 간단한 형으로 표시할 수 있다.

$$\delta \approx \sqrt{2h\delta_{st}} \tag{2-49}$$

이 근사식은 식 (2-48)에서 얻어지는 값보다 항상 작은 변위값을 주게 된다. 예를 들면 $h = 40\delta_{st}$라 하면 근사식에서 $\delta = 8.9\delta_{st}$를 얻는데, 이 값은 식 (2-48)에서 얻어지는 변위 $\delta = 10\delta_{st}$의 0.89배이다.

봉재 내의 최대응력은, 응력분포가 전 길이를 통하여 균일하다고 가정한다면, 최대신장량으로부터 계산될 수 있다. 물론 이러한 조건은 근사적인 것이며 실제의 경우에는 봉재 내에 길이 방향 응력파동(stress wave)이 일어나게 된다(참고문헌 2-12와 2-13). 아무튼 균일 응력분포를 가정하여 최대인장응력에 대한 다음의 식을 얻게 된다[식 (2-46) 참고].

$$\sigma = \frac{E\delta}{L} = \frac{W}{A} + \left[\left(\frac{W}{A} \right)^2 + \frac{2WhE}{AL} \right]^{1/2} \tag{2-50}$$

또는

$$\sigma = \sigma_{st} + \left(\sigma_{st}^2 + \frac{2hE}{L}\sigma_{st} \right)^{1/2} \tag{2-51}$$

이때 $\sigma_{st} = W/A$는 하중이 정적으로 작용할 때의 응력이다. 다시 높이 h가 신장량에 비하여 큰 경우[식 (2-49) 참고]를 생각하고 $\sigma_{st} = W/A$와 $M = W/g$를 쓰면 다음을 얻는다.

$$\sigma \approx \sqrt{\frac{2hE}{L}\sigma_{st}} = \sqrt{\left(\frac{Mv^2}{2} \right)\left(\frac{2E}{AL} \right)} \tag{2-52}$$

여기서 $v = \sqrt{2gh}$는 질량 M이 봉재와 부딪칠 때의 속도이다. 이 결과로부터 낙하하는 질량의 운동에너지 $Mv^2/2$이 증가하면 응력도 증가하게 되고, 봉재의 체적 AL이 증가하면 응력이 감소한다는 것을 알 수 있다. 이러한 경향은, 응력이 길이 L 및 탄성계수 E에 무관한 봉재의 정적 인장의 경우와는 전혀 다르다.

최대 신장량 δ와 최대 응력 σ를 구하는 위의 식들은 균일단면 봉재에 대하여 얻어진 것이다. 만약 봉재의 단면적이 변화하는 경우에는 δ와 σ를 구하는 방법을 약간 수정해야 한다.

가장 간단한 방법은, 봉재에 작용하는 하중 P_1과 이에 대응하는 정적처짐 δ_1 사이의 관계를 계산하여($k = P_1/\delta_1$이라 한다) 봉재의 등가 강성도(equivalent stiffness) k를 결정하는 것이며, 식 (2-46)에서 균일 단면봉재의 강성도인 EA/L 대신에 k를 사용한다. 동적 처짐 δ를 계산한 다음, 이것과 같은 처짐을 일으킬 정하중 P를, 식 $P = k\delta$로부터 구하고, 마지막

으로 P를 봉재의 최소 단면적으로 나누어 줌으로써 최대응력을 구할 수 있게 된다. 이 방법은 예제 2에 예시되어 있다.

또 한 가지 충격하중의 예는 수평으로 운동하는 물체가 봉재나 스프링의 일단에 부딪치는 경우이다(그림 2-44). 질량 M이 봉재의 질량에 비하여 매우 크다고 가정하면 낙하하는 질량의 경우와 똑같은 해석방법을 쓸 수 있다. 충격이 일어나는 순간 운동하는 질량의 운동에너지는 $Mv^2/2$이다. 만약 이 에너지 모두가 봉재의 변형에너지로 변환된다면, 에너지 보존법칙에 의하여 아래의 방정식을 얻는다.

$$\frac{Mv^2}{2} = \frac{EA\delta^2}{2L}$$

여기서 δ는 봉재 끝의 최대 변위이다. 따라서

$$\delta = \sqrt{\frac{Mv^2 L}{EA}} \tag{2-53}$$

대응하는 최대압축응력은 봉재 내에서 균일하다고 가정함으로써, 다음과 같다.

$$\sigma = \frac{E\delta}{L} = \sqrt{\frac{Mv^2 E}{AL}} \tag{2-54}$$

이 식은 식 (2-52)와 같은 응력값을 나타내며, 균일 단면봉재에서 봉재의 체적이 증가하면 응력이 감소한다는 것을 보여 주고 있다.

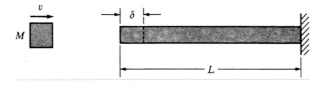

그림 2-44   속도 v로 운동하는 질량으로 인한 수평봉재상의 충격하중

갑자기 작용하는 하중. 충격하중의 특별한 경우로는, 하중이 초기 속도가 0인 상태로서 봉재에 갑자기 작용하는 경우를 들 수 있다. 여러 한 종류의 하중상태를 설명하기 위하여, 그림 2-43에 보인 연직 균일단면 봉재를 다시 생각하고, 칼라를 손으로 잡은 채 아래로 내려, 플랜지 위에 가만히 닿게 한 다음 손을 갑자기 떼었다고 가정한다. 이 경우 봉재가 늘어나기 시작하는 순간 운동에너지는 0이 되나, 이 문제는 정하중이 작용한 경우와는 전혀 다르다.

정적 인장인 경우에는, 하중이 점차로 작용된다고 가정함으로써 작용하중과 봉재의 저항력

사이에 매 순간 평형이 이루어지며, 이러한 조건하에서는 하중의 운동에너지에 관한 사항이 문제에 포함되지 않는다. 그러나 하중이 갑자기 작용하는 경우 봉재의 변형과 봉재 내의 응력이 초기에는 0이나, 갑자기 작용한 하중이 그 자중 때문에 아래로 운동하기 시작하면서 봉재에 변형을 일으키게 된다. 이 운동이 일어나는 동안 봉재의 저항력은 어떤 값, 즉 칼라의 무게 W와 같은 크기가 될 때까지 점차로 증가하게 되며, 바로 이 순간에 봉재의 변형은 δ_{st} 가 된다. 그런데 이때 질량은, 변위 δ_{st}가 일어나는 동안(속도를 갖게 됨으로써) 얻게 되는 운동에너지를 갖게 되기 때문에, 이 속도가 봉재의 저항력에 의하여 0이 될 때까지 아래쪽 방향의 운동을 계속하게 된다. 이러한 조건하에서의 최대 처짐은 식 (2-48)에서 h를 0으로 놓음으로써 얻어진다. 즉

$$\delta = 2\delta_{st} \tag{2-55}$$

따라서, 갑자기 작용한 하중은, 정하중에 의한 처짐의 2배가 되는 처짐을 일으킨다고 결론지을 수 있다. 하중이 작용하여 $2\delta_{st}$의 변위를 일으킨 다음, 봉재는 상하로 진동을 일으키다가, 플랜지가 아직도 칼라를 지지하고 있기 때문에 정적 처짐의 위치에서 정지하게 된다.[*]

비탄성 효과와 파단. 충격하중의 효과에 대한 앞의 논의는, 봉재 내의 응력이 비례한도 (proportional limit) 이내에 유지된다는 가정을 바탕으로 하고 있는데, 이 한도를 넘게 되면 봉재의 변형이 더 이상 축력에 비례하지 않기 때문에 문제는 더욱 복잡해진다. 만약 인장 시험선도(tensile test diagram)가 봉재의 변형률 속도(rate of straining)와 무관하다면, 충격력이 가해지는 동안 탄성한도(elastic limit)를 넘는 변형은, 그림 2-45에 보인 바와 같은 정적 하중-변위선도(static load-deflection diagram)로부터 결정할 수 있다. 어떤 가정된 최대변형 δ_1에 대하여, 이에 대응하는 면적 $OABE$는 봉재에 저장되는 변형에너지를

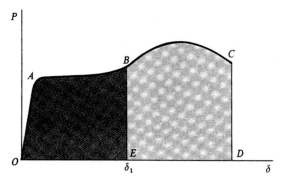

그림 2-45 인장을 받는 균일단면 봉재의 하중-변형선도

---

[*] 식 (2-55)는 프랑스의 수학자이며 과학자인 J.V. Poncelet(1788~1867)에 의하여 처음 얻어졌다. 참고 문헌 2-14를 보라.

나타낼 것이며, 이 변형에너지는 낙하하는 무게 W인 물체가 거리 $h+\delta$(그림 2-43 참고)를 낙하했을 때의 위치에너지 감소량과 같아야 할 것이다. 따라서 $W(h+\delta)$가 하중-변위선도의 총 면적 $OABCD$와 같거나 크면 낙하 물체는 봉재를 파단시키게 될 것이다(연성 강재를 비롯한 어떤 재질에서는 봉재의 변형률 속도가 매우 클 때, 항복점이 상승하게 되므로 파단을 일으키는데 필요한 일량은 정적 시험에서 얻어지는 것보다 좀더 크다).

이 논의로부터, 하중-변위선도의 총 면적 $OABCD$(그림 2-45)를 감소시키게 하는 봉재의 임의 형상변화는 충격력에 대한 봉재의 저항을 감소시키게 된다. 예를 들어, 그림 2-39(b)와 (c)에 보인 홈(groove)을 갖는 시험판에서는 금속의 소성흐름(plastic flow)이 이 홈들에 집중될 것이며, 따라서 전 신장량과 판단을 일으키는데 필요한 일량은, 그림 2-39(a)에 보인 단주봉재에서 보다 홈을 갖는 봉재 쪽이 훨씬 더 작아지게 될 것이다. 이러한 홈을 갖는 시험판들은 충격력에 대하여 매우 약하며, 그 재료가 연성재(ductile)라 할지라도 작은 충격으로 파단될 수가 있다. 구멍을 갖거나 횡단면적이 급변하는 부재들도 같은 양상으로 충격에 약하다.

일반적으로 연성재료는 취성재료(brittle material)보다 충격에 대한 저항이 훨씬 더 크다. 취성재료 봉재에 대한 하중-변위선도는 연성재료 봉재에 대한 선도에 비하여, 비록 두 재료의 극한응력(ultimate stress)이 거의 같다고 할지라도, 훨씬 작은 면적을 갖게 된다.

예제 ①

길이가 $L=2.0\,\text{m}$이고 지름이 $d=15\,\text{mm}$인 원형 균일 단면 강봉이 그 상단의 지점으로부터 연직하게 매달려 있다(그림 2-46). 질량 $M=20.0\,\text{kg}$인 미끄럼 칼라가 높이 $h=50\,\text{mm}$로부터 봉재 하단의 플랜지 위로 떨어졌을 때, 충격으로 인한 봉재의 최대 신장 δ와 최대 응력 σ를 구하라(강재에 대하여 $E=200\,\text{GPa}$을 가정한다).

풀이 변형과 응력의 계산을 시작하기 전에, 미끄럼 칼라와 봉재의 상대적인 질량을 구해 보기로 한다. 왜냐하면, 앞에서 유도한 공식들은 칼라의 질량이 봉재의 질량보다 훨씬 더 클 때에만 적용할 수 있기 때문이다. 그렇지 않은 경우에는 칼라가 봉재의 하단과 함께 아래쪽으로 운동하는 대신에 위쪽으로 튀어 오르게 된다. ρ를 봉재의 밀도(density), A를 횡단면적, L을 길이라 할 때, 봉재의 질량 M_b는 ρAL이므로

$$M_b = \rho AL = (7850\,\text{kg/m}^3)\left(\frac{\pi}{4}\right)(15\,\text{mm})^2(2.0\,\text{m}) = 2.77\,\text{kg}$$

이 질량은 미끄럼 칼라의 질량보다 훨씬 작으므로, 이 절에서 유도한 식들을 사용할 수가 있다.

낙하 질량 M에 의하여 발생하는 최대 처짐 δ는 식 (2-48)로부터 직접 계산할 수 있으므

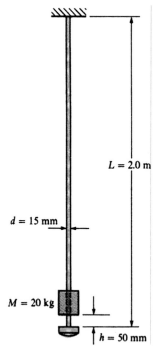

그림 2-46 예제 1

로, 먼저 이 질량(무게는 $W = Mg$)에 의한 정적 처짐을 구한다.

$$\delta_{st} = \frac{WL}{EA} = \frac{MgL}{EA} = \frac{(20.0\,\text{kg})(9.81\,\text{m/s}^2)(2.0\,\text{m})}{(200\,\text{GPa})(\pi/4)(15\,\text{mm})^2} = 0.0111\,\text{mm}$$

이 처짐량을 식 (2-48)에 대입하여 δ를 구한다.

$$\delta = \delta_{st} + (\delta_{st}^2 + 2h\delta_{st})^{1/2}$$
$$= 0.0111\,\text{mm} + [(0.0111\,\text{mm})^2 + 2(50\,\text{mm})(0.0111\,\text{mm})]^{1/2} = 1.06\,\text{m}$$

이 예제에서 δ_{st}가 h에 비하여 미소하므로 근사식 [식 (2-49)]를 써서 δ를 구할 수도 있다. 즉

$$\delta = \sqrt{2h\delta_{st}} = [2(50\,\text{mm})(0.0111\,\text{mm})]^{1/2} = 1.05\,\text{mm}$$

δ와 δ_{st}의 비를 **충격계수**(impact factor)라 하며, 이 예제에서 $1.06/0.0111 = 95$이다. 봉재 내의 최대 응력은 식 (2-50)으로부터 얻어지며, 다음과 같다.

$$\sigma = \frac{E\delta}{L} = \frac{(200\,\text{GPa})(1.06\,\text{mm})}{2.0\,\text{m}} = 106\,\text{MPa}$$

이 동적 응력은 정적 응력

$$\sigma_{st} = \frac{W}{A} = \frac{Mg}{A} = \frac{(20\ \text{kg})(9.81\ \text{m/s}^2)}{(\pi/4)(15\ \text{mm})^2} = 1.11\ \text{MPa}$$

과 비교될 수 있으며, σ와 δ_{st}의 비는 106/1.11=95로서 대응하는 처짐의 비와 같다.

예제 2

이 예제는 예제 1과 유사하나, 봉재는 그 길이의 상반부가 더 큰 지름인 $3d$로 되어 있다(그림 2-47). 앞 예제에서와 같이 전 길이는 $L = 2.0\ \text{m}$, 봉재의 하반부 지름은 $d = 15\ \text{mm}$이고 $E = 200\ \text{GPa}$이다. 미끄럼 칼라의 질량은 $M = 20.0\ \text{kg}$이고 높이 $h = 50\ \text{mm}$로부터 낙하한다. 충격으로 인한 최대 처짐 δ와 최대 응력 σ를 다시 계산해 보기로 한다.

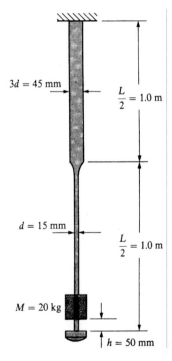

$3d = 45\ \text{mm}$

$\dfrac{L}{2} = 1.0\ \text{m}$

$d = 15\ \text{mm}$

$\dfrac{L}{2} = 1.0\ \text{m}$

$M = 20\ \text{kg}$

$h = 50\ \text{mm}$

그림 2-47 예제 2

풀이 봉재가 균일단면이 아니기 때문에 이 절에서 유도한 공식들에 직접 대입할 수는 없으며, 먼저 봉재의 등가강성도 k를 계산해야 한다. 만약 정하중 P_1이 봉재의 자유단에 작용한다면 이때의 처짐 δ_1은

$$\delta_1 = \frac{P_1(L/2)}{EA} + \frac{P_1(L/2)}{E(9A)} = \frac{5P_1L}{9EA}$$

이고, 여기서 $A = \pi d^2/4$은 봉재 하반부의 횡단면적이다. 이 방정식으로부터 등가강성도 k를 얻을 수 있다.

$$k = \frac{P_1}{\delta_1} = \frac{9EA}{5L} = \frac{9(200\,\text{GPa})(\pi/4)(15\,\text{mm})^2}{5(2.0\,\text{m})} = 31.8\,\text{MN/m}.$$

다음에 질량 M으로 인한 정적 처짐량을 얻기 위하여 식 (2-47)에서 EA/L 대신에 이 k값을 대입한다.

$$\delta_{st} = \frac{W}{k} = \frac{Mg}{k} = \frac{(20\,\text{kg})(9.81\,\text{m/s}^2)}{31.8\,\text{MN/m}} = 0.00617\,\text{mm}$$

그 다음 동적 처짐을 구하기 위하여 식 (2-48)을 사용한다.

$$\begin{aligned}
\delta = \delta_{st} &= (\delta_{st}^2 + 2h\delta_{st})^{1/2} \\
&= 0.00617\,\text{mm} + [(0.00617\,\text{mm})^2 + 2(50\,\text{mm})(0.00617\,\text{mm})]^{1/2} \\
&= 0.792\,\text{mm}
\end{aligned}$$

이 처짐량은 예제 1의 균일단면 봉재에서 보다 작은 것에 유의하라. 그러나 충격계수는 0.792/0.00617 = 128로서 균일단면 봉재 충격계수보다 크다.

δ와 같은 처짐을 일으킬 정하중 P는

$$P = k\delta = (31.8\,\text{MN/m})(0.792\,\text{mm}) = 25.2\,\text{kN}$$

이고, 따라서 최대응력 σ는

$$\sigma = \frac{P}{A} = \frac{25.2\,\text{kN}}{(\pi/4)(15\,\text{mm})^2} = 143\,\text{MPa}$$

이며, 봉재의 하반부에서 발생한다. 이 응력을 예제 1에서 계산된 최대응력 106 MPa과 비교하면, 비균일단면 봉재에 발생하는 응력이 균일단면 봉재에 발생하는 응력보다 35% 더 크다. 따라서 봉재 길이의 일부분의 단면적을 크게 한다는 것은, 2.8절의 예제 1에서 이미 지적한 바와 같이 봉재의 에너지 흡수 능력을 감소시키게 되므로, 충격하중에 대한 봉재의 저항능력이라는 관점에서 볼 때 유해하다는 결론을 얻을 수 있다. 일반적으로, 동하중에 견뎌야 하는 봉재는, 길이 전체에서 응력분포가 균일하도록 균일단면(prismatic)으로 하여야 한다.

예제 3

무게 W인 승강기(elevator car)가 일정 속도 v로 아래쪽으로 운동하고 있는 케이블(cable)에 의하여 지지되어 있다(그림 2-48). 드럼(drum)을 갑자기 정지했을 때 케이블에 발생하는 최대 응력은 얼마인가?

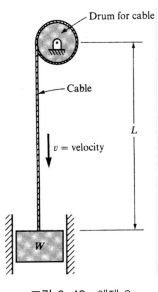

그림 2-48   예제 3

풀이 이 예제는 앞의 예제들과 판이하게 다르다. 위의 예제들에서는 봉재들이 충격을 받기 전에는 응력이 걸리지 않은 상태로서, 충격 전의 변형에너지는 0인 상태였다. 그러나 이 예제에서의 케이블은 무게 W를 지지하기 때문에 드럼이 정지하기 전에도 변형에너지가 케이블에 저장되어 있게 된다. 따라서 앞에서 유도된 식들을 사용할 수가 없고, 에너지 보존에 따른 새 방정식을 써야 한다.

드럼이 정지할 때 에너지 손실이 없다고 가정한다. 따라서 정지하기 직전의 계의 전에너지(운동에너지와 위치에너지의 합)는 케이블이 최대 신장 δ를 일으킨 순간의 전에너지와 같다. 정지하기 전에 운동하고 있는 승강기의 운동에너지는 $Wv^2/2g$이며, 이 예제에서의 케이블의 운동에너지는 승강기의 운동에너지에 비하여 상대적으로 작기 때문에 무시하기로 한다. 무게 W의 최하위치에 대한 위치에너지는 $W\delta_1$이며, 이때 δ_1은 드럼이 정지한 이후 무게 W가 아래쪽으로 이동한 거리이다. δ를 케이블의 총 신장량, δ_{st}를 하중 W에 의한 케이블의 정적 신장량이라 할 때 $\delta_1 = \delta - \delta_{st}$이다. 물론, 드럼이 정지하기 전에 케이블은 δ_{st}만큼 신장되어 있으며, 따라서 EA/L를 케이블의 강성도라 할 때, 정지하기 전의 케이블의 변형에너지는 $EA\delta_{st}^2/2L$ [식 (2-39b) 참고]이다. 정지하고 난 후, 케이블이 최대 신장을 일으켰을 순간 케이블의 변형에너지는 $EA\delta^2/2L$이며, 이 순간에는 속도가 0이므로 운동에너지

도 0이다.

에너지 보존법칙을 써서, 드럼이 정지하기 전후의 에너지를 등치하면, 다음을 얻는다.

$$\frac{Wv^2}{2g} + W(\delta - \delta_{st}) + \frac{EA\delta_{st}^2}{2L} = \frac{EA\delta^2}{2L} \tag{a}$$

이 방정식은 다음과 같은 방법으로 케이블의 최대 신장량 δ에 대하여 풀 수 있다. 먼저 정적 처짐량은

$$\delta_{st} = \frac{WL}{EA} \tag{b}$$

이고, 이것으로부터 $W = EA\delta_{st}/L$를 얻는다. 다음에, 이 W의 표현을 식 (a)의 두 번째 항에 대입하여 다음을 얻는다.

$$\frac{Wv^2}{2g} + \frac{EA\delta_{st}}{L}(\delta - \delta_{st}) = \frac{EA}{2L}(\delta^2 - \delta_{st}{}^2)$$

다시 정리하면

$$\frac{Wv^2}{2g} = \frac{EA}{2L}(\delta - \delta_{st})^2$$

이제, 이 방정식을 케이블의 최대 신장량에 대하여 풀면 다음을 얻는다.

$$\delta = \delta_{st} + \sqrt{\frac{Wv^2L}{gEA}} \tag{c}$$

마지막으로 케이블의 최대 응력을 구한다.

$$\sigma = \frac{E\delta}{L} = \frac{W}{A}\left(1 + \sqrt{\frac{v^2EA}{g\,WL}}\right) \tag{d}$$

괄호 속의 항은 충격계수로서 1보다 상당히 크며, 따라서 케이블의 동적 응력은 정적 응력 W/A보다 훨씬 크게 된다. 만약 $v = 0$일 때에는, 식 (d)는 기대되는 바와 같이 정적 응력이 되는 것에 유의하라.

비선형 거동

앞의 절들에서는, 정정 및 부정정 구조물들을, 재료가 Hooke의 법칙을 따른다는 가정하에서 해석해 왔다. 이제 응력이 비례한도를 넘는 경우의 축하중 구조물의 거동을 생각해 보기로 한다. 이러한 경우에는 재료에 대한 응력-변형률선도(stress-strain diagram)를 사용하는 것이 필요하게 된다. 때로는 재료의 실제 시험선도를 사용하기도 하나 대개는 **이상화한 응력-변형률선도**(idealized stress-strain diagram)를 사용한다. Hooke의 법칙도 이와 같은 이상화한 선도이며, 그림 2-49에 다른 예들을 보인다.

그림 2-49(a)는 Hooke의 법칙을 만족하는 처음 구간에 이어서 적당한 수학 함수식으로 정의되는 비선형 구간이 연결되는 선도를 보인다. 알루미늄은 이러한 형상의 선도를 갖는 재료의 한 예이다(그림 1-10 참고). 때로는 수학적인 해석을 목적으로 단일 수학함수가 전 구간에 대하여 사용되기도 한다.

그림 2-49(b)는 구조용 강재(structural steel)에 널리 사용되는 선도를 나타낸 것인데, 이 재료는 선형탄성 구간에 이어서 현저한 항복구간이 따르게 되므로(그림 1-7 참고), 그림에 보인 바와 같이 두 개의 직선에 의하여 좋은 정도를 갖도록 이상화할 수 있다. 이 재료는 항복응력까지 Hooke의 법칙을 따르며, 그 이후는 일정응력하에서 항복상태를 유지한다고 가정하는데, 이 뒷부분의 거동을 **완전소성**(perfect plasticity)이라 한다. 항복응력과 항복변형률은 각각 σ_y와 ϵ_y로 표시되어 있다. 완전 항복구간은, 변형률이 항복변형률보다 수십 배

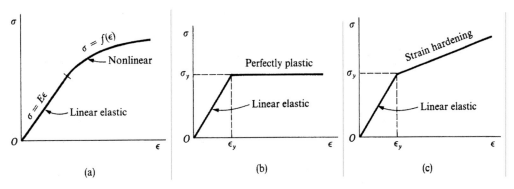

그림 2-49 이상화한 비선형 응력-변형률선도의 형
(a) 탄성-비선형선도 (b) 탄-소성선도 (c) 2개직선형선도

더 크게 될 때까지 계속되는데, 이러한 종류의 선도를 갖는 재료를 **탄-소성재료**(elastic-plastic material)라 부른다. 변형률이 매우 크게 되면 1.3절에서 설명한 변형경화(strain hardening) 현상 때문에 응력-변형률 곡선이 항복응력 위쪽으로 올라가게 된다. 그러나 변형경화가 시작되는 경우는 변형이 너무 커져서 구조물이 그 정상기능을 상실할 수도 있으므로 그림 2-49(b)에 보인 탄-소성선도(elastic-plastic diagram)를 근거로 하여 강구조물을 해석하는 것이 통상적인 수단으로 되었다. 강재에 대하여는 인장과 압축 양쪽에 같은 선도가 사용된다. 이러한 가정하에서 수행되는 해석을 탄-소성 해석(elastic-plastic analysis)이라 부르는 것이 더 정확하겠으나, 보통 **소성해석**(plastic analysis)이라 부른다.

그림 2-49(c)는 서로 기울기가 다른 두 직선으로 이루어진 선도를 보이고 있는데, 이것을 **2개직선형선도**(bilinear diagram)라 부른다. 이 선도는 때때로 변형경화를 일으키는 재료를 나타내거나, 그림 2-49(a)에 보인 일반적인 모양을 갖는 선도의 근사형으로 사용될 수 있다.

이제 비선형 구간의 하중을 받는 정정계의 해석에 대하여 생각해 보기로 한다. 예를 들어, 그림 2-50(a)에 보인 트러스에서 절점 C의 처짐을 구하는데, 재료가 그림 2-50(b)의 응력-변형률선도를 갖는다고 가정한다.

트러스가 정정이기 때문에 부재들의 변형이 작은 동안에는, 재료의 기계적 성질에 구애됨이 없이 평형방정식으로부터 부재들의 축력을 구할 수 있고, 이어서 축력을 횡단면적으로 나누어 줌으로써 응력을 구할 수 있다. 다음에 응력-변형률 선도로부터 변형률을 결정하고, 이 변형률로부터 두 봉재의 변형을 구한다. 마지막으로, 부재들의 길이 변화로부터 절점 C의 처짐을 구한다. 부재들의 길이 변화가 트러스의 형상을 바꿀 정도로 커지면, 이 방법은 수정되어야 하며, 이런 경우에는 해석이 단계적으로 이루어지든가 각 단계마다 트러스의 새로운 치수를 사용하는 증분법을 쓰게 된다.

부정정계의 소성해석. 만약 구조물이 부정정일 때에는, 해석이 정정계에서 보다 훨씬 더

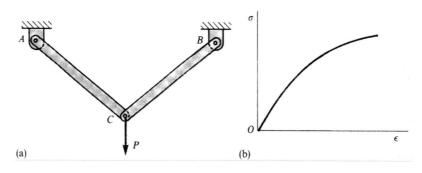

그림 2-50 정정 트러스와 비선형 응력-변형률선도

복잡해진다. 부정정계에서는, 먼저 변위들을 구하지 않고는 축력들이 구해지지 않는데, 이 변위들은 축력과 응력-변형률 선도에 의존하게 된다. 따라서 완전한 해석은 보통 시행착오법(trial-and error method) 또는 축차근사법(method of successive approximations)(이 절의 끝에 설명되어 있다)을 쓰게 된다. 그러나 연강과 같이 탄-소성선도[그림 2-49(b)]를 나타내는 재료에 대해서는 구조물의 거동이 무척 간단해지며, 소성해석은 일반적으로 별 어려움 없이 수행될 수 있다.

소성해석의 방법을 예시하기 위하여, 그림 2-51(a)에 보인 세 봉재 대칭 트러스를 다시 생각한다. 봉재들은 구조용 강재로 만들어져 있어 탄-소성 응력-변형률 선도[그림 2-51(b)]를 나타낸다고 가정한다. 하중 P가 작을 때에는 세 봉재 모두에 발생하는 응력이 항복응력 σ_y 보다 작을 것이며, 따라서 봉재의 축력들은 유연도법이나 강성도법(2.4절과 2.5절)을 써서 탄성 해석함으로써 결정할 수 있다. 하중 P가 점차 증가함에 따라 봉재들의 응력들도 증가 하여 한 개 또는 그 이상의 봉재응력이 항복응력에 도달하게 된다. 만약 봉재들이 모두 같은 횡단면적 A를 갖는다고 가정하면, 탄성조건하에서 봉재들의 축력 F_1과 F_2는 식 (2-14)와 (2-13)으로부터 얻어지게 된다.

$$F_1 = \frac{P\cos^2\beta}{1+2\cos^3\beta} \quad F_2 = \frac{P}{1+2\cos^3\beta} \tag{a}$$

축력 F_2가 F_1보다 크기 때문에 중간 봉재의 축응력이 먼저 σ_y에 이르게 될 것이며, 이때 축력 F_2가 $\sigma_y A$와 같아지게 되고, 이에 대응하는 하중 P의 값을 **항복하중**(yield load) P_y라 한다. P_y는 F_2[식 (a) 참고]를 $\sigma_y A$와 같게 놓고 하중에 대하여 풀면 얻어진다.

$$P_y = \sigma_y A(1+2\cos^3\beta) \tag{b}$$

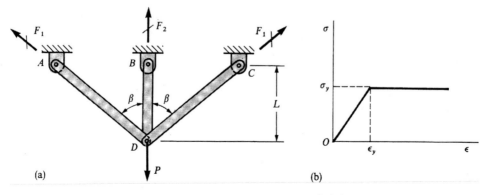

그림 2-51 부정정 트러스의 소성해석

따라서, P가 P_y보다 작으면 구조물은 탄성적으로 거동하여 봉재들의 축력은 식 (a)로부터 계산된다. 항복하중에서 절점 D의 변위 δ_y는, 이 변위가 부재 BD의 변형과 같다는 점에 유의함으로써 얻어진다.

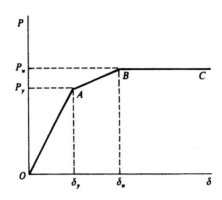

그림 2-52 그림 2-51에 보인 트러스의 하중-변위선도

$$\delta_y = \frac{F_2 L}{EA} = \frac{\sigma_y L}{E} \tag{c}$$

항복하중까지의 트러스의 거동은 그림 2-52의 하중-변위선도에서 직선 OA로 표시된다.

하중 P가 더 증가함에 따라 경사봉재들의 축력도 역시 증가하게 되나, 중간봉재는 이미 완전소성 상태가 되었기 때문에[그림 2-51(b) 참고] 축력 F_2는 $\sigma_y A$인 일정한 값으로 유지된다. 드디어 축력 F_1 마저 $\sigma_y A$에 이르게 되면 경사봉재들도 역시 소성상태가 되고, 구조물은 더 이상 큰 하중을 지지할 수 없게 되며, 세 봉재 모두가 이 일정한(그리고 최대인) 하중하에서 신장을 계속하게 되는데, 이때의 하중 값을 **극한하중**(ultimate load) P_u라 한다. 이 하중은 하중변위 선도상의 B점으로 표시되어 있으며, 수평선 BC는 구조물이 소성변형을 계속하는 구간을 나타낸다.

극한하중 P_u는 절점 D에서의 힘의 평형으로부터 계산할 수 있다. 극한하중에서 봉재들의 축력은

$$F_1 = F_2 = \sigma_y A \tag{d}$$

이므로, 평형방정식으로부터 다음을 얻는다.

$$P_u = \sigma_y A (1 + 2\cos\beta) \tag{e}$$

이때 대응하는 변위 δ_u는, 경사봉재들이 $\delta_1 = \epsilon_y L_1$ (L_1은 경사봉재의 길이로서 $L_1 = L/\cos\beta$

이다)만큼 신장된다는 것을 알 수 있으므로 구할 수 있다. $\epsilon = \sigma_y/E$이므로 각 경사봉재의 신장량은 $\delta_1 = \sigma_y L/E\cos\beta$이다. 이 신장량으로부터, 변위선도[그림 2-10(b)]의 방법을 이용하여 절점의 연직변위를 구할 수 있으며, 결과는 다음과 같다.

$$\delta_u = \frac{\delta_1}{\cos\beta} = \frac{\sigma_y L}{E\cos^2\beta} \tag{f}$$

δ_u와 δ_y를 비교하면, 그 비가

$$\frac{\delta_u}{\delta_y} = \frac{1}{\cos^2\beta} \tag{g}$$

이고, 또한 하중의 비는 다음과 같다.

$$\frac{P_u}{P_y} = \frac{1+2\cos\beta}{1+2\cos^3\beta} \tag{h}$$

예로서, $\beta = 45°$이면 $\delta_u/\delta_y = 2$이고 $P_u/P_y = \sqrt{2}$가 된다.

하중이 P_y와 P_u 사이의 값일 때에는(하중-변위선도에서 AB구간), 축력 F_2가 $\sigma_y A$인 일정값이므로, 경사봉재 내의 축력 F_1은 절점 D에서의 축력학적 평형으로부터 얻어질 수가 있다.

$$F_1 = \frac{P - \sigma_y A}{2\cos\beta} \tag{i}$$

선도의 AB 구간에서의 트러스의 처짐은 직선적으로 변화해 간다. 왜냐하면 축력 F_2는 일정치이고 F_1은 식 (i)에서 알 수 있는 바와 같이 P에 대한 일차함수이기 때문이다. 그러나 이 구간 AB에서는, 경사봉재들만이 탄성을 가지고 있어서 증가하는 하중 P에 저항할 수 있기 때문에, 이 구간의 하중-변위선도의 기울기는 탄성역(직선 OA)에서의 기울기보다 작다.

이 예제로부터, 부정정구조물의 극한하중 P_u의 계산은 모든 부재들이 항복상태가 되어 그들의 축력이 $\sigma_y A$로 정해지기 때문에, 단지 정역학적인 개념만 사용해도 된다는 것을 알 수 있다. 이에 반하여 P_y의 계산은, 정역학적인 평형방정식과 변위의 적합조건을 만족시켜야 하는 부정정해석법이 필요하다.

극한하중에 도달한 후에 구조물은 변형을 계속하므로, 마침내 변형경화가 나타나게 되고 구조물은 좀더 큰 하중을 지지할 수 있게 된다. 그러나 매우 큰 변형이 발생했다는 것은 구조물이 사용불능인 상태가 되었음을 의미하므로, 하중 P_u는 모든 목적에서의 극한하중이라

할 수 있으며, 이 하중을 결정하는 일은 설계기술자들에게 있어서 매우 흥미 있는 일이다.

이제까지의 설명은 구조물이 처음으로 하중을 받게 되는 경우의 거동에 대한 것이다. 만약 하중이 P_y에 도달하기 전에 제거되었다면, 구조물은 탄성적으로 거동하여 원래의 응력이 걸리지 않은 상태로 되돌아올 것이다. 그러나 하중이 P_y를 넘었었다면, 하중을 제거했을 때 구조물의 어떤 부분에는 영구변형이 남게 되고, 따라서 부정정 구조물인 경우에는 외부하중에 작용하지 않은 상태에서 **잔류응력**(residual stress)이 남게 된다. 여기에 두 번째 하중의 작용이 있을 때에는, 구조물은 다른 양상으로 거동하게 된다.

예제 ①

그림 2-53(a)에 보인 구조물에서 수평봉재 AB는 강체(rigid body)이고 두 연직 철선은 탄소성체로 만들어졌다고 할 때, 구조물의 항복하중 P_y와 극한하중 P_u를 구하라. 또 하중계수(load factor) 1.85를 사용하여 구조물의 허용하중(allowable load) P_w를 구하라(두 철선은 같은 횡단면적 A를 갖는다고 가정한다).

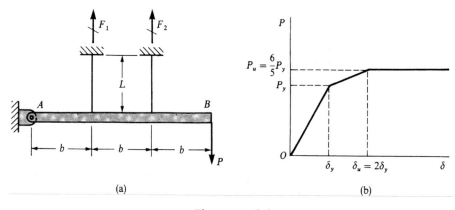

그림 2-53 예제

풀이 하중 P와 철선들의 축력 F_1과 F_2 사이의 관계식은 봉재의 A단에 대한 모멘트를 취한 평형방정식으로부터 얻을 수 있다.

$$3P = F_1 + 2F_2 \qquad (j)$$

이 식은 순전히 정역학적 방정식이기 때문에 0으로부터 극한하중까지의 임의 하중값 P에 대하여 유용하다. 또한 그림에서 오른쪽 철선의 신장량은 항상 왼쪽 철선 신장량의 2배가 되는 것을 알 수 있다. 따라서 탄성조건하에서 $F_2 = 2F_1$이며, F_2가 먼저 항복상태인 $\sigma_y A$에 도달하게 되리라는 것을 안다. 이 순간에 축력 F_1은 $\sigma_y A/2$일 것이므로 항복하중 P_y는 식 (j)로부터 얻게 된다.

$$P_y = \frac{5\sigma_y A}{6} \qquad\qquad \text{(k)}$$

오른쪽 철선의 대응하는 신장량은 $\delta_2 = \sigma_y L/E (L$은 철선의 길이이다)이고, B점의 처짐은

$$\delta_y = \frac{3\delta_2}{2} = \frac{3\sigma_y L}{2E} \qquad\qquad \text{(I)}$$

이다. P_y와 δ_y는 하중-변위선도[그림 2-53(b)]에 표시되어 있다.

극한하중 P_u에 도달하면, F_1과 F_2 모두가 $\sigma_y A$가 되며, 식 (j)로부터 다음을 얻는다.

$$P_u = \sigma_y A \qquad\qquad \text{(m)}$$

이 하중에서, 왼쪽 철선은 막 항복응력에 도달한 상태이기 때문에 그 신장량은 $\delta_1 = \sigma_y L/E$ 이고, B의 처짐은

$$\delta_u = 3\delta_1 = \frac{3\sigma_y L}{E} \qquad\qquad \text{(n)}$$

이다. δ_u/δ_y와 P_u/P_y는 각각 2와 6/5이며 하중-변위선도에 표시되어 있다.

허용하중 P_w는 1.7절에서 설명한 바와 같이, 극한하중을 하중계수로 나누어 줌으로써 구해진다.

$$P_w = \frac{P_u}{\text{하중계수}} = \frac{\sigma_y A}{1.85}$$

이 하중값에서 두 철선은 탄성역 내의 응력상태에 있게 된다.

부정정계의 비선형 해석. 구조물의 재료가 비선형 거동을 하면 탄-소성물질로 표시할 수 없 다면, 이 구조물을 해석하기가 더욱 어렵게 되고, 일반적인 경우 시행착오법(trial-and-error method)을 사용하게 된다. 이 방법을 예시하기 위하여, 그림 2-51(a)의 대칭 트러스를 다 시 생각하고, 이번에는 재료가 그림 2-49(a)에 보인 바와 같은 일반적인 응력-변형률 선도 를 나타낸다고 가정한다. 먼저 절점 D에서의 연직변위 δ값의 하나를 적당히 가정하므로서 해석을 시작한다. 다음에 절점 D의 변위선도로부터 이 절점에서의 적합조건이 만족되도록 하는 봉재들의 대응 신장량을 얻을 수 있다. 봉재들의 변형률은 신장량으로부터 구해지며, 응력은 응력-변형률 선도로부터 얻을 수 있다. 봉재들의 응력을 알면 축력을 계산할 수 있 고 따라서 절점 D에서의 평형을 검토해 볼 수 있다. 만약 처음에 δ의 참값이 가정되었었다 면 절점 D에서의 힘의 평형이 만족될 것이다. 그러나 δ값이 참값이 아니었다면 축력들은 평형을 이루지 못할 것이며, 따라서 δ의 새로운 값을 선정해야 하고 위의 과정이 되풀이 되

어야 한다. 마지막에는 절점 D에서 적합조건과 평형을 만족하는 δ값에 도달할 것이며, 이 δ값과 이에 대응하는 봉재의 축력들은 그들의 참값이 된다.

시행착오법의 다른 방법은, 봉재 축력 중의 하나(예로서 연직봉재의 축력 F_2)를 적당한 값으로 가정하는 것으로부터 시작하여, 절점 D에서의 힘의 평형을 써서 다른 봉재들의 축력을 계산한다. 다음에 축력으로부터 응력들을 구하고, 응력-변형률 선도로부터 변형률을 얻은 다음 이 변형률로부터 신장량을 계산한다. 마지막으로, 절점 D의 변위선도로부터 세 봉재의 신장량들이 적합조건을 만족하는가 또는 만족하지 않는가를 결정할 수가 있다. 만약 만족이 된다면 적당히 잡았던 F_2의 값이 참값이므로 해석이 끝난 것이 된다. 그렇지 못할 때에는 F_2의 새로운 값을 적당히 선정해야 하며, 평형과 적합조건이 같이 만족될 때까지 위의 과정을 되풀이 하여야 한다.

문제

2.2-1 지름 25.4 mm인 강봉($E = 200$ GPa)이 13600 kg의 인장하중을 받는다(그림 참고). 만약 하중을 받게 되는 봉재 부분의 초기 길이가 552.45 mm라 하면, 이 봉재의 최종 길이는 얼마인가?

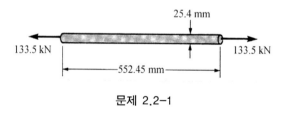

25.4 mm

133.5 kN   133.5 kN

552.45 mm

문제 2.2-1

2.2-2 길이 8 m인 원형 단면 알루미늄 봉재($E = 70$ GPa)가 720 kN의 인장하중을 받는다. 만약 최대 허용 신장량이 10 mm라 할 때, 요구되는 봉재의 최소 지름 d는 얼마인가?

2.2-3 길이 L인 균일단면 봉재 AB가 그 양 끝에 달린 두 개의 강선에 의하여, 그 자중하에 수평으로 매달려 있다(그림 참고). 두 강선은 같은 재료로 만들어져 있으며, 단면적은 같으나 그 길이는 L_1과 L_2이다. 봉재를 수평하게 유지하면서 연직하중 P를 작용시킬 수 있는 봉재상의 점의 위치(A단으로부터의 거리) x를 구하는 식을 유도하라.

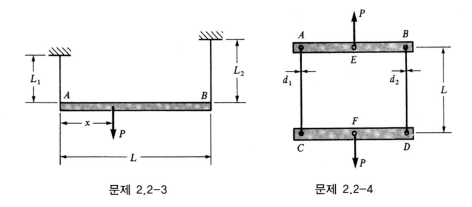

문제 2.2-3   문제 2.2-4

2.2-4 두 개의 수평 강성(rigid) 봉재 AB와 CD가 그림에 보인 바와 같이 강선들로 연결되어 있으며, 이 강선들은 길이 L, 탄성계수 E이며, 지름은 d_1과 d_2이다. 연직하중 P가 봉재들의 중심 E와 F에 작용했을 때, E와 F점 사이의 거리의 증가량 δ는 얼마인가?

2.2-5 어떤 2층 건물이, 1층에 AB, 2층에 BC인 기둥을 갖는다(그림 참고). 이 기둥은 그림에 보인 바와 같이, 지붕에 의한 하중 $P_1 = 68900\,\text{kPa}$과 2층에 의한 하중 $P_2 = 124 \times 10^4\,\text{kPa}$을 받는다. 위쪽과 아래쪽 기둥의 단면적은 각각 $3800\,\text{mm}^2$와 $116100\,\text{mm}^2$이며, 각 기둥의 길이는 $a = 3.66\,\text{m}$이다. $E = 200\,\text{GPa}$이라 가정하여, 하중작용으로 인한 각 기둥의 수축량을 구하라.

2.2-6 원형단면을 갖는 콘크리트 기초(그림 참고)가 윗부분의 지름은 $0.5\,\text{m}$, 높이 $a = 0.5\,\text{m}$이고, 아래쪽 부분의 지름은 $1.0\,\text{m}$, 높이 $b = 1.2\,\text{m}$로 되어 있으며, 하중 $P_1 = 7\,\text{MN}$과 $P_2 = 18\,\text{MN}$을 받고 있다. $E = 25\,\text{GPa}$이라 가정하고 이 기초상부의 처짐 δ를 구하라.

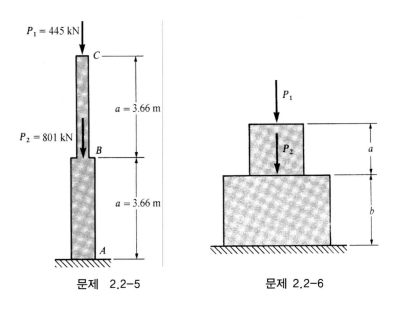

문제 2.2-5   문제 2.2-6

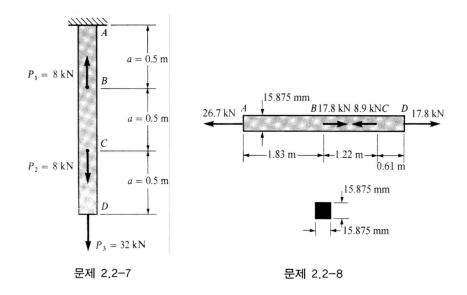

문제 2.2-7   문제 2.2-8

2.2-7 균일단면 봉재 $ABCD$가 그림에 보인 바와 같이 하중 P_1, P_2 및 P_3를 받고 있다. 봉재는 탄성계수 $E = 200\,GPa$인 강재로 만들어져 있으며, 횡단면적은 $A = 225\,mm^2$이다. 하중 P_1, P_2 및 P_3로 인한 봉재 하단의 처짐 δ를 구하라. 이 봉재는 늘어날 것인가? 또는 줄어들 것인가?

2.2-8 강봉 AD(그림 참고)는 길이가 3.65 m이고, 단면은 한 변의 길이가 16 mm인 정사각형이며, 그림에 보인 바와 같은 축하중을 받는다. $E = 200\,GPa$이라 가정하고, 이 하중들에 의한 봉재의 길이 변화량을 구하라. 이 봉재는 늘어날 것인가? 또는 줄어들 것인가?

2.2-9 강봉($E = 200\,GPa$)이 그림에 보인 바와 같이 지지되어 하중들을 받고 있다. 봉재의 횡단면적은 $250\,mm^2$이며 각 치수는 다음과 같다. $a = 0.50\,m$, $b = 0.20\,m$, $c = 0.30\,m$, $P_2 = 15\,kN$과 $P_3 = 9\,kN$이라 가정하고, 하중들이 작용할 때 봉재의 하단 D의 연직변위가 0이 되게할 힘 P_1을 구하라.

2.2-10 길이 10 ft인 강봉이 한쪽 절반은 지름이 $d_1 = 19.05\,mm$이고, 다른쪽 절반은 $d_2 = 12.7\,mm$이다(그림 참고). (a) 인장하중 $P = 22500\,N$을 받았을 때 봉재의 신장량은 얼마인가? (b) 이 봉재와 같은 체적을 갖는, 길이가 3.05 m이고 지름 d가 일정한 봉재를 만들었다고 가정할 때, 같은 하중 P에 의한 신장량은 얼마인가? ($E = 200\,GPa$이라 가정한다)

2.2-11 인장하중 $P = 500\,kN$을 받는 동봉 AB가 두 개의 강재 기둥에 의하여 핀으로 지지되어 있다(그림 참고). 동봉은 길이가 10 m, 횡단면적 $8100\,mm^2$, 탄성계수가 $E_c = 103\,GPa$이며, 각 강재 기둥은 길이가 1 m, 횡단면적 $7500\,mm^2$, 탄성계수가 $E_s = 200\,GPa$이다. A점의 처짐 δ를 구하라.

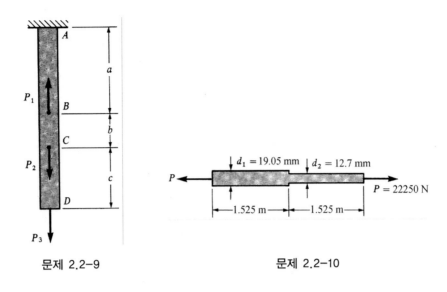

문제 2.2-9

문제 2.2-10

2.2-12 그림에 보인 조립체가 하중 P_1과 P_2를 받는다. 연직봉재 ABC의 두 부분이 같은 재료로 되어 있다고 가정하고, C점의 연직 처짐이 0이 되도록 하기위한 하중비 P_2/P_1를 나타내는 식을 구하라(결과를 그림에 보인 횡단면적 A_1, A_2와 길이 L_1, L_2, L_3, L_4로 나타내라).

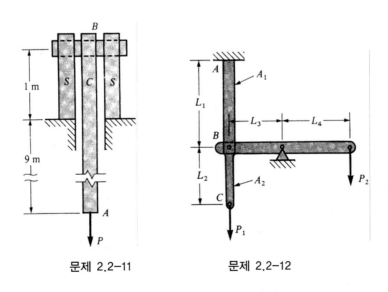

문제 2.2-11

문제 2.2-12

2.2-13 봉재 ABC는 두 가지 재료로 되어 있으며 전체 길이가 914.4 mm이고 지름은 50.8 mm이다(그림 참고). AB부분은 강재($E_s = 200$ GPa)이고 BC부분은 알루미늄($E_a = 67$ GPa)이며, 이 봉재는 135 kN의 인장력을 받는다. (a) 두 부분이 같은 신장량을 나타내기 위한 강재와 알루미늄 부분의 길이 L_1과 L_2를 각각 구하라. (b) 봉재의 전 신장량은 얼마인가?

2.2-14 횡단면적이 $A_c = 1290\,\mathrm{mm}^2$인 두 개의 동봉 C와 횡단면적이 $A_S = 645\,\mathrm{mm}^2$인 한 개의 강봉 S로 이루어진 조합봉재가 있다(그림 참고). 동과 강의 탄성계수를 각각 $E_C = 110\,\mathrm{GPa}$과 $E_s = 200\,\mathrm{GPa}$이라 가정하고, 전 신장량이 $\delta = 1.524\,\mathrm{mm}$가 되기 위한 인장력 P를 구하라.

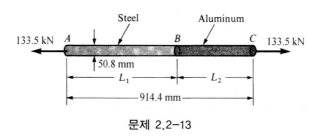

문제 2.2-13

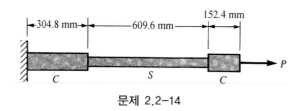

문제 2.2-14

2.2-15 길이 12 ft인 강재파이프($E = 30 \times 10^6\,\mathrm{psi}$)가 그림에서와 같이 하중을 받고 있다. 파이프의 횡단면적이 $1800\,\mathrm{mm}^2$일 때 (a) 자유단의 변위 δ를 구하라. (b) 왼쪽 지지단으로부터 변위가 0인 지점까지의 거리 x를 구하라.

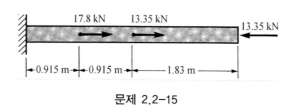

문제 2.2-15

2.2-16 길이가 L, 횡단면적이 A인 균일단면 봉재가 그 자중에 의하여 연직하게 매달려 있을 때의 전신장량을 나타내는 식을 구하라.($W = $봉재의 총 무게, $E = $탄성계수라 한다)

2.2-17 균일 강봉이 수평 평면 위에 놓여 있을 때는 길이가 5 m이다. 이것의 일단을 고정하고 연직하게 달아매었을 때의 늘어난 길이를 구하라(탄성계수는 $E = 200\,\mathrm{GPa}$, 비중량은 $\gamma = 77.0\,\mathrm{kN/m}^3$라 가정한다).

2.2-18 땅 속에 박아 넣은 콘크리트 파일(concrete pile)이 그 옆 표면에 따른 마찰로 인한 하중 P를 받는다(그림 참고). 마찰력이 균일하다고 가정하여 파일 단위길이당 f로 표시하고, 파일의 횡단면적을 A, 탄성계수를 E, 땅 속에 묻힌 길이를 L이라 한다. 파일의 전수축량 δ

를 구하는 식을 f, E, A 및 L을 써 나타내라.

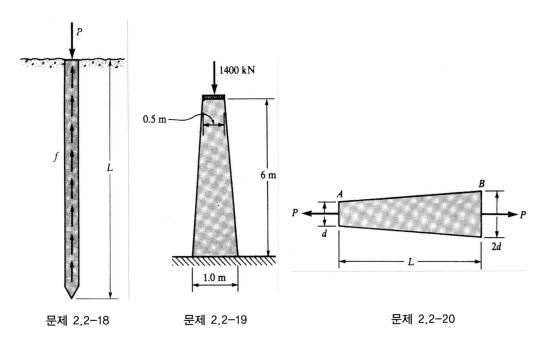

문제 2.2-18	문제 2.2-19	문제 2.2-20

2.2-19 정사각형 단면의 콘크리트 기둥이 6 m 높이이고(그림 참고), 옆면들은 윗면 폭 0.5 m로부터 아랫면 폭 1.0 m까지 균일하게 테이퍼되어 있다. 압축하중 1400 kN을 받았을 때 이 기둥의 수축량을 구하라(기둥의 자중은 무시한다). 콘크리트의 탄성계수는 24 GPa이라 가정한다.

2.2-20 길이가 L이고, 정사각형 단면을 갖는 길고 균일하게 테이퍼진 봉재 AB가 축하중 P를 받고 있다(그림 참고). 단면의 치수는 A단에서의 $d \times d$로부터 B판에서의 $2d \times 2d$까지 변화한다. 이 봉재의 신장량 δ에 관한 식을 구하라.

2.2-21 일정두께 t인 직사각형 단면을 갖는 평판 봉재가 힘 P로 인한 인장을 받고 있다(그림 참고). 이 봉재의 폭은 좌단의 b_1으로부터 우단의 b_2까지 직선적으로 변화한다. (a) 이 봉재의 신장량 δ에 관한 식을 구하라. (b) $b_1 = 0.1$ m, $b_2 = 0.15$ m, $L = 1.5$ m, $t = 0.025$ m, $P = 35600$ N 및 $E = 200$ GPa일 때 신장량을 계산하라.

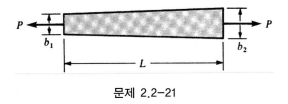

문제 2.2-21

2.2-22 길이 L, 단위 체적당 무게가 γ, 탄성계수가 E인 원형단면을 갖는 원추형 봉재(그림 참고)가 자중을 받고 있을 때, 신장량 δ에 관한 식을 구하라.

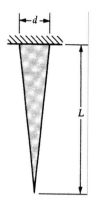

문제 2.2-22

*2.2-23 봉재 ABC가 C점에 있는 축을 중심으로 하여 일정 각속도 ω로 회전한다(그림 참고). 봉재의 한쪽 길이가 L이고 봉재 재질의 탄성계수가 E이며 밀도가 ρ(단위 체적당의 질량)일 때 원심효과에 의한 봉재 한쪽의 신장량(즉 AC 또는 CB의 신장량) δ를 구하라.

*2.2-24 두 개의 강성봉재 AB와 CD가, 강성도가 k인 선형 탄성 스프링들에 의하여 연결되고, A와 D에서 힌지로 지지되어 있다(그림 참고). 하중이 작용하지 않았을 때 봉재들은 수평했으며 스프링들에는 힘이 걸리지 않은 상태였다. 하중 P가 작용했을 때 점 C의 연직처짐 δ를 구하라.

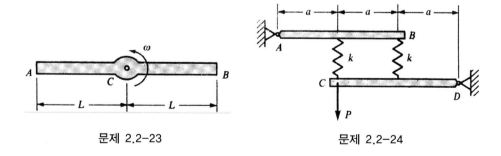

문제 2.2-23   문제 2.2-24

2.3-1 그림에 보인 트러스에서 힘 $P = 1780\,\mathrm{N}$으로 인한 절점 B의 변위의 수평 및 연직성분을 구하라. 부재 AB는 지름 $3.2\,\mathrm{mm}$인 강선($E_S = 200\,\mathrm{GPa}$)이고, 부재 BC는 각변이 $25.4\,\mathrm{mm}$인 정사각형 단면의 목재($E_w = 10\,\mathrm{GPa}$)이다.

2.3-2 그림에 보인 바와 같이 트러스 ABC는 하중 $P = 13350\,\mathrm{N}$을 지지한다. 부재 AB와 BC의 단면적은 각각 $A_{ab} = 900\,\mathrm{mm}^2$와 $A_{bc} = 2645\,\mathrm{mm}^2$이며 재료는 $E = 6.89 \times 10^{10}\,\mathrm{Pa}$인 알루미

눕이다. 절점 B의 수평변위 δ_h와 연직변위 δ_v를 구하라.

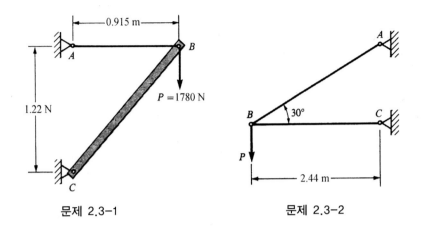

| 문제 2.3-1 | 문제 2.3-2 |

2.3-3 수평하중 $P=30$ kN으로 인한 목재기둥 상단의 수평 및 연직변위를 각각 계산하라(그림 참고). 이 기둥은 단면적이 $32,000$ mm^{2}이고 탄성계수는 $E_w=10$ GPa이며, 지름이 25 mm이고 탄성계수가 $E_S=210$ GPa인 강선 AC에 의하여 지지되어 있다.

2.3-4 그림에 보인 트러스 ABC는, 길이 L, 단면적 A, 탄성계수 E인 두 개의 같은 봉재로 이루어져 있다. 수평하중 P에 의한 절점 B의 변위의 수평 및 연직성분 δ_h와 δ_v를 각각 구하여라.

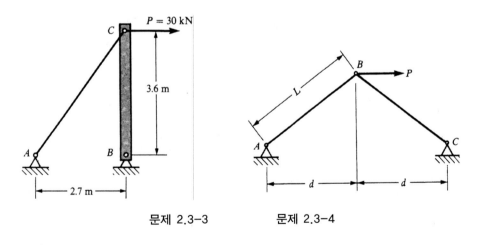

| 문제 2.3-3 | 문제 2.3-4 |

2.3-5 같은 재료로된 두 봉재 AC와 BC가 그림에 보인 바와 같은 트러스를 형성하고 있으며, 봉재 AC는 길이 L_1, 단면적 A_1이고, 봉재 BC는 길이 L_2, 단면적 A_2이다. 하중 P_1과 P_2가 절점 C에서 각각 부재 AC와 BC 방향으로 작용할 때, 절점 C의 연직변위가 발생하지 않으면 하중비 P_1/P_2은 얼마여야 하는가?

2.3-6 그림에 보인 트러스에서 연직하중 P의 작용으로 인한 절점 C의 수평변위 δ_h와 연직변위 δ_v를 구하라(각 봉재의 길이는 L, 단면적은 A이고, 탄성계수는 E라 가정한다).

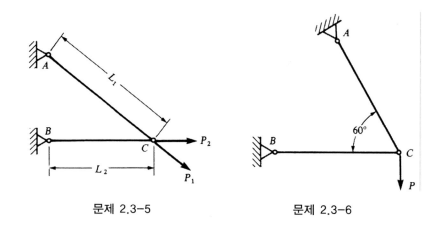

문제 2.3-5   문제 2.3-6

2.3-7 똑같은 봉재들로 구성된 트러스 ABC가 그림에 보인 바와 같이 연직하중 P를 지지한다. 각 θ는, 지지점들(A와 C)을 연직선에 따라 이동시킴과 동시에 봉재들의 길이를 변화시킴으로써 변화될 수 있으며, 이때 절점 B는 지지점들을 연결하는 연직선으로부터의 거리 d를 그대로 유지한다. 절점 B의 연직처짐이 최소가 될 각 θ를 구하라.

2.3-8 트러스 ABC는 두 개의 똑같은 봉재 AB와 BC를 사용하여 연직하중 P를 지지하도록 설계되어 있다(그림 참고). 지점들 사이의 거리 L은 고정되어 있으나 절점 B는 연직선 bBb를 따라 임의의 위치에 있을 수 있다. 봉재들의 단면적은 항상 인장허용응력이 발생하도록 되어 있다. 하중 P가 작용했을 때 절점 B의 처짐이 최소가 되게 하려면 각 θ는 얼마로 해야 할 것인가?

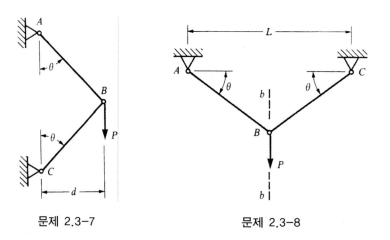

문제 2.3-7   문제 2.3-8

*2.3-9 그림에 보인 트러스 ABC는 절점 B에서 연직과 각 θ 방향으로 작용하는 힘 P를 지지한다. 부재 AB와 BC의 단면적과 탄성계수는 같다. 절점 B의 변위가 힘 P의 방향과 일치하게 될 각 θ를 구하라.

*2.3-10 그림에 보인 트러스 ABC는, 단면적이 $4.0\,in^2.$이고 길이가 L인 수평 강봉 BC와 단면적이 $0.5\,in^2.$인 연결 강봉 AB로 구성되어 있다. 각 θ는, 연결 강봉의 길이를 변화시킴과 동시에 지점 A의 연직위치를 변화시킴으로써, 임의의 요구되는 값으로 조정할 수 있으며, 이때 초기 길이 L은 변화시키지 않는다. 하중 P의 작용으로 인한 절점 B의 연직처짐이 최소가 되게 하기 위한 각 θ를 구하라.

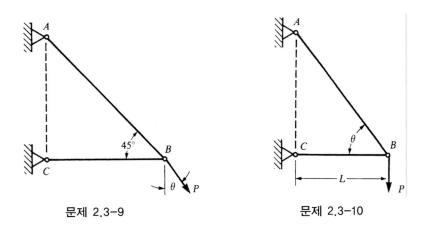

문제 2.3-9 문제 2.3-10

2.4절의 문제는 유연도법으로 풀어라.

2.4-1 정사각 단면($152.4 \times 152.4\,mm$)을 갖는 콘크리트 기초가 지름 $20\,mm$인 네 개의 강봉들로 보강되어 있다(그림 참고). 강재와 콘크리트의 허용응력이 각각 $124 \times 10^6\,Pa$과 $138 \times 10^5\,Pa$일 때 최대 허용하중 P를 구하라($E_S = 200 \times 10^9\,Pa$과 $E_C = 24 \times 10^9\,Pa$이라 가정한다).

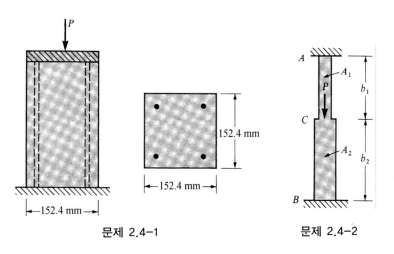

문제 2.4-1 문제 2.4-2

2.4-2 두 가지의 다른 단면적 A_1과 A_2를 갖는 강봉 AB가 그림에 보인 바와 같이 강성지지물 사이에 지지된채 C점에 하중 P를 받고 있다. 지점들에서의 반력 R_a와 R_b를 결정하라.

2.4-3 정사각형 단면의 철근 콘크리트 기둥이 축력 P에 의하여 압축을 받는다(그림 참고). 만약 강봉들의 총 단면적이 콘크리트 단면적의 1/10이고, 강재의 탄성계수가 콘크리트의 10배라 하면, 얼마의 하중비율이 콘크리트에 의하여 지지될 것인가?

2.4-4 25 mm 두께의 금속 케이싱(casing; 바깥 치수는 250 mm × 250 mm 이고 안쪽 치수는 200 mm × 200 mm 이다)의 내부가 콘크리트로 채워진 정사각형 단면의 기둥이 있다(그림 참고). 이 케이싱은 탄성계수가 $E_1 = 84\,\mathrm{GPa}$이고 콘크리트 코어는 탄성계수가 $E_2 = 14\,\mathrm{GPa}$ 이다. 금속과 콘크리트의 허용응력이 각각 42 MPa과 5.6 MPa일 때, 기둥의 최대 허용하중 P를 구하라(금속과 콘크리트 내의 응력은 균일하게 분포한다고 가정한다).

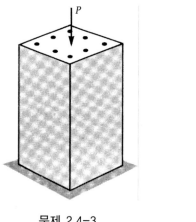

문제 2.4-3

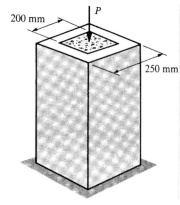

문제 2.4-4

2.4-5 안지름 $d = 508\,\mathrm{mm}$, 두께 $t = 12.7\,\mathrm{mm}$인 둥근 강제 파이프가 콘크리트로 채워져 있으며, 강성판들 사이에서 압축되고 있다(그림 참고). 강재와 콘크리트의 허용응력이 각각 110×10^6 Pa과 8270×10^4 Pa이라 할 때 최대 허용하중 P를 구하라($E_s = 200 \times 10^6\,\mathrm{kPa}$와 $E_c = 14 \times 10^6\,\mathrm{kPa}$이라 가정 한다).

2.4-6 봉재 AB가 그림에 보인 바와 같이 두 가지 다른 단면적을 갖는다. 이 봉재는 양단에서 움직이지 않는 강성지지물에 고정되어 있고, 크기가 같고 방향이 반대인 힘 P들을 받는다. A_1을 양단에서 가까운 부분의 단면적이라 하고, A_2를 가운데 부분의 단면적이라 할 때, 봉재 중앙에서의 축응력 σ를 구하라(다음과 같은 수치를 사용하라: $P = 24\,\mathrm{kN}$, $A_1 = 400\,\mathrm{mm}^2$, $A_2 = 600\,\mathrm{mm}^2$, $b = 2a$).

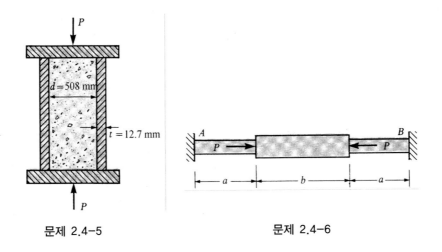

문제 2.4-5   문제 2.4-6

2.4-7 무게가 W인 강성블록(block) AB가 세 개의 등간격으로 매어진 연직줄들에 달려 있는데, 이중 두 개는 강선이고 1개는 알루미늄선이다(그림 참고). 이 줄들은 또한 블록의 중심에 작용하는 하중 P를 지지하며, 강선의 지름은 $3.2\,\mathrm{mm}$이고 알루미늄선의 지름은 $4.8\,\mathrm{mm}$이다. 강선의 허용응력이 $1380 \times 10^5\,\mathrm{Pa}$이고, 알루미늄선의 허용응력이 $827 \times 10^5\,\mathrm{Pa}$일 때, 지지할 수 있는 하중 P의 크기는 얼마인가? ($W = 356\,\mathrm{N}$, $E_S = 200 \times 10^9\,\mathrm{Pa}$, $E_a = 67 \times 10^9\,\mathrm{Pa}$이라 가정한다).

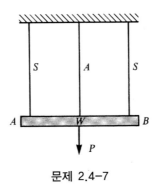

문제 2.4-7

2.4-8 그림에 보인 장치에서 각 연직봉재들은 강재로 만들어져 있으며 단면적은 $1200\,\mathrm{mm}^2$이다. 강성판 AB의 무게가 $360\,\mathrm{kN}$일 때, 가운데 봉재의 인장응력 σ를 구하라.

2.4-9 길이가 L인 강성봉재 AB가 A점에서 벽에 힌지되고, 점 C와 D에 매어진 두 개의 연직줄들에 의하여 지지되어 있다. 이 줄들은 같은 단면적을 가지며 같은 재료로 되어 있으나, D점에 매어진 줄의 길이는 C점에 매어진 줄의 두 배이다. B점에 작용한 연직하중 P로 인한 줄들의 인장력 T_c와 T_d를 구하라.

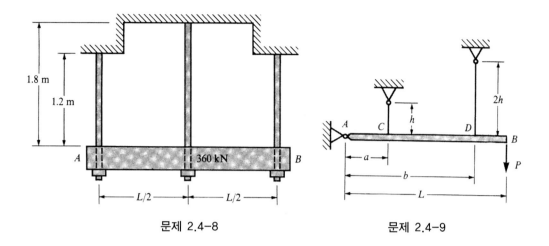

문제 2.4-8   문제 2.4-9

2.4-10 강성봉재 BD가 B에서 핀 지지되고, C와 D에 매어진 두 개의 줄에 의하여 지지되어 있다 (그림 참고). 이 줄들은 같은 줄이나, 길이가 다르며, P를 작용하기 전에 팽팽하게(그러나 응력은 걸리지 않은 상태)되어 있었다. 하중 $P = 5000\,\text{N}$에 의하여 줄들에 발생하는 인장력 T_c와 T_d를 구하라.

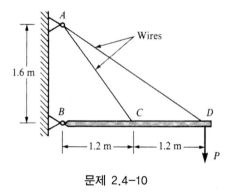

문제 2.4-10

2.4-11 정사각형 단면의 조합봉재가, 탄성계수가 E_1 및 E_2인 두 가지 다른 재질로 구성되어 있으며(그림 참고), 봉재의 두 부분은 같은 단면치수를 갖는다. 양단의 판재가 강체라 가정하고, 봉재의 각 부분이 균일 압축응력 상태가 되기 위한 하중 P의 편심량 e에 관한 식을 구하라. 이 조건하에서 각 재질은 하중 P를 어떤 비율로 담당하게 되는가?

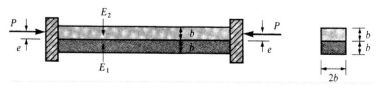

문제 2.4-11

2.4-12 강봉 $ABC(E=200\,\text{GPa})$는 A로부터 B까지는 단면적 A_1을, B로부터 C까지는 단면적 A_2를 갖는다(그림 참고). 이 봉재는 A에서 고정되고, C단에 하중 $P=53,400\,\text{N}$을 받으며, 단면적이 A_3인 강제 칼라 BD가 B에서 봉재를 지지한다. 하중이 없을 때 칼라가 B에서 잘 맞고 있었다고 가정하고, 봉재 하단에서의 처짐 δ_c를 구하라($L_1=2L_2=255\,\text{mm}$, $L_3=100\,\text{mm}$ $L_3=10\,\text{mm}$, $A_1=2A_3=1000\,\text{mm}^2$, $A_2=325\,\text{mm}^2$라 가정한다).

2.4-13 그림에 보인 트러스 $ABCD$는, 같은 길이 L인 3개 봉재로 구성되어 연직하중 P를 받고 있다. 세 봉재 모두가 같은 탄성계수 E와 단면적 A를 갖는다고 가정할 때, 봉재들의 축력 F_a, F_b, F_c와 절점 D의 연직변위 δ를 구하라.

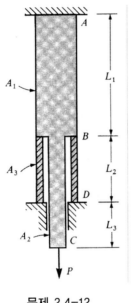

문제 2.4-12   문제 2.4-13

2.4-14 같은 축강도 EA를 갖는 3개의 봉재 AD, BD, CD가 그림과 같은 트러스를 형성한다. 하중 P의 작용으로 인한 세 봉재의 축력과 절점 D의 변위의 수평 및 연직성분을 구하라[Hint: P를 수평과 연직성분으로 분해하고 식 (2-13), (2-14) 및 (2-15)를 써라].

2.4-15 세 개의 같은 강선 A, B, C가 그림에 보인 바와 같이 강성 블록(무게 W)과 중앙으로부터 거리 x인 지점에 작용하는 하중 $2W$를 지지한다. 세 강선의 축력 F_a, F_b, F_c가 x의 함수로서 어떻게 변화해 가는가를 나타내는 선도를 그려라(x는 0으로부터 b보다 큰 값까지 변화한다고 가정하며, 선도는 압축력에 저항할 수 없음에 주의하라).

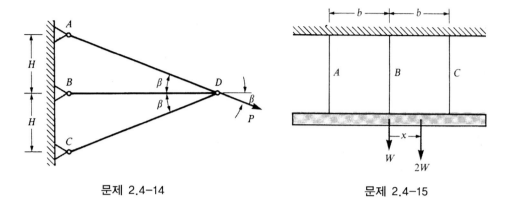

문제 2.4-14   문제 2.4-15

2.5절의 문제들은 강성도법으로 풀어라.

2.5-1 문제 2.4-2를 강성도법으로 풀어라.

2.5-2 알루미늄 및 강제파이프가, 그림에서와 같이, 한쪽 끝은 강성지지물에 고정되고 다른 쪽 끝은 강성판 C에 고정되어 있으며, 두 개의 같은 하중 P가 이 강성판에 대칭으로 작용한다. 알루미늄과 강제파이프의 축응력 σ_a와 σ_s를 각각 구하라(다음의 수치를 사용하라: $P = 48\,\text{kN}$, $A_a = 6000\,\text{mm}^2$, $A_s = 600\,\text{mm}^2$, $E_a = 70\,\text{GPa}$, $E_s = 200\,\text{GPa}$.)

2.5-3 그림에 보인 축하중 봉재 AB가 강성지지물 사이에 지지되어 있다. 이 봉재의 단면적은 A로부터 C까지의 사이는 A_1이고, C로부터 B까지의 사이는 $2A_1$이다. 하중 P가 작용했을 때 D점의 변위 δ_d는 얼마인가? 지점 A와 B에서의 반력은 얼마인가?

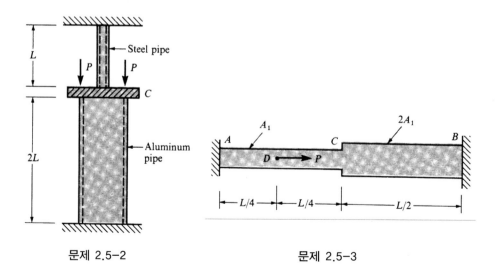

문제 2.5-2   문제 2.5-3

2.5-4 문제 2.4-8을 강성도법으로 풀어라.

2.5-5 같은 길이 L, 같은 단면적 A 및 같은 탄성계수 E를 갖는 세 개의 봉재로 구성된 트러스 $ABCD$가 연직력 P를 받는다(그림 참고). 절점 D의 연직처짐 δ와 봉재들의 축력 F_a, F_b 및 F_c를 구하라.

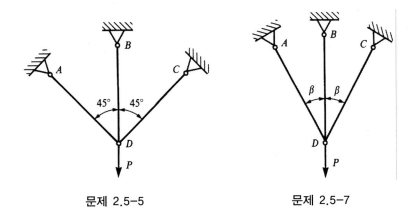

문제 2.5-5   문제 2.5-7

2.5-6 문제 2.4-13을 강성도법으로 풀어라.

2.5-7 같은 길이 L, 같은 축강도 EA를 갖는 3개 봉재로 구성된 트러스 $ABCD$가 절점 D에 작용한 연작하중 P를 받는다(그림 참고). 절점 D의 처짐 δ와 봉재들의 축력 F_a, F_b 및 F_c를 구하라.

2.5-8 다섯 개 봉재로 구성된 대칭 트러스가 절점 F에 작용하는 연직력 P를 받는다(그림 참고). 모든 봉재들은 같은 길이 L, 같은 단면적 A 및 같은 탄성 계수 E를 갖는다. 절점 D의 처짐 δ와 봉재들의 축력을 결정하라.

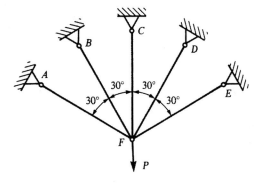

문제 2.5-8

2.5-9 같은 축강도 EA를 갖는 3개의 강봉 A, B, C가 수평한 강성보(rigid beam)를 지지한다(그림 참고). 봉재 B와 C의 길이는 h이고, 봉재 A의 길이는 $2h$이다. 하중 P가 강성보의 중앙에 작용했을 때, 이 보가 수평을 유지하기 위한 봉재 A와 B 사이의 거리 x를 구하라.

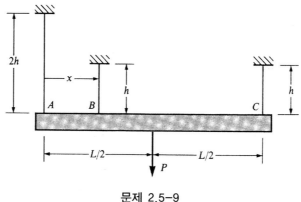

문제 2.5-9

2.6-1 어떤 알루미늄 파이프의 길이가 온도 18℃에서 50 m이며, 이웃하고 있는 강제파이프의 길이는, 같은 온도에서 알루미늄 파이프보다 10 mm 더 길다. 어떤 온도에서 두 파이프의 길이 차이가 15 mm가 되겠는가? (알루미늄과 강재의 선팽창계수는 각각 $\alpha_a = 23 \times 10^{-6}/℃$ 와 $\alpha_s = 12 \times 10^{-6}/℃$ 라 가정한다).

2.6-2 평평한 포장도로 위에 놓인 강제 줄자를 써서 두 지점 A와 B 사이의 거리를 측정하려 한다. 도로표면의 온도가 44.5 ℃이고 줄자에 걸리는 인장력이 89 N일 때, 줄자의 읽음이 85.49 ft이었다. 줄자의 단면 치수는 7.62×0.356 mm 이고, 탄성계수는 $E = 200$ GPa 및 선팽창 계수는 $\alpha = 6.5 \times 10^{-6}/℉$ 이다. 이 줄자는 온도 20 ℃ 및 44.5 N의 인장하에서 평평한 표면 길이를 정확하게 나타낸다는 것이 알려져 있다. 두 지점 사이의 정확한 거리 d는 얼마인가?

2.6-3 균일한 온도 상승 ΔT를 받는 재료의 단위 체적 변화(unit volume change) $e = \Delta V / V_0$를 구하는 식을 유도하라. 재료의 선팽창 계수는 α이고, 자유롭게 팽창할 수 있다고 가정한다.

2.6-4 그림에 보인 장치는, 텅스텐(tungsten)봉재 AC와 마그네슘(magnesium)봉재 BD를 지침(pointer) CDP에 C점과 D점에서 핀으로 결합한 것이다. 마그네슘과 텅스텐의 선팽창 계수를 각각 α_m과 α_t라 하고, 점 P의 연직변위 δ(윗방향을 정으로함)를, 균일 온도상승 ΔT와 치수 a, b 및 L을 써서 나타내는 식을 구하라. 이 장치를 온도계로 사용할 수 있겠는가?

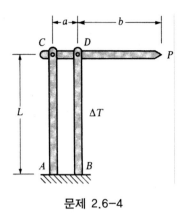

문제 2.6-4

2.6-5 길이 $L = 1\,\text{m}$, 단면적 $A = 1600\,\text{mm}^2$인 강봉(그림 참고)이 $20\,^{\circ}\text{C}$로부터 $80\,^{\circ}\text{C}$까지 가열된다. 다음에 온도를 변화시키지 않으면서 축인장력 $P = 160\,\text{kN}$을 작용한다. 마지막으로 온도를 $20\,^{\circ}\text{C}$로 되돌린다(하중은 그대로 유지한다). 위의 전 과정에 대하여, 이 봉재의 축력 P와 신장량 δ 사이의 관계를 나타내는 하중-변형선도를 그려라(강재의 선팽창계수는 $\alpha = 12 \times 10^{-6}/^{\circ}\text{C}$이고 탄성계수는 $E = 200\,\text{GPa}$이다).

2.6-6 강제단주 S가 동제 튜브 C 속에 들어 있는 조립체(그림 참고)가 강성판 사이에서 힘 P로 압축되고 있다. 모든 하중을 동제 튜브만이 담당하게 할 온도 상승량 ΔT를 구하는 식을 유도하라($\alpha_s, \alpha_c, E_s, A_s, A_c$는 각각 강재와 동재의 선팽창계수, 탄성계수 및 단면적을 나타낸다).

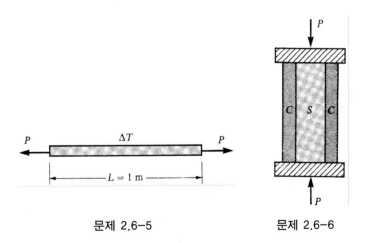

문제 2.6-5   문제 2.6-6

2.6-7 길이 L인 금속봉재 AB가 강성지지물 사이에 지지되어 있으며, A단으로부터 거리 x인 지점의 온도 상승 ΔT가, $\Delta T = \Delta T_1 x^2 / L^2$으로 표시되는 불균일 가열을 받고 있다(그림 참고). 봉재 내의 압축응력 σ_c를 구하라(재료의 탄성계수는 E이고 선팽창계수는 α이다).

2.6-8 지름 15 mm, 길이 5 m인 강봉이 그림에 보인 조립상태로 고정벽 사이에 꼭 맞게(초기 응력이 없는 상태로) 지지되어 있다. 지름 15 mm인 볼트 내의 평균 전단응력이 60 MPa이 되도록 할 온도강하 ΔT(섭씨 온도)를 계산하라(강재에 대하여 $\alpha_s = 12 \times 10^{-6}/°C$ 와 $E_s = 200\,GPa$을 사용하라).

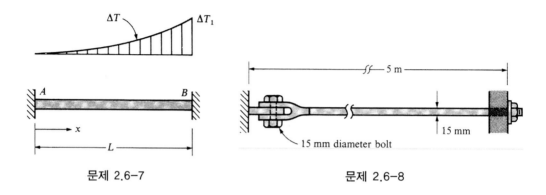

문제 2.6-7　　　　　　　　　　문제 2.6-8

2.6-9 강선 AB가, 온도 20°C에서 초기 기응력이 30 MPa이 되도록 강성지지물 사이에서 잡아 당겨져 있다(그림 참고). (a) 온도를 0°C로 강하했을 때 강선의 응력 σ는 얼마인가? (b) 강선의 응력이 0이 되게 할 온도는 몇 도인가? ($\alpha = 14 \times 10^{-6}/°C$, $E = 210\,GPa$이다.)

2.6-10 길이가 1.0 m인 동봉 AB가, 실온에서 강성벽과 A단 사이의 간격이 0.10 mm가 되도록 놓여 있다(그림 참고). 온도가 40°C만큼 상승했을 때 봉재 내의 축압축응력 σ를 계산하라(동재에 대하여 $\alpha = 17 \times 10^{-6}/°C$ 와 $E = 110\,GPa$을 사용하라).

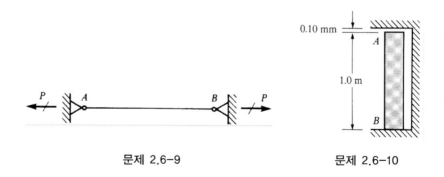

문제 2.6-9　　　　　　　　　　문제 2.6-10

2.6-11 3개의 인접한 평행 강봉($E = 200\,GPa$)이 강성판에 같이 결합되어 인장하중 $P = 1110\,kN$을 받는다(그림 참고). 각 봉재의 단면적은 $3,870\,mm^2$이고 길이는 6.1 m이다. 만약 중간 봉재가 우연히 다른 두 봉재보다 0.762 mm만큼 짧았다고 한다면, 하중이 작용했을 때 중간 봉재 내의 최종 응력 σ는 얼마인가(하중이 작용할 때, 세 봉재의 끝은 일직선상에 오도록 잡아 당겨 진다고 가정한다).

2.6-12 두 가지 다른 단면적을 갖는 강봉 *ACB*가 그림에서와 같이 강성지지물 사이에 지지되어 있다. 봉재의 왼쪽과 오른쪽 부분의 단면적은 각각 1300 mm²와 1900 mm²이고, 탄성계수 *E*는 200 GPa 및 선팽창계수 α는 0.0000065/°F이다. 이 봉재에 75°F의 균일 온도증가를 일으켰을 때, 다음을 구하라. (a) 봉재의 축력 *P*, (b) 최대 축응력 σ, (c) 점 *C*의 변위 δ.

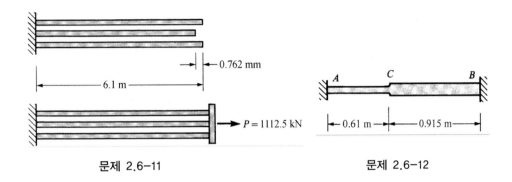

문제 2.6-11 문제 2.6-12

2.6-13 길이가 *L*인 비균일단면 봉재 *ABC*가 고정벽 사이에 지지되어 있다(그림 참고). 봉재의 왼쪽 반은 단면적이 A_1, 오른쪽 반은 단면적이 A_2이고, 탄성계수는 *E*, 선팽창계수는 α이다. 봉재가 균일 온도변화 ΔT(정의 ΔT는 온도상승을 의미한다)를 받고, $A_2 > A_1$라 가정할 때, 다음을 구하라. (a) 봉재 내의 최대 축응력 σ(정의 값은 인장응력을 의미한다) (b) 점 *B*의 변위 δ(정의 값은 변위가 오른쪽으로 향함을 의미한다).

2.6-14 강성판이, 각기 200 mm × 200 mm인 정사각형 단면을 가지며 길이가 *L* = 2 m인, 3개의 고강도 콘크리트 기둥에 의하여 지지되어 있다(그림 참고). 하중 *P*가 작용되기 전에 가운데 기둥은 다른 기둥보다 *s* = 1.0 mm만큼 짧았다. 콘크리트의 탄성계수가 $E_c = 30$ GPa이고 압축 허용응력이 $\sigma_w = 18$ MPa일 때 최대 허용하중 *P*를 구하라.

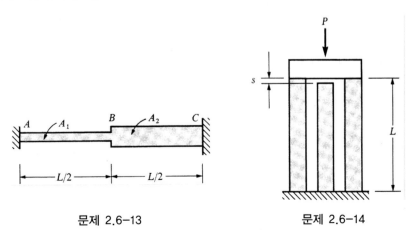

문제 2.6-13 문제 2.6-14

2.6-15 그림에 보인 바와 같이 바이메탈(bimetal)형 온도 조절장치가 황동봉(길이 $L_b = 19\,\text{mm}$, 단면적 $A_b = 6.45\,\text{mm}^2$)과 마그네슘봉(길이 $L_m = 330\,\text{mm}$, 단면적 $A_m = 130\,\text{mm}^2$)으로 되어 있다. 두 봉재는, 실온에서 그 자유단 사이의 간격이 $\delta = 0.1\,\text{mm}$가 되도록 조립되어 있다. 다음 값을 구하라. (a) 두 봉재가 서로 닿게 되는 온도 상승값 ΔT(실온 이상), (b) 온도 상승 ΔT가 $300°\text{F}$일 때 마그네슘 봉재 내의 응력 σ_0(다음 재료상수들을 사용하라: $\alpha_b = 10 \times 10^{-6}/°\text{F}$, $\alpha_m = 14.5 \times 10^{-6}/°\text{F}$, $E_b = 100\,\text{GPa}$, $E_m = 45\,\text{GPa}$).

2.6-16 황동슬리브(sleeve)가 강제 볼트 밖으로 끼워져서 너트로 꼭 맞게 졸라매어져 있다. 볼트의 지름은 25 mm이고, 슬리브의 안쪽 및 바깥쪽 지름은 각각 26 mm와 36 mm이다. 슬리브에 압축응력 30 MPa을 발생시키기 위한 온도 상승값 ΔT를 계산하라(다음 재료상수들을 사용하라: 황동에 대하여, $\alpha_b = 20 \times 10^{-6}/°\text{C}$, $E_b = 100\,\text{GPa}$, 강재에 대하여 $\alpha_s = 12 \times 10^{-6}/°\text{C}$, $E_s = 200\,\text{GPa}$).

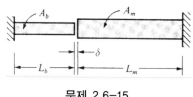
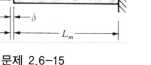
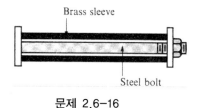

문제 2.6-15　　　　　　　　　　문제 2.6-16

2.6-17 원형단면의 알루미늄 봉재가 같은 길이의 동제 튜브 속에 끼워져 있다(그림 참고). 동제 튜브의 바깥지름은 51 mm, 안지름은 46 mm이고, 알루미늄 봉재의 지름은 44.5 mm이다. 이 조립체의 양단에는, 지름 6.35 mm의 금속 핀이 축에 직각으로 두 봉재를 관통하여 끼워져 있다. 온도 상승이 $44\,°\text{C}$일 때 pin의 평균 전단응력을 구하라(알루미늄에 대하여, $E = 70\,\text{GPa}$, $\alpha_a = 13 \times 10^{-6}/°\text{F}$ 동에 대하여, $E_c = 0.12\,\text{Pa}$, $\alpha_c = 9.3 \times 10^{-6}/°\text{F}$).

2.6-18 볼트의 길이 $L = 760\,\text{mm}$, 나사의 피치 $p = 3.175\,\text{mm}$, 볼트의 단면적 $A_S = 645\,\text{mm}^2$이고, 튜브의 단면적이 $A_c = 1290\,\text{mm}^2$일 때(그림 참고), 너트를 1/4 바퀴 회전했을 경우 강제 볼트와 동제 튜브에 발생하는 응력은 얼마인가?($E_s = 200\,\text{GPa}$, $E_c = 100\,\text{GPa}$이다: 주: 나사의 피치는 너트를 완전히 한 바퀴 돌렸을 때 축 방향으로 움직이는 거리와 같다).

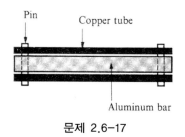
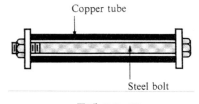

문제 2.6-17　　　　　　　　　　문제 2.6-18

2.6-19 때로는 기응력 콘크리트 보를 다음과 같은 방법으로 제작한다. 그림의 (a)에 표시한 바와 같이, 잭(jack)기구를 써서 고강도 강선에 힘 Q를 작용하여 인장시킨 다음, 그림 (b)에 보인 바와 같이 강선 주위에 콘크리트를 부어 넣는다. 콘크리트가 적당히 굳은 다음 잭을 풀어 힘 Q를 제거한다[그림 (c)를 보라]. 이렇게 하여, 강선은 인장상태이고 콘크리트는 압축상태에 있어서, 보는 기응력상태로 남게 된다. 힘 Q가 강선에 초기응력 $\sigma_0 = 820\,\text{MPa}$을 발생시킨다고 가정하고, 강과 콘크리트의 탄성계수비가 8:1이고, 단면적비가 1:30일 때, 두 재료의 최종응력 σ_s와 σ_c는 얼마인가?

2.6-20 그림에 보인 봉재는 길이가 L, 탄성계수가 E_b이면 단면적은 A_b이다. 턴버클(turnbuckle)을 갖는 두 개의 케이블이, 봉재의 양단을 각각 관통하고 있는 강한 핀에 잡아 매어져 있다. 각 케이블은 길이가 L, 탄성계수가 E_c, 단면적이 A_c이다. 이중작동을 하는 턴버클의 나사 피치는 P이다(즉, 버클을 1회전하면 케이블은 $2P$만큼 짧아진다). 봉재에 균일 압축응력 σ_0인 기응력을 발생시키기 위한 각 턴버클의 회전수 n에 관한 식을 구하라.

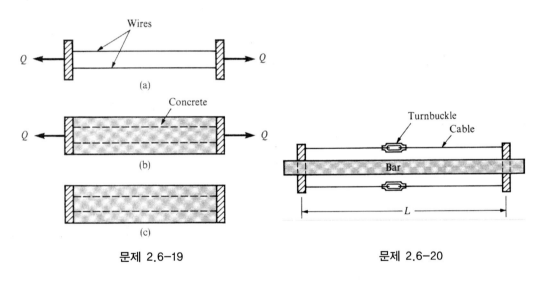

문제 2.6-19   문제 2.6-20

2.6-21 연직 케이블 AB(그림 참고)가 $4\,\text{kN}$의 초기인장으로 기응력상태에 있으며, 이어서 하단에서부터 높이 h인 지점의 케이블에 무게 $W = 6\,\text{kN}$을 달아맨다. h를 0으로부터 L까지 변화시키면서 케이블의 두 부분에 나타나는 인장력 P_a와 P_b를 검토하라(케이블은 압축력을 지지하지 못함에 유의하라).

2.6-22 구리판이 두 개의 강철판 사이에서 확고하게 접합되어 만들어진 바이메탈(bimetal) 봉재(그림 참고)가 균일하게 ΔT만큼 가열되었다. 봉재의 폭이 b이고, 길이가 L, 각 층의 두께가 t라 할 때, 강철과 구리에 발생하는 응력 σ_s와 σ_c를 각각 구하라. 또한 세 판재 각각의 자유물체도를 그려라(강철과 구리에 대한 선팽창계수는 각각 α_s와 α_c이고, $\alpha_c > \alpha_s$이며,

탄성계수는 E_s와 E_c이다).

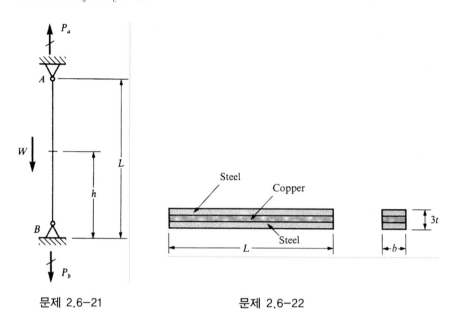

문제 2.6-21   문제 2.6-22

2.6-23 그림에 보인 대칭 트러스에서, 두 개의 바깥쪽 봉재는 온도변화를 일으키지 않고, 가운데 봉재만 ΔT만큼 온도를 상승시켰을 때, 봉재들의 축력 F_1과 F_2를 구하라(E, A 및 α는 세 봉재에서 모두 같다고 가정한다).

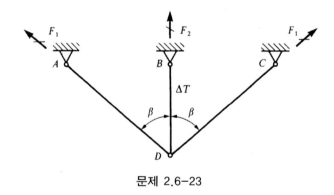

문제 2.6-23

2.6-24 세 봉재의 대칭 트러스 $ABCD$(그림 참고)에서 두 개의 바깥쪽 봉재는 $\Delta T_1 = 20\,°C$의 온도상승을, 가운데 봉재는 $\Delta T_2 = 70\,°C$의 온도상승을 일으켰을 때, 봉재들의 축력 F_1과 F_2를 구하라. 모든 봉재에 대하여 $E = 200\,\text{GPa}$, $\alpha = 14 \times 10^{-6}/°C$ 및 $A = 900\,\text{mm}^2$를 가정한다.

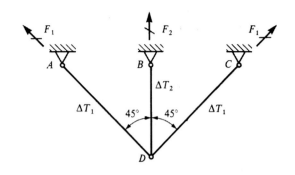

문제 2.6-24

2.6-25 그림에 보인 트러스의 각 봉재들은 길이가 $L = 1.525\,\mathrm{m}$이고 단면적은 $A = 322.5\,\mathrm{mm}^2$이며, 탄성계수가 $E = 200\,\mathrm{GPa}$인 강봉들로 되어 있다. 봉재 AB에는 턴버클(turnbuckle)이 달려 있으며, 이 턴버클은 inch당 32산의 나사를 갖는 이중작동형이다(즉, 나사의 피치가 $p = 0.8\,\mathrm{mm}$이며, 따라서 턴버클을 1회전하면 봉재는 1.5875 mm만큼 짧아진다). 트러스는 처음에 모든 봉재에 응력이 발생하지 않는 상태로, 턴버클로 팽팽하게 조정되었다. 봉재 AB에 인장력 $T = 17800\,\mathrm{N}$이 발생하도록 하기 위하여는 턴버클을 몇 회전(n)해야 하는가?

*2.6-26 그림에 보인 사각구조물의 바깥쪽 봉재들은 알루미늄($E_a = 200\,\mathrm{GPa}$, $\alpha_a = 13 \times 10^{-6}$) /℉로 만들어지고, 대각선은 강선($E_s = 200\,\mathrm{GPa}$, $\alpha_s = 6.5 \times 10^{-6}/℉$)들로 만들어졌으며, 알루미늄 봉재와 강선의 단면적비는 20:1이다. 이 구조물 전체의 온도를 27 ℃만큼 상승시켰을 때, 강선에 발생하는 응력 σ_s를 구하라.

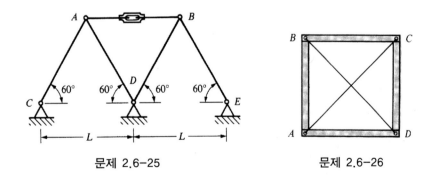

문제 2.6-25   문제 2.6-26

2.7-1 축하중 $P = 60\,\mathrm{kN}$을 받는 지름 $d = 25\,\mathrm{mm}$인 원형단면 봉재(그림 참고)에 발생하는 최대 전단응력 $\tau_{\max}$은 얼마인가?

문제 2.7-1

2.7-2 연강 인장시험편이 표점길이 50 mm에서 0.05 mm의 신장량을 나타냈다. $E = 200\,\text{GPa}$이라 할 때, 최대 전단응력 τ_{max}을 계산하라.

2.7-3 지름 $d = 150\,\text{mm}$인 콘크리트 시험 원주(그림 참고)가 시험기에서 축압축력 P를 받는다. 만약 콘크리트의 최대 전단응력이 $14 \times 10^6\,\text{Pa}$를 넘지 않도록 한다면, 최대 허용 축압축하중 P는 얼마인가?

2.7-4 $50.8\,\text{mm} \times 50.8\,\text{mm}$의 정사각형 단면을 갖는 강봉(그림 참고)의 허용 인장응력이 1380×10^5 Pa이고 허용 전단응력이 9000×10^4 Pa이라 할 때, 허용되는 인장하중 P를 구하라.

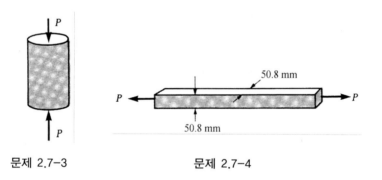

문제 2.7-3   문제 2.7-4

2.7-5 $76.2\,\text{mm} \times 76.2\,\text{mm}$의 균일 정사각형 단면을 갖는 강봉이 인장하중 $P = 9.3 \times 10^5\,\text{kPa}$을 받는다(그림 참고). $45°$ 회전된 요소의 모든 면에서 나타나는 수직 및 전단응력들을 구하라.

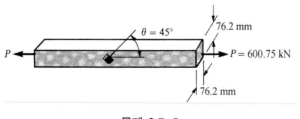

문제 2.7-5

2.7-6 앞의 문제에서, 하중 P가 인장하중 대신에 압축하중일 때, 문제를 풀어라.

2.7-7 인장을 받는 균일단면 봉재의 단면적이 $A = 1600\,\text{mm}^2$이고, 하중 $P = 16\,\text{kN}$을 받는다(그림

참고). $\theta = 30°$로 회전된 요소의 모든 면에 작용하는 응력들을 구하라.

문제 2.7-7

2.7-8 위의 문제에서 하중 P가 인장하중 대신에 압축하중일 때, 문제를 풀어라.

2.7-9 문제 2.7-7을 $\theta = 75°$일 경우에 대하여 풀어라.

2.7-10 지름 $d = 1.6\,\mathrm{mm}$인 황동선이 고정점들 사이에서 인장력 $T = 143\,\mathrm{N}$을 받고 팽팽하게 잡아당겨져 있다(그림 참고). 다음에 이 선의 온도가 10 ℃만큼 강하하였다면, 선 내의 최대 전단 응력은 얼마인가? 선의 선팽창계수는 $\alpha_b = 10.6 \times 10^{-6}/°\mathrm{F}$이고 탄성계수는 $E_b = 100 \times 10^9$ Pa이다.

2.7-11 그림에 보인 바와 같이, 금속 봉재가 실온(68°F)에서 강성벽 사이에 고정되어 있다. 온도가 200°F까지 상승하였을 때 경사단면 pq에 나타나는 수직 및 전단응력을 계산하라 ($\alpha = 6.5 \times 10^{-6}/°\mathrm{F}$, $E = 200\,\mathrm{GPa}$을 가정한다).

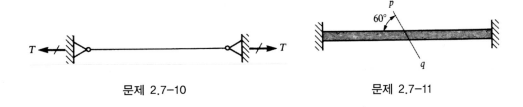

문제 2.7-10 　　　　　　　문제 2.7-11

2.7-12 거형단면을 갖는 동봉이 강성벽 사이에 지지된 다음(그림 참고), 봉재의 온도가 60 ℃만큼 상승하였다. 요소 A와 B의 모든 면에 나타나는 응력들을 구하고, 이 응력들을 요소에 그려 넣어라($\alpha = 0.000017/℃$이고 $E = 120\,\mathrm{GPa}$이다).

2.7-13 단면적이 A인 균일단면 봉재가 축 인장응력 $\sigma_x = P/A$를 받는다(그림 참고). 경사평면 pq상의 응력이 $\sigma_\theta = 81\,\mathrm{MPa}$ 및 $\tau_\theta = -27\,\mathrm{MPa}$일 때, 축응력 σ_x와 각도 θ를 구하라.

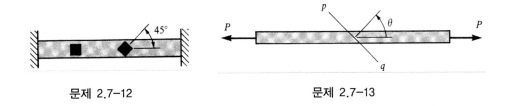

문제 2.7-12 　　　　　　　문제 2.7-13

2.7-14 일축응력 상태에 있는 봉재로부터 절단된 요소의 각 면에 작용하는 수직응력이 82.68 MPa
과 41.34 MPa이였다(그림 참고). 각도 θ와 전단응력 τ_θ를 구하라. 또 최대수직응력 σ_x와
최대전단응력 τ_{max}을 구하라.

2.7-15 균일단면 봉재가 축력을 받아, $\theta = 30°$인 평면에 60 MPa의 압축응력을 발생하였다(그림 참
고). 각도 45°로 회전된 요소에 작용하는 응력들은 얼마인가?

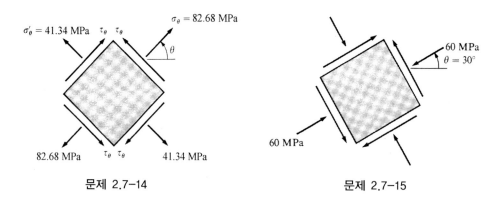

문제 2.7-14 문제 2.7-15

*2.7-16 재료 두 조각을 선 pq를 따라 접합하여 인장부재를 만들려고 한다(그림 참고). 실제적인
이유 때문에 각 θ는 0°로부터 60°까지로 제한을 받는다. 전단에 대한 접합부의 허용응력은
인장에 대한 접합부 허용응력의 3/4이라 한다. 봉재가 최대하중 P를 받을 수 있도록 하는
각 θ의 값은 얼마인가? (접합부의 강도를 기준하여 설계한다고 가정한다).

*2.7-17 앞의 문제에서, 인장 및 전단에 대한 접합부의 허용응력을 각각 13.78 MPa과 6.89 MPa이
라 가정하고 문제를 풀어라. 또한 봉재의 단면적이 967.74 mm²라 가정하고 최대 허용하중
P를 구하라.

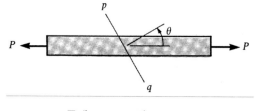

문제 2.7-16 및 2. 7-17

2.8-1 길이 254 mm인 균일단면 봉재가 하중 $P = 26700$ N으로 압축되고 있다(그림 참고).
$E = 200$ GPa이라 가정하고 단면적이 $A = 2580$ mm²일 때, 봉재 내에 저장되는 변형에너지
U값을 구하라.

2.8-2 그림에서와 같이, 두 가지 다른 단면적 A와 $4A$를 갖는 봉재에 인장력 P가 작용한다. (a) 재료의 탄성계수가 E일 때, 봉재 내에 저장되는 변형에너지 U를 구하는 식을 유도하라. (b) 만약 하중 P가 그 2배인 $2P$가 되었을 때, 변형에너지의 증가는 얼마인가?

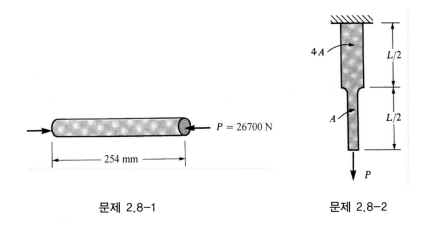

문제 2.8-1

문제 2.8-2

2.8-3 그림에 보인 봉재의 단면적이 A이고 탄성계수가 E일 때, 이 봉재에 저장되는 변형에너지에 대한 식을 구하라.

2.8-4 어떤 건물의 3층 기둥이, 그림에 보인 바와 같이 각층의 하중을 받으며, 붕괴되지 않도록 적절히 지지되어 있다. $P=150\,\text{kN}$, $H=3\,\text{m}$, $A=7500\,\text{mm}^2$ 및 $E=200\,\text{GPa}$일 때, 기둥에 저장되는 변형에너지를 계산하라.

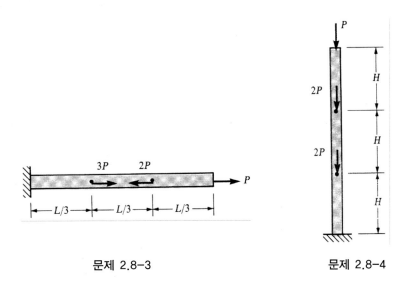

문제 2.8-3

문제 2.8-4

2.8-5 다음 각 재료들에 대하여(table 참고) 비례한도를 넘지 않는 상태에서, 단위체적당의 변형에너지(Pa)와 단위중량당의 변형에너지(m)를 구하라.

문제 2.8-5에 관한 자료

재 료	비중량 $\gamma (kN/m^3)$	탄성계수 $E(kPa)$	비례한도 $\sigma_{pl}(Pa)$
연 강	77	2000×10^5	2500×10^4
공 구 강	77	2000×10^5	8200×10^5
알루미늄	26.7	720×10^5	3400×10^5
연질고무	11	2000	138×10^4

2.8-6 지지점에서의 지름이 d이고 길이가 L인 원주형 봉재가 그 자중하에 연직하게 매달려 있다 (그림 참고). 이 봉재의 변형에너지를 구하는 식을 유도하라($\gamma=$비중량, $E=$재료의 탄성계수).

2.8-7 그림에 보인 바와 같이 원형단면을 갖는 균일 테이퍼 봉재 AB가 그 자유단에 하중 P를 받는다. 양단의 지름은 d_1과 d_2이고 길이는 L, 탄성계수는 E이다. (a) 봉재의 변형에너지 U를 구하는 식을 유도하라. (b) 하중 P로 인한 봉재의 신장량 δ를 구하라.

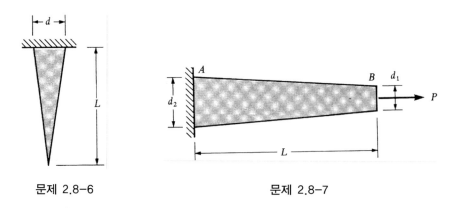

문제 2.8-6   문제 2.8-7

2.8-8 길이가 L이고 일정 두께 t를 갖는 균일 테이퍼 판재 AB가 하중 P를 받는다(그림 참고). 이 평판의 폭은 지지점에서 b_2이고 하중점에서 b_1이다. (a) 판재의 변형에너지 U를 구하라. (b) 판재의 신장량 δ를 구하라.

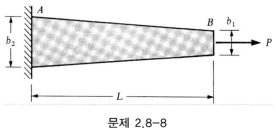

문제 2.8-8

2.8-9 봉재 ACB가 C점을 지나는 축 주위로 일정 각속도 ω로 회전한다(그림 참고). 원심효과로 인하여 봉재에 저장되는 변형에너지 U를 구하라($L=$봉재의 한쪽 팔 길이, $A=$단면적, E $=$탄성계수, $\rho=$밀도라 한다).

2.8-10 그림에 보인 트러스 ABC는 수평하중 P_1과 연직하중 P_2를 지지하며 봉재들은 같은 축강도 EA를 갖는다. (a) $P_2=0$이고 P_1만 작용할 경우, 트러스의 변형에너지 U_1은 얼마인가? (b) $P_1=0$이고 P_2만 작용할 경우, 변형에너지 U_2는 얼마인가? (c) P_1과 P_2가 동시에 작용할 경우, 변형에너지 U는 얼마인가?

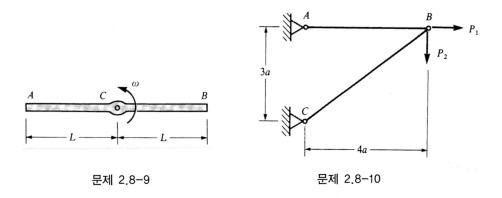

문제 2.8-9   문제 2.8-10

2.8-11 압축하중 P가 강성판을 통하여 세 봉재에 작용하는데, 가운데 봉재가 다른 두 봉재보다 초기에 약간 짧았다는 것 이외에는 세 봉재가 같다(그림 참고). 이 조립체의 치수와 상수들은 다음과 같다: $L=1\,\text{m}$, 단면적 $A=3000\,\text{mm}^2$, 탄성계수 $E=45\,\text{GPa}$, 간격 $s=1\,\text{mm}$. (a) 간격이 닫혀지게 하기 위한 하중 P의 값을 구하라. (b) P가 그 최대값인 $400\,\text{kN}$일 때 강성판의 전 하향변위 δ를 구하라. (c) P가 그 최대값일 때 세 봉재에 저장되는 변형에너지 U를 구하라. (d) 변형 에너지 U가 $P\delta/2$와 같지 않은 이유를 설명하라(Hint: 하중-변위선도를 그려 보아라).

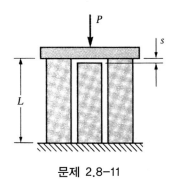

문제 2.8-11

2.8-12 그림에 보인 트러스의 각 봉재 AB와 BC는 단면적이 A이고 탄성계수가 E이다. (a) 수평 하중 P로 인한 트러스의 변형에너지 U를 구하라. (b) 절점 B의 수평변위 δ를 구하라.

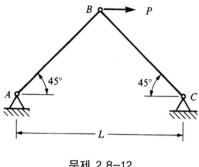

문제 2.8-12

2.8-13 그림에 보인 평면트러스의 모든 봉재들은 같은 축강도 EA를 갖는다. (a) 하중 P로 인하여 트러스에 저장되는 총 변형에너지 U를 구하라. (b) 이 변형에너지의 표현을 써서 절점 D 의 연직변위 δ를 구하라.

2.8-14 그림에 보인 바와 같이 트러스 ABC가 연직하중 P를 지지한다. 두 봉재 AB와 BC는 같은 탄성계수 E와 단면적 A를 갖는다. 봉재들의 길이를 변화시킴으로써 각 β가 변화하게 되나, 절점 B는 항상 연직벽으로부터 거리 L을 유지해야 한다. (a)이 트러스의 변형에너지 U를 구하라. (b) 변형에너지가 최소가 되기 위한 각 β를 구하라. (c) 대응하는 절점 B 의 연직변위 δ를 구하라.

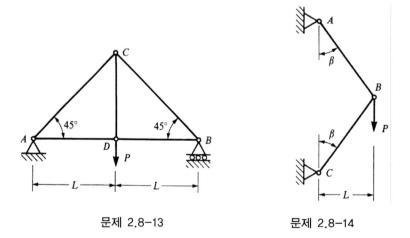

문제 2.8-13   문제 2.8-14

2.8-15 그림에 보인 바와 같이, 같은 재질(탄성계수 E)과 같은 지름(단면적 A)을 갖는 세 개의 강선이 연직하중 P를 지지한다. (a) 변형에너지에 대한 방정식 $U = EA\delta^2/2L$을 사용하여,

절점 D의 연직변위 δ_d의 항으로서 강선들의 변형에너지 U를 구하라. (b) 하중 P가 한 일량과 변형에너지를 등치함으로써 변위 δ_d를 구하라.

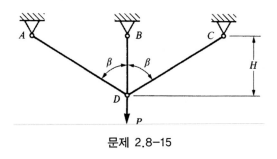

문제 2.8-15

2.9-1 무게 W인 물체가 벽면 위에 놓여져 있으며, 단면적이 A, 탄성계수가 E인 유연한 줄의 한쪽 끝이 이 물체에 매어져 있고, 다른 쪽 끝은 벽면에 단단히 매어져 있다(그림 참고). 이 물체를 벽면으로 밀어 내어 줄의 전 길이를 자유롭게 낙하시켰을 때, 줄에 발생하는 최대응력 σ를 구하는 식을 유도하라. 줄이 물체를 정지시켰을 때 줄은 탄성적으로 늘어난다고 가정한다.

2.9-2 무게 $W = 17800\,\text{N}$인 물체가 높이 $h = 0.305\,\text{m}$로부터, 길이 $6.1\,\text{m}$이고 지름이 $305\,\text{mm}$이며 하단이 고정된 나무기둥 위로 낙하한다(그림 참고). $E = 10\,\text{GPa}$이며 물체가 기둥 위에서 튀어 오르지 않는다고 가정할 때, 기둥에 발생하는 최대 압축응력 σ를 구하라.

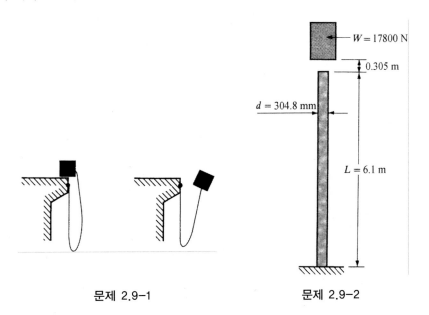

문제 2.9-1   문제 2.9-2

2.9-3 무게 $W = 445\,\mathrm{N}$인 활동 칼라가 가느다란 봉재의 하단에 있는 플랜지 위로 낙하한다(그림 참고). 봉재는 길이가 $L = 1.83\,\mathrm{m}$, 단면적이 $A = 322.5\,\mathrm{mm}^2$이고, 탄성계수가 $E = 200\,\mathrm{GPa}$ 이다. 에너지 손실이 없다고 가정하고, 봉재에 응력 $\sigma = 200 \times 10^6\,\mathrm{Pa}$을 발생시키기 위하여 무게 W를 떨어뜨릴 높이 h를 결정하라.

2.9-4 그림에 보인 활동 칼라의 질량은 $M = 90\,\mathrm{kg}$이고, 연직봉재는 길이가 $L = 3\,\mathrm{m}$, 단면적이 $A = 340\,\mathrm{mm}^2$이고 탄성계수가 $E = 170\,\mathrm{GPa}$이다. 질량을 플랜지 위로 높이 h까지 올렸다가 떨어뜨린다. 에너지 손실이 없다고 가정하고, 봉재에 응력 $\sigma = 400\,\mathrm{MPa}$을 발생시키기 위한 높이 h를 계산하라.

2.9-5 광산차(mine car)에 대한 완충장치가 강성도 $k = 175\,\mathrm{N/mm}$인 스프링으로 만들어져 있다 (그림 참고). 만약 무게 6675 N인 차가 스프링에 충돌할 때 8 km/h의 속도였다면, 스프링 의 최대처짐 δ는 얼마인가?

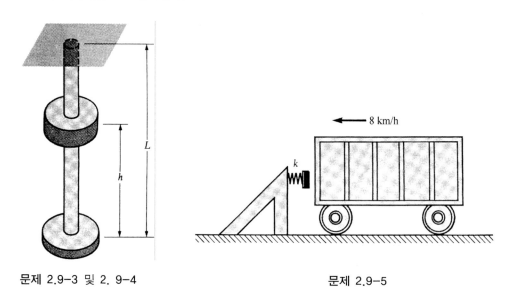

문제 2.9-3 및 2. 9-4   문제 2.9-5

2.9-6 원통형 용기의 끝판(end plate)이 그림 (a)에 보인 바와 같이 6개의 볼트로 플랜지에 체결 되어 있으며, 볼트의 물림길이는 d_1이다. 어떤 동하중 P의 작용으로 볼트에는 최대인장응 력 σ_1이 발생한다. 이 볼트체결부를 다시 설계하여 그림 (b)에 보인 바와 같이 볼트들의 물림길이가 $4d_1$이 되도록 하였을 때, 같은 동하중 P의 작용으로 인하여 볼트에 발생하는 인장응력 σ_2는 얼마인가?

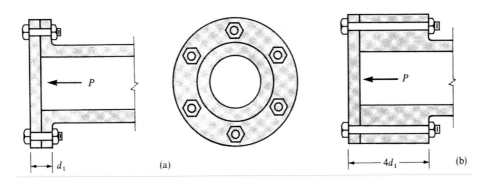

문제 2.9-6

2.9-7 강성도가 k인 스프링이, 길이가 L이고 질량이 M_1인 균일단면 강성봉재 AB를 지지한다 (그림 참고). 질량 M_2인 무거운 물체가 높이 h로부터 봉재 위로 떨어졌을 때, B점의 최대 처짐 δ를 구하는 식을 유도하라. 충격시에 에너지 손실은 없다고 가정한다(이 가정은 M_2가 M_1보다 상당히 클 때 합리적이다).

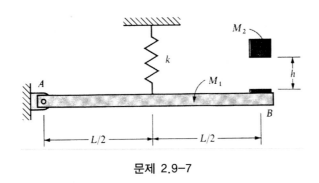

문제 2.9-7

2.9-8 질량 $M = 1.0\,\mathrm{kg}$인 강성 봉재 AB가 A점에서 힌지로 지지되고, B점에서는, 단면적이 $A = 30\,\mathrm{mm}^2$이고 $E = 2.1\,\mathrm{GPa}$인 나일론줄 BC에 의하여 지지되어 있다(그림 참고). 이 봉재를 최대 높이까지 올렸다가 놓아 주었을 때, 줄에 발생하는 최대응력 σ는 얼마인가?

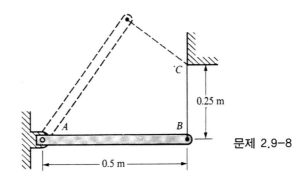

문제 2.9-8

2.9-9 작은 고무공(무게 $W = 28.4\,g$)이 고무줄에 의하여 나무주걱(wooden paddle)에 매어져 있다(그림 참고). 고무줄이 늘어나지 않은 길이는 $L = 305\,mm$이고 단면적은 $A = 1.6\,mm^2$ 이며 탄성계수는 $E = 20 \times 10^5\,Pa$이다. 고무공이 주걱에 충돌한 다음 고무줄의 전 길이가 $4L$(또는 $1200\,mm$)로 늘어났다면, 고무공이 주걱을 떠날 때의 속도 v는 얼마인가? 고무줄은 선형탄성 거동을 한다고 가정하고, 공의 높이 변화에 따른 위치에너지는 무시한다.

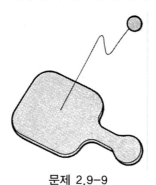

문제 2.9-9

2.9-10 질량 M인 활동 칼라가 높이 h로부터 불균일단면 봉재의 하단(flange)으로 낙하한다(그림 참고). 봉재의 윗부분은 지름이 d_2이고 아랫부분은 지름이 d_1이며, 두 부분의 길이는 각각 L_2와 L_1이다. 봉재의 재료가, 탄성계수가 E인 선형탄성을 유지한다고 할 때 충격으로 인한 봉재의 최대처짐 δ와 최대인장응력 σ를 구하라. 치수와 재료상수들은 아래와 같다.

$$M = 5\,kg \qquad h = 10\,mm \qquad E = 200\,GPa$$
$$d_1 = 5\,mm \qquad d_2 = 10\,mm \qquad L_1 = 300\,mm \qquad L_2 = 100\,mm$$

2.9-11 위의 문제에서, 치수와 재료상수가 다음과 같을 때, 문제를 풀어라.

$$M = 5.8\,kg \qquad h = 12.7\,mm \qquad E = 200\,GPa$$
$$d_1 = 501\,mm \qquad d_2 = 10.2\,mm \qquad L_1 = 305\,mm \qquad L_2 = 102\,mm$$

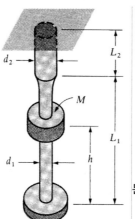

문제 2.9-10 및 문제 2.9-11

*2.9-12 그림에 보인 균일단면 봉재의 길이는 $L = 2.0\,\text{m}$, 지름은 $d = 15\,\text{mm}$ 이고 탄성계수는 $E = 200\,\text{GPa}$ 이며, 강성도가 $k = 1.2\,\text{MN/m}$ 인 스프링이 봉재 끝에 설치되어 있다. 질량 $M = 20.0\,\text{kg}$ 인 활동 칼라가 높이 $h = 50\,\text{mm}$ 로부터 스프링 위로 떨어질 때, 충격에 의한 봉재의 최대 신장량 δ 와 최대 인장응력 σ 를 구하라. 이 결과를 2.9절의 예제 1(스프링이 없는 같은 봉재의 문제)에서 얻어진 결과와 비교하라.

2.10-1 두 개의 같은 봉재 AB 와 BC 가 연직하중 P 를 지지한다(그림 참고). 봉재들은 탄-소성물질로 이상화된 응력-변형률 선도를 갖는 강재로 만들어졌으며, 항복응력은 σ_y 이고 탄성계수는 E 이다. 각 봉재의 단면적이 A 이고 길이가 L 일 때, 항복하중 P_y 와 극한하중 P_u 및 절점 B 의 대응하는 연직변위 δ_y 와 δ_u 를 구하라. 또한 하중-변위선도를 그려라.

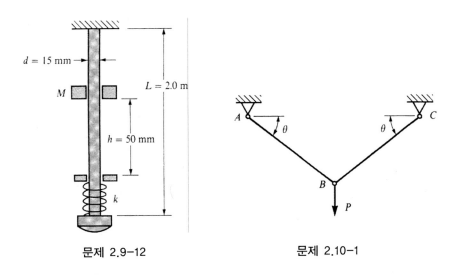

문제 2.9-12   문제 2.10-1

2.10-2 그림에 보인 트러스 ABC 는 극한하중 $P_u = 90\,\text{kN}$ 을 지지하도록 설계되어 있다. 재료가, 항복응력이 $\sigma_y = 225\,\text{MPa}$ 인 탄-소성재일 때, 요구되는 최소단면적 A_{ab} 와 A_{bc} 를 구하라.

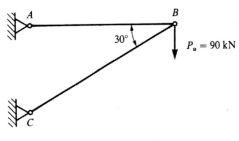

문제 2.10-2

2.10-3 하중 P 를 지지하는 두 봉재 대칭 트러스 ABC(그림 참고)는 그림에 보인 응력-변형률 선도를 갖는 재료로 만들어졌다. 각 봉재의 단면적이 $A = 260\,\text{mm}^2$ 이고, $P = 62,300\,\text{N}$ 일 때,

절점 B의 연직처짐 δ_b를 구하라.

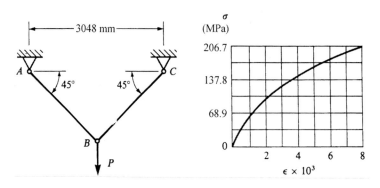

문제 2.10-3

2.10-4 두 개의 같은 봉재 AB와 BC가 연직하중 P를 지지한다(그림 참고). 봉재들은 단면적이 $A = 130 \, mm^2$인 알루미늄 합금으로 만들어져 있으며, 대략 그림에 보인 바와 같은 2개 직선형 선도로 표시되는 응력-변형률선도를 나타낸다. 다음 각 하중값: $P = 35.6 \, kN$, $71.2 \, kN$, $107 \, kN$, $142.4 \, kN$ 및 $178 \, kN$에 대하여 절점 B의 연직변위 δ_b를 구하라. 이 결과들로부터 구조물의 하중-변위선도를 그려라.

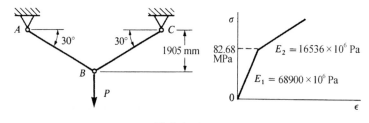

문제 2.10-4

2.10-5 단순한 트러스 ABC가 하중 $P = 125 \, kN$을 지지한다(그림 참고). 봉재들의 재질은 앞 문제에 보인 2개 직선형 응력-변형률선도를 나타내며, 이 선도는 인장과 압축 양쪽에 사용할 수가 있다. 봉재 AB와 BC의 단면적이 각각 $970 \, mm^2$와 $2260 \, mm^2$일 때, 절점 B의 변위의 수평 및 연직성분 δ_h와 δ_v를 구하라.

2.10-6 그림에 보인 대칭 트러스 ABC가 연직하중 P를 지지한다. 봉재 AB와 BC는 같은 단면적 A와 길이 L을 갖는다. 응력-변형률 관계가 방정식 $\sigma^m = k\epsilon$ (m과 k는 재료 상수)으로 주어진다고 가정하고, (a) 절점 B의 연직변위 δ_b를 P, A, L, θ, m 및 k의 값으로 표시하는 식을 구하라. (b) 다음 단위와 수치들을 써서 하중-변위($P-\delta_b$)선도를 그려라. $m = 2$, $k = 10^5$, σ의 단위는 ksi, ϵ은 무차원, $A = 645 \, mm^2$, $L = 2000 \, mm$ 및 $\theta = 45°$.

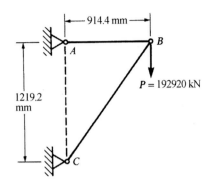

문제 2.10-5

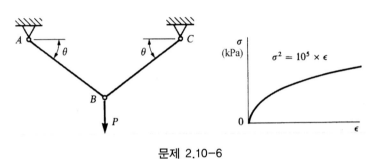

문제 2.10-6

2.10-7 상단이 고정되고 그 자중에 의하여 연직하게 매달린 봉재의 신장량 δ를 나타내는 식을 구하라. 봉재 재료의 응력-변형률 관계는 $\sigma^m = k\epsilon$ (m과 k는 상수)으로 표시된다(δ를 봉재의 길이 L, 재료의 비중량 γ와 상수 m 및 k의 함수로 나타내라).

2.10-8 우물 속으로 연직하게 늘어트린 긴 봉재가 그 하단에 하중 P를 받는다(그림 참고). 재료는 그림에 보인 2개 직선형 응력-변형률선도를 나타내며, 비중량은 $\gamma = 28 \text{ kN/m}^3$, 단면적은 $A = 960 \text{ mm}^2$, $L = 360 \text{ m}$, 및 $P = 92 \text{ kN}$이다. 그 자중과 하중 P에 의한 봉재의 신장량 δ를 구하라.

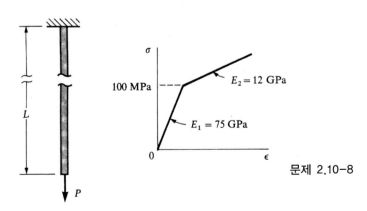

문제 2.10-8

171

2.10-9 지름이 12 mm인 강봉 AB가 두 지지물 사이에서 인장되어, 봉재 내에 120 MPa의 인장응력이 발생했다(그림 참고). 다음에 축력 P가 봉재의 중간점 C에 작용할 때, 이 하중의 극한하중 P_u는 얼마인가? 재료는 탄-소성물질이며, 항복응력은 $\sigma_y = 250$ MPa이다.

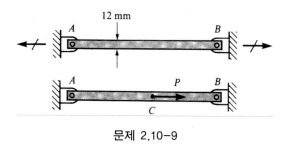

문제 2.10-9

2.10-10 지름이 10 mm인 5개의 강선이 그림에서와 같이 하중 P를 지지한다. 재료가, 항복응력이 $\sigma_y = 290$ MPa인 탄-소성재일 때, 극한하중 P_u를 구하라.

2.10-11 그림에 보인 바와 같이 대칭으로 설치된 4개의 봉재에 의하여 지지된 수평보가 하중 P를 받는다. 각 봉재는 단면적이 A이고, 항복응력이 σ_y인 탄-소성재료로 만들어져 있다. 극한하중 P_u를 구하라.

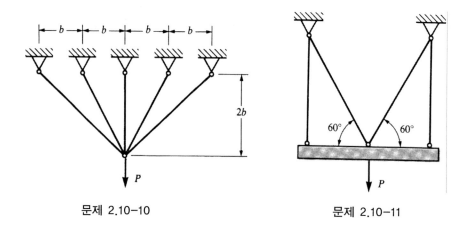

문제 2.10-10   문제 2.10-11

*2.10-12 강성봉재 AB가 지렛목 C에 지지되고 B단에 하중 P를 받는다(그림 참고). 탄-소성재료로 만들어진(항복응력이 σ_y이고 탄성계수가 E) 3개의 강선이 이 봉재를 지지하며, 각 강선은 단면적이 A이고 길이가 L이다. 점 B에서의 항복변위 δ_y에 대응하는 항복하중 P_y와, 극한하중 P_u 및 하중이 막 P_u에 도달했을 때 점 B의 변위 δ_u를 구하라. 또한 하중 P와 점 B의 변위 사이의 관계를 표시하는 하중-변위선도를 그려라.

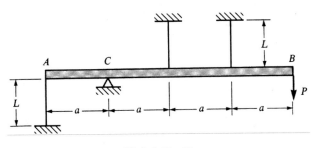

문제 2.10-12

*2.10-13 그림에 보인 대칭트러스 $ABCDE$는 4개의 봉재로 이루어졌으며, 절점 E에 작용하는 하중 P를 지지한다. 바깥쪽 두 봉재의 단면적은 각각 $200\,\mathrm{mm}^2$이고, 안쪽 두 봉재의 단면적은 각각 $400\,\mathrm{mm}^2$이다. 재료는 항복응력이 $\sigma_y = 240\,\mathrm{MPa}$인 탄-소성재이며 탄성계수는 $E = 200\,\mathrm{GPa}$이다. 절점 E의 변위 δ_y에 대응하는 항복하중 P_y와, 극한하중 P_u 및 이에 대응하는 변위 δ_u를 구하고, 하중-변위선도를 그려라.

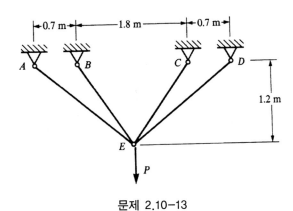

문제 2.10-13

Chapter 3

비 틀 림

3.1 서 론

3.2 원형단면봉의 비틀림

3.3 비균일분포 비틀림

3.4 순수전단

3.5 탄성계수 E와 G의 관계

3.6 원형축에 의한 동력의 전달

3.7 부정정 비틀림부재

3.8 순수전단과 비틀림에서의 변형에너지

3.9 두께가 얇은 관(Thin-Walled Tubes)

3.10 원형단면봉의 비선형비틀림

3.1 서 론

비틀림(torsion)이란 어떤 구조부재가 종축을 회전시키는 우력에 의하여 비틂작용을 받는 것을 말한다. 이 경우를 표시한 것이 그림 3-1(a)인데 이것은 한끝이 고정되어도 다른 한 끝에는 우력이 작용하고 있는 직봉을 표시한다. 이 힘의 쌍들은 우력을 형성하여 봉을 종축을 축으로 비틀려고 한다. 우력모멘트는 한 힘과 다른 힘의 작용선 사이의 거리의 곱으로 표시되어서, 첫 우력모멘트는 $T_1 = P_1 d_1$이고 또 다른 하나는 $T_2 = P_2 d_2$로 표시한다.

우력을 간단히 표시하기 위하여 두 개의 화살표로 나타내는 벡터를 이용한 것이 그림 3-1(b)인데 화살은 우력이 작용하는 면에 수직하고 우수법칙에 의하여 그 방향이 결정된다.

또 다른 표시방법은 그림 3-1(c)와 같이 비틀림방향으로 작용하는 휘어진 화살표를 이용하는 것이다. 그림 3-1에 표시한 우력 T_1, T_2와 같이 봉에 비틀림을 일으키는 것을 **토크** (torque), **비틀림우력**(twisting couples) 또는 **비틀림모멘트**(twisting moments) 등으로 부르고 있다.

이 장에서는, 비틀림을 받고 있는 원형봉의 응력과 변형의 산출식을 유도할 것이다. 이와 같은 봉으로는 기계의 축과 회전축 등으로 들 수 있는데 항공구조 등에서 사용되는 원형부 관부재의 비틀림에 대해서도 고려할 것이다. 그러나 이보다 더 복잡한 단면의 것에 대한 해석은 이 책의 것보다 더 고차적인 이론을 요구한다.

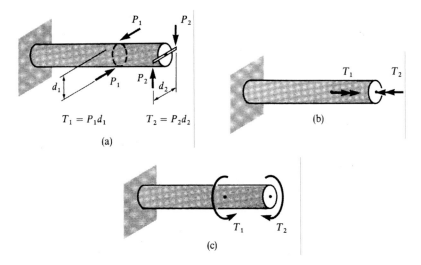

그림 3-1 우력 T_1과 T_2에 의한 비틀림하중을 받는 봉

3.2 원형단면봉의 비틀림

원형단면봉의 그 양단에 작용하는 우력 T에 의해 비틀리는 경우를 생각한다[그림 3-2(a)]. 이와 같은 상태로 하중을 받고 있는 봉을 **순수비틀림**(pure torsion)상태에 있다고 한다. 단면이 대칭형이라는 것을 고려하면 원형단면봉의 단면들은 그 반지름은 직선을 유지하고 그 단면들은 원형을 유지하면서 세로 축 둘레를 강체로서 회전한다는 것을 알 수 있다. 또한 봉의 모든 비틀림각이 작다면 그 봉의 길이 및 단면의 반지름도 변하지 않을 것이다.

비틀림을 받는 동안 그 봉의 한 끝은 다른 끝에 대하여 각 ϕ만큼 회전할 것이다[그림 3-2(a)]. 그 각 ϕ를 **비틀림각**(angle of twist)이라고 말한다. 동시에 선 nn과 같은 봉의 표면 위의 세로방향의 직선은 미소 각 ϕ만큼 회전하여 nn'의 위치에 올 것이다. 이 회전 때문에 그림에 표시한 거리 dx만큼 떨어져 있는 두 횡단면 사이의 요소인 이 봉의 표면 위의 직사각형 요소는 비틀어져 마름모꼴로 된다. 이 요소를 봉으로부터 원판모양으로 분리하여 그림 3-2(b)에 다시 표시하여 요소의 원래 모양을 $abcd$라 하면, 비틀림을 받는 동안 오른쪽 횡단면이 반대쪽 단면에 대하여 회전하므로 점 b 및 c는 각각 점 b' 및 c'으로 이동한다. 회전을 하는 동안 그 요소의 각 변의 길이는 변하지 않으나 모서리의 각들은 이미 90°가 아니므로 이 요소는 순수전단상태(1-6절 참고)에 있고 그 전단변형률 γ의 크기는 아래의 식으로 표시되는 a점에서 직각($\angle bad$)의 감소량과 같다.

$$\gamma = bb'/ab$$

거리 bb'은 각 $d\phi$에 대한 반지름이 r인 작은 원호의 길이인데 여기에서 각 $d\phi$는 한 횡단면의 다른 횡단면에 대한 회전각이다. 따라서 $bb' = rd\phi$라는 것을 알 수 있다. 또한 거리 ab는 요소의 길이가 dx와 같다. 이들 관계를 앞의 식에 대입하면 전단변형률을 표시하는 다음의 식을 얻는다.

$$\gamma = rd\phi/dx \tag{3-1}$$

여기서, $d\phi/dx$는 **비틀림각**(angle of twist) ϕ의 변화율을 나타낸다. 일반적으로 ϕ와 $d\phi/dx$는 x의 함수이다. $d\phi/dx$는 기호 θ로 나타내며 이것을 **단위길이당의 비틀림각**(angle of twist per unit length)이라 부른다. 즉,

$$\gamma = \frac{rd\phi}{dx} = r\theta \tag{3-1}$$

는 순수비틀림의 특별한 경우로서 모든 단면이 같은 크기의 비틀림을 받는 경우에는 변화율 $d\phi/dx$가 봉의 길이방향을 따라 일정하다. 그러므로 $\theta = \phi/L$를 얻을 수 있고 여기서 L은 축의 길이이다. 또 식 (3-1)은 순수 비틀림의 식으로서

$$\gamma = r\theta = r\phi/L \tag{3-2}$$

로 된다. 이 식은 단지 기하학적 개념으로만 관련되어 있으며, 재료가 탄성, 비탄성 또는 선형, 비선형에 불구하고 원형단면의 봉에 합당하다는 것을 명심하여야 한다.

원형단면봉의 전단응력 τ는 그림 3-2(a)에 표시한 것과 같은 방향을 갖는다. 선형탄성재료에 있어서 이러한 전단응력은 전단에 있어서의 Hooke의 법칙[식 (1-9)]에 따르는 전단변형률과의 관계가 있으므로 식 (3-1)로부터

$$\tau = G\gamma = Gr\theta \tag{3-3}$$

를 얻을 수 있는데 여기서 G는 전단탄성계수이다. 식 (3-1) 및 (3-3)은 그 축의 표면에서의 변형률 및 응력을 단위길이당 비틀림각과의 관계를 표시한 것이다.

축내부에서의 변형률과 응력은 축의 표면에 대하여 사용했던 것과 같은 방법으로 결정할 수 있다. 봉의 횡단면의 반지름은 비틀림을 받는 동안 직선을 유지하고, 일그러지지도 않으므로 표면 위의 요소 $abcd$에 대한 앞에서의 설명한 것은 반지름이 ρ인 내부원통의 표면 위에 있는 비슷한 요소[그림 3-2(c)]에 대해서도 적용된다. 그러므로 이와 같은 내부 요소도 순수전단상태에 있게 되며, 이에 대응하는 전단변형률 및 전단응력은 다음의 식으로 주어진다.

$$\gamma = \rho\theta, \quad \tau = G\rho\theta \tag{3-4a, b}$$

이 식들은 전단변형률 및 전단응력은 축의 중심으로부터 반지름 방향의 거리 ρ에 따라 선형으로 변하며, 그들의 최대값은 바깥 표면 위에 존재한다는 것을 뜻한다. 이 응력분포가 그림 3-2(c)에 표시한 응력선도이다.

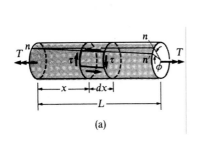
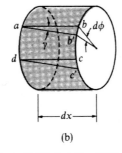
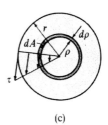

(a) (b) (c)

그림 3-2 순수비틀림을 받는 원형봉

단면의 평면 위에 작용하는 전단응력들은 봉의 횡단면에 작용하는 같은 크기의 전단응력들을 동반한다(그림 3-3 참고). 이 결과는 1-6에서 설명한 바와 같이 서로 직교하는 평면 위에는 항상 같은 크기의 전단응력이 존재한다는 사실에서 나온 것이다. 만약 재료가 나무로 만든 원형봉과 같이 횡방향의 전단보다 종방향의 전단에 더 약하다면, 비틀려진 축의 최초의 균열은 그 표면 위에 종방향으로 일어날 것이다.

그림 3-3 원형봉에서의 종방향 전단응력

축표면 위의 순수전단상태는[그림 3-2(a)] 3-4절에서 설명한 바와 같이 각 45°만큼 회전된 한 요소 위에 같은 크기의 인장응력과 압축응력이 작용하는 상태와 같은 것이므로 이 축의 축선과 45°의 각을 이루는 측면들을 가진 직사각형 요소는 그림 3-4에 표시한 응력들을 받게 될 것이다.

만약 전단에서보다 인장에서 더 약한 재료가 비틀려진다면 그 축선에 대하여 45° 경사진 선을 따라 작용하는 인장으로 인한 파손이 일어난다. 이와같은 형태의 파손은 분필을 비틀어 보면 쉽게 알 수 있다.

그림 3-4 종축에 대해 45° 경사진 요소에 작용하는 인장응력과 압축응력

다음으로, 가해진 비틀림우력 T와 이로 인한 비틀림각 사이의 관계를 구해 본다. 그림 3-2(c)에 표시한 전단응력들의 합력은 전비틀림우력 T와는 정적으로 같은 값이어야 한다.

면적이 dA(그림의 경사부분)인 한 요소 위에 작용하는 전단력은 τdA이고 이 힘의 봉의 축선에 대한 모멘트는 $\tau \rho dA$이다. 식 (3-4b)를 이용하면 이 모멘트는 $G\theta \rho^2 dA$와 같다는 것을 알 수 있다. 전비틀림우력 T는 이와 같은 요소의 모멘트들은 단면적 전면에 걸쳐 합한 것이 된다. 따라서

$$T= \int G\theta \rho^2 dA = G\theta \int \rho^2 dA = G\theta I_p \tag{a}$$

여기서

$$I_p = \int \rho^2 dA \qquad (3\text{-}5)$$

는 원형단면의 극관성 모멘트이다. 반지름이 r이고 지름이 d인 원에 대한 극관성 모멘트(부록 D, 경우 9 참고)는

$$I_p = \pi r^4/2 = \pi d^4/32 \qquad (3\text{-}6)$$

로 되어서, 식 (a)로부터 다음과 같은 식이 얻어진다.

$$\theta = T/GI_p \qquad (3\text{-}7)$$

이 식은 단위길이마다의 비틀림각 θ는 비틀림우력 T에 비례하고 GI_p에 반비례하여 변한다는 것을 표시한다. 이 적 GI_p를 그 축의 **비틀림강성**(torsional rigidity)이라 한다. 전비틀림각 ϕ는 $\theta \cdot L$과 같으므로 다음과 같이 된다.

$$\phi = T.L/G.I_p \qquad (3\text{-}8)$$

비틀림각 ϕ는 radian으로 측정된다. 만약 SI 단위계가 사용된다면 우력 T는 N.m로 표시되며, 길이 L은 미터(m), 전단탄성계수 G는 파스칼(Pa), 그리고 극관성모멘트는 미터의 4제곱(m^4)으로 표시된다.

GI_p/L는 원형축의 비틀림강성으로 이것은 축의 한 끝이 다른 한 끝에 대하여 단위 각회전을 하는 데 필요한 비틀림우력을 표시한다. 또한 **비틀림유연성**(torsional flexibility)은 비틀림강성의 역수 L/GI_p로 표시하며, 이것은 단위 비틀림우력으로 일어나는 회전각과 같다. 앞의 식은 축강성 EA/L와 축유연성 L/EA과 비슷한 것이다[식 (2-2), (2-3) 참조].

식 (3-8)은 각종 재료에 있어서의 전단탄성계수 G를 계산하는데 이용된다. 원형모형의 비틀림시험을 실시하면 주어진 우력 T에 의해 산출된 비틀림각 ϕ를 결정할 수 있다. G의 값은 식 (3-8)에 의해 계산된다.

식 (3-7)로 계산된 θ의 값을 τ에 관한 식[식 (3-3)]에 대입하면 비틀림을 받고 있는 원형봉의 **최대전단응력**(maximum shear stress) τ_{max}을 구할 수 있다. 즉,

$$\tau_{max} = Tr/I_p \qquad (3\text{-}9)$$

비틀림식(torsion formula)이라 불려지는 이 식을 살펴보면 최대전단응력은 가해진 비틀림우력 T와 반지름 r에 비례하고, 그 단면의 극관성 모멘트에 반비례함을 알 수 있다.

$r = d/2$, $I_p = \pi d^4/32$를 대입하면 중실봉의 최대전단응력을 표시하는 다음의 식을 얻는다.

$$\tau_{\max} = 16\,T/\pi d^3 \tag{3-10}$$

중심으로부터 거리 ρ만큼 떨어져 있는 곳의 전단응력은 식 (3-4b)로부터 얻어진

$$\tau = T\rho/I_p \tag{3-11}$$

이다. 전단응력의 단위는 SI 단위계에서는 파스칼(Pa), USCS 단위계에서는 in^2당 pound(psi) 또는 in^2당 kilopound(ksi)이다.*

중공원형단면봉(Hollow circular bars). 중공단면봉은 중실단면봉보다 우력하중을 저항하는데 매우 유리하다. 앞에서 설명한 바와 같이 중실단면봉의 전단응력은 바깥표면에서 최대이고 그 중심에서는 0이다. 그러므로 중실축 재료의 대부분은 그 허용전단응력보다 작은 전단응력을 받게 된다. 중량의 절감이나 재료의 절약을 고려한다면 중공축을 사용하는 것이 유리하다.

중공축에 대한 비틀림 해석은 중실축에 대하여 했던 것과 같은 것이다. 중실봉에 대해서 지금까지 유도했던 식들은 봉이 중공봉이라 하더라도 본질적으로는 같은 것이다. 따라서 전단변형률 γ와 전단응력 τ의 기본적인 표현식은 그대로 적용된다[식 (3-4a)와 (b) 참조]. 물론 지금까지의 식에 쓰여진 반지름 방향거리 ρ는 r_1과 r_2의 범위로 제한된다. 여기서 r_1은 안쪽 반지름, r_2는 바깥쪽 반지름이다(그림 3-5).

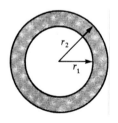

그림 3-5 중공원형봉

작용되는 우력 T와 단위길이당 비틀림각 θ의 관계는 극관성모멘트의 적분한계가 $\rho = r_1$과 $\rho = r_2$인 것을 제외하고는 식 (a)와 같다. 즉 그림 3-5와 같은 원환모양의 극관성모멘트

---

* 원형봉에 대한 비틀림이론은 프랑스 과학자 C.A. de Coulomb(1736~1806)에 의해 기원되었다: Thomas Young A. Duleau(참고문헌 3-1 참조)가 보다 진보한 이론을 전개시켰다. 비틀림에 대한 일반적인 이론(임의의 모양의 봉에 대해서)을 전개시킨 사람은 유명한 탄성론학자인 Barré de Saint-Venant (1797~1886)이다(참고문헌 3-2 참조).

I_p는

$$I_p = \frac{\pi}{2}(r_2^4 - r_1^4) = \frac{\pi}{32}(d_2^4 - d_1^4) \tag{3-12}$$

이다. 중공봉이 얇다면(즉, 두께 t가 반지름에 비해 작다면), 다음과 같은 근사식이 이용된다(부록 D의 Case 10 참조).

$$I_p \approx 2\pi r^3 t = \pi d^3 t/4 \tag{3-13}$$

여기서 r과 d는 각각 평균반지름과 지름이다. 중실봉에 대해 유도되었던 θ, ϕ와 τ에 대한 식은 I_p가 식 (3-12)나 근사식 (3-13)으로 계산되어 중공봉에도 적용되어진다. 물론, 중공축의 벽 두께는 벽의 좌굴이나, 찌그러짐을 방지할 수 있도록 충분히 커야 한다.

예제 ①

지름 60 mm의 중실강봉이 허용전단응력 $\tau_{\text{allow}} = 40\,\text{MPa}$과 단위길이당 허용비틀림각 $\theta = 1°/\text{m}$로 설계되었다. $G = 80\,\text{GPa}$로 가정할 때 축이 받을 수 있는 최대허용우력 T를 구하라.

풀이 허용전단우력에 대한 허용우력 T_1은 비틀림식 $\tau_{\text{max}} = 16\,T/\pi d^3$[식 (3-10)]로부터 얻을 수 있으므로, 다음의 식을 얻는다.

$$T_1 = \pi d^3 \tau_{\text{allow}}/16 = \frac{\pi}{16}(0.060\,\text{m})^3(40\,\text{MPa}) = 1{,}700\,\text{N} \cdot \text{m}$$

단위길이당 허용 비틀림각을 토대로 하고 식 (3-7)로부터 허용우력 T_2를 구하면 아래와 같다.

$$T_2 = GI_p\theta = (80\,\text{GPa})\left(\frac{\pi}{32}\right)(0.060\,\text{m})^4\left(1 \times \frac{\pi}{180}\text{rad}\right) \cdot \left(\frac{1}{1.0\,\text{m}}\right) = 1780\,\text{N} \cdot \text{m}$$

위의 T_1, T_2 중 작은 값이 최대허용우력으로 되어, $T = 1{,}700\,\text{N} \cdot \text{m}$로 도니다.

예제 ②

길이와 바깥쪽 반지름 r이 같고, 구성재료가 같은 중공축과 중실축이 있다. 중공축의 안쪽 반지름은 $0.6r$이다. 양축이 같은 비틀림을 받을 경우 이들의 최대 전단응력을 비교하라. 또한 두 축의
중량과 비틀림각을 비교하라.

풀이 우력 T와 반지름 r이 같으므로 최대전단응력은 $1/I_p$에 비례한다[식 (3-9) 참조]. 중실축

에서는

$$I_p = \pi d^4/32 = 0.5\pi r^4$$

또 중공축에서

$$I_p = \frac{\pi r^4}{2} - \frac{\pi}{2}(0.6r)^4 = 0.4352\pi r^4$$

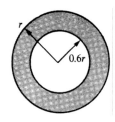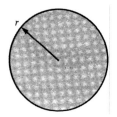

그림 3-6   예제 2

따라서 중공축에 대한 중실축의 최대전단응력은 0.5/0.4352 또는 1.15이다. 비틀림각은 응력에 비례한다[식 (3-3) 참조]

축의 중량은 단면적에 비례한다. 따라서 중실축의 중량은 πr^2에 비례하고 중공축의 중량은 아래값에 비례한다.

$$\pi r^2 - \pi(0.6r)^2 = 0.64\pi r^2$$

그러므로 중공축의 중량은 중실축의 중량의 64%이다.

이 결과는 중공축 중량의 본질적인 잇점을 보여 준다. 이 예제에서 중공축응력과 비틀림각은 15% 더 크고 중량은 36% 작다. 물론 이러한 비율은 내축과 외축의 반경비에 의존한다.

3.3 비균일분포 비틀림

앞절에서 설명한 바와 같이 순수 비틀림은 한쪽 끝에 우력의 작용을 받는 단면이 균일한 봉의 비틀림이다. **불균일분포 비틀림**(nonuniform torson)은 봉의 단면이 균일하지 않고 작용하는 우력이 봉의 길이에 따라 변할 수 있다는 점에서 순수비틀림과 다르다. 이러한 경우에 있어서, 다음에서 예를 들려고 하는 특별한 방법으로 순수비틀림식을 응용하여 봉을 해

석할 수 있다.

비균일분포 비틀림의 예를 그림 3-7에 표시하였다. 이것은 봉이 서로 다른 지름의 두 부분으로 되어 있으며 각각의 단면에 우력이 작용하고 있는 것인데, 작용하중의 사이 또는 단면적이 변화하는 사이에 있는 봉의 각각의 부분은 순수 비틀림을 받고 있다. 따라서 앞절에서 유도된 식들이 각각의 부분에 적용될 수 있는데 이렇게 함에 있어서 각 부분에서의 내부 우력의 크기와 방향을 결정하는 것이 필요하다. 즉, 내부우력으로부터 각 부분의 최대전단응력과 **비틀림각**(angle of twist)을 식 (3-9)와 식 (3-8)로부터 계산할 수 있다. 한 끝에 대한 다른 끝의 전비틀림각은 일반적으로 다음의 식을 사용하여 얻을 수 있다.

$$\phi = \sum_{i=1}^{n} \frac{T_i L_i}{G_i I_{P_i}} \tag{3-14}$$

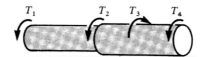

그림 3-7 비균일비틀림을 받는 봉

이 식에서 첨자 i는 봉의 각 부분의 번호이고, n은 전체부분의 수이다. 높은 국부적인 응력(high localized stress)은 지름이 갑자기 변화하는 단면에서 일어나는데, 이러한 응력은 전비틀림각에 상대적으로 주는 영향이 작으므로 식 (3-14)는 정확한 식으로 이용될 수 있다.

만약, 우력과 단면이 봉의 축을 따라서 연속적으로 변화한다면 합계를 구하는 윗식은 적분의 식으로 바뀌어야 한다. 이러한 경우를 그림 3-8(a)에 표시하였다. 여기서 테이퍼(taper) 봉은 봉의 축을 따라서 단위길이당의 우력강도 q를 받고 있다. 봉의 한 끝으로부터 거리 x만큼 떨어져 있는 우력 T_x는 정적으로 구할 수 있다[그림 3-8(b)]. 즉, 봉의 단면이 선형 변화를 한다고 가정하면, 비틀림식[식 (3-9)]으로부터 그 단면의 최대전단응력을 구할 수 있다. 길이가 dx인 한 요소의 미소 비틀림각[그림 3-8(a)]은

$$d\phi = T_x dx / G I_{P_x}$$

인데 여기서 I_{P_x}는 한쪽 끝에서 거리 x만큼 떨어진 단면의 극관성 모멘트이다. 봉의 두 끝 사이의 전비틀림각은 다음과 같다.

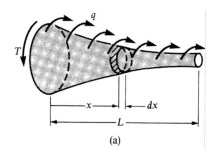
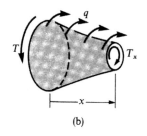

(a)　　　　　　　　　　　　　　(b)

그림 3-8　단면과 우력이 변화하는 봉

$$\phi = \int_0^L d\phi = \int_0^L \frac{T_x dx}{GI_{P_x}} \qquad (3\text{-}15)$$

이 적분식은 어떤 경우에 있어서는 해석적인 형태로서 계산될 수 있지만 그렇지 않으면 수직해법으로 계산하여야 한다. 식 (3-14)와 식 (3-15)는 원형단면의 중실축, 중공축 모두에 이용될 수 있다.

예제 1

지름 76.2 mm의 중실축 $ABCD$(그림 3-9)가 D의 베어링에서는 자유롭게 회전하며, B, C에 우력 $T_1 = 2.26$ kN-m 와 $T_2 = 1356$ N-m 를 받는다. 이 축은 A에서 기어박스(gear box) 안에 있는 기어에 연결되어 일시적으로 그 위치에 고정되어 있다. 축의 각 부분의 최대전단응력과 D점에서의 비틀림각 ϕ를 결정하라.($L_1 = 0.508$ m, $L_2 = 0.762$ m, $L_3 = 0.508$ m , $G = 79235$ MPa이라 가정한다).

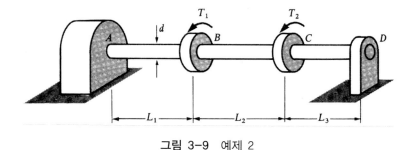

그림 3-9　예제 2

풀이　최대전단응력은 비틀림식 $\tau_{max} = 16T/\pi d^3$로부터 구할 수 있는데 여기서 T는 축의 각 부분의 우력이다. D점에 작용하는 하중이 없으므로 C와 D 사이의 우력은 0이다. 봉 B, C 사이의 우력은 T_2, A와 B 사이의 우력은 T_1과 T_2의 합이므로,

$$T_{ab} = T_1 + T_2 = 3616 \text{ N-m}, \quad T_{bc} = T_2 = 1356 \text{ N-m}, \quad T_{cd} = 0$$

이에 대응하는 최대전단응력은 다음과 같이 계산된다.

$$\tau_{ab} = \frac{16\,T_{ab}}{\pi d^3} = \frac{16 \cdot (3616\ \text{N-m})}{\pi \cdot (0.762\ \text{m})^3} = 41.62\ \text{MPa}$$

$$\tau_{bc} = \frac{16\,T_{bc}}{\pi d^3} = \frac{16 \cdot (1356\ \text{N-m})}{\pi \cdot (0.762\ \text{m})^3} = 15.61\ \text{MPa}$$

$$\tau_{cd} = 0$$

만일 G가 11,500 ksi로 일정하다면 D점에서 비틀림각 ϕ (A점에 대한)는 식 (3-14)로부터

$$\phi = \sum_{i=1}^{n} \frac{T_i L_i}{G_i I_{P_i}} = \frac{1}{GI_p}(T_{ab}L_1 + T_{bc}L_2 + T_{cd}L_3) = \frac{1}{(79235\ \text{MPa})(\pi/32)(0.762\ \text{m})^4}$$

$$[(3616\ \text{N-m})(0.508\ \text{m}) + (1356\ \text{N-m})(0.762\ \text{m}) + 0]$$

$$= 0.0109\ \text{rad} = 0.627°$$

이 예에서의 계산과정은 서로 다른 지름 또는 서로 다른 재료로 구성된 축에 대해서도 이용된다.

예제 ②

양끝에 우력 T가 작용하여 비틀어진 중실테이퍼 봉 AB가 있다(그림 3-10). 봉의 지름은 왼쪽 끝의 d_a에서 오른쪽 끝의 d_b로 균일하게 변화를 한다. 이 봉의 비틀림각 ϕ에 관한 식을 유도하라.

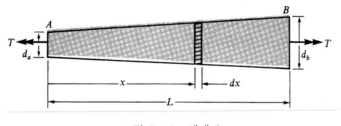

그림 3-10 예제 2

풀이 극관성 모멘트는 A끝으로부터 거리 x와 함께 연속적인 변화를 하므로 식(3-15)를 사용하여 ϕ를 결정할 수 있다. 먼저 A로부터 거리 x만큼 떨어진 곳의 지름 d_x는

$$d_x = d_a + \frac{d_b - d_a}{L}x \qquad \text{(a)}$$

이므로, 극관성 모멘트는

$$I_{px} = \frac{\pi d_x^{\ 4}}{32} = \frac{\pi}{32}\left(d_a + \frac{d_b - d_a}{L}x\right)^4 \qquad \text{(b)}$$

또한 우력 T_x는 양끝에 작용하는 우력 T와 같다. 그러므로 비틀림각 식 (3-15)는

$$\phi = \int_0^L \frac{Td_x}{GI_{px}} \tag{c}$$

이고, 여기서 L은 봉의 길이, G는 재료의 전단탄성계수이며, I_{px}는 식 (b)에 의해 주어진다. 이 적분식은 다음과 같은 형태로 표현되는데,

$$\int \frac{a}{(b+cx)^4} dx$$

여기서,

$$a = 32T/\pi G, \quad b = d_a, \quad c = \frac{d_b - d_a}{L} \tag{d}$$

적분표에 의해

$$\int \frac{a}{(b+cx)^4} dx = -\frac{a}{3c(b+cx)^3}$$

x를 0에서 L까지 적분하고 식 (d)의 a, b, c를 대입하면 적분을 완전하게 계산할 수 있다. 그 최종결과는

$$\phi = \frac{32TL}{3\pi G(d_b - d_a)} \left(\frac{1}{d_a^3} - \frac{1}{d_b^3} \right) \tag{3-16}$$

앞의 풀이는 2-2절의 예제 2에서 행하여졌던 바와 같이 그림 3-10의 왼쪽면을 연장하여 형성되는 원뿔의 정점을 거리 x의 원점으로 취했던 방법과는 약간 다른 수학적인 방법으로 하였다. ϕ에 대한 간단한 표현식은 다음과 같다.

$$\phi = \frac{TL}{GI_{pa}} \left(\frac{\beta^2 + \beta + 1}{3\beta^3} \right) \tag{3-17}$$

여기서, $\beta = d_b/d_a$ 그리고 $I_{pa} = \pi d_a^3/32$은 A끝의 극관성모멘트이다. 예를 들면, $\beta = 1$이라면 $\phi = TL/GI_{pa}$이고 이것은 지름이 d_a로 균일한 봉의 비틀림각이다. $\beta = 2$이면 $\phi = (7/24)$ (TL/GI_p)를 얻는데 이것은 B끝의 지름이 커지므로 강성이 크게 되기 때문에 $\beta = 1$인 경우보다 작다.

중실봉이든 중공봉이든 원형봉이 비틀림을 받게 되면 3.2절에서 설명한 바와 같이 전단응력 τ는 종방향의 평면 위와 단면전체에 걸쳐 작용한다. 따라서 두 개의 단면 사이와 두 개의 종방향평면 사이에서 분리시킨 얇고 작은 응력요소 $abcd$(그림 3-11)는 네면 위에 전단응력만이 작용하게 되므로 순수전단상태에 있다. 이들 응력의 방향은 작용하는 우력 T에 의해 오른쪽을 시계방향으로 회전한다고 가정한다[그림 3-11(a)]. 그러므로 요소에 작용하는 전단응력은 그림 3-11(b)에 표시한 것과 같은 방향을 갖는다. 요소의 지름이 작은 것이므로 전단응력의 크기가 작은 것을 제외하고는 같은 응력상태가 봉의 내부로부터 분리시킨 유사한 모양의 요소에도 존재한다.

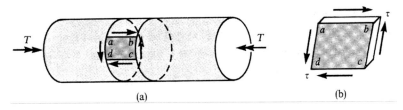

그림 3-11 비틀림을 받는 봉에서의 한 요소에 작용하는 응력

봉의 축에서 경사진 면에 작용하는 응력은 그림 3-12(a)에 다시 그려진 응력요소 $abcd$를 고려하면 구할 수 있다. 이 그림은 요소의 앞면을 표시하는데 이 면은 어떤 응력에도 구속받지 않는다. 또 전단응력 τ는 각각의 옆면에 작용한다. 편의상 그림에 x, y축을 표시하였고, 경사면의 응력을 구하기 위해 그림의 평면에 수직한 pq평면으로 요소를 자르면 x축과 각 θ를 이루는 면의 법선 n을 표시할 수 있다[그림 3-12(a)]. 그러면 결과적으로 삼각형 또는 쐐기모양의 요소가 자유물체도로서 분리된다[그림 3-12(b)]. 이 요소의 왼쪽면과 아랫면에 작용하는 것이 전단응력 τ이다. 경사면 위에는 그림에서 보듯이 방향이 정의 방향인 수직응력 σ_θ와 전단응력 τ_θ가 작용한다.

경사면에 작용하는 응력은 삼각형요소의 세면 위에 작용하는 힘의 평형으로 결정할 수 있다. 이들 힘은 응력에 그들이 작용하는 면의 면적을 곱하여 결정할 수 있다. 예를 들어 왼쪽면에 작용하는 힘은 τA_0인데 A_0는 면의 면적이다. 이 힘은 y의 부의 방향으로 작용한다.

왼쪽면의 면적을 A_0로 나타내었고, 이 요소의 z방향의 두께는 상수이므로 아랫면의 면적은 $A_0 \tan\theta$, 경사면의 면적은 $A_0 \sec\theta$이다. 다음으로 응력에 이것들이 작용하는 면의 면

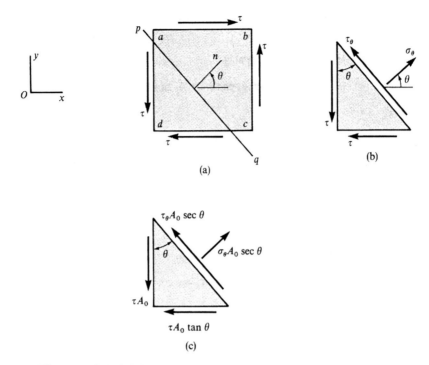

그림 3-12 순수전단상태의 한 요소에서의 경사면에 작용하는 응력의 해석

적을 곱하면 요소의 모든 면에 작용하는 힘을 얻게 된다[그림 3-12(c)]. 왼쪽면과 아랫면에 작용하는 힘들은 경사면에 수직과 평행방향으로 성분을 분해할 수 있다(즉, 각각 σ_θ와 τ_θ 방향). 다음으로 이 요소에 대해 각각의 방향으로 하나씩인 두 개의 정적 평형조건식을 쓸 수 있다. 첫째 식으로는 σ_θ방향의 힘을 합하면

$$\sigma_\theta A_0 \sec \theta = \tau A_0 \sin \theta + \tau A_0 \tan \theta \cos \theta$$

또는

$$\sigma_\theta = 2\tau \sin \theta \cos \theta \qquad (3\text{-}18\text{a})$$

를 얻는다.

둘째 식은 τ_θ방향의 힘을 합하면

$$\tau_\theta A_0 \sec \theta = \tau A_0 \cos \theta - \tau A_0 \tan \theta \sin \theta$$

또는

$$\tau_\theta = \tau(\cos^2 \theta - \sin^2 \theta) \qquad (3\text{-}18\text{b})$$

를 얻는다. 이들 식은 다음과 같은 삼각함수의 공식을 사용하면 다음과 같이 바꾸어 쓸 수 있다.

$$2 \sin \theta \cos \theta = \sin 2\theta$$
$$\cos^2 \theta - \sin^2 \theta = \cos 2\theta$$

따라서 σ_θ와 τ_θ의 식은 다음과 같이 된다.

$$\sigma_\theta = \tau \sin 2\theta, \quad \tau_\theta = \tau \cos 2\theta \qquad \text{(3-19a, b)}$$

식 (3-18)과 (3-19)는 x, y평면에 작용하는 전단응력의 항과[그림 3-12(a)] 경사평면의 방향을 결정짓는 각 θ의 항으로[그림 3-12(b)] 경사면에 작용하는 수직응력과 전단응력을 표시한다.

경사면의 방향에 따라 변화하는 σ_θ와 τ_θ의 거동을 그림 3-13에 그래프로 표현하였다. 그림 3-12(a)의 응력요소에서 $\theta = 0$인 경우, 즉 오른쪽면 또는 응력요소의 x면에서는 그래프에서 $\sigma_\theta = 0$ 그리고 $\tau_\theta = \tau$임을 알 수 있다. 또한 요소의 윗면 또는 y면에서는 ($\theta = 90°$) $\sigma_\theta = 0, \tau_\theta = -\tau$를 얻을 수 있다. 음의 부호는 전단응력이 τ_θ의 부의 방향으로 작용함을 의미한다. 이것들은 모든 면에 있어서의 전단응력 τ_θ 크기의 가장 큰 값이다.

수직응력 σ_θ는 $\theta = 45°$일 때 최대값에 도달하며 이때의 응력은 인장이며 전단응력 τ와는 같은 값이다. 마찬가지로 σ_θ는 $\theta = -45°$일 때 크기가 가장 큰 부의 값(즉, 압축응력)을 갖는다. 이들 각도에서 전단응력 τ_θ의 값은 0이다. 즉 각 45°만큼 회전한 응력요소는 수직한 방향으로 같은 크기의 인장과 압축응력을 받으며, 전단응력은 나타나지 않는다[그림 3-14(b)]. 요소가 그림 3-14(a)에 표시한 방향으로 작용하는 전단응력을 받을 때 수직응력은 그림 3-14(b)에 표시한 방향으로 작용한다. 그림 3-14(a)에 작용하는 전단응력의 방향이 반대로 되면 45°면에 작용하는 수직응력의 방향도 변환될 것이다.

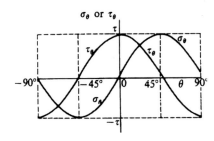

그림 3-13 수직응력 τ_θ, 전단응력 τ_θ와 경사각 θ의 관계도표

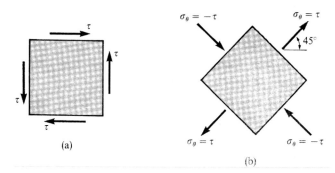

그림 3-14 순수전단상태에서 $\theta = 0°$와 $\theta = 45°$일 때의 응력요소

응력요소가 45° 이외의 방향으로 회전되었다면 식 (3-18)과 (3-19)에 의해 각 면에는 수직응력과 전단응력이 동시에 작용할 것이다. 이러한 일반적인 응력상태는 6장에서 다루었다.

이 절에서 유도되었던 식들은 응력요소가 비틀림을 받고 있는 봉으로부터 유도되었든지, 구조요소로부터 유도되었든지에 상관없이 순수전단상태에 있는 응력요소에 해당하는 식이다. 또한 식 (3-18)과 (3-19)는 평형조건으로 유도되었으므로 재료가 선형탄성재이든가 아니든가에 관계없이 어떤 재료에도 적용될 수 있다.

X축으로부터 45°면 위에 최대인장응력이 존재한다는 것은 인장에 약한 취성재료가 비틀림을 받을 때 45° 나선(helical) 평면을 따라 파괴된다는 것을 설명한다(그림 3-15). 3.2절에서 언급한 바와 같이 이런 형태의 파괴는 백묵조각을 비틀어 보면 쉽게 알 수 있다.

이제 재료가 순수전단을 받고 있을 때 일어나는 변형률을 취급하기로 한다. 그림 3-14(a)에 그려진 응력요소는 전단변형률 γ를 받게 되므로 그림 3-16(a)에 그려진 것과 같이 요소를 변형시키게 되는데 1.6절에서 이미 설명한 바 있다. 전단변형률 γ는 최초에는 수직한 두 평면 사이의 각변화로서 측정한다. 즉, 그림 3-16(a)에서 요소의 왼쪽 아래 모서리의 직각의 감소가 전단변형률 γ이며 라디안으로 측정된다. 같은 크기의 각변화가 위쪽의 오른쪽 모서리에서도 일어난다. 여기서도 각은 감소되며 다른 두 곳은 γ만큼 각이 증가하게 되나 요소의 길이와 지면에 수직한 요소의 두께는 변하지 않는다. 즉, 요소는 직사각형으로부터 평행사변형으로 모양이 변하며 이러한 모양의 변화를 **전단변형**(shear distorsion)이라 한다.

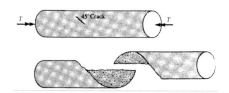

그림 3-15 45° 나선형면을 따라서 생긴 인장균열에 의한 취성재료의 비틀림파괴

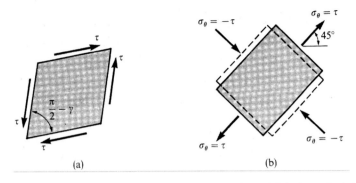

그림 3-16 순수전단에서의 변형률: (a) $\theta = 0°$의 요소 (b) $\theta = 45°$의 요소

이제 45° 기울어진 응력요소에 일어나는 변형률에 대해서 생각해 보자[그림 3-14(b) 참조].

45°면에 작용하는 인장응력은 요소를 그 방향으로 신장시키려 하며 또한 푸와송효과 (Poisson effect)에 의해 수직한 방향으로 요소를 줄어들게 하려는 경향이 있다($\theta = -135°$ 또는 $-45°$방향). 또한 135°면에 작용하는 압축응력은 135°방향으로 요소를 줄어들게 하고 45° 방향으로 요소를 늘리려고 하는 경향이 있다. 즉, 요소는 그림 3-16(b)와 같이 모양이 변하게 된다. 그러나 이 요소는 직사각형을 유지하며 전단변형은 일어나지 않았음에 유의하여야 한다.

재료가 선형탄성체이고 $\theta = 0$에서의 요소의 전단변형률이 전단응력과 관계가 있다고 하면 Hooke의 법칙에 의하여;

$$\gamma = \frac{\tau}{G} \tag{3-20}$$

이다. $\theta = 45°$ 기울어진 요소에 있어서 푸아송비와 Hooke의 법칙을 이용하여 일축응력에서의 수직변형률을 얻을 수 있다. 즉, 인장응력 $\sigma_\theta = \tau(\theta = 45°)$는 τ/E인 정의 변형률을 산출하고 또한 $-\nu\tau/E$인 수직한 방향에서의 부의 변형률을 산출하게 되므로 45° 방향의 최종적인 수직변형률 ϵ(즉, 정의 수직응력 $\sigma_\theta = \tau$의 방향)은

$$\epsilon = \frac{\tau}{E} + \frac{\nu\tau}{E} = \frac{\tau}{E}(1 + \nu) \tag{3-21}$$

로서 정의 값인 신장을 표시한다. 이 점과 수직한 방향의 변형률은 같은 크기의 부의 변형률 이므로 순수전단은 요소를 45° 방향으로는 신장시키고 135° 방향으로는 감소시키는데 이것은 그림 3-16(a)의 변형된 요소의 모양과 같다.

순수전단상태의 요소[그림 3-16(a)]의 두께는 변하지 않는다는 것을 이미 언급하였다.

물론 회전된 요소[그림 3-16(b)]도 같은 응력상태를 표시하기 때문에 그 두께 역시 변하지 않는다. 이러한 고찰은 45° 면에 작용하는 응력 $\sigma_\theta = \tau$는 $-\tau\nu/E$의 변형률을 산출해 내고 135° 면에 작용하는 응력 $\sigma_\theta = -\tau$는 $\nu\tau/E$인 옆면의 변형률을 산출해 낸다고 했던 앞의 논술과 일치하므로 45° 면에 작용하는 인장응력으로 인한 요소의 두께 감소는 135° 면에 작용하는 압축응력으로 인한 두께의 증가와 정확하게 부합된다.

다음 절에서는 그림 3-16(a)에 그려진 변형된 요소의 기하학적 모양을 이용하여 변형률 γ와 ϵ의 관계를 구하기로 한다[식 (3-20)과 (3-21)]. 또 이 방법으로 탄성계수 E와 G의 관계를 유도할 수 있다.

예제 ①

바깥지름이 100 mm이고 안지름이 80 mm인 중공축이 있다. 이 축이 우력 $T = 12\,kN\cdot m$를 받고 있다면 최대인장, 압축응력과 전단응력은 얼마인가?

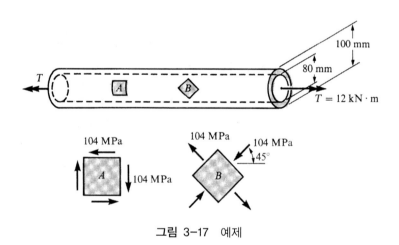

그림 3-17 예제

풀이 세 개의 최대값은 이것이 다른 평면에 작용하여도 그 크기는 같다. 최대값은 비틀림식으로부터

$$\tau_{max} = \frac{Tr}{I_p} = \frac{(12000\ \text{N·m})(0.050\ \text{m})}{(\pi/32)[(0.100\ \text{m})^4 - (0.080\ \text{m})^4]} = 104\ \text{MPa}$$

이다. 횡단면과 종단면에 작용하는 최대전단응력은 그림 3-17의 A요소에 표시된 것과 같으며 축에 45°인 평면 위에 작용하는 최대수직응력들은 B요소에 표시된 것과 같다.

3.5 탄성계수 E와 G의 관계

앞절에서 유도한 식을 사용하여 탄성계수 E와 G 사이의 중요한 관계를 유도하기로 한다. 이를 위하여 다음 3-18(a)에 표시한 응력요소 $abcd$를 생각해 보자. 이 요소의 앞면은 정사각형이라고 가정하고 각 변의 길이를 h라 한다. 이 요소가 응력 τ의 순수전단을 받고 있을 때 3.4절에서 설명한 바와 같이 앞면은 각 변의 길이가 h이고, 전단변형률 $\gamma = \tau/G$의 마름모꼴로 찌그러진다. 이 찌그러짐에 의해 대각선 bd는 길이가 늘어나고 대각선 ac는 줄어든다. 대각선 bd의 길이의 증가분 Δ_{bd}는 초기의 길이 $\sqrt{2}\,h$에 $45°$ 방향의 수직변형률 ϵ을 곱하여 구할 수 있다. 즉,

$$\Delta_{bd} = \sqrt{2}\,h\epsilon \qquad\qquad (a)$$

또는 앞절에서의 식 (3-2)를 이용하여

$$\Delta_{bd} = \frac{\sqrt{2}\,h\tau}{E}(1+\nu) \qquad\qquad (b)$$

여기서, ν는 푸아송비이다. 이 식들은 길이에 있어서 수직변형률 ϵ과 전단응력 τ 사이의 관계를 표시하는 식이다.

길이의 증가분 Δ_{bd}는 찌그러진 요소의 기하학적 모양을 이용하여 전단변형률 γ와 관계지을 수 있다[그림 3-18(b)]. 그림 3-18(b)에 그려진 마름모를 1/2로 잘라서 얻어진 삼각형 abd[그림 3-18(c)]를 생각해 보자. 삼각형에서 각 abd는 $\pi/4 - \gamma/2$로서 마름모에서의 각 abc의 절반과 같다. 또한, 삼각형의 변 ad와 ab는 길이가 h이다. 삼각형의 나머지 변 bd의 길이는 L_{bd}로 표시한다. 이 길이는 초기 대각선길이 $\sqrt{2}\,h$에 신장량 Δ_{bd}를 더한 것과 같다. 즉,

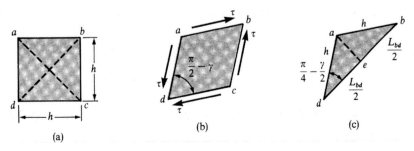

그림 3-18 순수전단에서 변형된 요소에 대한 기하학적 고찰

$$L_{bd} = \sqrt{2}\, h + \Delta_{bd} \tag{c}$$

a로부터 대각선에 내린 수선 ae는 대각선을 2등분한다. 새로운 삼각형 ade로부터

$$\cos\left(\frac{\pi}{4} - \frac{\gamma}{2}\right) = \frac{L_{bd}}{2h}$$

이고 또 식 (c)를 이용하여

$$\cos\left(\frac{\pi}{4} - \frac{\gamma}{2}\right) = \frac{\sqrt{2}\, h + \Delta_{bd}}{2h} = \frac{1}{\sqrt{2}} + \frac{\Delta_{bd}}{2h} \tag{d}$$

여기서 삼각함수관계

$$\cos(\alpha - \beta) = \cos\alpha\cos\beta + \sin\alpha\sin\beta$$

임을 고려하면 다음의 식을 얻는다.

$$\begin{aligned}
\cos\left(\frac{\pi}{4} - \frac{\gamma}{2}\right) &= \cos\frac{\pi}{4}\cos\frac{\gamma}{2} + \sin\frac{\pi}{4}\sin\frac{\gamma}{2} \\
&= \frac{1}{\sqrt{2}}\left(\cos\frac{\gamma}{2} + \sin\frac{\gamma}{2}\right)
\end{aligned} \tag{e}$$

식 (d)와 (e)를 비교하고, γ는 미소각이어서 $\cos\gamma/2 \approx 1$이고 $\sin\gamma/2 \approx \gamma/2$임에 착안하면

$$\Delta_{bd} = \frac{\sqrt{2}\, h\gamma}{2} \tag{f}$$

를 얻는다. 또한 $\gamma = \tau/G$이므로

$$\Delta_{bd} = \frac{\sqrt{2}\, h\tau}{2G} \tag{g}$$

를 얻을 수 있다. 이들 식은 전단변형률 γ와 전단응력 τ 사이의 길이 증가분의 관계이다.

식 (a)와 (f)를 비교하면 순수전단상태에 있는 요소에서는 다음과 같은 관계가 있음을 알 수 있다.

$$\epsilon = \frac{\gamma}{2} \tag{3-22}$$

또한 식 (b)와 (g)를 비교하면 다음을 얻는다.

$$G = \frac{E}{2(1+\nu)} \tag{3-23}$$

윗식으로부터 $E,\ G,\ \nu$는 선형탄성체의 독립적인 상수가 아니라는 것을 확실히 알 수가 있다. 이것들 중에서 두 개를 안다면 세 번째 것은 이 식으로 계산할 수 있다. $E,\ G,\ \nu$는 몇 몇 고유값이 부록 H의 표 H-2에 수록되어 있다[식 (3-23)은 ν를 1/4로 사용하여 푸아송이 유도하였다].

3.6 원형축에 의한 동력의 전달

원형축을 긴요하게 이용한 부재가 자동차의 구동축, 배의 프로펠러 또는 자전거의 축과 같이 하나의 장치 또는 기계로부터 다른 부분으로 동력을 전달시키는데 쓰이는 것이다. 동력은 축의 회전운동을 통해 전달되며 동력의 크기는 우력의 크기와 회전속도에 의존한다.

일반적인 설계의 문제는 재료의 허용응력을 초과하지 않고 필요한 회전속도로 필요로 하는 동력을 전달시키기 위하여 요구되는 축의 크기를 결정하는 것이다.

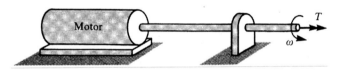

그림 3-19 각속도 ω로 비틀림우력 T를 전달하는 축

모터에 의해 작동되는 구동축이 초당 라디안(rad/s)으로 표시되는 각속도 ω로 회전한다면 축은 우력 T를 전달한다. 일반적으로, 일정한 크기를 가진 우력 T에 의해서 행해진 일 W는 우력과 회전각의 곱과 같다. 즉,

$$W = T\phi$$

여기서, ϕ는 라디안으로 표시되는 회전각이다. 여기서 공률은 행해진 일의 시간변형률이므로,

$$P = \frac{dW}{dt} = T\frac{d\phi}{dt}$$

여기서 P는 공률을 표시하며 t는 시간이다. 각변위 ϕ의 시간변화율 $d\phi/dt$는 각속도 ω이므로

$$P = T\omega \quad (\omega = \mathrm{rad/s}) \tag{3-24}$$

기초물리학에서 배운 윗식은 회전축에 의해 전달되는 공률을 표시하는 것이다. T가 뉴턴·미터(N·m)로 표시되고, 공률은 와트(W)로 표시된다. 1 W는 1초당의 1 N·m의 일을 뜻한다(또는 1초당 1 Joule). T가 풋-파운드(foot-pounds)로 표시되면 공률은 1초당 풋-파운드로 표시된다.

각속도는 회전진동수 f로 표시되거나 단위 시간당의 회전수로 표시된다. 진동수의 단위는 헤르츠(Hertz: Hz)인데 이것은 1초당 1회전(s^{-1})을 의미하므로 1회전은 2π 라디안이어서

$$\omega = 2\pi f$$

이다. 윗식으로 공률의 표현식은 다음과 같이 표시된다.

$$P = 2\pi f T \quad (f = \text{Hz} = \text{s}^{-1}) \tag{3-25}$$

널리 쓰이는 또 다른 단위는 1분당 회전수(rpm)인데 이것을 n으로 표시하면

$$n = 60f$$

로 되어서

$$P = \frac{2\pi n T}{60} \quad (n = \text{rpm}) \tag{3-26}$$

가 된다. 식 (3-25)와 (3-26)에서 P와 T는 식 (3-24)에서와 같이 같은 단위를 갖게 되는데, T가 뉴턴·미터의 단위이며 P는 와트의 단위이고 T가 풋-파운드 단위이면 P는 1초당 풋-파운드의 단위로 된다.

미국에서는 공학용으로 마력(hp)이 공률의 단위로 많이 쓰이는데 이것은 550 ft-lb/s와 같다. 즉, 전달되는 마력수 H는

$$H = \frac{2\pi n T}{60(550)} = \frac{2\pi n T}{33000} \quad (n = \text{rpm}, \ T = \text{ft-lb}, \ H = \text{hp}) \tag{3-27}$$

이다. 1마력은 근사적으로는 746와트와 같다.

앞의 식은 전달되는 동력과 축에서의 우력 T와의 관계이다. 물론 우력은 3.2절에서 3.5절까지 설명한 식들에 의하여 전단응력, 전단변형률, 비틀림각에 관계가 맺어진다.

예제 ❶

허용전단응력 27.56 MPa을 초과하지 않고 600 rpm의 속도로 40 hp의 동력을 전달시킬 수 있는 중실봉이 가져야 할 최소지름 d를 구하라.

풀이   마력 H와 우력 T와의 관계는 식 (3-27)이므로 이 식을 이용하여 축이 전달해야 할 우력

$$T = \frac{33000H}{2\pi n} = \frac{33000(4\,\text{hp})}{2\pi(600\,\text{rpm})} = 476.136\,\text{N-m}$$

를 얻을 수 있다.

우력 T에 의해 일어나는 최대전단응력은 비틀림식[식 (3-10)]으로부터 구할 수 있다. 축의 지름을 구하기 위해 τ_{max}에 τ_{allow}를 대치하여 그 식을 풀면

$$d^3 = \frac{16\,T}{\pi\tau_{\text{allow}}} = \frac{16(476.136\,\text{N-m})(0.98\,\text{m})}{\pi(27.56\,\text{MPa})} = 0.13589\,\text{m}^3$$

로부터

$$d = 44.45\,\text{mm}$$

를 얻는다. 축의 지름은 허용전단응력이 초과되지 않으려면 적어도 이보다는 커야 한다.

예제 2

지름 50 mm의 강봉 ABC[그림 3-20(a)]가 10 Hz로 50 kW의 동력을 전달하는 모터에 의해 A끝에서 돌고 있다. 기어 B와 C는 각각 30 kW와 20 kW가 소모된다. 축에서의 최대전단응력 τ와 A끝과 C끝 사이의 비틀림각 ϕ를 계산하라.

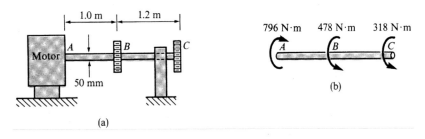

그림 3-20   예제 2

풀이 A와 B 사이에 전달되는 동력은 50 kW이므로 우력 T는 식 (3-25)로부터

$$T = \frac{P}{2\pi f} = \frac{50\,\text{kw}}{2\pi(10\,\text{Hz})} = 796\,\text{N·m}$$

이 우력은 그림 3-20(b)에서와 같은 방향을 갖는다고 가정한다면 축 AB부분에 대한 전단응력과 비틀림각은

$$\tau_{ab} = \frac{16\,T}{\pi d^3} = \frac{16(796)}{\pi(50)^3} = 32.4\,\text{MPa}$$

$$\phi_{ab} = \frac{TL}{GI_p} = \frac{(796)(1.0)}{(80)(\pi/32)(50)^4} = 0.0162 \text{ rad}$$

여기서, $G = 80\,\text{MPa}$로 가정하면,

축의 다른 부분인 BC에 대해서는 전달되는 동력은 $20\,\text{kW}$이므로,

$$T = \frac{P}{2\pi f} = \frac{20\,\text{kW}}{2\pi(10\,\text{Hz})} = 318\,\text{N·m}$$

대응하는 전단응력과 비틀림각은

$$\tau_{bc} = \frac{16\,T}{\pi d^3} = \frac{16(318)}{\pi(50)^3} = 13.0\,\text{MPa}$$

$$\phi_{bc} = \frac{TL}{GI_p} = \frac{(318)(1.2)}{(80)(\pi/32)(50)^4} = 0.0078 \text{ rad}$$

따라서 최대전단응력은 $\tau = 32.4\,\text{MPa}$이며 이 응력은 AB 부분에서 일어난다. 또한 전비틀림각은

$$\phi = \phi_{ab} + \phi_{bc} = 0.0240 \text{ rad}$$

인데, 이는 축의 두 부분은 같은 방향으로 비틀리기 때문이다[그림 3-20(b)].

3.7 부정정 비틀림부재

앞절에서 논의된 예제들에서는 부재의 모든 단면에 작용하는 비틀림은 정적평형으로 구해질 수 있었으므로 단지 정정부재만을 취급한 것이다. 물론, 비틀림을 받는 부재가 정정평형을 유지하는데 필요한 것보다 많은 지점으로 구속되어 있다면 이 비틀림 부재는 부정정이 될 것이다. 이런 종류의 비틀림 부재는 평형방정식에 변위를 포함하는 방정식을 추가함으로써 해석될 수 있다(즉, 적합조건식에 의해). 2.4절에서 축방향하중에 대해 설명되었던 강성도법과 유연도법이 비틀림을 받는 부재에 대해서도 사용될 수 있다. 그러나, 보통의 비틀림 문제의 형태에 있어서는 유연도법만이 필요하므로 그 방법만을 설명하기로 한다.

유연도법이 비틀림을 받는 봉재에 적용될 때를 설명하기 위해서 그림 3-21(a)와 (b)에

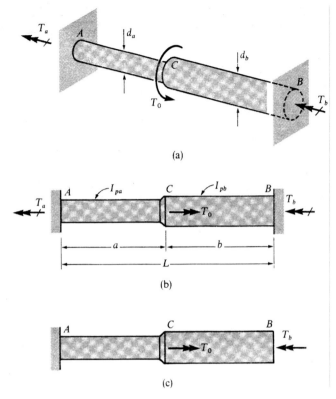

(a)

(b)

(c)

그림 3-21   비틀림을 받는 부정정의 봉

표시한 비틀림 부재 AB를 고려한다. 이 봉은 양끝이 고정되어 있으므로 부정정이다. 부재는 AC와 CB 부분에서 각각 다른 지름 d_a와 d_b를 가지고 있으며, C에서 우력 T_0를 받는다. 봉의 재료는 두 부분 모두 같은 것으로 한다. 해석의 목적은 양끝에서의 반력비틀림 T_a와 T_b, 최대전단응력, T_0가 작용하는 단면에서의 회전각 ϕ_c를 구하는 것이다.

정적 평형으로부터 우력들의 관계인 다음의 식을 얻게된다[그림 3-21(b)].

$$T_a + T_b = T_0 \tag{a}$$

T_a와 T_b 사이의 2번째 식을 얻기 위해 잉여우력(redundant torque)을 택하고 그에 따르는 이완구조물(released structure)을 해석하여야 한다. T_b를 잉여우력으로 선택하고 지점 B를 제거하면 이완구조물을 얻을 수 있다[그림 3-21(c)]. 두 개의 우력 T_0와 T_b는 이 이완구조물 위에서는 하중으로 작용한다. 이들 우력들은 B끝에서 두 개의 부분 AC와 CB의 비틀림각의 대수합과 같은 비틀림각 ϕ_b를 일으킨다.

$$\phi_b = \frac{T_0 a}{GI_{pa}} - \frac{T_b a}{GI_{pa}} - \frac{T_b b}{GI_{pb}}$$

여기서 I_{pa}와 I_{pb}는 각각 봉의 좌측과 우측의 극관성모멘트이다. 원상태의 봉에서 B끝에서의 회전각은 0이므로 적합조건식은 $\phi_b = 0$ 또는 원상태의 봉에서

$$\frac{T_0 a}{I_{pa}} - \frac{T_b a}{I_{pa}} - \frac{T_b b}{I_{pb}} = 0 \tag{b}$$

이 식으로 잉여우력 T_b를 구할 수 있으며, T_a를 구하기 위해서는 방정식 (a)에 이것을 대입하면

$$T_a = T_0 \left(\frac{b I_{pa}}{a I_{pb} + b I_{pa}} \right)$$

$$T_b = T_0 \left(\frac{a I_{pb}}{a I_{pb} + b I_{pa}} \right) \tag{3-28a, b}$$

이다. 봉이 일정한 단면을 가지면 $I_{pa} = I_{pb} = I_p$가 되므로 이 식들은 간단한 다음의 식으로 된다.

$$T_a = \frac{T_0 b}{L}, \quad T_b = \frac{T_0 a}{L} \tag{3-29a, b}$$

이 식들은 양끝이 고정이고 축하중을 받는 봉에 관한 식과 유사하다[식 (2-11)과 (2-12)]. 봉의 각 부분에서의 최대전단응력은 비틀림식에서 직접 구할 수 있어서

$$\tau_{ac} = \frac{T_a d_a}{2 I_{pa}}, \quad \tau_{cb} = \frac{T_b d_b}{2 I_{pb}}$$

식 (3-28a, b)에서 얻은 것을 대입하면

$$\tau_{ac} = \frac{T_0 b d_a}{2(a I_{pb} + b I_{pa})}, \quad \tau_{cb} = \frac{T_0 a d_b}{2(a I_{pb} + b I_{pa})} \tag{3-30a, b}$$

곱 $b d_a$와 곱 $a d_b$를 비교하면 봉의 어떤 부분이 더 큰 응력을 갖게 되는지 즉시 구할 수 있다.

봉의 두 부분에 작용하는 우력 T_a와 T_b를 구한 다음에는 하중이 부하된 단면 C에서의 회전각 ϕ_c를 구할 수 있다[그림 3-21(b)]. 두 부분은 C에서 회전에 대한 적합조건을 만족하기 위하여 같은 각으로 회전해야 하므로 이 각은 봉 양쪽 부분의 회전각과 같다. 따라서

$$\phi_c = \frac{T_a a}{GI_{pa}} = \frac{T_b b}{GI_{pb}} = \frac{ab T_0}{G(aI_{pb} + bI_{pa})} \tag{3-31}$$

$a = b = L/2$이고, $I_{pa} = I_{pb} = I_p$일 때 이 각은 봉과 하중상태의 대칭성을 고려하면

$$\phi_c = \frac{T_0 L}{4 GI_p} \tag{c}$$

앞의 예제는 부정정 비틀림 역계를 유연도법으로 해석했을 경우의 과정을 설명하고 있는데 이 방법은 매우 일반적이며 다양하게 사용될 수 있는데 다음에 그 중 한 가지를 설명하기로 한다.

합성봉(composite bars). 합성봉은 단일부재로 작용하도록 견고히 결합된 몇 개의 동심원의 비틀림 봉으로 만들어진 것이다. 그 한 예가 그림 3-22인데 중공관인 B와 중핵(core) A는 중실봉으로 작용하도록 견고하게 결합되어 있다. 만일 봉의 두 부분이 같은 재료로 만들어졌다면 봉은 하나로 만들어진 것과 같이 거동하며, 앞절에서 유도된 모든 식들이 그대로 적용될 수 있다. 그러나 중공관과 중핵이 다른 성질을 가졌다면 봉은 부정정이 되며 좀더 주의 깊은 해석을 필요로 한다.

이것을 해석하기 위하여 아래와 같은 기호를 사용하기로 한다.

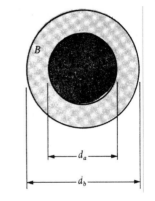

그림 3-22 두 재료로 만들어진 합성봉

$$G_a, G_b = \text{내부 (A)와 외부 (B) 각부재의 전단탄성계수}$$
$$d_a, d_b = \text{내부 (A)와 외부 (B) 각부재의 지름}$$
$$I_{pa}, I_{pb} = \text{내부 (A)와 외부 (B) 각부재의 극관성모멘트}$$

또한 합성봉은 전우력 T의 작용을 받는 것으로 생각하고 T는 중핵과 중공관에 작용하는 각각의 T_a와 T_b에 의해 이루어진다.

첫째 방정식은 다음과 같은 정정인 평형조건식으로 얻어진다.

$$T = T_a + T_b \tag{d}$$

또한 비틀림각은 함께 지탱되고 같은 크기로 회전하므로 비틀림각 ϕ는 두 부분에 대해 같아야 되므로 회전적합조건으로부터 두 번째 방정식이 얻어진다.

$$\phi = \frac{T_a L}{G_a I_{pa}} = \frac{T_b L}{G_b I_{pb}} \tag{e}$$

여기서 L은 봉의 길이이다. 식 (d)와 (e)를 풀면 봉의 두 부분에 대한 우력은

$$T_a = T\left(\frac{G_a I_{pa}}{G_a I_{pa} + G_b I_{pb}}\right), \quad T_b = T\left(\frac{G_b I_{pb}}{G_a I_{pa} + G_b I_{pb}}\right) \tag{3-32a, b}$$

이제, 회전각은

$$\phi = \frac{TL}{G_a I_{pa} + G_b I_{pb}} \tag{3-33}$$

이 된다. 이 값은 식 (3-32a, b)를 식 (e)에 대입하여 얻어진다.

봉의 전단응력은 비틀림의 식들을 각 부분에 적용함으로써 구할 수 있다. 예로서 중핵과 중공관에서의 최대전단응력 τ_a와 τ_b는 각각

$$\tau_a = \frac{T_a(d_a/2)}{I_{pa}}, \quad \tau_b = \frac{T_b(d_b/2)}{I_{pb}} \tag{3-34a, b}$$

이다. 그러므로 중공관 외곽경계에서의 응력 τ_b와 중핵의 외곽경계에서의 응력 τ_a와의 비는

$$\frac{\tau_b}{\tau_a} = \frac{G_b d_b}{G_a d_a} \tag{3-35}$$

이다. 이 비는 1보다 작을 수 있다는 것에 주의해야 한다.

중공관의 내부경계에서 전단응력은 중핵의 외곽경계에서의 전단응력 τ_a와는 같지 않다. 밀착되어 있는 두 부분의 전단변형률이 같은 값이지만 재료가 다른 탄성계수를 가지고 있으므로 응력은 다르다.

3.8 순수전단과 비틀림에서의 변형에너지

어떤 물체가 정적으로 작용하는 하중을 받을 때, 하중에 의해 일을 하며 변형에너지가 그 물체에 흡수된다. 이러한 변형에너지를 계산하는 것은 동적 해석과 구조이론의 여러 면에서

중요하다. 열의 형태로 에너지가 감소되지 않는다면, 일 W는 인장을 받는 봉의 경우인 2.8 절에서 설명한 바와 같이 변형에너지 U와 같을 것이다. 일과 에너지 사이의 이런 등식의 관계는 순수전단상태의 요소에 저장된 변형에너지에 대한 식을 구하는 데에도 쓰일 수 있다.

이를 위해, 요소의 측면에 전단응력 τ를 받는 재료의 작은 요소를 다시 고려하기로 한다 [그림 3-23(a)]. 편의상, 요소의 앞면은 측면이 h인 정사각형이라 가정하고 요소의 두께 (지면에 수직)를 t로 표시한다. 이 요소는 전단응력 τ의 작용을 받으면 앞면이 그림 3-23(b) 에 표시한 마름모형태로 뒤틀리는데 이때의 전단변형률을 γ로 표시한다.

요소의 측면에 작용하는 전단력 V는 응력에 전단력이 작용하는 면적을 곱한 아래의 식으로 얻어진다.

$$V = \tau h t \tag{a}$$

요소가 초기형태에서[그림 3-23(a)] 뒤틀린형태로[그림 3-23(b)] 변형할 때 이 힘들은 일을 발생하게 된다. 이 일을 계산하기 위해 전단력이 이동하는 상대거리를 결정할 필요가 있는데, 이것은 이 면들 중에서 두 개가 그림 3-23(d)에 표시한 바와 같이 수평이 될 때까지 요소가 강체와 같은 회전을 하였다면 쉽게 구할 수가 있다. 강체회전을 하는 동안 힘 V 들에 의해 이루어지는 순수한 일은, 힘들이 크기가 같고 방향이 반대인 한 쌍의 짝 힘을 이루므로 0이다. 그림 3-23(d)가 표시하는 바와 같이, 요소의 윗면은 전단력이 0에서부터 최종값 V로 점진적으로 증가할 때, 수평으로 거리 δ(바닥면에 상대적으로)의 변위를 하게 된다. 변위 δ는 요소의 수직 거리에 전단변형률 γ(미소한 각)를 곱한 값과 같다. 즉,

$$\delta = \gamma h \tag{b}$$

재료가 선형탄성적이며 Hooke의 법칙을 따른다고 가정하면, 하중-처짐선도는 직선이 된

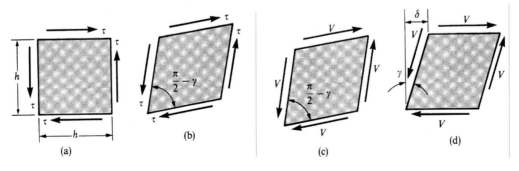

그림 3-23 순수전단상태의 요소

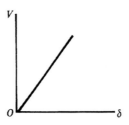

그림 3-24 선형탄성재료에 대한 하중-변위 도표

다(그림 3-24). 요소에 저장된 변형에너지 U는 전단력에 의해 한 일 W와 같은 것이므로 이 변형에너지는 하중-처짐 곡선 밑의 면적과 같다.

$$U = W = \frac{V\delta}{2} \qquad\qquad (c)$$

요소의 측면에 작용하는 힘들은 이들의 작용선을 따라 작동치 않으므로 일을 하지 않는다. 식 (a)와 (b)를 식 (c)에 대입하면 요소의 전변형에너지를 얻는다.

$$U = \frac{\tau\gamma h^2 t}{2}$$

요소의 체적은 $h^2 t$이므로 변형에너지밀도는(즉, 단위 체적당 변형에너지)

$$u = \frac{\tau\gamma}{2} \qquad\qquad (3\text{-}36)$$

이다. 결국 전단에서의 Hooke의 법칙($\tau = G\gamma$)을 도입하여 변형에너지 밀도에 대한 다음의 식을 얻는다.

$$u = \frac{\tau^2}{2G}, \quad u = \frac{G\gamma^2}{2} \qquad\qquad (3\text{-}37\text{a, b})$$

이 식들은 일축응력에 대한 식들과 비슷한 형식을 갖는다[식 (2-41a, b)]. 순수전단에서의 변형에너지 밀도는 전단응력-변형률 곡선 밑의 면적인 것은 명백한 것이다. u에 대한 SI 단위들은 미터의 3승당 줄(J/m^3)이고, USCS 단위는 인치의 3승당 in-lb이다. 이들 단위들은 응력의 단위와 같으므로 Pa 또는 psi로 u를 표시할 수 있다.

순수전단에서의 변형 에너지밀도에 대한 식을 구하였다면, 순수 비틀림을 받는(중실 또는 중공에 관계없이) 원형 봉에 저장되는 변형에너지의 값을 쉽게 결정할 수 있다[그림 3-25(a)]. 봉의 길이 방향으로 펼쳐져 있고 반지름 ρ: 두께 $d\rho$를 갖는 재료의 중공원형단

면튜브(tube)를 생각하기로 한다. 이 중공관에서 떼어 낸 작은 요소를 그림 3-25(b)에 표시한다. 이 요소는 비틀림 공식 $\tau = T\rho/I_p$로 주어지는 전단응력 τ를 요소의 측면 위에서 받고 있어서, 반지름 ρ에서의 변형에너지 밀도는

$$u = \frac{\tau^2}{2G} = \frac{T^2\rho^2}{2GI_p{}^2}$$

이다. 요소중공관에서의 변형에너지 dU는 밀도 u에 중공관의 체적을 곱하여 얻어진다.

$$dU = uLdA = \frac{T^2L\rho^2dA}{2GI_p{}^2}$$

여기서, $dA = 2\pi\rho d\rho$는 요소중공관 끝면의 고리 모양의 면적이다. 다음으로, 봉의 전변형에너지는 경계 $\rho = r_1$과 $\rho = r_2$ [그림 3-25(c)] 사이에서 dU에 대한 앞의 식을 적분함으로써 얻을 수 있다. 즉,

$$U = \int dU = \frac{T^2L}{2GI_p{}^2} \int_{\rho = r_1}^{\rho = r_2} \rho^2 dA$$

이다. 물론, 이 식에서의 적분은 극관성모멘트 I_p이다. 따라서 순수비틀림을 받는 원형봉의 **탄성 변형에너지**(strain energy)는

$$U = \frac{T^2L}{2GI_p} \qquad (3\text{-}38\text{a})$$

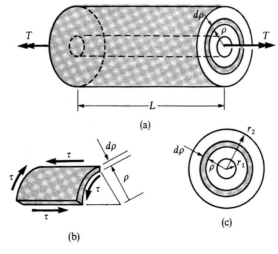

그림 3-25 순수비틀림을 받는 봉

이며, 이 식은 U를 작용한 비틀림우력 T의 항으로 표시한 것이다. 또 다른 하나의 식은 비틀림 각$(\phi = TL/GI_p)$에 대한 식을 대입하여 구할 수 있다. 즉,

$$U = \frac{GI_p\phi^2}{2L} \qquad\qquad (3\text{-}38b)$$

이며, 이 값은 ϕ의 항으로 U를 표시하고 있다. U의 단위는 SI계에서는 J이고 USCS계에서는 in-lb이다. 비틀림에 대한 식들 (3-38a)와 (b)와 일축하중에 대한 식들 (2-39a)와 (b)가 비슷한 형식임을 주목할 필요가 있다.

순수 비틀림에서의 변형에너지에 대한 앞의 식을 얻는 좀더 직접적인 방법은 봉에 대한 비틀림 우력-회전각(그림 3-26에 표시) 선도를 이용하는 것이다. 이 선도는 재료가 훅의 법칙을 따르고 변형률이 작은 경우 선형이 된다. 봉이 뒤틀리는 동안, 비틀림우력 T는 선도의 직선 아래 면적에 해당하는 일을 하므로 봉이 갖게 되는 탄성변형에너지는

$$U = \frac{T\phi}{2} \qquad\qquad (3\text{-}39)$$

이다. 이 식을 식 $\phi = TL/GI_p$과 결부시키면 변형에너지에 대한 식[식 (3-38a)와 (b)]과 같은 형식을 얻는다.

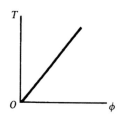

그림 3-26 순수비틀림을 받는 봉에서의 우력-회전각 도표

비균일비틀림(nonuniform torsion). 만일 지름이 변하는 원형단면을 가졌고 비틀림 우력이 봉의 축을 따라 변화한다면 (그림 3-7과 3-8)이 비틀림의 변형에너지에 대해서는 좀더 일반적인 식을 전개하여야 한다. 이를 위하여 봉의 한 끝으로부터 x만큼 떨어진 위치까지의 길이 dx인 원판 모양의 요소를 고려해 보자(그림 3-8). 이 요소에 작용하는 비틀림 우력은 T_x이고, 그 단면의 극관성모멘트를 I_{px}라 하면 식 (3-38a)로부터 요소의 변형에너지에 대한 다음의 식을 얻는다. 즉,

$$dU = \frac{T_x{}^2 dx}{2GI_{px}}$$

이다. 따라서 봉의 전변형에너지는

$$U = \int_0^L \frac{T_x{}^2 dx}{2 GI_{px}} \tag{3-40a}$$

이다. U에 대한 또 다른 식은 식 (3-38b)를 길이 dx의 요소에 적용함으로써 얻어진다. 즉,

$$dU = \frac{GI_{px}(d\phi)^2}{2dx} = \frac{GI_{px}}{2}\left(\frac{d\phi}{dx}\right)^2 dx$$

이며, 여기서 $d\phi$는 요소의 비틀림 각이고 $d\phi/dx$는 단위길이당의 비틀림 각 θ이다. 이제 전에너지는

$$U = \int_0^L \frac{GI_{px}}{2}\left(\frac{d\phi}{dx}\right)^2 dx \tag{3-40(b)}$$

가 된다. 위의 두 식 (3-40a, b)는 각각 비틀림우력 또는 비틀림각이 x의 함수로 표시될 때, 비균일비틀림의 변형에너지를 구하는 데 이용될 수 있다.

예제 ①

길이 L인 원형봉 AB는 A끝에서 고정되어 있으며 B끝은 자유단이다(그림 3-27). 다음과 같은 3개의 각각 다른 하중 조건이 고려될 수 있다. 즉, (a) B끝에 작용하는 비틀림 우력 T_1 (b) 중앙점 C에 작용하는 비틀림 우력 T_1 (c) B와 C에 동시에 작용하는 비틀림 우력 T_1 각 경우에 있어서 봉에 저장되는 변형에너지 U를 구하여라.

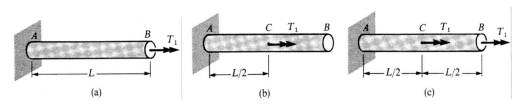

그림 3-27 예제 1

풀이 (a) B끝에 작용하는 비틀림우력 T_1에 대해서는, 식 (3-38a)로부터 직접 변형 에너지를 구할 수 있다. 즉,

$$U_a = \frac{T_1^2 L}{2 GI_p}$$

(b) 중간점 C에 작용하는 비틀림우력 T_1에 대해서는 식 (3-38a)를 봉의 AC 부분에 작용하면

$$U_b = \frac{T_1^2(L/2)}{2GI_p} = \frac{T_1^2 L}{4GI_p}$$

(c) 양쪽에 하중이 작용할 경우, CB부분에서는 비틀림우력이 T_1이고 AC부분에서는 $2T_1$으로 되므로

$$U = \frac{T_1^2(L/2)}{2GI_p} + \frac{(2T_1)^2(L/2)}{2GI_p} = \frac{5T_1^2 L}{4GI_p}$$

동시에 작용하는 두 개의 하중에 의해 일어나는 변형에너지는 독립적으로 작용하는 하중에 의한 각 변형에너지의 합과 다른 값인 것에 주목할 필요가 있다. 이것은 2, 8절에서 지적한 바와 같이 변형에너지는 하중의 2차 함수이고 1차 함수가 아닌 것을 뜻한다.

예제 2

한 끝은 고정되고 다른 끝이 자유단인 원형봉 AB가 축을 따라 단위길이당 일정한 강도 q의 분포 비틀림 우력을 받는다. 하중이 부하되었을 때 봉에 저장되는 변형 에너지의 값을 구하는 식을 유도하고, 다음 수치에 대한 변형에너지를 계산하라. $L = 8\,\text{m}$, $I_p = 120 \times 10^{-6}\,\text{m}^4$, $q = 5\,\text{kN.m/m}$, $G = 78\,\text{GPa}$.

풀이 봉의 자유단으로부터의 거리 x만큼 떨어진 위치에 작용하는 비틀림 우력 T_x는 정적인 해법으로 구해진다. 즉,

$$T_x = qx$$

이다. 식 (3-40a)에 이것을 대입하면 봉에 저장되는 변형 에너지에 대한 다음의 공식을 얻을 수 있다. 즉

$$U = \int_0^L \frac{T_x^2 dx}{2GI_p} = \frac{1}{2GI_p} \int_0^L (qx)^2 dx = \frac{q^2 L^3}{6GI_p} \tag{3-41}$$

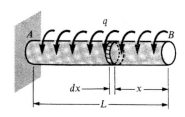

그림 3-28 예제 2

이다. 따라서 주어진 수치적인 조건에 대한 변형에너지는 식 (3-41)에 주어진 값들을 대입하면 계산될 수 있다. 즉

$$U = \frac{(5\,\text{kNm/m})^2 (8\,\text{m})^3}{6(78\,\text{GPa})(120 \times 10^{-6}\,\text{m}^4)} = 228\,\text{J}$$

여기서 $1\,\text{J} = 1\,\text{Nm}$ 임을 기억하라.

3.9 두께가 얇은 관(Thin-Walled Tubes)

앞절에서 설명한 비틀림 이론은 중실재나 중공관에 관계없이 원형단면봉에 적용된다. 이러한 단면형태는 특히 기계류의 비틀림부재로 보통 이용된다. 그러나 항공기와 우주선과 같은 경량구조인 경우, 비원형단면형태의 두께가 얇은 부재가 비틀림에 저항하도록 쓰이는 경우가 빈번하다. 이 절에서는, 이런 형태의 구조용부재에 대한 해석을 설명하고자 한다.

여러 가지 단면형태에 적용되는 식을 얻기 위해 임의의 단면모양의 두께가 얇은 관을 고려해 보자. 관은 원통형(즉, 모든 단면은 같은 치수를 갖고 있다)이며 양끝에 작용하는 비틀림우력 T에 의해 순수비틀림을 받고 있으며, 관벽의 두께 t는 단면의 둘레에 따라 변화할 수도 있으나, 관의 전폭에 비하여 작다고 가정한다. 단면에 작용하고 있는 전단응력 τ를 그림 3-29(b)에 표시하였는데, 이는 두 개의 단면 사이에서 거리 dx만큼 떨어져 잘려진 관의 요소를 표시하고 있다. 전단응력은 단면의 연단에 평행하게 분포되며 관의 둘레를 따라 '흐른다'. 이 전단응력강도는, 여러 목적을 위해 τ가 두께를 가로지르는 방향으로는 균일한 것으로 가정을 할 수 있도록, 관의 두께를 가로지르는 방향으로는 미소변화를 한다(관이 얇다고 가정했으므로). 그러나 τ가 단면의 둘레에 따라 변하는 방식은 평형을 고려하여 결정될 수 있다.

전단응력의 크기를 구하기 위해, 두 개의 종방향절선 ab와 cd로 얻어지는 직사각형 요소를 생각해 보자[그림 3-29(a), (b)]. 이 요소는 그림 3-29(c)에 자유물체로 분리되어 있다.

그림 3-29(b)에 표시한 바와 같이 전단응력 τ가 bc 단면 위에 작용하고 있는데 이들 응력들은, b에서부터 c까지 단면을 이동함에 따라 그 세기가 변할 수 있다고 가정된다. 따라서, b에서는 전단응력을 τ_b로 표시되고 c에서는 τ_c로 표시된다. 평형조건으로부터, 크기가 같은 전단응력이 다른 쪽 ad단면 위에 반대방향으로 작용하는 것을 알 수가 있다. 종방향면

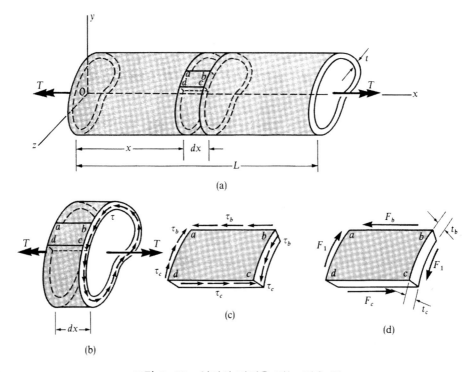

그림 3-29　임의의 단면을 갖는 얇은 관

ab와 cd 위에서는 그 단면 위의 작용하는 전단응력과 같은 크기의 전단응력이 존재할 것인데 이는 직교평면 위에 작용하는 전단응력들은 크기가 같기 때문이다(1-6절). 따라서 ab와 cd면 위의 일정한 전단응력은 각각 τ_b와 τ_c와 같게 된다.

종방향측면 위에 작용하는 전단응력은 힘 F_b와 F_c를 일으키는데, 이들 힘들은 응력에 전단응력이 작용하는 면적을 곱하여 얻을 수 있다. 즉,

$$F_b = \tau_b t_b dx, \quad F_c = \tau_c t_c dx$$

이다. 여기서 t_b와 t_c는 각각 b와 c에서의 관의 두께이다. 또한 힘 F_1은 측면 bc와 ad 위에 작용하는 응력에 의해 일어난다. 그렇지만 이 힘들은 우리의 논의 대상이 아니다. x방향에 대한 요소의 평형조건으로부터 $F_b = F_c$임을 알 수 있어서,

$$\tau_b t_b = \tau_c t_c$$

가 성립된다. 이것은 종방향절선 ab와 cd의 위치는 임의로 선택된 것이므로 앞의 식으로부터 전단응력과 관의 두께와의 곱은 그 단면의 모든 점에서 일정하다는 것을 알 수 있다. 이 곱을 **전단흐름**(shear flow)이라 하며, 기호 f로 표시한다.

$$f = \tau t = \text{constant} \tag{3-42}$$

따라서, 가장 큰 전단응력은 관의 두께가 가장 작은 곳에서 일어나며 이와 반대의 이론도 성립된다. 물론 두께가 일정한 부분에서는 전단응력 또한 일정함을 뜻한다.

다음 단계의 해석은 전단흐름 f와 관에 작용하는 비틀림 우력 T와의 관계를 결정하는 것이다. 단면 안의 ds 길이의 면적요소를 생각하기로 하자(그림 3-30). 거리 s를 단면의 **중앙선**(median line)을 따라 측정하면, 면적요소 위에 작용하는 전전단력은 fds이고 어떤 점 O에 대한 이 힘의 모멘트는

$$dT = rfds$$

이다. 여기서 r은 O점으로부터 힘의 작용선까지의 수직거리이다. 힘의 작용선은 요소 ds에서 그 단면의 중앙선에 접선방향이다. 전단응력에 의해 일어나는 전비틀림우력 T는 그 단면의 중앙선의 전장 L_m을 따라 적분함으로써 얻어진다:

$$T = f \int_0^{L_m} rds$$

이 식에서 적분은 단순한 기하학적 해석으로 설명될 수 있다. rds는 그림 3-30에 표시한 사선을 그은 삼각형 면적의 2배를 표시한다. 여기서 삼각형은 밑변 ds와 높이 r을 갖는 것에 주목하여 생각하면 적분식은 단면의 평균중심선으로 둘러싸인 면적 A_m의 두 배를 표시한다. 따라서

$$T = 2fA_m$$

이 식으로부터

$$f = \tau t = \frac{T}{2A_m}, \quad \tau = \frac{T}{2tA_m} \tag{3-43a, b}$$

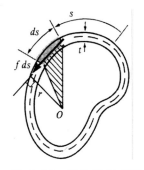

그림 3-30 얇은 관의 단면

이 식으로 어떤 얇은 관에 대한 전단흐름 f와 전단응력 τ가 계산될 수 있다.

비틀림각 ϕ는 관의 변형에너지를 고려하면 구할 수 있는데, 관의 요소들이 순수전단력을 받고 있으므로 변형에너지 밀도는 식 (3-37a)로 주어지는 $\tau^2/2G$이다. 그러므로 단면적 tds(그림 3-30), 길이 dx(그림 3-29)를 가지고 있는 관의 작은 요소에 대한 변형에너지는 다음과 같다.

$$dU = (\tau^2/2G)tds\,dx = \frac{\tau^2 t^2}{2G}\frac{ds}{t}dx = \frac{f^2}{2G}\frac{ds}{t}dx$$

따라서 관의 전변형에너지는

$$U = \int dU = \frac{f^2}{2G}\int_0^{L_m}\left[\int_0^L dx\right]\frac{dx}{t}$$

이다. 여기서 전단유 f는 상수라는 사실이 이용되어 적분기호 밖에 놓여졌다. 또한 t는 평균중심선 부근의 위치에 따라 변하므로 t는 ds와 함께 적분기호 안에 놓여졌다. 괄호 안의 적분은 관의 길이 L과 같은 것이므로 U에 대한 식은

$$U = \frac{f^2 L}{2G}\int_0^{L_m}\frac{ds}{t}$$

가 된다. 식 (3-43a)로 얻어지는 전단흐름을 대입하면

$$U = \frac{T^2 L}{8GA_m{}^2}\int_0^{L_m}\frac{ds}{t} \tag{3-44}$$

이 식으로 관의 변형에너지를 비틀림우력 T의 항으로 표시할 수 있다.

변형에너지에 관한 식은 일반적으로 **비틀림상수**(torsion constant) J로 알려진 새로운 단면의 성질을 도입함으로써 더욱더 간단한 형식으로 쓰여질 수 있다. 얇은 관에 대한 비틀림상수는

$$J = \frac{4A_m{}^2}{\displaystyle\int_0^{L_m}\frac{ds}{t}} \tag{3-45}$$

이다. 이 기호에 의해 변형에너지에 대한 식 (3-44)는 다음과 같이 된다.

$$U = \frac{T^2 L}{2GJ} \tag{3-46}$$

이 방정식은 비틀림상수 J가 극관성모멘트 I_p를 대신하고 있다는 것 외에는 봉에서의 변형 에너지에 대한 것과 같은 형식을 가졌다. 일정한 두께 t를 가진 단면의 경우 J에 대한 식 (3-45)는 아래와 같이 간소화된다.

$$J = \frac{4tA_m^{\,2}}{L_m} \tag{3-47}$$

여기서 J는 길이에 대한 4제곱의 단위를 가진 것에 주의하여야 한다.

여러 가지 단면형상에 대해 앞의 식 (3-45), (3-47)을 이용하여 J를 구할 수 있다. 예를 들어 그림 3-31과 같은 두께 t, 평균중심선까지의 반지름 r을 가진 얇은 원관을 생각해 보자. 평균중심선의 길이와 그것에 의해 싸여진 면적은

$$L_m = 2\pi r, \quad A_m = \pi r^2$$

따라서 비틀림상수는 식 (3-47)로부터 다음과 같이 된다.

$$J = 2\pi r^3 t$$

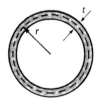

그림 3-31 얇은 원형관

그림 3-32에 얇은 직사각형 관의 예를 표시하였다. 이 관의 두께는 측면의 것은 t_1이며, 상하면의 것은 t_2이다. 높이와 넓이(단면의 평균중심선까지)는 각각 h와 b이다. 이 단면에 대해서

$$L_m = 2(b+h), \quad A_m = bh$$

와

$$\int_0^{L_m} \frac{ds}{t} = 2\int_0^h \frac{ds}{t_1} + 2\int_0^b \frac{ds}{t_2} = 2\left(\frac{h}{t_1} + \frac{b}{t_2}\right)$$

를 얻게 되므로 비틀림 상수는 식 (3-45)로부터 얻을 수 있다. 즉,

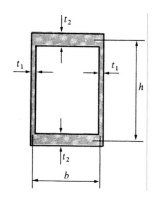

그림 3-32 얇은 직사각형관

$$J = \frac{2b^2h^2t_1t_2}{bt_1 + ht_2} \tag{3-49}$$

이다.

얇은 관에 대한 비틀림 각 ϕ는 비틀림 우력 T에 의해 이루어진 일과 봉의 변형에너지를 같게 놓아 결정할 수 있다. 즉,

$$\frac{T\phi}{2} = \frac{T^2L}{2GJ} \tag{3-50}$$

이 된다. 여기서 이 식이 원형단면봉에 대한 식 (3-8)과 같은 형식이라는 것을 알 수 있다.

단위 길이에 대한 비틀림각 θ가 필요하다면 길이 L로 ϕ를 나눔으로써 구할 수 있으므로

$$\theta = \frac{T}{GJ}$$

가 된다[식 (3-7)*과 비교해 보라].

GJ는 일반적으로 봉의 **비틀림강성**(torsional rigidity)이라 부른다. 원형단면봉인 경우에 비틀림 상수 J는 극관성 모멘트이며 두께가 얇은 관인 경우의 J는 식 (3-45)로부터 구

그림 3-33 얇은 열린 단면

---

* 독일의 공학자 R. Bredt가 얇은 관에 대한 비틀림 이론을 1896년에 발표하였다(참고문헌 3-4).

그림 3-34 중실비원형단면

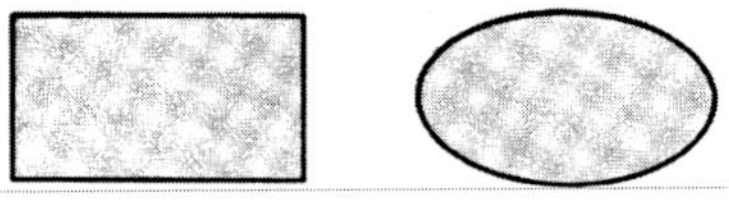

할 수 있다. 그 이외의 다른 단면인 경우에는 J에 대한 또 다른 식이 요구된다. 예를 들면, 두께가 얇은 열려진 단면(그림 3-33)이나 중실비원형단면(그림 3-34) 등의 J값은 이 책의 것보다 고차적인 이론으로 계산할 수 있다.

두께가 얇은 원형관(thin-walled, circular tubes). 그림 3-31에서 볼 수 있는 것과 같은 원형관을 생각해 보자. 이 관의 전단유와 전단응력은 다음의 식으로 구해진다.

$$f = \frac{T}{2\pi r^2}, \quad \sigma = \frac{T}{2\pi r^2 t} \tag{3-51a, b}$$

이 식은 식 (3-43a, b)에 $A_m = \pi r^2$을 대입하여 얻어진다. 또한, 비틀림각은[식 (3-50), (3-48)]

$$\phi = \frac{TL}{2\pi G r^3 t} \tag{3-52}$$

이 된다. 이 결과는 앞에서 유도했던 중공관의 식과 일치한다(3-2절 참조). 중공관의 두께가 얇다면 극관성모멘트는 근사적으로[식 (3-13) 참조]

$$I_p = 2\pi r^3 t$$

로 구해지며 이것은 식 (3-48)의 J식과 일치한다. 비틀림 공식[식 (3-9)]의 I_p를 이것으로 바꾸면 τ에 대한 식 (3-51b)가 유도된다.

만약, 비틀림을 받고 있는 관이 매우 얇다면 벽의 좌굴을 고려해야 한다. 예를 들면, 연강으로 만들어진 긴 원형관은 r/t의 비(그림 3-31 참조)가 약 60이 되면 공칭 허용응력하에서 좌굴이 일어날 것이다(참고문헌 참조). 그러므로, 이 절에서 언급하는 단면들은 그 벽의 두께가 비틀림에 의한 좌굴이 일어나지 않을 정도로 충분한 두께를 갖는다고 가정하고 있다.

예제 ❶

벽이 얇은 관에 대한 식 (3-51b)로부터 계산된 원형관(그림 3-31)의 최대 전단응력과 비틀림 공식[식 (3-9)]으로부터 계산되는 응력을 비교하라.

풀이 두께가 얇은 관의 비틀림공식은

$$\tau_1 = \frac{T}{2\pi r^2 t} = \frac{T}{2\pi t^3 \beta^2} \tag{a}$$

이며 여기서 $\beta = r/t$은 이미 언급한 바 있다. 이 관에서의 정확한 최대전단응력은 비틀림공식에 의해 다음과 같이 구해진다.

$$\tau_2 = \frac{T(r + t/2)}{I_b} \tag{b}$$

여기서,

$$I_p = \frac{\pi}{2}\left[\left(r + \frac{t}{2}\right)^4 - \left(r - \frac{t}{2}\right)^4\right]$$

이고 이것을 식 (3-12)로부터 구한 것과 같다. 이 식을 전개하여, I_p를 간단히 하면

$$I_p = \frac{\pi r t}{2}(4r^2 + t^2)$$

이 된다. τ_2에 대한 식은 다음과 같이 된다.

$$\tau_2 = \frac{T(2r + t)}{\pi r t(4r^2 + t^2)} = \frac{T(2\beta + 1)}{\pi r^3 \beta(4\beta^2 + 1)} \tag{c}$$

비율 τ_1/τ_2은

$$\frac{\tau_1}{\tau_2} = \frac{4\beta^2 + 1}{2\beta(2\beta + 1)} \tag{3-53}$$

이 되는데 이것은 β의 값(즉, r/t의 비)에만 의존한다. β의 값이 5, 10, 그리고 20의 값을 가지면, 식 (3-53)으로부터 비율 $\tau_1/\tau_2 = 0.92, 0.95$와 0.98을 각각 얻는다. 즉, 식 (3-53)은 전단응력에 관한 근사식이며 이것은 이론식으로부터 구한 값보다 조금 작은 값을 표시한다. 또 근사식의 정확도는 관이 상대적으로 얇아짐에 따라 증가한다.

예제 ②

같은 재료로 만들어진 원형단면관과 정사각형단면관이 있다(그림 3.35). 두 관은 길이, 두께, 그리고 단면적이 같으며 같은 크기의 비틀림 우력을 받고 있다. 두 관의 전단응력과 비틀림각의 비는 얼마인가? (정사각형관 모서리의 응력집중의 영향은 무시하라)

풀이 원형단면관에 있어서 단면의 평균중심선에 의해 둘러싸인 면적 A_{m1}은 πr^2이고 여기서 r은 평균중심선의 반지름이다. 또한 원형단면관의 단면적은 $A_1 = 2\pi r t$이며 이 관의 비틀림 상수는 $J_1 = 2\pi r^3 t$ [식 (3-48)] 이다.

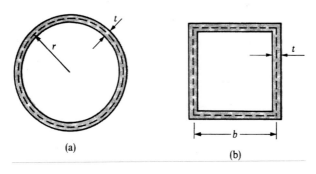

그림 3-35 예제 2

정사각형 단면관에서 단면적은 $A_2 = 4bt$이며 b는 평균중심선을 따라 측정된 한 변의 길이이다. 두 관의 단면적은 같은 크기이므로 $b = \pi r/2$을 얻는다. 또한 단면의 평균중심선으로 둘러싸인 면적은 $A_{m2} = b^2$이고 비틀림상수는 $J_2 = \pi^3 r^3 t/8$[식 (3-49)로부터 얻어진]이다. 원형단면관의 전단응력에 대한 정사각형 단면관의 전단응력비 τ_1/τ_2[식 (3-43b) 참조]은

$$\frac{\tau_1}{\tau_2} = \frac{A_{m2}}{A_{m1}} = \frac{b^2}{\pi r^2} = \frac{\pi}{4} = 0.785 \tag{d}$$

이며 비틀림각의 비[식 (3-50) 참조]는 다음과 같다.

$$\frac{\phi_1}{\phi_2} = \frac{J_2}{J_1} = \frac{\pi^2}{16} = 0.617 \tag{e}$$

이 결과들은 원형단면관이 정사각형 단면관보다 전단응력이 작으며 또한 회전에 대한 강성도 크다는 것을 알려 준다.

3.10 원형단면봉의 비선형비틀림

앞절에서 원형단면봉의 비틀림에 대하여 유도한 식들은 그 재료가 Hooke의 법칙을 따를 때에만 적용된다. 이번에는 전단응력들이 비례한도를 넘을 때의 봉의 거동을 고찰하기로 하자. 그와 같은 봉에 대칭성을 고려하여 원형단면들은 평면을 유지하고 그 단면들의 반지름은 직선을 유지한다고 가정할 수 있다. 따라서 그 봉의 중심축선으로부터 거리 ρ인 곳[그림 3-2(c)를 보라]에서의 전단변형률 γ는 탄성 비틀림의 경우에서와 같은 공식으로 주어진다.

즉,

$$\gamma = \rho\theta \tag{3-54}$$

또한 최대전단변형률은 그 단면의 바깥쪽에서 일어나며, 다음의 식으로 주어진다.

$$\gamma_{\max} = r\theta \tag{3-55}$$

여기에서 r은 그 봉의 반지름이다. 그 재료에 대한 응력-변형률선도를 알고 있다면 [3-36(a)], 가정된 θ값에 대한 그 봉 속의 임의점에서의 전단응력 τ를 결정할 수가 있다. 그 단면의 외선단에서의 변형률이 $\gamma_{\max}$이라면, 이에 대응되는 응력 $\tau_{\max}$은 응력-변형률선도로부터 구할 수 있다. 그 봉 속의 중간점에 있어서도 같은 방법으로 구할 수 있으며, 그 결과로 그 단면 위의 전단응력의 분포[그림 3-36(b)]는 그 응력-변형률선도 자신과 같은 모양이 될 것이다.

가정한 단위길이마다의 비틀림각 θ를 일으키기 위하여 그 봉에 작용시켜야 할 비틀림우력 T는 정역학의 방정식으로부터 구할 수 있다[그림 3-36(b) 참조]. 즉,

$$T = \int_0^r 2\pi\rho^2\tau d\rho \tag{3-56}$$

식 (3-54)로부터 $\rho = \gamma/\theta$ 및 $d\rho = d\gamma/\theta$를 얻는다. 이들 관계를 식 (3-56)에 대입하고, 적분의 상한을 $\gamma_{\max}$으로 바꾸면 다음의 식을 얻는다.

$$T = \frac{2\pi}{\theta^3} \int_0^{\gamma_{\max}} \tau\gamma^2 d\gamma \tag{3-57}$$

이 식의 우변의 적분은 간단한 기하학적 해석을 할 수 있다. 즉, 이것은 원점 O와 최대변

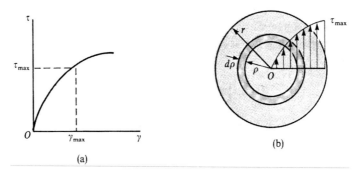

그림 3-36 원형봉에서의 비선형비틀림: (a) 전단응력-변형률선도 (b) 단면에 작용하는 전단응력의 분포

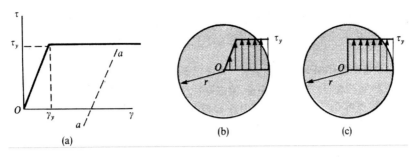

그림 3-37 탄성-소성재료에 대한 원형봉에서의 비틀림

형률 γ_{max}의 점 사이에 있는 응력-변형률선도[그림 3-36(a)] 아래의 면적의 연직축(즉, τ 축)에 관한 관성모멘트이다. 따라서 θ의 어떤 가정값에 대해서도, γ_{max}과 이에 대응되는 관성모멘트를 계산할 수 있다. 그 다음에 식 (3-57)로부터 비틀림우력 T의 값을 얻을 수 있다.

θ의 여러 값에 대하여 이 과정을 반복함으로써 T와 θ 사이의 관계를 나타내는 곡선을 얻는다. 이와 같은 곡선을 가지고 있으면, 주어진 임의의 T의 값에 대한 θ 및 τ_{max}을 결정할 수 있다.

그 봉의 재료가 뚜렷한 항복점 τ_y를 가지고 있다면, 응력-변형률선도 그림 3-37(a)에 표시한 바와 같이 이상화할 수 있다. 이 선도는 두 개의 직선으로 이루어지며, 첫째 직선은 선형탄성적 거동을 나타내고, 둘째 것은 완전소성적 거동을 나타낸다. 봉 속의 최대변형률이 항복변형률 γ_y보다 작은 동안에는 그 봉은 탄성적으로 거동하며, 3.2절에서 유도한 식들을 사용할 수가 있다. 그 단면의 외선단에서의 변형률이 γ_y를 넘으면, 그 단면 위의 응력분포는 그림 3-37(b)에 표시한 바와 같은 모양으로 될 것이다. 항복이 봉의 외선단에서 시작되어 변형률이 증가함에 따라 점차적으로 안쪽으로 움직인다. 변형률이 아주 크면 항복의 영역은 그 봉의 중앙으로 접근할 것이고 그 응력분포는 그림 3-37(c)에 표시한 균일분포에 접근할 것이다. 이에 대응하는 비틀림우력 T_u는 그 봉에 대한 극한비틀림우력이며 그 값은 식 (3-56)부터 다음과 같이 된다.

$$T_u = \int_0^\gamma 2\pi\rho^2\tau_y\, d\rho = \frac{2\pi r^3\tau_y}{3} \tag{3-58}$$

비틀림우력이 이 값에 도달하면, 더 이상 비틀림우력이 증가하지 않아도 축은 더욱 비틀리며, 결국 변형경화의 경향이 더욱 현저하게 나타나고 그 다음에 τ_y보다 큰 응력이 일어날 것이다.

그 봉 속에서 항복이 처음 시작될 때의 비틀림우력 T_y는 비틀림식 (3-9)로부터 τ_{max} 대신 τ_y를 대입함으로써 구해진다.

$$T_y = \frac{\tau_y I_p}{r} = \frac{\pi r^3 \tau_y}{2} \tag{3-59}$$

식 (3-58)과 식 (3-59)를 비교해 보면, 극한비틀림우력의 항복비틀림우력에 대한 비는

$$\frac{T_u}{T_y} = \frac{4}{3} \tag{3-60}$$

가 되며, 이 결과로부터 봉 속에서 항복이 시작된 후에, 그 비틀림우력의 1/3만 증가하면, 그 봉은 그의 극한부하용량에 도달한다는 것을 알 수 있다.

잔류응력(residual stresses). 비틀림을 받는 봉에 탄성한도를 넘어서 하중을 가한 다음 그 하중을 제거하면, 그 봉 속에 약간의 응력이 남아 있을 것이다. 이와 같은 응력을 **잔류응력**(residual stresses)이라고 한다. 이 응력의 계산을 설명하기 위하여 중실원형단면봉이 극한비틀림우력 T_u를 받고, 그것으로 인한 그림 3-37(c)에 표시한 응력분포를 일으키게 한 후에 그 비틀림우력을 제거한다고 가정하자. 이 하중을 제거하는 동안 그 재료는 훅의 법칙을 나타내는 처음의 직선에 평행한 응력-변형률선도 위의 직선[그림 3-37(a)의 직선 a-a]에 따라 변한다. 따라서, 하중을 제거하는 동안에 제거되는 응력들은 선형탄성적 거동에 대한 식[식 (3-9) 및 (3-1)]으로부터 얻을 수 있다.

하중을 가하는 동안 일어나는 응력들과 제거하는 동안에 소멸되는 응력들을 겹치면 그림 3-38과 같이 된다. 하중을 가하는 동안에 도달되는 응력들은 그 그림의 첫 번째 부분에 표시되어 있으며, 이에 대응하는 비틀림우력은 $T_u = 2\pi r^3 \tau_y/3$이다. 이와 똑같은 비틀림우력이 하중을 제거할 때의 응력선도에 의하여 그림 3-38(b)에 나타나 있다. 다만 이때에는 비틀림우력이 반대방향으로 작용하며, 그 거동은 선형탄성적이다. 최대전단응력은 $\tau_{max} = T_u r/J$, 또는 $\tau_{max} = 4\tau_y/3$이다. 그 봉 속에 잔류응력은 하중을 가할 때와 제거할 때의 응력들을 겹침으로써 그림 3-38(c)와 같이 구해진다. 봉의 중심에서의 잔류응력은

$$\tau_1 = \tau_y \tag{3-61}$$

이고, 그 단면의 외선단에서의 잔류응력은 다음과 같다.

$$\tau_2 = \tau_{max} - \tau_y = \frac{\tau_y}{3} \tag{3-62}$$

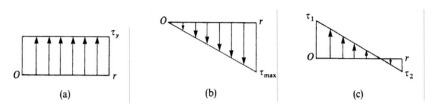

그림 3-38 비틀림에서의 잔류응력

이 후자의 응력은 τ_1과 방향이 반대이다. 이와 같은 잔류응력의 계산방법은 모양이 다른 응력-변형률선도에 대해서도 사용할 수 있다.

문제

3.2-1 중실 원형단면의 강봉이 끝단에 작용하는 비틀림우력에 의하여 비틀어졌다. 만일 다른 끝 단면에 대한 한쪽 끝단면의 회전각이 0.05 rad이라면 이 봉의 최대전단력과 최대전단변형 률은 얼마인가? (봉의 길이 $L = 2$ m, 지름은 40 mm이고 $G = 80$ GPa이다)

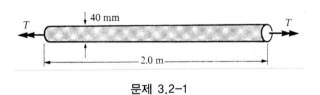

문제 3.2-1

3.2-2 지름이 50.8 mm인 중실강축($G = 79235 \times 10^6$ Pa)이 있다. 만일 비틀림각이 3°인 경우 최 대 전단응력이 93.015 MPa이라면 이 봉의 길이는 얼마인가?

3.2-3 지름이 12 mm이고 허용 전단응력이 70 MPa인 중실강축을 허용응력의 범위 안에서, 한 끝 의 단면을 다른 한 끝에 대하여 90° 회전시키기 위해서는 얼마의 길이를 필요로 하는가? ($G = 80$ GPa로 가정하라)

3.2-4 그림과 같이 섬유축 방향의 허용전단응력이 1722.5 kPa인 박달나무로 된 회전축이 있다. 만일 축의 지름이 63.5 mm라면 최대허용비틀림우력 T는 얼마인가?

문제 3.2-4

3.2-5 그림과 같이 지름이 12.7 mm 이고 길이가 457.2 mm 인 소켓 렌치가 있다. 만일 허용전단응력이 62.010 MPa이라면 이 렌치의 최대허용비틀림우력은 얼마인가? 또 이 최대 비틀림우력의 작용하에서 축의 비틀림각 ϕ는 얼마로 될 것인가? ($G = 81302 \times 10^6$ Pa로 가정)

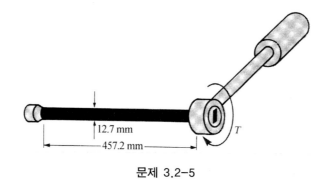

12.7 mm
457.2 mm

문제 3.2-5

3.2-6 그림과 같이 안지름 $d_1 = 70$ mm, 바깥지름 $d_2 = 100$ mm 인 중공축이 있다. 비틀림우력 $T = 700$ N·m에 대하여 이 요소의 안, 바깥면에 작용하는 전단응력 τ_1과 τ_2를 계산하고 반지름에 따라 변화하는 τ의 크기를 도시하라.

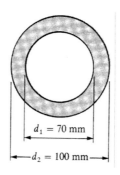

$d_1 = 70$ mm
$d_2 = 100$ mm

문제 3.2-6

3.2-7 그림과 같이 양 끝단에 작용되는 비틀림 우력에 의하여 길이 $L = 0.5$ m, 안·바깥지름이 30 mm, 40 mm인 금속 중공원형관이 비틀어지고 있다. 비틀림우력이 $T = 650$ N·m 일 때 비틀림각 ϕ가 0.068 rad으로 측정되었다. 이 재료의 전단탄성계수 G의 값을 계산하라.

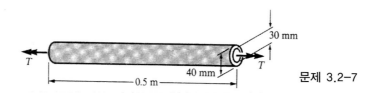

30 mm
40 mm
0.5 m

문제 3.2-7

3.2-8 허용 전단응력이 49.608 MPa이고, 길이 1.524 m 일 때 허용비틀림각이 1°인 지름 0.1016 m 인 중실강봉으로 만들어진 소형선박용 프로펠러 축이 있다. $G = 81302 \times 10^6$ Pa로 가정하여 이 축의 최대허용비틀림우력 T를 결정하여라.

3.2-9 허용전단응력이 689 MPa이고 단위길이당의 허용 비틀림이 76.2 mm당 1°인 중실원형단면 봉이 비틀림우력 $T = 3616$ N-m를 받을 때 봉의 최소지름은 얼마인가? ($G = 75790 \times 10^6$ Pa로 가정하라)

3.2-10 지름 50 mm, 길이 2 m인 중실금속축이 시험기 안에서 한쪽 끝이 다른 끝에 대하여 비틀림 각 $\phi = 5°$가 될 때까지 비틀어지고 있다. 이때의 비틀림 우력은 $T = 750$ N·m로 측정되었다. 축에서 발생되는 최대전단응력 τ_{max}과 전단탄성계수 G를 계산하라.

3.2-11 안지름과 바깥지름이 각각 88.9 mm와 101.6 mm인 2.44 m 길이의 중공알루미늄축($G = $ 27560 MPa)이 있다. (a) 만일 이 축의 한 끝에 비틀림우력이 작용하여 최대전단응력이 55.12 MPa이 될 때 전체 비틀림각 ϕ는 얼마인가? (b) 같은 비틀림 우력, 같은 최대전단응력을 받을 수 있기 위하여 요구되는 중실축의 지름은 얼마인가?

3.2-12 같은 재료로 만들어진 중공축과 중실축이 같은 비틀림우력 T와 같은 최대전단응력을 받을 수 있도록 설계되어 있다. 만일 중공축의 안쪽 반지름이 바깥쪽 반지름의 0.8배일 때 다음을 구하라. (a) 중공축의 바깥지름과 중실축의 지름의 비를 구하라. (b) 중공축과 중실축의 무게의 비를 구하라.

3.2-13 반지름이 r인 중실축이 있다(그림을 보라). 그런데 이 축이 길이방향으로 반지름 βr만큼 보우링되었다. 여기에서 (a) 제거된 면적의 퍼센트를 구할 수 있는 식을 유도하라. (b) 봉에 가해질 수 있는 비틀림우력의 감소된 양의 퍼센트를 구할 수 있는 식을 유도하라. β에 대한 이들의 퍼센트를 그래프로 그려라.

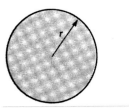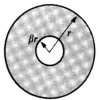

문제 3.2-13

3.3-1 그림과 같은 계단식 축이 비틀림우력을 받고 있다. 각 부분의 길이는 0.5 m이고 지름은 80 mm, 60 mm, 40 mm이다. 만일 재료의 전단탄성계수가 $G = 80$ GPa이라면 자유단에서의 비틀림각 ϕ는 몇 도인가?

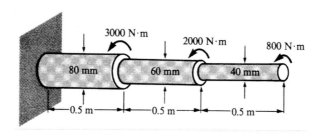

문제 3.3-1

3.3-2 비틀림을 받고 있는 봉(전체길이 2540 mm)의 한쪽 반의 지름은 50.8 mm, 또 다른 반의 지름은 38.1 mm이다(그림을 보라). 비틀림각 ϕ가 0.02 rad을 초과하지 않을 때 허용비틀림우력 T는 얼마인가? ($G = 82680 \times 10^6$ Pa로 가정하라)

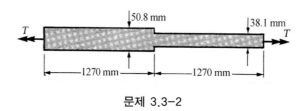

문제 3.3-2

3.3-3 중실축에 부착된 기어가 그림과 같이 비틀림우력을 전달하고 있다. 만일 허용전단응력이 75.79 MPa이라면, 비틀림의 영향만 고려할 때, 축 각 부분의 요구되는 지름 d_{ab}, d_{bc}, d_{cd}를 결정하라.

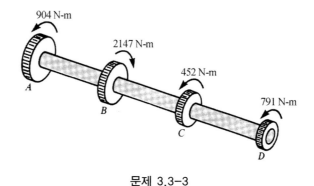

문제 3.3-3

3.3-4 앞의 문제를 축이 중공축이고 축의 전체에 걸쳐서 안지름이 25.4 mm라고 가정하고 풀어라.

3.3-5 그림과 같이 지름이 다른 두 부분으로 된 중실축이 있다. 이 축과 같은 재료로 만들어진 중공축의 바깥지름 d를 구하라. 두 축은 서로 길이와 비틀림강성이 같으며 중공축의 두께 t

는 $d/10$이다.

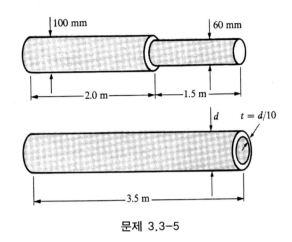

문제 3.3-5

3.3-6 그림 3.10과 3.3절의 예제 2에서의 테이퍼봉을 생각해 보자. 여기서 비틀림각이 지름 d_a인 균일단면봉의 비틀림각의 반이 되는 d_b/d_a의 비는 얼마인가?

3.3-7 그림과 같이 중공원형단면을 가진 테이퍼관 AB가 있다. 이 관의 두께 t와 길이 L은 일정하다. 양쪽 끝의 평균지름은 각각 d_a와 $2d_a$이다. 관의 두께가 비교적 얇기 때문에 극관성모멘트는 근사적으로 $I_p \approx \pi d^3 t/4$이다[식 (3-13)을 보라]. 양쪽 끝에 비틀림우력 T가 작용할 때 비틀림각 ϕ에 관한 식을 유도하라.

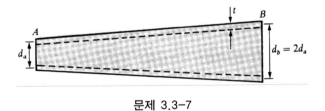

문제 3.3-7

3.3-8 중실원형단면을 가진 균일단면봉 AB(비틀림강성 GI_p)가 왼쪽 끝에 고정되어 단위길이당 일정하게 분포되어 있는 강도 q의 비틀림우력을 받고 있다. 이 봉의 자유단 B의 회전각 ϕ에 관한 식을 유도하라.

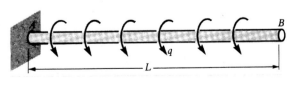

문제 3.3-8

3.3-9 앞의 문제를 q가 A단에서 최대값 q_0로부터 B단의 0으로까지 선형적으로 변화한다고 가정하고 풀어라.

3.4-1 지름이 0.1016 m인 중실원형봉이 9605 N-m의 비틀림우력을 받고 있다(그림을 보라). 최대인장, 압축, 전단응력은 얼마인가? (이 응력들을 응력요소 위에 그려라)

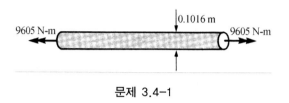

문제 3.4-1

3.4-2 순수비틀림을 받고 있는 중실원형단면봉이 허용인장, 압축, 전단응력이 각각 55.12 MPa, 137.8 MPa, 68.9 MPa로 설계되었다. 이때, 565 N-m의 비틀림우력을 받을 수 있도록 하기 위하여 요구되는 최대지름은 얼마인가?

3.4-3 $G = 28$ GPa인 중공원형단면의 알루미늄 축이 비틀림우력 T를 받고 있다. 이 봉의 단위길이당 비틀림각은 $\theta = 0.04$ rad/m이다. 바깥지름과 안지름이 각각 100 mm, 50 mm일 때 봉의 최대인장응력 σ_{max}은 얼마인가? 또 작용한 비틀림우력 T의 크기는 얼마인가?

3.4-4 강으로 된 중공원형봉($G = 80$ GPa)이 최대전단변형률 $\gamma_{max} = 800 \times 10^{-6}$ rad을 일으킬 수 있는 비틀림우력 T를 받고 있다. 봉의 바깥지름과 안지름이 각각 75 mm, 60 mm이다. 최대인장응력 σ_{max}은 얼마인가? 또, 이 봉에 작용한 비틀림우력 T의 크기는 얼마인가?

3.5-1 전단탄성계수 $G = 27$ GPa이고 바깥지름이 80 mm, 안지름이 50 mm인 알루미늄으로 된 중공봉이 있다. 이 봉이 비틀림우력 $T = 4.8$ kNm를 받고 있을 때 최대전단변형률 γ와 최대수직변형률 ϵ의 값은 얼마인가?

3.5-2 순수전단을 받고 있는 응력요소의 전단응력이 137.8 MPa이다. $E = 2067 \times 10^{6}$ kPa, $\nu = 0.3$일 때 전단변형률 γ를 구하라.

3.5-3 지름 $d = 50.8$ mm인 중실원형봉이 시험기 안에서 비틀림우력의 값이 1356 N-m가 될 때까지 비틀림을 받고 있다(그림을 보라). 이 비틀림우력하에서 봉의 축에 대하여 45° 경사로 부착된 변형게이지의 값이 $\epsilon = 330 \times 10^{-6}$이다. 이 재료의 전단탄성계수 G의 값을 결정하라.

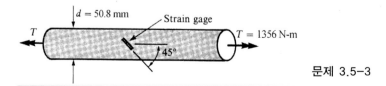

문제 3.5-3

3.5-4 지름이 d인 중실원형봉이 비틀림우력 T를 받고 있고 최대수직변형률 ϵ은 봉의 축에 대하여 45° 경사면의 표면에서 측정되었다. 전단탄성계수 G를 T와 d, ϵ으로 나타내라.

3.5-5 비틀림을 받고 있는 원형봉이 축에 대하여 45° 경사에서 인장응력 $\sigma = 56\,\mathrm{MPa}$이다. $E = 80\,\mathrm{GPa}, \nu = 0.30$으로 가정할 때 최대수직변형률 ϵ과 최대전단변형률 γ를 구하라.

3.6-1 전단응력이 30 MPa을 초과하지 않는다고 할 때 0.75 Hz로 회전하고 있는 지름 80 mm의 중실원형축은 얼마만큼의 동력 P를 전송시킬 수 있겠는가?

3.6-2 지름이 0.1016 m인 중실원형축이 75 rpm으로 돌고 있다. 이 봉이 허용전단응력 41.34 MPa을 초과함이 없이 받을 수 있는 최대동력 P는 얼마인가?

3.6-3 어떤 선박의 프로펠러 축이 바깥지름 0.4572 m, 안지름 0.254 m인 중공축으로 만들어져 있다. 이 축이 100 rpm으로 회전하면서 최대전단응력이 31.005 MPa로 제한될 때 받을 수 있는 최대마력 H는 얼마인가?

3.6-4 2 Hz로 돌고 있는 중실원형축이 15 kW의 동력을 전달해야 된다고 한다. 허용전단응력이 40 MPa일 때 요구되는 최소지름은 얼마인가?

3.6-5 90 rpm으로 돌고 있는 중실원형축이 150 kW의 동력을 전달해야 한다. 허용전단응력이 55.12 MPa로 제한될 때 요구되는 최소지름 d는 얼마인가?

3.6-6 중공원형축이 1.75 Hz로 120 kW를 전달할 수 있도록 설계되었다. 안지름은 바깥지름의 반이다. 허용전단응력을 45 MPa이라 할 때 요구되는 최소바깥지름 d를 구하라.

3.6-7 중공원형축이 안지름이 바깥지름의 3/4이 되도록 만들어졌다. 이 봉은 허용전단응력 41.34 MPa을 초과함이 없이 75 rpm의 속도에서 400 hp를 전송시켜야 한다. 이때 요구되는 최소지름 d를 계산하라.

3.6-8 어떤 모터가 축상 A점에서 200 rpm의 속도로 275 hp를 발생시킨다(그림을 보라). 기어 B와 C에서 각각 125 hp, 150 hp를 소모시킨다. 허용전단응력이 49.608 MPa이고, 모터와 기어 C 사이의 비틀림각이 1.5°로 제한될 때 요구되는 축의 지름을 계산하라 ($G = 79235 \times 10^6\,\mathrm{Pa}$, $L_1 = 1.83\,\mathrm{m}$, $L_2 = 1.22\,\mathrm{m}$로 가정하라).

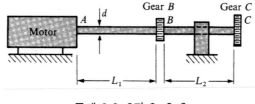

문제 3.6-8과 3. 6-9

3.6-9 그림과 같이 축 ABC는 A점에서 모터에 의하여 회전속도 3 Hz에서 300 kW의 동력을 받는다. 기어 B와 기어 C는 각각 120 kW, 180 kW씩을 소모시킨다. 축 두 부분의 길이는 $L_1 = 1.5$ m, $L_2 = 0.9$ m 이다. 만일, 허용전단응력이 50 MPa이고 A점과 C점 사이의 허용비틀림각이 0.02 rad, $G = 75$ GPa이라고 할 때 요구되는 축의 지름 d를 계산하라.

3.6-10 지름이 d이고 원형단면을 가진 프로펠러 축이 같은 재료로 만들어진 이음재로서 이어져서 축의 두 부분이 견고하게 부착되어 있다(그림을 보라). 이때 그 이음부분이 중실봉과 같은 동력을 전달하기 위하여 요구되는 이음재의 지름 d_1을 구하라.

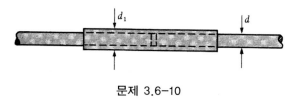

문제 3.6-10

3.7-1 양단이 고정된 중실원형봉이 그림에 나타낸 장소에서 비틀림우력 T_1과 T_2를 받고 있다. 반력 T_a, T_b를 구할 수 있는 식을 유도하라.

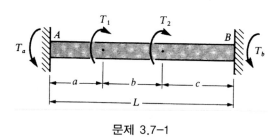

문제 3.7-1

3.7-2 양단이 고정된 중실원형봉이 그림에 나타낸 바와 같이 서로 반대로 작용하는 두 개의 비틀림우력 T_0를 받고 있다. 반력 T_a와 T_b, B부분에서의 비틀림각 ϕ_b, 중간부분에서의 비틀림각 ϕ_m에 관한 식을 구하라.

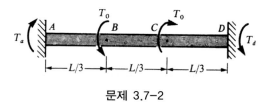

문제 3.7-2

3.7-3 바깥지름이 50.8 mm, 안지름이 38.1 mm인 중공강봉 ABC가 A와 C 양단이 고정되어 있다(그림을 보라). 수평력 P가 수직봉의 양단에 작용하고 있다. 봉의 내하전단응력이 82.68

MPa일 때 수평력 P의 허용값을 계산하라.

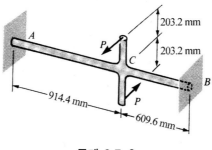

문제 3.7-3

3.7-4 양단이 고정된 지름이 d인 중실원형축 AB가 있다(그림을 보라). 여기에 원형판이 그림과 같이 부착되어 있다. 허용전단응력을 τ_{allow}라 하고 $a > b$라 하면 판의 최대허용비틀림각 ϕ는 얼마인가?

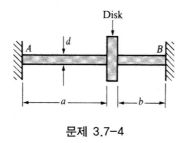

문제 3.7-4

3.7-5 양단이 고정된 이단 중실원형축이 있다(그림을 보라). 만일 허용전단응력이 55 MPa이라고 하면 C점에 작용할 수 있는 허용비틀림우력 T는 얼마인가?

3.7-6 양단이 고정된 두 개의 다른 지름을 가진 중실원형강봉 AB가 있다(그림을 보라). 만일 최대허용전단응력을 68.9 MPa로 가정한다면 접합부 C에 작용할 수 있는 허용비틀림우력 T는 얼마인가?

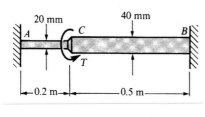

문제 3.7-5

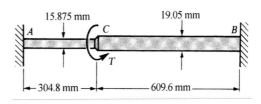

문제 3.7-6

3.7-7 양단이 고정되고 전체길이가 L인 중실원형봉 AB가 있다(그림을 보라). AC와 CB의 지름은 각각 d_a와 d_b이다. 비틀림우력 T가 C점에 작용하고 있다. 봉을 가장 경제적으로 설계하기 위한 길이 a와 b를 정하라.

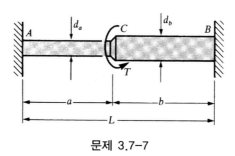

문제 3.7-7

3.7-8 양단이 고정된 봉 ABC가 B점에서 비틀림우력 T를 받고 있다(그림을 보라). AB부분은 지름 d_1의 중실원형봉으로 되어 있고 BC 부분은 바깥지름 d_2, 안지름 d_1의 중공원형봉으로 되어 있다. A와 C에서 반력이 같아지도록 a/L의 비에 관한 식을 유도하라.

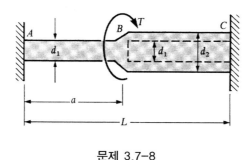

문제 3.7-8

3.7-9 양단이 고정된 봉 AB에 그 길이의 반은 구멍이 뚫어져 있다(그림을 보라). 두 부분의 극관성모멘트는 각각 I_{pa} 및 I_{pb}이다. 양단에서의 반력이 같아지게 하기 위하여 왼쪽 끝으로부터 얼마의 거리에 비틀림우력을 작용시켜야 하는가?

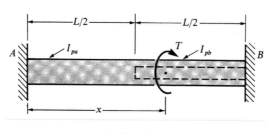

문제 3.7-9

3.7-10 A단이 고정되고, 비틀림강성은 GI_p이며 길이가 L인 중공관 AB가 있다. B단에 길이가 $2C$인 수평봉이 관에 용접되어 있다. 수평봉의 양쪽 끝 가까이에 두 개의 동일한 스프링이 있고 그 스프링 상수는 k(단위길이당의 힘)이다. 스프링 끝과 봉 끝의 거리는 b이다. 이제 스프링을 늘여서 봉의 양단에 잡아맨 후 다시 놓으면 봉과 관은 미소각 β만큼 회전을 일으키게 된다(그림을 보라). 관의 비틀림우력 T에 관한 식을 구하라.

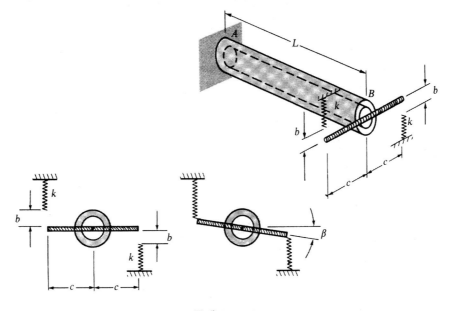

문제 3.7-10

3.7-11 지름 50.8 mm인 중실원형봉이 바깥지름 76.2 mm이고 안지름 63.5 mm인 중공원형봉에 싸여 있다(그림을 보라). 이 두 개의 봉은 A단에 고정되어 있고 B단에서 강판에 의하여 용접되어 있다. (a) 만일 비틀림우력 $T = 2034$ N-m 가 판에 작용한다면 관과 봉에 작용하는 최대전단응력 τ_t와 τ_b는 각각 얼마인가? (b) $G = 79235 \times 10^6$ Pa이라 가정했을 때 판의 비틀림각은 얼마인가? (c) 이 장치의 비틀림강성 k는 얼마인가?

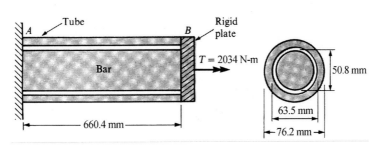

문제 3.7-11

3.7-12 극관성모멘트가 I_p이고 길이 L인 원형봉 AB가 양단이 고정되어 있다(그림을 보라). 분포비틀림우력 $q(x)$가 A단의 0으로부터 B단의 q_0까지 봉의 길이를 따라 선형적으로 변화한다. 고정단의 비틀림우력 T_a와 T_b를 구하라.

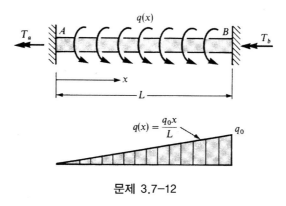

$$q(x) = \frac{q_0 x}{L}$$

문제 3.7-12

3.7-13 황동 코어 위를 강관이 견고하게 싸고 있는 합성축이 있는데 이것은 비틀림에 대해서 일체로 작용하고 있다(그림을 보라). 강관의 전단탄성계수는 $G_s = 75\,\text{GPa}$이고 코어에서는 $G_b = 39\,\text{GPa}$이다. 코어와 강관의 바깥지름은 각각 $d_1 = 25\,\text{mm}$, $d_2 = 40\,\text{mm}$이다. 비틀림우력 $900\,\text{N·m}$가 작용할 때 강관과 황동 코어에 있어서의 최대전단응력 τ_s와 τ_b를 구하여라.

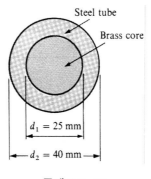

Steel tube
Brass core
$d_1 = 25\,\text{mm}$
$d_2 = 40\,\text{mm}$

문제 3.7-13

3.7-14 황동코어 위에 강관이 견고하게 싸고 있어서 길이 $762\,\text{mm}$의 합성봉을 이루고 있다(그림을 보라). 관과 코어의 바깥지름은 각각 $63.5\,\text{mm}$와 $50.8\,\text{mm}$이다. 또 관과 코어의 전단탄성계수는 각각 $G_s = 79235\,\text{MPa}$과 $G_b = 38584\,\text{MPa}$이다. 이 봉이 $T = 3164\,\text{N-m}$의 비틀림우력을 받고 있다. (a) 강관과 황동코어에 있어서 최대전단응력 τ_s와 τ_b를 구하라. (b) 비틀림각 ϕ를 계산하라.

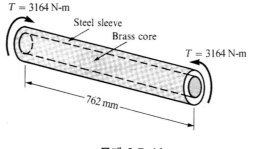

문제 3.7-14

3.7-15 그림과 같이 두 개의 재료로 만들어진 중실축이 있는데 바깥쪽은 강으로 된 관($G_s = 80\,\mathrm{GPa}$) 이고 안쪽은 황동($G_s = 36\,\mathrm{GPa}$)으로 된 막대로 이루어져 있다. 두 부분의 바깥지름은 각각 75 mm와 60 mm이다. 강과 황동에 있어서의 허용전단응력이 각각 $\tau_s = 82\,\mathrm{MPa}$, $\tau_b = 50\,\mathrm{MPa}$ 이라고 할 때 축에 작용시킬 수 있는 최대허용비틀림 우력 T를 계산하라.

3.7-16 그림과 같이 알루미늄 관 A 위에 고강도강관 S가 견고하게 부착되어 합성축을 이루고 있다. 지름은 76.2 mm, 127 mm, 152.4 mm이다(그림을 보라). 강과 알루미늄의 허용전단응력은 각각 $\tau_s = 137.8\,\mathrm{MPa}$과 $\tau_a = 68.9\,\mathrm{MPa}$이다. $G_s = 79924\,\mathrm{MPa}$, $G_a = 27560\,\mathrm{MPa}$이라고 할 때 축에 작용시킬 수 있는 허용비틀림우력 T를 계산하라.

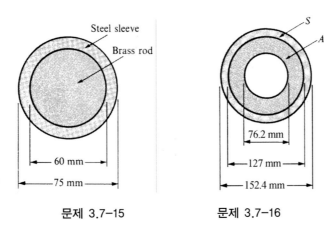

문제 3.7-15   문제 3.7-16

3.7-17 전체길이 $L = 4.0\,\mathrm{m}$인 강봉($G_s = 80\,\mathrm{GPa}$)이 그 길이의 반은 강봉과 견고하게 부착되어 있는 황동관($G_s = 40\,\mathrm{GPa}$)에 의해서 싸여져 있다(그림을 보라). 축과 관의 지름은 각각 $d_1 = 70\,\mathrm{mm}, d_2 = 90\,\mathrm{mm}$이다. (a) 만일 A와 C 사이의 비틀림각 ϕ가 $\phi = 12°$로 제한된다고 할 때 허용비틀림우력 T_1을 결정하라. (b) 만일 황동의 전단응력이 $\tau_b = 100\,\mathrm{MPa}$로 제한된다고 할 때 허용비틀림우력 T_2를 결정하라. (c) 만일 강의 전단응력이 $\tau_s = 80\,\mathrm{MPa}$로 제한된다고 할 때 허용비틀림우력 T_2를 결정하라. (d) 만일 앞의 모든 조건이 만족되야 한다고

할 때 허용비틀림우력은 얼마인가?

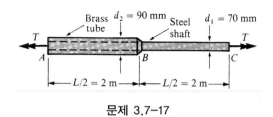

문제 3.7-17

3.8-1 길이 $L = 3.5\,\mathrm{m}$, 지름 $d = 120\,\mathrm{mm}$인 중실원형강봉($G = 80\,\mathrm{GPa}$)이 있다. 이 봉은 비틀림우력 T에 의하여 순순비틀림을 받고 있다. 최대전단응력 $\tau_{\max} = 60\,\mathrm{MPa}$일 때 봉에 저장되는 변형에너지 U는 얼마인가?

3.8-2 비틀림각이 $0.01\,\mathrm{rad}$일 때, 그림에 나타낸 강봉에 저장되는 변형에너지 U는 얼마인가? (이 봉은 두 개의 다른 지름을 가진 중실원형봉임을 주의하라. 또 $G = 81302 \times 10^6\,\mathrm{Pa}$이라 가정하라)

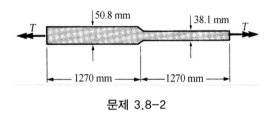

문제 3.8-2

3.8-3 그림에 나타낸 원형봉에 변형에너지 U를 구하는 식을 유도하라. 분포 비틀림우력의 강도 q는 고정단에서 최대값 q_0로부터 자유단의 0으로까지 선형적으로 변화한다.

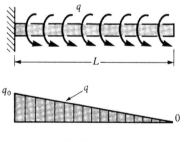

문제 3.8-3

3.8-4 원추모양의 벽 두께가 얇은 중공관 AB는 두 벽 두께가 t로서 일정하고 양쪽 단의 평균지름이 d_a와 d_b이다(그림을 보라). 이 관이 비틀림우력 T에 의하여 순수비틀림을 받고 있을 때 관의 변형에너지 U를 구하는 식을 유도하라.

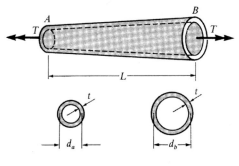

문제 3.8-4

3.8-5 그림에 나타낸 것과 같은 양단이 고정된 원형봉의 변형에너지 U를 구하는 식을 유도하라.

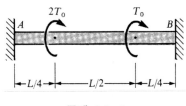

문제 3.8-5

3.8-6 그림에 나타낸 바와 같이 중실원형봉 B는 그 끝이 중공원형관 A에 꼭 끼워져 있다. 두 봉의 다른 끝단들은 고정되어 있다. 봉 B를 관통하고 있는 구멍은 A봉의 구멍이 이루는 선에 대하여 β(rad)만큼의 각을 이루고 있다. 봉 B를 비틀어 구멍을 일치하게 한 후 pin을 박았다. 이 장치가 정적평형위치에 되돌아왔을 때 두 봉의 전변형에너지는 얼마인가? (봉 A와 B의 극관성모멘트를 I_{pa}와 I_{pb}라고 하라. 또 전단탄성계수 G는 두 봉이 서로 같다)

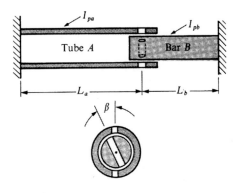

문제 3.8-6

3.9-1 두께가 25.4 mm이고 안지름이 228.6 mm인 중공원형관이 $T = 169.5$ kN-m의 비틀림우력을 받고 있다. 이 관의 최대전단응력을 (a) 두께가 얇은 관의 근사적 해법 식 (3-51b)를 사용하여, (b) 정확한 비틀림이론식 (3-9)를 사용하여 각각 구하라.

3.9-2 두께가 얇은 관에서 근사식 (3-52)에 의해서 구한 비틀림각 ϕ_1과 정확한 식 $\phi = TL/GI_p$, 식 (3-8)로 구한 비틀림각 ϕ_2를 비교하라(그림을 보라). 비 ϕ_1/ϕ_2을 무차원의 비 $\beta = r/t$의 항으로 나타내라.

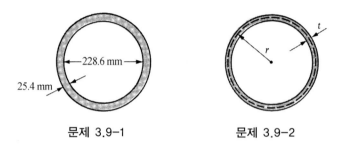

문제 3.9-1   문제 3.9-2

3.9-3 같은 재료로 만들어지고 단면적과 길이가 서로 같은 두께가 얇은 원형관과 중실원형봉이 비틀림을 받고 있다. 두 봉에 있어서 최대전단응력이 같다고 한다면 관의 변형에너지 U_1과 중실봉의 변형에너지 U_2의 비는 얼마인가?

3.9-4 안지름이 0.1016 m인 두께가 얇은 원형축이 5650 N-m의 비틀림우력을 받고 있다(그림을 보라). 허용전단응력이 89.57 MPa이라고 할 때 요구되는 벽의 두께를 (a) 두께가 얇은 관의 근사해법을 사용하여, (b) 정확한 비틀림이론을 사용하여 각각 구하라.

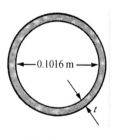

문제 3.9-4

3.9-5 그림과 같이 직사각형 단면을 가진 두께가 얇은 중공관이 있다. 비틀림우력 $T = 120$ N·m라 할 때 이 관에서의 최대전단응력 τ_{max}은 얼마인가?

3.9-6 정삼각형 모양의 스테인레스 강으로 만들어진 두께가 얇은 관($G = 80$ GPa)이 있다(그림을 보라). 각 변의 중간선을 따라 잰 길이는 $b = 150$ mm이고 벽 두께는 $t = 8$ mm이다. 만일 허용전단응력이 60 MPa이라고 한다면 관에 작용할 수 있는 최대허용비틀림우력 T의 크기

는 얼마인가? 이 비틀림우력에서 단위길이당 비틀림각 θ는 얼마인가?

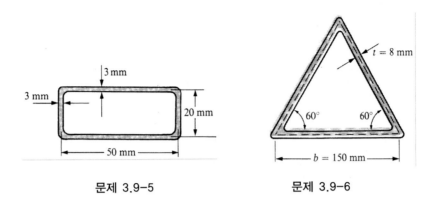

문제 3.9-5   문제 3.9-6

3.9-7 그림과 같은 단면으로 된 강관($G = 76$ GPa)의 전단응력 τ와 비틀림각 ϕ를 계산하라. 이 관의 길이는 $L = 1.5$ m 이고 $T = 10$ kN·m 의 비틀림 우력을 받고 있다.

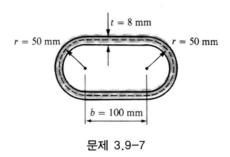

문제 3.9-7

3.9-8 타원형의 단면을 가진 두께가 얇은 관이 비틀림우력 $T = 5650$ N-m 를 받고 있다(그림을 보라). $G = 82680 \times 10^6$ Pa, $t = 5.08$ mm, $a = 76.2$ mm, $b = 50.8$ mm 라 할 때 전단응력 τ와 단위길이당 비틀림각 θ를 구하라(주의: 타원의 면적은 πab이고 둘레는 근사적으로 $1.5\pi(a+b) - \pi\sqrt{ab}$ 이다).

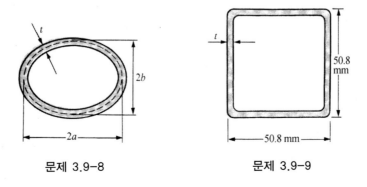

문제 3.9-8   문제 3.9-9

3.9-9 외측제원이 $50.8\,\text{mm} \times 50.8\,\text{mm}$인 정사각형 단면을 가진 두께가 얇은 알루미늄 봉($G = 27560 \times 10^6\,\text{Pa}$)이 비틀림우력 $T = 339\,\text{N-m}$를 받고 있다. 허용전단응력이 $27.56\,\text{MPa}$이고 단위길이당 허용비틀림각이 $0.0328\,\text{rad/m}$라고 할 때 요구되는 최소 벽 두께 t를 계산하라.

3.9-10 균일한 벽 두께 t를 가진 두께가 얇은 직사각형관이 있는데 단면의 중간선을 따른 제원이 $a \times b$이다(그림을 보라). 단면의 중간선의 전체길이를 L_m이라 하고, 비틀림우력 T가 일정하다고 할 때 전단응력 τ는 비 $\beta = a/b$에 따라 어떻게 변화하는가? 산출된 결과로부터 이 관이 정사각형($\beta = 1$)일 때 전단응력이 가장 작게 됨을 보여라.

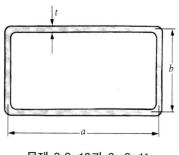

문제 3.9-10과 3. 9-11

3.9-11 단위길이당의 비틀림각 θ에 대해서 앞의 문제를 다시 풀어 보고, 이 관이 정사각형($\beta = 1$)일 때 비틀림각이 가장 작게 됨을 보여라.

3.9-12 원형단면을 가진 길고 두께가 얇은 테이퍼관 AB가 비틀림우력 T를 받고 있다(그림을 보라). 관의 벽 두께는 t로 일정하고 길이는 L이다. 양단 A, B에서 중간선을 따라 잰 지름은 각각 d_a와 d_b이다. 관의 비틀림각 ϕ를 구하라.

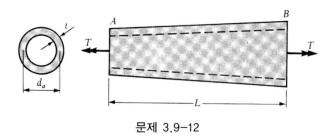

문제 3.9-12

3.10-1 중실원형봉이 훅의 법칙($\tau = G\gamma$)을 따르는 재료로 만들어져 있다. 비선형 비틀림에 관한 식 (3.57)을 사용하여 단위길이당 비틀림각에 관한 식 $\theta = T/GI_p$를 유도하라.

3.10-2 비틀림우력 T를 받고 있는 중실봉(반지름=r)이 전단에 있어서 응력-변형률선도가 $\tau^n = B\gamma$로 표시되는 재료로 만들어져 있다. 여기서 n과 B는 상수이다. (a) 단면의 외측부에서의

전단응력 τ_{max}을 구하는 식을 유도하라. (b) 계산된 식은 $n=1$일 때 결국 비틀림식 $\tau_{max} = Tr/I_p$이 됨을 증명하라.

3.10-3 봉이 탄·소성물질로 이루어졌다고 했을 때 원형단면의 중공봉에 있어서 항복비틀림우력 T_y에 대한 극한비틀림우력 T_u의 비를 구하라(그림을 보라. 또, 그림 3.37(a)에 있는 응력 변형률선도를 보라). r_1/r_2비에 대한 T_u/T_y의 비를 그래프에 도시하라.

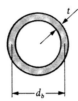 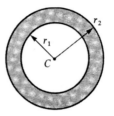

문제 3.10-3

3.10-4 탄·소성물질로 된 중실원형봉[그림 3.37(a)에 나타나 있는 응력-변형률선도를 보라]이 항복비틀림 우력 T_y보다는 크고 극한비틀림 우력 T_u보다는 작은 비틀림우력 T를 받고 있다. 그러므로 단면에 작용하는 전단응력의 분포는 그림 3.37(b)에 나타낸 바와 같다. 단면의 외측부에서의 전단변형률을 γ_{max}이라고 하자. (a) 비틀림우력 T를 γ_{max}, γ_y, 그리고 T_y의 항으로 나타내라. (b) 이 식은 $\gamma_{max} = \gamma_y$일 때 $T=T_y$로 됨을 증명하고 또 γ_{max}이 무한대로 증가함에 따라 T는 T_u에 접근함을 증명하라. (c) γ_{max}/γ_y의 값이 0에서 4까지 변할 때 γ_{max}/γ_y에 대한 T/T_y를 그래프에 도시하라.

3.10-5 비틀림을 받는 봉에 대해 잔유응력은 하중이 제거된 후에 합비틀림우력을 발생시키지 않아야 한다. 탄·소성물질로 이루어진 봉이 잔유응력에 의해 나타나는 비틀림우력이 0이 됨을 증명하라[식 (3.56), (3-38c)를 보라].

3.10-6 반지름 $\gamma = 35\ mm$인 중실원형봉이 그림과 같은 응력·변형률선도를 가지는 물질로 만들어져 있다. 비틀림우력 T가 $5\ kN \cdot m$일 때 이 봉에서의 최대전단응력 τ_{max}을 계산하여라.

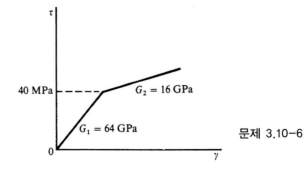

문제 3.10-6

Chapter 4

전단력과 굽힘모멘트

4.1 보의 종류

4.2 전단력과 굽힘모멘트

4.3 하중, 전단력 및 굽힘모멘트
사이의 관계

4.4 전단력선도와 굽힘모멘트선도

4.1 보의 종류

축에 직각방향으로 작용하는 힘들에 저항하도록 설계된 구조물의 부재를 **보**(beam)라 한다. 따라서 보는 인장이나 비틀림을 받는 재료와 비교할 때, 그 부재에 작용하는 하중의 방향이 근본적으로 다르다. 즉 인장을 받는 봉재에서는 하중이 축방향에 따라 작용하며, 비틀림을 받는 봉재에서는 축방향의 벡터(vector)인 토크(torque)를 받게 되는데 비하여 보에 작용하는 하중은 그림 4-1(a)의 보 AB에 작용하는 하중 P_1으로 예시된 바와 같이 축에 수직한 방향이다.

이 장에서는 그림 4-1에 보인 바와 같은 가장 단순한 형태의 보만을 고찰하기로 한다.

이들 보에서는 모든 하중들이 그림의 평면 내에 작용하고, 모든 변형도 같은 평면 내에서 나타나기 때문에 보는 평면구조물(planar structure)이며, 이 평면을 **굽힘평면**(plane of bending)이라 부른다. 그림 4-1(a)에 보인 보는 일단이 핀(pin)으로 지지되고 타단은 롤러(roller)로 지지되어 있는데, 이러한 보를 **단순지지보**(simply supported beam) 또는 **단순보**(simple beam)라 한다. 핀지점의 특성은 보가 수평방향이나 연직방향으로 이동하는 것을 방지할 수는 있으나 회전을 저지할 수가 없다는 것이다. 즉 보의 A단은 병진운동은 할 수가 없으나, 보의 길이방향 축이 그림의 평면 내에서 회전을 할 수 있게 한다. 따라서 핀지점에서는 수평 및 연직 분력을 갖는 반력(reactive force)은 발생할 수 있으나 모멘트(moment)반력은 발생할 수가 없다. 롤러지점 B에서는 연직방향의 병진운동은 방지되나 수평방향의 병진운동은 자유롭다. 따라서 이 지점은 연직력에는 저항할 수가 있으나 수평력에는 저항할 수가 없다. 물론 A점에서와 같은 양상으로 보의 축은 B점에서 자유롭게 회전할 수가 있다.

단순보의 롤러지점에서의 연직반력은 평형이 이루어지도록 윗방향 또는 아랫방향의 어느 쪽으로도 작용할 수가 있다.

보를 도시할 때에는 보가 구속된 형식을 나타내 주도록 관습적인 지점의 형태로 그리게 되는데 이 그림은 또한 반력의 형태를 나타내 주게 된다. 그러나 이 관습적인 그림은 실제의 물리적인 지지구조를 나타내는 것은 아니다. 예를 들면, 벽면 위에 놓인 보의 일단이 위로 들려지는 것을 방지하기 위하여 볼트(bolt)로 고정시킨 상태가 그림에서는 핀 연결로 표현되는데, 이 경우 실제로 보의 끝에 핀이 있는 것은 아니다.

그림 4-1(b)에 보인 보는 일단이 고정(built-in 또는 Fixed)되고 타단은 자유(free-지지가 되지 않은 상태)인데 이러한 보를 **외팔보**(cantilever beam)라 한다. 고정지점에서 보는

병진 및 회전운동이 불가능하나, 자유단에서는 두 가지가 다 가능하다. 따라서 고정단에서는 반력과 반력모멘트가 모두 발생할 수 있다.

그림에서 세 번째 예는 **돌출부**(overhang)를 갖는 보이다[그림 4-1(c)]. 이 보는 A점과 B점에서 단순지지되어 있으나 지지점을 넘어서 자유단인 C점까지 보가 연장되어 있다. 보에 있어서 그때 그때의 응용에 따라 여러 가지 다른 지점들의 조합이 있을 수 있겠으나 기본적인 개념을 설명하기 위하여는 이곳에 보인 예로서 충분하다.

보에 작용하는 하중(load)들에는 그림 4-1에 예시한 바와 같은 몇 가지 형태가 있다. **집중하중**(concentrated load)은 P_1 및 P_2와 같은 힘이며, **분포하중**(distributed load)은 그림 4-1(a)의 하중 q로 표시한 것과 같이, 어떤 길이에 걸쳐서 작용하고 그 크기는 하중의 **세기**(intensity)로 표시하는데, 이 세기는 보의 축에 따른 단위 길이당의 힘으로 표현되는 단위(예를 들면, N/m 또는 lb/ft 등)로 나타낸다. 균일하게 분포하는 하중, 즉 **등분포하중** (uniform load)은 단위 길이당의 하중의 세기 q가 일정한 경우이며 변화하는 하중(varying load)은 보의 축에 따른 거리와 함께 하중의 세기가 변화해 가는 것이다. 예를 들면, 그림 4-1(b)의 **직선적인 변화하중**(linearly varying load)은 그 세기가 q_1으로부터 q_2까지 변화해 간다. 하중의 또다른 종류는 **우력**(couple)으로서 돌출보에 작용하는 우력 모멘트 M_1으로 예시되어 있다[그림 4-1(c)].

앞에서 언급한 바와 같이 이 논의에서는 보에 작용하는 하중들이 그림의 평면 내에 작용한다고 가정하며, 이 가정은 모든 힘의 벡터들이 그림의 평면 내에 포함되어야 하고, 모든 우력은 그 모멘트 벡터들이 평면에 수직해야 한다는 것을 의미한다. 또한 보는 이 평면에 대하여 대칭이어야 한다. 다시 말하면 굽힘평면은 보 자체의 대칭평면이 되어야 한다. 따라서 각 보의 횡단면은 연직 대칭축을 가져야 한다. 이러한 조건하에서 보는 굽힘평면 내에서만 처짐을 일으키게 된다. 그러나 만약 이들 조건이 만족되지 않는다면 보는 이 평면 밖에서 굽어지게 되며 좀더 일반적인 굽힘 해석법을 필요로 하게 된다.

그림 4-1에 보인 보들은 **정정**(statically determinate)이다. 따라서 그들의 **반력**(reactions)들은 평형방정식으로부터 결정될 수 있다. 예를 들면, 그림 4-1(a)의 단순보 AB의 경우에는 반력이 단지 양단에서의 연직력 R_a와 R_b뿐임을 알 수 있다(만약 보 위에 수평하중이 작용 했다면 지점 A에도 수평반력이 발생하게 된다). B점에 대한 모멘트 대수화로부터 A점에서의 반력을 계산할 수 있으며, 그 반대의 경우에서 B점에서의 반력을 구할 수 있다. 그 결과는 다음과 같다.

$$R_a = \frac{P_1(L-a)}{L} + \frac{qb^2}{2L} \qquad R_b = \frac{P_1 a}{L} + \frac{qb(2L-b)}{2L}$$

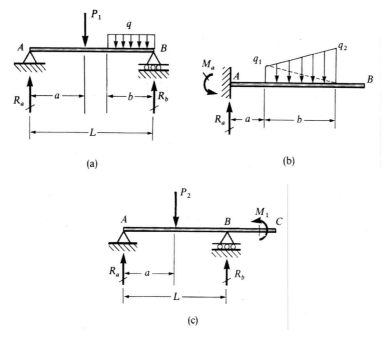

그림 4-1 보의 종류 (a) 단순보 (b) 외팔보 (c) 돌출부를 갖는 보

연직방향에 대한 힘의 평형방정식에서 이 결과를 검토할 수 있다.

그림 4-1(b)의 외팔보는 직선적으로 변화하는 분포하중을 받고 있으므로 하중의 세기 선도는 사다리꼴이다. 이 하중은 고정단에 작용하는 연직력 R_a 및 우력 M_a와 평형을 이루 어야 한다. 연직방향의 힘의 평형으로부터 다음을 얻는다.

$$R_a = \frac{(q_1 + q_2)b}{2}$$

여기서 분포하중의 합력은 하중의 세기 선도의 면적고 같다는 사실을 이용했다. 모멘트 반력 M_a는, 모멘트 평형으로부터 구할 수 있다. 이 예제에서는 모멘트 방정식에서 R_a를 제 거하기 위하여 A점에 대한 모멘트의 대수화를 구하는 것이 편리하다. A점에 대한 분포하 중의 모멘트를 얻을 목적으로 그림 4-1(b)에 점선으로 표시한 바와 같이 사다리꼴 선도를 두 개의 삼각형으로 나눈다. 그러면 아래쪽 삼각형 부분 하중의 A점에 대한 모멘트는 다음 과 같이 된다.

$$\frac{1}{2}(q_1 b)\left(a + \frac{b}{3}\right)$$

이때, $q_1 b/2$는 합력(아래쪽 삼각형 하중선도의 면적과 같다)이고, $a+b/3$는 이 합력의 모멘트 팔(arm)이다. 유사한 방법으로 위쪽 삼각형 부분 하중의 모멘트를 구할 수 있으며 최종 결과는 다음과 같다.

$$M_a = \frac{q_1 b}{2}\left(a + \frac{b}{3}\right) + \frac{q_2 b}{2}\left(a + \frac{2b}{3}\right)$$

이 반작용 모멘트는 그림에 보인 바와 같이 반시계 방향이다.

돌출부를 갖는 보[그림 4-1(c)]는 연직력 P_2와 우력 모멘트 M_1을 받고 있다. 점 B와 A에 대하여 각각 모멘트를 취함으로써 아래와 같은 정역학적 평형방정식을 얻게 된다(반시계 방향 모멘트가 정이다).

$$-R_a L + P_2 (L - a) + M_1 = 0 \quad \text{또는} \quad R_a = \frac{P_2 (L - a)}{L} + \frac{M_1}{L}$$

$$-P_2 a + R_b L + M_1 = 0 \quad \text{또는} \quad R_b = \frac{P_2 a}{L} - \frac{M_1}{L}$$

연직방향의 힘의 대수화로부터 이 결과를 검토할 수 있다. 앞의 예제들은 정정보의 반력(힘과 우력)들을 평형방정식으로부터 어떻게 계산하는가를 예시하고 있다. 물론 정정보의 반력들은 평형방정식만으로는 구할 수가 없으며, 이것을 구하려면 굽힘에 관한 변형을 고려해야 한다. 이 문제는 뒷장에서 다루게 된다.

그림 4-1에 보인 지지조건들은, 실질적인 문제에서 야기되는 실제 조건들을 이상화한 것이다. 지지구조 또는 기초가 완전한 강성을 가지지 못하므로 핀지점에서의 미소한 병진이동과 고정지점에서의 미소한 회전이 있을 수 있다. 또한 수평이동(롤러지점에서 가정한)에 대하여 저항이 전혀 없을 수가 없으며, 마찰이나 다른 효과 때문에 미소한 힘이 발생할 수도 있다. 대부분의 조건하에서 특히 정정보의 경우에 대하여는 이들 이상화 조건으로부터 약간 벗어나는 사항들은 보의 거동에 거의 영향을 미치지 않으므로 무시할 수가 있다.

4.2 전단력과 굽힘모멘트

보에 힘이나 우력이 작용하면 내부응력과 변형률이 발생하게 된다. 이들 응력과 변형률을 결정하기 위하여는 먼저 보의 단면에 작용하는 **내력**(internal force)과 **내우력**(internal

couple)을 구해야 한다. 예를 들어, 자유단에 연직하중 P가 작용하는 외팔보를 생각하자 [그림 4-2(a)]. 이 보에서, 자유단으로부터 거리 x인 위치의 단면 mn을 절단하고, 그 왼쪽 부분을 자유물체(free body)로 분리했다고 가정한다[그림 4-2(b)]. 이 자유물체는 힘 P와 절단면 mn상에 작용하는 응력들에 의하여 평형되어야 한다. 이 응력들은 보의 오른쪽 부분이 왼쪽 부분에 대하여 작용하는 것을 나타내는 것이다. 물론, 현 단계로서는 단면상에 작용하는 응력분포 상태를 알 수가 없으며, 현재 우리가 알 수 있는 것은 이 응력들의 합력이 채택된 자유물체의 평형을 유지할 수 있어야 한다는 것이다.

이 합력을 단면에 평행하게 작용하는 **전단력**(shear force) V와 **굽힘우력**(bending couple) 모멘트 M으로 표시하는 것이 편리하다. 하중 P가 보의 축에 수직하므로 횡단면에는 축력(axial force)이 발생하지 않는다. 전단력과 굽힘 우력은 보의 평면 내에 작용한다. 다시 말하면 우력의 모멘트 벡터는 그림의 평편에 수직하다. 굽힘 우력의 모멘트를 **굽힘모멘트**(bending moment)라 부른다. 전단력과 굽힘모멘트는 봉재의 축력과 축의 비틀림 우력이 그러했던 것과 같이, 단면상에 분포하는 응력들의 합력이며, 이들을 총칭하여 **합응력**(stress resultant)이라 부른다.

정정보에서의 합응력은 정역학적 평형방정식으로부터 계산될 수 있다. 예를 들어 그림 4-2(a)의 외팔보를 다시 생각한다. 그림 4-2(b)의 자유물체도로부터 다음을 얻는다.

$$V = P \qquad M = Px$$

여기서 x는 자유단으로부터 단면 mn까지의 거리이다. 이와 같이, 자유물체도와 평형방정식을 씀으로서 합응력들을 어려움 없이 계산할 수가 있다. 다음 장에서 V와 M에 관련된 내부 응력들이 어떻게 결정되는가를 알게 될 것이다.

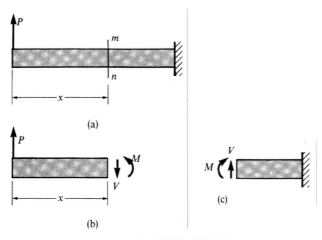

그림 4-2 합응력 V와 M

전단력과 굽힘모멘트는, 보의 왼쪽 부분에 그림 4-2(b)에 보인 바와 같이 작용할 때를 정 (+)으로 가정한다. 보의 오른쪽 부분을 생각할 때에는[그림 4-2(c)], 같은 합응력들의 방향이 반대가 된다. 따라서 합응력들의 대수적 부호는, 위쪽 방향 또는 아래쪽 방향이라든가, 시계방향 또는 반시계방향이라는 등의 공간적인 방향으로 정해질 수가 없으며, 이들이 작용하는 재료를 기준한 합응력들의 방향에 따라 결정해야 한다는 것을 알 수 있다. 이 점을 분명히 하기 위하여, 전단력과 굽힘모멘트의 **부호규약**(sign convention)을 그림 4-3에 보였는데 이 그림은 미소거리 떨어진 두 단면 사이를 절단해낸 보의 요소에 작용하고 있는 V와 M을 나타내고 있다.

정(+)과 부(−)의 전단력과 굽힘모멘트를 받은 요소의 변형상태를 그림 4-4에 보였는데, 정의 전단력은 요소의 오른쪽 면을 왼쪽 면에 대하여 아래쪽으로 이동하도록 변형시키며, 정의 굽힘모멘트는 보의 아래쪽 부분을 인장시키고, 위쪽 부분을 압축시킨다는 것을 알수가 있다. V와 M의 부호가 재료의 변형에 관계되기 때문에 이 부호규약을 **변형부호규약**(deformation sign convention)이라 부르며, 앞에서 이 변형 부호규약을 축력(axial force)에 대하여 사용했었다(인장은 정이고 압축은 부). **정역학적 부호규약**(static sign convention)이라 부르는 다른 종류의 부호규약은 정역학적 평형방정식에 사용되는데, 이 규약을 사용할 때에는 힘들이 좌표축의 정의 방향으로 작용할 때를 정으로 취한다.

부호규약의 두 형식을 설명하기 위하여 그림 4-2에 보인 두 부분에 대하여 평형방정식을 써보기로 한다. 합응력에 대한 변형부호규약에 의하면 V와 M은 모두 정이다. 그러나 위쪽 방향을 y축의 정의 방향으로 잡았을 때 그림 4-2(b)에서의 전단력 V는, 정역학적 부호규약에 따르면 평형방정식에서 부의 부호를 가지며 다음과 같이 쓰여진다.

$$\sum F_y = 0 \quad \text{또는} \quad P - V = 0$$

물론, 보의 오른쪽 부분에 대한[그림 4-2(c)] 평형방정식에서는 V가 정의 부호로 쓰여진다. 이와 같이 정의 전단력이, 설정된 자유물체도에 따라, 평형방정식 내에서 정 또는 부의 부호로 나타날 수가 있는 것이다. 모멘트 평형 방정식을 쓸 때에도 굽힘모멘트에 대하여 같은 양상이 나타나게 된다. 역학(mechanics)에서 두 가지 종류의 부호규약, 즉 합응력에 대

그림 4-3 전단력 V와 굽힘모멘트 M의 부호규약

하여는 변형 부호규약을 쓰고, 평형방정식에서는 정역학적 부호규약을 쓰며, 전자는 재료가 어떻게 변형하느냐에 따라 부호가 결정되고, 후자는 공간 내에서의 방향에 따라 부호가 결정된다는 사실을 기억하고 있으면, 부호를 결정하는데 있어서 어려움이 해소될 수 있을 것이다.

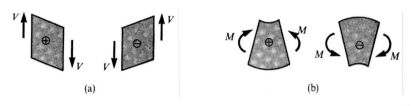

그림 4-4 (a) 전단력에 의한 (b) 굽힘모멘트에 의한 요소의 변형(크게 과장된 것임)

예제 ①

단순보 AB가 그림 4-5(a)에 보인 바와 같이 작용하는 두 개의 하중, 힘 P와 우력 M_0를 지지하고 있다. 다음 위치의 보 단면에서의 전단력 V와 굽힘모멘트 M을 구하라. (a) 보의 중앙에서 약간 왼쪽편, (b) 보의 중앙에서 약간 오른쪽 편.

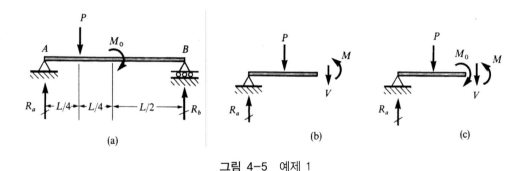

그림 4-5 예제 1

풀이 이 보를 해석하기 위한 맨 처음 단계는 반력 R_a와 R_b를 구하는 것이다. A단과 B단에 대하여 모멘트를 취함으로써 두 개의 평형방정식을 얻고, 이것들로부터 다음을 얻는다.

$$R_a = \frac{3P}{4} - \frac{M_0}{L} \qquad R_b = \frac{P}{4} + \frac{M_0}{L}$$

다음에 보 중앙의 왼쪽 단면을 절단하여, 왼쪽이나 바른쪽 반의 보 부분에 대한 자유물체도를 그린다. 이 예제에서는 왼쪽 반 부분을 선택했으며 대응하는 그림을 그림 4-5(b)에 보였다. 힘 P와 반력 R_a가 미지 전단력 V 및 굽힘모멘트와 함께 이 그림에 나타나게 되는데 V와 M은 모두 정의 방향으로 그려져 있다. 보에서 M_0가 작용하는 점의 왼쪽을 절단

했기 때문에 우력 M_0는 이 그림에 나타나지 않는다. 연직방향의 힘의 대수화로부터 다음을 얻는다.

$$R_a - P - V = 0 \quad \text{또는} \quad V = -\frac{P}{4} - \frac{M_0}{L}$$

이 결과는 P와 M_0가 그림 4-5(a)에 보인 방향으로 작용할 때 전단력은 부의 값을 가지고, 그림 4-5(b)에서 가정했던 방향과 반대 방향으로 작용한다는 것을 보여 주고 있다. 보가 절단된 단면상의 축에 대한 모멘트를 취함으로써[그림 4-5(b)] 다음을 얻는다.

$$-R_a\left(\frac{L}{2}\right) + P\left(\frac{L}{4}\right) + M = 0 \quad \text{또는} \quad M = \frac{PL}{8} - \frac{M_0}{2}$$

굽힘모멘트 M은 방정식의 두 항의 상대적인 크기에 따라 정 또는 부의 값이 될 수 있다. 보 중앙의 오른쪽 단면에서의 합응력을 구하려면, 그 단면에서 보를 절단하고, 다시 자유물체도를 그린다[그림 4-5(c)]. 이 그림과 앞의 그림 사이의 차이는 절단된 왼쪽 보 부분에 우력 M_0가 작용하게 된다는 것이다. 또 다시 연직방향의 힘의 대수화 및 절단면상의 축에 대한 모멘트를 취함으로써 다음을 얻는다.

$$V = -\frac{P}{4} - \frac{M_0}{L} \qquad M = \frac{PL}{8} + \frac{M_0}{2}$$

이 결과로부터 절단면이 우력 M_0의 왼쪽에서 오른쪽으로 옮겨갈 때 전단력은 변화하지 않으나 굽힘모멘트가 M_0와 같은 양만큼 대수적으로 증가한다는 것을 알 수 있다.

예제 ②

A단이 자유이고 B단이 고정된 외팔보가 직선적으로 변화하는 세기 q인 분포하중을 받는다 [그림 4-6(a) 참고]. 하중의 최대 세기는 고정단에 나타나며, 이것을 q_0라 한다. 자유단으로부터 거리 x인 위치에서의 전단력 V와 굽힘모멘트 M을 구하라.

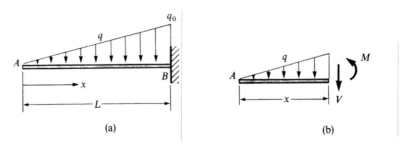

그림 4-6 예제 2

풀이 먼저 보의 좌단으로부터 거리 x인 단면을 절단하여 왼쪽 보 부분을 자유물체로 분리한다 [그림 4-6(b)]. 앞 예제에서와 같이 미지 전단력 V와 굽힘모멘트 M은 정이라 가정한다. 분포하중의 세기는 $q = q_0 x / L$이므로, 그림 4-6(b)의 자유물체에서 전 하향하중은 $q_0 x^2 / 2L$ 이고 따라서 연직방향의 힘의 평형으로부터 다음을 얻는다.

$$V = -\frac{q_0 x^2}{2L} \tag{a}$$

이 방정식으로부터 자유단 $A(x = 0)$에서는 전단력이 $V = 0$이고, 고정단 $B(x = L)$에서 는 전단력이 $V = -q_0 L / 2$임을 안다.

보의 굽힘모멘트를 구하기 위하여, 절단면상의 축에 대하여 모멘트 평형방정식을 쓰고, M 에 대하여 풀면 다음을 얻는다.

$$M = -\frac{q_0 x^3}{6L} \tag{b}$$

보의 양단에서의 값을 생각하면, 굽힘모멘트는 $x = 0$일 때 0이고, $x = L$일 때 $-q_0 L^2 / 6$ 이다. 식 (a)와 (b)는 보의 임의의 점에서의 V와 M을 구하는데 사용될 수가 있으며, 이 들 두 식으로부터 전단력과 굽힘모멘트 모두가 보의 고정단에서 수치적으로 최대치(절대 치로서)에 도달하게 됨을 알 수 있다.

예제 ③

돌출부를 갖는 보 ABC가 세기 $q = 6 \text{kN/m}$인 등분포하중과 집중하중 $P = 28 \text{kN}$을 지지하고 있다[그림 4-7(a)]. 왼쪽 지점으로부터 5m인 단면 D에서의 전단력 V와 굽힘모멘트 M을 계산하라.

풀이 먼저 보 전체에 대한 평형방정식으로부터 반력들을 계산한다. 지점 B에 대한 모멘트를 취 하여

$$-R_a(8\text{m}) + (28\text{kN})(5\text{m}) + (6\text{kN/m})(10\text{m})(3\text{m}) = 0$$

으로부터 $R_a = 40 \text{kN}$을 얻는다. 같은 방법으로, 지점 A에 대한 모멘트 평형방정식에서 $R_b = 48 \text{kN}$을 얻는다(연직방향에 대한 힘의 평형이 만족된다는 것을 알 수 있다). 다음에 단면 D를 절단하여 보의 왼쪽 부분에 대한 자유물체도를 그린다[그림 4-7(b)]. 이 그림을 그릴 때 미지 합응력 V와 M은 정이라 가정한다. 이 자유물체에 대한 평형방정식 은 다음과 같다.

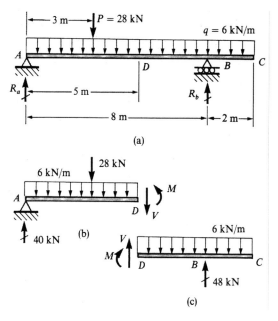

그림 4-7 예제 3

$$\sum F_y = 0 \quad 40\,\text{kN} - 28\,\text{kN} - (6\,\text{kN/m})(5\,\text{m}) - V = 0$$
$$\sum M = 0 \quad -(40\,\text{kN})(5\,\text{m}) + (28\,\text{kN})(2\,\text{m})$$
$$+ (6\,\text{kN/m})(5\,\text{m})(2.5\,\text{m}) + M = 0$$

따라서

$$V = -18\,\text{kN} \qquad M = 69\,\text{kN·m}$$

V의 부호가 $(-)$인 것은 전단력이 부의 방향[그림 4-7(b)에 보인 방향과 반대방향]으로 작용함을 뜻한다.

해를 얻는 다른 방법은 보의 오른쪽 부분에 대한 자유물체도[그림 4-7(c)]로부터 V와 M을 구하는 것이다. 이 그림을 그릴 때에도 미지 전단력과 미지 굽힘모멘트는 정이라 가정한다. 두 개의 평형방정식은

$$\sum F_y = 0 \quad V - (6\,\text{kN/m})(5\,\text{m}) + 48\,\text{kN} = 0$$
$$\sum M = 0 \quad -M - (6\,\text{kN/m})(5\,\text{m})(2.5\,\text{m}) + (48\,\text{kN})(3\,\text{m}) = 0$$

이고, 따라서

$$V = -18\,\text{kN} \qquad M = 69\,\text{kN·m}$$

로서 위와 같은 결과를 얻는다.

4.3 하중, 전단력 및 굽힘모멘트 사이의 관계

이제 보 위에 작용하는 하중과 전단력 V 및 굽힘모멘트 M 사이의 중요한 관계를 얻기로 한다. 이 관계는 보의 전 길이를 통하여 전단력과 굽힘모멘트를 조사할 때 매우 유용하며, 또한 전단력 선도와 굽힘모멘트 선도(4.4절 참고)를 그릴 때 특히 도움이 된다. 이 관계를 얻기 위한 수단으로, 거리 dx만큼 떨어진 두 단면 사이를 절단해낸 보의 요소를 생각한다[그림 4-8(a)]. 이 요소의 왼쪽 면에는, 정의 방향으로 작용하는 전단력 V와 굽힘모멘트 M이 표시되어 있다. 일반적으로 V와 M은 보의 축에 따라 측정되는 거리 x의 함수이므로 이 요소의 오른쪽 면에서는 전단력과 굽힘모멘트가 왼쪽 면에서의 값들과 약간 다른 값이 될 것이다. V와 M의 증가량을 각각 dV와 dM으로 표시하면, 오른쪽 면에서의 대응하는 합응력은 $V+dV$와 $M+dM$이다.

요소의 윗면에 작용하는 하중은, 분포하중, 집중하중 또는 우력이 될 수 있는데 먼저 그림 4-8(a)에 보인 바와 같이 세기가 q인 분포하중이라 가정하자. 그러면 연직방향의 힘의 평형으로부터 다음을 얻는다.

$$V-(V+dV)-qdx=0$$

또는

$$\frac{dV}{dx}=-q \tag{4-1}$$

따라서 전단력 V가 x에 따라 변화할 때 x에 대한 변화비율은 $-q$와 같다. 특별한 경우로서 보 위에 하중이 작용하지 않을 경우($q=0$)에는 전단력은 상수이다. 식 (4-1)을 유도할 때 그림 4-8(a)에 보인 하중을 정의 하중이라 가정하였다. 따라서 "분포하중은 아래쪽으로 작용할 때가 정이고, 위쪽으로 작용할 때를 부로 한다"는 부호규약을 채용하기로 한다.

식 (4-1)을 사용하는 예를 설명하기 위하여, 앞절의 예제 2에서 취급하였던, 직선적으로 변화하는 하중을 받는 외팔보(그림 4-6 참고)를 생각한다. 보에 작용하는 하중은

$$q=\frac{q_0 x}{L}$$

이고, 위에서 설명한 대로 아래쪽으로 작용한 하중을 정으로 가정하였다. 전단력은 아래와 같이 표시되었었다[4.2절의 식 (a)를 보라].

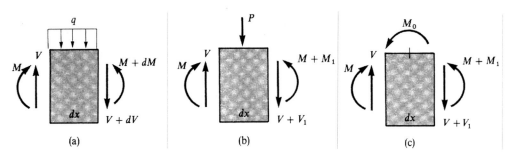

그림 4-8 하중, 전단력 및 굽힘모멘트 사이의 관계를 구하기 위한 보의 요소

$$V = -\frac{q_0 x^2}{2L}$$

미분 dV/dx를 구하면

$$\frac{dV}{dx} = -\frac{q_0 x}{L} = -q$$

로서 식 (4-1)과 일치한다.

식 (4-1)을 보의 축에 따라 적분함으로써 두 다른 단면에 작용하는 전단력에 관계되는 유용한 방정식을 얻을 수가 있다. 이 관계를 얻기 위하여 식 (4-1)의 양변에 dx를 곱하고, 보 축상의 두 점 A와 B 사이에서 적분하면 그 결과는 다음과 같다.

$$\int_A^B dV = -\int_A^B q dx \tag{a}$$

이 방정식의 좌변은 단면 B와 A에서의 전단력의 차 $V_b - V_a$와 같다. 우변의 적분은 A와 B 사이의 하중의 세기 선도의 면적을 나타내며, A와 B 사이의 분포하중의 합력과 같은 값이다. 즉

$$V_b - V_a = -\int_A^B q dx$$
$$= -(A와\ B\ 사이의\ 하중의\ 세기\ 선도의\ 면적) \tag{4-2}$$

식 (4-1)이 연속적으로 분포하는 하중(또는 하중이 작용하지 않은 경우)을 받는 보의 요소에 대하여 유도된 식이기 때문에 이 식을 집중하중이 작용하는 점에서는 사용할 수가 없다. 같은 방법으로 A와 B 사이의 보 위에 집중하중 P가 작용할 때에는 식 (4-2)를 사용할 수가 없다. 왜냐하면, 집중하중에 대하여는 하중의 세기 q가 정의되지 못하기 때문이다. 하중의 세기 선도의 면적도 정 또는 부의 값을 가질 수 있다는 것에 유의하라.

다시 그림 4-8(a)에 보인 보의 요소에 돌아가서, 요소의 왼쪽 면상에서 그림의 평면에 수직한 축에 대한 모멘트의 대수화에 의한 평형을 생각한다. 반시계방향을 정으로 취하면 다음을 얻는다.

$$-M - qdx\left(\frac{dx}{2}\right) - (V + dV)dx + M + dM = 0$$

미분의 곱은 다른 항에 비하여 무시할 수 있으므로 제거해 버리면 다음의 관계를 얻는다.

$$\frac{dM}{dx} = V \tag{4-3}$$

이 방정식은 x에 관한 M의 변화비율이 전단력과 같다는 것을 보여 주고 있다. 만약 전단력이 0이면 굽힘모멘트는 상수가 된다. 식 (4-3)은 보 위에 분포하중이 작용하는 구간에만 적용할 수가 있으며, 집중하중이 작용하는 점에서는 전단력의 갑작스런 변화(불연속)가 일어나고, 미분 dM/dx이 정의되지 않는다.

예로서 그림 4-6(a)의 외팔보를 다시 생각하면, 굽힘모멘트가 다음과 같았었다[4.2절의 식 (b)를 보라].

$$M = -\frac{q_0 x^3}{6L}$$

미분 dM/dx을 구하면

$$\frac{dM}{dx} = -\frac{q_0 x^2}{2L}$$

으로서 이 보의 전단력 V와 같으며, 따라서 식 (4-3)이 만족된다.

식 (4-3)을 보 축상의 두 점 A와 B 사이에서 적분하면 다음과 같다.

$$\int_A^B dM = \int_A^B V dx \tag{b}$$

이 방정식에서 좌변의 적분은, A점과 B점에서의 굽힘모멘트의 차 $M_b - M_a$와 같다. 우변의 적분을 이해하기 위하여는, V가 x의 함수라 생각하고 V의 x에 따른 변화를 보여 주는 선도를 그려야 한다. 그러면 우변의 적분은 A와 B 사이의 이 곡선 아래의 면적을 나타내게 된다. 따라서 식 (b)를 다음과 같이 표시할 수 있다.

$$M_b - M_a = \int_A^B V dx$$
$$= A \text{와 } B \text{ 사이의 전단력 선도의 면적} \tag{4-4}$$

이 방정식은 점 A와 B 사이의 보 위에 집중하중이 작용할지라도 사용될 수가 있다. 그러나 A와 B 사이에 우력이 작용할 때에는 이 식을 사용할 수가 없다. 왜냐하면 우력은 굽힘모멘트에 갑작스런 변화를 일으키며, 식 (b)의 좌변이 이러한 불연속점을 지나서 적분할 수가 없기 때문이다.

이제 보의 요소 위에 집중하중 P가 작용하는 경우[그림 4-8(b)]를 생각한다. 집중하중에 대한 부호규약으로, '아래쪽으로 작용하는 하중을 정으로 가정'한다. 앞에서와 같이, 왼쪽 면상의 합응력들은 V와 M으로 표시한다. 오른쪽 면상에서는 이들을 $V + V_1$과 $M + M_1$으로 표시하며, V_1과 M_1은 전단력과 굽힘모멘트의 증가량을 나타낸다. 연직방향의 힘의 평형으로부터 다음을 얻는다.

$$V_1 = -P \tag{4-5}$$

따라서 집중하중이 작용하는 점에서는 전단력의 갑작스런 변화가 일어나는데 하중 작용점의 왼쪽으로부터 오른쪽으로 지나갈 때에는 아래쪽으로 작용하는 하중의 크기와 같은 양만큼 전단력이 감소하게 된다. 모멘트의 평형[그림 4-8(b)]으로부터 다음을 얻는다.

$$-M - P\left(\frac{dx}{2}\right) - (V + V_1)dx + M + M_1 = 0$$

또는

$$M_1 = P\left(\frac{dx}{2}\right) + V dx + V_1 dx$$

요소의 길이 dx가 미소하므로 이 방정식으로부터 굽힘모멘트의 증가량도 또한 미소한 것을 알 수 있다. 따라서 집중하중의 작용점을 지나갈 때 굽힘모멘트는 변화하지 않는다고 결론지을 수가 있다.

비록 집중하중점에서 굽힘모멘트 M은 변화하지 않으나 모멘트의 변화비율(미분) dM/dx은 갑작스런 변화를 보이게 된다. 요소[그림 4-8(b)]의 왼쪽에서는 굽힘모멘트의 변화비율이 $dM/dx = V$[식 (4-3) 참고]인데, 오른쪽에서는 변화비율이 $dM/dx = V + V_1$이므로, 집중하중 P의 작용점에서 변화비율 dM/dx은 P와 같은 크기만큼 갑자기 감소한다고 말할 수 있다.

마지막 경우는 우력 M_0형의 하중으로서 '반시계방향을 정이라고 가정'한다[그림 4-8(c)].

요소의 연직방향 힘의 평형으로부터 $V_1 = 0$을 얻는데, 이는 우력의 작용점에서 전단력이 변화하지 않는다는 것을 나타낸다. 요소에 대한 모멘트 평형은

$$-M + M_0 - (V + dV)dx + M + M_1 = 0$$

또는 미분을 포함하는 항을 제거하면 다음과 같다.

$$M_1 = -M_0 \qquad\qquad (4\text{-}6)$$

이 방정식은 우력 작용점의 왼쪽에서 오른쪽으로 이 점을 지나갈 때에는 우력 M_0의 작용으로 인하여 굽힘모멘트가 갑자기 감소한다는 것을 보여 주고 있다.

식 (4-1)에서부터 (4-6)까지는, 다음 절에서 알 수 있는 바와 같이 보의 전단력과 굽힘모멘트를 완벽하게 검토하는데 유용하다.

4.4   전단력선도와 굽힘모멘트선도

보에서 전단력 V와 굽힘모멘트 M은 보의 길이 방향 축에 따라 측정되는 거리 x의 함수이다. 보를 설계할 때에는 보의 모든 단면에서의 V와 M값을 알 필요가 있다. 이러한 자료를 제공하는 편리한 방법은 V와 M이 x에 따라 어떻게 변화해 가는가를 나타내 주는 선도를 그리는 것이다. 이 선도를 그리기 위하여, 횡축에 단면의 위치(즉, 거리 x)를 잡고 종축에 대응하는 전단력이나 굽힘모멘트를 잡는데, 이들 선도를 **전단력선도**(shear-force diagram) 및 **굽힘모멘트선도**(bending-moment diagram)라 부른다.

이들 선도를 그리는 방법을 예시하기 위하여 집중하중 P를 받는 단순보 AB[그림 4-9(a)]를 생각한다. 이 보의 반력은 보 전체의 평형으로부터 구해지며 다음과 같다.

$$R_a = \frac{Pb}{L} \quad R_b = \frac{Pa}{L} \qquad\qquad (a)$$

다음에 하중 P의 왼쪽편에 지점 A로부터 거리 x인 단면을 절단하고$(0 < x < a)$, 왼쪽보 부분의 자유물체도를 그린 다음 평형방정식을 쓰면 다음을 얻는다.

$$V = R_a = \frac{Pb}{L} \quad M = R_a x = \frac{Pbx}{L} \qquad\qquad (b)$$

이들 식은 전단력이 지점 A로부터 하중 작용점까지 일정한 값이며, 굽힘모멘트는 x에

따라 직선적으로 변화해감을 나타낸다. 이들 V와 M의 표현은 보 그림의 아래쪽에 그려져 있다(그림 4-9). 전단력선도의 경우 보의 A단에서 반력 R_a와 같은 크기의 전단력까지 갑자기 뛰어오르며, $x = a$까지 전단력은 일정한 값으로 유지된다. 같은 구간에서 굽힘모멘트선도는 $M = 0$(지점 A에서)으로부터 $M = Pab/L(x = a$에서)까지 직선적으로 증가한다.

다음에 보를 하중 P의 오른쪽편에서 절단(즉, $a < x < L$ 구간)하고, 왼쪽 보 부분의 평형으로부터 다음을 얻게 된다.

$$V = \frac{Pb}{L} - P = -\frac{Pa}{L} \tag{c}$$

$$M = \frac{Pbx}{L} - P(x - a) = Pa\left(1 - \frac{x}{L}\right) \tag{d}$$

이 구간에서도 전단력은 일정한 값이며 굽힘모멘트는 x에 관한 일차함수인 것을 알 수 있다. 굽힘모멘트는 $x = a$에서 Pab/L이며, $x = L$에서 0이다. V와 M에 대한 식 (c)와 (d)도 그림 4-9에 선도로 그려져 있다.

하중 P의 오른쪽편 단면에서의 전단력과 굽힘모멘트에 대한 식 (c)와 (d)를 얻는데 두 개의 힘 R_a와 P가 작용하고 있는 왼쪽 보 부분의 평형을 생각했었으나, 이 예에서 오른쪽 보 부분을 자유물체로 생각한다면 좀더 간단하게 해를 구할 수가 있다. 오른쪽 부분의 평형으로부터 다음의 식들을 얻는다.

$$V = -R_b = -\frac{Pa}{L} \quad M = R_b(L - x) = \frac{Pa}{L}(L - x)$$

이것은 식 (c)와 (d)로부터 얻은 결과와 같다.

이제 그림 4-9에 보인 선도들의 성질에 관하여 생각해 보기로 한다. 먼저 전단력선도에서 기울기 dV/dx는 $0 < x < a$와 $a < x < L$ 구간에서 0이며, 이는 식 $dV/dx = -q$[식 (4-1)]와 일치한다. 또한 위의 같은 구간에서 굽힌 모멘트의 기울기 dM/dx은 V와 같다[식 (4-3)]. 하중 P의 작용점에서 전단력선도에는 갑작스런 변화(P와 같은 크기)가 나타나며, 굽힘모멘트선도의 기울기에 대응하는 변화가 나타난다. 하중 P의 왼쪽편에서는 모멘트선도의 기울기가 정으로서 Pb/L의 크기이고, 오른쪽 편에서는 부로서 $-Pa/L$의 크기가 된다.

다음으로 전단력선도(그림 4-4 참고)의 면적을 생각하면, $x = 0$에서부터 $x = a$까지 사이의 전단력선도 면적은 $(Pb/L)a$, 즉 Pab/L인데 이 값은 이 두 점 사이에서의 굽힘모멘트의 증가량을 나타낸다. $x = a$로부터 $x = L$까지 사이의 전단력선도 면적은 $-Pab/L$이고, 이것이 이 구간에서 굽힘모멘트가 이 값만큼 감소한다는 것을 의미하며, 따라서 보의 B단에서는, 기대되는 바와 같이 굽힘모멘트가 0이 된다. 만약 보의 양단에서 $M = 0$일 때 전단

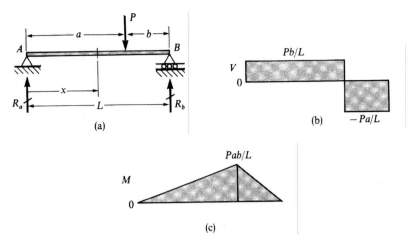

그림 4-9 단일 집중하중을 받는 단순보의 전단력 및 굽힘모멘트선도

력선도의 전체 면적을 생각해 본다면, 식 (4-4)에 의하여 보 양단 사이의 전 전단력선도의 면적은 0이 되어야 한다. 그러나 보에 우력형의 하중이 작용할 때에는 이 결론은 적용되지 않는다.

보를 설계할 때에는 전단력과 굽힘모멘트의 최대 또는 최소값이 필요하다. 단일 집중하중을 받는 단순보에서, 최대전단력은 집중하중에 더 가까운쪽의 보끝(지지점)에 발생하며, 최대굽힘모멘트는 하중 작용점에 나타나게 된다.

전단력과 굽힘모멘트선도의 구성에 대하여 좀더 살펴보기 위하여, 균일 분포하중을 받는 단순보[그림 4-10(a)]를 생각한다. 이 경우 각 반력 R_a와 R_b는 크기가 같고 $qL/2$이다. 따라서 좌단 A로부터 거리 x인 단면에 대하여 다음을 얻는다.

$$V = \frac{qL}{2} - qx \quad M = \frac{qLx}{2} - \frac{qx^2}{2} \tag{e}$$

이들 방정식에서, 첫째 식은 전단력선도가 $x = 0$과 $x = L$에서 종좌표가 각각 $qL/2$ 및 $-qL/2$인 경사직선임을 나타내며[그림 4-10(b)], 이 직선의 기울기는, 식 $dV/dx = -q$ [식 (4-1)]에서 기대되는 바와 같이 $-q$이다. 굽힘모멘트선도는 보의 중앙에 대하여 대칭인 포물선이며[그림 4-10(c)], 각 단면에서 이 굽힘모멘트선도의 기울기는 전단력과 같다[식 (4-3) 참고]:

$$\frac{dM}{dx} = \frac{d}{dx}\left(\frac{qLx}{2} - \frac{qx^2}{2}\right) = \frac{qL}{2} - qx = V$$

굽힘모멘트의 최대값은 $dM/dx = 0$인 점(즉, 전단력이 0인 단면)에서 발생하는데 이 예제에서는 이 단면이 보의 중앙점이므로 M을 나타내는 식에 $x = L/2$을 대입하여

$$M_{\max} = \frac{qL^2}{8} \tag{f}$$

을 얻으며, 굽힘모멘트선도에 표시되어 있다.

하중의 세기선도[그림 4-10(a)]의 면적은 qL로서 식 (4-2)의 표현과 같이 A로부터 B까지 보를 따라 이동해 갈 때 전단력 V는 이 값(qL)만큼 감소하게 된다. $x = 0$과 $x = L/2$ 사이에서의 전단력선도의 면적은 $bL^2/8$으로서 이 면적은 이들 두 점 사이에서 굽힘모멘트가 증가한 값을 나타낸다. 같은 방법으로 $x = L/2$에서 $x = L$까지 이동할 때에는 굽힘모멘트가 $qL^2/8$만큼 감소하게 된다.

만약 몇 개의 집중하중이 단순보에 작용할 때[그림 4-11(a)]에는 하중 작용점 사이의 보의 각 구간에 대하여 V와 M에 대한 방정식을 구해야 한다. 보의 A단으로부터 거리 x를 정의하면, 보의 첫째 구간($0 < x < a_1$)에 대하여 다음의 식들을 얻는다.

$$V = R_a \quad M = R_a x \tag{g}$$

두 번째 구간($a_1 < x < a_2$)에 대하여는 다음을 얻는다.

$$V = R_a - P_1 \quad M = R_a x - P_1(x - a_1) \tag{h}$$

보의 세 번째 구간($a_2 < x < a_3$)에 대하여는 대응하는 자유물체도에 더 작은 수의 하중이 작용하도록 왼쪽 보 부분보다 오른쪽 보 부분을 생각하는 것이 유리하며 다음을 얻는다.

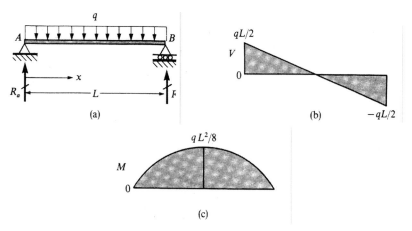

그림 4-10 등분포하중을 받는 단순보의 전단력 및 굽힘모멘트선도

$$V = -R_b + P_3 \tag{i}$$

및

$$M = R_b(L-x) - P_3(L-b_3-x) \tag{j}$$

마지막으로 보의 네 번째 부분에 대하여 다음을 얻는다.

$$V = -R_b \quad M = R_b(L-x) \tag{k}$$

식 (g)로부터 (k)까지를 살펴보면, 보의 각 구간에서 전단력은 일정한 값을 유지하므로, 전단력선도는 그림 4-11(b)와 같은 형태가 되고, 또한 보 각 부분의 굽힘모멘트는 x에 대한 일차함수이므로 대응하는 선도는 경사 직선들로 표시된다. 이 직선들을 그리기 위하여는, 집중하중들이 작용하는 지점, 즉 $x=a_1$, $x=a_2$ 및 $x=a_3$를 식 (g), (h) 및 (k)에 각각 대입하여 굽힘모멘트를 구해야 하는데 그 값들은 다음과 같다.

$$M_1 = R_a a_1 \quad M_2 = R_a a_2 - P_1(a_2 - a_1) \quad M_3 = R_b b_3 \tag{l}$$

선도가 하중점들 사이에서 직선으로 이루어지기 때문에, 이 값들로부터 쉽게 굽힘모멘트선도를 그릴 수 있다[그림 4-11(c)].

집중하중이 작용하는 각점에서 전단력선도가 그 하중값과 같은 크기만큼 갑자기 변화하며, 또한 이러한 전단력의 불연속이 일어나는 각점에서 굽힘모멘트선도의 기울기 dM/dx이 대응하는 변화를 일으키는 점에 유의하라. 또 두 하중 작용점 사이에서의 굽힘모멘트의

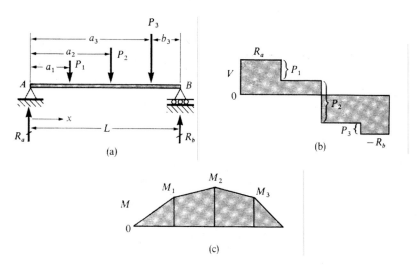

그림 4-11 몇 개의 집중하중을 받는 단순보의 전단력 및 굽힘모멘트선도

변화는 그 두 점 사이의 전단력선도 면적과 같다[식 (4-4)]. 예를 들면, 하중 P_1과 P_2 사이에서의 굽힘모멘트의 변화는 $M_2 - M_1$이며, 식 (1)을 대입하면

$$M_2 - M_1 = (R_a - P_1)(a_2 - a_1)$$

으로 이것은 $x = a_1$과 $x = a_2$ 사이의 전단력선도인 사각형의 면적과 같다.

집중하중들만 받는 보에서의 최대 굽힘모멘트 하중 작용점 중의 하나 또는 반력의 작용점에 발생하게 된다. 식 $dM/dx = V$로부터 굽힘모멘트선도의 기울기는 전단력과 같으며, 따라서 굽힘모멘트는 전단력의 부호가 바뀌는 단면(하중 작용점에서만 발생할 수 있다)에서 최대 또는 최소값을 나타내게 된다. x축을 따라 정의 방향으로 이동해 갈 때 전단력이 정에서 부의 값으로 변화[그림 4-11(b)에서와 같이]할 때에는 굽힘모멘트선도의 기울기도 정에서 부로 변화하게 되므로, 이 단면에서 최대 굽힘모멘트가 발생하게 된다. 반대로 전단력이 부에서 정의 값으로 변화한다는 것은 최소 굽힘모멘트가 발생한다는 것을 나타낸다. 전단력선도가 여러 점에서 수평축과 교차할 수도 있는데(그렇지 않은 경우가 대부분이다), 이러한 각 교차점에 대응하여 굽힘모멘트선도에는 국소 극대 또는 국소값이 발생한다. 설계에 사용하기 위하여는 이들 모든 국소 극대 및 국소값들이 계산되어 정의 최대와 부의 최대 굽힘모멘트값이 구해져야 한다.

일반적으로 보 내의 최대 정 또는 부의 굽힘모멘트는 집중하중의 작용점(하중 작용점에서 전단력의 부호가 바뀔 수 있다) 또는 반력의 작용점 또는 전단력이 0인 단면(그림 4-10 참고), 또는 우력이 작용하는 단면에서 발생할 수가 있다. 이 절에서의 설명과 예제에서 이들 모든 가능성들을 예시하고 있다.

보에 몇 개의 하중이 작용할 때, 전단력선도와 굽힘모멘트선도는 각 하중이 각각 단독으로 작용한 상태에서 얻어지는 선도들을 중첩(superposition or summation)함으로써 얻어질 수가 있다. 예를 들면, 그림 4-11(b)의 전단력선도는 실제로 각기 단일 집중하중을 받는 경우인 그림 4-9(b)와 같은 형태의 세 개 선도를 합성한 것이다. 그림 4-11(c)의 굽힘모멘트선도에 대하여도 같은 개념이 사용될 수가 있다. 전단력선도와 굽힘모멘트선도의 중첩에 대한 이들 개념은 전단력과 굽힘모멘트가 작용하중들의 일차 함수라는 사실에 의하여 성립하게 된다.

예제 ①

보 스팬(span)의 일부에 일정 세기 q인 등분포 하중을 받는 단순보[그림 4-12(a)]에 대한 전단력선도와 굽힘모멘트선도를 그려라.

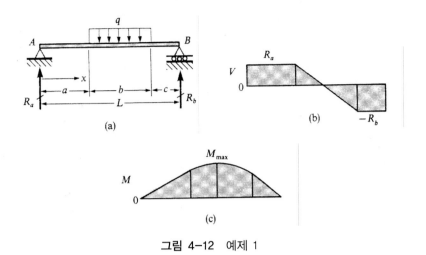

그림 4-12 예제 1

풀이 먼저 보의 반력들을 구한다.

$$R_a = \frac{qb}{L}\left(c + \frac{b}{2}\right) \quad R_b = \frac{qb}{L}\left(a + \frac{b}{2}\right) \tag{m}$$

전단력과 굽힘모멘트를 구하려면 보를 세 구간으로 나누어 생각한다. 보의 왼쪽 부분 $(0 < x < a)$에 대하여 다음을 얻는다.

$$V = R_a \quad M = R_a x \tag{n}$$

보 위에 하중이 작용하고 있는 구간$(a < x < a+b)$ 내의 단면에서는 전단력은 반력 R_a 로부터 그 단면의 왼쪽편에 작용하는 하중 $q(x-a)$를 빼줌으로써 구해지며, 이 구간에서 의 굽힘모멘트는 반력 R_a의 모멘트로부터 그 단면 왼쪽면에 작용하는 하중의 모멘트를 빼줌으로써 구해진다. 이 방법을 써서 다음을 얻는다.

$$V = R_a - q(x-a) \cdot \tag{o}$$

$$M = R_a x - \frac{q(x-a)^2}{2} \tag{p}$$

보의 오른쪽편의 하중이 작용하지 않는 구간$(a+b < x < L)$에 대하여 다음을 얻는다.

$$V = -R_b \quad M = R_b(L-x) \tag{q}$$

식 (n)으로부터 (q)까지를 사용하여 전단력선도와 굽힘모멘트선도를 그릴 수 있다. 전단력선도[그림 4-12(b)]는, 식 $dV/dx = -q$에서 기대되는 바와 같이 보 위에 하중이 없 는 구간에서는 수평선이며, 하중이 작용된 구간에서는 경사선이 된다. 굽힘모멘트선도[그 림 4-12(c)]는 보 위에 하중이 없는 구간에서의 2개의 경사선과 하중이 작용하고 있는 구 간에서의 포물선으로 이루어지며, 경사선의 기울기는 각각 R_a와 $-R_b$이다[식 (4-3) 참

고]. 각 직선은 포물선과 만나는 점에서 포물선에 접선을 이루는데, 그 이유는 이들 점에서 전단력의 크기가 갑자기 변화하지 않으므로 식 (4-3)으로부터 굽힘모멘트선도의 기울기가 갑자기 변화하지 않기 때문이다. 최대굽힘모멘트는 전단력이 0인 지점에 발생하며 그 크기는 전단력 V[식 (o)]를 0으로 놓고 x에 대하여 풀어서, 이 x값을 모멘트식[식 (p)]에 대입하여 얻을 수 있다.

예제 ②

그림 4-13(a)에 보인 외팔보에 대한 전단력선도와 굽힘모멘트선도를 그려라.

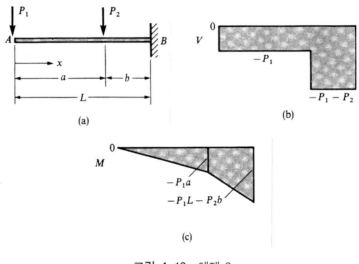

(a)

(b)

(c)

그림 4-13 예제 2

풀이 보의 좌단으로부터 거리 x를 설정하고, 첫째구간 $0 < x < a$를 생각하면 다음을 얻는다.

$$V = -P_1 \quad M = -P_1 x$$

보의 오른쪽 부분$(a < x < L)$에 대하여 다음을 얻는다.

$$V = -P_1 - P_2 \quad M = -P_1 x - P_2(x - a)$$

대응하는 전단력선도와 굽힘모멘트선도를 그림 4-13(b)와 (c)에 보였다. 전단력은 하중들 사이에서 일정값이 되며, 고정단에서 수치적으로 최대값에 이른다. 굽힘모멘트선도는 두 개의 경사 직선으로 이루어지며 그 기울기는 외팔보의 대응하는 구간에서의 전단력과 같다. 최대굽힘모멘트(절대값)는 고정단$(x = L)$에서 발생하며, 그 크기는 식 (4-4)로부터 기대되는 바와 같이 전단력선도의 면적과 같다.

예제 **③**

그림 4-14(a)에서와 같이 돌출부를 갖는 보에 대하여 전단력선도와 굽힘모멘트선도를 그려라. 보는 돌출부에 일정한 세기 $q = 14.6 \text{ kN/m}$ 의 등분포 하중과 지점들 사이의 중앙에 $M_0 = 16.32 \text{ kN·m}$인 반시계 방향의 우력을 받는다.

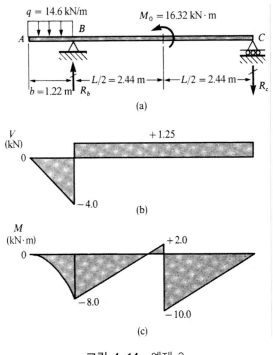

그림 4-14 예제 3

풀이 반력 R_b와 R_c는 쉽게 구해지며 그림에 보인 바와 같이 R_b는 윗방향이고 R_c는 아랫방향이다. 이들의 수치적인 값은 다음과 같다.

$$R_b = 23.3625 \text{ kN} \quad R_c = 5.5625 \text{ kN}$$

앞에서 이미 설명한 방법을 써서 전단력선도[그림 4-14(b)]를 그리며, 우력 M_0의 작용점에서 전단력이 변화하지 않는 것에 유의하라. 굽힘모멘트선도는 그림 4-14(c)에 보인 형상이며 B점에서의 모멘트는

$$M_b = \frac{qb^2}{2} = -\frac{1}{2}(14.6 \text{ kN/m})(1.22 \text{ m})^2 = -10.87 \text{ kN-m}$$

로서 이것은 점 A와 B 사이의 전단력선도의 면적과 같다. 점 B로부터 C까지의 굽힘모멘트선도의 기울기는 5.56 kN이다(즉, 이 기울기는 전단력과 같다). 그러나 굽힘모멘트는 우

력 M_0 때문에 갑자기 변화하게 되며, 이 변화량이 M_0와 같음에 유의하라[식 (4-6) 참고]. 굽힘모멘트의 극대 또는 극소값이 전단력의 부호가 바뀌는 점 및 우력의 작용점에서 발생하고 있다.

문제

4.2-1 그림에 보인 단순보 AB의 중앙점에서의 전단력 V와 굽힘모멘트 M을 구하라.

4.2-2 그림에 보인 외팔보의 고정지점 A로부터 $1.0\,\mathrm{m}$되는 단면에서의 전단력 V와 굽힘모멘트 M을 계산하라.

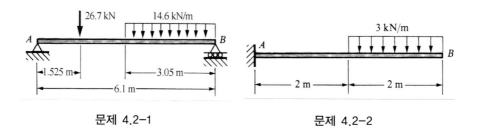

문제 4.2-1   문제 4.2-2

4.2-3 그림에 보인 단순보 AB에 작용하는 하중 $9\,\mathrm{kN}$의 직전(왼쪽)단면에서의 전단력 V와 굽힘모멘트 M을 구하라.

4.2-4 그림에 보인 돌출보의 중앙단면에서의 전단력 V와 굽힘모멘트 M은 얼마인가?

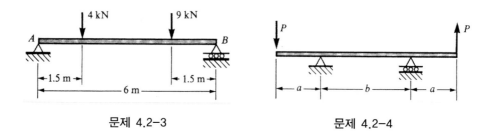

문제 4.2-3   문제 4.2-4

4.2-5 그림에 보인 한쪽 돌출보의 A로부터 $4.575\,\mathrm{m}$ 되는 단면에서의 전단력 V와 굽힘모멘트 M을 구하라.

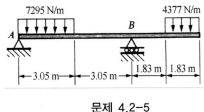

문제 4.2-5

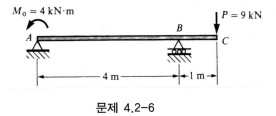

문제 4.2-6

4.2-6 그림에 보인 보가 A와 B점에서 단순지지되고, A점에 우력 $M_0 = 4$ kN·m와 돌출단에 집중 하중 $P = 9$ kN을 받고 있다. 왼쪽 지점으로부터 3 m되는 단면에서의 전단력 V와 굽힘모멘 트 M을 구하라.

4.2-7 무게 890 N인 벌목하는 사람이 길이 4.88 m인 물 위에 떠 있는 통나무의 중앙위치에 서 있 다. 통나무에 발생하는 최대 굽힘모멘트는 얼마인가?

4.2-8 굽어진 봉재 ABC가 그림에 보인 바와 같이 2개의 크기가 같고 방향이 반대인 힘 P의 형 인 하중을 받고 있다. 봉재의 축이 반지름 r인 반원형일 때 각 θ로 정의된 단면(그림 참고) 에 작용하는 축력 N, 전단력 V 및 굽힘모멘트로 M을 구하라.

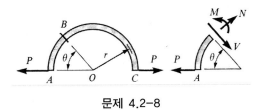

문제 4.2-8

4.2-9 보 $ABCD$가 그림에 표시한 상태로 힘 $W = 6$ kN을 받고 있다. 케이블(cable)은 B점에서 마찰이 없는 도르래를 지나 연직봉재의 E점에 매어져 있다. 연직봉재의 직전(왼쪽) 단면 C에서의 전단력 V와 굽힘모멘트 M을 계산하라.

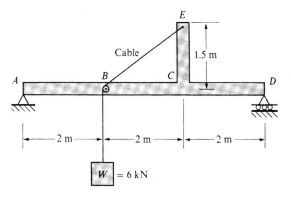

문제 4.2-9

4.2-10 보 $ABCD$는 그림에서와 같이 세기가 q_1 및 q_2인 등분포하중들에 의하여 평형되어 있다. 다음 보 단면에서의 전단력 V와 굽힘모멘트 M을 구하라. (a) 점 B에서의 단면 (b)보의 중앙에서의 단면($a = 1.22\,\text{mm}, b = 2.44\,\text{mm}$ 및 $q_1 = 43800\,\text{N/m}$ 이다.)

4.2-11 그림에 보인 보 $ABCD$는 양쪽에 돌출부를 가지며 세기가 직선적으로 변화하는 분포하중을 받고 있다. 보 중앙점에서의 전단력 V가 항상 0이 되기 위한 비 a/L는 얼마인가?

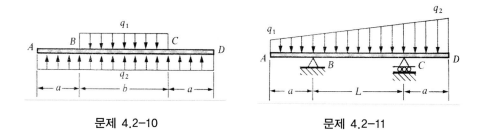

문제 4.2-10 문제 4.2-11

*4.2-12 그림에 보인 원심분리기가 매끄러운 면상에서 z축(연직 방향)을 중심으로 하여 각가속도가 α인 수평면(xy평면) 내의 회전운동을 하고 있다. 두 팔(ram)은 각기 단위길이당 무게가 w이며 그 끝에 무게 $W = 5\,wL$을 달고 있다. $b = L/8$ 및 $c = L/10$일 때, 팔에서의 최대 전단력과 최대 굽힘모멘트를 구하는 식을 유도하라.

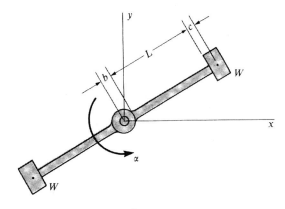

문제 4.2-12

문제 4.4-1부터 4.4-33을 풀 때, 전단력선도와 굽힘모멘트선도를 대략 비례척도에 맞추어, 그리고 최대 및 최소값을 포함하여 모든 주요점들에 종좌표를 기입하라.

4.4-1 두 개의 같은 크기의 집중하중을 받는 단순보(그림 참고)에 대한 전단력선도와 굽힘모멘트선도를 그려라.

4.4-2 세기가 q인 등분포하중을 받고 있는 외팔보(그림 참고)에 대한 전단력선도와 굽힘모멘트선도를 그려라.

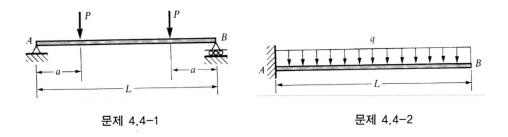

문제 4.4-1   문제 4.4-2

4.4-3 단순보 AB가 왼쪽 지점으로부터 거리 a인 위치에 모멘트가 M_0인 우력을 받고 있다(그림 참고). 이 보에 대하여 전단력선도와 굽힘모멘트선도를 그려라.

4.4-4 그림에 보인 단순보 AB가 지시된 위치에 집중하중 P와 우력 $M_1 = PL/4$을 받고 있다. 이 보에 대하여 전단력선도와 굽힘모멘트선도를 그려라.

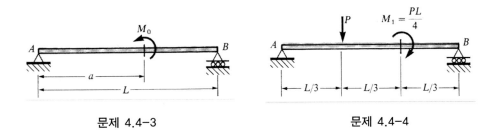

문제 4.4-3   문제 4.4-4

4.4-5 단순 지지된 보 ABC가 브래킷(bracket) BDE를 통하여 연직하중 P를 받고 있다(그림 참고). 이 보에 대하여 전단력선도와 굽힘모멘트선도를 그려라.

4.4-6 단순보 AB가 그 스팬(span)의 일부에 세기가 $q = 6.0\,\text{kN/m}$인 등분포하중을 받고 있다(그림 참고). $L = 10\,\text{m}$, $a = 4\,\text{m}$ 및 $b = 2\,\text{m}$일 때, 이 보에 대한 전단력선도와 굽힘모멘트선도를 그려라.

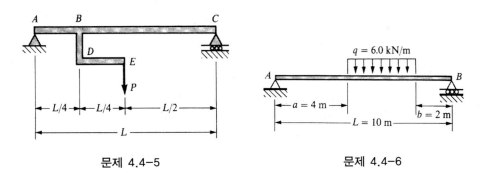

문제 4.4-5   문제 4.4-6

4.4-7 단순보 AB가 그림에서와 같이 2개의 굽힘 우력을 받고 있다. 이 보에 대한 전단력선도와 굽힘모멘트선도를 그려라.

4.4-8 그림에 보인 바와 같이 하중을 받고 있는 보 ABC에 대하여 전단력선도와 굽힘모멘트선도를 그려라.

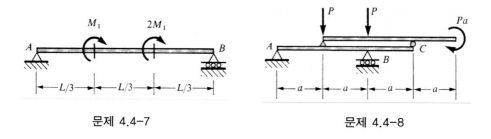

문제 4.4-7   문제 4.4-8

4.4-9 외팔보 AB가 그림에 보인 바와 같이 집중하중과 우력을 지지한다. 이 보에 대한 전단력선도와 굽힘모멘트선도를 그려라.

4.4-10 그림에 보인 바와 같이 하중을 받고 있는 보 ABC에 대한 전단력선도와 굽힘모멘트선도를 그려라. 케이블(cable)은 C점에서 마찰이 없는 작은 도르래를 지나며, 무게는 $W = 4450\,\text{N}$이다.

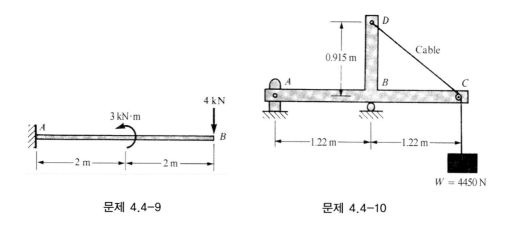

문제 4.4-9   문제 4.4-10

4.4-11 문제 4.2-1의 단순보에 대한 전단력선도와 굽힘모멘트선도를 그려라.

4.4-12 문제 4.2-2의 외팔보에 대한 전단력선도와 굽힘모멘트선도를 그려라.

4.4-13 문제 4.2-3의 단순보에 대한 전단력선도와 굽힘모멘트선도를 그려라.

4.4-14 문제 4.2-4의 보인 돌출부를 갖는 보에 대한 전단력선도와 굽힘모멘트선도를 그려라.

4.4-15 문제 4.2-5에 보인 한쪽 돌출부를 갖는 보에 대한 전단력선도와 굽힘모멘트선도를 그려라.

4.4-16 문제 4.2-6에 보인 한쪽 돌출부를 갖는 보에 대한 전단력선도와 굽힘모멘트선도를 그려라.

4.4-17 최대 세기가 q_0인 직선적으로 변화하는 하중을 받고 있는 외팔보(그림 참고)에 대한 전단력선도와 굽힘모멘트선도를 그려라.

4.4-18 양쪽에 같은 길이의 돌출부를 갖는 보(그림 참고)가 세기 q인 등분포하중을 받으며, 전 길이가 L이다. 보 내의 최대 굽힘모멘트가 수치적으로 최소가 되기 위한 지점 A와 B 사이의 거리 a를 구하라. 이 경우에 대하여 전단력선도와 굽힘모멘트선도를 그려라.

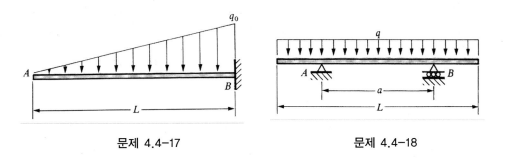

문제 4.4-17   문제 4.4-18

4.4-19 문제 4.2-9의 보 $ABCD$에 대한 전단력선도와 굽힘모멘트선도를 그려라.

4.4-20에서 4.4-30까지. 그림에 보인 보에 대하여 전단력선도와 굽힘모멘트선도를 그려라.

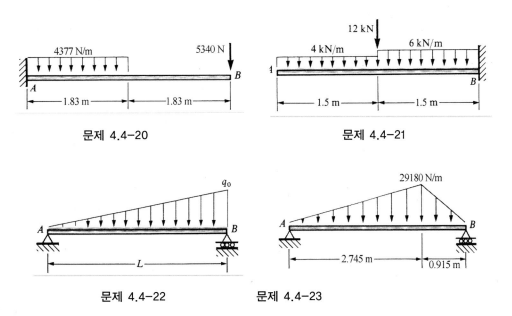

문제 4.4-20   문제 4.4-21

문제 4.4-22   문제 4.4-23

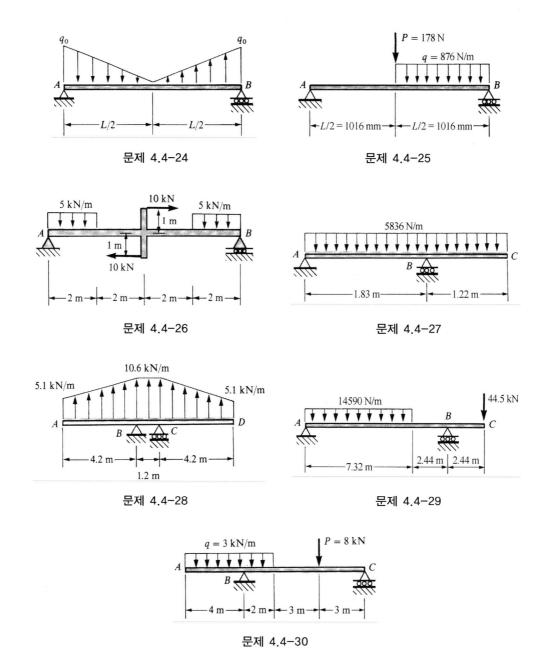

문제 4.4-24

문제 4.4-25

문제 4.4-26

문제 4.4-27

문제 4.4-28

문제 4.4-29

문제 4.4-30

4.4-31 그림에 보인 보 ABC는 외팔보 AB와 단순 스팬(simple span) BC가 B에서 핀으로 연결되어 있다. 핀(pin)은 전단력은 전달할 수가 있으나 굽힘모멘트는 전달할 수가 없다. 이 보에 대하여 전단력선도와 굽힘모멘트선도를 그려라.

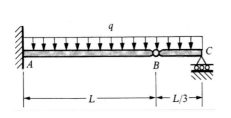

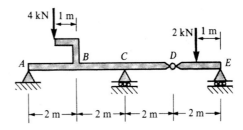

문제 4.4-31

문제 4.4-32

4.4-32 그림에 보인 보 *ABCDE*가 *A*, *C* 및 *E*에서 단순지지 되어 있고 *D*에서 힌지(hinge 또는 pin)로 연결되어 있다. 4 kN의 하중이 *B*에서 보로부터 연장되어 나온 브래킷(bracket)의 끝에 작용하고, 2 kN의 하중이 *DE*부터 중앙에 작용한다. 이 보에 대한 전단력선도와 굽힘모멘트선도를 그려라. (*D*점에서 핀은, 전단력은 전달할 수 있으나 굽힘모멘트를 전달하지 못한다는 점에 유의하라)

4.4-33 보 *ABCD*는 세기가 직선적으로 변화하는 분포하중을 받는다(그림 참고). 이 보에 대한 전단력선도와 굽힘모멘트선도를 그려라.

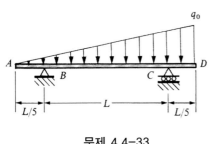

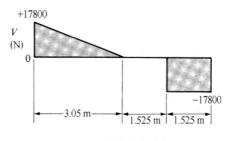

문제 4.4-33

문제 4.4-34

4.4-34 어떤 단순보의 전단력선도가 그림에 주어져 있다. 보에 하중으로서 우력이 작용하지 않는다고 가정하고 보에 작용하는 하중 상태를 구하고 굽힘모멘트선도를 그려라(전단력의 단위는 pound이다).

4.4-35 어떤 보의 전단력선도가 그림에 보인 바와 같다. 보 위에 하중으로서 우력이 작용하지 않는다고 가정하고 굽힘모멘트선도를 그려라(전단력의 단위는 kN이다).

4.4-36 보 *AB*가 그림에서와 같이 집중하중 *P*와 2*P*를 받는다. 이 보는 보에 대하여 연속적으로 분포하는 반력을 일으키는 기초 위에 놓여 있다. 이 분포반력이 *A*로부터 *B*까지 직선적으로 분포한다고 가정할 때, *A*와 *B*단에서의 반력의 세기 q_a와 q_b를 각각 구하라. 또한 이 보에 대한 굽힘모멘트선도를 그려라.

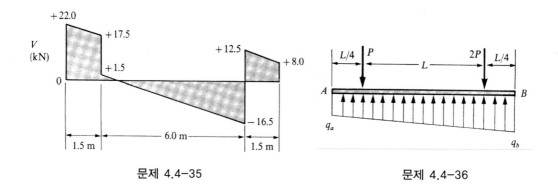

문제 4.4-35   문제 4.4-36

*4.4-37 단순보 위의 하중들이 n개의 등간격으로 작용하는 힘들로 이루어져 있다(그림 참고). 전체 하중은 P이고 따라서 각 힘들은 P/n이며, 보의 길이는 L이고 각 하중들 사이의 간격은 $L/(n+1)$이다. (a) 보의 최대굽힘모멘트에 대한 일반 공식을 유도하라. (b) 이 공식으로부터 몇 개의 연속되는 n값($n = 1, 2, 3, 4, \cdots$)에 대하여 최대굽힘모멘트를 구하라. (c) 이 결과를, 세기 q가 $qL = P$인, 균일 분포하중을 받는 보에서의 최대굽힘모멘트와 비교하라.

4.4-38 두 개의 같은 하중 P가 고정된 거리 d만큼 떨어져 있다(그림 참고). 이 하중 상태는 단순보 AB의 왼쪽 지점으로부터 임의의 거리 x에 위치할 수 있다. (a) 거리 x가 어떤 값일 때 보의 전단력이 최대값이 될 것인가? 또 최대전단력 $V_{\max}$에 대한 식을 유도하라. (b) 보에 최대굽힘모멘트를 발생시킬 거리 x에 대한 식을 구하라. 또한 $M_{\max}$에 대한 식을 구하라.

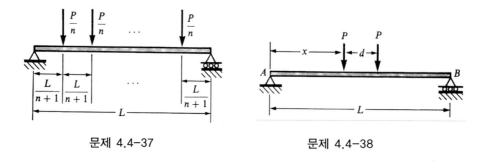

문제 4.4-37   문제 4.4-38

4.4-39 단순보 AB가, 거리 d만큼 떨어져 있는 두 개의 연결된 바퀴 하중 P와 $2P$를 받는다(그림 참고). 이 두 하중은 보의 왼쪽 지점으로부터 임의의 거리 x에 위치할 수 있다. $P = 6\,\text{kN}$, $d = 1.6\,\text{m}$ 및 $L = 8\,\text{m}$일 때, 다음이 발생하게 될 거리 x를 구하라. (a) 보에 최대 전단력 (b) 보에 최대굽힘모멘트, 또한 최대전단력 $V_{\max}$과 최대굽힘모멘트 $M_{\max}$을 구하라.

4.4-40 세 개의 바퀴 하중 W_1, W_2 및 W_3가 그림에 보인 바와 같이 단순지지보를 따라 이동한다. $W_1 = 17.8\,\text{kN}$ 및 $W_2 = W_3 = 71.2\,\text{kN}$일 때, 보에 최대굽힘모멘트를 발생시킬 바퀴들의 위

치를 A단으로부터의 거리 x로 구하라. 또한 최대굽힘모멘트 M_{max}을 구하라.

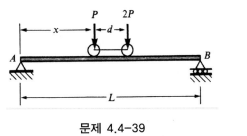

문제 4.4-39

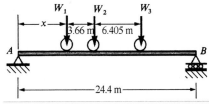

문제 4.4-40

Chapter **5**

보의 응력

5.1 서 론
5.2 보의 수직변형률
5.3 보의 수직응력
5.4 보의 단면형상
5.5 직사각형보에 있어서의 전단응력
5.6 플랜지를 갖는 보의 웨브에서의
     전단응력
*5.7 원형보에서의 전단응력
5.8 조립보
5.9 비균일단면보의 응력
*5.10 합성보
5.11 축하중을 받는 보

5.1 | 서 론

앞장에서 설명한 바와 같이, 보(beam)란 축방향에 대해 수직한 하중을 받는 구조재료이다. 하중은 전단력이나 굽힘모멘트의 형식으로 내부작용 혹은 합응력을 일으킨다. 이 장에서는 전단력과 굽힘모멘트에 관계되는 응력과 변형률에 대하여 논의하고 보의 설계에 실제적인 중요성을 갖는 문제에 대해 알아보기로 한다. 여기서 우리는 보가 초기에 종축방향으로 직선인 것만을 생각하기로 한다.

보에 작용하는 수직하중으로 보는 곡선으로 휘게 되는데 이것을 설명하는 것이 그림 5-1의 자유단에 하중 P를 받는 캔틸레버 AB이다. 하중이 작용하기 전에는 보는 직선이었으나 하중이 작용한 후는 곡선으로 휘게 되는데[그림 5-1(b)] 이것을 보의 **처짐곡선**(deflection curve)이라 한다.

편의상 고정단에 원점을 갖는 좌표축을 설정하여, 정의 x방향은 보의 축을 따라 오른쪽으로 하고 정의 y방향은 아래쪽으로 한다. 그림에 표시되지 않은 z방향은 보의 내부(즉, 독자의 시선)를 향하는 것이라면 오른손 좌표계를 형성한다.

이 장에서 고려하고자 하는 보는 xy평면에 대해 대칭인 것을 가정하는데 이는 y축이 단면의 대칭축이라는 것을 뜻한다. 또한 모든 하중은 xy평면에 작용한다고 가정하게 되어 결과적으로 굽어지는 처짐은 이 평면에서 일어나는데 이는 **굽힘면**(plane of bending)으로 알려졌다. 그러므로 그림 5-1(b)에 보여지는 처짐곡선 AB는 굽힘면에 존재하는 평면곡선이다. 앞으로 y축 방향의 처짐을 문자 v로 표시하기로 한다.

이제 처짐곡선 위의 두 점 m_1과 m_2를 생각하자. m_1은 y축으로부터 x만큼 떨어져 있고, m_2는 처짐곡선을 따라 미소길이 ds만큼 더 떨어져 있다. 이 점들에서 처짐곡선에 수직하게 선을 그으면 O'점에서 교차하게 되는데 이 점을 고정단으로부터 x만큼 떨어진 위치의 처짐곡선의 **곡률중심**(center of curvature)이라 한다. 법선의 길이(즉, 곡률중심에서 곡선까지의 길이)를 **곡률반지름**(radius of curvature)이라 하고 그리스 문자 ρ(rho)로 표시하기로

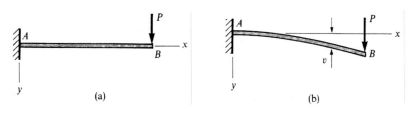

(a)　　　　　(b)

그림 5-1　외팔보에서의 굽힘

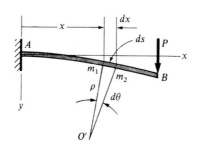

그림 5-2 휘어진 보에서의 곡률

한다. 미적분학이나 해석기하학에서 정의된 바와 같이, **곡률**(curvature)은 곡률반지름과 다음과 같은 상호관계를 가지고 있으며 그리스 문자로 κ(kappa)로 표시한다. 즉

$$\kappa = \frac{1}{\rho} \tag{a}$$

또한 그림으로부터

$$\rho\,d\theta = ds \tag{b}$$

이며, 여기서 $d\theta$는 법선 사이의 미소각이며 ds는 처짐곡선상의 미소거리이다. 가장 일반적인 경우는 보의 처짐이 작은 경우인데 이때의 보의 처짐곡선은 매우 평탄하며 곡선상의 거리 ds는 이것의 수평선상의 투영인 dx와 같다고 볼 수 있으므로

$$\kappa = \frac{1}{\rho} = \frac{d\theta}{dx} \tag{5-1}$$

이다. 일반적으로 곡률은 보의 축을 따라 변하므로 κ는 x의 함수이다.

곡률에 대한 **부호규약**은 좌표축 방향과 관계되어 지는데 정의 x방향이 오른쪽이고, 정의 y방향을 아래쪽으로 하면, 그림 5-2에서 보는 바와 같이 보가 위쪽으로 볼록하면 곡률은 양

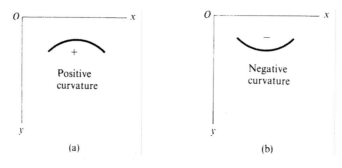

그림 5-3 곡률에 대한 부호규약

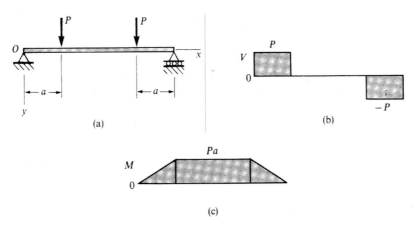

(a)

(b)

(c)

그림 5-4 중심부가 순수굽힘을 받는 보

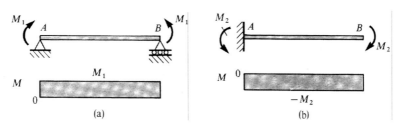

(a)

(b)

그림 5-5 순수굽힘을 받는 보 (a) 양의 굽힘모멘트 $M = M_1$을 받는 단순보 (b) 음의 굽힘모멘트 $M = M_2$를 받는 외팔보

이며, 아래쪽으로 볼록하면 음이다. 이 부호규약을 그림 5-3에 표시하였다. 이러한 부호규약은 임의로 선택되어지는 것이 아니고, 6.1절에서 설명될 것이지만 좌표축의 방향에 의해 수학적으로 설정되어졌다.

식 (5-1)은 다음 절에서 휘어진 보에 대한 변형률을 구하기 위해 이용되어지며 또한 6장에서는 처짐곡선의 식을 결정하는데 이용되어진다. 그러나 굽힘 변형률과 굽힘 응력을 논의하기 전에 순수굽힘과 비균일굽힘 사이의 차이를 아는 것이 필요한데 **순수굽힘**(pure bending)이란 일정한 굽힘모멘트하에서 보가 굽힘을 일으키는 것을 말하는 것으로 이는 전단력이 0이라는 것을 의미한다[$V = dM/dx$이기 때문이다. 식 (4-3) 참조]. 이에 반해 **비균일굽힘**(non uniform bending)이란 전단력이 존재하는 굽힘상태를 말하는 것으로 보의 축을 따라 굽힘모멘트는 변하게 된다. 이것을 설명하기 위해 두 개의 대칭하중 P가 작용하는 단순보를 고려한다[그림 5-4(a)]. 이에 대응하는 전단력선도와 굽힘모멘트 선도를 그림 5-4(b)와 (c)에 표시한다. 하중 P 사이에서의 전단력은 0이며 일정한 굽힘모멘트 Pa만이 작용하고 있다. 따라서 보의 중간부분은 순수굽힘상태이며 보의 끝 단에서 길이 a되는 부분까지는 굽힘 모멘트가 일정하지 않아서 전단력이 존재하므로 비균일굽힘상태에 있다. 순수굽힘의 다른 예를 그림 5-5에 표시한다. 여기서는 오직 우력만이 작용하여 일정한 굽힘모멘트를 일으키 며 전단력은 존재하지 않는다. 다음의 두 절에서는 순수굽힘상태에서의 수직변형률과 응력 을 결정하고 그 후의 절들에서는 비균일굽힘상태하에서의 전단력에 대해 설명하고자 한다.

5.2 보의 수직변형률

보의 내부 변형률을 구하기 위하여는 보의 곡률과 그에 관련된 변형을 고려하여야 한다. 이를 위해 그림 5-6(a)에 우력 M_0에 의해 일어나는 순수굽힘 상태하에서 보의 요소 ab 를 표시하였다. 우력 M_0의 방향은 비록 그들이 음의 굽힘모멘트를 일으키게 한다해도(그림 4-3과 4-4 참조) 휘어진 보에서 양의 곡률을 일으키도록 선택되어졌다[그림 5-3(a) 참조].

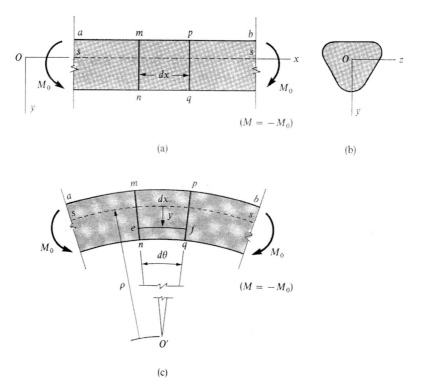

(a)

(b)

(c)

그림 5-6 우력 M_0에 의한 순수굽힘을 받는 보에서의 변형(주의: 굽힘모멘트 M은 $-M_0$와 같다)

따라서 굽힘모멘트 M은 그림 5-6에 표시한 바와 같이 $-M_0$이다. 보는 처음에는 종축(x축)을 따라 직선이었고 단면은 y축에 대해 대칭인 형태를 가지고 있었다[그림 5-6(b)]. 우력 M_0의 작용으로 보는 xy평면 안에서 휘어지게 되고 축도 곡선으로 휘어졌는데 mn과 pq로 표시한 보의 단면은 여전히 평면을 유지하고 있으며 보의 종축에 대해 수직이다. 순수굽힘하에 있는 보의 단면이 평면을 유지한다는 사실은 정확히 변형률을 측정하면 실험적으로 입증할 수 있으며, 또는 대칭원리를 이용하여 이론적으로도 증명할 수 있다. 보와 하중의 대칭성[그림 5-6(a)]은 보의 모든 요소($mnqp$와 같은)가 같은 양식으로 변형하는 것을 전제로 하는데 이는 처짐곡선이 원호이고[그림 5-6(c)] 단면이 하중의 작용을 받는 동안 평면을 유지(참고문헌 5-1)한다고 생각할 때만 가능하다. 이러한 결과들은 어떠한 재료(탄성, 비탄성, 선형, 비선형)의 보에 대해서도 타당하며 재료의 성질이 y축에 대해서 대칭이어야 함은 물론이다[그림 5-6(b)].

그림 5-6(c)에 표시한 보의 굽힘으로 인한 결과로서 단면 mn과 pq는 각각 xy평면에 수직한 축에 대해 회전하고 보의 볼록한 부분의 종방향의 섬유는 늘어나는 반면, 오목한 부분의 섬유는 줄어들게 되므로 보의 상부는 인장상태에 있고 하부는 압축상태로 된다. 보의 상면과 하면 사이의 어떤 위치에는 종방향의 길이가 변하지 않는 면이 존재하는데 이 면을 **중립면**(neutral surface)이라 하고 이를 그림 5-6(a)와 (c)에 점선으로 표시하였다. 또 이 면과 임의단면이 교차하여 이룬 선을 그 단면의 **중립축**(neutral axis)이라 하는데 예를 들면 그림 5-6(b)에 표시한 것과 같은 z축이 단면에 대한 중립축이다.

변형된 보의 단면 mn과 pq는 곡률중심 O'을 통하는 선에서 교차되고[그림 5-6(c)] 이 평면들 사이의 각은 $d\theta$로 표시하는데 O'으로부터 중립면까지의 거리를 곡률반지름 ρ라 한다. 두 면 사이의 거리 dx는 중립면에서는 변하지 않으므로 $\rho d\theta = dx$인데, 모든 다른 종방향섬유는 늘어나거나 줄어들게 되므로 종방향 변형률 ϵ_x가 일어나게 된다. 이 변형률을 계산하기 위해 중립면으로부터 거리 y에 위치한 보의 종단면의 섬유 ef를 고려한다. 이 섬유의 길이를 L_1으로 표시하면

$$L_1 = (\rho - y)d\theta = dx - \frac{y}{\rho}dx$$

이다. ef의 원래길이는 dx이므로 늘어난 길이는 $L_1 - dx$ 혹은 $-ydx/\rho$이고, 이에 대응하는 변형률은 늘어난 길이를 처음 길이 dx로 나눈 것이므로

$$\epsilon_x = -\frac{y}{\rho} = -\kappa y \qquad (5\text{-}2)$$

가 된다. 여기서 κ는 곡률이다. 이 식은 보의 종방향의 변형률은 곡률에 비례하며 중립면으로부터의 거리 y에 따라 선형적으로 변한다는 것을 의미한다. 한 섬유가 중립면 아래쪽에 있을 때는 거리 y는 양이 되며 곡률 κ가 양이면 ϵ_x는 음이 되어 줄어들게 된다. 이에 반하여 한 섬유가 중립면의 위쪽에 있을 때 거리 y는 음이 되며, 곡률 κ가 양이면 ϵ_x는 양이 되어 늘어나게 된다. ϵ_x에 대한 부호규약(그림 5-2)은 앞절의 수직 변형률에 대해 사용했던 것과 같다.

여기서 식 (5-2)는 단지 변형된 보의 기하학적 특성으로부터 유도되었으며 재료의 특성에 관해서는 고려하지 않았으므로 이 식은 재료의 응력-변형률선도의 형태에 관계없이 타당한 것이다.

횡변형률. 식 (5-2)에 주어진 축변형률은 ϵ_x는 1.5절에서 설명한 푸아송비의 영향으로 인한 횡변형률 ϵ_z를 동반하게 된다. 중립면 ss[그림 5-7(a)] 상부의 양의 변형률 ϵ_x는 음의 횡방향변형률을 동반하는데 반해 중립축 하부에서는 횡방향변형률이 양이다. 따라서 횡방향변형률은 다음 식으로 주어진다.

$$\epsilon_z = -\nu\epsilon_x = \nu\kappa y \tag{5-3}$$

여기서 ν는 푸아송의 비이다. 이러한 변형률의 결과로서 단면의 형태가 변하게 된다. 예로서 직사각형 단면의 보를 생각하자[그림 5-7(b)]. 이 변형률 ϵ_z에 의해 단면의 폭이 z축

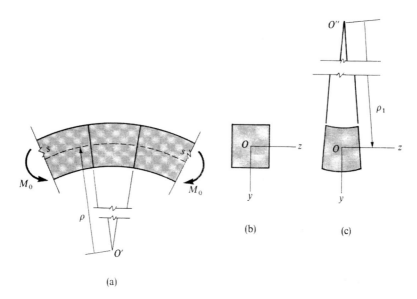

(a)

그림 5-7 순수굽힘을 받는 보에서의 횡변형

하부에서는 증가하며 상부에서는 감소한다. 이러한 폭의 변화는 y에 정비례하므로 직사각형 단면의 양측면은 경사지게 된다[그림 5-7(c)]. 또한 처음에 z축에 평행한 단면의 모든 직선은 단면의 양측면과 직각을 유지하기 위해 약간 휘어진다. 이 곡선의 곡률중심 O''은 보의 위쪽에 있으며 이에 대응하는 횡방향 곡률반지름 ρ_1은 ϵ_x가 ϵ_z보다 크므로, 종방향 곡률반지름보다 크게 되고[식 (5-3) 참조]

$$\rho_1 = \frac{\rho}{\nu}, \quad \kappa_1 = \nu\kappa \qquad (5\text{-}4\text{a, b})$$

의 식을 얻는다. 여기서 $\kappa_1 = 1/\rho_1$은 횡방향곡률이다.

우력 M_0로 인한 순수휨상태에서의 직사각형보의 변형된 형태를 그림 5-8에 과장하여 표시했다. xy평면에서 종방향곡률은 양인데 반해 yz평면의 횡방향곡률은 음이다. 그 결과로 보의 윗 표면은 말 안장과 같은 형태를 가진다. 말 안장의 형태와 같은 한 표면이 두 개의 수직한 평면 내에서 부호가 서로 반대인 곡률을 가질 때 **반쇄설성곡률**(anticlastic curvature)을 가진다고 한다. 이에 반하여 한 면이 둥근 천장상태를 가질 때처럼 곡률이 서로 같은 부호이면 곡률은 **등쇄설성곡률**(synclastic curvature)을 가진다고 한다. 그림 5-8로부터 처음에 중립면(xz평면)에 평행한 보의 모든 평면들은 반쇄설성곡률을 나타냄을 알 수 있다.

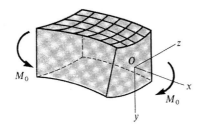

그림 5-8 anticlastic curvature를 나타내는 순수굽힘을 받는 직사각형 단면보에서의 변화형태

예제 ①

순수지지된 길이 $L = 3.66\,\mathrm{m}$의 강제보 AB(그림 5-9)가 우력 M_0에 의해 휘어져 보 최상단의 변형률이 강재의 항복변형률에 도달되었다. 보의 최상단으로부터 중립면까지의 거리는 152.4 mm 이다. 보중앙에서의 곡률반지름 ρ, 곡률 κ, 처짐 δ를 구하라. 단 항복변형률은 0.0014이다.

풀이 식 (5-2)는 ρ와 κ를 수직변형률 ϵ_x와 관련시키는 식이다. 절대값만을 식에 대입하면

$$\rho = \frac{y}{\epsilon_x} = \frac{0.1524\,\mathrm{m}}{0.0014} = 108.86\,\mathrm{m}$$

$$\kappa = \frac{1}{\rho} = 0.009186\,\mathrm{m}$$

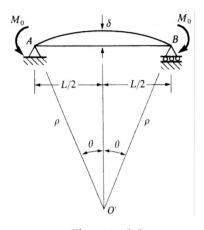

그림 5-9 예제

을 얻는다. 이 결과로부터, 재료의 변형률이 크다해도, 곡률반지름이 매우 크기 때문에 보의 처짐곡선은 매우 평평한 직선을 이룬다는 것을 알 수 있다.

이 사실을 강조하기 위해 보의 중앙점에서의 처짐을 계산하면 처짐곡선은 원호이므로 처짐 δ는

$$\delta = \rho(1 - \cos\theta) \tag{a}$$

이며 여기서 θ는 그림에 표시한 각이므로

$$\sin\theta = \frac{L}{2\rho} \tag{b}$$

이다. 여기서 수치를 대입하면 다음의 결과를 얻는다.

$$\frac{L}{2\rho} = 0.0168, \quad \theta = \arcsin\frac{L}{2\rho} = 0.0168\,\text{rad}$$
$$\delta = \rho(1 - \cos\theta) = (108.86\,\text{m})(1 - 0.9998589) = 0.01527\,\text{m}$$

따라서 지간길이와 보중앙에서의 처짐비는

$$\frac{L}{\delta} = \frac{3.66\,\text{m}}{0.01527\,\text{m}} = 239.69\,\text{m}$$

위에서 볼 수 있듯이 처짐곡선은 거의 직선상태인데 그림의 처짐 δ는 과장되어 그려져 있음을 알 수 있다.

$L/2\rho$의 값이 매우 작고 θ는 미소각이므로 아래와 같이 근사값을 사용할 수 있다.

$$\sin\theta \approx \theta \quad \cos\theta \approx 1 - \frac{\theta^2}{2} \tag{c}$$

여기서 (b)와 (c)로부터

$$\theta \approx \frac{L}{2\rho} \quad \delta \approx \frac{\rho\theta^2}{2} = \frac{L^2}{8\rho} \tag{d}$$

으로 된다. 여기에 다시 수치를 대입하면

$$\theta = 0.0168 \quad \delta = 15.37\,\text{mm}$$

가 되며 이는 앞에서 얻은 결과와 같은 것이다. 정확한 식[식 (a), (b)]과 근사식[식 (d)]의 차이점을 알기 위해서는 더 많은 유효숫자의 계산을 할 필요가 있다.

5.3 보의 수직응력

수직변형률 ϵ_x로부터 보의 단면에 수직으로 작용하는 응력 σ_x를 구할 수 있다. 보에서 길이 방향의 섬유들은 오직 인장이나 압축을 받게 되므로(즉, 섬유들은 일축응력상태에 있다) 보의 응력-변형률선도는 σ_x와 ϵ_x의 관계를 나타내 주게 된다. 만일 재료의 응력-변형률선도가 선형탄성적이라면 일축응력($\sigma = E\epsilon$)에서의 혹의 법칙을 사용할 수 있으며

$$\sigma_x = E\epsilon_x = -E\kappa y \tag{5-5}$$

를 얻는다[식 (5-2) 참조]. 따라서 단면에 작용하는 수직응력은 중립면으로부터의 거리 y에 따라 직선적으로 변한다. 이러한 응력분포형상을 그림 5-10(a)에 표시하였는데 여기서 우력 M_0가 그림에서 표시한 방향으로 작용할 때 중립면의 하부는 음의 응력(압축)이고 중립면의 상부는 양의 응력(인장)상태이다. 앞절에서 설명한 바와 같이 이러한 우력은 그것이 비록 음의 굽힘모멘트 M을 표시한다하더라도 양의 곡률 κ를 이루게 된다.

이제 단면에 작용하는 수직응력 σ_x의 합성을 생각해 보자. 일반적으로 이런 합응력은 x축 방향으로의 수평력과 z축 주위에 작용하는 우력으로 구성된다. 그러나 단면에 작용하는 축방향력은 없으므로 오직 우력 M_0만이 존재함에 따라 두 개의 정역학적인 평형방정식을 얻게 된다. 즉 첫째는 x축 방향의 응력의 합성력은 0인 것이며 둘째는 응력의 합성우력은 M_0와 같다는 것이다. 이러한 결과를 조사하기 위해 중립축으로부터 y만큼 떨어진 미소면적 dA를 고려해 보자[그림 5-10(b)]. 이 요소에 작용하는 힘은 단면에 수직인 방향으로

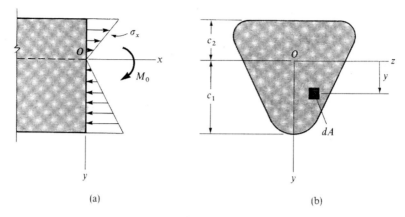

(a)   (b)

그림 5-10   선형탄성재료에서의 수직응력 σ_x의 분포

$\sigma_x dA$인 값을 갖는다. 단면에는 어떠한 수직방향의 힘의 성분도 작용하지 않으므로 단면의 전면적에 대한 $\sigma_x dA$의 적분은 0이 된다. 따라서

$$\int \sigma_x dA = - \int E\kappa y dA = 0$$

이 된다. 곡률 κ와 탄성계수 E값은 단면상에서 일정하므로 순수굽힘상태에서

$$\int y dA = 0 \tag{5-6}$$

으로 된다. 이 식은 z축에 대한 단면 1차 모멘트 값이 0임을 의미한다. 따라서 z축은 단면의 도심을 통과해야 한다는 사실을 알 수 있다. z축이 중립축이므로 재료가 혹의 법칙을 따를 때 "중립축은 단면의 도심을 통과하게 된다"고 할 수 있다. 이러한 특성으로부터 임의의 단면형상을 갖는 보에서의 중립축의 위치를 구할 수 있다. 물론 앞에서 설명한 바와 같이 여기서도 y축에 대칭인 경우로 제한한다. 결과적으로 y축 또한 도심을 통과해야만 하므로 "좌표축의 원점 O는 단면의 도심에 위치한다". 더욱이 단면이 y축에 대하여 대칭이라는 것을 y축이 주축(principal axis)이라는 것을 의미하고(주축은 C.8절과 부록참조), y축에 수직한 z축도 또한 주축이므로 선형탄성재료로 이루어진 보가 순수굽힘을 받을 때 y축과 z축은 **도심주축**(principal centroidal axis)이 된다.

여기서 단면에 작용하는 응력 σ_x에 의한 합성모멘트를 생각하자[그림 5-10(a)]. 미소요소 dA에 작용하는 힘 $\sigma_x dA$는 σ_x가 양일 때 양의 x방향으로 작용하며 σ_x가 음일 때 음의 x방향으로 작용하는 것이므로 우력 M_0에 의해 미소한 $\sigma_x dA$의 값으로 표시되는 z축에 대한 모멘트 값은

$$dM_0 = -\sigma_x y dA$$

이고 전체면적에 걸친 적분값은 전모멘트 M_0와 같으므로

$$M_0 = -\int \sigma_x y dA$$

가 된다. 굽힘모멘트 M이 $-M_0$와 같다는 사실에 주의하여 식 (5-5)에 σ_x를 대입하면

$$M = \int \sigma_x y dA = -\kappa E \int y^2 dA$$

가 되며 이 식은 다음과 같이 간단하게 표시될 수가 있다.

$$M = -\kappa E I \tag{5-7}$$

여기서

$$I = \int y^2 dA \tag{5-8}$$

이며 이것은 z축(즉, 중립축)에 대한 단면 2차 관성모멘트이다. 관성모멘트의 차원은 길이의 네제곱으로서 보의 계산에서는 관용적으로 in^4, m^4과 mm^4의 단위가 사용된다.[*]

한편 식 (5-7)은 다음과 같이 다시 쓸 수 있다.

$$\kappa = \frac{1}{\rho} = -\frac{M}{EI} \tag{5-9}$$

이 식에서 곡률은 굽힘모멘트 M에 비례하고 **굽힘강성**(flexural rigidity) EI에 반비례하는 것을 알 수 있다.

모멘트-곡률관계식[식 (5-9)]의 음의 기호는 굽힘모멘트에 적용되어진 부호규약의 결과이다. 모멘트의 부호규약(그림 4-3)과 곡률(그림 5-3)을 비교하면 "양의 굽힘모멘트는 음의 곡률을 이루고 음의 모멘트는 양의 곡률을 이룬다"[그림 5-11; 굽힘모멘트에 대해 반대의 부호규약이 사용되어지거나, y축을 상향일 때를 양으로 하면 식 (5-9)에서 음($-$)의 기호는 삭제된다].

보에서의 수직응력은 곡률관계식[식 (5-9)]을 σ_x[식 (5-5)]에 대입함으로써

$$\sigma_x = \frac{My}{I} \tag{5-10}$$

---

[*] 관성모멘트는 부록 C에 언급되어져 있다.

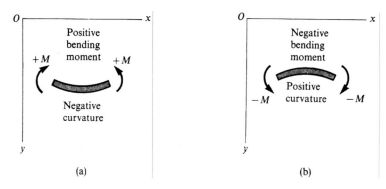

그림 5-11 곱힘 모멘트와 곡률의 부호들의 관계 굽힘모멘트(+) 곡률(−)

를 얻을 수 있다. 이 식에서 응력은 굽힘모멘트에 비례하고 단면의 관성모멘트 I에 반비례하는 것을 알 수 있다. 또한 응력은 중립축으로부터의 거리 y에 비례한다. 만약 양의 굽힘모멘트가 보에 작용할 경우 y가 양인 단면의 응력은 양(인장)의 값을 가지며 음의 굽힘모멘트가 작용할 경우 y가 양인 곳에 음(압축)의 응력이 일어난다. 이러한 관계를 그림 5-12에 표시하였다. 수직응력에 대한 식 (5-10)을 일반적으로 굽힘공식(flexural formula)이라 부르고 있다(만일 M의 기호가 바뀌거나 y축의 상향을 양으로 한다면 굽힘공식에서 음의 기호가 필요함에 주의하라).

보에서의 최대인장응력과 최대압축응력은 중립축으로부터 가장 먼 위치에서 일어난다. 중립축으로부터 양과 음의 방향으로 가장 먼 위치의 거리를 각각 c_1, c_2라 하면(그림 5-10, 5-12) 최대수직응력[식 (5-10)으로부터]은 다음과 같다.

$$\sigma_1 = \frac{Mc_1}{I} = \frac{M}{S_1}, \quad \sigma_2 = -\frac{Mc_2}{I} = -\frac{M}{S_2} \qquad (5\text{-}11\text{a, b})$$

여기서

$$S_1 = \frac{I}{c_1}, \quad S_2 = \frac{I}{c_2} \qquad (5\text{-}12\text{a, b})$$

인데 S_1과 S_2는 **단면계수**(section modulus)라 불리워지며 차원은 길이의 세제곱인 in^3, m^3, mm^3의 단위를 갖는다. 굽힘모멘트 M이 양의 값이면 응력 σ_1은 인장, σ_2는 압축이며 M이 음일 경우에는 반대가 된다(그림 5-12).

만일 단면이 z축에 대해 대칭이면(양대칭 단면) $c_1 = c_2 = c$이고 최대인장응력과 최대압축응력의 값은 같다. 즉

$$\sigma_1 = -\sigma_2 = \frac{Mc}{I} = \frac{M}{S} \qquad (5\text{-}13)$$

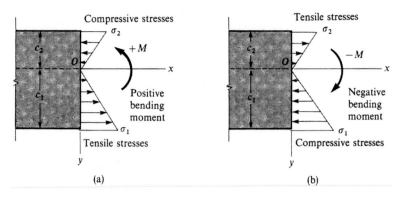

그림 5-12 굽힘모멘트와 수직응력의 부호들의 관계

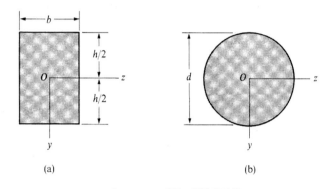

그림 5-13 이중 대칭단면형

$$\sigma_1 = -\sigma_2 = \frac{Mc}{I} = \frac{M}{S} \tag{5-13}$$

이며, 여기서

$$S = \frac{I}{c} \tag{5-14}$$

는 단면계수이다. 축이 b, 높이가 h인 직사각형단면[그림 5-13(a)]에 대한 관성모멘트와 단면계수는 각각

$$I = \frac{bh^3}{12}, \quad S = \frac{bh^2}{6} \tag{5-15a, b}$$

이며 지름이 d인 원형단면[그림 5-13(b)]에서는

$$I = \frac{\pi d^4}{64}, \quad S = \frac{\pi d^3}{32} \tag{5-16a, b}$$

이다. 여러 가지 형상에 대한 특성들이 부록 D에 수록되어 있다. 수록되어 있지 않은 단면에 대해서는 중립축위치, 관성모멘트, 그리고 단면계수를 계산해야 한다. 상업적으로 많이 쓰이는 보의 치수와 특성들이 여러 가지 핸드북과 부록 E와 F에 수록되어 있는데 이는 이후의 절에서 더욱 자세하게 설명되어질 것이다.

앞의 수직응력의 해석은 순수굽힘상태의 경우였으므로 단면에는 전단응력은 존재하지 않았다. 비균일굽힘의 상태에서는 전단응력의 영향으로 왜곡(warping)이 일어나 평면 외의 변형(out-of-plane distorsion)이 일어나서 평면이던 단면이 굽힘이 일어난 뒤에는 평면은 유지되지 않는다. 전단에 의한 왜곡은 보의 거동을 매우 복잡하게 하지만 더욱 정교한 해석에서 알 수 있듯이 굽힘공식으로부터 계산된 수직응력 σ_x는 전단응력과 왜곡에 의해서는 크게 변화하지 않는다(참고문헌 5-2 참조). 따라서 비균일굽힘상태에서도 순수굽힘이론을 타당하게 사용할 수 있다. 전단응력의 계산은 5.5절에서 취급하기로 한다.*

굽힘공식은 보의 형상의 비규칙성이나 하중의 불연속에 의해서도 응력분포가 연속성을 갖게 되는 보의 영역에서만 정확한 값을 준다. 이러한 비규칙성은 구부적인 응력, 즉 '응력집중'을 만들게 되는데 이는 굽힘공식에서부터 얻은 응력값에 비해 매우 큰 값이다.

예제 ①

지름이 d인 강선이 반지름 r인 원통 위에서 휘어져 있다(그림 5-14). 최대굽힘응력 $\sigma_{\max}$과 강선에서의 굽힘모멘트 M을 계산하라. 단, $E = 200\,\mathrm{GPa}$, $d = 4\,\mathrm{mm}$, $r = 0.5\,\mathrm{m}$로 가정한다.

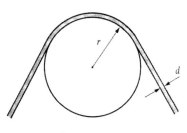

그림 5-14 예제 1

풀이 휘어진 강선의 곡률반지름은 단면의 중립축으로부터

---

* 보 이론은 Galileo Galilei(1564~1642)로부터 시작되었는데 그는 여러 형태의 보에 대한 거동을 관찰하였다. 재료역학에 있어서 그의 이론은 유명한 "Two New Science"에 설명되어 있는데 이는 최초로 1638년에 발간되었다(참고문헌 5-3). 비록 Galileo가 보에 관한 많은 발견은 하였지만 응력분포에 관한 정확한 이론을 얻지는 못하였고 Mariotte, Jacob Bernoulli, Euler, Parent, Saint-Venant 등이 이것을 발전시켰다(참고문헌 5-4).

$$\rho = r + \frac{d}{2} \qquad \text{(a)}$$

이며, 최대인장과 압축응력은 수치적으로 같은 값을 갖게 되는데 $\kappa = 1/\rho$과 $y = d/2$를 식 (5-5)에 대입한 다음식

$$\sigma_{max} = \frac{Ed}{2r+d} \qquad (5\text{-}17)$$

로부터 구할 수 있다. 만일, 원통의 반지름이 강선의 지름에 비해 매우 크면 분모의 두 번째 항은 무시될 수 있다.

최대응력을 구하기 위해 E, d, r에 대한 수치를 각각 대입하면

$$\sigma_{max} = \frac{(200\,\text{GPa})(4\,\text{mm})}{2(500\,\text{mm})+4\,\text{mm}} = 797\,\text{MPa}$$

이 된다. 만일, 분모에 있는 d를 무시하면 $\sigma_{max} = 800\,\text{MPa}$을 얻는데 이는 앞의 결과에 비해 1% 이내의 오차가 있다.

강선에 일어나는 최대굽힘응력은 $M = \sigma S$[식 (5-13) 참조]로부터 얻을 수 있으며, 여기서 σ는 식 (5-17)로부터 구할 수 있고 $S = \pi d^3/32$이다. 따라서,

$$M_{max} = \sigma_{max} S = \frac{\pi E d^4}{32(2r+d)} \qquad (5\text{-}18)$$

이며, 수치를 대입하면 $M_{max} = 5.01\,\text{N·m}$이다.

예제 ②

지간길이 $L = 6.71\,\text{m}$인 단순보 AB(그림 5-15)가 $q = 21.9\,\text{kN/m}$의 등분포하중과 집중하중 $P = 53.4\,\text{kN}$을 받는다. 이 보는 얇은 목판을 아교로 붙인 것으로 폭 $b = 0.22\,\text{m}$, 높이 $h = 0.69\,\text{m}$이다. 굽힘으로 인하여 보에서 일어나는 최대인장응력과 최대압축응력을 구하라.

풀이 최대굽힘응력은 모멘트가 최대인 단면에서 일어난다. 이러한 단면의 위치를 찾기 위하여, 그림과 같은 전단력선도를 그린다. 집중하중을 받는 위치에서 전단력의 부호가 변하는 것을 알 수 있는데 최대굽힘모멘트는 이 위치에서 일어난다. 모멘트선도 또한 그림에 표시하였으며, 최대모멘트는

$$M_{max} = 206.72\,\text{kN-m}$$

임을 알 수 있다. 다음으로 그 단면의 단면계수를 계산하면[식 (5-15b)];

$$S = bh^2/6 = (0.22\,\text{m})(0.69\,\text{m})^2/6 = 0.017\,\text{m}^3$$

이다. 최대인장응력과 최대압축응력 $\sigma_t,\ \sigma_c$를 식 (5-13)으로 계산하면

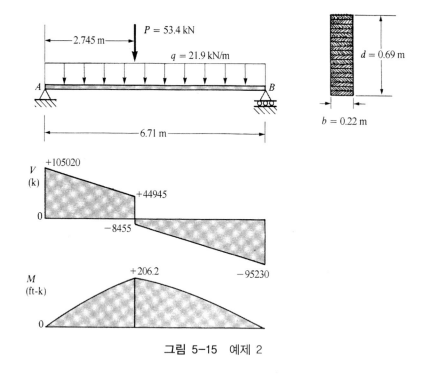

그림 5-15 예제 2

$$\sigma_t = \sigma_1 = M/S = 206.72 \text{ kN}/0.017 \text{ m}^3 = 11.85 \text{ MPa}$$
$$\sigma_c = \sigma_2 = -M/S = -11.85 \text{ MPa}$$

이다. 이 예제에서 굽힘모멘트는 양의 값이므로 최대인장응력은 보의 하단에서 일어나고 (σ_1), 최대압축응력은 상단에서 일어난다(σ_2).

예제 ③

그림 5-16과 같은 보 ABC는 A와 B에서 단순지지되고 B부터 C 사이는 돌출부이다. 등분포하중 $q = 3.0$ kN/m가 보의 전길이에 걸쳐서 작용한다. 이 보는 [형 단면(channel)이 되도록 12 mm 두께의 강판이 용접되어 있으며, 단면의 치수는 그림 5-17(a)에 표시되어 있다. 보에서 최대인장응력과 최대압축응력을 계산하여라.

풀이 이 보의 모멘트선도는 4장에서 설명한 방법으로 얻을 수 있다. 그 결과를 표시한 선도가 그림 5-16에 표시되어 있으며, 최대양의 모멘트와 최대음의 모멘트는 각각 1.898 kN·m와 -3.375 kN·m이다.

중립축의 위치는 그림 5-16에 표시된 단면의 도시에 위치함을 알 수 있다. 부록 C의 C.2절에서 설명된 방법을 사용하여, 그림 5-17(b)와 같이 단면을 세 부분으로 나누고 나서, 기준축으로서 단면의 상부에서 축 Z-Z를 취하여 계산한 결과는 다음과 같다.

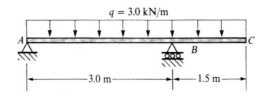

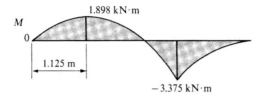

그림 5-16   예제 3

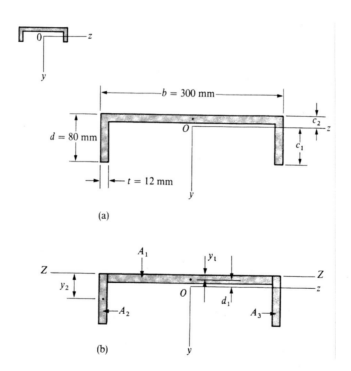

(a)

(b)

그림 5-17   예제 3에서 논의된 보의 단면

$$y_1 = 6 \, \text{mm} \qquad A_1 = (276 \, \text{mm})(12 \, \text{mm}) = 3312 \, \text{mm}^2$$

$$y_2 = 40 \, \text{mm} \qquad A_2 = (12 \, \text{mm})(80 \, \text{mm}) = 960 \, \text{mm}^2$$

$$y_3 = y_2 \qquad A_3 = A_2$$

$$c_2 = \frac{\Sigma y_i A_i}{\Sigma A_i} = 18.48 \, \text{mm}$$

$$c_1 = 80\,\text{mm} - c_2 = 61.52\,\text{mm}$$

이다. 이렇게 하여 중립축의 위치는 구해졌다.

중립축에 대한 단면의 관성모멘트를 계산하기 위하여, 평행축정리를 사용한다(부록 C.4 참조). 먼저 면적 A_1에 있어서, 다음식으로부터 z축에 대하여 관성모멘트를 구하면

$$I_{z1} = I_{zc} + A_1 d_1^{\,2} \tag{b}$$

이다(부록 C 참조). I_{zc}값은 면적 A_1 자신의 도심축에 대한 관성모멘트를 표시한다. 즉,

$$I_{zc} = (276\,\text{mm})(12\,\text{mm})^3/12 = 39{,}744\,\text{mm}^4$$

이다. 면적 A_1의 도심으로부터 축까지의 거리 d_1은

$$d_1 = c_2 - 6\,\text{mm} = 12.48\,\text{mm}$$

이다. 따라서 z축에 대한 면적 A_1의 관성모멘트는[식 (b)로부터]

$$I_{z1} = 39.744\,\text{mm}^4 + (3{,}312\,\text{mm}^2)(12{,}48\,\text{mm})^2 = 555{,}600\,\text{mm}^4$$

이다. A_2, A_3에 대해서도 같은 방법을 계속하여 적용하면

$$I_{z2} = I_{z3} = 956{,}600\,\text{mm}^4$$

이다. 따라서, 전단면에 대한 도심축관성모멘트는

$$I = I_{z1} + I_{z2} + I_{z3} = 2{,}469 \times 10^6\,\text{mm}^4$$

이다. 보의 하단과 상단에 대한 단면계수는[식 (5-12a)와 (b) 참조]

$$S_1 = I/c_1 = 40{,}100\,\text{mm}^3, \quad S_2 = I/c_2 = 133{,}600\,\text{mm}^3$$

이다. 이러한 특성이 결정되었기 때문에, 이것으로 식 (5-11a)와 (b)를 사용하여 응력을 계산할 수 있다.

최대양의 굽힘모멘트가 일어나는 단면에서, 최대인장응력은 보의 하단에서 일어나고(σ_1), 최대압축응력은 상단에서 일어난다(σ_2). 따라서,

$$\sigma_t = \sigma_1 = M/S_1 = 1.898\,\text{kN·m}/40{,}100\,\text{mm}^3 = 47.3\,\text{MPa}$$

$$\sigma_c = \sigma_2 = -M/S_2 = -1.898\,\text{kN·m}/133{,}600\,\text{mm}^3 = -14.2\,\text{MPa}$$

이다. 마찬가지로, 최대부의 굽힘모멘트가 일어나는 단면에서 최대응력은

$$\sigma_t = \sigma_2 = -M/S_2 = -(-3{,}375\,\text{kN·m})/133{,}600\,\text{mm}^3 = 25.3\,\text{MPa}$$

$$\sigma_c = \sigma_1 = M/S_1 = -3{,}375\,\text{kN·m}/40{,}100\,\text{mm}^3 = -84.2\,\text{MPa}$$

이다. 앞에서 구한 네 개의 응력을 비교하면 최대인장응력은 47.3 MPa이고 최대압축응력은 -84.2 MPa이다.

5.4 보의 단면형상

보를 설계하는 전반적인 과정에 있어서 구조형식, 재료, 하중과 주변환경상태와 같은 여러 가지 요인을 고려하여야 한다. 그러나 많은 경우에 있어서, 마무리 작업은 보에 작용하는 실제응력이 허용응력을 초과하지 않도록 보의 형태와 치수를 결정하는 것으로 된다. 여기서는 이와 같은 개념으로 굽힘응력만을 고려하기로 한다[즉, 식 (5.10)의 굽힘공식으로 계산되는 응력]. 완전한 설계를 하기 위해서는, 또한 전단응력이 그 허용값을 초과하지 않도록 하여야 하며(5.5절 참조), 좌굴과 응력집중의 영향이 고려되어야 한다.

보를 선택하는데 있어서 요구되는 단면계수 S를 산정하는 것이 편리한데, 이 단면계수는 최대굽힘모멘트를 재료의 허용응력으로 나누어서 얻어진다[식 (5-13) 참조].

$$S = \frac{M_{\max}}{\sigma_{\text{allow}}} \tag{5-19}$$

이 식에서 σ_{allow}는 요구되는 안전계수의 크기와 재료의 특성을 고려하여 정한 최대허용수직응력이고, 허용응력을 넘지 않는 것을 보장하기 위하여 보의 단면은 그 단면계수가 적어도 식 (5.19)로부터 얻어진 값보다 커야만 한다. 만약 허용응력이 인장과 압축에 대하여 같은 값이라면(특별한 굽힘모멘트 M에 대하여) 단면형상이 양측대칭이고, 도심이 보의 중앙높이(즉, 중립축)에 오도록 단면을 선택하는 것이 바람직하다. 만일 허용응력이 인장과 압축에 대해서 서로 다르다면 인장과 압축을 받는 가장 먼 쪽 섬유질까지의 거리가 각각의 허용응력의 비와 거의 같게 되는 비대칭단면을 선택하는 것이 바람직하다. 물론, 보의 자중을 감소시켜 재료를 절약하기 위하여, 만족스러운 단면계수를 가지면서도 가장 작은 단면적을 가지는 단면을 선정하는 것이 실제로 행해진다.

강재, 알루미늄 또는 목재보는 표준규격으로 만들어지는데 이러한 보의 치수와 특성들은 미국강구조학회(AISC), 알루미늄협회, 그리고 국제임산협회 등에서 출판된 핸드북에 수록되어 있다(참고문헌 5-5부터 5.9 참조). 그런데 이 책들에 있는 문제를 풀기 위하여 약간의

구조용 강재와 나무단면에 대한 간단한 표가 부록 E와 F에 수록되어 있다. 이 표에는 단면의 치수와 중요한 특성, 관성모멘트, 단면계수 등도 주어져 있다.

구조용강재의 단면은 W30×211과 같은 명칭으로 불리는데 이것은 단면이 WF형(또는 광폭플렌지로 불린다)이고 공칭높이가 762 mm 또 단위 m당 939 N의 자중을 가짐을 의미한다.

이것과 같은 것으로 부록 E의 표에 수록한 것인 S형강(또는 I형강이라 불린다), C형강(channel) 등으로 부르는 것이 있다. 앵글 단면 또는 L형강의 단면은 두 개의 변(邊: Leg)의 길이와 두께로서 표시되어진다. 예를 들면 L8×6×1은 두께가 25.4 mm이고 203.2 mm와 152.4 mm의 서로 다른 변을 가진 L형강을 표시한다. AISC 편람(참고문헌 5-5)에 수록되어 있는 여러 단면의 형강뿐만 아니라 모든 형강들은 압연과정에서 생산된다. 이 공정에서 적열상태의 강괴는 요구되는 모양이 될 때까지 앞뒤로 압연된다.

구조용 알루미늄재는 압출공정(extrusion process)으로 제작되는데 여기서는 가열된 알루미늄괴가 형틀을 통하여 밀어내어져서 제작된다. 형틀은 만들기가 쉬우므로, 알루미늄보는 여러 가지 모양으로 만들기 쉽다. 구조용 알루미늄 편람(참고문헌 5-7)에는 여러 종류의 WF(광폭플렌지)보, I형보, L형 등의 규격품이 수록되어 있지만 다른 여러 가지 모양으로도 만들어질 수 있다.

목재보는 직사각형단면으로 제재되는데 4×8(inches)과 같은 공칭치수로 표시한다. 이런 치수는 원목을 일차제재한 치수를 표시한다. 거친 표면을 매끈하게 하기 위하여 표면처리를 하면 순(net)치수는 조금 작아지게 된다. 표면처리를 하게 되면 4×8단면은 실제로는 3.5× 7.25 정도로 된다. 모든 계산시에 있어서 이 순치수를 사용해야 한다.

굽힘의 영향에 대해서 여러 종류의 단면형태를 비교해 보기 위하여 먼저 폭이 b이고 높이가 h인 그림 5-18(a)에 표시한 직사각형단면을 생각해 보자. 단면계수[식 (5-15b)]는

$$S = \frac{bh^2}{6} = \frac{Ah}{6} = 0.167Ah \tag{a}$$

인데 A는 단면적을 표시한다. 이 식으로부터 주어진 면적에서 직사각형 단면은 높이 h가

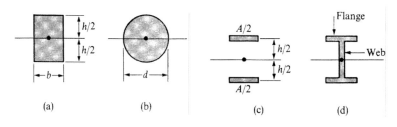

그림 5-18 보의 여러 가지 단면형

증가할수록 더욱 효과적으로 되는 것을 알 수 있다. 하지만 높이를 증가시키는 데는 제한이 있다. 왜냐하면 높이와 폭의 비가 너무 크게 되면 보는 불안정하게 되기 때문이다. 그래서 폭이 매우 좁은 직사각형 단면의 것은 재료의 강도는 충분하지만 횡방향좌굴로 인하여 파괴된다(참고문헌 5-10).

그림 5-18(b)에 표시한 지름이 d인 원형단면보에서는

$$S = \frac{\pi d^3}{32} = \frac{Ad}{8} = 0.125Ad \tag{b}$$

로 된다. 같은 단면적을 가진 원형단면과 정사각형 단면을 비교하면 정사각형의 한 변의 길이는 $h = d\sqrt{\pi}/2$로 되고 식 (a)는 다음과 같이 된다.

$$S = 0.148Ad$$

이 식과 식 (b)를 비교하면 단면적이 같더라도 정사각형단면이 원형단면보다 더욱 효과적임을 알 수 있다.

여기서 단면의 높이에 따르는 응력분포를 생각해 보면 다음과 같은 결론을 얻을 수 있다. 즉, 보를 경제적으로 설계하기 위해서는 재료를 가능한 한 중립축으로부터 먼 위치에 많이 배치하여야 한다. 단면적 A와 높이 h가 주어졌을 때 가장 유리한 경우는 그림 5.18(c)에 표시한 바와 같이 단면적의 반이 중립축으로부터 거리 $h/2$ 떨어진 위치에 분포되어 있을 때이다. 따라서

$$I = 2\left(\frac{A}{2}\right)\left(\frac{h}{2}\right)^2 = \frac{Ah^2}{4} \quad S = 0.5Ah \tag{c}$$

로 된다. 실제적으로는 대부분의 재료가 플랜지에 모여있는 WF형 단면이나 I형 단면을 사용함으로써 이러한 이상적인 경우에 접근될 수 있다[그림 5-18(c)]. 웨브에도 재료의 일부를 배치하여야 하므로 이상적인 경우[식 (c)]는 현실적으로 불가능하다. 표준광폭플랜지보에서의 단면계수는 근사적으로 다음의 식을 사용한다.

$$S \approx 0.35Ah \tag{d}$$

식 (d)와 식 (a)를 비교해 보면 단면적과 높이가 같을 때에는 WF형 단면이 직사각형 단면보다 더욱더 효과적임을 알 수 있다. 왜냐하면 직사각형보에 있어서는 재료의 많은 부분이 작은 응력을 받고 있는 중립축 부근에도 많이 배치되어 있기 때문이다. 이와는 대조적으로 광폭플랜지 단면에서는 대부분의 재료가 중립축으로부터 먼 위치의 플랜지에 모여 있을

뿐만 아니라 WF형보의 폭이 넓어질수록 같은 높이와 같은 단면계수를 같은 직사각형 단면보다도 횡방향좌굴에 대해 더욱더 안정하기 때문이다. 물론, WF형보의 웨브가 너무 얇게 되면 좌굴이 쉽게 일어나게 되고 다음 절에서 설명하려는 전단에 대한 과도한 응력이 일어나기가 쉽게 된다.

예제 1

목재로 만든 가설댐이 있다. 두꺼운 수평 목판 A가 수직말뚝 B에 지지되어 있다. 말뚝 B는 땅 속에 박혀져서 외팔보로 사용하고 있다[그림 5-19(a), (b)]. 말뚝은 정사각형 단면(치수 $b \times b$)으로 되어 있고, 0.8 m 간격으로 배치되어 있다. 수위는 높이 2 m인 댐 정상까지 만수위이다. 목판의 허용 굽힘응력이 $\sigma_{\text{allow}} = 8\,\text{MPa}$이라고 할 때 필요로 하는 말뚝의 최소치수 b를 결정하라.

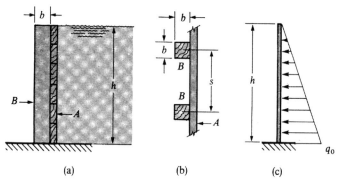

그림 5-19 예제 1

풀이 말뚝 하나에 대한 하중의 분포는 그림 5-19(c)와 같은 삼각형이고 최대하중강도는

$$q_0 = \gamma h s$$

이다. 여기서 γ는 물의 비중량이다. 그러므로 말뚝의 최대굽힘모멘트는

$$M_{\text{max}} = \frac{q_0 h}{2}\left(\frac{h}{2}\right) = \frac{\gamma h^3 s}{6}$$

이고 필요한 단면계수는

$$S = \frac{M_{\text{max}}}{\sigma_{\text{allow}}} = \frac{\gamma h^3 s}{6\sigma_{\text{allow}}} \tag{e}$$

이다. 정사각형 단면에서 단면계수는 $S = b^3/6$이므로 이것을 식 (e)의 S에 대입하면,

$$b^3 = \frac{\gamma h^3 s}{\sigma_{\text{allow}}}$$

로 된다. 여기에 주어진 수치를 대입하면

$$b^3 = \frac{(9.81 \text{ kN/m}^3)(2 \text{ m})^3(0.8 \text{ m})}{8 \text{ MPa}} = 0.007848 \text{ m}^3 \quad b = 199 \text{ mm}$$

를 얻게 되므로, 정사각형 말뚝에 있어서 필요로 하는 최소치수 b는 199 mm인데 이보다 큰 치수, 즉 200 mm는 실응력이 허용응력보다 작게 됨을 보장할 수 있다.

예제 2

지간이 6.4 m인 단순보 AB가 그림 5-20과 같이 등분포하중 $q = 29180$ N/m를 받아야 한다. 허용 굽힘응력이 $\sigma_{\text{allow}} = 124.02$ MPa이라고 할 때 필요로 하는 단면계수 S를 구하여라. 그리고 부록 E에 있는 표 E-1로부터 WF형보를 선택하고, 보의 자중을 고려하여 단면계수 S를 다시 산정하여라. 필요하다면 보의 치수를 다시 선택하라.

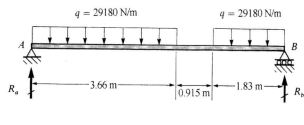

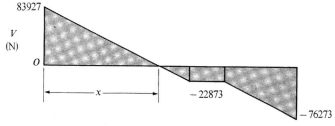

그림 5-20 예제 2

풀이 최대굽힘모멘트가 일어나는 단면을 찾기 위하여 그림에 표시한 전단력선도를 그리는 것이 편리하다. 지점반력은

$$R_a = 83927 \text{ N} \quad R_b = 76273 \text{ N}$$

이다. 전단력이 0인 단면까지의 거리 x는 다음의 식으로 구한다.

$$R_a - qx = 0$$

이 식으로부터 $x = R_a/q = 2.876$ m 이고 최대굽힘모멘트는 이 단면에서 일어나는데 그 값은

$$M_{max} = R_a x - \frac{qx^2}{2} = 120904 \text{ N-m}$$

이다. 필요한 단면계수(보의 자중무시)는

$$S = \frac{M_{max}}{\sigma_{allow}} = \frac{120904 \text{ N-m}}{124.02 \text{ MPa}} = 0.000972 \text{ m}^3$$

이다. 여기서 표 E-1로부터 단면계수가 0.000972 m^3 보다 큰 WF형보를 선택한다. 왜냐하면 보의 자중을 고려하게 되면 이보다는 조금 큰 단면계수가 필요하기 때문이다. 필요로 하는 단면계수를 만족하면서 가장 가벼운 보는 $W12 \times 50 (S = 0.00106 \text{ m}^3)$ 이다. 물론 부록 E의 표는 간추려진 것이기 때문에 좀더 가벼운 단면의 것이 경제적으로 더 유리하다.

보의 자중(68 N-m)을 고려하면 지점반력 R_a 는 86241 N이 되고 전단력이 0인 단면까지의 거리 x 는 2883.78 m로 조금 증가하게 되며, 결국 최대굽힘모멘트는 124576 N-m가 되므로 필요로 하는 단면계수는

$$S = \frac{M_{max}}{\sigma_{allow}} = \frac{124576 \text{ N-m}}{124.02 \text{ MPa}} = 0.001 \text{ m}^3$$

이며, $W12 \times 50$ 단면은 이를 여전히 만족하고 있다. 그렇지 않다면 단면이 새로이 선택되어야 하며 계산과정이 다시 되풀이되어야 할 것이다.

예제 3

정사각형 단면을 가진 보가 그림 5-21과 같이 대각선면으로 굽힘을 받고 있다. 보에서 일어나는 최대응력은, 그림에서 검은 부분으로 표시한 꼭대기와 아래 모서리 부분을 제거하면, 감소하는 현상을 밝혀라.

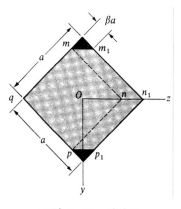

그림 5-21 예제 3

풀이 z축에 대한 정사각형의 관성모멘트와 단면계수는 각각

$$I_1 = \frac{a^4}{12} \quad S_1 = \frac{I_1}{a/\sqrt{2}} = \frac{a^3\sqrt{2}}{12}$$

로 되는데 a는 정사각형의 한 변의 길이이다. 여기서 한 변의 길이가 βa가 되도록 모서리를 잘라보자. 이때 β는 0에서 1까지의 값을 갖는다. 새로 만들어진 단면은 한 변의 길이가 $a(1-\beta)$인 정사각형 $mmpq$와 두 개의 평행사변형 mm_1n_1n과 nn_1p_1p로 이루어진다. 정사각형의 관성모멘트는 I_1의 식에 a 대신 $a(1-\beta)$를 대입하여 얻을 수 있다. 즉,

$$I_2 = \frac{a^4(1-\beta)^4}{12}$$

하나의 평행사변형에 있어서 z축에 대한 관성모멘트는 $bh^3/3$으로 표시할 수 있는데 여기서 b는 밑변, h는 높이이다. 따라서

$$I_3 = \frac{1}{3}(\beta a\sqrt{2})\left[\frac{a(1-\beta)}{\sqrt{2}}\right]^3 = \frac{a^4\beta(1-\beta)^3}{6}$$

으로 되므로 단면전체에 대한 관성모멘트는

$$I = I_2 + 2I_3 = \frac{a^4}{12}(1+3\beta)(1-\beta)^3$$

으로 된다. 이 단면에서의 단면계수는

$$S = \frac{1}{a(1-\beta)/\sqrt{2}} = \frac{a^3(1+3\beta)(1-\beta)^2\sqrt{2}}{12}$$

이다. 단면계수를 최대로 하는 β의 값은 $dS/d\beta = 0$을 풀면 구할 수 있는데 이렇게 구한 β의 값은

$$\beta = \frac{1}{9}$$

로 되며 이 β의 값을 S에 대한 식에 대입하면 단면계수의 최대값을 얻을 수 있다. 즉

$$S_{\max} = \frac{64a^3\sqrt{2}}{729} = \frac{256}{243}S_1 \approx 1.053S_1$$

이다. 이것은 계산된 양만큼 모서리를 자르게 되면 단면계수는 약 5% 증가함에 따라 최대 휨응력은 5% 감소함을 표시하고 있다.

단면계수는 관성모멘트를 단면높이의 1/2로 나눈 값과 같다는 것을 생각하면 위의 결과는 쉽게 이해되어질 수 있다. 모서리를 자르게 되면 길이도 감소하지만 관성모멘트는 이보다

작은 비율로 감소하기 때문에 비록 단면적은 감소한다하더라도 단면계수는 증가하게 되므로 보는 더욱 튼튼하게 된다.

5.5 직사각형보에 있어서의 전단응력

보가 비균일한 굽힘을 받으면 단면에는 굽힘모멘트 M과 전단력 V가 동시에 작용한다. 굽힘모멘트에 의한 수직응력 σ_x는 5.3절에서 설명한 바와 같이 굽힘공식에 의해서 얻어지는데 이 절과 다음 절에서는 전단력 V에 의한 전단응력 τ의 분포에 대하여 생각하기로 한다.

먼저 폭이 b이고 높이가 h인 간단한 직사각형보를 생각해 보자[그림 5-22(a)]. 이 보단면에서 전단응력 τ는 전단력 V와 평행하다고 가정할 수가 있다(즉 단면의 연직변과 평행하다). 또한 폭에 따라 전단응력 τ는 균일한 분포를 한다고 가정할 수도 있다. 이러한 두 가정으로써 단면에 작용하는 전단응력의 분포는 완전히 결정되어질 수 있다.

두 개의 인접한 단면 사이와 중립면에 평행한 두 개의 면 사이에서 그림 5.22(a)의 요소 mn과 같은 작은 요소를 떼어내 보자. 앞에서 가정한 바에 의하여 연직방향 전단응력은 이 요소의 연직면에 균일하게 분포된다. 또한 1.6절에서 전단응력에 대하여 설명한 바와 같이 요소의 한 변에 작용하는 전단응력은 이 변과 서로 직교하는 면에 크기가 같은 전단응력을 수반한다[그림 5.22(b)와 (c)]. 그러므로 연직단면 위에 작용하는 연직방향 전단응력뿐만 아니라 보의 수평층 사이에도 수평방향 전단응력이 작용하게 되며, 이것은 보의 모든 점에 있어서 크기가 같은 공액전단응력(complementary shear stress)이 작용하는 것을 뜻한다.

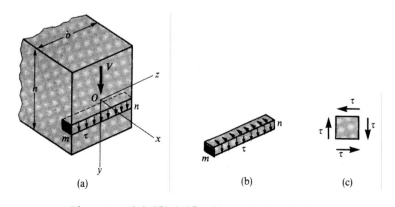

(a) (b) (c)

그림 5-22 직사각형단면을 갖는 보에서의 전단응력

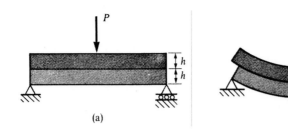

그림 5-23 두 개의 분리된 보에서의 굽힘

이와 같이 수평·연직방향 전단응력이 같다는 사실로부터 보의 상면과 하면에서의 전단응력에 대한 흥미 있는 결론을 얻을 수 있다. 그림 5.22의 요소 mn이 보의 상부 또는 하부면에 있다고 하면 보의 외표면에는 응력의 작용이 없어서 수평방향 전단응력이 존재하지 않을 것은 분명하므로 보의 최상 또는 최하면에서의 연직방향 전단응력은 0이 되어야 한다(즉 $y = \pm h/2$에서 $\tau = 0$).

보에서 수평방향 전단응력이 존재한다는 것은 간단한 실험에 의해서 알 수 있다. 높이 h인 두 개의 같은 직사각형보를 취하여 그림 5.23(a)에서 표시한 것과 같이 단순지지점 위에 놓고 집중력 P를 작용시킨다. 만일 두 보 사이에 마찰이 없다면 두 보의 굽힘은 따로따로 일어나게 되어서 각 보의 중립축 상부에서는 압축, 하부에는 인장이 일어나게 되어서 그림 5.23(b)에 표시하는 것과 같이 변형하게 될 것이며 위에 놓인 보의 하면은 아래에 놓인 보의 상면에 대하여 미끄러지게 된다. 만일 두 개의 보 대신에 높이가 $2h$인 중실보를 대치하였다면 그림 5.23(b)에 보는 바와 같은 미끄러짐을 방지할 만큼의 전단응력이 중립면을 따라 작용해야 한다. 미끄럼 방지로 인한 이런 전단응력이 존재하기 때문에 높이 $2h$인 단일보는 높이가 각각 h인 두 개의 분리된 보보다 더욱 튼튼한 것이다.

전단응력을 계산하기 위하여 거리가 dx인 두 인접한 단면 mn과 $m_1 n_1$ 사이를 보로부터 떼어낸 요소, $pp_1 n_1 n$[그림 5.24(a)]의 평형에 대해서 생각해 보자. 이 요소의 하면은 곧 보의 하면이고 응력은 작용하지 않는다. 이 요소의 윗면은 중립면에 평행하고 그 사이의 거리는 y_1이다. 요소의 상면은 보에서 같은 높이에 존재하는 수평방향 전단응력 τ의 작용을 받게 되고 요소의 양측면은 굽힘모멘트에 의해 일어나는 수직 굽힘응력 σ_x를 받는다. 이 밖에 연직방향 전단응력이 작용하지만 이 응력은 요소의 수평방향 평형방정식에는 포함되지 않으므로 그림 5.24(a)에는 표시하지 않았다.

만일 단면 mn과 $m_1 n_1$에서의 굽힘모멘트가 같으면(즉, 보가 순수굽힘상태에 있다면) 측면 np와 $n_1 p_1$에 작용하는 수직응력 σ_x도 같아야만 되므로 이 요소는 이러한 응력들만의 작용으로 평형을 이루게 된다. 그러므로 전단응력 τ는 0이 되어야 할 것인데 이것으로 보가

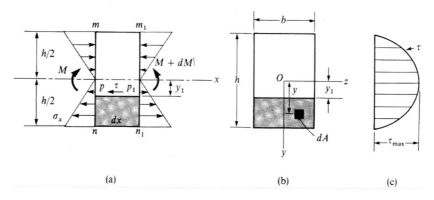

그림 5-24　직사각형단면에서의 전단응력

순수굽힘상태에 있다면 전단력 V는 존재하지 않는다는 확실한 결론을 얻게 된다.

　좀더 일반적인 경우로서 굽힘모멘트가 변화할 경우(비균일굽힘)로써 단면의 mn과 m_1n_1에 작용하는 굽힘모멘트를 각각 M과 $M+dM$으로 표시하고 중립축으로부터 거리 y만큼 떨어지고 면적이 dA인 요소를 생각해 보자[그림 5-24(b)]. 이 요소에 작용하는 수직력은 $\sigma_x dA$인데 여기서 σ_x는 휨공식[식 (5.10)]으로부터 얻어진 수직응력이다. 면적 dA인 요소가 그림 5-24(a)의 요소의 좌측면 pn에 위치하고 있다면 수직력은

$$\sigma_x dA = \frac{My}{I} dA$$

이다. 이 요소에 작용하는 힘을 중실요소(solid element)의 pn면의 전면적에 대해서 적분하면 이 면에 작용하는 전수평력 F_1을 얻는다. 즉

$$F_1 = \int \frac{My}{I} dA$$

이고, 여기에서 적분은 단면의 검은 부분 전체에 걸쳐서 행해진다(즉, $y = y_1$에서부터 $y = h/2$까지의 단면적에 대하여). 같은 방법으로 중실요소의 우측면 p_1n_1에 작용하는 전수평력 F_2는 다음과 같이 된다.

$$F_2 = \int \frac{(M+dM)y}{I} dA$$

　마지막으로 요소의 상면 pp_1에 작용하는 수평력 F_3는

$$F_3 = \tau b dx \tag{a}$$

인데, 여기서 bdx는 상면의 면적이다.

F_1과 F_2, F_3는 정적평형을 이루어야 하므로 x방향의 힘들의 합은 다음과 같이 된다.

$$F_3 = F_2 - F_1 \qquad\qquad (b)$$

또는

$$\tau bdx = \int \frac{(M+dM)y}{I}dA - \int \frac{My}{I}dA$$

여기서

$$\tau = \frac{dM}{dx}\left(\frac{1}{Ib}\right)\int ydA$$

이다. 이 식에 $V = dM/dx$을 대입하면[식 (4.3) 참조]

$$\tau = \frac{V}{Ib}\int ydA \qquad\qquad (5\text{-}20)$$

를 얻을 수 있다. 이 식에서 적분값은 중립축(z축)에 대하여 단면의 검은부분[그림 5-24(b)]의 단면 1차 모멘트를 표시한다. 즉, 적분값은 전단응력 τ가 작용하는 높이 y_1 밑에 있는 단면의 1차 모멘트이다. y_1이 중립축 상부에 설정되었을 경우에는 적분값은 계산하려는 전단응력이 작용하는 지점의 상부단면의 면적 1차 모멘트이다. 1차 모멘트를 Q로 표시함으로써 식 (5-20)은 다음의 형식으로 쓰여진다.

$$\tau = \frac{VQ}{Ib} \qquad\qquad (5\text{-}21)$$

이다. 전단공식으로 알려진, 이 식은 단면의 임의 점에서의 전단응력 τ를 구하기 위해 사용될 수 있다. 이 응력의 변화상태를 알기 위해서는, Q가 어떻게 변하는지를 살펴보아야 한다. 왜냐하면 V, I, b는 주어진 직사각형단면에 있어서 일정하기 때문이다.[*]

그림 5-24(b)의 검은부분에 대해서 단면 1차 모멘트 Q는 면적의 도심으로부터 중립축까지의 거리를 곱함으로써 얻어지므로

---

[*] 유도과정에서, Q는 그림 5-24(b)에 표시한 빗금친 단면면적의 1차 모멘트이고, Q값을 계산하는 데는 대개 이 면적을 사용한다. 그러나 나머지 단면면적의 1차 모멘트를 채택할 수도 있다. 왜냐하면 그 값이 Q와 같기 때문이다(부호를 제외하면) 전단면적에 대한 1차 모멘트가 0이라는 것이 그 이유이다. 따라서, y_1 밑의 면적에 대한 Q의 값은 그 윗부분 면적에 대한 Q값과 같고 부호는 반대이다.

$$Q = b\left(\frac{h}{2} - y_1\right)\left(y_1 + \frac{h/2 - y_1}{2}\right) = \frac{b}{2}\left(\frac{h^2}{4} - y_1{}^2\right) \tag{c}$$

이다. 물론 단면 1차 모멘트가 적분으로써 얻어질 수도 있다. 즉

$$Q = \int y\,dA = \int_{-b/2}^{b/2}\int_{y_1}^{h/2} y\,dy\,dz = \int_{y_1}^{h/2} yb\,dy$$
$$= b\left[\frac{y_2}{2}\right]_{y_1}^{h/2} = \frac{b}{2}\left(\frac{h^2}{4} - y_1{}^2\right)$$

이다. 이 식은 앞에서 얻어진 것과 같은 것이다. 여기서 Q[식 (c)]를 전단공식에 대입하면

$$\tau = \frac{V}{2I}\left(\frac{h^2}{4} - y_1{}^2\right) \tag{5-22}$$

이다. 이 식은 직사각형 보에서의 전단응력이 중립축으로부터의 거리 y_1에 대하여 포물선적으로 변한다는 것을 표시하고 있다. 따라서 보의 높이를 따라 이것을 그려보면 τ는 그림 5-24(c)에 표시한 바와 같이 변화한다. 이 응력은 $y_1 = \pm h/2$일 때 0이며, 중립축(즉, $y_1 = 0$)에서 최대값을 갖는다. 따라서

$$\tau_{\max} = \frac{Vh^2}{8I} = \frac{3V}{2A} \tag{5-23}$$

여기서 $A = bh$는 단면적이므로, 최대전단응력은 평균전단응력($= V/A$)보다 50% 더 크다. τ에 대한 앞의 식[식 (5-20)과 (5-23)]은 단면 위에 작용하는 연직방향 전단응력과 보의 수평층 사이에 작용하는 수평방향 전단응력 둘 중의 어느 것을 계산하는데 사용될 수 있다[이 절에서 행한 해석방법은 러시아 공학자 D.J. Jourawski에 의해 개발되었다(참고문헌 5-11과 5-12 참조].

전단공식으로서의 앞의 공식들은 V와 τ에 대한 어떤 특별한 보호규약에 관계없이 유도되었다. 전단력은 전단응력의 합이라는 것을 주목하면 전단응력은 전단력과 같은 방향으로 작용되는 것이 이해된다. 대부분의 목적을 위해서는, 절대값만을 전단공식으로 계산하고, 응력의 방향은 그림 5-22에서 표시한 바와 같이 검토하여 구한다. 만일 1.6절에서 설명한 전단응력에 대한 부호규약을 사용하면(그림 1-23) 정의 전단력은[그림 5-22(a)] 요소[그림 5-22(c)]의 우측면 위에 부의 전단응력을 일으키므로, 이들 부호규약에 순응하기 위하여는 전단공식에 ($-$)부호를 부칠 필요가 있다.

직사각형보에 대한 전단응력의 공식은 정상적인 비례관계를 갖는 보에만 적용되며 유도되

는 과정에서 굽힘공식에 적용된 것과 같은 제약을 받는다. 따라서 이 공식은 작은 처짐을 갖는 선형탄성재료의 보에 대해서만 유용하다. 이 공식은 협소한 단면보(b가 h보다 퍽 작은)에 대해서는 정확하나 산출되는 값은 b가 h에 상대적으로 증가함에 따라 정확도는 떨어진다. $b = h$인 경우를 예로 들면 최대전단응력은 식 (5-23)으로 주어지는 값보다 약 13% 정도 큰 값이다. 전단공식의 사용제한에 대해서는 참고문헌 5-13을 참고하기 바란다.

전단변형률의 효과. 전단응력 τ는 보의 상면에서 지면까지 포물선형식으로 변화하므로, 전단변형률 $\gamma = \tau / G$도 같은 형식으로 변화된 것이다. 이 때문에, 원래 평면이었던 보의 단면은 뒤틀린다. 이와 같은 왜곡(warping)현상은 그림 5-25에 표시한 것과 같은 mn과 pq인 수직선이 그어진 보를 굽히면 표현되어질 수가 있다. 이 선들은 중립면에 작용하는 최대전단변형률에 의해 직선이 유지되지 않고 곡선으로 될 것이다. 점 m_1, p_1, n_1과 q_1에서 전단변형률은 존재하지 않고, $m_1 n_1$과 $p_1 q_1$곡선은 굽은 뒤에도 보의 상하면에 대해 수직이어야 한다. 여기서 중립면에서는, 곡선 $m_1 n_1$과 $p_1 q_1$의 접선과 수직선 mn과 pq 사이의 각들은 전단변형률 $\gamma = \tau_{\max} / G$과 같아야 한다. 전단력 V가 보를 따라서 균일하다면, 모든 단면의 왜곡도 균일성이어야 하므로 $m_1 m = p_1 p$, $n_1 n = q_1 q$로 될 것이다. 그러므로 굽힘모멘트에 의해 일어나는 종방향 섬유조직의 신장과 수축은 전단변형률에 의한 영향을 받지 않으며, 수직응력 σ의 분포는 순수굽힘상태일 때와 같게 된다.

이 문제를 좀더 정확하게 살펴보면, 전단변형률에 의한 단면의 왜곡은 분포하중이 보에 작용하고 전단력이 보를 따라서 연속적으로 변화할지라도 실제적으로 종방향변형률에 영향을 주지 않는다. 집중하중을 받는 부위의 응력분포는 다소 복잡하지만, 이러한 불규칙성은 매우 국한된 것이고 보의 전응력분포에는 큰 영향을 주지 않으므로 비균일굽힘의 경우에도 순수굽힘에 대해서 유도된 굽힘공식[식 (5-10)]을 사용하는 것이 매우 적절하다.

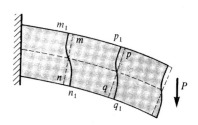

그림 5-25 전단으로 인한 보의 단면의 구부러짐

그림 5-26에 표시한 강철로 된 보 AB에서 C점에 작용하는 수직응력과 전단응력을 계산하라.
지간길이 $L = 0.915$ m인 보 AB는 단순지지되고, 치수가 25.4 mm $\times 101.6$ mm인 직사각형
단면을 갖는다. 보 위에는 등분포하중(자중을 포함해서) $q = 28$ kN/m가 만재되어 있다(또한
보는 횡방향의 좌굴은 완전히 방지되어 있다).

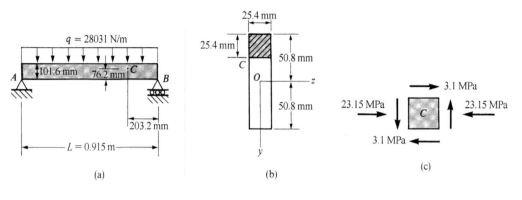

(a) (b) (c)

그림 5-26 예제 1

정적 평형조건으로부터, C점을 통하는 단면의 굽힘모멘트 M과 전단력 V는 다음의 값으
로 구해진다.

$$M = 2024.96 \text{ N-m}, \quad V = -17120 \text{ N}$$

이 항에서 부호는 그림 4-3에 표시한 M과 V에 대한 부호규약에 따른다. 횡단면의 관성모
멘트는

$$I = \frac{bh^3}{12} = \frac{1}{12}(25.4 \text{ mm})(101.6 \text{ mm})^3 = 2.22 \times 10^{-6} \text{ m}^4$$

이므로, $y = -1.0$ in에 위치한 C점에서의 굽힘응력은

$$\sigma_x = \frac{My}{I} = \frac{(2024.96 \text{ N-m})(-0.0254 \text{ m})}{2.22 \times 10^{-6} \text{ m}^4} = -23.15 \text{ MPa}$$

이다. 여기서 $(-)$부호는 압축응력을 표시한다.

전단응력을 구하기 위해, 점 C와 보의 최상표면 사이의 단면 1차 모멘트 Q를 계산할 필
요가 있다. 이 면적은 그림 5-26(b)의 사선을 그은 부분으로 표시되었다. z축에 대한 이
면적의 단면 1차 모멘트는 이 면적과 z축으로부터 도심까지의 거리를 곱하여 구한다. 따라서

$$Q = (0.0254 \text{ m})(0.0254 \text{ m})(0.0381 \text{ m}) = 2.458 \times 10^{-5} \text{ m}^3$$

이다. 여기서 이 값은 전단공식에 대입하여 C점에서의 전단응력을 구하면 다음과 같다.

$$\tau = \frac{VQ}{Ib} = \frac{(-7120\,\text{N})(2.458 \times 10^{-5}\,\text{m}^3)}{(2.22 \times 10^{-6})(0.0254\,\text{m})} = -3.1\,\text{MPa}$$

전단력은 부이기 때문에 보가 C를 통하는 단면으로 절단된다면 보의 좌측부분에서는 위로 작용하므로 전단응력 τ는 같은 방향으로 작용한다. 응력의 방향을 표시하는 편리한 방법은 점 C에 응력요소를 그리는 것이다[그림 5-26(c)].

예제 2

두 개의 집중하중 P를 받는 단순보 AB는 폭 $b = 100\,\text{mm}$, 높이 $h = 150\,\text{mm}$인 직사각형단면을 갖는다. 보의 끝에서 첫 하중까지의 거리 a는 0.5 m이고 보가 굽힘허용응력 $\sigma_{\text{allow}} = 11\,\text{MPa}$, 전단허용응력 $\tau_{\text{allow}} = 1.2\,\text{MPa}$인 목제라면 이 보의 허용하중 P는 얼마인가? (보의 자중은 무시하라)

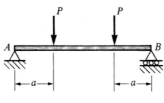

그림 5-27 예제 2

풀이 보에서 최대굽힘모멘트 M과 최대전단력 V는

$$M = Pa, \quad V = P$$

또한 단면계수 S와 단면적 A는

$$S = \frac{bh^2}{6}, \quad A = bh$$

이다. 보에서 최대수직응력과 전단응력[식 (5-13)과 (5-23)으로부터]은

$$\sigma = \frac{M}{S} = \frac{6Pa}{bh^2}, \quad \tau = \frac{3V}{2A} = \frac{3P}{2bh}$$

이므로, 최대허용하중 P는

$$P = \frac{\sigma_{\text{allow}}bh^2}{6a} \quad \text{또한} \quad P = \frac{2\tau_{\text{allow}}bh}{3}$$

이다. 수치들을 윗 공식에 대입하면

$$P = 8.25 \text{ kN} \quad \text{그리고} \quad P = 12.0 \text{ kN}$$

을 얻는다. 따라서 굽힘응력이 설계에 주가 되며, 허용하중은 $P = 8.25 \text{ kN}$ 이다.

5.6 플랜지를 갖는 보의 웨브에서의 전단응력

WF형보[그림 5-28(a)]가 전단력 V를 받을 때, 전단응력은 단면 전체에 일어난다. 이것은 형상이 복잡하므로 이것의 전단응력 분포는 직사각형보다 복잡하다. 예를 들면, 보의 플랜지에서의 전단응력은 수평방향과 연직방향인 두 방향으로 단면 위에 작용한다. 하지만 대부분의 연직전단력 V는 웨브의 전단응력에 의해 부담되며, 직사각형보에 대해서 사용했던 것과 같은 방법을 이용하여 응력들을(최대전단응력을 포함) 결정할 수 있다.

그림 5-28(a)에 표시한 것과 같은 보의 웨브의 ef 위치에 대한 전단응력을 생각해 보자. 직사각형보의 경우에서와 같은 가정을 한다: 즉 전단응력은 y축에 평행하게 작용하고 두께가 t인 복부에 걸쳐 균일한 분포를 한다. 이때 앞절에서 유도한 공식들은 유효한 것으로, 전단공식 $\tau = VQ/Ib$로써 여기에 적용될 수가 있다. 하지만, 폭 b는 여기서는 웨브의 두께 t로 되고, 단면 1차 모멘트 Q를 계산하는데 사용된 면적은 ef와 단면의 하단 사이의 면적인데[즉, 그림 5-28(a)의 사선부분] 이 면적은 두 개의 직사각형으로 이루어져 있다(웨브와

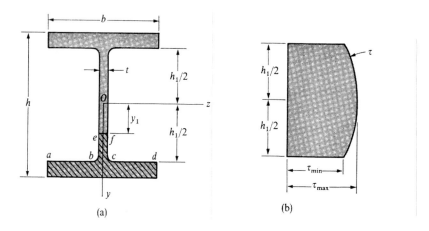

그림 5-28 광폭판보의 복부에서의 전단응력

플랜지의 연결부에 설치된 작은 필렛의 효과를 무시한다). 첫째 직사각형은 플랜지인데 면적은

$$A_f = b\left(\frac{h}{2} - \frac{h_1}{2}\right)$$

이고, 둘째 직사각형은 ef와 플랜지 사이의 웨브부분으로 면적은

$$A_w = t\left(\frac{h_1}{2} - y_1\right)$$

이다. 중립축에 대한 이들 면적의 단면 1차 모멘트는 이 면적에, z축으로부터 단면의 도심까지 거리를 곱하면 얻어진다. 즉,

$$Q = b\left(\frac{h}{2} - \frac{h_1}{2}\right)\left(\frac{h_1}{2} + \frac{h/2 - h_1/2}{2}\right)$$
$$+ t\left(\frac{h_1}{2} - y_1\right)\left(y_1 + \frac{h_1/2 - y_1}{2}\right)$$

이것을 간단히 하면,

$$Q = \frac{b}{8}(h^2 - h_1^2) + \frac{t}{8}(h_1^2 - 4y_1^2)$$

이고, 따라서 보의 웨브에서의 전단응력 τ는 다음과 같다.

$$\tau = \frac{VQ}{It} = \frac{V}{8It}[b(h^2 - h_1^2) + t(h_1^2 - 4y_1^2)] \tag{5-24}$$

이 식으로부터, τ가 그림 5-28(b)에 표시한 것과 같이 웨브의 높이에 따라 포물선형식으로 변화함을 알 수가 있다. 단면관성모멘트 I에 대한 다음의 식을 도입하면,

$$I = \frac{bh^3}{12} - \frac{(b-t)h_1^3}{12} = \frac{1}{12}(bh^3 - bh_1^3 + th_1^3) \tag{5-25}$$

식 (5-24)는 다음의 식으로 된다.

$$\tau = \frac{3V(bh^2 - bh_1^2 + th_1^2 - 4ty_1^2)}{2t(bh^3 - bh_1^3 + th_1^3)} \tag{5-26}$$

이 식은 단면의 치수의 항으로 τ를 표시하고 있다.

최대전단응력은 중립축$(y_1 = 0)$에서 일어나며, 웨브에서의 최소전단응력은 플랜지와의 연결부에서$(y_1 = \pm h_1/2)$ 일어난다. 그러므로,

$$\tau_{\max} = \frac{V}{8It}(bh^2 - bh_1^2 + th_1^2) = \frac{3V(bh^2 - bh_1^2 + th_1^2)}{2t(bh^3 - bh_1^3 + th_1^3)} \tag{5-27}$$

그리고

$$\tau_{\min} = \frac{Vb}{8It}(h^2 - h_1^2) = \frac{3Vb(h^2 - h_1^2)}{2t(bh^3 - bh_1^3 + th_1^3)} \tag{5-28}$$

보의 치수에 따라서는 웨브에서의 최대전단응력은 전형적으로 최소응력보다 10%에서 60%만큼 더 크다.

웨브가 부담하는 전전단응력은 응력선도의 면적[그림 5-28(b)]에 웨브 자체의 폭 t를 곱해서 구할 수도 있다. 응력선도의 면적은 두 개의 부분으로 되어 있는데, 직사각형면적 $h_1\tau_{\min}$과 포물선부분면적

$$\frac{2}{3}(h_1)(\tau_{\max} - \tau_{\min})$$

이므로, 웨브에서의 전단력은

$$V_{\text{web}} = h_1\tau_{\min}t + \frac{2}{3}(h_1)(\tau_{\max} - \tau_{\min})t = \frac{th_1}{3}(2\tau_{\max} + \tau_{\min}) \tag{5-29}$$

전형적인 보의 경우에서는 웨브에서의 전단응력은 전전단력의 90%~98%까지 부담하고, 그 나머지는 플랜지의 전단이 부담한다.

설계업무에서는, 전전단력을 웨브의 면적으로 나누어 최대전단응력의 근사값을 계산하는 것이 보통이다. 이 응력은 웨브에서의 평균전단응력을 표시한다.

$$\tau_{\max} = \frac{V}{th_1} \tag{5-30}$$

대표적인 WF형보에 대해서, 평균전단응력은 실제 최대전단응력의 10%(+ 또는 −) 이내의 값이다.

이 절에서 소개한 기본 이론들은 웨브에서의 전단응력을 계산하는데 사용되었다면 그 정확도는 높지만 플랜지에 대한 전단응력의 분포를 생각할 경우 플랜지의 폭 b에 따르는 전단응력이 균일하다는 가정은 할 수 없다. 예를 들면, $y_1 = h_1/2$에 대해서, 자유표면 ab와 cd [그림 5-28(a)]상의 전단응력은 0인 것에 반하여, 연결부 bc에 따르는 응력이 $\tau_{\min}$인 것이다. 이런 관찰이 표시하는 것은, 웨브와 플랜지의 연결부에서 전단응력의 분포는 좀더 복잡

한 법칙에 따르며, 이 법칙은 초보적 해석으로는 검토될 수가 없는 것이다. 만일 내부의 모서리가 네모졌을 때 연결부에서는 응력이 매우 크게 될 것이므로, 필렛이 그림에서와 같이 응력을 감소시키기 위하여 사용된다. 응력분포의 국부적인 성질 때문에, 전단공식은 플랜지에서의 수직전단응력에 대해서는 정확한 결과를 주지 않는다. 하지만, 그 공식은 9.4절에서 설명할 플랜지에서 수평전단응력을 계산하는데 사용될 수 있다.

예제 ①

치수가 $b = 0.1016 \text{ m}$, $t = 0.0254 \text{ m}$, $h = 0.2032 \text{ m}$, $h_1 = 0.1778 \text{ m}$ 이고, 전단력 $V = 44500 \text{ N}$ 을 받는 그림 5.29에 표시한 T형 단면을 갖는 보의 웨브에서의 최대전단응력을 구하라.

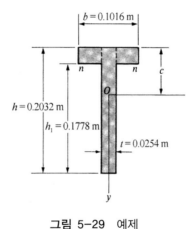

그림 5-29 예제

풀이 단면의 도심까지의 거리 c는

$$c = \frac{(0.0762 \text{ m})(0.0254 \text{ m})(0.0127 \text{ m}) + (0.2032 \text{ m})(0.0254 \text{ m})(1.1016 \text{ m})}{(0.0762 \text{ m})(0.0254 \text{ m}) + (0.2032 \text{ m})(0.0254 \text{ m})}$$

$$= \frac{5.49 \times 10^{-4} \text{ m}^3}{7.10 \times 10^{-3} \text{ m}^2} = 0.077 \text{ m}$$

이다. 중립축에 대한 단면의 관성모멘트 I는 축 nn에 대한 관성모멘트를 먼저 구하고 다음 평행축 정리(부록 C)를 이용하여 구하면 다음과 같다.

$$I = \frac{1}{3}(0.1016 \text{ m})(0.0254 \text{ m})^3 + \frac{1}{3}(0.0254 \text{ m})(0.1778 \text{ m})^3 - (0.2794 \text{ m}^2)(0.0519 \text{ m})^2$$

$$= 2.9 \times 10^{-5}$$

최대전단응력은 중립축에서 일어나며 중립축 아래 면적의 1차 모멘트 Q는

$$Q = (0.0254 \text{ m})(0.016 \text{ m})^2 \left(\frac{1}{2}\right) = 2.032 \times 10^{-4} \text{ m}^3$$

이다. 여기서 전단공식에 이것들을 대입하면

$$\tau = \frac{VQ}{It} = \frac{(44500\,\text{N})(2.032 \times 10^{-4}\,\text{m}^3)}{(2.9 \times 10^{-5}\,\text{m}^4)(0.0254\,\text{m})} = 12.13\,\text{MPa}$$

이며 이 값이 보에서의 최대전단응력이다.

*5.7 원형보에서의 전단응력

보가 원형단면을 갖는 경우[그림 5-30(a)], 모든 전단응력이 y축에 평행하게 작용한다고 가정할 수는 없다. 단면의 경계에 있는 m과 같은 점에서 전단응력은 경계에 접선방향으로 작용하리라는 것을 알 수가 있다. 이를 증명하기 위해 보의 표면 위의 면 $adgf$와 단면 내의

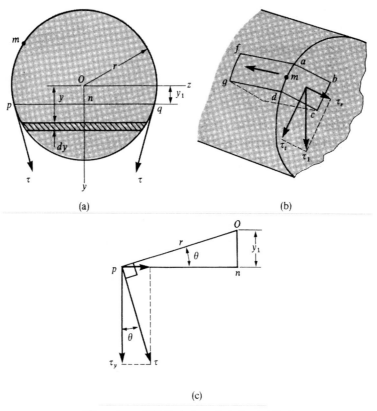

(a)　　　　　(b)

(c)

그림 5-30　원형단면의 보에서의 전단응력

면 $abcd$면을 가지는 직평행육면체의 모양을 한 미소요소 $abcdfg$[그림 5-30(b)]를 생각해 보자. 만일 요소의 측면 $abcd$면에 작용하는 전단응력이 응력 τ_1으로 표시한 방향이라면, 언제나 반지름방향의 응력 τ_r과 경계에 접선방향의 응력인 τ_t의 두 성분으로 분해할 수 있다.

우리는 이미 요소의 평형조건에 의하여, 전단응력이 요소의 한 면에 작용하면 같은 값인 전단응력이 수직면에도 작용한다는 사실을 알고 있다. 그림 5-30(b)에 표시한 요소에 이러한 개념을 적용하면 다음의 결론을 얻을 수 있다. 즉 전단응력 τ_r이 $abcd$면에서 반지름방향으로 작용하면 이와 같은 값인 전단응력 τ_r이 요소의 $adgf$면에도 작용하게 된다. 그러나, 보의 외표면은 응력이 존재하지 않으므로 전단응력 τ_1의 반지름방향 성분 τ_r은 0이 되어야 한다. 따라서, 전단응력 τ_1은 보 단면의 경계에 대해 접선방향으로 작용해야만 한다.

이러한 결론을 이용하여, 이제 그림 5-30(a)의 중립축으로부터 y_1만큼 떨어진 현 pq를 따라 작용하는 전단응력을 알아보자. 그림에 표시한 바와 같이 현의 끝에서 전단응력 τ는 단면의 경계에 대해 접선방향이어야 한다. 또한 현의 중심점 n에서는, 전단응력이 y축과 평행한 방향이어야 한다는 대칭성이 요구된다. 따라서, p와 n점에서 전단응력의 작용선은 y축 위의 어느 점에서 교차하게 된다는 것을 알 수 있다. 여기서 pq선상의 다른 점에서의 전단응력들도 같은 점을 향한다고 가정하면 나머지 전단응력의 방향도 정의할 수 있다.

전단응력의 크기를 결정하기 위하여 또 다른 가정이 필요하다. 즉, 전단응력의 연직성분은 pq선을 따르는 모든 점에 대하여 같다고 가정한다. 이 가정은 직사각형단면에서의 경우와 같으므로 연직성분을 계산함에 있어서 전단공식[식 (5-21)]을 이용할 수 있다. 이 경우, 이 전단공식에서의 b값은 현 pq의 길이를 표시한다. 이제 전단응력의 방향과 그 연직성분을 알았으므로 단면의 임의점에서의 전단응력의 크기를 계산할 수가 있다.

여기서 앞의 가정에 따라 그림 5-30(a)의 pq선상을 따르는 전단응력을 구해 보자. 전단응력의 연직성분 τ_y를 계산하는데 전단공식을 이용하기 위하여 pq선 아래의 면적에 대한 단면 1차 모멘트 Q를 z축에 대하여 구해야 한다. z축으로부터 y만큼 떨어져 있는 면적요소(그림에서 사선부)는 두께 dy와 길이 $2\sqrt{r^2-y^2}$을 갖는데, 여기서 r은 단면의 반지름이다.

이 면적요소의 단면 1차 모멘트는 면적에 y를 곱하여 구할 수 있다. 따라서, pq선 아랫부분에 대한 단면 1차 모멘트는

$$Q = \int_{y_1}^{r} 2y\sqrt{r^2-y^2}\,dy = \frac{2}{3}(r^2-y_1^2)^{3/2}$$

이며, 또한 폭 b와 단면관성모멘트 I는

$$b = 2\sqrt{r^2-y_1^2}, \quad I = \frac{\pi r^4}{4}$$

이므로 전단응력의 수직성분은

$$\tau_y = \frac{VQ}{Ib} = \frac{4V}{3\pi r^4}(r^2 - y_1^2) \tag{a}$$

이다. 단면의 경계상에 있는 점 p에서, 전전단응력 τ는 다음 식에 의해 이 전전단응력의 수직성분 τ_y[그림 5-30(c) 참조]와 관련지을 수 있다.

$$\tau = \frac{\tau_y}{\cos\theta} = \frac{r\tau_y}{\sqrt{r^2 - y_1^2}}$$

이 식에 식 (a)의 τ_y를 대입하면

$$\tau = \frac{4V}{3\pi r^3}\sqrt{r^2 - y_1^2} \tag{5-31}$$

을 얻는데, 이 식은 z축으로부터 y_1거리에 위치한 경계면 위 p점에서의 전단응력에 대한 식이다. 선 pn을 따라서 움직여 보면[그림 5-30(a)] 전단응력은 감쇄하며(왜냐하면, 연직성분은 균일하다고 가정되었기 때문) n점에서 최소에 이르게 되고 $\tau = \tau_y$로 된다[식 (a)].

최대전단응력은 중립축에서 일어나므로 $y_1 = 0$을 식 (5-31)에 대입하면

$$\tau_{\max} = \frac{4V}{3\pi r^2} = \frac{4V}{3A} \tag{5-32}$$

가 된다. 여기서, A는 전단의 면적이다. 이 식으로부터 원형단면보에서의 최대전단응력은 평균전단응력 V/A의 4/3배임을 알 수 있다.

중립축에서의 전단응력은 y축에 평행하고 단면을 따라 균일한 크기($\tau_{\max}$)를 갖는다. 이와 같은 가정들이 전단공식 $\tau = VQ/Ib$를 유도하는 데 이용되었으므로 중립축에서의 응력을 다음과 같은 방법으로 이 식으로부터 직접 계산할 수 있다. 즉, 원형단면에 대해서는 $I = \pi r^4/4$, $b = 2r$이므로

$$Q = \frac{\pi r^2}{2}\left(\frac{4r}{3\pi}\right) = \frac{2r^3}{3}$$

을 얻는다(부록 D의 경우 11을 참조). I, b, Q에 대한 이들 식을 전단공식에 대입하면 중립축에서의 응력을 다시 얻을 수 있다.

$$\tau = \frac{VQ}{Ib} = \frac{4V}{3\pi r^2} = \frac{4V}{3A}$$

위의 식은 식 (5-32)와 같은 것이다.

이 절에서 설명된 근사이론을 중실원형보에 대한 전단응력을 구하는데 충분히 정확한 결과를 준다. 탄성론으로부터 얻을 수 있는 명확한 결과로부터 중립축을 따라 응력이 균일하지 않다는 것을 알 수 있다(참고문헌 5-13과 5-14). 그러나, 근사해를 사용하여 구해진 응력은 단지 몇 퍼센트의 오차 밖에는 없다.

만일 보가 중공원형단면을 갖는다면(그림 5-31), 중립축을 따라 존재하는 전단응력은 수직이며 균일한 분포를 한다고 가정하고 있는데 이것은 상당히 정확도를 가지므로 전단공식 [식 (5-21)]으로부터 최대응력을 구할 수 있다. 단면의 특성은

$$Q = \frac{2}{3}(r_2^3 - r_1^3), \quad I = \frac{\pi}{4}(r_2^4 - r_1^4), \quad b = 2(r_2 - r_1)$$

이며, 최대응력은

$$\tau_{\max} = \frac{VQ}{Ib} = \frac{4\,V}{3A}\,\frac{r_2^2 + r_2 r_1 + r_1^2}{r_2^2 + r_1^2} \tag{5-33}$$

이다. 여기서, $A = \pi(r_2^2 - r_1^2)$은 중공단면의 면적이다.

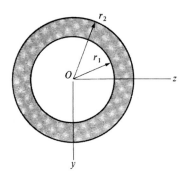

그림 5-31 중공원형단면

5.8 조립보

조립보(built-up beam)란 하나의 보를 두 개 또는 그 이상의 재료의 부분들을 접합하여 구성한 보를 말한다. 이와 같은 보는, 특별한 필요에 의해 또는 보통 이용되는 단면보다 더

큰 단면이 요구될 때 사용되어진다. 그림 5-32는 조립보의 전형적인 몇 개의 단면을 표시하고 있다. 그림의 (a)부분은 2개의 판으로 만들어진 목제 **상자형보**(box beam)이다. 여기서 판은 합판인 웨브에 연결된 플랜지로 쓰인다. 이 판들은 못, 나사 또는 아교로 접합되어 있어서 전단면이 단일중실체로 작용하도록 설계되어야 한다. 두 번째 예는 **아교로 붙인 보** (glulam beam)로서 판자로 만들어져 있는데 단일부재로 제재된 보보다 훨씬 큰 단면의 보를 형성하도록 아교로 접합되어 있다. 마지막의 예로는 용접된 **강판항**(steel plate girder)으로 교량주부재로 빈번히 이용되는데 세 개의 강판이 필렛용접으로 조립되어진다.

조립보는 보통, 보가 단일부재로서 거동할 수 있도록, 각 부분이 완전히 연결된다는 가정하에서 설계된다. 연결된 요소에 의해 부담되는 하중은 보의 부분들 사이로 전달되는 수평전달력이다.

두 부분 사이에 작용하는 수평전단력에 대한 식은 전단공식을 유도하는 과정인 그림 5-24와 5.5절을 참고함으로써 얻을 수 있다. 그 식의 유도에 있어서, 요소 pp_1n_1n의 상면에 작용하는 전단응력 τ는 보의 폭 b에 따라 균일하게 분포한다고 가정하였으나 좀더 일반적인

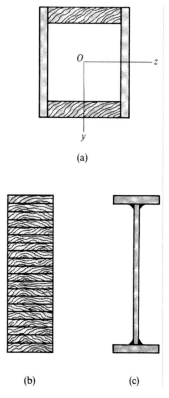

그림 5-32 조립보 (a) 나무상자보 (b) glulam 보 (c) 강판항

경우에서는, 이 가정은 성립하지 않으므로 전단응력을 계산하지 않고 5.5절의 공식들을 이용하여 요소의 상면에 작용하는 전수평력 F_3를 계산할 수 있다. 이 힘은 $F_3 = f dx$로 표시되는데, f는 보의 축을 따라 작용하는 단위 길이당 전단력이다(보의 폭을 따라 전단응력이 균일한 분포인 경우 직사각형 단면의 보에 대해서는 $f = \tau b$이다). **전단흐름**(shear flow)이라 불리는 이 f의 값은 단위 길이당의 힘으로 표시되는 단위를 갖는다. 전단흐름을 계산하기 위하여, 전단공식의 유도와 같은 과정을 반복한다. 5.5절의 식 (b)로부터 시작하면

$$F_3 = f dx = F_2 - F_1$$

이며, F_2와 F_1을 대입하여 풀면

$$f = \frac{dM}{dx}\left(\frac{1}{I}\right)\int y dA$$

를 얻을 수 있다. 다시, dM/dx을 V 및 적분을 Q로 대치하면

$$f = \frac{VQ}{I} \tag{5-34}$$

가 된다. 이 식으로부터, 그림 5-24에 있는 경사요소와 보의 나머지 부분 사이에 작용하는 전단흐름 f를 구할 수 있다. 식 (5-34)를 유도함에 있어서 단면의 폭에 따라 작용하는 전단응력의 분포에 대해서는 어떠한 가정도 하지 않았다. 물론, 응력분포가 균일하다면, 그때의 $\tau = f/b$이며 식 (5-34)는 전단공식 식 (5-21)과 같은 것이다.

전단흐름에 대한 공식은 직사각형 단면보에만 국한되는 것이 아니고 y축에 대하여 대칭인 단면을 갖는 어떤 보에 대해서도 유용하다. 실제로, 그림 5-24의 사선요소의 단면의 면 $p_1 n_1$은 여러형태를 갖고 있다. 이러한 경우에 있어서는 전단흐름 f는 단면에 있는 선을 따라 작용하는 단위길이당 힘이며 이 선은 사선부분과 보의 나머지 부분을 분할하고 있다. 이 점을 명확하게 하기 위하여 그림 5-33(a)에 표시된 단면을 고려하여 보자. 그림 5-33(a)의 용접된 강판항의 경우는 용접으로 플랜지와 웨브 사이의 수평전단력을 전달해야만 하는데 이 힘(단위 길이당)이 접촉면 aa를 따르는 전단흐름이다. 이것은 접촉면 aa 위의 단면 1차 모멘트인 Q를 포함하는 $f = VQ/I$의 전단흐름식으로부터 계산할 수 있다. 물론, 단면 1차 모멘트는 항상 z축에 대하여 계산되어야 한다. 이런 방법으로 f를 계산한 후 단위 길이당 (종방향으로 작용하는) 힘에 대하여 충분히 저항할 수 있는 용접치수를 선택할 수 있다.

두 번째 예는, 그림 5-33(b)에 표시되어 있는 보인데, 이 보는 [형 단면을 각 플랜지에 리벳 연결시켜 보강한 WF형 단면보로 구성되었다. [형 단면과 주항(main beam) 사이에

작용하는 수평전단력은 리벳에 의하여 전달된다. 이 힘은 전 [형 단면(그림에서 흑색부분)의 1차 모멘트인 Q를 사용하여 전단흐름 식으로부터 계산된다. 이 결과 전단흐름 f는 접촉면 bb를 따라 작용하는 단위길이당 종방향력이며 리벳은 이 힘에 저항할 수 있도록 충분한 크기와 간격을 가져야 한다. 마지막 예[그림 5-33(c)]는 전단흐름이 접촉면 cc와 dd 두 면을 따르는 단위 길이당 힘이고 Q는 사선부분에 대하여 계산된다는 것을 제외하고는 비슷하다. 이 경우, 전단흐름 f는 보의 양측면에 박혀 있는 못의 합성작용에 의하여 저항된다. 이러한 개념을 하나의 예를 들어 설명하기로 한다.

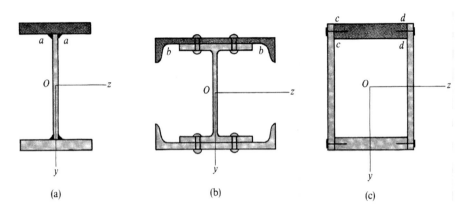

(a)　　　　　　　　　(b)　　　　　　　　　(c)

그림 5-33 전단유 f를 계산할 때 이용되는 면적

예제 ①

그림 5-34(a)에 표시한 목제상자형보는 두 개의 목판(40 mm×180 mm)인 플랜지와 두께가 15 mm인 두 개의 합판인 웨브판으로 만들어졌다. 이들 보의 높이는 280 mm이다. 합판은 허용전단력 $F=1100$ N을 갖는 나사에 의해 플랜지에 고정되어 있다. 이 단면에 작용하는 전단력 V가 10.5 kN일 때, 나사를 얼마의 간격으로 배치할 것인가? [그림 5-34(b)]

풀이 한 플랜지와 두 개의 웨브 사이에 전달되는 수평전단력은 전단흐름식 $f=VQ/I$로부터 구할 수 있는데, Q는 보의 외측단과 흐름이 계산되는 접촉면 사이에 있는 단면 1차 모멘트이다. 이 경우, 단면은 그림 5-33(c)에 표시한 선 cc와 dd를 따라 분리되어지므로 면적은 플랜지 하나의 면적[그림 5-33(c)의 검은 부분]으로 된다. 그림 5-34(a)에 표시한 치수로 Q를 계산하면 다음과 같다.

$$Q=\bar{y}A=(120\text{ mm})(180\text{ mm})(40\text{ mm})=864\times10^3\text{ mm}^3$$

또한, 중립축에 대한 전단면의 관성모멘트는

$$I=\frac{1}{12}(210)(280)^3-\frac{1}{12}(180)(200)^3=264.2\times10^6\text{ mm}^4$$

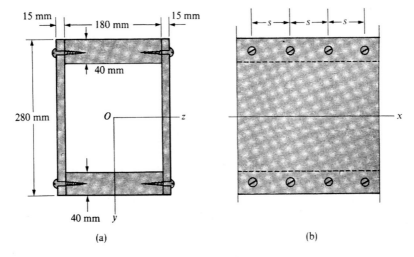

그림 5-34 예제

이다. 여기서, 이것들을 전단흐름식에 대입하면

$$f = \frac{VQ}{I} = \frac{(10500\,\text{N})(864 \times 10^3\,\text{mm}^3)}{264.2 \times 10^6\,\text{mm}^4} = 34.3\,\text{N/mm}$$

를 얻는데, 이는 나사가 부담해야 할 단위 mm당 전단력이다.

두 줄의 나사(플랜지 양측면에 하나씩)가 배치되므로 단위길이당 나사의 내하력은 $2F/s$이다. 전단흐름과 $2F/s$를 같게 놓아 s를 구하면

$$s = \frac{2F}{f} = \frac{2(1100\,\text{N})}{34.3\,\text{N/mm}} = 64.1\,\text{mm}$$

를 얻는다. 이 s의 값은 나사의 최대허용간격을 표시한다. 그런데 편의상 $s = 60\,\text{mm}$의 간격을 선택하는 것이 현명하다.

5.9 비균일단면보의 응력

앞의 절들에서 설명한 보 해석은 길이에 따라 단면이 변하지 않는 균일보에 국한된 것이다. 이와 같은 보를 해석하기 위한 휨공식과 전단공식($\sigma = My/I$, $\tau = VQ/Ib$, $f = VQ/I$)을 유도하였다. 그림 5-35에 표시한 테이퍼(taper)를 갖는 외팔보와 같은 비균일보는 이들

식으로 주어지는 응력분포와는 다른 응력분포를 갖게 될 것이므로, 이 절에서는, 비균일단면에서의 응력을 구하는 몇 가지 근사공식을 설명하고 이것을 정밀해와 비교하여 보기로 하자.

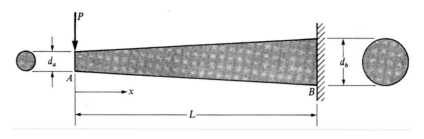

그림 5-35 원형단면의 Tepered 외팔보

수직응력. 만일, 단면의 치수가 보의 한 끝에서 다른 끝까지 점차적으로 변화해 간다면 휨공식 $\sigma = My/I$로부터 수직응력 σ를 구한 값은 양호한 정밀도를 갖는다. 예를 들면, 그림 5-35에서 보의 상부표면과 수평면 사이의 각이 20°보다 작을 때, 이것으로 계산된 수직응력에 포함되는 오차는 10% 미만이다(뒤의 정밀해 참고). 물론 이 각이 작아짐에 따라 오차는 더 작게 된다.

균일단면보에서 최대수직응력은 σ의 값이 보의 축에 연하여 M과 같은 변화를 하므로, 최대굽힘모멘트가 일어나는 단면에서 일어난다. 그러나 이 개념이 비균일보에서도 그대로 적용될 수는 없다. 왜냐하면 비균일보에 있어서는 σ가 축을 따라서 M에 비례할 뿐만 아니라 단면의 관성모멘트 I와는 반비례의 변화를 하기 때문이다. 이런 상태의 한 예로서, 그림 5-35에 표시한 집중하중을 받는 중실 원형단면의 테이퍼 외팔보가 있다. 이 해석을 쉽게 하기 위하여 고정단에서의 지름은 자유단 A의 지름에 두 배가 된다고 하자. 즉,

$$\frac{d_b}{d_a} = 2$$

이다. 이때, 좌단에서 x만큼 떨어진 위치의, 보의 지름 d는

$$d = d_a + (d_b - d_a)\frac{x}{L} = d_a\left(1 + \frac{x}{L}\right)$$

이고 이에 대응하는 단면계수는

$$s = \frac{\pi d^3}{32} = \frac{\pi}{32}d_a^3\left(1 + \frac{x}{L}\right)^3$$

이다. 따라서 임의의 단면에서의 최대수직응력 σ는

$$\sigma = \frac{M}{S} = \frac{Px}{S} = \frac{32Px}{\pi d_a^3 \left(1 + \dfrac{x}{L}\right)^3}$$

이다. 미분 $d\sigma/dx$를 구하여 이것을 0으로 놓으면, σ가 최대가 되는 x값을 구할 수 있다. 즉 $x = L/2$이고 이에 대응하는 최대응력은

$$\sigma_{\max} = \frac{128PL}{27\pi d_a^3} = 4.741 \frac{PL}{\pi d_a^3}$$

이다. 최대굽힘모멘트가 일어나는 단면에서의(지점 B), 최대응력은

$$\sigma_b = \frac{4PL}{\pi d_a^3}$$

이다. 이와 같은 특별한 예제를 통하여, 최대응력은 보의 중간단면에서 일어나는 것을 알 수 있으며, 이 값은 굽힘모멘트가 최대값으로 되는 고정단에서의 응력보다 19%만큼이나 더 크다. 만일 보의 테이퍼가 감소한다면, 최대수직응력의 단면은 고정단 쪽으로 옮겨질 것이다.

매우 작은 테이퍼의 보에 대해서는, 균일단면의 캔틸레버와 같은 경향으로 최대응력은 고정단 B에서 일어난다.

전단응력. 비균일단면보에서의 전단응력은 균일단면보에서의 응력과는 큰 차이가 있으므로, 전단공식 $\tau = VQ/Ib$의 적용이 불가능하므로, 보의 높이의 변화에 따르는 효과를 고려하여 새로운 관계식을 유도하여야 한다. 이 목적을 위해, 그림 5-36에 표시한 바와 같이 비균일단면보로부터 잘라낸 미소 길이 요소 Δx를 생각하기로 한다. 이 요소의 좌측면 $m_1 n_1$에서의 굽힘모멘트는 M_1이고, 우측면 $m_2 n_2$에서는 M_2이다. 보의 대응하는 높이는 각각 h_1과 h_2로 표시하고, y_1은 중립축으로부터 전단응력 τ가 작용하는 점까지의 거리이다(균일단면보에 대한 그림 5-24(a)와 비교).

요소 $n_1 p_1 p_2 n_2$의 윗면 $p_1 p_2$를 따라서 존재하는 전단흐름 f는 요소의 정적 평형방정식으로부터 얻어진다. 요소의 좌측면과 우측면에 작용하는 수직굽힘응력으로 인한 힘은 각각 $M_1 Q_1 / I_1$과 $M_2 Q_2 / I_2$이다(5.5절의 F_1과 F_2에 대한 식 참조). 이들 식에서 I_1과 I_2는 두 단면의 관성모멘트이고, Q_1과 Q_2는 각 요소의 양측면 $p_1 n_1$과 $p_2 n_2$의 중립축에 대한 단면 1차 모멘트이다. 요소의 윗면 $p_1 p_2$ 위에 존재하는 합력은 $f\Delta x$이므로, 보의 정적 평형방정식은 다음과 같이 된다.

$$f\Delta x = \frac{M_2 Q_2}{I_2} - \frac{M_1 Q_1}{I_1} \tag{5-35}$$

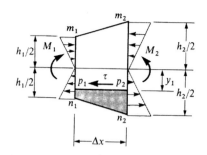

그림 5-36 비균일보의 길이 Δx의 요소

만일 전단응력 τ가 보의 폭을 따라서 균일하다면, 보의 폭이 b일 때 $f = \tau b$이다. 특정한 보에 있어서는 식 (5-35)는 $M, Q, I, \Delta x$의 값을 대입하면 단면 사이의 평균전단흐름을 구하는 데에 사용될 수 있는데 그 절차는 다음과 같다. 먼저 전단흐름 f를 계산하려고 하는 보의 단면을 선택한다. 그리고 미소길이 Δx만큼 떨어져 인접해 있는 단면을 취한다.

이를테면 $\Delta x = L/100$로 취하든가 하고 각각의 단면에서 다음 사항을 결정한다. (1) 굽힘모멘트 M, (2) f를 구하고자 하는 단면의 외측단면적의 1차 모멘트 Q, (3) 전단면의 관성모멘트 I. 다음으로 이 값들을 식 (5-35)에 대입하여 f에 대해서 풀면 된다. 이론적으로 보아 거리 Δx가 작을수록 더 정확한 결과가 얻어질 것이지만, Δx가 너무 작으면 식 (5-35)의 두 항의 차이가 작아지므로 수치적인 정확도는 낮아질 것이다. 식 (5-35)는 매우 일반적인 식이며 정확한 공식의 사용이 불가능할 때 단면이 변하는 보에 대한 전단흐름을 구하는 많은 실제적인 경우에 유용하다.

직사각형단면보의 전단응력. 폭 b가 일정하고 높이 h가 변하는 직사각형단면보의 특별한 경우에서는, Δx를 0에 접근시킴으로써 식 (5-35)를 보다 정확한 식으로 변화시킬 수 있다.

또한 직사각형보에서 전단응력 τ를 폭 b에 따라 균일한 분포로 가정하는 것이 타당하여 식 (5-35)에서는 $f = \tau b$인 것에 유의하여야 한다. 원하는 식을 유도하기 위하여, 거리 Δx 간격의 두 단면 1과 2에서 Q와 I를 구하면

$$Q_1 = \frac{b}{2}\left(\frac{h_1^2}{4} - y_1^2\right), \quad Q_2 = \frac{b}{2}\left(\frac{h_2^2}{4} - y_1^2\right)$$

$$I_1 = \frac{bh_1^3}{12} \qquad\qquad I_2 = \frac{bh_2^3}{12}$$

이다. 여기서 단면 1에서부터 2까지 h의 증분을 Δh라 할 때 $h_2 = h_1 + \Delta h$라 놓으면 앞의 식으로부터 다음을 얻는다.

$$Q_2 = Q_1 + \frac{bh_1 \Delta h}{4}, \quad I_2 = I_1 + \frac{bh_1^2 \Delta h}{4}$$

이 식들을 유도하는데 있어서, Δh의 제곱과 3승을 포함하는 항은 남아 있는 항들과 비교하면 작은 것이므로 무시하였다. 또한 $M_2 = M_1 + \Delta M$인 것과 $Q_2,\ I_2$와 M_2에 대한 식을 식 (5-35)에 대입하면

$$\tau b \Delta x = \frac{(M_1 + \Delta M)\left(Q_1 + \dfrac{bh_1 \Delta h}{4}\right)}{I_1 + \dfrac{bh_1^2 \Delta h}{4}} - \frac{M_1 Q_1}{I_1}$$

이다. 이 식을 간단히 하기 위하여, 모든 항에 두 번째 항의 분모를 곱하고 괄호안을 풀면

$$\tau b I_1 \Delta x + \frac{\tau b^2 h_1^2}{4} \Delta h \Delta x = \frac{M_1 b h_1}{4} \Delta h + Q_1 \Delta M + \frac{bh_1}{4} \Delta h \Delta M$$
$$- \frac{M_1 Q_1}{4 I_1} b h_1^2 \Delta h$$

이다. 이 식에서 두 개의 작은 값의 적을 포함하는 항을 무시하고 나서 이 식을 Δx로 나누어 준다면, Δx가 점점 작아지는 극한에서는 $\Delta h / \Delta x$의 항은 dh/dx로 되고, $\Delta M / \Delta x$항은 전단력 V를 표시하는 dM/dx으로 된다. 따라서 윗식은

$$\tau b I_1 = \frac{M_1 b h_1}{4} \frac{dh}{dx} + Q_1 V - \frac{M_1 Q_1 b h_1^2}{4 I_1} \frac{dh}{dx}$$

로 된다. 마지막 단계로서, 모든 항을 bI_1으로 나누고 나서 더 이상 필요하지 않은 첨자를 생략한다. 이에 따라 얻어지는 직사각형 단면의 비균일단면 보에서의 전단응력 τ에 대한 마지막 식은

$$\tau = \frac{VQ}{Ib} + \frac{Mh}{4I}\left(1 - \frac{Qh}{I}\right)\frac{dh}{dx} \tag{5-36}$$

이다. 이 식은 폭 b가 일정하고 높이 h가 변하는 보에 대해 유효하다. 높이 h의 변화가 점진적이라면 h는 어떠한 형태로도 변할 수 있다. 어떤 단면에서의 전단응력은 전단력뿐만 아니라 굽힘모멘트 M과 x에 대한 h의 변화율에도 관계된다는 것을 알 수 있다.

특수한 예로서, 그림 5-37(a)에 표시한 직사각형 단면의 캔틸레버에 대한 전단응력의 분포를 생각해 보기로 하자. 보는 양단에서 높이 h_a와 $h_b = 2h_a$를 가지며 균일한 테이퍼를 갖

고 있으므로, dh/dx의 값은 일정하며

$$\frac{dh}{dx} = \frac{h_b - h_a}{L} = \frac{h_a}{L}$$

이다.

좌단 A에서 굽힘모멘트는 0이므로, 식 (5-36)은 균일단면보의 경우와 같은 포물선 전단응력 분포를 준다. 이 분포는 그림 5-36(b)에 표시되어 있다. 최대전단응력은 중립축에서 일어나며 $1.5P/bh_a$이다.

보의 중앙$(x = L/2)$에서는 다음 값들을 얻는다.

$$V = P, \quad h = 1.5h_a, \quad Q = \frac{b}{2}\left(\frac{h^2}{4} - y_1^2\right), \quad M = \frac{PL}{2}, \quad I = \frac{bh^3}{12}$$

이것들을 식 (5-36)에 대입하면,

$$\tau = \frac{2P}{3bh_a}$$

이다. 이것은 그림 5-37(c)에 표시하였다. 이 특수한 경우에 있어서는 전단응력이 보의 높이에 따라 균일한 분포를 한다는 흥미 있는 결과를 얻을 수 있다. 보의 좌단 A와 중간부분

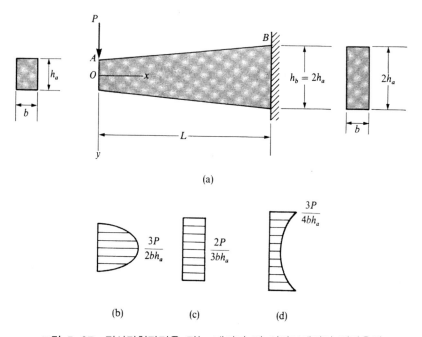

(a)

(b)　　　(c)　　　(d)

그림 5-37　직사각형단면을 갖는 테이퍼 진 외팔보에서의 전단응력

사이에서 전단응력의 분포는 그림 5-37(b)에 표시한 것으로부터 그림 5-37(c)에 표시한 균일한 분포로 서서히 변화한다.

보의 좌단에서는 $(x = L)$

$$V = P, \quad h = 2h_a, \quad Q = \frac{b}{2}\left(\frac{h_1^2}{4} - y_1^2\right), \quad M = PL, \quad I = \frac{bh^3}{12}$$

이다. 이것을 식 (5-36)에 대입하면

$$\tau = \frac{3P}{8bh_a}\left(1 + \frac{y_1^2}{h_a^2}\right)$$

이다. 이것은 그림 5-37(d)에 표시하였다. 이 단면에서의 최대전단응력$(\tau = 3P/4bh_a)$은 보의 하단 양면에서 일어나고, 최대응력의 반에 해당하는 최소응력은 $y_1 = 0$인 중립축에서 일어난다.

두 표면 중 한 면은 수평이고 다른 한 면은 테이퍼인 직사각형단면보에서 전단응력은, 양측 표면이 테이퍼인 보에 대해서 앞에서 설명한 것과 유사한 방법에 의하여 구할 수 있다. 이러한 경우에 대한 설명은 참고문헌 5-15에 있다.

정확한 결과. 직사각형 단면을 가지는 쐐기형 외팔보(그림 5-38)에서의 응력은 탄성론의 방법에 의하여 구해진다. 단면 mn에서의 어떤 점 P에서의 수직 및 전단응력은 다음 공식으로 주어진다(참고문헌 5-16)

$$\sigma = -\frac{Pxy\sin^4\theta}{bx^3(\alpha - \sin\alpha\cos\alpha)}, \quad \tau = \frac{Py^2\sin^4\theta}{bx^3(\alpha - \sin\alpha\cos\alpha)} \tag{a}$$

여기서, x와 y는 P점에서의 좌표이며, θ는 선분 OP와 y축 사이의 각이며, b는 쐐기의 두께(일정하다고 가정)이고, α는 쐐기의 테이퍼를 결정하는 각이다. 이 식들은 단면 mm에서의 굽힘모멘트가 $M = Px$이고, 같은 단면에서 쐐기의 높이가 $h = 2x\tan\alpha$라는 사실에

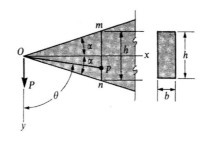

그림 5-38 직사각형단면의 쐐기형 외팔보

의하여 좀더 간단한 형태로 바꿀 수가 있는데, 단면 mn의 관성모멘트는

$$I = \frac{bh^3}{12} = \frac{2bx^3 \tan^3 \alpha}{3}$$

이다. M, h, I에 대한 식을 식 (a)에 대입하면,

$$\sigma = -\frac{My}{I} \frac{2 \tan^3 \alpha \sin^4 \theta}{3(\alpha - \sin \alpha \cos \alpha)} \tag{5-37}$$

$$\tau = \frac{P}{bh} \frac{8y^2 \tan^3 \alpha \sin^4 \theta}{h^2(\alpha - \sin \alpha \cos \alpha)} \tag{5-38}$$

이다. 식 (5-37)에 의한 수직응력 σ는 중립축($\theta = \pi/2, y = 0$)에서 0이며, 보의 외부 연단에서 최대로 되는데, 보의 상부($y = -h/2, \theta = \alpha + \pi/2$)에서의 응력은

$$\sigma_{\max} = \frac{Mh}{2I} \frac{2 \sin^3 \alpha \cos \alpha}{3(\alpha - \sin \alpha \cos \alpha)} = \beta \frac{Mh}{2I} \tag{5-39}$$

이다. 0°, 5°, 10°, 15°와 20°에 해당하는 각 α의 값에 대하여 β는 각각 1, 0.994, 0.976, 0.946과 0.906의 값을 갖는다. 이것으로 다음과 같은 것을 알 수 있다. 즉, 테이퍼의 작은 각에 대해서는, 정확한 이론에 의한 수직응력과 굽힘공식 $\sigma = My/I$로부터 얻어지는 응력 사이에 차이가 거의 없다는 것이다.

전단응력에 대하여는 식 (5-38)에 의해 중립축($y = 0$)에서는 항상 $\tau = 0$임을 알 수 있다.

최대응력은 외부연단에서

$$\tau_{\max} = \frac{P2 \sin^2 \alpha \cos \alpha}{bh \alpha - \sin \alpha \cos \alpha} = \gamma \frac{P}{bh} \tag{5-40}$$

이다. 0°, 5°, 10°, 15°와 20°인 α의 값에 대하여 γ는 각각 3, 2.98, 2.93, 2.84와 2.72의 값을 갖는다. 따라서 최대전단응력은 평균전단응력(P/bh)의 3배 정도이며, 외부연단에서 일어나는 것을 알게 된다.

만약 테이퍼 직사각형 보에서의 전단응력에 대한 근사이론을 그림 5-38에 표시한 쐐기에 적용하면[식 (5-36) 참조] 단면 mn에 대해 다음을 얻을 수 있다.

$$V = P, \quad Q = \frac{b}{2}\left(\frac{h^2}{4} - y_1^2\right), \quad I = \frac{bh^3}{12}, \quad M = Px, \quad \frac{dh}{dx} = \frac{h}{x}$$

위의 식을 식 (5-36)에 대입하고, $y_1 = y$로 놓으면,

$$\tau = \frac{12Py^2}{bh^3} \qquad\qquad (5\text{-}41)$$

이다. 이 식으로부터 중립축$(y = 0)$에서는 $\tau = 0$임을 알 수 있고, 이것은 식 (5-38)에 의한 정확한 결과와 일치한다. 외부연단에서는 식 (5-41)에 의해 $\tau_{\max} = 3P/bh$임을 알 수 있고, 테이퍼의 작은 각에 대하여 식 (5-40)과 잘 일치한다. 따라서 비균일단면보에서의 전단응력에 대한 근사계산은 설계목적에 적합한 것으로 결론지을 수 있다. 한편, $\tau = VQ/Ib$는 비균일단면보에 적용하면 잘못된 결과를 초래하게 된다.

균일강도의 보. 보에 사용되는 재료를 최소로 하기 위하여, 모든 단면에서 최대허용응력을 유지하도록 단면의 치수를 변화시킬 수 있다. 이런 상태의 보를 균일강도의 보(fully stressed beam)라 부른다. 물론, 보를 제작할 때의 실제적인 문제와 설계에 가정된 하중의 가능성 때문에, 이상적인 조건이 좀처럼 얻어지지 않는다. 자동차에서 엽상스프링과 덮개판을 갖는 교량들보는 일정한 최대응력을 유지하도록(거의 실제와 가까운) 설계된 변하는 치수를 갖는 구조물의 한 예가 있다.

그림 5-39에 표시한, 한 끝에서 집중하중을 받는 캔틸레버는 균일강도의 보의 간단한, 한 예가 된다. 보의 단면은 폭이 일정한 직사각형으로 생각하고, 일정한 최대 수직응력 σ_{allow}를 유지하기 위하여 높이 h가 변하도록 설계된다. 따라서, 모든 단면에서, 다음 식이 성립되어야만 한다.

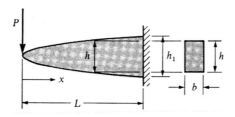

그림 5-39 일정한 최대수직응력을 갖는 균일강도의 보(전단응력이 무시된 상태)

$$\sigma_{\text{allow}} = \frac{M}{S} = \frac{6M}{bh^2} = \frac{6Px}{bh^2}$$

이다. 그러므로, 고정단에서 보의 높이 h_1은

$$h_1 = \sqrt{\frac{6PL}{b\sigma_{\text{allow}}}}$$

이고, 임의의 다른 단면에서 높이는

$$h = \sqrt{\frac{6Px}{b\sigma_{\text{allow}}}} = h_1 \sqrt{\frac{x}{L}}$$

이다. 이 최종식은 보의 높이가 x에 따라 포물선 형태로 변한다는 것을 표시하고 있으므로, 보는 그림 5-39에 표시한 형태를 갖게 된다. 하중을 받는 끝에서, 단면적은 0으로 계산되는데, 그 이유는 굽힘으로 인한 수직응력만을 고려했기 때문이다. 물론 전단응력도 존재하므로 보의 단면(특히, 자유단 부근에서)은 전단력을 전달하도록 설계되어야만 한다.

*5.10 합성보

두 가지 이상의 재료로 이루어진 보를 합성보(composite beams)라 한다. 예를 들면, 두 개의 서로 다른 금속이 결합되어 단일보와 같이 작용하는 보인데 그림 5-40에 표시한 바이메탈 보(a), 샌드위치 보(b), 철근콘크리트 보(c) 등이 그것이다. 순수굽힘상태하에서는 굽힘이 일어나기 전에 평면이었던 단면은 굽힘이 일어난 후에도 평면을 유지한다는 가정이 재료에 관계없이 유효하게 적용되므로 합성보는 일반적인 보(5.2절, 5.3절)에 대해 이용되었던 것과 같은 굽힘이론으로 해석할 수 있다. 이러한 가정에 의해 종방향 변형률 ϵ_x는 보의 상단에서 하단까지 선형적으로 변한다[식 (5-2) 참조]. 이 변형률 분포로 서로 다른 두 재료로 만들어진 합성보에 대한 것을 그림 5-41(b)에 표시하였으며 그림 5-41(a)에는 재료 1과 2로 명명된 단면을 표시하고 있다. 이런 경우에서는, 뒤에 설명하겠지만, 중립축의 위치는 단면의 도심과 일치하지 않는다.

단면에 작용하는 수직응력 σ_x는 재료에 대한 응력-변형률의 관계를 사용하여 변형률 ϵ_x

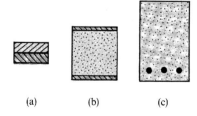

(a)   (b)   (c)

그림 5-40 합성보에서의 단면들: (a) 두 가지 금속으로된 보 (b) 샌드위치보
(c) reinforced-concrete보

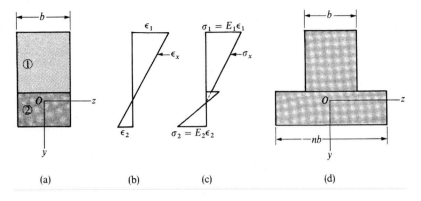

그림 5-41 두 가지 재료로 된 합성보 (a) 단면 (b) 변형률분포 (c) 응력분포 (d) 환산단면

로부터 구할 수 있다. 재료가 선형탄성적으로 거동한다고 가정하면 일축응력에 대한 Hooke의 법칙이 유효하다. 즉, 각각의 재료에 대한 응력은 변형률에 적절한 탄성계수를 곱함으로써 구할 수 있다. 재료 1과 2에 대한 탄성계수를 각각 E_1과 E_2로 정하고, 또한 $E_2 > E_1$라고 하면 그림 5-41(c)에 표시된 응력선도를 얻는다. 중립축으로부터 임의의 거리 y만큼 떨어져 있는 위치에서의 수직응력 σ_x는 다음의 방정식으로 주어진다[식 (5-5)와 비교].

$$\sigma_{x_1} = - E_1 \kappa y, \quad \sigma_{x_2} = - E_2 \kappa y \tag{5-42a, b}$$

여기서, σ_{x_1}은 재료 1에서의 응력이고 σ_{x_2}는 재료 2에서의 응력이다.

중립축의 위치는 단면에 작용하는 축방향력의 합력은 0이라는 조건을 이용하여 구할 수 있다. 즉,

$$\int_1 \sigma_{x_1} dA + \int_2 \sigma_{x_2} dA = 0$$

이며, 여기서 첫 번째 적분식은 재료 1의 단면에 대해 계산된 것이며, 두 번째의 적분식은 재료 2의 단면에 대해 계산한 것임을 알 수 있다. 앞의 식에 있는 σ_{x_1}과 σ_{x_2}에 식 (5-42)의 (a)와 (b)를 대입하면

$$E_1 \int_1 y dA + E_2 \int_2 y dA = 0 \tag{5-43}$$

이다. 식 (5-6)의 일반형으로 생각할 수 있는 이 식은 두 가지 재료로 만들어진 보에 대하여 중립축위치를 정하는데 이용될 수 있다[두 가지 재료 이상이면 식 (5-43)에 첨가해야 할 항이 필요하다]. 이 식에서의 적분은 중립축에 대한 두 부분의 단면 1차 모멘트를 표시한다.

후에 많은 예제에서 이 식이 많이 사용되는 것을 알 수 있다. 물론, 단면이[그림 5-40(b) 의 샌드위치보의 경우와 같이] 이중 대칭이면, 중립축은 단면의 중간 높이에 위치한다.

보에서의 굽힘모멘트 M과 응력 사이의 관계는 굽힘공식[식 (5-7)～(5-10) 참조]을 구하는데 이용한 것과 같은 과정으로 구할 수 있는데, 이 유도과정은 다음과 같다.

$$M = \int \sigma_x y dA = \int_1 \sigma_{x_1} y dA + \int_2 \sigma_{x_2} y dA$$
$$= -\kappa E_1 \int_1 y^2 dA - \kappa E_2 \int_2 y^2 dA$$
$$= -\kappa (E_1 I_1 + E_2 I_2) \tag{5-44}$$

여기서 I_1과 I_2는 단면 1과 2의 중립축에 대한 관성모멘트이다. I를 중립축에 대한 전단면의 관성모멘트라 하면 $I = I_1 + I_2$임을 주목해야 한다. 식 (5-44)는 곡률에 대해서도 표시할 수 있다. 즉

$$\kappa = \frac{1}{\rho} = -\frac{M}{E_1 I_1 + E_2 I_2} \tag{5-45}$$

인데 우변의 분모는 합성보의 굽힘강성으로 생각할 수 있다.

보에서의 응력은 곡률에 대한 식 (5-45)를 σ_{x_1}과 σ_{x_2}에 대한 식 (5-42a, b)에 대입함으로써 얻어진다. 즉,

$$\sigma_{x_1} = \frac{MyE_1}{E_1 I_1 + E_2 I_2}, \quad \sigma_{x_2} = \frac{MyE_2}{E_1 I_1 + E_2 I_2} \tag{5-46a, b}$$

이다. 합성보에 대한 굽힘공식으로 알려져 있는 이 식들은 각각 재료 1과 2에서의 수직응력 값을 표시한다. 물론 $E_1 = E_2 = E$라면 두 식은 한 가지 재료로된 보에서의 굽힘공식으로 된다.

예제 ❶

그림 5-42에 표시한 단면치수를 갖는 합성보는 양의 휨모멘트 $M = 3390$ N-m 를 받는다. $E_1 = 6890$ MPa, $E_2 = 137800$ MPa이라 가정하고 두 가지 재료의 최대와 최소응력을 계산하라.

풀이 해석의 첫 단계는 단면의 중립축을 결정하는 것이다. 중립축이 그림과 같이 재료 1에 위치한다고 가정하고 이 축으로부터 보의 상부와 하부까지의 거리를 각각 h_1과 h_2로 표시한다. 거리 h_1과 h_2를 구하기 위해 식 (5-43)을 이용하는 데 이 식에서의 적분은 z축에 대하여

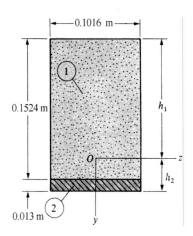

그림 5-42 예제 1 합성보

단면 1과 2의 1차 모멘트를 취함으로써 계산될 수 있다. 따라서

$$\int_1 y dA = -\frac{h_1}{2}(h_1)(0.1016\text{ m}) + \frac{0.1524\text{ m} - h_1}{2}(0.1524\text{ m} - h_1)(0.1016\text{ m})$$
$$= (0.015\text{ m}^2)(0.0762\text{ m} - h_1)$$

$$\int_2 y dA = (0.16\text{ m} - h_1)(0.013\text{ m})(0.1016\text{ m}) = (1.29 \times 10^{-3}\text{ m}^2)(0.16\text{ m} - h_1)$$

이며 여기서 h_1은 inch 단위이다. 이 식들은 식 (5-43)에 대입하면

$$(6890 \times 10^6\text{ Pa})(0.015\text{ m}^2)(0.0762\text{ m} - h_1) + (137.8 \times 10^6\text{ kPa})(1.29 \times 10^{-3}\text{ m}^2)(0.16\text{ m} - h_1) = 0$$

으로 되므로

$$h_1 = 0.1278\text{ m}. \qquad h_2 = 0.16\text{ m} - h_1 = 0.037\text{ m}$$

를 얻는다. 이와 같이 하여 중립축의 위치를 결정한다.

중립축에 대한 관성모멘트 I_1과 I_2는 평행축 정리를 이용하여 구할 수 있다(부록 C의 C.5절 참조). 면적 1(그림 5-42)에 대해서

$$I_1 = \frac{1}{12}(0.1016\text{ m})(0.1524\text{ m})^3 + (0.1016\text{ m})(0.1524\text{ m})(h_1 - 0.0762\text{ m})^2 = 7.12 \times 10^{-5}\text{ m}^4$$

이며, 같은 방법으로

$$I_2 = \frac{1}{12}(0.1016\text{ m})(0.0127\text{ m})^3 + (0.1016\text{ m})(0.0127\text{ m})(h_2 - 0.00635\text{ m})^2 = 1.25 \times 10^{-6}\text{ m}^4$$

를 얻는다. 단면관성모멘트에 대한 이들 계산을 검산하기 위해 다음과 같이 전단면에 대한 관성모멘트 I를 결정할 수 있다. 즉,

$$I = \frac{1}{3}(0.1016\,\text{m})h_1{}^3 + \frac{1}{3}(0.1016\,\text{m})h_2{}^3 = 7.24 \times 10^{-5}\,\text{m}$$

이며, 이것은 I_1과 I_2의 합과 같다.

여기서 합성보에 대한 굽힘공식[식 (5-46a)와 (b)]으로부터 재료 1과 2에서의 굽힘응력을 계산할 수 있다. 재료 1에서의 최대압축응력은 보의 상부($y = -h_1 = -0.1278\,\text{m}$에 일어나고 이 값을 재료 1에서의 수직응력 식 (5-46a)에 대입하면

$$\sigma_{c_1} = -4499.17\,\text{kPa}$$

를 얻는다. 재료 1에서의 최대인장응력은 두 재료의 연결부($y = h_2 - 0.0127\,\text{m} = 0.0246\,\text{m}$)에서 일어난다. 따라서 식 (5-46a)로부터

$$\sigma_{t_1} = 868.14\,\text{kPa}$$

이다. 재료 2는 전체가 인장상태에 있으며 최대인장응력 σ_{t_2}는 보의 하부에서 일어나므로 ($y = h_2 = 0.037\,\text{m}$), 식 (5-46b)로부터

$$\sigma_{t_2} = 26.25\,\text{MPa}$$

를 얻는다. 재료 2에서의 최소인장응력은 두 재료의 연결부에서 구해지며 이 응력은 17.29 MPa이다.

환산단면법(Transformed-Section Method). 환산단면법은 합성보를 해석하는데 있어서 편리한 방법이다. 이 방법은 두 가지 이상의 재료로 만들어진 단면을 하나의 재료로 만들어진 등가단면으로 환산하는 것이다. 그러므로 이 이후에는 환산단면(transformed section)이라 불리는 이 등가단면을 하나의 재료로 된 보에서와 같은 방법으로 해석한다.

환산단면이 등가로 되려면 원래의 보와 동일한 중립축과 모멘트에 저항하는 능력을 가져야 한다. 이 등가단면법이 어떻게 이루어지는가를 이해하기 위하여 중립축을 결정하는데 이용한 식[식 (5-43)]을 참고한다. 다음의 기호

$$n = \frac{E_2}{E_1} \tag{5-47}$$

를 도입하자. 여기서 n은 계수비(modular ratio)이고 식 (5-43)을 다음과 같은 형태로 다시 쓸 수 있다.

$$\int_1 y\,dA + \int_2 yn\,dA = 0 \tag{5-48}$$

이 식으로부터 각 면적요소에 대한 거리 y가 변하지 않을 경우에 재료 2에서 각 면적요소 dA가 계수 n으로 곱해지면 중립축은 같은 위치에 존재할 것이다. 따라서 단면을 다음과 같은 두 부분으로 구성된 것으로 생각할 수 있다: (1) 면의 치수가 변하지 않는 면적 1, (2) 폭에 n을 곱한 면적 2. 이와 같이 하여 단 하나의 재료, 즉 재료 1로 이루어진 새로운 단면을 얻게 된다.

그림 5-41(a)에 표시한 합성보에 대한 환산단면이 그림 5-41(d)에 표시되어 있다. 앞절에서 설명한 바와 같이 재료 1은 변하지 않는 상태로 남아 있고 재료 2의 폭은 n배되어 있다(이 예제에서는 $n > 1$라고 가정되었지만 이런 가정이 반드시 필요한 것은 아니다). 환산단면은 완전히 재료 1로 이루어져 있으며 이 환산단면의 중립축은 원래의 보의 중립축과 같은 위치에 있게 된다[그림 5-41(a)].

더구나, 환산단면의 굽힘모멘트에 저항하는 능력은 원래단면에 대한 것과 같다. 이것들을 알아보기 위하여 단 하나의 재료로만 구성되어 있는 환산단면 보에서의 응력이 식 (5-5)에 의해 주어진다는 점을 주목해야 한다.

$$\sigma_x = -E_1 \kappa y$$

따라서 굽힘모멘트 M은 다음과 같이 구할 수 있다[그림 5-41(d) 참조].

$$
\begin{aligned}
M &= \int \sigma_x y dA = \int_1 \sigma_x y dA + \int_2 \sigma_x y dA \\
&= -\kappa E_1 \int_1 y^2 dA - \kappa E_1 \int_2 y^2 dA \\
&= -\kappa (E_1 I_1 + E_1 n I_2) = -\kappa (E_1 I_1 + E_1 I_2)
\end{aligned}
$$

이것은 식 (5-44)와 같은 결과이므로 원래의 보와 환산보 사이에서 모멘트는 변하지 않는다고 결론지을 수 있다.

환산단면보에서의 응력은 하나의 재료로 된 보에 대한 일반적인 굽힘공식으로부터 구할 수 있으므로 재료 1에 대한 환산된 보에서의 응력은

$$\sigma_{x_1} = \frac{My}{I_t} \tag{5-49}$$

이며 여기서 I_t는 환산단면의 중립축에 대한 관성모멘트이다. 즉,

$$I_t = I_1 + n I_2 = I_1 + \frac{E_2}{E_1} I_2 \tag{5-50}$$

이다. 식 (5-50)에서 I_t에 대한 식을 식 (5-49)에 대입하면

$$\sigma_{x_1} = \frac{MyE_1}{E_1I_1 + E_2I_2}$$

을 얻을 수 있으며 이 식은 식 (5-46a)와 같다. 따라서 원래 보에서 재료 1의 응력은 환산 단면 보에서의 응력과 같다고 할 수 있다. 이러한 결론은 보를 재료 1에 대해 환산시켰다는 사실로부터 나온 것이다. 그러나 원래 보에 있는 재료 2의 응력은 환산된 보에 있어서 이에 대응된 부분의 응력과 같지 않다. 그 대신 환산된 보의 응력은 [식 (a)] 원래의 보에 있는 재료 2에서의 응력을 얻기 위한 계수비 n을 곱해야만 된다[식 (5-46b) 참조].

원래의 보를 재료 2로 완전히 구성되는 보를 환산하는 것 또한 가능하다. 이 경우 재료 2에 있어서 원래의 보의 응력은 환산된 보의 대응부분에서의 응력과 같다. 그러나 재료 1에서의 응력은 환산된 보의 응력에 n을 곱함으로써 얻을 수 있다. 여기서 n은

$$n = \frac{E_1}{E_2}$$

으로 정의되어진다. 예제 3은 이러한 개념을 보여 준다.

환산단면법은 두가지 재료 이상으로 만들어진 보에까지도 확장될 수 있다. 또한 보를 어떤 임의의 E값을 갖는 재료로 환산할 수 있는데 이런 경우에는 보의 모든 부분은 가상의 재료로 환산되어져야 한다. 물론 원래 재료 중에서 하나를 임의로 선택하여 환산하는 것이 보다 간단하며 또한 일반적인 방법이다.

예제 2

예제 1에서 설명되어지고 그림 5-42에 표시된 합성보를 환산단면법으로 해석할 수 있다. 원래의 보를 재료 1의 보로 환산하여라[그림 5-43(a)]. 보의 윗부분은 변하지 않으나, 아랫부분은 폭에 계수비 n을 곱해야 하는데 계수비는

$$n = \frac{E_2}{E_1} = \frac{137800\,\mathrm{MPa}}{6890\,\mathrm{MPa}} = 20$$

이 된다. 따라서 부분 2의 폭은 환산된 단면이므로 2.032 m가 된다.

풀이 환산된 보는 하나의 재료로 만들어져 있으므로 중립축은 단면의 도심을 지나야 한다. 단면의 상단을 기준선으로 하여 다음과 같이 도심거리 h_1을 계산한다.

$$h_1 = \frac{\Sigma y_i A_i}{\Sigma A_i} = \frac{(0.0762\,\mathrm{m})(0.1016\,\mathrm{m})(0.1524\,\mathrm{m}) + (0.1586\,\mathrm{m})(2.032\,\mathrm{m})(0.0127\,\mathrm{m})}{(0.1016\,\mathrm{m})(0.1524\,\mathrm{m}) + (2.032\,\mathrm{m})(0.0127\,\mathrm{m})}$$

$$= \frac{5.28 \times 10^{-3}\ \text{m}^3}{0.041\ \text{m}^2} = 0.128\ \text{m}$$

또한 거리 h_2는

$$h_2 = 0.1651\ \text{m} - h_1 = 0.037\ \text{m}$$

이다. 이와 같이 중립축의 위치는 결정되어진다.

평행축의 정리를 이용하여 다음과 같이 단면관성모멘트를 I_t를 중립축에 대하여 계산한다.

$$I_t = \frac{1}{12}(0.1016\ \text{m})(0.1524\ \text{m})^2 + (0.1016\ \text{m})(0.1524\ \text{m})(h_1 - 0.0762\ \text{m})^2$$
$$+ \frac{1}{12}(2.032\ \text{m})(0.0127\ \text{m})^3 + (2.032\ \text{m})(0.0127\ \text{m})(h_2 - 0.00635\ \text{m})^2$$
$$= 9.63 \times 10^{-5}\ \text{m}^4$$

여기서 중단, 두 부분의 연결부, 하단에 대한 각각 환산된 보의 굽힘응력을 계산하기 위하여 휨공식을 적용한다.

$$\sigma = \frac{My}{I_t} = \frac{(3390\ \text{N-m})(-0.1278\ \text{m})}{9.63 \times 10^{-5}\ \text{m}^4} = -4495.725\ \text{kPa}$$

$$\sigma = \frac{My}{I_t} = \frac{(3390\ \text{N-m})(0.0246\ \text{m})}{9.63 \times 10^{-5}\ \text{m}^4} = 866.073\ \text{kPa}$$

$$\sigma = \frac{My}{I_t} = \frac{(3390\ \text{N-m})(0.0373\ \text{m})}{9.63 \times 10^{-5}\ \text{m}^4} = 1312.545\ \text{kPa}$$

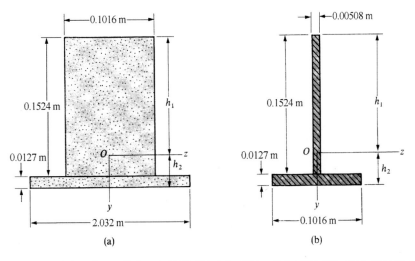

그림 5-43 예제 2와 3: 예제 1의 합성보를 (a) 재료 1 (b) 재료 2로 각기 환산한 것임.

원래 보에서의 응력들은 재료 1에 대해서 같다. 따라서 재료 1에서의 최대압축응력은 보의 상단에서,

$$\sigma_{c_1} = -4499.17\,\mathrm{kPa}$$

이며 또한 재료 1에서의 최대인장응력은(연결부에서)

$$\sigma_{t_1} = 868.14\,\mathrm{kPa}$$

이다. 재료 2에 대해서는 환산된 보에서의 응력에 n을 곱하는데 최대인장응력은 보의 하단에서 일어나며,

$$\sigma_{t_2} = n(1312.545\,\mathrm{kPa}) = 20(1312.545\,\mathrm{kPa}) = 26.25\,\mathrm{MPa}$$

이다. 또한 연결부에서 재료 2의 인장응력은 $20\times(866.073)$ kPa 또는 17.29 MPa이다. 이러한 모든 결과는 예제 1에 구한 결과와 일치한다.

예제 3

환산단면법의 적용을 보다 확실히 알기 위하여 보를 재료 2에 대하여 환산시킨 그림 5-42의 합성보를 해석하여 보자.

풀이 이 해석에 있어서 계수비는[식 (5-51) 참조]

$$n = \frac{E_1}{E_2} = \frac{1}{20}$$

이다. 환산된 단면은 재료 2에 대해서는 원래의 보와 같은 치수를 가지나 재료 1은 폭에 n을 곱한 치수를 갖게 되므로 보의 상부의 폭은 원래의 폭의 1/20이 된다[그림 5-43(b)]. 앞의 예제에서와 같은 절차로 계산을 진행한다. 중립축까지의 거리는

$$h_1 = \frac{\Sigma y_i A_i}{\Sigma A_i} = \frac{(0.0762\,\mathrm{m})(0.00508\,\mathrm{m})(0.1524\,\mathrm{m}) + (0.1588\,\mathrm{m})(0.1016\,\mathrm{m})(0.0127\,\mathrm{m})}{(0.00508\,\mathrm{m})(0.1524\,\mathrm{m}) + (0.1016\,\mathrm{m})(0.0127\,\mathrm{m})}$$

$$= \frac{2.638\times10^{-4}\,\mathrm{m}^4}{2.06\times10^{-3}\,\mathrm{m}^2} = 0.1278\,\mathrm{m}$$

$$h_2 = 0.1651\,\mathrm{m} - h_1 = 0.037\,\mathrm{m}$$

이며 단면관성모멘트는

$$I_t = \frac{1}{12}(0.00508\,\mathrm{m})(0.1524\,\mathrm{m})^3 + (0.00508\,\mathrm{m})(0.1524\,\mathrm{m})(h_1 - 0.0762\,\mathrm{m})^2$$

$$+ \frac{1}{12}(0.1016\,\mathrm{m})(0.0127\,\mathrm{m})^3 + (0.1016\,\mathrm{m})(0.0127\,\mathrm{m})(h_2 - 0.00635\,\mathrm{m})^2$$

$$= 4.81 \times 10^{-6}\,\text{m}^4$$

이다. 환산된 단면에서 상단과 연결부 그리고 하단에서의 응력은 각각

$$\sigma = \frac{My}{I_t} = \frac{(3390\,\text{N-m})(-0.1278\,\text{m})}{4.81 \times 10^{-6}\,\text{m}^4} = -89.98\,\text{MPa}$$

$$\sigma = \frac{My}{I_t} = \frac{(3390\,\text{N-m})(0.0246\,\text{m})}{4.81 \times 10^{-6}\,\text{m}^4} = 17.29\,\text{MPa}$$

$$\sigma = \frac{My}{I_t} = \frac{(3390\,\text{N-m})(4.81 \times 10^{-6}\,\text{m}^4)}{4.81 \times 10^{-6}\,\text{m}^4} = 26.25\,\text{MPa}$$

이다. 원래 보에서의 응력을 구하기 위해 재료 1에서의 응력에 n을 곱해야 하므로 보의 상단과 연결부에서,

$$\sigma_{c_1} = n(-89.98\,\text{MPa}) = -4499.17\,\text{kPa}$$

$$\sigma_{c_2} = n(17.29\,\text{MPa}) = 868.14\,\text{kPa}$$

를 얻는다. 재료 2에 있어서 원래 보의 응력은 환산된 보에서와 같다(하단과 연결부에서 각각 26.25 MPa과 17.29 MPa).

예제 2와 3에 대한 계산결과는 비슷함으로 어떠한 특정 재료로 환산하는 것이 다른 재료로 환산하는 것보다 별로 이점이 없다는 것이 분명하다.

샌드위치보. 샌드위치보는 하나의 두꺼운 **핵**(core)과 그 양쪽 **면**(face)이라 불리는 얇은 층으로 구성되어 있다(그림 5-44 참조). 핵은 주로 필러(filler)나 스페이서(spacer)로 사용되어지는 중량이 가볍고 강도가 낮은 재료로 되어 있으며, 그 반면으로 면은 높은 강도의 재료로 되어 있다. 높은 강성과 강도를 갖고 중량이 가벼운 구조물이 필요한 경우 샌드위치 단면이 사용된다. 샌드위치보는 2가지 재료로 만들어진 보에서 설명했던 방법을 이용하여 굽힘에 대하여 해석할 수 있다. 그러나, 샌드위치보에서 보의 굽힘에 대한 근사이론은 면이 모든 종방향굽힘을 전달한다는 가정하에서 전개될 수 있다. 이러한 가정은, 핵이 면에 비하여 종방향으로 낮은 탄성계수를 가질 때 타당하므로 보의 가장 외측연단에서의 수직응력(그림 5-44 참조)은

$$\sigma_x = \frac{Md}{2I_f} \tag{5-52}$$

이며, 여기서 d는 보의 높이이고 I_f는 Z축에 대한 면의 관성모멘트이다. 즉,

$$I_f = \frac{b}{12}(d^3 - h^3) \tag{5-53}$$

이다. 만일 면이 얇다면 핵이 모든 전단응력을 전달한다고 생각되므로 핵에서의 평균전단응력과 전단변형률은 각각,

$$\tau = \frac{V}{bh}, \quad \gamma = \frac{V}{bhG_c} \tag{5-54a, b}$$

이며, 여기서 h는 핵의 높이이고 V는 전단력, G_c는 핵의 재료에 대한 전단탄성계수이다.

샌드위치보의 굽힘에 대한 보다 정확한 이론전개가 시도되어 왔는데 예를 들면 개개의 보로서 면의 굽힘을 해석할 수 있다는 것이다. 샌드위치보와 여러 가지 다른 형태의 합성구조에 대해 좀더 자세히 알고자 하면 참고문헌 5-17과 5-18을 살펴보기 바란다.

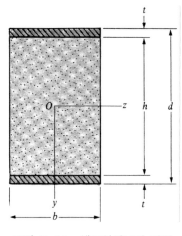

그림 5-44 샌드위치보의 단면

5.11 축하중을 받는 보

구조부재들은 굽힘하중과 축하중을 동시에 받을 수도 있다. 그 한 예가 그림 5-45(a)에 표시되어 있다. 이 그림은 끝 단면의 도심을 통하여 작용하는 경사진 힘 P를 받는 캔틸레버를 표시한다. 하중 P는 두 개의 성분, 즉 횡방향하중 Q와 축방향하중 S로 분해될 수 있어서 이들 하중은 굽힘모멘트 M, 전단력 V, 축방향력 N의 형태로 내력들을 일으킨다. 지점으로부터 거리 x만큼 떨어져 있는 단면에 대한 이 내력들은

$$M = Q(L-x), \quad V = -Q, \quad N = S$$

이다. 이 내력들로 인한 응력은 적절한 식($\sigma = My/I$, $\tau = VQ/Ib$, $\sigma = N/A$)에 의해 단면의 어느점에 대해서도 구할 수 있다. 그 다음으로 최종응력분포는 각 내력성분과 관련된 응력을 조합함으로써 얻을 수 있다.

굽힘하중과 축방향의 조합된 작용으로 인한 봉에서의 응력을 결정할 때 다음과 같은 두 가지의 가능한 경우를 구별하는 것이 중요하다. (1) 보는 비교적 길이가 짧고 견고하거나 단단하다. 또한 보의 횡변형은 길이에 비하여 매우 작으며 처짐은 축력 S의 작용선상에서 무시할만한 정도의 변화를 일으킨다. 이 경우 굽힘모멘트 M은 처짐과 관계하지 않는다. (2) 보가 비교적 가늘고 유연하다. 이때 굽힘변형은(크기가 작다 할지라도) 굽힘모멘트에 영향을 줄 수 있을 정도로 충분히 클 수도 있다. 축력 S의 작용선은 y방향에 놓이며 이것에 의해 모든 단면에서 축력과 처짐의 곱에 해당하는 추가되는 굽힘모멘트가 일어난다. 이런 형태의 보의 거동에 대해서는 9장에서 논의될 것이다. 여기서는 비교적 견고하며 (1)의 조건을 만족하는 보만을 생각하기로 한다.

견고한 보와 가느다란 보를 구별하는 것은 명확하지 않은 것이다. 일반적으로, 상호작용 효과가 중요한지, 아닌지를 알 수 있는 유일한 방법은 보를 상호작용이 있을 때와 없을 때에 대한 해석을 하여 그 결과가 크게 차이가 나는지를 알아보는 것이나, 이것은 대단히 번거로운 계산이 필요하다. 실제적으로는, 길이와 높이의 비가 10 이하가 되는 보를 견고한 보로 간주한다.

이제, 다시 돌아가서 그림 5-45(a)에 표시한 캔틸레버에 대한 응력에 대하여 알아보도록 하자. 임의단면에 작용하는 합성응력은 축력 N으로 인한 수직응력과 굽힘모멘트 M으로 인한 수직응력을 중첩함으로써 구해질 수 있다. 축력 N은 그림 5-45(b)에 표시한 균일한 응력분포 $\sigma = N/A$을 일으키며 굽힘모멘트는 그림 5-45(c)에 표시한 선형적으로 변하는 응력 $\sigma = My/I$를 일으키게 한다. 그림 5-45(d)에 표시한 전응력은 다음식으로 구해질 수 있다.

$$\sigma = \frac{N}{A} + \frac{My}{I} \tag{5-55}$$

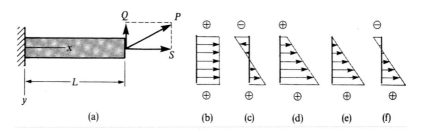

그림 5-45 굽힘하중과 축하중을 동시에 받는 외팔보

N이 인장을 일으키게 하면 N은 양이며 M은 굽힘모멘트 부호규약에 따라 양임을 주목해야 한다(양의 M은 보의 상부에 압축을 생기게 한다; 그림 4-3 참조). 이러한 부호규약으로, 식 (5-55)의 수직응력 σ의 부호는 예상했던 바와 같이 인장에 대해서는 양이며 압축에 대해서는 음이다. 최종응력분포는 식에 있는 각 항의 상대적인 대수값에 달려있다. 그 분포는 그림 5-45(d)에 표시한 바와 같이 전단면이 인장상태에 있을 수도 있고, 응력분포가 삼각형일 수도 있으며[그림 5-45(e)], 단면이 부분적으로 인장이거나 압축일 수도 있다[그림 5-45(f)]. 또한 축력 N이 인장이 아니고 압축력이라면 완전한 압축상태일 수도 있다.

굽힘과 축하중이 조합되어 작용할 때, 중립축(즉, 단면에서 수직응력이 0인 선)은 단면의 도심을 통과하지 않는다. 그림 5-45(d), (e), (f)에 표시한 바와 같이 중립축은 단면의 외부연단 또는 단면 내의 어느 부분일 수도 있다.

예제 ①

그림 5-46에 표시한 직사각형 단면(폭 b, 높이 h)을 갖는 지간길이 L인 단순보 AB에, 길이 a인 팔의 끝에 힘 P가 작용된다. 보의 최대인장응력과 압축응력을 구하라.

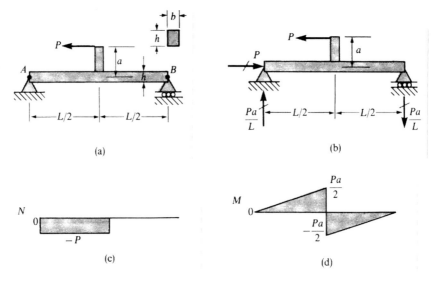

그림 5-46 예제

풀이 먼저, 보의 반력을 구하는 것으로부터 시작하며, 이를 그림 5-46(b)의 외력선도에 표시하였다. 다음으로, 축력과 굽힘모멘트선도[그림 5-46(c)와 (d)]를 작성한다. 축력선도에서 보의 좌반부에 있는 축력은 압축이며 P와 같다는 것을 알 수 있다. 굽힘모멘트선도에서 양의 최대모멘트는 중간단면의 좌측부에서 일어나며 음의 최대모멘트는 우측부에서 일어나

므로 보의 중앙점에서 좌측부에 위치한 단면에서의 축력과 굽힘모멘트는 각각,

$$N = -P, \quad M = \frac{Pa}{2}$$

로 되므로 식 (5-55)로부터 보의 하단과 상단($y = h/2$와 $y = -h/2$)에서의 응력은 다음과 같다.

$$\sigma_b = -\frac{P}{bh} + \frac{3Pa}{bh^2}, \quad \sigma_t = -\frac{P}{bh} - \frac{3Pa}{bh^2}$$

마찬가지로, 보의 중앙점의 우측부에 위치한 단면에서의(여기서는 $N = 0$과 $M = -Pa/2$이다) 응력은

$$\sigma_b = -\frac{3Pa}{bh^2}, \quad \sigma_t = \frac{3Pa}{bh^2}$$

이다. 이들 응력을 비교해 볼 때, 보에서의 최대인장응력은 중앙점의 우측부상단에서 일어나고, 최대압축응력은 중앙점의 좌측부상단에서 일어나며 이들 응력은 각각

$$\sigma_{\text{tens}} = \frac{3Pa}{bh^2}, \quad \sigma_{\text{comp}} = -\frac{P}{bh} - \frac{3Pa}{bh^2}$$

이다. 여기서 압축응력은 인장응력보다 큰 값임을 알 수 있다.

편심축하중. 실제적으로 관심을 일으키는 중요한 경우는 그림 5-47과 같은 보가 편심된 축하중을 받는 경우이다. 인장하중 P가 z축으로부터 거리 e만큼 떨어져 있는 단면의 끝에 수직으로 작용하는데 이 z축은 도심 C를 통과하는 주축이다(앞에서 설명한 바와 같이 y축은 대칭축이다). 편심하중 P는 도심에 작용하는 힘 P와 짝힘 Pe를 더한 값과 정적으로 같게 되므로 단면의 어떤 점에서의 수직응력은[식 (5-55)로부터]

$$\sigma = \frac{P}{A} + \frac{Pey}{I} \tag{5-56}$$

이며, 이 응력분포를 그림 5-47(c)에 표시하였다. 만일, 축하중이 압축이면 식 (5-56)의 P는 음이다.

중립축의 식[그림 5-47(b)]에서 직선 nn은 수직응력 σ를[식 (5-56)] 0으로 놓으면 구할 수 있으며 그 결과는

$$y = -\frac{I}{Ae} \tag{5-57}$$

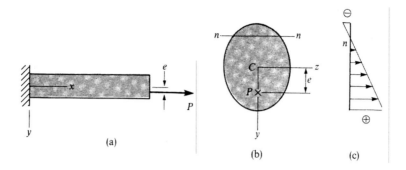

그림 5-47 편심축하중을 받는 봉

이고 이 식은 단면에서 z축에 평행한 직선을 표시한다. 음의 부호는 축하중 P가 z축 아래에서 작용할 때 중립축이 z축 위에 놓이게 된다는 것을 표시한다(하중이 z축 아래에서 작용할 때 e는 양임을 주목해야 한다). 편심거리 e가 커지면 중립축은 도심에 가까이 접근하게 될 것이고 e가 감소하면 중립축은 도심으로부터 더욱 멀리 떨어질 것이다. 물론, 중립축은 단면 밖에 존재할 수도 있다.

편심하중 P의 작용점이 단면의 두 z축 중의 어느 하나 위에도 있지 않을 때는 두 도심주축에 대하여 동시에 굽힘이 일어난다. P의 작용점의 좌표를 e_y와 e_z로 표시하면(그림 5-48) y축과 z축에 대한 굽힘모멘트는 각각 Pe_z와 Pe_y임을 알 수 있다. 단면의 임의점에서의 수직응력의 합 σ(좌표 y와 z로 정의된 점)는

$$\sigma = \frac{P}{A} + \frac{Pe_z z}{I_y} + \frac{Pe_y y}{I_z} \tag{5-58}$$

이며, 여기서 I_y와 I_z는 각각 y와 z축에 대한 단면관성모멘트이다. 식 (5-58)에서 하중이 인장이고 e_y와 e_z가 그림 5-48에 표시한 좌표방향에서 양이면 축하중 P는 양이다. 식 (5-58)은 P가 y축에 놓이고 e_z가 0일 때는 식 (5-56)으로 된다.

중립축의 식은 σ를 0으로 놓음으로써 구할 수 있는데, 식은

$$\frac{Ae_y y}{I_z} + \frac{Ae_z}{I_y} z + 1 = 0 \tag{5-59}$$

으로 된다. 이 식은 y와 z에 대해서 선형이므로, 중립축은 그림 5-49의 nn선과 같은 직선이다. 중립축은 단면의 형상과 축하중 P의 작용위치에 따라 단면과 교차할 수도 있고 교차하지 않을 수도 있다. nn선과 y 및 z축과의 교점은 식 (5-59)에 z와 y를 각각 0으로 놓아 교점에 대하여 구하면 된다.

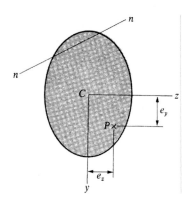

그림 5-48 두 개의 중심주축에 대해 굽힘을 일으키는 편심축하중 P

편심하중 P의 작용점과 중립축의 위치 사이에 한가지 흥미 있는 관계가 있다. 즉, 만일 하중 P가 어떤 직선 mm을 따라 움직이면 중립축은 고정점 R 주위를 회전한다(그림 5-49).

이 사실을 증명하기 위하여 먼저 힘 P가 각각 P_1과 P_2 사이에서 작용하는 두 개의 평행 성분으로 분해될 수 있는가를 관찰한다. P_1에서의 성분은 굽힘주평면에서 작용하므로 대응 하는 응력이 0인 선은 z축에 평행하고 z축으로부터 거리 $s_1 = I_z/Ae_1$에 위치한다(그림 5-49와 5-47 참조). 또한, P_2에서의 성분은 y축에 대한 굽힘을 일으키게 하며 응력이 0인 선은 y축으로부터 $s_2 = I_y/Ae_2$만큼 떨어진 곳에 위치한다. 그림에서 두 점선의 교점 R은 하중의 두 성분이 동시에 작용할 때 중립축 nn 위에 항상 존재할 것이다. 그러므로, 하중 P가 mm선을 따라 움직일 때 점 R의 위치는 고정되어 중립축은 항상 그 점을 지난다.

단면의 핵(The core of cross section). 그림 5-50에 표시한 바와 같이 작용하는 축하중 P의 편심 e가 작을 때에는 중립축이 단면의 외부에 놓이며 수직응력은 전단면을 통하여 같

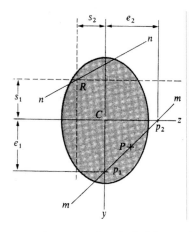

그림 5-49 하중 P의 위치와 중립축 nn의 관계

은 부호를 가진다. 이러한 것은 압축하중이 인장에 비해 매우 약한 재료, 즉 도기재료나 콘크리트에 작용할 경우에는 중요하다. 이러한 재료에 대해서는 하중이 도심 주위의 어떤 작은 영역 내에 존재할 때이다. 그 영역 내에 작용하는 압축력은 전단면에 걸쳐 압축을 일으킨다. 또한 인장력은 전단면에 걸쳐 인장을 일으키게 한다. 이러한 영역을 단면의 **핵**(core 또는 kern)이라 부른다.[*]

직사각형 단면의 핵은 다음의 방법으로 구할 수 있다. 만일 하중이 y축의 양의 방향에 따라 작용한다면 중립축은 하중이 도심에서 e_1만큼 떨어진 점 P에 작용할 때 단면의 윗부분과 일치하게 된다. 거리 e_1은 $y = -h/2$, $I = bh^3/12$과 $A = bh$를 식 (5-57)에 대입함으로써 구할 수 있다. 즉 $e_1 = h/6$. 마찬가지로, 도심에서 $e_2 = b/6$만큼 떨어진 점 q에서 하중 P가 z축의 양의 방향으로 작용할 때 중립축은 단면의 좌측변과 일치한다. 하중이 점 P와 q 사이의 직선을 따라 움직이면 중립축은 직사각형 단면의 모서리 R 주위를 회전할 것이다.

따라서, 선 pq가 핵을 이루는 선들 중의 하나가 된다. 다른 세 변도 대칭에 의해 구해지며 핵이 $b/3$와 $h/3$를 대각선으로 하는 마름모임을 알게 된다. 압축하중 P의 작용점이 이 마름모 내에 있는 한 중립축은 단면과 교차하지 않게 되며 전단면은 압축을 받게 된다. 다른 형상의 단면에 대한 핵도 직사각형 단면에 대한 것과 같은 방법에 의해 구할 수 있다.

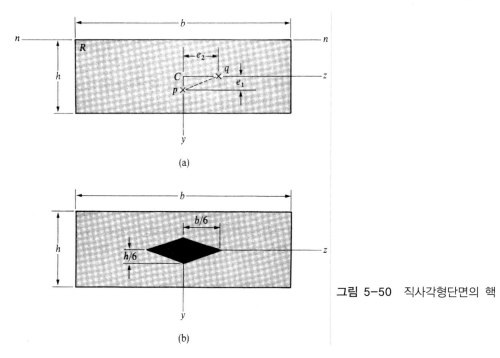

그림 5-50 직사각형단면의 핵

---

[*] 단면의 핵에 대한 개념은 1854년 프랑스 기술자 J.A.C. Bresse에 의해 도입되었다. 참고문헌 5-19 참조.

문제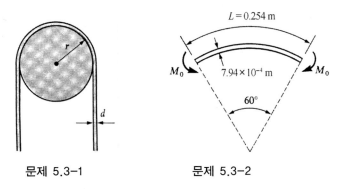

5.3-1 강선(鋼線)이 반지름 $r = 0.254\,\text{m}$의 도르레 주위에 감겨져 있을 때 지름 $d = 7.94 \times 10^{-4}\,\text{m}$인 강선($E = 30 \times 10^6\,\text{psi}$)에 발생되는 최대응력 σ_{max}을 구하라(그림 참조).

5.3-2 두께 $7.94 \times 10^{-4}\,\text{m}$, 길이 $L = 0.254\,\text{m}$인 얇은 강철자($E = 206.7 \times 10^6\,\text{kPa}$가 양끝에 작용하는 우력 M_0에 의해서 중심각이 $60°$인 원호(그림 참조)로 휘어져 있다. 이 자의 최대응력 σ_{max}은 얼마인가?

문제 5.3-1   문제 5.3-2

5.3-3 길이 $L = 1.5\,\text{m}$이고 두께 $t = 1\,\text{mm}$인 얇은 구리띠($E = 120\,\text{GPa}$)가 원으로 휘어져서 그 양끝이 맞닿아 있다(그림). 이 띠에서 최대굽힘응력 σ_{max}을 계산하라.

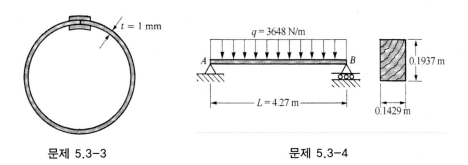

문제 5.3-3   문제 5.3-4

5.3-4 지간 $L = 4.27\,\text{m}$인 단순보 AB가 강도 $q = 3648\,\text{N/m}$의 등분포하중을 받고 있다(그림). 만일 이 보가 폭 $b = 0.1429\,\text{m}$, 높이 $h = 0.1937\,\text{m}$인 직사각형단면이라면 하중강도 q에 의해서 발생되는 최대굽힘응력 σ_{max}을 구하라.

5.3-5 허용굽힘응력을 $8.2\,\text{MPa}$이라고 할 때, 등분포하중 $q = 6.5\,\text{kN/m}$를 받는 직사각형단면(140 mm × 240 mm)을 갖는 단순보의(그림) 최대허용지간길이 L을 구하라(보의 자중은 하중 q에 포함되어 있다).

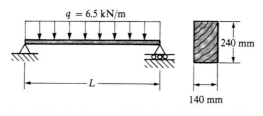

문제 5.3-5

5.3-6 그림에 나타나 있는 보는 우력 M_0에 의해서 단순굽힘을 받고 있다. 단면이 (a) 정삼각형 (b) 반원일 때 최대인장응력과 압축응력의 비 σ_t/σ_c를 구하라.

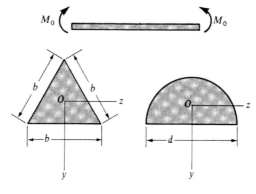

문제 5.3-6

5.3-7 WF형 단면을 가진 강제보가 양단이 내밀어진 형태로 그림과 같이 지지되어 있다. 각각의 내민 부분에는 등분포하중 $q = 116.8 \text{ kN/m}$를 받고 있다. 단면계수를 $S = 8.833 \times 10^{-3} \text{ m}$ 이라고 할 때 등분포하중 q에 의해서 일어나는 최대굽힘응력 σ_{max}을 구하여라.

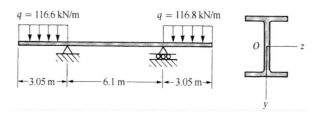

문제 5.3-7

5.3-8 철도의 침목이 그림에서와 같이 두 개의 집중하중 $P = 222.5 \text{ kN}$을 받고 있다. 자갈의 반력 q 는 침목 전체에 균일하게 분포된다고 생각할 수 있다. 침목의 단면치수는 $b = 0.3048 \text{ m}$, $h = 0.254 \text{ m}$ 이다. $L = 1.45 \text{ m}$, $a = 0.5 \text{ m}$ 라고 할 때 침목에서의 최대굽힘응력 σ_{max}을 계산하여라.

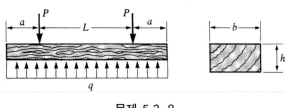

문제 5.3-8

5.3-9 그림에 표시한 바와 같이 높이 $h = 2.4$ m인 작은 댐이 두께 $t = 150$ mm의 수직목재보 AB 로 만들어져 있다. 보는 상단과 하단이 단순지지로 되어 있다고 하자. 물의 비중량을 $\gamma = 9.81$ kN/m³라고 할 때 보에 일어나는 최대굽힘응력 σ_{max}을 구하여라.

5.3-10 지간길이 $L = 7.32$ m인 단순보 AB가 $d = 1.83$ m 떨어져 작용하는 두 개의 차륜(車輪)하중 을 받는다. 각 바퀴는 하중 $P = 13.35$ kN을 전달하며 차는 보 위의 어떤 위치에도 있을 수 있다. 만일 보가 단면계수 $S = 2.65 \times 10^{-4}$ m³의 I형보라면 차륜하중 때문에 일어나는 최대 굽힘응력 σ_{max}을 구하여라.

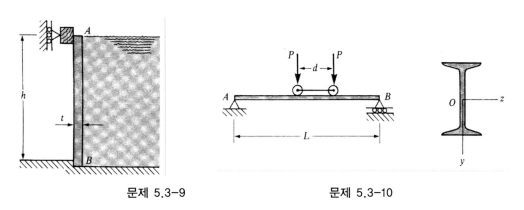

문제 5.3-9   문제 5.3-10

5.3-11 허용굽힘응력(인장 또는 압축)이 σ_{allow}라면, 그림에 표시한 단면에 있어서 zz축에 관하여 전달될 수 있는 최대굽힘모멘트 M_{max}을 구하여라.

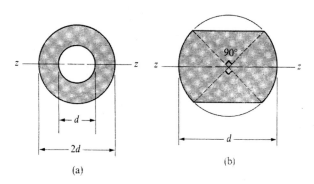

문제 5.3-11

5.3-12 허용굽힘응력이 σ_{allow}일 때 그림에 표시한 단면에 대해서 zz축에 관하여 전달될 수 있는 최대굽힘모멘트 M_{max}을 구하여라.

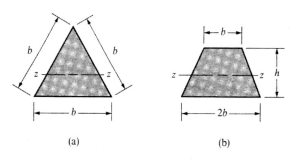

(a)   (b)

문제 5.3-12

5.3-13 $P=5.4$ kN이고 단면의 치수가 그림과 같을 때 단순보 AB에 작용하는 집중하중 P로 인한 최대굽힘응력은 얼마인가?

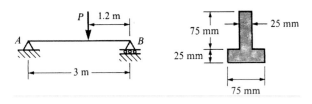

문제 5.3-13

5.3-14 그림과 같은 하중을 받은 캔틸레버보 AB는 C형(channel) 단면을 갖는다. 단면은 표시되어 있는 치수를 가졌고, 중립축에 대한 관성모멘트는 $I=1.17\times10^{-6}$ m^{4}라면 굽힘으로 인한 최대인장응력과 최대압축응력을 구하라. (단, 균일하중은 보의 무게를 나타낸다)

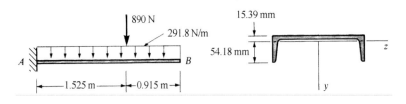

문제 5.3-14

5.3-15 보 ABC는 돌출부의 끝에서 집중하중 P를 받는다(그림). 보의 단면은 그림에서와 같은 치수를 갖는 T형보이다. 재료의 허용응력이 인장에서는 40 MPa이고, 압축에서는 70 MPa임을 근거로 하여 허용하중 P를 구하여라(보의 무게는 무시하여라).

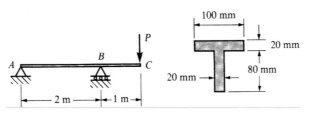

문제 5.3-15

5.3-16 돌출보를 갖는 보가 전길이에 걸쳐서 등분포하중 2918 N/m를 받는다. 보의 단면은 그림에 표시한 치수를 갖는 C형(channel) 단면이며, z축에 대한 관성모멘트는 $2.14 \times 10^{-6} \, m^4$이 다. 등분포하중으로 인한 보에서의 최대인장응력 σ_t와 최대압축응력 σ_c를 계산하여라.

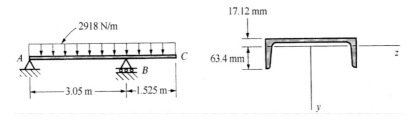

문제 5.3-16

5.3-17 직사각형단면 100 mm×250 mm의 목제보가 그림과 같이 지지된다. 보는 돌출부의 끝에서 하향작용하는 두 개의 하중 P를 받는다. 목제보에서의 허용굽힘모응력이 $\sigma_{allow} = 10 \, MPa$, $a = 0.6 \, m$일 때의 허용하중 P를 구하여라(보의 무게는 무시하여라).

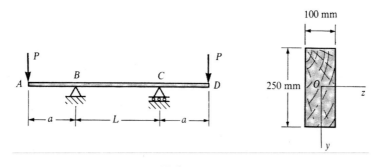

문제 5.3-17

5.3-18 앞의 문제는 목제보의 무게를 고려하여 풀어다($L = 2.5 \, m$, 목재의 비중량은 $\gamma = 5.5 \, kN/m^3$ 라 가정한다).

5.3-19 그림과 같은 단면형을 갖는 channel보가 끝에서 단순지지되고, (지간길이 $L = 3.05 \, m$) 중

간에서 집중하중 P를 받는다. 휨허용응력이 인장에 있어서는 137.8 MPa, 압축에 있어서는 82.68 MPa일 때 허용하중 P를 구하라($b = 0.6096$ m, $h = 0.254$ m, $t = 0.0508$ m).

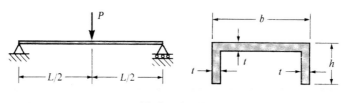

문제 5.3-19

5.4-1 길이 1.83 m의 외팔보가 등분포하중 $q = 2918$ N/m, 자유단에서 집중하중 $P = 11125$ N을 받는다(그림). $\sigma_{\text{allow}} = 103.35$ MPa일 때 필요한 단면계수 S를 계산하였다. 부록 표 E-1로 부터 적절한 W형강을 선택하고, 보의 무게를 고려하여 S를 다시 계산하여라. 필요하면 보의 크기를 새로 선택하여라.

5.4-2 길이 4.575 m의 단순보에 등분포하중 5840 N/m가 만재되고 중간에서는 집중하중 17800 N이 작용한다(그림). $\sigma_{\text{allow}} = 110.24$ MPa로 하고, 필요한 단면계수 S를 계산하여라. 부록 E. 표 E-1로부터 적절한 W형강을 선택하고, 보의 무게를 고려하여 S를 다시 계산하여라. 필요하면 보의 크기를 새로 선택하여라.

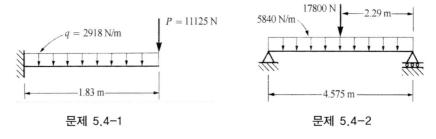

문제 5.4-1　　　　　　문제 5.4-2

5.4-3 단순보 AB는 그림에서와 같이 하중을 받고 있다. $\sigma_{\text{allow}} = 103.35$ MPa, $L = 7.32$ m, $P = 8900$ N일 때 필요한 단면계수 S를 계산하여라. 부록 표 E-2에서 적절한 S형강을 선택하여, 보의 무게를 고려하고 S를 다시 계산하여라. 필요하면 보의 크기를 새로 선택하여라.

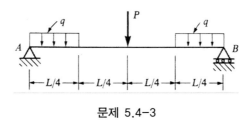

문제 5.4-3

5.4-4 정사각형단면의 목제보 *ABC*는 *A*와 *B*에서 지지되며 돌출부 *BC* 위는 등분포하중 $q = 1.5\,\text{kN/m}$가 만재되어 있다(그림). $L = 2.5\,\text{m}$, $\sigma_{\text{allow}} = 12\,\text{MPa}$이라면, 정사각형단면 한 변의 치수 *b*를 계산하여라. 여기서 목제의 비중량은 $\gamma = 5.5\,\text{kN/m}^3$인데 이것을 하중에 포함시켜라.

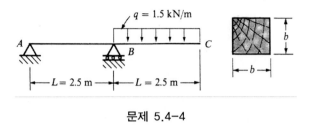

문제 5.4-4

5.4-5 캔틸레버 *AB*는 비중량 $\gamma = 5.2\,\text{kN/m}^3$인 나무로 되어 있다(그림). 보는 원형단면이며, 길이 $L = 2.4\,\text{m}$이고 자유단에서 집중하중 $P = 3.1\,\text{kN}$을 받고 있다. 허용응력이 $8.2\,\text{MPa}$일 때 보가 필요로 하는 지름 *d*를 계산하여라.

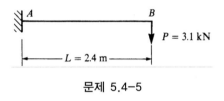

문제 5.4-5

5.4-6 작은 건물의 마루는 중심에서 중심까지의 거리 *s*의 간격으로 폭 0.0508 m인 도리목으로 받쳐 구성되었다. 각 도리목의 지간길이 *L*은 3.2 m이고 간격은 $s = 16\,\text{in}$. 허용굽힘응력은 7579 kPa이다. 마루가 받는 균일한 등분포하중은 마루 자중을 포함하여 $4544\,\text{N/m}^2$이다. 도리목이 필요로하는 단면계수 *S*를 계산한 다음(표면처리된 목재), 각 도리목을 등분포하

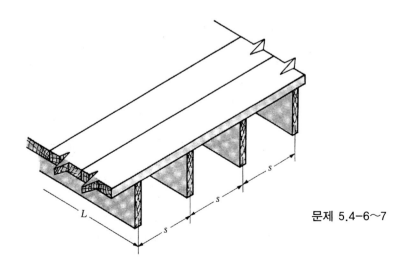

문제 5.4-6~7

중을 지지하는 단순보로 가정하고 이것의 크기를 선택하여라.

5.4-7 마루를 지지하는 도리목은 0.0508 m×0.2032 m이며(표면처리된 목재의 공칭치수) 지간길이는 $L = 4.27$ m 이다. 마루의 전하중은 2391.83 N/m²인데, 이 값은 도리목이나 마루의 무게를 포함한 값이다. 각 도리목을 등분포하중을 지지하고, 허용굽힘응력이 8268 kPa인 단순보로 가정하면, 각 도리목의 최대허용간격 s는 얼마인가?

5.4-8 1.525 m 높이의 옹벽이 그림과 같이 지름 0.3048 m의 연직목재 말뚝으로 지지되는 0.0762 m 두께의 수평목판으로 만들어져 있다. 측방향토압은 옹벽의 상단에서는 $P_1 = 4783.66$ N/m² 이고, 하단에서는 19134.64 N/m²이다. 목재의 허용응력은 8268 kPa로 하고 말뚝의 최대허용간격 s를 계산하여라(Hint: 말뚝의 간격은 각각의 목판이나 말뚝의 하중지지능력에 의해 지지될 수 있음을 주의하라. 말뚝은 사다리꼴 하중분포를 받는 외팔보와 같이 작용하는 것으로 생각하고, 목판은 말뚝 사이에서 단순보로 작용한다고 가정하여라. 안전측에 있게 하기 위하여, 바닥목판 위에서의 응력은 균일하고 최대압력과 같다고 가정하여라).

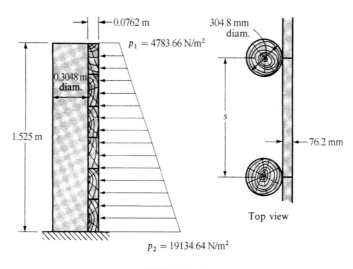

문제 5.4-8

5.4-9 직사각형목제보가 지름 d의 원목에서 제재되었다(그림). 내하능력이 가장 큰 단면의 b와 h의 치수는 얼마인가?

5.4-10 첫 번째보가(단면계수 S_1) 지름 d의 중실원형단면이고, 두 번째보가, 바깥지름 d_2의 중공원형단면일 때, 같은 단면적을 갖는 두 보의 단면계수비 S_2/S_1를 구하여라.

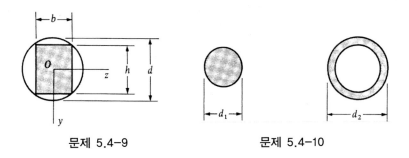

문제 5.4-9	문제 5.4-10

5.4-11 ⊏형(channel: 그림)의 단면을 갖는 보가 z축에 대하여 작용하는 굽힘모멘트를 받고 있다. 보의 상부와 하부에서의 굽힘응력이 7:3의 비가 되기 위한 ⊏형단면의 두께 t를 계산하여라.

5.4-12 보의 상부와 하부에서의 수직응력이 각각 3:1의 비가 되도록 그림과 같은 T형보의 플랜지 폭 b를 구하여라($h = 120\ mm$, $t = 20\ mm$라 가정하여라).

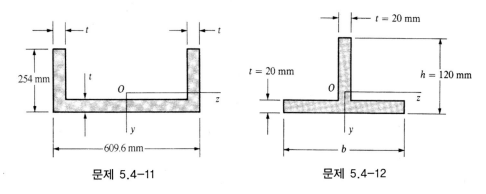

문제 5.4-11	문제 5.4-12

5.4-13 비대칭 I형(그림) 단면을 갖는 보가 z축에 대하여 작용하는 굽힘모멘트를 받고 있다. 보의 상부와 하부에서의 응력이 각각 4:3의 비가 되도록 상부플랜지의 폭 b를 구하여라.

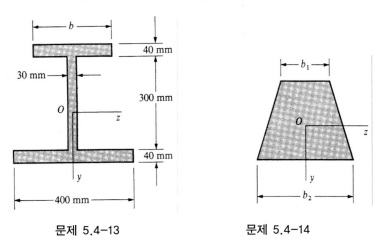

문제 5.4-13	문제 5.4-14

5.4-14 순수굽힘을 받는 보가 상부에 압축을 받는 그림과 같은 사다리꼴 단면을 갖고 있다. 인장과 압축에 대한 허용응력비는 $\sigma_t/\sigma_c = \alpha$이다. 보의 상부와 하부 두 부분에서의 응력이 최대허용값을 갖도록 밑면치수에 대한 b_1/b_2의 비를 α를 써서 구하여라. 또한 사다리꼴 단면에 대해서 α값의 허용범위는 얼마인가?

5.4-15 단면이 다음과 같을 때, 즉 (1) 높이가 폭의 2배가 되는 직사각형단면 (2) 정사각형 (3) 원형(그림)이고 같은 길이로서 같은 재료로 만들어졌다면, 같은 최대굽힘모멘트를 받으며 같은 최대수직응력을 갖는 이 세 보의 무게비를 구하여라.

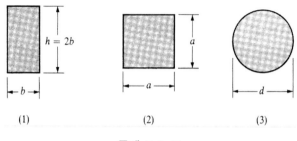

문제 5.4-15

5.4-16 굽힘에 가장 강한 단면을 얻기 위하여 정사각형단면에서 떼어 내야 하는 작은 면적의 경계를 긋는 비 β를 구하여라(그림). 면적이 떼어졌을 때 단면계수는 몇 %정도 증가되는가?

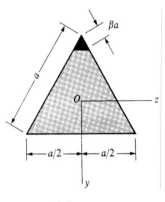

문제 5.4-16

5.5-1 직사각형단면에서의 전단응력 τ는 식 (5-22)로 주어진다. 즉,

$$\tau = \frac{V}{2I}\left(\frac{h^2}{4} - y_1^2\right)$$

이다(그림 5-24). 전단면에 대해 적분함으로써 이 전단응력들의 합이 전단력 V임을 보여라.

5.5-2 그림과 같은 단순지지된 목제보가 14590 N/m의 등분포하중(자중포함)을 받는다. 길이가 1.83 m이고 단면이 폭 0.2032 m, 높이 0.254 m인 직사각형일 경우 최대전단응력 τ_{max} 을 구하여라.

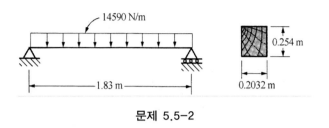

14590 N/m

1.83 m

0.254 m

0.2032 m

문제 5.5-2

5.5-3 5.3절의 예제 2에서 해석된(그림 5-15 참조) 단순보 AB를 고려하여 이 보에서의 최대전단응력 τ_{max} 은 어떤지 밝혀라.

5.5-4 5.4절의 예제 1에서 설명된 수직포스트 B는 200×200의 치수를 갖는 정사각형단면이다(그림 5-19). 포스트 한 개에 대한 최대전단응력 τ_{max} 을 계산하여라.

5.5-5 (a) 길이 L, 높이 h의 직사각형단면의 단순보가 등분포하중을 받고 있다(그림). 이 보에서의 최대전단응력 τ_{max} 에 관한 식을 최대굽힘응력 σ_{max} 의 항으로 유도하라. (b) 외팔보에 대해서도 (a)에서 행한 풀이를 되풀이하라(그림).

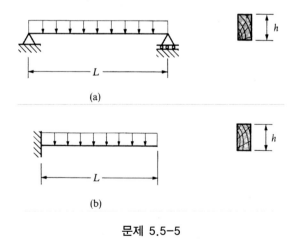

L

h

(a)

L

h

(b)

문제 5.5-5

5.5-6 길이 $L=2$ m의 외팔보가 하중 $P=15$ kN을 받고 있다(그림). 보는 단면치수가 150 mm × 200 mm인 목제이다. 보의 상부로부터 25 mm, 50 mm, 75 mm, 100 mm에 위치한 점에서 하중 P로 인하여 일어나는 전단응력을 계산하여라. 이 결과로써, 보의 상부에서부터 하부까지의 전단응력분포도를 그려라.

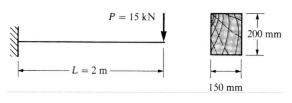

문제 5.5-6

5.5-7 직사각형단면인 지간길이 1.22 m의 단순목제보가 보의 자중과 함께, 지간 중앙에 집중하중 P를 받게 된다(그림). 단면의 공칭치수가(실제치수에 대해서는 부록 F를 참조하라) 0.1524 m $\times 0.254$ m이고 $\sigma_{\text{allow}} = 6890$ kPa, $\tau_{\text{allow}} = 1033.5$ kPa일 때의 보의 허용하중 P를 구하여라.

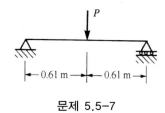

문제 5.5-7

5.5-8 등분포하중을 받는 직사각형단면 목제단순보의 높이는 200 mm이고 굽힘과 전단에 대한 허용응력은 각각 $\sigma_{\text{allow}} = 8.2$ MPa과 $\tau_{\text{allow}} = 1.0$ MPa이다. 허용하중의 계산에 있어서 전단응력이 지배하는 경우와 굽힘응력이 지배하는 경우에 대하여 한계지간의 길이 L_0를 구하여라.

5.5-9 높이가 h이고 굽힘과 전단력에 대한 허용응력이 각각 σ_{allow}와 τ_{allow}인 직사각형단면 외팔보가 있다. 허용하중을 계산함에 있어서 전단응력이 지배하는 경우와 굽힘응력이 지배하는 경우에 대하여 한계지간의 길이에 대한 공식을 유도하라.

5.5-10 얇은 목판으로 이루어진 보가 그림과 같이 0.1016 m × 0.1524 m의 단일직사각형보가 되도록 세치수가 0.0508 m × 0.1016 m인 판을 아교로 붙여 만들어졌다. 아교로 접합된 연결부에서의 허용전단응력은 344.5 kPa이다. 만일 보가 0.915 m 길이의 외팔보라면, 자유단에서 허용하중 P는 얼마인가? 또한 이에 대응하는 최대굽힘응력은 얼마인가?

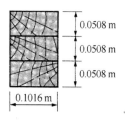

문제 5.5-10

5.6-1 그림과 같은 치수가 $b = 0.127\,\text{m}$, $t = 0.0127\,\text{m}$, $h = 0.3048\,\text{m}$, $h_1 = 0.2667\,\text{m}$인 WF형 단면 보에 전단력 $V = 133500\,\text{N}$이 작용한다. 웨브에서의 최대전단응력 $\tau_{\max}$을 계산하여라. 이 결과를 웨브의 면적으로 나누어서 얻어진 평균전단응력 τ_{aver}와 비교하여 보아라.

5.6-2 그림과 같은 단면치수가 $b = 180\,\text{mm}$, $t = 12\,\text{mm}$, $h = 600\,\text{mm}$, $h_1 = 570\,\text{mm}$인 WF형 단면 보에 전단력 $V = 275\,\text{kN}$이 작용한다. (a) 웨브에서 최대전단응력 $\tau_{\max}$과 최소전단응력 $\tau_{\min}$을 계산하여라. (b) V를 웨브의 면적으로 나누어서 얻어진 평균전단응력 τ_{aver}를 최대 전단응력과 비교하여 보아라. (c) 웨브에서 부담하는 전단력 V_{web}을 계산하여라.

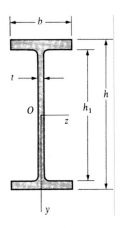

문제 5.6-1 및 문제 5.6-2

5.6-3 $W24 \times 94$형 강보가 웨브에서 전단력 $V = 125\,\text{k}$를 받는다. 웨브에서의 최대전단응력 $\tau_{\max}$을 계산하여라. 이 응력을 V를 웨브의 면적으로 나누어서 얻어진 평균전단응력 τ_{aver}와 비교하여 보아라.

5.6-4 앞의 문제를 전단력 $V = 11.6\,\text{k}$를 받은 $W8 \times 28$보에 대해서도 계산하여 보아라.

5.6-5 그림과 같은 지간길이 $L = 14\,\text{m}$인 단순보 AB는 보의 무게를 포함한 등분포하중 q를 받는다. 보는 그림에서 보는 바와 같은 단면을 갖도록 세 강판을 용접하여 제작되었다. 허용응력 $\sigma_{\text{allow}} = 110\,\text{MPa}$과 $\tau_{\text{allow}} = 70\,\text{MPa}$일 때 굽힘과 전단으로 얻어지는 최대허용등분포하중의 세기 q는 얼마인가?

5.6-6 그림과 같은 치수가 $b = 0.254\,\text{m}$, $t = 0.01524\,\text{m}$, $h = 0.2032\,\text{m}$, $h_1 = 0.1778\,\text{m}$인 T형단면보에 전단력 $V = 26700\,\text{N}$이 작용한다. 웨브에서의 최대전단응력 $\tau_{\max}$을 계산하여라.

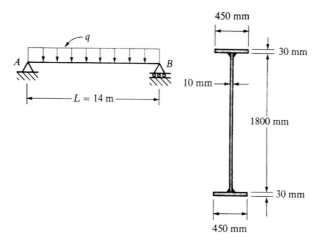

문제 5.6-5

5.6-7 그림에서와 같은 T형단면보가 치수가 $b = 220\,\text{mm}$, $t = 15\,\text{mm}$, $h = 300\,\text{mm}$, 그리고 $h_1 = 275\,\text{mm}$ 이고 전단력 $V = 68\,\text{kN}$을 받는다. 웨브에서의 최대전단응력 $\tau_{\max}$ 을 구하여라.

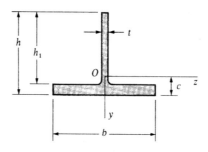

문제 5.6-6 및 문제 5.6-7

5.6-8 그림에서와 같은 치수의 정사각형 알루미늄상자형보가 전단력 $V = 124.6\,\text{kN}$을 받는다. 최대전단응력 $\tau_{\max}$ 을 계산하여라.

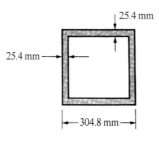

문제 5.6-8

5.8-1 그림과 같은 단면을 갖는 용접강판항이 두 개의 $25\,mm \times 250\,mm$ 덮개판과 두께 $15\,mm$ 높이 $600\,mm$인 웨브판으로 조립되어 있다. 이 항이 전단력 $V = 600\,kN$을 받을 때 웨브판과 덮개판을 연결하는 필렛용접 비트가 부담해야 하는 힘 F(단위용접길이당)는 얼마인가?

5.8-2 그림에 표시한 강판항은 $9.525 \times 10^{-3}\,m \times 1.778\,m$의 치수를 갖는 웨브판에 용접된 두 개의 덮개판(치수 $0.0254\,m \times 0.4572\,m$)으로 이루어져 있다. 각 필렛용접비트가 단위길이당 ($0.0254\,m$당) $F = 10680\,N$의 전단력을 전달한다면 이 판항의 허용전단력 V는 얼마인가?

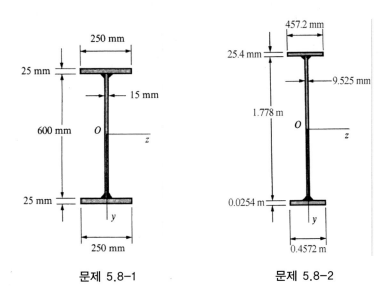

문제 5.8-1 　　　　　　　　　　　문제 5.8-2

5.8-3 그림과 같은 $0.0254\,m \times 0.1524\,m$ (실제치수) 크기의 목제 상자형틀보가 있다. 판은 한 개당 $F = 1112.5\,N$의 전단력을 받을 수가 있는 나사에 의해 웨브판에 연결되어 있다. 이 보가 전단력 $V = 4094\,N$을 받을 때 나사의 최대허용종방향 간격 s를 계산하여라.

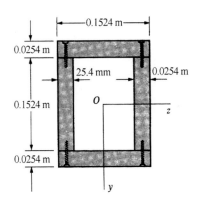

문제 5.8-3

5.8-4 그림과 같은 목제보가 두 개의 $25 \times 250\,\text{mm}$ 판에 부착된 두 개의 $50\,\text{mm} \times 250\,\text{mm}$로 구성된 상자형 단면을 갖는다. 판들은 종방향간격 $s = 100\,\text{mm}$로 못을 박아 연결하였다. 각 못의 허용전단력 $F = 1,300\,\text{N}$일 때, 이 보의 최대허용전단력 V는 얼마인가?

5.8-5 그림과 같은 목제상자형틀보가 네 개의 $0.0508\,\text{m} \times 0.2032\,\text{m}$인 공칭치수를 갖는 판재로 만들어져 있다. 못의 종방향간격 $s = 0.127\,\text{m}$이고, 못의 허용하중이 $F = 1780\,\text{N}$이라면, 보의 내하전단력 V를 계산하여라(주의: 부재의 실제수치에 대해서는 부록 F 참조).

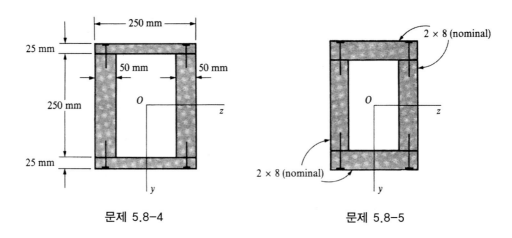

문제 5.8-4   문제 5.8-5

5.8-6 합판으로 된 웨브판을 갖는 중공목제보가 그림과 같은 단면치수를 갖고 있다. 합판은 전단력 89 N의 허용하중을 갖는 작은 못에 의해 덮개판에 연결되어 있다. 전단력 V가 (a) 445 N, (b) 890 N일 때의 최대허용 간격 s를 구하여라.

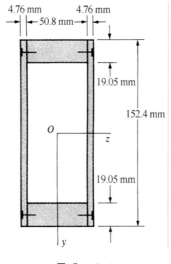

문제 5.8-6

5.8-7 T형 단면의 보가 그림에서와 같은 치수를 갖는 두 개의 판에 못질하여 만들었다. 단면에 작용하는 전전단력 V가 1800 N이고, 못이 전단력 800 N을 부담할 수 있을 때 못의 최대허용간격 s는 얼마인가?

5.8-8 두 개의 $W10 \times 30$형강으로 된 광폭플랜지보(부록 E, 표 E-1 참조)가 그림과 같이 볼트로 연결되어 조립보가 되었다. 전단력은 $V = 89$ kN이고, 각 볼트의 허용전단하중이 $F = 13795$ N일 때 볼트의 최대허용간격 s는 얼마인가?

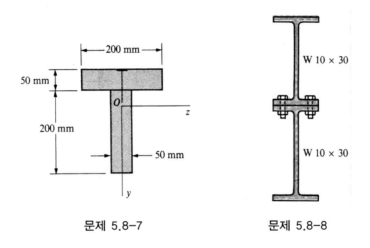

문제 5.8-7　　　　　문제 5.8-8

5.8-9 그림과 같은 조립보가 한 개의 $W12 \times 50$형 WF형 단면과 두 개의 $C12 \times 30$ [형 단면으로 조립되어 있다. 단면들은 종방향으로 0.1524 m 간격의 볼트로 연결되어 있다. 각 볼트가 전단력 10680 N을 받을 수 있다면 최대허용전단력 V는 얼마인가?

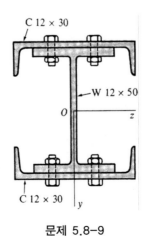

문제 5.8-9

5.9-1 길이 L의 테이퍼 외팔보 AB는 원형단면을 가지고 있으며 자유단에서 집중하중 P를 받는다(그림 5-35 참조). 보의 지름은 자유단의 d_a로부터 고정단의 d_b까지 선형변화를 한다. $d_b/d_a = 3$일 때 자유단부터 얼마의 거리 x에서 굽힘으로 인한 최대수직응력이 일어나겠는가? 또한 최대수직응력 σ_{max}의 값은 얼마인가? 이 응력과 지점에서의 최대응력 σ_b와의 비는 얼마인가?

5.9-2 그림 5-35에 표시한 바 있는 외팔보에서 d_b/d_a비가 얼마의 값일 때 최대수직응력이 받침부에서 일어나겠는가?

5.9-3 그림과 같은 길이 L의 테이퍼 외팔보 AB는 정사각형 단면을 가지며 자유단에서 집중하중 P를 받는다. 보의 폭과 높이는 자유단의 h에서부터 고정단의 $2h$가지 선형 변화를 한다. 굽힘으로 인하여 자유단에서부터 최대수직응력이 일어나는 단면까지의 거리 x는 얼마인가? 또한 최대수직응력 σ_{max}의 값은 얼마인가? 이 응력과 지지단에서의 최대응력 σ_b와의 비는 얼마인가?

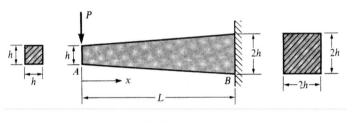

문제 5.9-3

5.9-4 그림과 같은 직사각형 단면의 테이퍼 외팔보 AB는 자유단에서 하중 P와 우력을 받고 있다. 보의 폭은 0.0254 m로 일정하지만 높이는 하중을 받는 끝의 0.0508 m에서 지지단의 0.0762 m까지 선형적으로 변한다. 굽힘으로 인한 최대수직응력 σ_{max}은 자유단으로부터 얼마만한 거리 x에서 일어나는가? 이 응력과 지지단에서의 최대응력 σ_b와의 비는 얼마인가?

5.9-5 앞 문제에서 설명된 보에서의 전단응력 τ를 $x = 0$, 0.254 m, 0.508 m 가 되는 단면에 대해 조사하여 보아라. 이들 각각의 단면에 대한 전단응력이 보의 상부에서 하부까지 어떻게 변하는가를 표시하는 선도를 그려라.

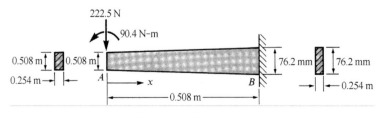

문제 5.9-4 및 문제 5.9-5

5.9-6 그림과 같이 높이 h는 일정하나 폭 b는 변하는 직사각형단면의 캔틸레버 AB가 자유단에서 집중하중 P를 받고 있다. 균일강도의 보를 얻기 위해서 폭 b는 자유단에서의 거리 x로 표시되는 어떤 함수꼴을 하겠는가? (굽힘으로 인한 수직응력만을 고려하고, 최대허용응력은 σ_{allow}로 가정하여라)

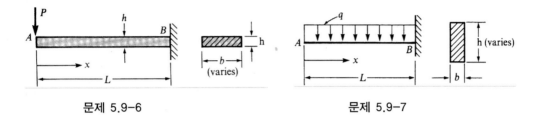

문제 5.9-6   문제 5.9-7

5.9-7 그림과 같이 폭 b는 일정하나 높이 h가 변하는 직사각형단면의 외팔보 AB가 강도가 q인 등분포하중을 받고 있다. 균일강도의 보가 되기 위하여 높이 h가 x의 함수(보의 자유단에서 측정된)로서는 어떤 형식이겠는가? (굽힘으로 인한 수직응력만을 고려하고 허용응력은 σ_{allow}로 하여라)

5.9-8 폭 b는 일정하나 높이 h가 변하는 직사각형 단면의 단순보 AB가 그림에서 보는 삼각형모양의 하중계를 받고 있다. 균일강도의 보가 되기 위하여, 높이 h는 x의 함수(보의 중간에서 측정된)로서는 어떤 형식이겠는가? (굽힘으로 인한 수직응력만을 고려하고 허용응력은 σ_{allow}로 하여라)

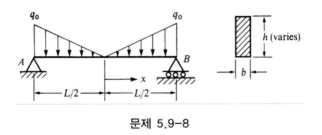

문제 5.9-8

5.9-9 그림과 같은 집중하중 P를 받는 단순보 AB가 일정한 폭 b와 높이 h가 변하는 직사각형단면을 가지고 있다. 집중하중 P는 보의 지간을 따라 어느 곳에서도 작용할 수 있다. 보의 무

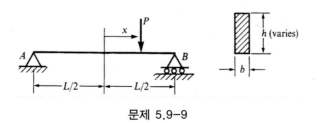

문제 5.9-9

게를 최소로 하기 위하여 높이 h는 x의 함수로 (보의 중간에서 측정된) 어떤 형식이겠는 가? (굽힘으로 인한 수직응력만을 고려하고, 허용응력은 σ_{allow}로 하여라)

5.10-1 그림과 같은 길이 3.66 m의 단순보가 등분포하중 14590 N/m를 받고 있다. 두께가 6.35×10^{-3} m인 강판으로 보강된 0.1060 m × 0.2921 m인 직사각형단면을 갖는 목제보이다. 강재 와 나무에 대한 탄성계수는 각각 $E_s = 206.7 \times 10^6$ kPa, $E_w = 10335 \times 10^6$ Pa이다. 강판에서 의 최대응력 σ_s와 목재에서의 최대응력 σ_w를 계산하여라.

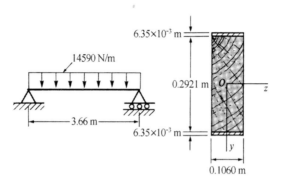

문제 5.10-1

5.10-2 그림에 표시한 합성보는 단순지지되어 있으며 5 m의 지간길이 위에 등분포하중 40 kN/m 가 만재되어 있다. 보는 단면치수 150 mm × 250 mm를 갖는 나무 부재와 두 개의 50 mm × 150 mm 강판으로 만들어져 있다. 탄성계수가 $E_s = 209$ GPa, $E_w = 11$ GPa일 때 강판과 목재에서의 최대응력 σ_s와 σ_w를 각각 구하여라.

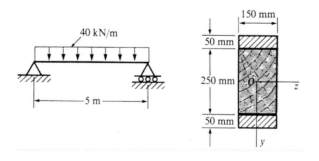

문제 5.10-2

5.10-3 그림과 같은 0.2032 m 폭과 0.3048 m 높이의 목재보가 0.0127 m 두께의 강판에 의해 상 부와 하부가 보강되었다. 목재에서의 허용응력이 6890 kPa이고 강판에서의 허용응력이 110.24 MPa일 때 z축에 대한 허용 굽힘모멘트 M_{max}을 구하여라(강판과 목재의 탄성계수비 는 20으로 가정한다).

5.10-4 그림과 같은 200 mm × 300 mm 치수의 목재보다 12 mm 두께의 강판에 의해 양측면이 보강되어 있다. 강판과 목재에 대한 탄성계수는 각각 $E_s = 204\,\text{GPa}$, $E_w = 8.5\,\text{GPa}$이다. 또한 대응되는 허용응력은 $\sigma_s = 130\,\text{MPa}$, $\sigma_w = 8\,\text{MPa}$이다. z축에 대한 최대허용굽힘모멘트를 계산하여라.

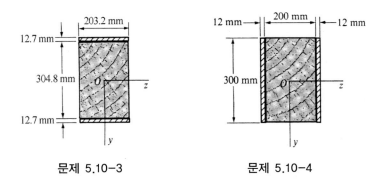

문제 5.10-3   문제 5.10-4

5.10-5 그림과 같은 상자형틀보가 Douglse-전나무 합판으로 된 웨브와 소나무로 된 플랜지로 만들어져 있다. 합판의 두께는 0.0254 m이고, 폭은 0.3048 m이며 플랜지는 0.0508 m × 0.0254 m이다. 합판의 탄성계수는 11024 MPa이고 소나무의 탄성계수는 8268 MPa이다. 합판의 허용응력은 13.78 MPa이고 소나무의 허용응력은 11713 kPa이라면 이 보에 대한 허용굽힘모멘트 M_max을 구하여라.

5.10-6 지간 길이 3.355 m의 단순보에 등분포하중 46720 N/m가 만재되었다. 보의 단면은 그림과 같이 목재플랜지와 강웨브판을 갖는 상자형이다. 강재의 허용응력은 124.02 MPa, 목재의 허용응력은 8268 kPa라면 강판이 필요로 하는 두께 t는 얼마인가? (강판과 목재에 대한 탄성계수는 각각 $206.7 \times 10^6\,\text{kPa}$, $10335 \times 10^6\,\text{Pa}$로 가정하여라)

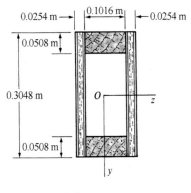
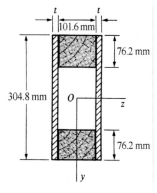

문제 5.10-5   문제 5.10-6

5.10-7 바깥지름 d의 강관과 안지름 $d/2$의 알루미늄 핵이 그림에서 보는 바와 같은 합성보를 이루도록 접합되어 있다. 강재의 허용응력 σ_s를 바탕으로 하는 보의 허용굽힘모멘트 M을 구하는 식을 유도하여라(강재와 알루미늄에 대한 탄성계수는 각각 E_s와 E_a로 하여라).

5.10-8 그림과 같은 3 m 길이의 단순지지합성보가 지간의 중간에서 하중 $P = 5$ kN을 받고 있다. 보는 하면에 8 mm × 100 mm 단면을 갖는 직사각형강판으로 보강된 폭이 100 mm × 높이가 150 mm인 목재이다. 탄성계수는 목재에 대해서는 $E_w = 10$ GPa이고 강철에 대해서는 $E_s = 210$ GPa일 때 강판에서의 최대굽힘 응력 σ_s와 σ_w를 각각 구하여라.

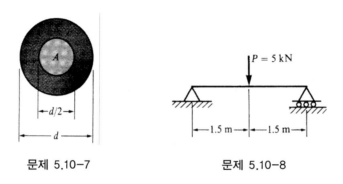

문제 5.10-7　　　　　　　　　문제 5.10-8

5.10-9 목재와 강판으로 만들어진 단순지지된 합성보가 그림과 같은 단면치수를 갖고 있다. 지간 길이는 3.05 m이며 보의 중앙에 집중하중 $P = 8900$ N을 받고 있다. $E_s/E_w = 20$일 때 하중 P로 인한 강판과 목재에서의 최대굽힘응력 σ_s와 σ_w를 계산하여라.

5.10-10 그림과 같은 온도조절 스위치로 사용되는 바이메탈보가 알루미늄과 구리로 접합되어 만들어졌다. 보의 폭은 0.0254 m이고 각 층은 1.59×10^{-3} m의 두께를 갖고 있다. 굽힘모멘트 $M = 1.13$ N-m를 받을 때 알루미늄과 구리에서의 최대응력 σ_a와 σ_c의 값은 각각 얼마인가? (단, $E_w = 68900$ MPa이고 $E_c = 117130$ MPa이다).

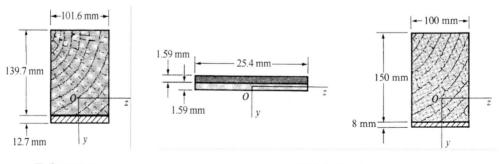

문제 5.10-9　　　　　　　　　문제 5.10-10

5.10-11 그림과 같은 단면을 갖는 알루미늄과 강재로 만들어진 합성보가 있다. 탄성계수는 $E_a =$ 70 GPa, $E_s = 210$ GPa이다. 알루미늄에서 최대응력 60 MPa을 일으키는 굽힘모멘트가 작용할 때 강재에서의 최대응력 σ_s의 값은 얼마인가?

5.10-12 바이메탈 대(strip)의 단면은 그림과 같다. 금속 A와 B에 대한 탄성계수는 각각 $E_a =$ 289.38×10^6 kPa, $E_b = 144.69 \times 10^6$ kPa이다. 보에 대한 두 개의 단면계수 중에서 작은 값을 구하여라(굽힘모멘트와 최대 굽힘응력과의 비). 또한 어느 재료에서 최대응력이 일어나겠는가?

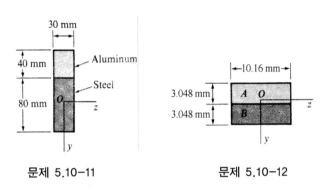

문제 5.10-11   문제 5.10-12

5.10-13 합성보가 0.0127 m × 0.1524 m 강판으로 바닥면 위가 보강된 폭 0.1524 m × 높이 0.2032 m 의 목제보로 되어 있다(그림 참조). 목재의 탄성계수는 $E_w = 10335 \times 10^6$ Pa이고, 강판의 탄성계수는 $E_s = 206.7 \times 10^6$ kPa이다. 목재의 허용응력은 $\sigma_w = 13.78$ MPa이고, 강판의 탄성계수는 $E_s = 206.7 \times 10^6$ kPa이다. 목재의 허용응력은 $\sigma_w = 13.78$ MPa이고, 강판은 $\sigma_s =$ 110.24 MPa일 때 이 보의 허용 굽힘모멘트를 구하라.

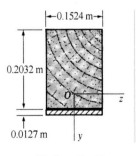

문제 5.10-13

5.10-14 0.0254 m × 0.0508 m 단면을 갖는 강봉으로 보의 상부가 보강되었을 때 앞의 문제를 풀어라(그림 참조). 막대기의 0.0508 m 가장자리는 목제보의 상부와 맞대어져 있다.

5.10-15 철근콘크리트 보의 단면이 그림과 같다. 세 개의 보강 철근 지름은 25 mm이고 계수비

$n = 12$이다. 콘크리트에서의 허용압축응력은 $\sigma_c = 12\,\text{MPa}$이고 철근에서의 허용인장응력은 $110\,\text{MPa}$이다. 이 보의 허용 굽힘모멘트를 계산하여라(콘크리트는 압축만을 저장하는 것으로 하고 철근의 면적은 수평선상에서의 보의 상부 아래 $360\,\text{mm}$ 거리에 집중되어 있다고 하여라).

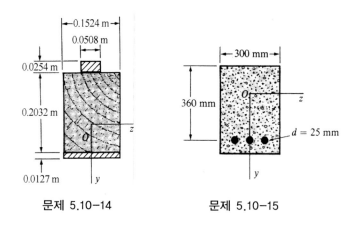

문제 5.10-14   문제 5.10-15

5.11-1 끝에서 정사각형 단면을 갖는 봉의 종단면은 그림과 같이 홈을 설치하여 중간부분이 1/2로 감소되었다. 끝단면의 도심에 작용하는 하중 P로 인하여 감소된 봉 단면 내의 개개 단면에서 최대인장응력 σ_t와 최대압축응력을 구하여라.

5.11-2 봉의 끝은 지름 a의 원형단면을 가지고 중간부근에서는 반원형단면을 가지는 경우에 대하여 앞의 문제를 풀어라.

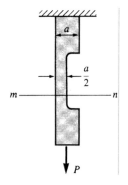

문제 5.11-1 및 5.11-2

5.11-3 그림과 같이 뼈대 구조물 ABC는 B에서 두 개의 알루미늄 관을 용접하여 만들어졌다. 각 관들의 단면적은 $A = 0.01\,\text{m}^2$이고 관성모멘트 $I = 8.82 \times 10^{-5}\,\text{m}^4$이며 바깥지름은 $d = 0.273\,\text{m}$이다. $P = 13350\,\text{N}$, $L = 1.83\,\text{m}$, $H = 1.37\,\text{m}$일 때 하중 P로 인하여, 뼈대 구조물에

서 일어나는 최대인장응력과 압축응력을 구하여라.

5.11-4 두 개의 강관은 용접하여 그림과 같은 뼈대 구조물 *ABC*를 만들었다. 각 관의 바깥지름은 200 mm이고, 안지름은 160 mm이다. $H=L=1.4$ m, $P=8$ kN일 때 하중 *P*로 인한 뼈대 구조물에서의 최대인장응력과 압축응력을 계산하여라.

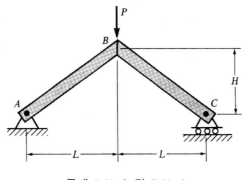

문제 5.11-3 및 5.11-4

5.11-5 원형축을 갖는 곡선봉 *ABC*(반지름 $r=300$ mm)가 그림과 같이 $P=1,600$ N의 힘을 받고 있다. 보의 단면은 높이 $h=30$ mm를 갖는 직사각형이다. 보가 받을 최대응력을 80 MPa 로 한다면, 필요로 하는 최소두께 *t*는 얼마인가?

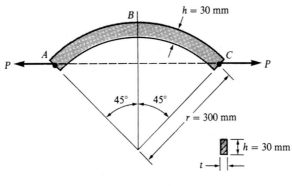

문제 5.11-5

5.11-6 높이 h, 안지름 d_1, 바깥지름 d_2를 갖는 원형단면탑이 그림과 같이 기울기 시작하고 있다. 탑 단면에서 인장이 일어나지 않기 위한 수직면에서부터의 최대허용경사각 α는 얼마인가?(단, 하중은 탑 자중만 생각하여라).

5.11-7 높이 1.83 m, 두께 0.305 m의 콘크리트평판벽이 안전한 기초 위에 놓여서 작은 댐으로서의 역할을 하고 있다(그림). (a) 만수위($d=1.83$ m) 때 벽의 저면에서의 최대인장응력과

압축응력을 구하여라. 콘크리트 중량은 226865 N/m^3이라 가정한다. (b) 콘크리트 단면에 인장이 작용하지 않을 최대허용수위 d는 얼마인가?

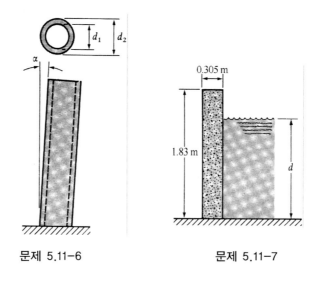

문제 5.11-6   문제 5.11-7

5.11-8 원형단면의 중실봉이 축인장력 $T = 26700 \text{ N}$, 굽힘모멘트 $M = 3164 \text{ N-m}$를 받고 있다(그림). 허용인장응력이 124.02 MPa일 때 필요로 하는 봉의 지름은 얼마인가?

5.11-9 정사각형 기둥이 압축력 $P = 3,500 \text{ kN}$, 굽힘모멘트 $M = 85 \text{ kN·m}$를 받고 있다(그림). 허용응력이 압축은 18 MPa, 인장은 6 MPa일 때, 필요한 기둥의 크기 b는 얼마인가? (기둥의 자중은 무시하라).

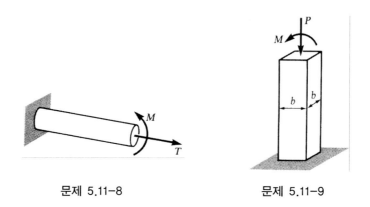

문제 5.11-8   문제 5.11-9

5.11-10 지름이 d인 중실원형단면봉 AB는 그림과 같이 B에서는 힌지로 되어 있고, A끝에서는 매끄러운 연직면(마찰이 없다)으로 지지된다. (a) 점 B에서부터 막대기의 무게로 인하여, 압축응력이 최대가 되는 단면까지의 거리 S에 대한 식을 유도하여라(L은 막대기의 길이이

고, α는 막대기의 축과 수평면 사이의 각이다). (b) $L = 2\,\mathrm{m}$이고 $d = 0.2\,\mathrm{m}$에 대해서 s가 각 α의 함수로서 어떻게 변하는지를 나타내는 그래프를 그려라.

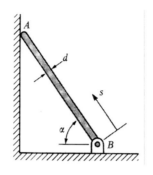

문제 5.11-10

5.11-11 그림에서 외팔보는 높이 h의 직사각형단면을 갖는다고 생각하자. 하중 P가 그림과 같은 방향으로 작용할 때, 모든 단면에서 중립축 nn은 단면의 도심상부에 위치하고 있다. s를 도심에서부터 중립축까지의 거리라 할 때, (a) 지지단에서부터 거리 x와 이 s에 대한 함수 관계식을 구하여라. (b) $L = 0.762\,\mathrm{m}$, $h = 0.0762\,\mathrm{m}$인 경우에 대해서 s의 그림을 그려라.

5.11-12 그림과 같은 길이가 짧은 $C6 \times 13$ [형단면(부록 E 참조)의 웨브판의 중간점에 작용선을 갖는 축압축힘 P가 작용한다. 허용압축응력이 $82.68\,\mathrm{MPa}$일 때 최대허요하중 P_{max}을 구하여라.

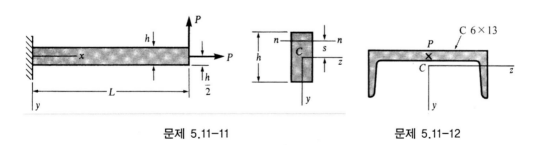

문제 5.11-11   문제 5.11-12

5.11-13 그림과 같은 $W14 \times 120$ 단면(부록 E 참조)으로 만들어진 짧은 기둥(단주)이 단면의 외측연단의 한 부분에 작용점을 갖는 압축하중 $P = 267\,\mathrm{kN}$을 받고 있다. 기둥에서의 최대인 장응력 σ_t와 최대압축응력 σ_c를 구하여라.

5.11-14 그림과 같은 $L4 \times 4 \times 0.01905\,\mathrm{m}$의 L형 단면(부록 E 참조)으로 이루어진 인장부재가 인장하중 $P = 66750\,\mathrm{N}$을 받고 있는데 이 하중은 다리의 중앙선이 교차하는 점을 통과하여 작용한다. 부재의 최대인장응력은 얼마인가?

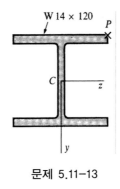

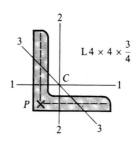

문제 5.11-13   문제 5.11-14

5.11-15 그림과 같이 반지름 r의 원형단면의 핵은 반지름 $r/4$의 동심원임을 밝혀라.

5.11-16 그림과 같은 바깥지름 r_2, 안지름 r_1인 중공원형단면의 핵은 반지름이 $r=(r_2{}^2+r_1{}^2)/4r_2$ 인 원임을 밝혀라(그림 참조). 또한 r_1이 r_2에 접근할 때 핵의 반지름에 대한 극한값은 $r_2/2$ 임을 밝혀라(즉 단면이 얇은 고리 형태를 취할 때).

5.11-17 변의 길이가 b인 정삼각형 단면에 대한 핵을 구하여라(그림 참조).

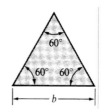

문제 5.11-15   문제 5.11-16   문제 5.11-17

5.11-18 구조용 강재단면 $W16 \times 57$(부록 E 참조)의 핵을 구하여라.

Chapter 6

응력과 변형률의 해석

6.1 서 론

6.2 평면응력

6.3 주응력과 최대전단응력

6.4 평면응력에 대한 Mohr원

6.5 평면응력에 대한 Hooke의 법칙

6.6 구형과 원통형 압력용기(2축응력)

6.7 조합하중(평면응력)

6.8 보에서의 주응력

6.9 3축응력

*6.10 3차원 응력

6.11 평면변형률

6.1 서 론

　보, 축, 봉에 있어서의 수직응력과 전단응력은 앞장에서 논의된 여러 가지 공식으로부터 구할 수 있다. 예를 들면, 보에서의 응력은 강성도와 전단공식($\sigma = My/I$, $\tau = VQ/Ib$)으로 부터 계산되어진다. 이들 기본공식으로부터 구해진 응력은 부재의 단면에 걸쳐서 작용한다.

　이 장에서는 부재 내의 경사면에 작용하는 수직응력과 전단응력을 구하는 방법에 대해서 논의한다. 일축응력과 순수전단의 특별한 경우에 대해서는 2.7절과 3.4절에서 각각 경사면 상의 응력에 대한 식을 유도했다. 축하중하에서 최대전단응력은 45° 기울어진 면에서 발생 하며 비틀림을 받는 봉에서의 최대인장과 압축응력은 45° 기울어진 면에서 발생한다. 같은 방법으로, 보를 통하여 잘린 경사단면에는 수직응력과 전단응력을 모두 받게 될 것이며, 이 들 응력은 단면에 작용하는 응력보다 크게 될 것이다. 이러한 형태의 해석을 하기 위해서는 경사면상의 응력을 결정하기 위한 좀더 일반적인 접근을 해야 한다. 여기서는 물체 내의 한 점에서의 응력상태를 나타내기 위해서 **응력요소**(stress elements)를 사용한다. 응력요소는 이미 논의되었지만(2.7절과 3.4절 참조), 그러나 이 장에서는 좀더 공식화해서 사용하게 된 다. 예를 들어서 응력요소의 각 위치에 대한 좌표축의 좌표와 관련지어 사용하게 된다. 이 장 의 목표는 이들 축의 각 방향에 대한 응력성분을 주는 변환관계식을 유도하는 것이다. 다시 말해서 기준위치에 대한 응력을 알고 있다고 가정하고 임의방향으로 회전한 응력요소의 면에 작용하는 응력을 결정하려고 한다. 응력상태를 설명하기 위해서 사용되는 응력요소의 방향에 관계없이 한 점에는 단 하나의 고유한 응력상태가 존재한다는 사실은 강조되어야 함에도 불 구하고, 이 과정은 **축변환**(transformation of axes) 혹은 **응력변환**(stress transformation) 등으로, 여러 가지로 언급된다. 즉, 요소가 한 방향에서 다른 방향으로 회전되었을 때 요소 의 면(faces)에 따라 작용하는 응력은 다르나 고려되는 한 점에서의 응력은 동일한 응력상 태를 나타낸다. 이러한 상태는 힘벡터(force vector)를 성분별로 나타내는 것과 유사하다.

　힘은 좌표축이 새로운 방향으로 회전되었을 때 다른 성분으로 나타내어지지만 힘 자체는 변하지 않는다. 그러나 물체 내의 한 점에서의 응력상태는 힘의 경우보다 더 복잡한 양이며, 응력에 대한 변환관계식은 벡터의 경우보다 더 복잡하다. 수학적으로 응력은 텐서(tensor) 이며, 역학에서 다루어지는 또 다른 텐서는 변형률, 관성모멘트이다. 응력, 변형률, 관성모 멘트에 대한 변환공식 사이의 유사성도 이 장의 뒷부분에서 논의된다.

6.2 평면응력

축하중을 받는 봉, 비틀림을 받는 봉, 그리고 보에서 발생하는 응력상태는 **평면응력**(plane stress)이라고 불리는 응력상태의 예들이다. 평면응력을 해석하기 위해서 그림 6-1a와 같은 미소요소를 생각하자. 이러한 요소는 각 변이 x, y, z축에 평행한 직육면체이다. 요소의 각 면은 이미 1.6절에서 설명했듯이 그들의 외향법선방향에 의해서 표시된다. 그러므로 그림에서 요소의 우측면은 양의 x면이고 좌측면(관찰자가 볼 때 가려진 면)은 음의 x면이 된다. 같은 방법으로 윗면은 양의 y면이고 정면은 양의 z면이 된다.

평면응력에서는 요소의 x, y면만이 응력을 받고 있으며 모든 응력은 x와 y축에 평행하게 작용한다[그림 6-1(a)]. 응력에 대한 부호는 다음과 같은 의미를 갖는다. 수직응력 σ는 그 응력이 작용하는 면을 나타내는 첨자를 가진다. 물론 같은 크기의 수직응력이 요소의 반대면에서 작용하며, 양의 응력은 인장을 표시한다. 전단응력은 두 개의 첨자를 가지는데, 첫째 첨자는 응력이 작용하는 면을 표시하고, 둘째 첨자는 그 면에서의 방향을 표시한다. 그러므로 전단응력 τ_{xy}는 x평면 위에서 y축방향으로 작용하며, 응력 τ_{yx}는 y평면 위에서 x축방향으로 작용한다. 전단응력은 요소의 양의 평면상에서 양의 좌표축 방향으로 작용할 때 양이고, 양의 평면상에서 음의 좌표축 방향으로 작용할 때에는 음이다. 그러므로 양의 x, y평면에 작용하는 τ_{xy}와 τ_{yx}[그림 6-1(a)]는 양의 전단응력이다. 같은 방법으로 요소의 음의 평면에서 음의 방향으로 작용하는 전단응력은 양이다. 따라서 그림에서 요소의 음의 x, y평면에 작용하는 τ_{xy}와 τ_{yx}는 양이다. 전단응력에 대한 이러한 **부호규약**(sign-convention)은 다음과 같은 규칙으로 쉽게 기억된다. 즉 첨자와 관련된 방향이 양-양, 음-음이면 응력이 양이고, 방향이 양-음이면 응력이 음이 된다.

전단응력에 대한 앞의 부호규약은 요소의 정적평형과 일치하는데, 왜냐하면 요소의 반대면에서의 전단응력은 크기는 같고 방향이 반대이어야 하기 때문이다. 그러므로 부호규약에 따라 양의 전단응력 τ_{xy}는 양의 면에서 위로 작용하고[그림 6-1(a)], 음의 면에서는 아래로 작용한다. 같은 방법으로 응력 τ_{yx}는 요소의 윗면과 아랫면에서 각각 양의 방향과 음의 방향이 된다. 마지막으로 직교평면상의 전단응력은 크기가 같고, 각 면의 작용선을 따라 두 응력이 한 점을 향해 만나거나 떨어지는 그러한 방향을 가진다는 것을 상기하자. 그림에서 보는 바와 같이 τ_{xy}와 τ_{yx}가 그 방향이 양이면 이러한 관찰은 타당하다. 그러므로 다음의 식이 성립한다.

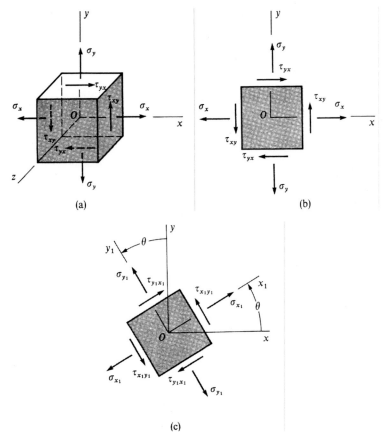

그림 6-1 평면응력상태의 요소

$$\tau_{xy} = \tau_{yx} \tag{6-1}$$

위의 관계식은 요소의 정적평형식으로부터 이미 유도되었다(1.6절 참조).

평면응력상태의 요소를 편리하게 그리기 위해서 그림 6-1과 같이 2차원적인 관점에서만 그린다. 이러한 그림이 평면응력상태의 요소에 작용하는 모든 응력을 명백하게 나타내기는 하지만, 요소는 그림이 그려진 평면에 수직으로 일정한 두께를 가지는 물체라는 것을 명심해야 한다.

그러면 이번에는 **경사단면**(inclined section)에 작용하는 응력에 대해서 고찰해 보자. 여기서 응력 σ_x, σ_y, τ_{xy}는 알고 있다고 가정한다(예를 들어서 굽힘과 비틀림 해석으로부터). 경사단면에 작용하는 응력을 그리기 위해서 요소의 각 면이 경사단면에 평행 및 직교하는 또 다른 응력요소를 생각하자[그림 6-1(c)]. 새로운 요소에 대한 축 x_1, y_1, z_1은 z_1축은 z축과 일치하고 x_1y_1축은 xy평면에 대해서 반시계방향으로 각 θ만큼 회전시켜 놓은 축이다.

회전한 요소에 작용하는 수직응력과 전단응력은 xy요소에 작용하는 응력에 대해서와 같은 첨자표시와 부호규약을 사용해서 σ_{x_1}, σ_{y_1}, $\tau_{x_1y_1}$, $\tau_{y_1x_1}$ 이라고 표시한다. 전단응력에 대한 앞의 결론을 동일하게 적용하여 다음과 같이 된다.

$$\tau_{x_1y_1} = \tau_{y_1x_1} \tag{6-2}$$

중요한 것은 임의의 한 면에서의 전단응력이 결정되면 다른 모든 면에 작용하는 전단응력도 알 수 있다는 것이다.

회전된 x_1y_1요소에 작용하는 응력은 정적평형방정식을 이용하여 xy요소에 작용하는 응력의 항으로 표시된다. 그러기 위해서 경사면이 회전요소의 x_1면이 되고, 나머지 두 면이 x와 y축에 평행한 쐐기모양요소(wedge-shaped elements)를 생각하자[그림 6-2(a)]. 평형방정식을 쓰기 위해서 이들 각 면에 작용하는 힘을 구해야 한다. 좌변의 면(즉, 음의 x면)의 면적을 A_0라 표시하자. 그러면 이 면에 작용하는 수직력과 전단력은 그림 6-2(b)의 자유물체도에 나타난 바와 같이 각각 $\sigma_x A_0$, $\tau_{xy} A_0$가 된다. 밑면(음의 y면)의 면적은 $A_0 \tan\theta$가 되며, 경사면(양의 x_1면)의 면적은 $A_0 \sec\theta$가 된다. 그러므로 이들 면에 작용하는 수직력과 전단력은 그림에 표시된 것과 같은 크기와 방향을 가진다. 좌면과 밑면에 작용하는 네 개의 힘을 x_1과 y_1 방향으로 작용하는 직교성분으로 분해한다. 그러면 그들 각 방향에 대해서 힘을 합하면 두 개의 평형방정식을 얻는다. x_1방향에 대한 힘을 합하여 구한 처음 방정식은

$$\sigma_{x_1} A_0 \sec\theta - \sigma_x A_0 \cos\theta - \tau_{xy} A_0 \sin\theta$$
$$- \sigma_y A_0 \tan\theta \sin\theta - \tau_{yx} A_0 \tan\theta \cos\theta = 0$$

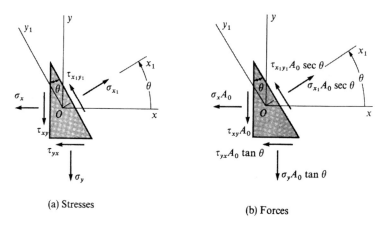

(a) Stresses

(b) Forces

그림 6-2 평면응력상태의 쐐기-모양응력요소: (a) 요소에 작용하는 응력과 (b) 요소에 작용하는 힘

이 된다. 같은 방법으로 y_1방향에 대한 힘을 합하면

$$\tau_{x_1y_1}A_0 \sec\theta + \sigma_x A_0 \sin\theta - \tau_{xy}A_0 \cos\theta$$
$$- \sigma_y A_0 \tan\theta\cos\theta + \tau_{yx}A_0 \tan\theta\sin\theta = 0$$

이 된다. 식 $\tau_{xy} = \tau_{yx}$를 이용하여 간단히 하고 정리하면, 다음과 같은 식을 얻는다.

$$\sigma_{x_1} = \sigma_x \cos^2\theta + \sigma_y \sin^2\theta + 2\tau_{xy}\sin\theta\cos\theta \tag{6-3a}$$

$$\tau_{x_1y_1} = -(\sigma_x - \sigma_y)\sin\theta\cos\theta + \tau_{xy}(\cos^2\theta - \sin^2\theta) \tag{6-3b}$$

식 (6-3)은 회전각 θ와, x와 y평면에 작용하는 응력 σ_x, σ_y, τ_{xy}의 항으로 x_1평면에 작용하는 수직응력과 전단응력을 나타낸다.

$\theta = 0$인 특별한 경우, 식 (6-3)은 $\sigma_{x_1} = \sigma_x$, $\tau_{x_1y_1} = \tau_{xy}$가 된다. 또한 $\theta = 90°$일 때에는 위의 식은 $\sigma_{x_1} = \sigma_y$, $\tau_{x_1y_1} = -\tau_{xy}$가 된다. 후자의 경우 x_1축은 연직방향이 되므로 응력 $\tau_{x_1y_1}$은 좌측방향이 양이 되는데, 그것은 τ_{yx}에 대한 양의 방향과 반대가 된다.

식 (6-3)은 다음의 삼각함수공식을 이용하여 좀더 유용한 형태로 표시할 수 있다.

$$\cos^2\theta = \frac{1}{2}(1 + \cos 2\theta) \qquad \sin^2\theta = \frac{1}{2}(1 - \cos 2\theta)$$
$$\sin\theta\cos\theta = \frac{1}{2}\sin 2\theta$$

그러므로 식 (6-3)은

$$\sigma_{x_1} = \frac{\sigma_x + \sigma_y}{2} + \frac{\sigma_x - \sigma_y}{2}\cos 2\theta + \tau_{xy}\sin 2\theta \tag{6-4a}$$

$$\tau_{x_1y_1} = -\frac{\sigma_x - \sigma_y}{2}\sin 2\theta + \tau_{xy}\cos 2\theta \tag{6-4b}$$

위의 식은 다음 절에서 평면응력에 대한 Mohr원을 그리는데 이용된다.

σ_{x_1}과 $\tau_{x_1y_1}$에 대한 방정식은 하나의 좌표축에서 다른 좌표축으로 응력성분을 변환하기 때문에 **평면응력의 변환공식**(transformation equations for plane stress)이라 한다. 그러나 이미 앞에서 설명한 바와 같이 고려되는 한 점에서의 고유한 응력상태(intrinsic state of stress)는 xy요소에 의해서 응력이 표시되건 회전된 x_1y_1요소에 의해서 표시되건 간에 동일하다(그림 6-1).

변환공식은 정적평형을 고려하여 유도되었으므로 어떠한 다른 재료에 대해서도 적용할 수 있다.

수직응력에 대한 중요한 고찰은 변환공식으로부터 얻을 수 있다. 우선 회전요소의 y_1면에 작용하는 수직응력 σ_{y_1}은 θ 대신 $\theta + 90°$를 식 (6-4a)에 대입함으로써 구할 수 있다[그림 6-1(c)]. 그러므로 σ_{y_1}에 대한 식은,

$$\sigma_{y_1} = \frac{\sigma_x + \sigma_y}{2} - \frac{\sigma_x - \sigma_y}{2} \cos 2\theta - \tau_{xy} \sin 2\theta \tag{6-5}$$

가 된다. 식 (6-4a)와 식 (6-5)를 합하면

$$\sigma_{x_1} + \sigma_{y_1} = \sigma_x + \sigma_y \tag{6-6}$$

위의 식은 평면응력을 받는 요소의 직교면상에 작용하는 수직응력의 합은 일정하며, 각 θ에 대해 독립적임을 나타낸다.

수직응력과 전단응력이 변화하는 일반적인 모양이 그림 6-3에 나타나 있는데, 이 그림은 회전각 θ에 대한 σ_{x_1}과 $\tau_{x_1y_1}$의 그래프이다[식 (6-3)].

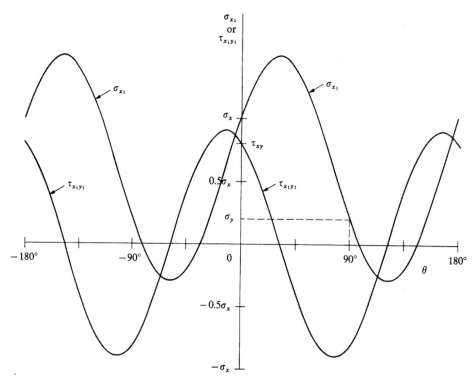

그림 6-3 각 θ에 대한 수직응력 σ_{x_1}과 전단응력 $\tau_{x_1y_1}$도표($\sigma = 0.2\sigma_x$, $\tau_{xy} = 0.8\sigma_{xy}$)

위의 그래프는 $\sigma_y = 0.2\sigma_x$, $\tau_{xy} = 0.8\sigma_x$인 특별한 경우에 대해서 그려져 있다. 위의 그림으로부터 응력은 요소가 회전함에 따라 연속적으로 변한다는 것을 알 수 있다. 특정 회전각에 수직응력은 최대 혹은 최소값에 도달하게 되며 또 다른 각에서 0이 된다. 같이하여 전단응력도 임의의 특정각에서 최대, 최소, 영의 값을 가진다. 이들 특수한 응력값에 대한 좀더 상세한 고찰은 다음 절에서 하기로 한다. 물론 그림 6-3에 그려진 곡선은 응력 σ_x, σ_y, τ_{xy}의 상대값이 변함에 따라서 달라진다.

평면응력의 일반적인 경우는 특수한 조건하에서 더 간단한 응력상태로 표시된다. 예를 들어서 xy요소[그림 6-1(b)]에 작용하는 모든 응력이 수직응력 σ_x를 제외하고는 모두 0이라면 요소는 **일축응력**(uniaxial stress)상태가 된다(그림 6-4). 이에 대응하는 변환공식은 식 (6-3)에서 σ_y와 τ_{xy}를 0으로 두고 구하면

$$\sigma_{x_1} = \sigma_x \cos^2 \theta \tag{6-7a}$$

$$\tau_{x_1 y_1} = -\sigma_x \sin \theta \cos \theta \tag{6-7b}$$

가 된다. 위의 식은 회전요소에 작용하는 응력에 대한 좀더 일반적인 표기를 제외하고는 2.7절에서 이미 유도한 방정식[식 (2.33) 참조]과 일치한다.

또 다른 특수한 경우는 **순수전단**(pure shear; 그림 6-5)인데 그러한 경우 변환공식은 식 (6-3)에 $\sigma_x = 0$, $\sigma_y = 0$을 대입함으로써 구한다.

$$\sigma_{x_1} = 2\tau_{xy} \sin \theta \cos \theta \tag{6-8a}$$

$$\tau_{x_1 y_1} = \tau_{xy} (\cos^2 \theta - \sin^2 \theta) \tag{6-8b}$$

위의 식은 앞에서 이미 유도한 식과 일치한다[3.4절의 식 (3-18) 참조].

마지막으로 특수한 경우는 **2축응력**(biaxial stress)상태인데, xy요소에 전단응력이 없이 x와 y방향으로 수직응력만 작용하는 응력상태이다(그림 6-6). 2축응력에 대한 식은 식 (6-3) 혹은 (6-4)에서 τ_{xy}를 포함하는 항을 제거함으로써 얻는다. 두께가 얇은 압력용기에서 발생하는 2축응력에 대해서는 6.6절에서 상세하게 논의된다.

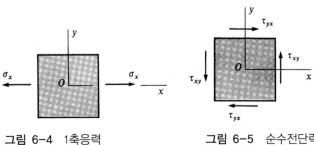

그림 6-4 1축응력   그림 6-5 순수전단력

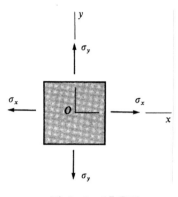

그림 6-6   2축응력

예제 ①

평면응력상태에 있는 요소가 그림 6.7(a)에서 보는 바와 같이 $\sigma_x = 110.24\,\mathrm{MPa}$, $\sigma_y = 41.34$ MPa, $\tau_{xy} = \tau_{yx} = 27.56\,\mathrm{MPa}$의 응력을 받고 있다. 각 $\theta = 45°$만큼 회전한 요소에 작용하는 응력을 결정하라.

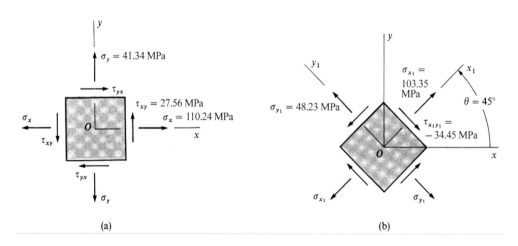

(a)   (b)

그림 6-7   예제 1

풀이 회전요소에 작용하는 응력은 식 (6-3) 혹은 식 (6-4)로부터 구할 수 있지만, 실용적으로 보통 좀더 편리한 뒤의 식을 이용하여 구한다. 주어진 수치를 이용하면,

$$\frac{\sigma_x + \sigma_y}{2} = 75.79\,\mathrm{MPa} \qquad \frac{\sigma_x - \sigma_y}{2} = 34.45\,\mathrm{MPa}$$

$$\sin 2\theta = \sin 90° = 1 \qquad \cos 2\theta = \cos 90° = 0$$

을 얻는다. 위의 값과 $\tau_{xy} = 27.56\,\text{MPa}$을 식 (6-4)에 대입하면,

$$\sigma_{x_1} = \frac{\sigma_x + \sigma_y}{2} + \frac{\sigma_x - \sigma_y}{2}\cos 2\theta + \tau_{xy}\sin 2\theta$$

$$= 75.79\,\text{MPa} + 34.45\,\text{MPa}(0) + 27.56\,\text{MPa}(1) = 103.35\,\text{MPa}$$

$$\tau_{x_1 y_1} = -\frac{\sigma_x - \sigma_y}{2}\sin 2\theta + \tau_{xy}\cos 2\theta$$

$$= -34.45\,\text{MPa}(1) + 27.56\,\text{MPa}(0) = -34.45\,\text{MPa}$$

또한 응력 σ_{y_1}은 식 (6-5)로부터 구할 수 있다.

$$\sigma_{y_1} = \frac{\sigma_x + \sigma_y}{2} - \frac{\sigma_x - \sigma_y}{2}\cos 2\theta - \tau_{xy}\sin 2\theta$$

$$= 75.79\,\text{MPa} - 34.45\,\text{MPa}(0) - 27.56\,\text{MPa}(1) = 48.23\,\text{MPa}$$

위의 결과로부터 그림 6-7(b)에 나타난 바와 같이 $\theta = 45°$에서 요소의 각 면에 작용하는 응력을 구할 수 있다. 화살표는 응력이 작용하는 진방향을 나타낸다. 특히 전단응력의 방향에 주의하고 그들 모두의 크기는 서로 같다. 또한 수직응력의 합은 151.58 MPa로서 일정하다는 것을 관찰하라[식 (6-6)]. 그림 6-7(b)의 응력성분은 그림 6-7(a)에 나타난 것과 같은 응력상태를 나타내는데, 차이는 응력성분이 작용하는 평면의 방향이 다르다는 것이다.

예제 2

하중을 받고 있는 구조물의 한 점에서 평면응력상태가 존재한다. 응력은 그림 6-8(a)의 응력요소에 표시된 크기와 방향을 가진다. 요소를 시계방향으로 15° 회전한 평면에 작용하는 응력을 계산하라.

풀이 그림 6-8(a)에 표시된 요소에 작용하는 응력은 다음과 같은 값을 가진다.

$$\sigma_x = -46\,\text{MPa} \quad \sigma_y = 12\,\text{MPa} \quad \tau_{xy} = -19\,\text{MPa}$$

요소를 시계방향으로 15° 회전하면 요소는 그림 6-8(b)와 같이 x_1축이 x축에 대해서 $\theta = -15°$인 위치에 오게 된다(다른 방법으로는 x_1축을 $\theta = 75°$인 곳에 위치시킬 수도 있다). 식 (6-4)를 이용해서 회전요소의 x_1면에 작용하는 응력을 계산하자. 계산은 다음과 같다.

$$\frac{\sigma_x + \sigma_y}{2} = -17\,\text{MPa} \quad \frac{\sigma_x - \sigma_y}{2} = -29\,\text{MPa}$$

$$\sin 2\theta = \sin(-30°) \quad \cos 2\theta = \cos(-30°)$$

$$\sigma_{x_1} = \frac{\sigma_x + \sigma_y}{2} + \frac{\sigma_x - \sigma_y}{2}\cos 2\theta + \tau_{xy}\sin 2\theta$$

$$= -17\,\text{MPa} - (29\,\text{MPa})\cos(-30°) - (19\,\text{MPa})\sin(-30°)$$

$$= -32.6 \text{ MPa}$$

$$\tau_{x_1 y_1} = -\frac{\sigma_x - \sigma_y}{2} \sin 2\theta + \tau_{xy} \cos 2\theta$$

$$= (29 \text{ MPa}) \sin(-30°) - (19 \text{ MPa}) \cos(-30°)$$

$$= -31.0 \text{ MPa}$$

또한 y_1면에 작용하는 수직응력[식 (6-5)]은,

$$\sigma_{y_1} = \frac{\sigma_x + \sigma_y}{2} - \frac{\sigma_x - \sigma_y}{2} \cos 2\theta - \tau_{xy} \sin 2\theta$$

$$= -17 \text{ MPa} + (29 \text{ MPa}) \cos(-30°) + (19 \text{ MPa}) \sin(-30°)$$

$$= -1.4 \text{ MPa}$$

위의 응력은 식 (6-4a)에 $\theta = 75°$를 대입함으로써 구해질 수 있다. 또한 $\sigma_{x_1} + \sigma_{y_2} = \sigma_x + \sigma_y$ 임도 주의하라. 경사면에 작용하는 응력은 그림 6-8(b)의 응력요소에 그려져 있다. 화살표는 응력의 진방향을 표시한다.

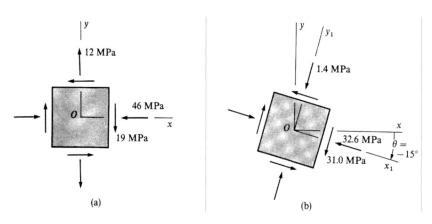

그림 6-8 예제 2

6.3 주응력과 최대전단응력

평면응력에 대한 변환공식은 수직응력 σ_{x_1}과 전단응력 $\tau_{x_1 y_1}$이 요소가 각 θ만큼 회전함에 따라 연속적으로 변화한다는 것을 보여 준다. 주어진 응력조합에 대한 이러한 변화가 그림

6-3에 그려져 있다. 설계를 하기 위해서는 최대의 양과 음의 응력이 보통 필요하게 된다. **주응력**(principal stresses)이라고 알려져 있는 최대와 최소수직응력을 결정하기 위해서 σ_{x_1}에 대한 식에서부터 시작한다[식 (6-4a)] :

$$\sigma_{x_1} = \frac{\sigma_x + \sigma_y}{2} + \frac{\sigma_x - \sigma_y}{2} \cos 2\theta + \tau_{xy} \sin 2\theta$$

σ_{x_1}을 θ에 대해서 도함수를 취하고 이것을 0으로 놓으면 σ_{x_1}이 최대 혹은 최소인 θ의 값에 대해서 풀 수 있는 방정식을 얻는다. 그 방정식은 다음과 같이 얻어진다.

$$\frac{d\sigma_{x_1}}{d\theta} = -(\sigma_x - \sigma_y) \sin 2\theta + 2\tau_{xy} \cos 2\theta = 0 \tag{a}$$

위의 식으로부터

$$\tan 2\theta_p = \frac{2\tau_{xy}}{\sigma_x - \sigma_y} \tag{6-9}$$

를 얻는다. 첨자 p는 각 θ_p가 주응력이 작용하는 평면인 **주평면**(principal planes)의 방향을 정의한다는 것을 표시한다. 0°부터 360°의 범위에서 두 개의 $2\theta_p$가 식 (6-9)로부터 구해진다. 이들 두 값은 180° 차이가 나는데 작은 값은 0부터 180° 사이에 존재하고, 큰 값은 180°에서 360° 사이에 존재한다. 그러므로 각 θ_p는 90° 차이가 나는 두 개의 값을 가지는데 하나는 0부터 90°, 다른 하나는 90°와 180° 사이에 존재한다. 이들 두 각의 한 값에서 수직응력이 최대주응력이 되고 다른 한 값에서 최소주응력이 된다. 두 개의 θ_p의 값이 90° 차이가 나므로 주응력은 서로 직교평면상에 발생한다는 것을 알 수 있다.

주응력의 값은 두 개의 θ_p의 값을 각각 변환공식[식 (6-4a)]에 대입하고 σ_{x_1}에 대해서 풀면 쉽게 계산할 수 있다. 이렇게 함으로써 두 개의 주응력 중에서 어느 것이 두 개의 주면각 θ_p와 연결되는가를 알 수 있다. 그러나 주응력에 대한 일반적인 공식을 구할 수도 있다. 그러기 위해서는 식 (6-9)와 그림 6-9를 참고하면,

$$\cos 2\theta_p = \frac{\sigma_x - \sigma_y}{2R} \quad \sin 2\theta_p = \frac{\tau_{xy}}{R} \tag{6-10a, b}$$

가 되며, 여기서

$$R = \sqrt{\left(\frac{\sigma_x - \sigma_y}{2}\right)^2 + \tau_{xy}{}^2} \tag{6-11}$$

이다.

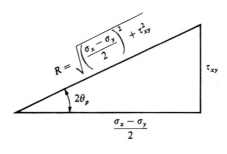

그림 6-9

R을 계산할 때 항상 양의 제곱근을 택한다. 그리하여 $\cos 2\theta_p$와 $\sin 2\theta_p$에 대한 식을 식 (6-4a)에 대입하여 두 개의 주응력 중에서 대수적으로 큰 값을 구하여 σ_1이라 표시한다.

$$\sigma_1 = \frac{\sigma_x + \sigma_y}{2} + \sqrt{\left(\frac{\sigma_x - \sigma_y}{2}\right)^2 + \tau_{xy}^2}$$

주응력의 작은 값을 σ_2라 표시하면 다음 조건으로부터 구할 수 있다.

$$\sigma_1 + \sigma_2 = \sigma_x + \sigma_y \tag{6-12}$$

여기서 σ_1과 σ_2는 서로 교차평면상에 작용한다. σ_1에 대한 식을 식 (6-12)에 대입하여 σ_2에 대해서 풀면

$$\sigma_2 = \frac{\sigma_x + \sigma_y}{2} - \sqrt{\left(\frac{\sigma_x - \sigma_y}{2}\right)^2 + \tau_{xy}^2}$$

을 얻는다. 위의 식은 σ_1에 대한 식과 같으나 근호 앞에 음의 부호가 있다는 것이 다르다. 그러므로 앞의 두 공식을 주응력에 대해서 하나의 공식으로 조합할 수 있다.

$$\sigma_{1,2} = \frac{\sigma_x + \sigma_y}{2} \pm \sqrt{\left(\frac{\sigma_x - \sigma_y}{2}\right)^2 + \tau_{xy}^2} \tag{6-13}$$

양의 부호는 대수적으로 큰 주응력 σ_1을 나타내고 음의 부호는 작은 주응력 σ_2를 나타낸다.

요약하면, 주평면을 정의하는 두 각은 θ_{p_1}과 θ_{p_2}로 표시하는데 이들은 각각 주응력 σ_1과 σ_2에 대응한다. 두 각은 모두 $\tan 2\theta_p$에 대한 식[식 (6-9)]으로부터 구해질 수 있으나, 그 식으로부터 어느 것이 θ_{p_1} 혹은 θ_{p_2}에 대한 식인 지는 구별할 수 없다. 그것을 결정하기 위한 간단한 방법은 한 값을 택해서 σ_{x_1}에 대한 식에 대입해 보는 것이다[식 (6-4a)]. σ_{x_1}의 값

은 σ_1 또는 σ_2가 될 것이므로 각 주응력에 대응하는 주면각을 구할 수가 있다.

주면각과 주응력을 연결하는 또 다른 방법은 θ_p를 구하기 위해서 식 (6-10)을 이용하는 것이다. 왜냐하면 이들 두 식을 모두 만족하는 단 하나의 각은 θ_{p_1}이기 때문이다. 그러므로 이들 두 식을 다음과 같이 다시 쓸 수 있다.

$$\cos 2\theta_{p_1} = \frac{\sigma_x - \sigma_y}{2R} \quad \sin 2\theta_{p_1} = \frac{\tau_{xy}}{R} \qquad \text{(6-14a, b)}$$

이들 두 식을 모두 만족하는 각은 0°에서 360° 사이에 단 하나 존재한다. 그러므로 최대 주응력 σ_1에 대응하는 θ_{p_1}의 값은 식 (6-14)로부터 유일하게 결정된다. σ_2에 대응하는 θ_{p_2}는 θ_{p_1}에 의해 정의되는 평면과 직교하는 평면을 정의한다. 그러므로 θ_{p_2}는 θ_{p_1}보다 90° 크게 혹은 작게 그 값을 취한다.

주평면에 관한 중요한 특성은 전단응력에 대한 식 (6-4b)로부터 알게 된다. 그 식을 다시 쓰면

$$\tau_{x_1 y_1} = -\frac{\sigma_x - \sigma_y}{2}\sin 2\theta + \tau_{xy}\cos 2\theta \qquad \text{(6-4b)}$$

이다. 만일 위의 응력을 0으로 두고[식 (a)와 비교하라] 각 2θ에 대해서 풀면 $\tan 2\theta$에 관한 전과 동일한 식[식 (6-9) 참조]을 얻는다. 그러므로 전단응력은 주평면에서 0이 된다는 것을 알 수 있다.

1축과 2축응력상태에 있는 요소의 주평면은 x와 y평면 그 자체가 주평면이다(그림 6-10). 왜냐하면 $\tan 2\theta_p = 0$[식 (6-9) 참조]이 되면 θ_p의 두 개의 값이 0과 90°가 되기 때문이다.

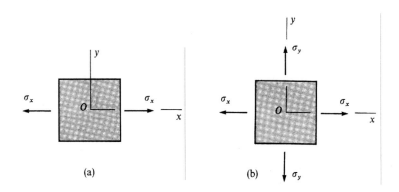

그림 6-10 1축응력과 2축응력상태의 요소

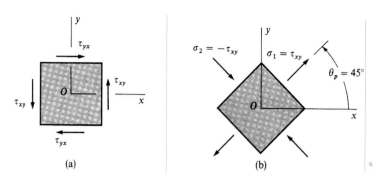

그림 6-11 순수전단상태의 요소

순수전단을 받는 요소[그림 6-11(a)]에서는 $\tan 2\theta_p$가 무한대가 되기 때문에 주평면은 x축에 45° 회전한 방향이 되며, θ_p의 두 값은 45°와 135°이다. τ_{xy}가 양이면 주응력은 $\sigma_1 = \tau_{xy}$, $\sigma_2 = -\tau_{xy}$가 된다(3.4절의 순수전단 참조).

주응력에 대한 앞의 논의는 xy평면 내에서 응력요소의 회전에 대해서만 언급했다[즉, z축에 관한 회전; 그림 6-12(a)]. 그러므로 식 (6-13)으로부터 결정된 두 개의 주응력을 **평면내주응력**(inplane principal stresses)이라고도 부른다.

응력요소는 실제로 3차원이라는 사실을 간과해서는 안 된다. 그러므로 그것은 서로 직교하는 세 개의 평면에 작용하는 2차원이 아닌 3차원 주응력을 갖는다. 좀더 완전한 3차원 해석을 함으로써 평면응력에 대한 세 개의 주평면은 이미 설명한 두 개의 주평면에다 요소의 z면을 합한 것이라는 것을 보여 줄 수 있다. 이들 주평면은 그림 6-12(b)에 그려져 있는데, 그림 6-12(a)의 응력요소가 식 (6-9)로부터 구한 두 각 중 하나인 주면각 θ_p만큼 z축에 대해서 회전되었다. 주응력은 σ_1, σ_2, σ_3인데 여기서 σ_1과 σ_2는 식 (6-13)으로부터 주어지면 σ_3는 0이 된다. 물론 σ_1은 대수적으로 σ_2보다 크며 σ_3는 σ_1과 σ_2 둘 다 보다 대수적으로 클 수도 있고 작을 수도 있다. 주평면에서는 전단응력이 없다는 것에 다시 한 번 주의하라.[*]

최대전단응력 평면응력상태의 요소에 작용하는 최대수직응력을 구했으므로, 이번에는 최대전단응력과 그것이 작용하는 평면을 결정하자. 회전된 요소에 작용하는 전단응력 $\tau_{x_1y_1}$은 식 (6-4b)와 같이 주어진다. θ에 대한 $\tau_{x_1y_1}$의 도함수를 취하고 그것을 0으로 두면

---

[*] 주응력을 결정하는 것은 고유값 해석이라고 알려진 수학적 해석이 한 예인데, 그것은 행렬대수에 관한 책(참고문헌 6-1 참조)에 설명되어 있다. 응력변환공식과 주응력의 개념은 프랑스 수학자 A.L. Cauchy(1789~1857)와 Barré de Saint-Venant(1797~1886), 스코틀랜드의 과학자이면서 공학자인 W.J.M. Rankine(1820~1872)에 의해서 정립되었다. 참고문헌 6-2, 6-3, 6-4를 각각 참조하라.

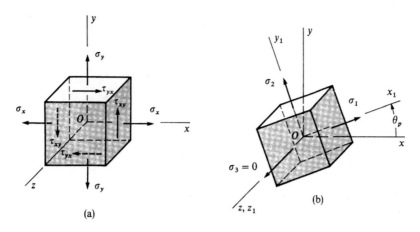

그림 6-12 평면응력상태의 요소에 대한 주평면

$$\frac{d\tau_{x_1y_1}}{d\theta} = -(\sigma_x - \sigma_y)\cos 2\theta - 2\tau_{xy}\sin 2\theta = 0 \qquad\qquad \text{(b)}$$

이 되며 위의 식으로부터

$$\tan 2\theta_s = -\frac{\sigma_x - \sigma_y}{2\tau_{xy}} \qquad\qquad \text{(6-15)}$$

를 얻는다. 첨자 s는 각 θ_s가 최대전단응력평면의 방향을 정의한다는 것을 표시한다. 식 (6-15)에서 0에서 90° 사이에 한 값과 90°에서 180° 사이에 다른 한 값을 얻는데, 이들 두 값은 서로 90°의 차이가 난다. 그러므로 $\tau_{x_1y_1}$의 최대와 최소값은 서로 직교하는 평면에서 발생한다. 서로 직교하는 평면에서 전단응력은 그 절대값이 서로 같으므로 최대와 최소전단 응력은 단지 부호만 다를 뿐이다. 더욱이 식 (6-15)와 식 (6-9)를 서로 비교해 보면,

$$\tan 2\theta_s = -\frac{1}{\tan 2\theta_p} = -\cot 2\theta_p \qquad\qquad \text{(6-16)}$$

가 된다. 삼각함수로부터

$$\tan(\alpha \pm 90°) = -\cot \alpha$$

가 됨을 알고 있다. 그러므로 $2\theta_s = 2\theta_p \pm 90°$ 혹은

$$\theta_s = \theta_p \pm 45° \qquad\qquad \text{(6-17)}$$

가 됨을 알 수 있다. 따라서 최대전단응력평면은 주평면에서 45°의 위치에서 발생한다는 결론을 내릴 수 있다.

대수적으로 큰 최대전단응력 $\tau_{\max}$의 평면은 θ_{s_1}에 의해서 정의되는데, 다음 식으로부터 구할 수 있다.

$$\cos 2\theta_{s_1} = \frac{\tau_{xy}}{R} \quad \sin 2\theta_{s_1} = -\frac{\sigma_x - \sigma_y}{2R} \qquad \text{(6-18a, b)}$$

여기서 R은 식 (6-11)에서 주어진다. 또한 다음과 같이 각 θ_{s_1}은 각 θ_{p_1}[식 (6-14) 참조]과 관계가 있다.

$$\theta_{s_1} = \theta_{p_1} - 45° \qquad \text{(6-19)}$$

이에 대응하는 최대전단응력은 $\cos 2\theta_{s_1}$과 $\sin 2\theta_{s_1}$에 대한 식을 식 (6-4b)에 대입하여 구하는데, 다음과 같다.

$$\tau_{\max} = \sqrt{\left(\frac{\sigma_x - \sigma_y}{2}\right)^2 + \tau_{xy}{}^2} \qquad \text{(6-20)}$$

대수적으로 작은 최소전단응력 $\tau_{\min}$은 위의 식과 같은 크기를 가지나 부호가 서로 다르다.

최대전단응력에 대한 유용한 표현은 식 (6-13)에서 주어진 주응력 σ_1과 σ_2로부터 구할 수도 있다. σ_1의 식에서 σ_2의 식을 빼고, 식 (6-20)과 서로 비교하면,

$$\tau_{\max} = \frac{\sigma_1 - \sigma_2}{2} \qquad \text{(6-21)}$$

가 됨을 알 수 있다. 그러므로 최대전단응력은 주응력의 차의 1/2과 같다.

최대전단응력평면에는 수직응력이 작용한다. 최대전단응력평면에 작용하는 수직응력은 각 θ_{s_1}[식 (6-18)]에 대한 식을 σ_{x_1}의 식[식 (6-4a)]에 대입하여 계산할 수 있다. 그 결과 응력은 $(\sigma_x + \sigma_y)/2$가 되는데 그것은 x와 y평면의 수직응력의 평균값이다.

$$\sigma_{\text{aver}} = \frac{\sigma_x + \sigma_y}{2} \qquad \text{(6-22)}$$

응력 σ_{aver}는 최대전단응력평면과 최소전단응력평면에 공히 작용한다.

1축과 2축응력의 특수한 경우(그림 6-10), 최소전단응력평면은 x와 y축에서 45° 위치에 발생한다. 순수전단인 경우(그림 6-11), 최대전단응력은 x와 y평면에서 발생한다.

앞의 전단응력에 대한 해석은 평면응력상태에 대해서만 취급했다. **3차원해석**(three-dimensional analysis)을 하게 되면 최대전단응력이 세 개의 위치에서 존재한다는 것을

보여 줄 수 있다. 주방향으로 회전하는 그림 6-12(b)의 평면응력요소를 참고하여, x_1, y_1, z_1 축에 대해서 45° 회전시켜 세 개의 위치를 구할 수 있다. 이에 대응하는 최대와 최소전단응력[식 (6-21) 참조]은,

$$(\tau_{\max})_{x_1} = \pm\frac{\sigma_2}{2} \quad (\tau_{\max})_{y_1} = \pm\frac{\sigma_1}{2} \quad (\tau_{\max})_z = \pm\frac{\sigma_1 - \sigma_2}{2} \quad \text{(6-23a, b, c)}$$

이 된다. σ_1과 σ_2의 대수치가 위의 어느 식이 수치적으로 가장 큰 전단응력인지를 결정한다. 만일 σ_1과 σ_2가 같은 부호이면 처음 두 식 중의 하나가 대수적으로 가장 크고, 만일 서로 다른 부호이면 마지막 식이 가장 큰 값을 갖는다.

예제 ①

평면응력상태의 요소가 그림 6-13(a)에서와 같이 $\sigma_x = 84.747\,\text{MPa}$, $\sigma_y = -28.938\,\text{MPa}$, $\tau_{xy} = -32.38\,\text{MPa}$의 응력을 받고 있다. (a) 주응력을 결정하고 그 방향을 결정하라. (b) 최대전단응력을 결정하고 그것을 적당히 회전시킨 요소의 그림에 그려 보여라(평면응력에 대해서만 고려하라).

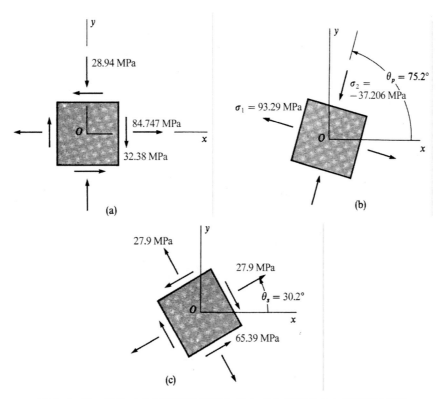

그림 6-13 예제. (a) 평면응력상태의 요소 (b) 주응력 (c) 최대전단응력

풀이 (a) 주응력, 주평면이 위치하는 주면각 θ_p는 식 (6-9)를 풀어서 구할 수 있다.

$$\tan 2\theta_p = \frac{2\tau_{xy}}{\sigma_x - \sigma_y} = \frac{2(-32.383\ \text{MPa})}{84.747\ \text{MPa} - (-28.938\ \text{MPa})} = -0.5697$$

위의 식으로부터

$$2\theta_p = 150.3° \quad \theta_p = 75.2°$$

또는

$$2\theta_p = 330.3° \quad \theta_p = 165.2°$$

가 된다. 주응력은 $2\theta_p$의 두 값을 σ_{x_1}의 식[식 (6-4a)]에 대입하여 구한다. 1차적으로 다음의 양을 결정하자.

$$\frac{\sigma_x + \sigma_y}{2} = \frac{84.747\ \text{MPa} - 28.938\ \text{MPa}}{2} = 27.904\ \text{MPa}$$

$$\frac{\sigma_x - \sigma_y}{2} = \frac{84.747\ \text{MPa} + 28.938\ \text{MPa}}{2} = 56.843\ \text{MPa}$$

$2\theta_p$의 값을 식 (6-4a)에 대입한다.

$$\sigma_{x_1} = \frac{\sigma_x + \sigma_y}{2} + \frac{\sigma_x - \sigma_y}{2}\cos 2\theta + \tau_{xy}\sin 2\theta$$
$$= 27.904\ \text{MPa} + (56.843\ \text{MPa})(\cos 150.3°) - (32.383\ \text{MPa})(\sin 150.3°)$$
$$= -37.482\ \text{MPa}$$

같은 방법으로 $2\theta_p$의 두 번째 값을 대입하면 $\sigma_{x_1} = 93.29\ \text{MPa}$을 얻는다. 그러므로 주응력과 그에 대응하는 주면각은

$$\sigma_1 = 93.291\ \text{MPa과} \quad \theta_{p_1} = 165.2°$$
$$\sigma_2 = -37.428\ \text{MPa과} \quad \theta_{p_2} = 75.2°$$

가 된다. θ_{p_1}과 θ_{p_2}는 90°의 차이가 있으며, 그리고 $\sigma_1 + \sigma_2 = \sigma_x + \sigma_y$가 됨에 주의하라. 그림 6-13(b)에서 회전된 응력요소에 작용하는 주응력이 그려져 있다. 물론 주평면에서는 전단응력이 존재하지 않는다.

별해 주응력은 식 (6-13)으로부터 직접 계산할 수 있다.

$$\sigma_{1,2} = \frac{\sigma_x + \sigma_y}{2} \pm \sqrt{\left(\frac{\sigma_x - \sigma_y}{2}\right)^2 + \tau_{xy}^2}$$
$$= 27.904\ \text{MPa} \pm \sqrt{(56.843\ \text{MPa})^2 + (-32.383\ \text{MPa})^2}$$
$$= 27.904\ \text{MPa} \pm 65.386\ \text{MPa}$$

그러므로

$$\sigma_1 = 93.29 \, \text{MPa} \quad \sigma_2 = -37.428 \, \text{MPa}$$

σ_1이 작용하는 평면에 대한 각 θ_{p_1}은 식 (6-14)로부터 구할 수 있다.

$$\cos 2\theta_{p_1} = \frac{\sigma_x - \sigma_y}{2R} = \frac{56.843 \, \text{MPa}}{65.386 \, \text{MPa}} = 0.8689$$

$$\sin 2\theta_{p_1} = \frac{\tau_{xy}}{R} = \frac{-32.383 \, \text{MPa}}{65.386 \, \text{MPa}} = -0.4950$$

여기서 R은 σ_1과 σ_2에 대한 앞의 계산에서 제곱근 항이라는 것을 주의하라. 위의 두 조건을 동시에 만족하는 0과 360° 사이의 유일한 각은 $2\theta_{p_1} = 330.3°$이다. 그러므로 $\theta_{p_1} = 165.2°$이다. 이 각은 대수적으로 큰 주응력 $\sigma_1 = 193.291 \, \text{MPa}$과 연결된다. 또 다른 각은 θ_{p_1}보다 90° 크거나 혹은 작은 값이다. 그러므로 $\theta_{p_2} = 75.2°$가 되며 $\sigma_2 = -37.428 \, \text{MPa}$이 된다. 위의 결과는 앞의 계산과 일치한다.

(b) 최대전단응력, 최대전단응력은 식 (6-20)에서 구해진다.

$$\tau_{\text{max}} = \sqrt{\left(\frac{\sigma_x - \sigma_y}{2}\right)^2 + \tau_{xy}^2}$$
$$= 65.386 \, \text{MPa}$$

이것은 이미 (a)에서 계산되었다. 양의 최대전단응력을 갖는 평면에 대한 각 θ_{s1}은 식 (6-19)로부터 계산된다.

$$\theta_{s_1} = \theta_{p_1} - 45° = 165.2° - 45° = 120.2°$$

그리고 음의 전단응력이 $\theta_{s_2} = 120.2° - 90° = 30.2°$인 평면에 작용한다. 최대전단응력평면에 작용하는 수직응력은 식 (6-22)로부터 계산된다.

$$\sigma_{\text{aver}} = \frac{\sigma_x + \sigma_y}{2} = 27.904 \, \text{MPa}$$

최대전단응력을 받는 회전요소가 그림 6-13(c)에 그려져 있다.

최대전단응력을 구하는 또 다른 접근방법은 식 (6-15)를 이용하여 각 θ_{s_1}과 θ_{s_2}를 결정하고 그리고 식 (6-4b)를 이용하여 그에 대응하는 전단응력을 구하는 것이다.

6.4 평면응력에 대한 Mohr원

평면응력에 대한 변환공식[식 (6-4)]은 **Mohr원**(Mohr's circle)이라고 하는 도시적인 형태로 나타낼 수 있다. 이러한 표현은 응력을 받는 물체의 한 점에서 여러 가지 경사면에 작용하는 수직응력과 전단응력 사이의 관계를 시각적으로 나타내는데 매우 유용하다. Mohr원을 그리기 위해서 식 (6-4)를 다음과 같이 정리한다.

$$\sigma_{x_1} - \frac{\sigma_x + \sigma_y}{2} = \frac{\sigma_x - \sigma_y}{2} \cos 2\theta + \tau_{xy} \sin 2\theta \tag{6-4a}$$

$$\tau_{x_1 y_1} = -\frac{\sigma_x - \sigma_y}{2} \sin 2\theta + \tau_{xy} \cos 2\theta \tag{6-4b}$$

이들 식은 각 2θ를 매개변수를 갖는 원의 방정식이다. 각 식의 양변을 제곱하고 더하여 매개변수를 소거하면 다음과 같은 식이 나온다.

$$\left(\sigma_{x_1} - \frac{\sigma_x + \sigma_y}{2}\right)^2 + \tau_{x_1 y_1}^2 = \left(\frac{\sigma_x - \sigma_y}{2}\right)^2 + \tau_{xy}^2 \tag{a}$$

위의 식을 6.3절에서의 기호를 사용하여 좀더 간단한 형태로 쓰면,

$$\sigma_{\text{aver}} = \frac{\sigma_x + \sigma_y}{2} \quad R = \sqrt{\left(\frac{\sigma_x - \sigma_y}{2}\right)^2 + \tau_{xy}^2} \tag{6-24a, b}$$

이 된다. 그러므로 식 (a)는

$$(\sigma_{x_1} - \sigma_{\text{aver}})^2 + \tau_{x_1 y_1}^2 = R^2 \tag{6-25}$$

이 되는데, 위의 식은 좌표축을 σ_{x_1}, $\tau_{x_1 y_1}$으로 갖는 원의 방정식이다. 원은 반지름이 R, 중심의 좌표가 $\sigma_{x_1} = \sigma_{\text{aver}}$, $\tau_{x_1 y_1} = 0$이다.

다음은 식 (6-4)와 (6-25)로부터 Mohr원을 그리는 것이다. 그러기 위해서 σ_{x_1}을 횡좌표, $\tau_{x_1 y_1}$을 종좌표로 잡는다. 그러나 원을 그리는 데는 두 가지 방법이 있다. Mohr원의 첫 번째 형태는 σ_{x_1}을 우측으로 양이라 하고, $\tau_{x_1 y_1}$을 아래쪽으로 양이라 하고 그리는 것인데, 그러면 각 2θ가 반시계방향일 때 양이 된다[그림 6-14(a)]. 두 번째 형태는 $\tau_{x_1 y_1}$을 위쪽으로 양이라 하는 것인데 이때 각 2θ는 시계방향일 때 양이 된다[그림 6-14(b)]. 두 가지 형태의 원모두 수학적으로 정확하며 방정식과 일치한다. 그러므로 둘 중 어느 것을 선택하느냐는 개

인적인 취향의 문제이다. 응력요소에 대한 각 θ는 반시계방향일 때 양(그림 6-1 참조)이므로, 각 2θ가 반시계방향일 때 양인 Mohr원을 택함으로써 혼란을 피할 수 있다. 그러므로 첫 번째 형태의 Mohr원[그림 6-14(a)]을 선택하기로 한다.

그러면 평면응력을 받는 요소에 대한 Mohr원을 그려 보자[그림 6-15(a), (b)]. 그 단계는 다음과 같다. (1) 원이 중심 C를 좌표가 $\sigma_{x_1} = \sigma_{\text{aver}}$, $\tau_{x_1y_1} = 0$인 점에 위치시킨다[그림 6-15(c)]. (2) 요소의 x면상에서의 응력상태($\theta = 0$)를 나타내는 원 위의 점 A를 정하라. 이 점에서 $\sigma_{x_1} = \sigma_x$, $\tau_{x_1y_1} = \tau_{xy}$이다. (3) 요소의 y면($\theta = 90°$)상에서의 응력상태를 나타내는 점 B를 정하라. 이 점의 좌표는 $\sigma_{x_1} = \sigma_y$, $\tau_{x_1y_1} = -\tau_{xy}$인데 왜냐하면 요소가 $\theta = 90°$만큼 회전했을 때 수직응력 σ_{x_1}은 σ_y가 되고, 전단응력 $\tau_{x_1y_1}$은 τ_{xy}의 음이 되기 때문이다. A에서 B로 그은 선은 중심 C를 통과한다는 것에 주의하라. 그러므로 서로가 90°인 평면 위의 응력을 나타내는 점 A와 B가 지름의 양 끝이 된다(원 위에서는 180° 떨어진다). (4) 중심이 C이고 A와 B를 지나는 원을 그려라.

원의 반지름 R은 선 CA의 길이가 된다는 것에 주목하라. 이 길이를 계산하기 위해서 점 C와 A의 횡좌표가 각각 $(\sigma_x + \sigma_y)/2$와 σ_x가 된다는 것을 알아야 한다. 이들 횡좌표의 차이가 그림 6-15(c)에 나타난 것과 같이 $(\sigma_x - \sigma_y)/2$가 된다. 또한 점 A의 종좌표는 τ_{xy}이다.

그러므로 선 CA는 한 변의 길이가 $(\sigma_x - \sigma_y)/2$이고 다른 한 변의 길이가 τ_{xy}인 직각삼각형의 사변이다. 이들 두 변의 제곱의 합에 제곱근을 취하여 R을 구한다[식 (6-24b) 참조].

이제 x축으로부터 각 θ만큼 회전한 요소의 경사면에 작용하는 응력을 결정하자[그림 6-15(b)]. Mohr원 위에서 반지름 CA로부터 반시계방향으로 각 2θ를 취한다. 왜냐하면 A

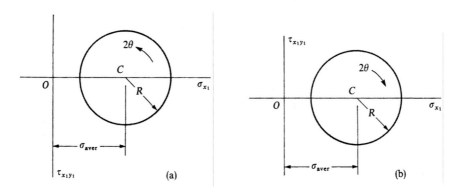

그림 6-14 Mohr원의 두 가지 형태: (a) $\tau_{x_1y_1}$이 아랫방향일 때 양, 2θ가 반시계방향일 때 양 (b) $\tau_{x_1y_1}$이 윗방향일 때 양, 2θ가 시계방향일 때 양(이 교재에서는 첫 번째 형태가 사용됨에 주의하라.)

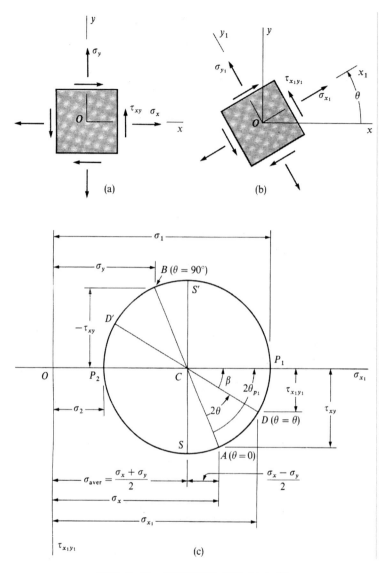

그림 6-15 평면응력에 대한 Mohr원

는 $\theta = 0$에 대한 점이기 때문이다. 각 2θ는 원상에서 점 D를 정하는데 이 점은 응력요소의 x_1면에 작용하는 응력을 나타내는 좌표 σ_{x_1}, $\tau_{x_1y_1}$이 된다. 점 D의 좌표가 응력변환공식[식 (6-4)]으로부터 구해진다는 것을 보이기 위하여 반지름선 CD와 σ_{x_1}축 사이의 각을 β로 둔다. 그러면 그림의 기하학적인 관계로부터 다음과 같은 관계식을 얻는다.

$$\sigma_{x_1} = \frac{\sigma_x + \sigma_y}{2} + R\cos\beta \quad \tau_{x_1y_1} = R\sin\beta \tag{b}$$

$$\cos\,(2\theta+\beta)=\frac{\sigma_x-\sigma_y}{R} \quad \sin\,(2\theta+\beta)=\frac{\tau_{xy}}{R}$$

cosine과 sine식을 전개하면

$$\cos 2\theta \cos\beta - \sin 2\theta \sin\beta = \frac{\sigma_x-\sigma_y}{2R}$$

$$\sin 2\theta \cos\beta + \cos 2\theta \sin\beta = \frac{\tau_{xy}}{R}$$

첫 번째 식에 $\cos 2\theta$, 두 번째 식에 $\sin 2\theta$를 곱하여 두 식을 더하면,

$$\cos\beta = \frac{1}{R}\left(\frac{\sigma_x-\sigma_y}{2}\cos 2\theta + \tau_{xy}\sin 2\theta\right)$$

를 얻는다. 또한 첫 번째 식에 $\sin 2\theta$, 두 번째 식에 $\cos 2\theta$를 곱하여 서로 빼면,

$$\sin\beta = \frac{1}{R}\left(-\frac{\sigma_x-\sigma_y}{2}\sin 2\theta + \tau_{xy}\cos 2\theta\right)$$

를 얻는다. $\cos\beta$와 $\sin\beta$의 두 식을 식 (b)에 대입하면 응력변환공식[식 (6-4)]을 얻게 된다. 따라서 각 2θ에 의해서 정의된 Mohr원상의 점 D는 각 θ에 의해서 정의되는 응력요소의 x_1면에서의 응력상태를 나타낸다는 것을 보였다.

점 D의 지름상 반대점 D'은 점 D에 대한 각 2θ보다 180°가 큰 각에 의해서 정해진다 [그림 6-15(c)]. 그러므로 점 D'은 D로 나타내어지는 면으로부터 90° 떨어진 응력요소의 면의 응력을 나타낸다. 따라서 점 D'은 y_1면상의 응력을 표시한다.

응력요소를 반시계방향으로 각 θ만큼 회전시키면[그림 6-15(b)], x_1면에 대응하는 Mohr원상의 점은 반시계방향으로 각 2θ만큼 움직인다. 같은 방법으로 요소를 시계방향으로 회전시키면 원상의 점은 시계방향으로 움직인다. 원 위의 점 P_1에서 수직응력은 대수적으로 최대값에 도달하게 되고 전단응력은 0이 된다. 그러므로 P_1은 주평면을 나타낸다. 대수적으로 최소수직응력에 해당하는 또 다른 주평면은 P_2로 표시된다. 원의 기하학적 관계로부터 큰 주응력은,

$$\sigma_1 = OC + CP_1 = \frac{\sigma_x+\sigma_y}{2}+R$$

이 됨을 알 수 있고, 여기서 R에 대한 식[식 (6-24b)]을 대입하면 식 (6-13)과 일치하게 된다. 같은 방법으로 σ_2에 대한 식을 증명할 수 있다.

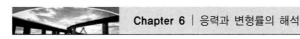

x축과 회전요소의 대수적으로 큰 주응력에 대한 평면 사이의 주면각 θ_{p_1}은 Mohr원상에서 반지름 CA와 CP_1 사이의 각 $2\theta_{p_1}$의 1/2이다. 각 $2\theta_{p_1}$의 cosine과 sine은 원으로부터 직관적으로 구할 수 있다.

$$\cos 2\theta_{p_1} = \frac{\sigma_x - \sigma_y}{2R} \quad \sin 2\theta_{p_1} = \frac{\tau_{xy}}{R}$$

위의 식은 식 (6-14)와 일치한다. 또 다른 주면각 $2\theta_{p_2}$는 $2\theta_{p_1}$보다 180°가 크므로 $\theta_{p_2} = \theta_{p_1} + 90°$가 된다.

최대가 최소전단응력평면을 나타내는 점 S와 S'은 P_1과 P_2로부터 90° 떨어진 곳에 위치한다. 그러므로 최대전단응력평면은 6.3절에서 논한 것과 같이 주평면에서 45°인 곳에 있다. 최대전단응력은 수치적으로 원의 반지름과 같다[R에 대한 식 (6-24b)와 $\tau_{\max}$에 대한 식 (6-20)을 비교하라]. 또한 최대전단응력평면에 작용하는 수직응력은 평균수직응력[식 (6-22) 참조]인 점 C의 횡좌표와 같다.

앞의 논의로부터 Mohr원으로부터 주응력과 최대전단응력뿐만 아니라 경사면에 작용하는 응력도 구할 수 있다. 그림 6-15는 σ_x와 σ_y가 모두 양의 응력에 대해서 그려졌다. 그러나 두 응력 중 하나 혹은 둘 다 음인 경우일 때라도 똑같은 과정을 따라가면 된다. 그러한 경우, Mohr원의 일부 혹은 전부가 원점의 좌측에 위치하게 된다. $\theta = 0$인 평면에 작용하는 응력을 나타내는 점 A는 σ_x, σ_y, τ_{xy}의 값에 따라 원둘레의 어느 곳에나 위치할 수 있다. 그러나 각 2θ는 점 A의 위치에 관계없이 반지름 CA로부터 항상 반시계방향으로 측정해 나가야 한다.

Mohr원을 역으로 사용할 수도 있다. 만일 각 θ 자체뿐만 아니라 회전요소에 작용하는 응력 σ_{x_1}, σ_{y_1}, $\tau_{x_1 y_1}$을 알고 있다면, 원을 그릴 수 있고 또한 $\theta = 0$에 대한 응력 σ_x, σ_y, τ_{xy}를 결정할 수 있다. 이렇게 해서 알고 있는 응력들로부터 점 D와 D'을 정하고 선 DD'을 지름으로 하여 원을 그린다. 반지름 CD로부터 음의 방향(즉, 반시계방향이 아닌 시계방향)으로 각 2θ를 측정하여 요소의 x면에 대응하는 점 A를 결정한다. 그 다음 A로부터 지름을 그어 점 B를 결정한다. 마지막으로 $\theta = 0$인 요소의 모든 면에 작용하는 응력을 구하기 위해서 A와 B의 좌표를 사용한다.

Mohr원을 축척으로 그리고, 그것으로부터 응력값을 측정할 수 있다. 그러나 삼각함수와 원의 기하학적 관계를 이용하여 수치적 계산으로 응력값을 구하는 것이 좋다. Mohr원은 여러 가지 각도의 평면에 작용하는 응력 사이의 관계를 시각화하여 주며, 또한 응력변환공식을 구하는데 간단한 기억방법이 되기도 한다. 대부분의 도시적인 기법은 공학적으로는 이미

사용되고 있지 않지만 Mohr원은 그것을 사용하지 않았다면 매우 복잡하게 될 해석을 간단하고 명확하게 그림으로 나타내 주기 때문에 가치 있는 것으로 남아 있다. 또한 원은 2차원 변형률과 평면의 관성모멘트에 대한 변환에도 적용되는데, 그것은 이들 양이 응력과 같은 변환법칙을 따르기 때문이다(6.11절, 부록 C의 C.7절 참조).*

예제 1

평면응력을 받는 요소가 그림 6-16(a)와 같이 $\sigma_x = 103$ MPa, $\sigma_y = 34$ MPa, $\tau_{xy} = 27$ MPa의 응력을 받고 있다. Mohr원을 사용하여 다음을 결정하라. (a) $\theta = 40°$만큼 회전한 요소에 작용하는 응력, (b) 주응력, (c) 최대전단응력, 적당히 회전시킨 요소의 그림에 모든 결과를 그려 보아라.

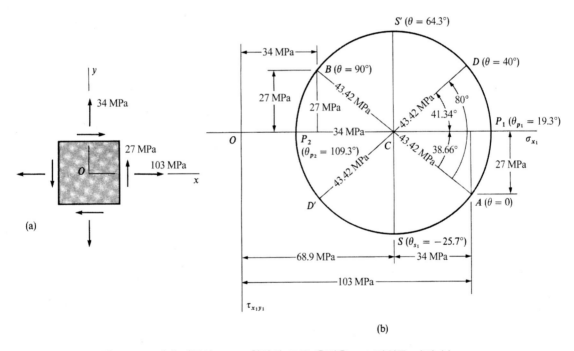

그림 6-16 예제 1(주의: Mohr원상의 모든 응력은 psi 단위를 가진다.)

풀이 원의 중심 C[그림 6-16(c)]는 σ_{x_1}축 위에 $\sigma_{x_1} = \sigma_{\text{aver}}$인 점에 위치한다.

$$\sigma_{\text{aver}} = \frac{\sigma_x + \sigma_y}{2} = \frac{103 \text{ MPa} + 34 \text{ MPa}}{2} = 68.5 \text{ MPa}$$

---

* Mohr원은 1882년 이 원을 개발한 유명한 독일 토목공학자 Otto Christian Mohr(1835~1918)의 이름을 따서 명명되었다(참고문헌 6-5).

요소의 x면에 작용하는 응력을 나타내는 점 A는,

$$\sigma_{x_1} = 103\,\text{MPa} \quad \tau_{x_1 y_1} = 27\,\text{MPa}$$

의 좌표를 갖는다. 같은 방법으로 y면의 응력을 나타내는 점 B의 좌표는,

$$\sigma_{x_1} = 34\,\text{MPa} \qquad \tau_{x_1 y_1} = -27\,\text{MPa}$$

가 된다. 중심이 C이고 점 A와 B를 지나며 반지름이

$$R = \sqrt{(34\,\text{MPa})^2 + (27\,\text{MPa})^2} = 43.42\,\text{MPa}$$

인 원을 그린다. 각 ACP_1은 점 A에서 점 P_1까지의 각 $2\theta_{p_1}$이며, 이것은 큰 주응력 σ_1을 갖는 주평면을 나타낸다. 이 각은 다음과 같이 구한다.

$$\tan 2\theta_{p_1} = \frac{27\,\text{MPa}}{34\,\text{MPa}} = 0.8$$

위의 식으로부터

$$2\theta_{p_1} = 38.66° \quad \theta_{p_1} = 19.33°$$

따라서 Mohr원 형태를 결정하는 중요한 각과 응력을 계산하였다.

(a) $\theta = 40°$인 평면에 작용하는 응력은 점 A로부터 각 $2\theta = 80°$에 있는 점 D에 의해서 결정된다. 그러므로 각 DCP_1은

$$각 \ DCP_1 = 80° - 2\theta_{p_1} = 80° - 38.66° = 41.34°$$

이다. 이 각은 선 CD와 σ_{x_1}축 사이의 각이다. 그러므로 그림으로부터 점 D의 좌표는

$$\sigma_{x_1} = 69\,\text{MPa} + 43.32\,\text{MPa}(\cos 41.34°) = 101.6\,\text{MPa}$$

$$\tau_{x_1 y_1} = -43.32\,\text{MPa}(\sin 41.34°) = -28.68\,\text{MPa}$$

가 된다. 유사한 방법으로 점 D'에 의해 나타내는 응력을 구할 수 있다.

$$\sigma_{x_1} = 69\,\text{MPa} - 43.32\,\text{MPa}(\cos 41.34°) = 36.4\,\text{MPa}$$

$$\tau_{x_1 y_1} = 43.32\,\text{MPa}(\sin 41.34°) = 28.68\,\text{MPa}$$

위의 결과가 그림 6-17(a)의 $\theta = 40°$만큼 회전한 요소의 그림 위에 그려져 있다.

(b) 주응력은 Mohr원 위에서 점 P_1과 P_2로 표시된다. 큰 주응력(점 P_1)은 원에서 보는 바와 같이

$$\sigma_1 = 69\,\text{MPa} + 43.32\,\text{MPa} = 112.42\,\text{MPa}$$

가 된다. 이 응력은 $\theta_{p_1} = 19.3°$에 의해서 정의되는 평면에 작용한다. 같은 방법으로 작은 주응력은

$$\sigma_2 = 69\,\text{MPa} - 43.32\,\text{MPa} = 25.58\,\text{MPa}$$

가 된다. 각 $2\theta_{p_2}$는 $38.66° + 180° = 218.66°$가 된다. 그러므로 주평면은 $\theta_{p_2} = 109.3°$에 의해서 정의된다.

(c) 최대와 최소전단응력은 점 S와 S'으로 나타낼 수 있다. 그러므로,

$$\tau_{\text{max}} = 43.32\,\text{MPa}$$

이며 이것은 원의 반지름이다. 각 ACS는 $90° - 38.66° = 51.34°$이므로 원 위에서 점 S까지의 각 $2\theta_{s_1}$은 시계방향으로 측정되었기 때문에

$$2\theta_{s_1} = -51.34°$$

가 된다. 최대전단응력평면까지의 각 θ_{s_1}은 위의 값의 1/2, 즉 $\theta_{s_1} = -25.7°$이다. 최대와 최소전단응력은 그림 6-17(c)에 나타나 있다.

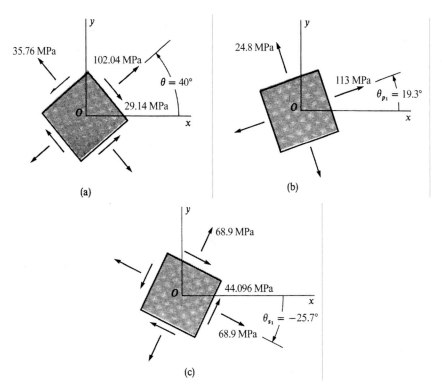

그림 6-17 예제 1(계속) (a) $\theta = 40°$에서의 요소에 작용하는 응력 (b) 주응력 (c) 최대전단응력

예제 **2**

평면응력을 받는 요소가 그림 6-18(a)와 같이 $\sigma_x = -50\,\text{MPa}$, $\sigma_y = 10\,\text{MPa}$, $\tau_{xy} = -40\,\text{MPa}$ 의 응력을 받고 있다. Mohr원을 사용하여 다음을 결정하라. (a) $\theta = 45°$ 만큼 회전한 요소에 작용하는 응력, (b) 주응력, (c) 최대전단응력. 위의 모든 결과를 적당히 회전시킨 요소의 그림에 그려 넣어라.

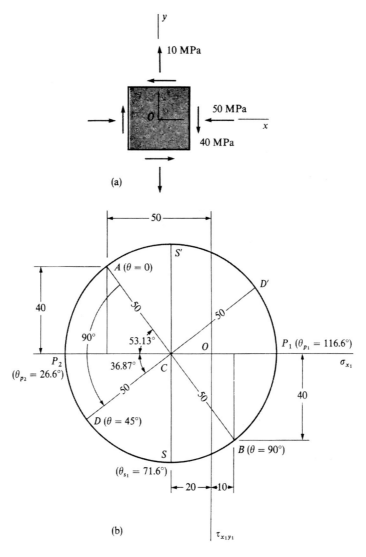

그림 6-18 예제 2(주의: Mohr원상의 모든 응력은 psi 단위를 가진다.)

풀이 원의 중심 c는 σ_{x_1}축 위에 $\sigma_{x_1} = \sigma_{\text{aver}}$인 점 c에 위치한다. 여기서

$$\sigma_{\text{aver}} = \frac{\sigma_x + \sigma_y}{2} = -20 \, \text{MPa}$$

이다. 요소의 x면에 작용하는 응력은 점 A의 좌표를 결정한다.

$$\sigma_{x_1} = -50 \, \text{MPa} \quad \tau_{x_1 y_1} = -40 \, \text{MPa}$$

점 B의 좌표는 요소의 y면에 작용하는 응력을 나타낸다.

$$\sigma_{x_1} = 10 \, \text{MPa} \quad \tau_{x_1 y_1} = 40 \, \text{MPa}$$

이러한 점들이 반지름이

$$R = \sqrt{(30 \, \text{MPa})^2 + (40 \, \text{MPa})^2} = 50 \, \text{MPa}$$

인 원을 정의한다. 각 ACP_2는 점 A에서 대수적으로 작은 주응력 σ_2를 갖는 주평면을 나타내는 P_2까지의 각 $2\theta_{p_2}$이다. 이 각은

$$\tan 2\theta_{p_2} = \frac{40 \, \text{MPa}}{30 \, \text{MPa}} = \frac{4}{3}$$

로부터 구한다. 그러므로,

$$2\theta_{p_2} = 53.13° \quad \theta_{p_2} = 26.57°$$

가 된다. 따라서 원에서 보는 바와 같이 필요한 모든 각과 응력을 구했다.

(a) $\theta = 45°$의 평면에 작용하는 응력은 점 A로부터 각 $2\theta = 90°$인 점 D로 나타 낼 수 있다. 각 DCP_2는

$$각 \ DCP_2 = 90° - 2\theta_{p_2} = 90° - 53.13° = 36.87°$$

가 된다. 이 각은 선 CD와 음의 σ_{x_1}축 사이의 각이다. 그러므로 직관적으로 D의 좌표를 구할 수 있다.

즉,
$$\sigma_{x_1} = -20 \, \text{MPa} - 50 \, \text{MPa}(\cos 36.87°) = -60 \, \text{MPa}$$
$$\tau_{x_1 y_1} = 50 \, \text{MPa}(\sin 36.87°) = 30 \, \text{MPa}$$

같은 방법으로 점 D'의 좌표는

$$\sigma_{x_1} = -20 \, \text{MPa} + 50 \, \text{MPa}(\cos 36.87°) = 20 \, \text{MPa}$$
$$\tau_{x_1 y_1} = -50 \, \text{MPa}(\sin 36.87°) = -30 \, \text{MPa}$$

이 된다. $\theta = 45°$인 요소에 작용하는 이들 응력은 그림 6-19(a)에 그려져 있다.

(b) 주응력은 원 위의 점 P_1과 P_2로 나타낼 수 있다. 그 값은 직관적으로 원으로부터 구한 값,

$$\sigma_1 = -20\text{ MPa} + 50\text{ MPa} = 30\text{ MPa}$$
$$\sigma_2 = -20\text{ MPa} - 50\text{ MPa} = -70\text{ MPa}$$

이 된다. 원 위의 각 $2\theta_{p_1}$(A에서 P_1까지 반시계방향으로 측정된)은 $53.1° + 180° = 233.1°$ 이므로 $\theta_{p_1} = 116.6°$가 된다. P_2까지의 각은 $2\theta_{p_2} = 53.1°$, 즉 $\theta_{p_2} = 26.6°$이다. 주평면과 주응력이 그림 6-19(b)에 그려져 있다.

(c) 점 S와 S'으로 표시되는 최대와 최소전단응력은 $\tau_{\max} = 50\text{ MPa}$, $\tau_{\min} = -50\text{ MPa}$이다. 각 ACS는($2\theta_{s_1}$과 같다) $53.13° + 90° = 143.13°$이므로 각 $\theta_{s_1} = 71.6°$이다. 최대전단응력은 그림 6-19(c)에 그려져 있다.

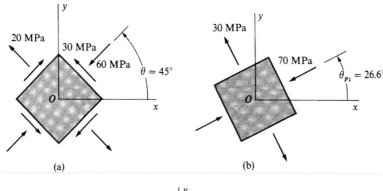

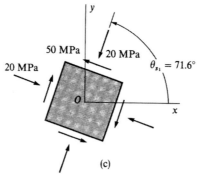

그림 6-19 예제 2(계속) (a) $\theta = 45°$에서 요소에 작용하는 응력 (b) 주응력 (c) 최대전단응력

평면응력에 대한 Hooke의 법칙

앞절에서 평면응력을 받는 요소의 경사평면에 작용하는 응력에 대해서 해석하였다(그림 6-20). 이러한 고찰에서 정역학적인 것에 대해서만 사용하였다. 그러므로 재료의 성질은 고려되지 않았다. 여기서 재료는 균질(homogeneous)하고 등방성(isotropic)이라고 가정하자. 즉, 재료는 물체 전체를 통해서 균일하게 분포되어 있고, 모든 방향으로 동일한 성질을 가지고 있다. 더욱이 Hooke의 법칙이 성립한다고 가정하는데, 그것은 재료가 선형탄성적으로 거동한다는 것을 의미한다. 이러한 조건하에서 물체 내의 응력과 변형률 사이의 관계식을 쉽게 얻을 수 있다.

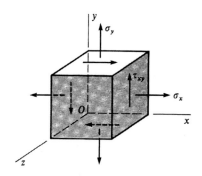

그림 6-20 평면응력상태의 요소

그림 6-21에서 보는 바와 같이 각 변의 길이가 1인 미소정육면체의 차원이 변할 때 수직 변형률 ϵ_x, ϵ_y, ϵ_z를 생각하자. 세 개의 변형률은 그림에서 양으로 나타나 있다. 이들 변형률은 각 응력의 영향을 중첩함으로써 응력(그림 6-20)의 항으로 표시될 수 있다. 예를 들어서 응력 σ_x는 σ_x/E와 동일한 변형률 ϵ_x를 만들어 내며, σ_y는 $-\nu\sigma_y/E$와 동일한 변형률 ϵ_x를 만들어 낸다. 물론 전단응력 τ_{xy}는 x방향으로 수직변형률을 만들어 내지 못한다. 그러므로 변형률 ϵ_x의 결과는,

$$\epsilon_x = \frac{1}{E}(\sigma_x - \nu\sigma_y) \tag{6-26a}$$

같은 방법으로 y와 z방향의 변형률을 구할 수 있다.

$$\epsilon_y = \frac{1}{E}(\sigma_y - \nu\sigma_x) \tag{6-26b}$$

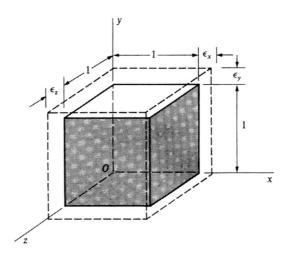

그림 6-21 수직변형률 ϵ_x, ϵ_y 및 ϵ_z

$$\epsilon_z = -\frac{\nu}{E}(\sigma_x + \sigma_y) \tag{6-26c}$$

위의 식은 응력을 알고 있을 때 수직변형률을 구하는데 사용된다.

전단응력 τ_{xy} 는 각 z면이 마름모꼴(그림 6-22)이 되도록 요소를 찌그러뜨리며, 전단변형률 γ_{xy} 는 양(혹은 음)의 x면과 y면 사이 각의 감소를 나타낸다. 평면응력요소의 각 면에 전단응력이 작용하지 않으므로(그림 6-20), x와 y면은 찌그러지지 않고 정사각형으로 남아있다. 전단변형률은 다음과 같이 전단에서의 Hooke의 법칙에 의해서 전단응력과 다음의 관계가 있다.

$$\gamma_{xy} = \frac{\tau_{xy}}{G} \tag{6-27}$$

물론 수직응력 σ_x 와 σ_y 는 전단변형률 γ_{xy} 에 아무런 영향도 미치지 못한다. 그러므로 식 (6-26)과 식 (6-27)은 동시에 작용하는 모든 응력(σ_x, σ_y, τ_{xy})에 의한 변형률을 나타낸다.

수직응력에 대한 처음 두 식[식 (6-26a), (b)]을 연립으로 풀어서 응력을 변형률의 항으로 표시할 수 있다.

즉

$$\sigma_x = \frac{E}{1-\nu^2}(\epsilon_x + \nu\epsilon_y) \tag{6-28a}$$

$$\sigma_y = \frac{E}{1-\nu^2}(\epsilon_y + \nu\epsilon_x) \tag{6-28b}$$

또한,

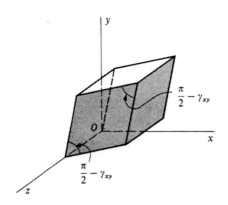

그림 6-22 전단변형률 γ_{xy}

$$\tau_{xy} = G\gamma_{xy} \tag{6-29}$$

위의 식들은 변형률을 알고 있을 때 응력을 구하는 데 사용된다.

앞의 식[식 (6-26)에서 (6-29)까지의]을 모두 통틀어서 **평면응력에 대한 Hooke의 법칙**(Hooke's law for plane stress)이라 한다. 위의 식은 세 개의 탄성상수(E, G, ν)를 가지지만 관계식 $G = E/2(1+\nu)$로 인하여 두 개만 서로 독립적이다.

독립체적변화 평면응력을 받고 있는 물체의 한 점에서의 단위체적변화는 그림 6-21의 요소를 다시 고찰하여 구할 수 있다. 요소의 초기체적은 $V_0 = (1)(1)(1) = 1$이고, 마지막 체적은

$$V_f = (1+\epsilon_x)(1+\epsilon_y)(1+\epsilon_z)$$

가 되며, 미소량의 곱의 항을 무시하면,

$$V_f = 1 + \epsilon_x + \epsilon_y + \epsilon_z$$

가 된다. 그러므로 체적변화는

$$\Delta V = V_f - V_0 = \epsilon_x + \epsilon_y + \epsilon_z$$

이며, 단위체적변화(혹은 팽창률)는

$$e = \frac{\Delta V}{V_0} = \epsilon_x + \epsilon_y + \epsilon_z \tag{6-30}$$

가 된다. 위의 식은 모든 재료에 대해서 성립한다. 전단변형률은 체적의 변화를 일으키지 못한다는 것에 주의하라.

재료가 Hooke의 법칙을 만족할 때 식 (6-26)을 식 (6-30)에 대입하여 평면응력에서의

단위체적변화에 대한 다음의 식을 얻을 수 있다.

$$e = \frac{\Delta V}{V_0} = \frac{1-2\nu}{E}(\sigma_x + \sigma_y) \qquad (6\text{-}31)$$

만일 $\sigma_y = 0$이면, 위의 식은 1축응력에서의 단위체적변화에 대한 식 (1-7)이 된다. e의 값을 알고 있다면 평면응력을 받는 물체의 전체적변화를 적분하여 구할 수 있다.

변형에너지밀도 변형에너지밀도 u는 재료의 단위체적 내에 저장된 변형에너지이다(2.8절과 3.8절 참조). 평면응력을 받는 요소에 대해서 그림 6-21과 6-22에 나타난 바와 같이 단위체적 요소를 사용할 수 있다. 수직응력과 전단응력이 독립적으로 발생하는 한 전에너지를 구하기 위해서는 각각의 변형에너지를 합할 수 있다.

수직응력(그림 6-21)으로부터 시작해서 면의 면적이 1일 때 요소의 x면에 작용하는 전힘은 대수적으로 σ_x와 같다는 것을 알 수 있다. 이 힘은 응력이 요소에 가해짐에 따라 ϵ_x만큼 움직인다. 재료가 Hooke의 법칙을 따른다고 가정할 때 이 힘에 의해서 이루어진 일은 $\sigma_x \epsilon_x / 2$가 된다는 것을 알 수 있다. 같은 방법으로 y면에 작용하는 힘 σ_y는 $\sigma_y \epsilon_y / 2$의 일을 한다.

이들 일의 합은 변형에너지밀도와 같으며

$$\frac{1}{2}(\sigma_x \epsilon_x + \sigma_y \epsilon_y)$$

가 된다. 전단변형률(그림 6-22)에 대한 변형에너지밀도는 3.8절[식 (3-36) 참조]에서 유도되었으며 $\tau_{xy} \gamma_{xy} / 2$와 같다. 수직변형률과 전단변형률에 대한 변형에너지밀도를 합하면 평면응력에 대한 다음과 같은 공식을 얻는다.

$$u = \frac{1}{2}(\sigma_x \epsilon_x + \sigma_y \epsilon_y + \tau_{xy} \gamma_{xy}) \qquad (6\text{-}32)$$

식 (6-26)과 (6-27)로부터 변형률에 대한 식을 대입하여 응력의 항으로만 된 변형에너지밀도를 얻는다.

$$u = \frac{1}{2E}(\sigma_x{}^2 + \sigma_y{}^2 - 2\nu\sigma_x\sigma_y) + \frac{\tau_{xy}{}^2}{2G} \qquad (6\text{-}33)$$

같은 방법으로 식 (6-28)과 (6-29)로부터 응력에 대한 식을 대입하면 변형률의 항으로만 된 변형에너지밀도를 얻을 수 있다.

$$u = \frac{E}{2(1-\nu^2)}(\epsilon_x{}^2 + \epsilon_y{}^2 + 2\nu\epsilon_x\epsilon_y) + \frac{G\gamma_{xy}{}^2}{2} \qquad (6\text{-}34)$$

1축응력의 특별한 경우,

$$\sigma_y = 0 \quad \tau_{xy} = 0 \quad \epsilon_y = -\nu\epsilon_x \quad \gamma_{xy} = 0$$

의 값을 식 (6-33)과 (6-34)에 대입하면,

$$u = \frac{\sigma_x^2}{2E} \quad \text{과} \quad u = \frac{E\epsilon_x^2}{2}$$

을 얻는다. 이들 식은 2.8절의 식 (2-41)과 일치한다.

6.6 구형과 원통형 압력용기(2축응력)

압력용기란 액체나 기체를 담고 있어 압력이 걸려 있는 폐구조물이다. 비근한 예가 구형 물저장탱크, 원통형 압축공기탱크, 압력관, 팽창기구 등이다. 압력용기의 곡면벽은 가끔 반지름과 길이에 비해서 매우 얇다. 그리고 그러한 경우는 일반적으로 쉘(shell)이라고 하는 구조형태에 속한다. 쉘구조물의 또 다른 예는 얇은 곡면지붕, 반구형지붕, 비행기의 동체 등이다.

이 절에서는 단지 얇은 구형과 원통형 압력용기에 대해서만 고찰하겠다(그림 6-23). '얇은 벽으로 된(thin-walled)'이란 말은 부정확한 표현이며, 일반적인 법칙은 정역학 하나만 이용해서 정확하게 벽의 응력을 결정하기 위해서는 벽 두께 t에 대한 반지름 r의 비가 10보다 커야 한다. 두 번째 제한은 내벽이 반드시 외벽보다 커야 한다는 것이다. 그렇지 않으면 쉘(shell)은 벽의 좌굴(buckling)에 의한 붕괴로 인해 파괴될 것이다.

구형압력용기 구모양의 탱크는 내압을 견디기 위한 이상적인 용기이다. 구가 이러한 목적을 위한 '천연적'인 모양이란 것을 알기 위해서는 이미 잘 알고 있는 비눗방울을 생각해 보기로 한다. 벽에서의 응력을 구하기 위해서 구를 연직지름평면으로 자르고 용기의 반부와 그것의 내용물을 자유물체로 삼는다[그림 6-24(a)]. 이러한 자유물체에 작용하는 것은 벽

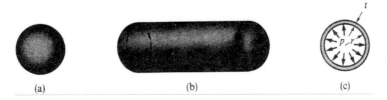

그림 6-23 얇은 벽의 압력용기: (a) 구형용기, (b) 원통형용기, 그리고 (c) 내재 p를 받은 단면

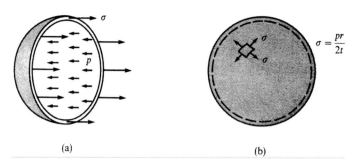

(a)   (b)

$$\sigma = \frac{pr}{2t}$$

그림 6-24 구형압력용기에서의 응력

에서의 응력 σ와 내압 p이다. 탱크의 무게와 내용물은 이 해석에서는 무시한다. 압력은 잘라서 생긴 원형평면에 수평으로 작용하므로 전체 힘은 $p(\pi r^2)$가 되며, 여기서 r은 구의 안반지름이다.

압력 p는 전내압 혹은 게이지압력(즉, 대기압 또는 외부압력 이상의 압력)이라는 것에 주의하라.

구의 벽에 작용하는 인장응력 σ는 탱크와 그에 작용하는 하중의 대칭성 때문에 탱크의 원주에 걸쳐서 균일하다. 더욱이 벽이 매우 얇기 때문에 응력이 두께 t에 걸쳐서 균일하다고 가정해도 높은 정밀도를 기대할 수 있다. 이러한 가정의 정확성은 쉘이 얇으면 얇을수록 증가하며, 두꺼워질수록 감소한다. 수직응력의 합력은 $\sigma(2\pi r_m t)$가 되며, 여기서 t는 두께이고, r_m은 쉘의 평균반지름이다($r_m = r + t/2$). 그러나 이 해석은 두께가 얇은 경우에서만 성립하므로, $r_m \approx r$이라고 가정한다. 그러면 합력은 $\sigma(2\pi rt)$가 된다. 수평방향에 대한 힘의 평형으로부터,

$$\sigma(2\pi rt) - p(\pi r^2) = 0$$

이 되며, 위의 식으로부터

$$\sigma = \frac{pr}{2t} \tag{6-35}$$

을 얻는다. 구의 대칭성으로부터 증명되듯이 구의 중심을 지나는 어떠한 평면으로 구를 자른다 할지라도 위의 식과 동일한 식을 얻을 수 있다. 그러므로 압력을 받는 구는 모든 방향으로 균일한 인장응력 σ를 받는다고 결론내릴 수 있다. 이러한 응력상태가 서로 수직방향으로 작용하는 응력 σ를 가지는 미소응력요소로 그림 6-24(b)에 나타나 있다. 곡면이 접선방향(수직이 아닌)으로 작용하는 이러한 종류의 응력을 **막응력**(membrane stress)이라고 한다.

이러한 형태의 응력은 비누 막이나 얇은 고무막과 같은 실제의 막에 존재한다는 사실에서

그 이름이 부쳐졌다.

구형압력용기의 **외면**(outer surface)에서는 면에 수직방향으로 응력이 작용하지 않는다. 그러므로 응력상태는 σ_x와 σ_y가 같은 2축응력의 특수한 경우이다[그림 6-25(a)]. 이 요소에는 전단응력이 작용하지 않으므로 요소가 z축을 중심으로 어떤 각으로 회전할지라도 정확하게 같은 수직응력을 얻는다. 그러므로 이러한 응력상태에 대한 Mohr원은 한 점이 되며, 모든 경사면이 주평면이 된다. 주응력은

$$\sigma_1 = \sigma_2 = \frac{pr}{2t} \tag{6-36}$$

이 된다. 또한 최대평면내전단응력(maxinum in-plane shear stress)은 0이 된다. 그러나 6.3절에서 논의했듯이 요소가 3차원이고 세 번째 주응력(z방향)이 0이라는 사실을 간과해서는 안 된다. 따라서 절대최대전단응력은 x 혹은 y축에 대하여 요소를 45° 회전하여 구하는데, 식 (6-23)으로부터 구한 것과 같다.

$$\tau_{\max} = \frac{\sigma}{2} = \frac{pr}{4t} \tag{6-37}$$

구형용기의 벽의 **내면**(inner surface)에서의 응력요소는 같은 막응력[식 (6-35)]을 갖는다. 그러나 p와 같은 압축응력이 z방향으로 첨가하여 작용한다[그림 6-25(b)]. 이들 세 수직응력은 주응력이다.

$$\sigma_1 = \sigma_2 = \frac{pr}{2t} \quad \sigma_3 = -p \tag{6-38}$$

최대평면내전단응력은 0이지만, 최대평면외전단응력(x 혹은 y축에 대하여 45°회전하여 구한)은 다음과 같다.

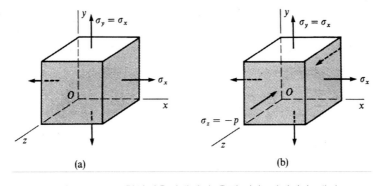

그림 6-25 구형압력용기에서의 응력: (a) 외면 (b) 내면

$$\tau_{\max} = \frac{\sigma+p}{2} = \frac{pr}{2t} + \frac{p}{2} \tag{6-39}$$

만일 비 r/t이 충분히 크면 위의 식의 마지막 항은 무시할 수 있다. 그러면 위의 식은 식 (6-37)과 동일하게 되며, 최대전단응력은 쉘의 두께에 걸쳐서 일정하다고 가정할 수 있다.

압력용기로 사용되는 모든 구형탱크는 여러 가지 부착물이나 지지물뿐만 아니라 벽에서 최소한 하나의 개구를 가지게 된다. 이러한 형상은 초보적인 방법으로는 해석할 수 없는 응력분포에 있어서 비균일성을 가져온다. 매우 큰 국부응력은 shell의 불연속점 근처에서 발생되는데, 이들 영역은 반드시 보강되어야 한다. 그러므로 막응력에 대해서 유도한 식은 불연속지점에 가까운 곳을 제외하고는 쉘의 벽 어디에서나 성립한다. 탱크 설계에 필요한 또 다른 고찰은 부식의 영향, 우연한 충격, 온도의 영향 등을 포함한다.

원통형 압력용기 양단이 막히고 내벽이 p인 벽이 얇은 원통형탱크를 생각해 보자[그림 6-26(a)]. 탱크의 축에 평행한 면과 수직인 면을 가진 응력요소가 그림에 나타나 있다. 이 요소의 각 측면에 작용하는 수직응력 σ_1과 σ_2는 벽에서의 막응력을 나타낸다. 용기의 대칭성으로 인하여 요소의 각 면에는 전단응력이 작용하지 않는다. 그러므로 응력 σ_1과 σ_2는 주응력이다. 응력의 방향 때문에 응력 σ_1을 **원주방향응력**(circumferential stress) 혹은 **횡방향응력**(hoop stress)이라 부르며, 같은 방법으로 응력 σ_2를 **종방향응력**(longitudial strss) 혹은 **축방향응력**(axial stress)이라고 부른다. 이들 각 응력은 적당한 자유물체도를 사용하여 평형식으로부터 계산할 수 있다.

원주방향응력 σ_1을 계산하기 위하여 길이 b만큼 떨어지고 종축에 수직인 두 부분을 잘라

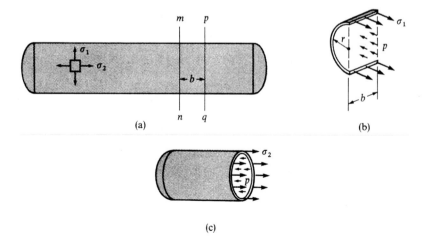

(a)

(b)

(c)

그림 6-26 원통형압력용기에서의 응력

(mn과 pq) 자유물체를 만든다[그림 6-26(a)]. 또한 축을 지나는 수직평면으로 한 번 더 자른다. 그 결과의 자유물체가 그림 6-26(b)에 나타나 있다. 이 자유물체의 종방향수직면에 응력 σ_1과 내압 p가 작용한다. 또한 응력과 압력은 이 자유물체의 횡방향면에 작용하지만, 그것은 지금 사용할 평형방정식에 들어가지 않기 때문에 그림에 나타나 있지 않다. 그리고 용기와 내용물의 무게는 무시한다. 응력 σ_1에 의한 수평력과 압력 p에 의한 수평력은 서로 반대방향으로 작용한다. 그러므로 다음과 같은 평형방정식을 쓸 수가 있다.

$$\sigma_1(2bt) - p(2br) = 0$$

여기서 t는 벽의 두께이고 r은 원통의 안반지름이다. 위의 식으로부터 원주방향응력에 대한 공식으로서

$$\sigma_1 = \frac{pr}{t} \tag{6-40}$$

을 얻는다. 이미 논의하였듯이 위의 응력은 벽의 두께가 매우 얇다면 벽의 두께에 걸쳐서 균일하게 분포하게 된다.

종방향응력 σ_2는 종축에 수직인 단면(mn과 같은)의 좌측으로 탱크 일부분의 자유물체로부터 구한다[그림 6-26(c)]. 이러한 경우 평형방정식은

$$\sigma_2(2\pi rt) - p(\pi r^2) = 0$$

이 되며, 여기서 이미 설명한 바와 같이, σ_2에 의한 힘을 계산할 때 평균반지름 대신 용기의 안반지름을 사용한다. 앞의 식을 σ_2에 대해서 풀면, 구형용기의 막응력과 같은,

$$\sigma_2 = \frac{pr}{2t} \tag{6-41}$$

을 얻는다. 식 (6-40)과 (6-41)을 비교하면,

$$\sigma_2 = \frac{\sigma_1}{2} \tag{6-42}$$

임을 알 수 있다. 그러므로 원통형용기에서 종방향응력은 원주방향응력의 1/2이다.

용기의 **외면**(outer surface)에서의 주응력 σ_1과 σ_2는 그림 6-27(a)의 응력요소에 나타나 있다. z방향으로 작용하는 세 번째 주응력은 0이다. 그러므로 다시 한 번 2축응력상태를 갖게 된다. 평면내최대전단응력은 요소가 z축을 중심으로 45°회전할 때 발생하는데, 이 응

력은

$$(\tau_{\max})_z = \frac{\sigma_1 - \sigma_2}{2} = \frac{\sigma_1}{4} = \frac{pr}{4t} \tag{6-43}$$

이 된다[식 (6-21) 참조]. x와 y축에 대해서 45° 회전하여 구한 최대전단응력은 각각,

$$(\tau_{\max})_x = \frac{\sigma_1}{2} = \frac{pr}{2t} \quad (\tau_{\max})_y = \frac{\sigma_2}{2} = \frac{pr}{4t}$$

이다. 따라서 절대최대전단응력은

$$\tau_{\max} = \frac{\sigma_1}{2} = \frac{pr}{2t} \tag{6-44}$$

이며 이것은 x축에 대해서 요소가 45° 회전하였을 때 발생한다.

용기의 **내면**(inner surface)에서의 응력상태가 그림 6-27(b)에 나타나 있다. 수직주응력은

$$\sigma_1 = \frac{pr}{t} \quad \sigma_2 = \frac{pr}{2t} \quad \sigma_3 = -p \tag{6-45}$$

이다. x, y, z축에 대하여 45° 회전하여 구한 세 개의 최대전단응력은 각각,

$$(\tau_{\max})_x = \frac{\sigma_1 + p}{2} = \frac{pr}{2t} + \frac{p}{2} \quad (\tau_{\max})_y = \frac{\sigma_2 + p}{2} = \frac{pr}{4t} + \frac{p}{2}$$

$$(\tau_{\max})_z = \frac{\sigma_1 - \sigma_2}{2} = \frac{pr}{4t} \tag{6-46}$$

이 된다. 위의 응력에서 첫 번째 식이 가장 크다. 그러나 구형용기의 전단응력 논의에서 이미 설명한 바와 같이 각 식에 있는 $p/2$항을 무시하고, 최대전단응력은 두께에 걸쳐서 일정하다고 가정할 수 있으므로 식은 식 (6-44)와 같이 주어진다.

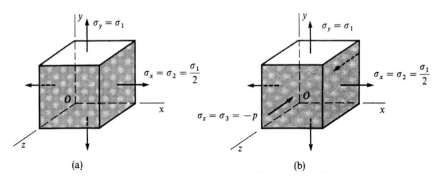

그림 6-27 원통형압력용기에서의 응력 (a) 외면 (b) 내면

위의 응력공식은 어떠한 불연속지점으로부터 떨어진 원통부분에서만 성립한다. 헤드가 부착된 원통의 끝 부분에서 명백한 불연속이 존재한다. 또 다른 불연속은 원통의 개구나 부착물이 붙은 곳에서 발생한다.

예제 ❶

안지름이 457 mm 벽 두께가 6.35 mm인 구형압력용기가 두 개의 알루미늄 반구를 용접하여 제작되었다(그림 6-28). 시험결과 용접부에서의 인장시 극한응력과 항복응력이 각각 165.36 MPa와 110.24 MPa이다. 탱크는 극한응력에 대해서 2.1, 항복응력에 대해서 1.5의 안전계수를 갖는다. 탱크의 최대허용응력은 얼마가 되겠는가?

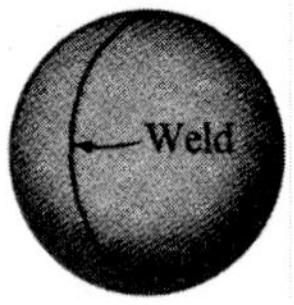

그림 6-28 예제 1. 구형압력용기

풀이 극한응력 σ_u에 기초를 둔 허용응력은

$$\sigma_{\text{allow}}\frac{\sigma_u}{n} = \frac{165.36\,\text{MPa}}{2.1} = 78.75\,\text{MPa}$$

가 된다[식 (1-12) 참조]. 항복응력 σ_y에 기초를 둔 허용응력[식 (1-12)]은

$$\sigma_{\text{allow}} = \frac{\sigma_y}{n} = \frac{110.24\,\text{MPa}}{1.5} = 73.5\,\text{MPa}$$

후자의 응력이 더 낮으므로 그것을 설계에 이용한다.

탱크에 작용하는 최대인장응력은 공식 $\sigma = pr/2t$[식 (6-36) 참조]로 주어진다. 이 식을 압력에 대해서 풀면,

$$p = \frac{2t\sigma_{\text{allow}}}{r} = \frac{2(6.35\,\text{mm})(73.5\,\text{MPa})}{228.8\,\text{mm}} = 4.08\,\text{MPa}$$

를 얻는다. 따라서 최대허용압력은 $P_{\text{max}} = 4.08\,\text{MPa}$이 된다(이러한 계산에서는 반올림을 하는 것이 아니라 내림을 한다는 것에 주의하라).

예제 2

원통형압력용기가 종방향축과 55°의 각을 이루는 나선용접으로 제작되었다[그림 6-29(a)]. 탱크의 안반지름 $r = 1.8\,\text{m}$, 벽 두께 $t = 8\,\text{mm}$ 이다. 최대내압은 600 kPa이다. 탱크의 원통부분에 대해서 다음을 계산하라: (a) 원주방향과 종방향응력, (b) 최대전단응력과 (c) 용접부에 각각 수직, 평행하게 작용하는 수직응력과 전단응력

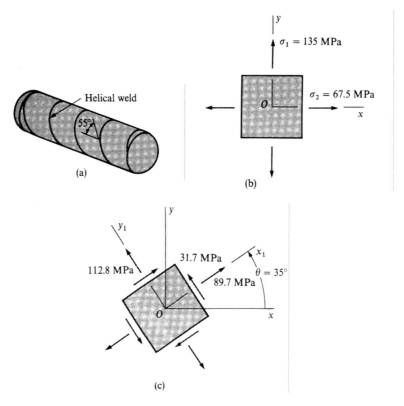

그림 6-29 예제 2. 원통형압력용기

풀이 (a) 원주방향과 종방향응력은 각각 식 (6-40)과 식 (6-42)로부터 구한다.

$$\sigma_1 = \frac{pr}{t} = \frac{(600\,\text{kPa})(1.8\,\text{m})}{8\,\text{mm}} = 135\,\text{MPa} \qquad \sigma_2 = \frac{\sigma_1}{2} = 67.5\,\text{MPa}$$

이들 주응력은 그림 6-29(b)의 2축응력요소에 그려져 있다.
(b) 최대평면내전단응력은 식 (6-43)으로부터 구해진다.

$$\tau = \frac{\sigma_1 - \sigma_2}{2} = \frac{\sigma_1}{4} = 33.8\,\text{MPa}$$

그러나 원통벽에서의 절대최대전단응력은 식 (6-44)로부터 구한 것과 같이,

$$\tau_{max} = \frac{\sigma_1}{2} = 67.5 \text{ MPa}$$

이 된다.

(c) 각 변이 용접부에 대해서 각각 수평과 수직이 되도록 각 $\theta = 35°$만큼 회전한 요소가 그림 6-29(c)에 그려져 있다. 요소의 각 변에 작용하는 작용과 전단응력을 구하기 위해서 응력변환공식[식 (6-4)]이나 Mohr원이 사용된다. Mohr원이 그림 6-30에 그려져 있다. 점 A는 x면($\theta = 0$)에 작용하는 응력 σ_2를 나타내며, 점 B는 y면($\theta = 90°$)에 작용하는 응력 σ_1을 나타낸다. 원에서 반시계방향으로 각 $2\theta = 70°$만큼 회전한 점 D는 x_1면($\theta = 35°$)에 작용하는 응력에 대응한다. 원의 반지름이,

$$R = \frac{135 \text{ MPa} - 67.5 \text{ MPa}}{2} = 33.75 \text{ MPa}$$

이므로, 점 D의 좌표는

$$\sigma_{x_1} = 101.25 \text{ MPa} - (33.75 \text{ MPa}) \cos 70° = 89.7 \text{ MPa}$$
$$\tau_{x_1 y_1} = (33.75 \text{ MPa}) \sin 70° = 31.7 \text{ MPa}$$

이 된다. 위의 응력이 요소의 x_1면에 작용한다[그림 6-27(a)]. y_1면에 작용하는 수직응력은 직교평면에서 수직응력의 합에 대한 등식으로부터 쉽게 구할 수 있다.

즉
$$\sigma_1 + \sigma_2 = \sigma_{x_1} + \sigma_{y_1}$$

그러므로,

$$\sigma_{y_1} = \sigma_1 + \sigma_2 - \sigma_{x_1} = 135 \text{ MPa} + 67.5 \text{ MPa} - 89.7 \text{ MPa}$$
$$= 112.8 \text{ MPa}$$

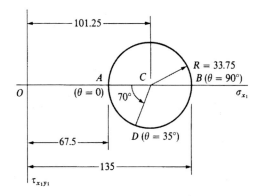

그림 6-30 그림 6-29의 2축응력요소에 대한 Mohr원(주의: 모든 응력은 MPa의 단위이다.)

이 된다. 따라서 용접부에 평행한 평면과 수직한 평면에 작용하는 수직응력과 전단응력이 그림 6-29(c)의 회전된 응력요소에 그려져 있다. 용접부에 작용하는 인장응력은 89.7 MPa, 전단응력은 31.7 MPa이 됨을 알 수 있다.

6.7 조합하중(평면응력)

구조물의 부재는 가끔 한 형태의 하중 이상을 견디도록 되어 있다. 예를 들어서 비틀림을 받는 축이 굽힘을 동시에 받을 수도 있고, 혹은 보가 굽힘모멘트와 축하중을 동시에 받을 수 있다. **조합하중**(combined loading)을 받는 부재의 응력해석은 보통 독립적으로 작용하는 하중에 의한 각 응력을 중첩해서 해석한다. 중첩은 응력이 하중의 선형함수이고, 여러 가지 하중 사이에 상호작용이 없다(즉, 한 하중에 의한 응력이 다른 하중의 존재로 인하여 영향을 받지 않는다면)고 한다면 적용할 수 있다. 후자의 조건은 구조물의 처짐과 회전이 미소할 때 성립한다.

축하중, 비틀림 우력, 전단력, 굽힘모멘트에 의한 응력을 결정하는 것으로부터 해석을 시작해 보자. 이들 응력을 조합하여 합응력을 구하고 난 뒤에 경사방향으로 작용하는 응력을 응력변환공식 또는 Mohr원을 이용해서 조사할 수 있다. 특히 주응력과 최대전단응력을 계산할 수 있다. 이러한 방법으로 부재 속에서 임의개의 임계위치(critical location)에 대한 해석을 할 수 있으므로 설계가 적합한지 혹은 응력이 너무 큰지, 아니면 너무 작은지를 확인하여 설계를 변경할 필요가 있는지를 보여 준다.

이러한 방법을 예시하기 위하여 그림 6-31(a)와 같은 실원형 외팔보를 생각해 보자. 봉은 자유단에서 비틀림모멘트 T와 굽힘력 P를 받고 있다. 이들 하중은 모든 단면에 굽힘모멘트 M, 전단력 V, 비틀림모멘트 T를 발생시키는데, 이들 각 하중은 단면 전체에 걸쳐서 작용한다. 봉의 꼭대기에서 응력요소 A를 떼어 내면, 굽힘응력 $\sigma_x = Mr/I$과 전단응력 $\tau = Tr/I_p$을 받는다는 것을 알 수 있다. 위의 식에서 r은 봉의 반지름이며, I는 z축(중립축)에 대한 관성모멘트, 그리고 I_p는 극관성모멘트이다. 봉의 꼭대기에서는 전단력 V에 의한 전단응력이 작용하지 않는다. 그러므로 요소 A는 그림 6-31(b)와 같이 평면응력을 받는다. σ_x와 τ는 계산되었다고 가정하고 임의의 각으로 회전한 요소에 작용하는 응력을 결정하도록 하자. 점 A에서의 최대와 최소수직응력은 주응력이며, 식 (6-13)으로부터 구한다.

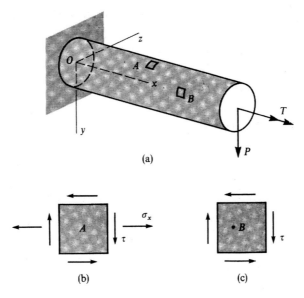

$$(a)$$

$$(b) \qquad (c)$$

그림 6-31 굽힘과 비틀림의 조합

$$\sigma_{1,2} = \frac{\sigma_x}{2} \pm \sqrt{\left(\frac{\sigma_x}{2}\right)^2 + \tau^2}$$

또한 최대평면내전단응력[식 (6-20)으로부터]은

$$\tau_{\max} = \sqrt{\left(\frac{\sigma_x}{2}\right)^2 + \tau^2}$$

이며 평면외전단응력보다 크다. 이들 최대응력은 봉의 적합성을 검토할 때 허용수직응력과 전단응력을 비교할 수 있다. 물론 요소 A가 굽힘모멘트 M이 최대값을 갖는 보의 고정단에 있을 때 응력이 최대가 된다. 그러므로 지지점에서 보의 윗표면(top)은 반드시 응력을 조사해 보아야 할 하나의 임계점이다.

또 다른 임계점은 중립축에서 봉의 측면에 있다[그림 6-31(a)의 점 B]. 이 위치에서 굽힘응력 σ_x는 0이지만 전단력 V에 의해서 발생하는 전단응력은 최대값을 갖는다. B에서의 요소는 다음과 같은 두 개의 전단응력으로 구성되어 있는 순수전단상태에 있다[그림 6-31(c)].

첫째는 비틀림모멘트 T에 의한 전단응력 τ_1이며 공식 $\tau_1 = Tr/I_p$로부터 구한다. 둘째는 전단력 V(하중 P와 같다)에 의한 전단응력 τ_2이며 실원형봉[식 (5-32) 참조]에 대한 공식 $\tau_2 = 4V/3A$로부터 구한다. 그러므로 요소에 작용하는 전전단응력은 $\tau = \tau_1 + \tau_2$가 된다. 주응력은 축에 대해 45°인 평면에서 발생하며 전단응력 그 자체와 동일한 크기를 갖는다.

$$\sigma_{1,2} = \pm\tau$$

물론 B에서의 최대전단응력은 응력 τ이다. 이들 최대수직과 전단응력은 설계에 사용하기 위한 절대최대응력을 확인하기 위해서 봉의 윗표면(top)과 바닥(bottom)의 요소에서 구한 응력과 비교해 보아야 한다.

앞의 논의는 조합하중을 포함하는 문제에 대한 일반적인 접근방법을 예시하기 위함이다.

실제상황의 다양함은 무수히 많다. 그래서 설계를 위해 특별한 공식을 유도할 만한 가치가 없다. 그 대신 각 구조물은 여러 가지 임계점에서 해석되어야 하며 그 결과를 서로 비교해야 한다. 조사할 점을 선택했으면 수직응력 혹은 전단응력이 최대가 되는 위치를 선택하는 것이 당연하다. 점을 잘 선택함으로써 많은 수의 응력요소를 해석하지 않고도 절대최대응력을 구할 수 있다.

6.8 보에서의 주응력

보의 단면의 임의 점에 작용하는 수직응력과 전단응력은 강성도(flexure)와 전단공식 ($\sigma = My/I$, $\tau = VQ/Ib$)으로부터 구할 수 있다. 수직응력은 보의 바깥 가장자리에서 최대이고 중립축에서 0이며, 전단응력은 바깥 가장자리에서 0이고 중립축에서 보통 최대가 된다. 대부분의 경우 이들 응력은 보를 설계하는 데에만 필요하다. 그러나 여러 가지 위치에서 주응력과 최대전단응력을 계산하기 위해서 좀더 상세한 고찰이 필요하다.

보에서 주응력이 어떻게 변하는가를 알기 위해서 구형 단면보에 작용하는 응력을 고찰하여 보자[그림 6-32(a)]. A, B, C, D, E로 그림에서 표시된 5개의 점이 단면에서 선택되었다.

점 A와 E는 보의 위와 아랫면에 위치하고, 점 C는 보의 중앙에 있고, 점 B와 D는 그 사이에 각각 위치한다. 이들 각 점에서 단면응력은 굽힘모멘트와 전단력을 알고 있다면 쉽게 계산될 수 있다. 이들 응력이 수평과 연직면을 갖는 평면응력요소에 작용하는 것으로서 그려져 있다[그림 6-32(b)]. 보의 응력상태는 보의 꼭대기와 바닥에서 1축응력이고, 중립축에서 순수전단이다. 다른 위치에서는 수직응력과 전단응력 모두다 요소에 작용한다. 그러한 위치에서 주응력과 최대전단응력을 구하기 위해서 평면응력에 대한 식(6.3절 참조)이나 Mohr원(6.4절)을 이용할 수 있다. 각 점에서 주응력의 방향이 그림 6-32(c)에 도시적으로 그려져 있고, 그림 6-32(d)에 최대전단응력이 그려져 있다.

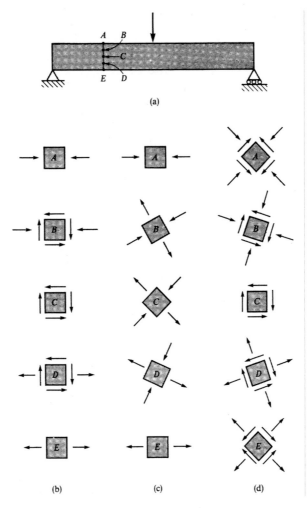

그림 6-32 구형단면보에서의 응력: (a) 단면의 점 A, B, C, D와 E. (b) 수평면과 수직평면에 작용하는 수직응력과 전단응력 (c) 주응력과 (d) 최대전단응력

그림 6-32(c)의 그림으로부터 주응력이 어떻게 변하는가를 관찰할 수 있다. 보의 꼭대기에서 압축주응력은 수평방향으로 작용한다. 중립축으로 움직임에 따라 주응력은 수평에 대해서 경사지게 되어 중립축(점 C)에서 45°로 작용한다. 보의 아래로 내려감에 따라 압축주응력의 방향은 수직방향으로 접근한다. 이러한 응력의 크기는 보의 꼭대기와 바닥(여기서 주응력은 0) 사이에서 연속적으로 변한다. 이 응력의 수치적으로 최대값(구형보에서)은 이론적으로는 B와 같은 점에서 최대값이 발생할 수 있지만[큰 전단을 갖는 깊은(deep) 보에 대하여], 보통 점 A에서 발생한다. A에서 E로 움직임에 따라 크기와 방향이 동시에 변하는 인장주응력에 대해서도 유사하게 적용할 수 있다.

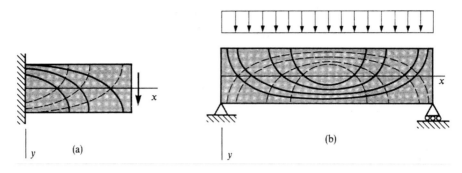

그림 6-33 구형단면보에 대한 주응력궤적: (a) 외팔보 (b) 단순보(실선은 인장주응력을 나타내고,
점선은 압축주응력을 나타낸다.)

보의 여러 단면에서의 응력을 조사함으로써 보를 통해서 주응력이 어떻게 변하는지를 결
정할 수 있다. 그러면 주응력의 방향을 나타내는 **응력궤적**(stress trajectories)이라고 하는
두 개의 직교곡선계를 그릴 수 있다. 구형보에 대한 응력궤적의 두 가지 예가 그림 6-33에
나타나 있다. 그림 (a)는 자유단에 힘이 작용하는 외팔보를 나타내며, 그림 (b)는 균일분포
하중을 받는 단순지지보를 나타낸다.

그림에서 실선은 인장주응력을 나타내고, 점선은 압축주응력을 나타낸다. 단지 강성도와
전단공식으로부터 구한 응력에 대해서만 이 그림에서 고려되었다. 보의 꼭대기에 작용하는
분포하중에 의해서 생기는 직접압축응력은 무시된다. 두 개의 곡선은 항상 직교하며, 모든
궤적은 45°로 중립축을 지난다. 전단응력이 0인 보의 꼭대기와 바닥면에서 궤적은 수평 혹
은 수직이 된다.[*]

주응력으로부터 그릴 수 있는 또 다른 형태의 곡선은 동일 주응력의 점을 연결한 곡선인
등응력선(stress contour)이다. 구형단면을 가진 외팔보에 대한 등응력선이 그림 6-34에 그
려져 있다(인장주응력에 대해서만).

다른 형상의 단면을 가진 보의 주응력의 해석은 구형단면의 경우에 대해서 설명한 것과
같은 방법으로 행한다. 보통 *WF*보나 *I*형보에서의 최대주응력은 꼭대기와 바닥에서 발생하
지만, 때로는 플랜지와 접합부에 있는 웨브에서 발생할 수도 있다. 같은 방법으로 최대전단

그림 6-34 외팔보에 대한 전형적인 등응력선(인장주응력에 대해서만)

---

[*] 응력궤적은 독일 공학자 Karl Culmann(1821~1881)에 의해서 창안되었다. 참고문헌 6-8과 6-9 참조.

응력은 보통 중립축에서 발생하지만 어떤 하중의 극한상태하에서는 중립축을 벗어나서 발생할 수도 있다(구형과 *WF*보에 대한 최대응력의 위치는 참고문헌 6-10에 상세히 기술되어 있다). 보의 최대응력을 해석할 때는 지지점 근처나 하중을 가하는 점, 구석살(fillets)과 구멍 가까이에는 높은 응력(혹은 응력집중)이 존재한다는 것을 기억해야 한다. 그러한 응력은 불연속지점에 아주 가까운 곳에만 한정되는데, 그들은 이 장에서 취급하는 기본적인 공식으로는 계산될 수 없다.

6.9 3축응력

서로 직교하는 방향으로 작용하는 수직응력 σ_x, σ_y 및 σ_z를 받는 재료의 한 요소[그림 6-35(a)]를 **3축응력**(triaxial stress)의 상태에 있다고 말한다. 요소의 x, y, z면에 전단응력이 작용하지 않는다는 것에 주의하라. 그러므로 이러한 응력상태는 3차원응력(다음 절에서 논의된다)의 가장 일반적인 경우는 아니다. 전단응력이 없기 때문에 응력 $\sigma_x, \sigma_y, \sigma_z$는 요소의 **주응력**(principal stress)이 된다.

z축에 평행한 경사평면을 그 요소에서 잘라내면[그림 6-35(b)] 경사면 위에 작용하는 응력은 xy평면에 작용하는 수직응력 σ와 전단응력 τ뿐이다. 그러므로 이들 응력은 이미 앞의 평면응력의 해석에서 논의한 응력 σ_{x_1}과 $\tau_{x_1y_1}$과 같은 응력이다. 이들 응력은 xy평면에서의 힘의 평형방정식으로부터 구해지므로 응력 σ_z와는 독립적이다. 따라서 응력 σ와 τ를 결정하기 위해서 Mohr원뿐만 아니라 평면응력의 변환공식을 이용할 수 있다는 결론을 얻는다.

x와 y축에 평행한 요소를 자른 경사면에 작용하는 수직응력과 전단응력에 대해서도 똑같은 결론이 성립한다.

앞의 평면응력에 대한 논의로부터 최대전단응력은 주평면에 대해서 45° 회전한 평면에 발생한다는 것을 알 수 있다. 3축응력하에 있는 요소에 대해서 이러한 평면을 구하기 위해서 x, y, z축에 대해 요소를 45° 회전시킨다. 예를 들어서 z축에 대해서 45° 회전했다고 생각하자. 그러면 이 요소에 작용하는 **최대전단응력**(maximum shear stresses)은

$$(\tau_{\max})_z = \pm \frac{\sigma_x - \sigma_y}{2} \tag{6-47a}$$

가 된다. 같은 방법으로 x축에 대해서 그림 6-35(a)에 그려진 요소를 45° 회전시키면 다음

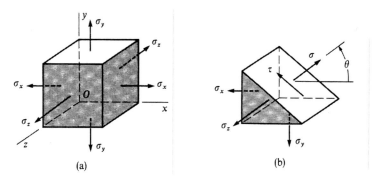

그림 6-35 3축응력상태의 요소

과 같은 최대전단응력을 얻는다.

즉
$$(\tau_{\max})_x = \pm \frac{\sigma_y - \sigma_z}{2}$$
(6-47b)

마지막으로 y축에 대해서 $45°$ 회전시키면 응력은

$$(\tau_{\max})_y = \pm \frac{\sigma_x - \sigma_z}{2}$$
(6-47c)

가 된다. **절대최대전단응력**(absolute maximum shear stress)은 식 (6-47)로부터 결정된 응력 중에서 대수적으로 가장 큰 응력이다. 이것은 세 개의 주응력 중에서 대수적으로 가장 큰 것과 가장 작은 것과의 차이의 1/2과 같다.

x, y, z축에 대해 회전된 요소에 작용하는 응력은 Mohr원을 이용하여 도식화할 수 있다.

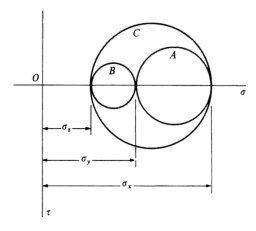

그림 6-36 3축응력상태의 요소에 대한 Mohr원

z축에 대해서 회전하여 얻은 요소에 대해서 이에 대응하는 원은 그림 6-36에서 A가 될 것이다. 이 원은 $\sigma_x > \sigma_y$이고 σ_x와 σ_y가 모두 인장인 경우에 대해서 그려졌다. 같은 방법으로 x와 y축에 대해서 각각 회전하여 얻은 요소에 대해서 원 B와 C를 그릴 수 있다. 원의 반지름은 식 (6-47)로 주어지는 최대전단응력을 나타내며 절대최대전단응력은 가장 큰 원의 반지름과 같다. 최대전단응력의 평면에 작용하는 수직응력은 원의 중심의 횡좌표의 크기에 해당한다.

앞의 논의에서는 x, y, z축에 대해 요소를 회전하여 얻은 평면에 작용하는 응력들만을 생각했다. 따라서 그러한 모든 평면은 세 축의 하나에 평행하다. 예를 들어서 그림 6-35(b)의 경사평면은 z축에 평행하고 그에 대한 수직은 xy평면에 평행하다. 물론 비대칭방향으로 요소를 자를 수도 있는데, 그 결과의 경사평면은 세 개의 모든 좌표축에 비대칭인 수직평면을 갖는다. 그러한 평면에 작용하는 수직응력과 전단응력은 더 복잡한 3차원해석(6.10절 참조)을 행함으로써 구해진다. 그러나 그러한 수직응력은 대수적으로 최대와 최소주응력 사이의 어떤 값을 가지며 전단응력은 식 (6-47)로부터 구한 절대최대전단응력보다 더 작은 값을 가진다.

3축응력에 대한 Hooke의 법칙 3축응력에 대한 x, y, z방향의 수직응력과 수직변형률 사이의 관계식은 평면응력(6.5절 참조)에 대해서와 같은 과정을 이용하여 Hooke의 법칙을 따르는 재료에 대해서 구할 수 있다. 서로 독립적으로 작용하는 응력 σ_x, σ_y, σ_z에 의해서 발생하는 변형률은 전체 변형률을 구하기 위해서 중첩한다. 그러므로 변형률에 대한 다음과 같은 식에 쉽게 접근할 수 있다.

$$\epsilon_x = \frac{\sigma_x}{E} - \frac{\nu}{E}(\sigma_y + \sigma_z) \tag{6-48a}$$

$$\epsilon_y = \frac{\sigma_y}{E} - \frac{\nu}{E}(\sigma_z + \sigma_x) \tag{6-48b}$$

$$\epsilon_z = \frac{\sigma_z}{E} - \frac{\nu}{E}(\sigma_x + \sigma_y) \tag{6-48c}$$

위의 식에서 σ와 ϵ에 대한 표준부호규약이 사용된다. 즉, 인장응력 σ와 신장변형률 ϵ이 양이다.

앞의 식은 변형률의 항으로 응력에 대하여 동시에 풀 수 있다.

$$\sigma_x = \frac{E}{(1+\nu)(1-2\nu)}[(1-\nu)\epsilon_x + \nu(\epsilon_y + \epsilon_z)] \tag{6-49a}$$

$$\sigma_y = \frac{E}{(1+\nu)(1-2\nu)}[(1-\nu)\epsilon_y + \nu(\epsilon_z + \epsilon_x)] \tag{6-49b}$$

$$\sigma_z = \frac{E}{(1+\nu)(1-2\nu)}[(1-\nu)\epsilon_z + \nu(\epsilon_x + \epsilon_y)] \tag{6-49c}$$

식 (6-48)과 (6-49)는 3축응력에 대한 Hooke의 법칙을 나타낸다.

단위체적 변화 3축응력상태에 있는 요소의 단위체적변화는 평면응력(6.5절 참조)에 대한 것과 똑같은 방법으로 구해진다. 단위길이를 가지는 정육면체(그림 6-21 참조)로부터 시작한다면, 초기체적은 $V_0 = 1$이고, 마지막 체적은

$$V_f = (1+\epsilon_x)(1+\epsilon_y)(1+\epsilon_z) \tag{a}$$

임을 알 수 있다. **단위체적변화**(unit volume change)는 다음과 같이 정의되는데,

$$e = \frac{\Delta V}{V_0} = \frac{V_f - V_0}{V_0} = \frac{V_f}{V_0} - 1 \tag{6-50}$$

식 (a)를 대입하면,

$$\begin{aligned} e &= (1+\epsilon_x)(1+\epsilon_y)(1+\epsilon_z) - 1 \\ &= \epsilon_x + \epsilon_y + \epsilon_z + \epsilon_x\epsilon_y + \epsilon_x\epsilon_z + \epsilon_x\epsilon_y\epsilon_z \end{aligned} \tag{6-51}$$

가 된다. 변형률이 미소한 양일 때 곱으로 나타내진 항을 무시할 수 있으며, 단위체적변화에 대한 다음과 같은 간편식을 얻을 수 있다.

$$e = \epsilon_x + \epsilon_y + \epsilon_z \tag{6-52}$$

식 (6-48)로부터 변형률에 대한 식을 대입하면, 3축응력의 일반적인 경우의 단위체적변화에 대한 식으로서,

$$e = \frac{1-2\nu}{E}(\sigma_x + \sigma_y + \sigma_x) \tag{6-53}$$

를 얻는다[e를 **팽창률**(dilatation) 또는 **체적변형률**(volumetric strain)이라고도 부른다].

변형에너지밀도 편리하게 그림 6-35의 3축응력요소가 단위차원이라고 가정하자. 그러면 각 면에 작용하는 힘은 대수적으로 각각의 응력과 같아진다. 각 힘은 응력이 요소에 가해짐에 따라 변형률에 해당하는 거리만큼 움직인다. 힘에 의해서 한 일은 요소가 단위체적을 가지는 한 요소의 변형에너지밀도 u와 같다. 그러므로 재료가 Hooke의 법칙을 만족한다고 가정할 때 다음과 같은 변형에너지밀도에 대한 식을 얻는다.

$$u = \frac{1}{2}(\sigma_x \epsilon_x + \sigma_y \epsilon_y + \sigma_z \epsilon_z) \tag{6-54}$$

식 (6-48)로부터 변형률에 대한 식을 대입하면 응력만의 항으로 변형에너지밀도를 구한다.

$$u = \frac{1}{2E}(\sigma_x{}^2 + \sigma_y{}^2 + \sigma_z{}^2) - \frac{\nu}{E}(\sigma_x \sigma_y + \sigma_x \sigma_z + \sigma_y \sigma_z) \tag{6-55a}$$

같은 방법으로 변형률의 항으로 변형에너지밀도를 표시할 수 있다.

$$u = \frac{E}{2(1+\nu)(1-2\nu)}[(1-\nu)(\epsilon_x{}^2 + \epsilon_y{}^2 + \epsilon_z{}^2)$$
$$+ 2\nu(\epsilon_x \epsilon_y + \epsilon_x \epsilon_z + \epsilon_y \epsilon_z)] \tag{6-55b}$$

위의 식을 계산할 때 응력과 변형률은 적당한 대수부호를 가지고 대입하여야 한다.

구응력. 구응력(spherical stress)이라고 하는 3축응력의 특수한 상태는 세 개의 모든 수직응력이 같을 때 존재한다(그림 6-37 참조).

$$\sigma_x = \sigma_y = \sigma_z = \sigma_0 \tag{6-56}$$

이러한 응력상태에서는 요소를 자르는 어떠한 평면도 동일한 수직응력 σ_0를 받는다. 따라서 모든 방향에서 동일한 수직응력을 가지며 전단응력은 존재하지 않는다. 모든 평면이 주평면이므로 그림 6-36에 나타난 세 개의 Mohr원은 한 점이 된다.

주응력에서 수직변형률 ϵ_0도 식 (6-48)에서 구한 것과 같이 모든 방향에서 동일하다.

$$\epsilon_0 = \frac{\sigma_0}{E}(1-2\nu) \tag{6-57}$$

전단변형률이 존재하지 않기 때문에 정육면체는 그 크기가 변하지만 정육면체로 남아 있다.

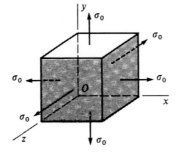

그림 6-37 구응력

일반적으로 구응력을 받는 모든 물체는 그것의 상대비를 유지하게 되며 σ_0가 인장이냐 압축이냐에 따라서 체적이 팽창하거나 축소한다.

단위체적변화에 대한 식은 식 (6-53)에서 응력 대신 σ_0를 대입함으로써 구할 수 있다. 그 결과

$$e = \frac{\Delta V}{V_0} = \frac{3(1-2\nu)\sigma_0}{E} \tag{6-58a}$$

또는

$$e = 3\epsilon_0 \tag{6-58b}$$

가 된다. 식 (6-58a)는 보통 **체적탄성계수**(volume modulus of elasticity 혹은 bulk modulus of elasticity)라 부르는 새로운 양 K를 써서 간단히 할 수 있다.

$$K = \frac{E}{3(1-2\nu)} \tag{6-59}$$

위의 식으로 체적변형률에 대한 식은

$$e = \frac{\sigma_0}{K} \tag{6-60}$$

가 되며, 따라서

$$K = \frac{\sigma_0}{e} \tag{6-61}$$

가 된다.

그러므로 체적탄성계수 K는 탄성계수 E와 유사하게 체적변형률에 대한 주응력의 비로서 정의할 수 있다. e와 K에 대한 앞의 공식은 변형률이 미소하다는 가정에 기초를 둔다는 것에 주의하라.

K에 대한 식 (6-61)로부터 Poisson비(poisson's ratio)가 1/3이면 계수 K와 E는 같다는 것을 알 수 있다. 만일 $\nu = 0$이면 K는 $E/3$의 값을 가진다. $\nu = 0.5$일 때 K는 체적변화가 없는 강체재료에 해당하는 무한대가 된다. 그러므로 Poisson비의 이론적인 최대값은 0.5이다.

만일 구응력 σ_0가, 유체에 잠겨 있는 물체나 지구 내에 깊숙이 들어 있는 바위인 경우와 같이 압력 p일 때, 이 응력상태를 **정수응력**(hydrostatic stress)이라고 한다.

3차원 응력

3차원응력의 가장 일반적인 경우에 있어서는 응력요소가 모든 면에서 수직응력과 전단응력을 받게 된다(그림 6-38 참조). 평면응력에 대해서 6.2절에 설명한 바와 같이 이 전단응력은 두 개의 첨자를 가지는 데 첫 번째 것은 응력이 작용하는 평면을 나타내고, 두 번째 것은 그 평면에서의 방향을 나타낸다. 그림 6-38에 모든 응력이 양의 방향으로 작용하는 것으로 나타나 있다.

요소의 평형조건으로부터 서로 직교하는 평면에 작용하면서 평면 간의 교차선에 수직으로 향하는 전단응력은 그 크기가 서로 같다는 것을 설명할 수 있다. 그러므로 다음 관계식이 성립한다.

$$\tau_{xy} = \tau_{yx} \quad \tau_{xz} = \tau_{zx} \quad \tau_{yz} = \tau_{zy} \tag{6-62}$$

이러한 전단응력의 등식 개념은 이미 논술되었으며, 식 (6-62)의 첫 번째 식은 평면응력의 고찰에서 사용되었다[식 (6-1) 참조].

요소를 자르는 경사평면은 평면응력에서 경사평면에 작용하는 응력 σ_{x_1}과 $\tau_{x_1y_1}$(그림 6-1 참조)과 같이 수직응력과 전단응력을 받고 있다. 그러나 3차원인 경우 경사평면에 대한 법

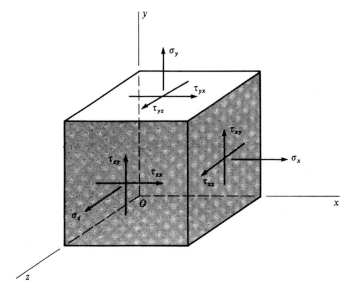

그림 6-38 3차원응력을 받는 요소(양의 면에 작용하는 응력에 대해서만 표시됨. 반대방향의 응력은 음의 면에 작용한다).

선방향이 반드시 좌표평면의 하나에 평행일 필요는 없다. 즉, 세 개의 모든 축에 비대칭일 수 있다. 그럼에도 불구하고 임의의 경사면에 작용하는 수직응력과 전단응력은 정역학적 평형식으로 결정할 수 있다. 이들 응력에 대한 공식은 길고 복잡하다. 그러므로 여기서는 주어지지 않는다. 그 대신 독자는 탄성론에 관한 교재를 참고하기 바란다(참고문헌 2-1 참조).

특별히 중요한 것은 세 개의 **주응력**(principal stress)인데 그것은 다음의 3차방정식의 세 실근으로 얻어진다.

$$\sigma^3 - A\sigma^2 + B\sigma - C = 0 \tag{6-63}$$

여기서

$$A = \sigma_x + \sigma_y + \sigma_z$$

$$B = \sigma_x\sigma_y + \sigma_x\sigma_z + \sigma_y\sigma_z - \tau_{xy}{}^2 - \tau_{xz}{}^2 - \tau_{yz}{}^2$$

$$C = \sigma_x\sigma_y\sigma_z + 2\tau_{xy}\tau_{xz}\tau_{yz} - \sigma_x\tau_{yz}{}^2 - \sigma_y\tau_{xz}{}^2 - \sigma_z\tau_{xy}{}^2$$

이다. A, B, C는 축이 새로운 위치로 회전하더라도 그 값이 변하지 않기 때문에 **응력불변상수**(stress invariants)라고 한다.

그림 6-38의 3차원 응력요소에 대한 주응력을 구하는 과정은 다음과 같다. 요소의 각 면에 작용하는 수직응력과 전단응력을 구하고 난 다음 응력불변상수 A, B, C를 계산한다. 그리고는 3차원방정식 (6-63)을 풀어서 세 근을 구한다. 이들 세 근이 주응력 σ_1, σ_2, σ_3가 된다. 3차원방정식을 푸는 가장 간단한 방법은 다항식을 근을 구하는데 사용하는 컴퓨터 프로그램을 이용하는 것이다. 또 다른 방법은 시행착오법이다. 수학편람에 있는 수학적인 풀이가 사용되기도 한다.

주응력을 구한 후에는 **최대전단응력**(maximum shear stress)을 구하는 것은 비교적 쉽다. 주평면에는 전단응력이 작용하지 않기 때문에 주방향으로 회전한 요소는 3축응력상태에 있다. 그러므로 세 개의 최대전단응력[식 (6-47) 참조]은

$$(\tau_{\max})_3 = \pm\frac{\sigma_1 - \sigma_2}{2} \quad (\tau_{\max})_2 = \pm\frac{\sigma_1 - \sigma_3}{2}$$

$$(\tau_{\max})_1 = \pm\frac{\sigma_2 - \sigma_3}{2} \tag{6-64}$$

가 된다. 절대최대전단응력은 위의 세 식으로부터 구한 응력 중에서 대수적으로 가장 큰 값이다.

3차원응력에 대한 Hooke의 법칙은 수직응력과 수직변형률[식 (6-48)과 (6-49)]에 대한

3축방정식과 전단응력과 전단변형률에 대한 식으로 구성된다. 후자는 평면응력에 대한 식 (6-27)과 (6-29)와 같은 형식이다. 그러나 전단에 대한 식은 하나 대신 세 개가 존재한다.

그러므로 응력의 항으로 변형률의 3차원응력에 대한 식은 다음과 같다.

$$\left.\begin{aligned}
\epsilon_x &= \frac{\sigma_x}{E} - \frac{\nu}{E}(\sigma_y + \sigma_z) \\
\epsilon_y &= \frac{\sigma_y}{E} - \frac{\nu}{E}(\sigma_z + \sigma_x) \\
\epsilon_z &= \frac{\sigma_z}{E} - \frac{\nu}{E}(\sigma_x + \sigma_y) \\
\gamma_{xy} &= \frac{\tau_{xy}}{G} \quad \gamma_{xz} = \frac{\tau_{xz}}{G} \quad \gamma_{yz} = \frac{\tau_{yz}}{G}
\end{aligned}\right\} \tag{6-65}$$

변형률의 항으로 응력에 대한 식은

$$\left.\begin{aligned}
\sigma_x &= \frac{E}{(1+\nu)(1-2\nu)}[(1-\nu)\epsilon_x + \nu(\epsilon_y + \epsilon_z)] \\
\sigma_y &= \frac{E}{(1+\nu)(1-2\nu)}[(1-\nu)\epsilon_y + \nu(\epsilon_z + \epsilon_x)] \\
\sigma_z &= \frac{E}{(1+\nu)(1-2\nu)}[(1-\nu)\epsilon_z + \nu(\epsilon_x + \epsilon_y)] \\
\tau_{xy} &= G\gamma_{xy} \quad \tau_{xz} = G\gamma_{xz} \quad \tau_{yz} = G\gamma_{yz}
\end{aligned}\right\} \tag{6-66}$$

식 (6-65)와 (6-66)은 가끔 **일반화된 Hooke의 법칙**(Generalized Hooke's Law)이라고도 한다.

전단변형률은 체적의 변화를 가져오지 않으므로 단위체적변화 e에 대한 식은 3축응력에 대한 것과 같다.

$$e = \frac{\Delta V}{V_0} = (1+\epsilon_x)(1+\epsilon_y)(1+\epsilon_z) - 1 \tag{6-67a}$$

또는 미소한 변형률에 대해서

$$e = \epsilon_x + \epsilon_y + \epsilon_z \tag{6-67b}$$

가 된다. 마지막으로 변형에너지밀도[식 (6-32), (6-54) 참조]에 대한 식은

$$u = \frac{1}{2}(\sigma_x\epsilon_x + \sigma_y\epsilon_y + \sigma_z\epsilon_z + \tau_{xy}\gamma_{xy} + \tau_{xz}\gamma_{xz} + \tau_{yz}\gamma_{yz}) \tag{6-68}$$

Hooke의 법칙에 대한 식을 대입하여 u를 응력 혹은 변형률의 항으로만 쓸 수 있다. 응력의 항으로 쓰면,

$$u = \frac{1}{2E}(\sigma_x{}^2 + \sigma_y{}^2 + \sigma_z{}^2) - \frac{\nu}{E}(\sigma_x\sigma_y + \sigma_x\sigma_z + \sigma_y\sigma_z)$$
$$+ \frac{1}{2G}(\tau_{zy}{}^2 + \tau_{xz}{}^2 + \tau_{yz}{}^2) \tag{6-69a}$$

이 되며, 변형률의 항으로 쓰면,

$$u = \frac{E}{2(1+\nu)(1-2\nu)}\left[(1-\nu)(\epsilon_x{}^2 + \epsilon_y{}^2 + \epsilon_z{}^2) + 2\nu(\epsilon_x\epsilon_y + \epsilon_x\epsilon_z + \epsilon_y\epsilon_z)\right]$$
$$+ \frac{G}{2}(\gamma_{xy}{}^2 + \gamma_{xz}{}^2 + \gamma_{yz}{}^2) \tag{6-69b}$$

3차원응력에 대한 식은 보통 재료역학을 공부하는데는 필요로 하지 않는다. 그렇지만 위의 식들을 참고로 이 절에서 취급하였다.

6.11 평면변형률

물체의 한 점에서 수직변형률과 전단변형률은 응력에 대한 것과 유사한 방법으로 방향에 따라서 변한다. 이 절에서는 좌표방향에 따른 변형률의 항으로 경사진 방향에서의 변형률에 대한 식을 유도한다. 이들 관계식은 스트레인게이지로 변형률을 측정하는 실험적 고찰에 있어서 매우 중요하다. 게이지는 특별한 방향으로 향하고 있는데 보통 다른 방향에서의 변형률을 계산하는데 필요로 한다.

그림 6-39의 세 부분에 나타낸 바와 같이 xy평면에 세 개의 변형률성분이 존재한다는 것을 생각하자. 이들 변형률은 x방향으로 수직변형률 ϵ_x, y방향의 수직변형률 ϵ_y, 그리고 전

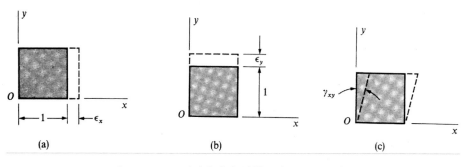

그림 6-39 xy평면에서의 변형률성분 ϵ_x, ϵ_y 및 γ_{xy}

단변형률 γ_{xy}가 있다. 이러한 변형률만 받는 재료의 요소를 **평면변형률**(plane strain)상태에 있다고 말한다.

평면변형률상태에 있는 요소는 수직변형률 ϵ_z가 없고 xz평면과 yz평면에 각각 전단변형률 γ_{xz}와 γ_{yz}가 존재하지 않는다. 그러므로 평면변형률은 다음과 같은 조건으로 정의된다.

$$\epsilon_z = 0 \quad \gamma_{xz} = 0 \quad \gamma_{yz} = 0 \tag{6-70}$$

나머지 변형률(ϵ_x, ϵ_y, 그리고 γ_{xy})은 0이 아닌 값을 갖게 된다.

평면변형률에 대한 앞의 정의는 평면응력에 대해서도 적용된다. 평면응력에서는 다음의 응력은 반드시 0이어야 한다.

$$\sigma_z = 0 \quad \tau_{xz} = 0 \quad \tau_{yz} = 0 \tag{6-71}$$

여기서 나머지 응력(σ_x, σ_y, τ_{xy})은 0이 아닌 값을 가지게 된다. 평면응력과 평면변형률과의 비교가 그림 6-40에 나타나 있다.

	Plane stress	Plane strain
Stresses	$\sigma_z = 0 \quad \tau_{xz} = 0 \quad \tau_{yz} = 0$ $\sigma_x, \sigma_y,$ and τ_{xy} may have nonzero values	$\tau_{xz} = 0 \quad \tau_{yz} = 0$ $\sigma_x, \sigma_y, \sigma_z,$ and τ_{xy} may have nonzero values
Strains	$\gamma_{xz} = 0 \quad \gamma_{yz} = 0$ $\epsilon_x, \epsilon_y, \epsilon_z,$ and γ_{xy} may have nonzero values	$\epsilon_z = 0 \quad \gamma_{xz} = 0 \quad \gamma_{yz} = 0$ $\epsilon_x, \epsilon_y,$ and γ_{xy} may have nonzero values

그림 6-40 평면응력과 평면변형률의 비교

평면응력과 평면변형률과의 정의에 있어서의 유사성으로부터 둘 다 동시에 발생한다고 추론해서는 안된다. 일반적으로 평면응력상태의 요소는 z방향의 변형률을 가진다(그림 6-40 참조). 따라서 그것은 명백히 평면변형률이 아니다. 또한 평면변형률을 받는 대부분의 요소

는 $\epsilon_z = 0$이라는 조건 때문에 요소에 작용하는 응력 σ_z를 갖게 된다. 그러므로 평면변형률과 평면응력은 동시에 발생하지 않는다는 것을 알 수 있다. 예외는 평면응력상태의 요소가 크기가 같고 방향이 반대인 수직응력을 받을 때 일어난다(즉, $\sigma_x = -\sigma_y$일 때). 이러한 특수한 경우 z방향으로 수직변형률이 존재하지 않는다[$\epsilon_z = 0$: 식 (6-26c) 참조]. 따라서 요소는 평면응력뿐만 아니라 평면변형률상태에 있게 된다. 또 다른 특수한 경우는 하나의 가설에 불과하지만 재료가 $\nu = 0$일 때이다. 그러한 경우 모든 평면응력요소가 $\epsilon_z = 0$이기 때문에 평면변형률상태가 된다[식 (6-26c) 참조].*

xy평면에서 평면응력에 대해서 유도한 응력변환공식[식 (6-4) 참조]은 수직응력 σ_z가 존재하는 경우라도 사용될 수가 있다. 그 이유는 응력 σ_z는 경사면에 작용하는 응력 σ_{x_1}과 $\tau_{x_1y_1}$을 결정하는데 이용되는 평형방정식에 들어가지 않기 때문이다. 유사한 상황이 평면변형률에 대해서도 성립한다. 평면변형률의 경우에 대한 변형률변환공식(strain transformation)을 유도하게 되겠는데, ϵ_z가 존재하는 경우일지라도 실제로 성립한다.

그러므로 평면응력에 대한 변환공식은 평면변형률인 경우에 발생하는 xy평면에서의 응력에 대해서도 사용할 수 있으며, 평면변형률에 대한 변환공식은 평면응력인 경우에 발생하는 xy평면에서의 변형률에 대해서 사용할 수 있다.

평면변형률에 대한 변환공식을 유도하는데 있어서 그림 6-41과 같은 좌표축을 사용하게 된다. 여기서 xy축에 관련된 수직변형률 ϵ_x, ϵ_y와 전단변형률 γ_{xy}는 알고 있다고 가정한다(그림 6-39 참조). 해석의 목적은 xy축으로부터 각 θ만큼 반시계방향으로 회전한 x_1y_1축에 관련된 수직변형률 ϵ_{x_1}과 전단변형률 $\gamma_{x_1y_1}$을 결정하는 것이다(여기서 수직변형률 ϵ_{y_1}에 대한 식을 따로 유도할 필요가 없다. 왜냐하면 그것은 ϵ_{x_1}에 대한 식에 θ 대신 $\theta + 90°$를 대입하여 구하면 되기 때문이다).

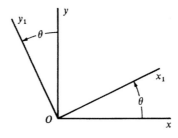

그림 6-41 회전축 x_1과 y_1

---

* 이 논의에서 온도변화와 이미 존재하는 변형률의 영향에 대해서는 고려하지 않았는데, 둘 다 여기서 논의한 사실을 조금씩 변경하는 부가적인 변형률을 만들어 낸다.

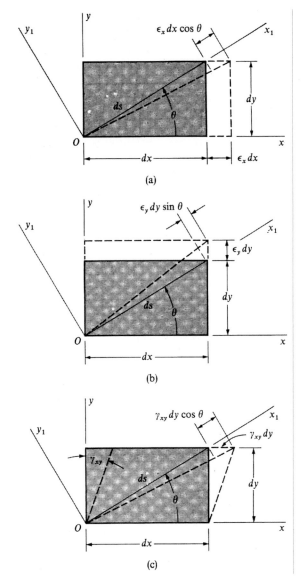

그림 6-42 (a) 수직변형률 ϵ_x, (b) 수직변형률 ϵ_y, (c) 전단변형률에 의한 평면변형률상태에 있는 요소의 변형

구형면을 가진 평면변형률 요소에서 양의 z면이 그림 6-42에 그려져 있다. 직사각형의 대각선이 x_1축 방향이고 각 변의 길이는 dx와 dy이다. xy평면에서의 변형률 ϵ_x, ϵ_y 및 γ_{xy}는 x방향으로 $\epsilon_x dx$의 신장[그림 6-42(a)], y방향으로 $\epsilon_y dy$의 신장[그림 6-42(b)], 그리고 x면과 y면 사이에 γ_{xy}의 각의 감소를 발생시킨다. 이들 변형은 대각선의 길이를 각각 $\epsilon_x dx$

$\cos\theta\,\epsilon_y dy\sin\theta$, 그리고 $\gamma_{xy}dy\cos\theta$와 같은 양만큼 증가시킨다. 대각선 길이의 전체 증가량 Δd는 위의 세 식의 합이다.

$$\Delta d = \epsilon_x dx\cos\theta + \epsilon_y dy\sin\theta + \gamma_{xy}dy\cos\theta$$

x_1방향의 수직변형률 ϵ_{x_1}은 길이의 증가에 대각선의 처음길이 ds로 나눈 값과 같다.

$$\epsilon_{x_1} = \frac{\Delta d}{ds} = \epsilon_x \frac{dx}{ds}\cos\theta + \epsilon_y \frac{dy}{ds}\sin\theta + \gamma_{xy}\frac{dy}{ds}\cos\theta$$

$dx/ds = \cos\theta$, $dy/ds = \sin\theta$이므로 수직변형률에 대한 다음의 식을 얻는다.

$$\epsilon_{x_1} = \epsilon_x\cos^2\theta + \epsilon_y\sin^2\theta + \gamma_{xy}\sin\theta\cos\theta \tag{6-72a}$$

이미 앞에서 언급한 바와 같이 이 y_1방향의 수직변형률 ϵ_{y_1}은 위의 식에서 θ 대신 $\theta+90°$를 대입하여 구한다.

다음으로 회전축에 관련된 전단변형률 $\gamma_{x_1y_1}$을 생각해 보자. 이 변형률은 처음에 x_1축과 y_1축상에 있던 재료상의 선 사이의 각의 감소와 같다. 이러한 개념을 명확히 하기 위해서 그림 6-43의 선 oa를 처음에 x_1축을 따라 재료상에 있던 선을 표시한다고 하자(즉, 요소의 대각선을 따라). 그림 6-42에 그려진 변형은 이 선을 x_1축으로부터 각 α만큼 반시계방향으로 회전하게 한다(그림 6-43). 같은 방법으로 선 ob는 처음에는 y_1축을 따라 있었는데 변형으로 인해 시계방향으로 각 β만큼 회전한다. 전단변형률 $\gamma_{x_1y_1}$은 처음에 직각이었던 두 선 사이의 각의 전체 감소량이다. 그러므로

$$\gamma_{x_1y_1} = \alpha + \beta$$

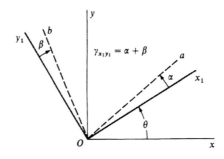

그림 6-43 x_1y_1축에 관련된 전단변형률 $\gamma_{x_1y_1}$

가 된다. 각 α는 다음과 같이 그림 6-42로부터 구할 수 있다. 변형률 ϵ_x [그림 6-42(a)]는 선 oa를 시계방향으로 길이 $\epsilon_x dx \sin\theta$를 ds로 나눈 값만큼 회전시킨다. 그러므로 ϵ_x가 각 α에 미치는 영향은 $-\epsilon_x dx \sin\theta$이다. 같은 방법으로 변형률 ϵ_y는 선 oa를 반시계방향으로 $\epsilon_y dy \cos\theta$를 ds로 나눈 값만큼 회전시키며, 변형률 γ_{xy}는 $\gamma_{xy} dy \sin\theta$를 ds로 나눈 값만큼 시계방향으로 회전시킨다. 그러므로 선 oa의 반시계방향으로의 전체 회전량은

$$\alpha = -\epsilon_x \frac{dx}{ds} \sin\theta + \epsilon_y \frac{dy}{ds} \cos\theta - \gamma_{xy} \frac{dy}{ds} \sin\theta$$

또는

$$\alpha = -\epsilon_x \sin\theta \cos\theta + \epsilon_y \sin\theta \cos\theta - \gamma_{xy} \sin^2\theta$$
$$= -(\epsilon_x - \epsilon_y) \sin\theta \cos\theta - \gamma_{xy} \sin^2\theta$$

처음에 선 oa에 대해서 직각인 선 ob의 회전은 α에 대한 식에 θ 대신 $\theta + 90°$를 대입하여 구할 수 있다. 그 결과식은 양일 때 반시계방향이다. 그러므로 식은 β가 시계방향의 회전이기 때문에 음의 각 β와 같다. 따라서

$$\beta = (\epsilon_x - \epsilon_y) \sin(\theta + 90°) \cos(\theta + 90°) + \gamma_{xy} \sin^2(\theta + 90°)$$
$$= -(\epsilon_x - \epsilon_y) \sin\theta \cos\theta + \gamma_{xy} \cos^2\theta$$

가 된다. α와 β를 합하면 전단변형률 $\gamma_{x_1 y_1}$은,

$$\gamma_{x_1 y_1} = -2(\epsilon_x - \epsilon_y) \sin\theta \cos\theta + \gamma_{xy}(\cos^2\theta - \sin^2\theta)$$

가 된다. 더욱 더 유용한 형식으로 식을 만들기 위해서 각 항을 2로 나누고 다음과 같이 쓴다.

$$\frac{\gamma_{x_1 y_1}}{2} = -(\epsilon_x - \epsilon_y) \sin\theta \cos\theta + \frac{\gamma_{xy}}{2}(\cos^2\theta - \sin^2\theta) \tag{6-72b}$$

식 (6-72)는 회전된 축에 대한 수직 및 전단변형률 x 및 y축을 기준한 변형률들의 항으로 표시한 것이다. 이들 식은 ϵ_{x_1}이 σ_{x_1}에 대응하고 $\gamma_{x_1 y_1}/2$이 $\tau_{x_1 y_1}$에 대응하며, ϵ_x가 σ_x, ϵ_y가 σ_y, 그리고 $\gamma_{xy}/2$가 τ_{xy}에 각각 대응하는 평면응력에 대한 식 (6-3)의 형태와 유사하다.

평면변형률에 대한 식은 다음의 삼각함수공식을 대입하여 각 2θ의 항으로 표시할 수 있다.

$$\cos^2\theta = \frac{1}{2}(1 + \cos 2\theta) \quad \sin^2\theta = \frac{1}{2}(1 - \cos 2\theta)$$

$$\sin \theta \cos \theta = \frac{1}{2} \sin 2\theta$$

평면변형률에 대한 변환공식(transformation equation for plane strain)은

$$\epsilon_{x_1} = \frac{\epsilon_x + \epsilon_y}{2} + \frac{\epsilon_x - \epsilon_y}{2} \cos 2\theta + \frac{\gamma_{xy}}{2} \sin 2\theta \tag{6-73a}$$

$$\frac{\gamma_{x_1 y_1}}{2} = - \frac{\epsilon_x - \epsilon_y}{2} \sin 2\theta + \frac{\gamma_{xy}}{2} \cos 2\theta \tag{6-73b}$$

가 된다. 위의 식은 평면응력에 대한 식 (6-4)에 대응한다. 두 종류의 식에서 대응하는 변수들이 표 6-1에 나타나 있다.

평면응력과 평면변형률에 대한 변환공식 사이의 유사성은 평면응력에 관하여 6.2, 6.3, 6.4절에서 행한 모든 고찰이 평면변형률에 대한 것과 대응관계를 이룬다는 것을 보여준다. 예를 들어서 서로 직교방향의 수직변형률의 합은 일정하다.

$$\epsilon_{x_1} + \epsilon_{y_1} = \epsilon_x + \epsilon_y \tag{6-74}$$

이 등식은 ϵ_{x_1} [식 (6-73a)]과 ϵ_y [식 (6-73a)에서 θ 대신 $\theta + 90°$를 대입하여 구한]에 대한 식을 식 (6-74)에 대입함으로써 쉽게 증명된다.

주변형률(principal strain)은 다음의 식으로부터 계산된 직교방향으로 존재한다[식 (6-9)와 비교하라].

$$\tan 2\theta_p = \frac{\gamma_{xy}}{\epsilon_x - \epsilon_y} \tag{6-75}$$

주변형률은 다음의 식으로부터 계산될 수 있다.

표 6-1 평면응력[식 (6-3)과 (6-4)]와 평면변형률[식 (6-72)와 (6-73)]에 대한 변환공식에서의 대응변수

Stresses	Strains
σ_x	ϵ_x
σ_y	ϵ_y
τ_{xy}	$\gamma_{xy}/2$
σ_{x_1}	ϵ_{x_1}
$\tau_{x_1 y_1}$	$\gamma_{x_1 y_1}/2$

$$\epsilon_{1,2} = \frac{\epsilon_x + \epsilon_y}{2} \pm \sqrt{\left(\frac{\epsilon_x - \epsilon_y}{2}\right)^2 + \left(\frac{\gamma_{xy}}{2}\right)^2} \qquad (6\text{-}76)$$

이것은 평면응력에 대한 식 (6-13)에 대응한다. 주변형률의 방향에서 전단변형률은 0이다. 응력에 대해서 6.3절에 설명한 것과 같이 두 개의 주변형률은 두 개의 주방향과 연결되어 있다(세번째 주변형률은 $\epsilon_z = 0$임에 주의하라).

xy평면에서 최대전단변형률은 주변형률의 방향에 45°인 축에 관련되어 있다. 대수적으로 최대전단변형률(xy평면에서)은 다음의 식으로 주어진다.

$$\frac{\gamma_{\max}}{2} = \sqrt{\left(\frac{\epsilon_x - \epsilon_y}{2}\right)^2 + \left(\frac{\gamma_{xy}}{2}\right)^2} \qquad (6\text{-}77)$$

최소전단변형률은 크기는 같으나 음이다. 최대전단변형률의 방향에서 수직변형률은 ($\epsilon_x + \epsilon_y$)/2와 같다.

주방향으로 회전한 평면응력상태에 있는 요소[그림 6-12(b) 참조]는 그 면에 전단응력이 작용하지 않는다. 그러므로 이러한 요소에 대한 전단변형률도 또한 0이다. 이 요소의 수직

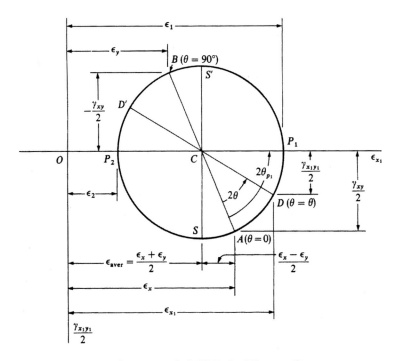

그림 6-44 평면변형률에 대한 Mohr원

변형률이 주변형률이라는 것은 당연하다. 따라서 주평면은 평면응력의 경우나 평면변형률의 경우 모두 같다.

평면변형률에 대한 **Mohr원**(Mohr's circle)은 그림 6-44에 그려진 것처럼 평면응력에 대한 일반적인 방법과 동일하게 만들어진다. 수직변형률 ϵ_{x_1}은 횡좌표에 그려지고 전단변형률의 반$(\gamma_{x_1y_1}/2)$은 종좌표의 아래로 그려진다. 원의 중심 C는 $(\epsilon_x + \epsilon_y)/2$는 횡좌표를 가진다. x방향$(\theta = 0)$은 변형률을 나타내는 점 A의 좌표는 ϵ_x와 $\gamma_{xy}/2$이다. A로부터 지름 위의 반대끝 점 B는 ϵ_y와 $-\gamma_{xy}/2$의 좌표를 가지며, 이것은 각 90°로 회전한 축의 쌍에 대한 변형률을 나타낸다. 임의의 각 θ의 축의 변형률은 반지름 CA로부터 각 2θ만큼 떨어진 위치인 점 D로 표시된다. 주변형률은 점 P_1과 P_2로 표시되고, 최대전단변형률은 점 S와 S'으로 표시된다. 이러한 모든 변형률은 원이나 앞에서 주어진 식으로부터 직접 결정되어진다.

변형률에 대한 변환공식과 Mohr원의 중요한 용도는 예제 2에서 상세히 다루게 될 변형률
-게이지 측정을 해석하는 것이다. 그러나 실험적응력해석에 대한 것은 실험적 기술에 관한 상세한 지식을 참고해야 한다(예를 들어서 참고문헌 6-11과 6-12 참조).

예제 ❶

평면변형률을 받는 재료의 요소가 다음과 같은 변형률을 가진다: $\epsilon_x = 340 \times 10^{-6}$, $\epsilon_y = 110 \times 10^{-6}$, 그리고 $\gamma_{xy} = 180 \times 10^{-6}$. 이들 변형률은 그림 6-45(a)에 매우 확대되어 그려져 있는데, 그것은 x와 y축을 따라 단위차원을 가지는 요소를 나타낸다. 요소의 각 변이 단위길이이므로 길이의 변화가 곧 수직변형률이 된다. 편의상, 전단변형률은 원점에 위치한 요소의 구석에서의 각의 변화로 나타냈다. 다음을 계산하여라: (a) 각 $\theta = 30°$로 회전한 요소의 변형률, (b) 주변형률, 그리고 (c) 최대전단변형률(평면 내 변형률만 생각하라.)

풀이 (a) 각 $\theta = 30°$로 회전한 요소의 변형률은 변환공식[식 (6-73)]으로부터 구한다. 그러나 이들 식에 대입하기 전에 다음과 같은 계산을 하자.

$$\frac{\epsilon_x + \epsilon_y}{2} = \frac{(340 + 110)10^{-6}}{2} = 225 \times 10^{-6}$$

$$\frac{\epsilon_x - \epsilon_y}{2} = \frac{(340 - 110)10^{-6}}{2} = 115 \times 10^{-6}$$

$$\frac{\gamma_{xy}}{2} = 90 \times 10^{-6}$$

이제 식 (6-73)에 대입하면,

$$\epsilon_{x_1} = \frac{\epsilon_x + \epsilon_y}{2} + \frac{\epsilon_x - \epsilon_y}{2} \cos 2\theta + \frac{\gamma_{xy}}{2} \sin 2\theta$$

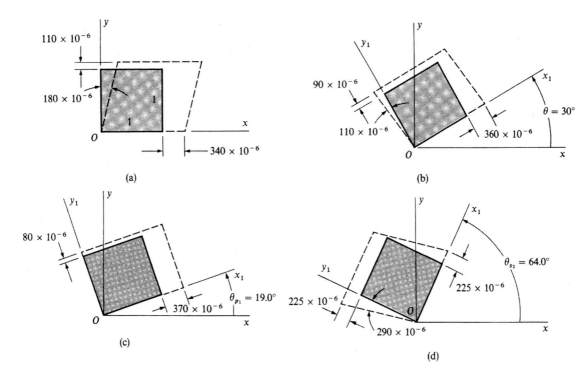

(a)

(b)

(c)

(d)

그림 6-45 예제 1. (a) 평면변형률상태의 요소, (b) $\theta = 30°$에서의 요소, (c) 주변형률
(d) 최대전단변형률(주의: 요소의 각 변은 단위길이이다).

$$= (225 \times 10^{-6}) + (115 \times 10^{-6})(\cos 60°) + (90 \times 10^{-6})(\sin 60°)$$
$$= 360 \times 10^{-6}$$

$$\frac{\gamma_{x_1 y_1}}{2} = -\frac{\epsilon_x - \epsilon_y}{2} \sin 2\theta + \frac{\gamma_{xy}}{2} \cos 2\theta$$
$$= -(115 \times 10^{-6})(\sin 60°) + (90 \times 10^{-6})(\cos 60°)$$
$$= -55 \times 10^{-6}$$

또는

$$\gamma_{x_1 y_1} = -110 \times 10^{-6}$$

을 얻는다. 변형률 ϵ_{y_1}은 식 (6-74)로부터 구한다.

$$\epsilon_{x_1} + \epsilon_{y_1} = \epsilon_x + \epsilon_y$$

따라서

$$\epsilon_{y_1} = \epsilon_x + \epsilon_y - \epsilon_{x_1}$$

$$= (340 + 110 - 360)10^{-6} = 90 \times 10^{-6}$$

이 된다. 이러한 $\theta = 30°$에서 요소의 변형률이 그림 6-45(b)에 그려져 있다. 원점에서 요소의 구석의 각은 $\gamma_{x_1y_1}$이 음이므로 증가한다.

(b) 주변형률은 다음과 같이 식 (6-76)으로부터 계산된다.

$$\epsilon_{1,2} = \frac{\epsilon_x + \epsilon_y}{2} \pm \sqrt{\left(\frac{\epsilon_x - \epsilon_y}{2}\right)^2 + \left(\frac{\gamma_{xy}}{2}\right)^2}$$
$$= 225 \times 10^{-6} \pm \sqrt{(115 \times 10^{-6})^2 + (90 \times 10^{-6})^2}$$
$$= 225 \times 10^{-6} \pm 146 \times 10^{-6}$$

그러므로

$$\epsilon_1 = 370 \times 10^{-6} \quad \epsilon_2 = 80 \times 10^{-6}$$

이다. 주방향에 대한 각은 식 (6-75)로부터 구해진다.

$$\tan 2\theta_p = \frac{\gamma_{xy}}{\epsilon_x - \epsilon_y} = \frac{180}{340 - 110} = 0.783$$

따라서 0°와 360° 사이에서 $2\theta_p$의 두 값은 38.0°와 218°이며, 주방향에 대한 각은

$$\theta_p = 19.0°, \quad 109.0°$$

이다. θ_p의 어느 값이 각각의 주변형률과 관계되는가를 결정하기 위해서 θ_p를 식 (6-73a)에 대입하고 변형률에 대해서 푼다. 그러므로 $\theta_p = 19.0°$를 대입하면,

$$\epsilon_{x_1} = \frac{\epsilon_x + \epsilon_y}{2} + \frac{\epsilon_x - \epsilon_y}{2} \cos 2\theta + \frac{\gamma_{xy}}{2} \sin 2\theta$$
$$= (225 \times 10^{-6}) + (115 \times 10^{-6})(\cos 38.0°) + (90 \times 10^{-6})(\sin 38.0°)$$
$$= 370 \times 10^{-6}$$

이 된다. 위의 결과는 더 큰 주변형률 ϵ_1이 각 $\theta_{p_1} = 19.0°$에서 일어난다는 것을 보여 준다. 따라서 더 작은 변형률 ϵ_2는 그 방향으로부터 90°인 곳에 있다. 주변형률이 그림 6-45(c)에 그려져 있다.

(c) 최대전단변형률은 식 (6-77)로부터 계산된다.

$$\frac{\gamma_{\max}}{2} = \sqrt{\left(\frac{\epsilon_x - \epsilon_y}{2}\right)^2 + \left(\frac{\gamma_{xy}}{2}\right)^2} = 146 \times 10^{-6}$$

또는

$$\gamma_{\max} = 290 \times 10^{-6}$$

최대전단변형률에 대한 요소의 방향은 주방향에 대하여 45°인 곳이므로; $\theta_s = 19.0° + 45°$ $= 64.0°$, 그리고 $2\theta_s = 128.0°$이다. 식 (6-73b)에 대입하여 이 방향의 전단변형률의 부호를 결정할 수 있다. 계산은 다음과 같다.

$$\frac{\gamma_{x_1y_1}}{2} = -\frac{\epsilon_x - \epsilon_y}{2}\sin 2\theta + \frac{\gamma_{xy}}{2}\cos 2\theta$$
$$= -(115 \times 10^{-9})(\sin 128.0°) + (90 \times 10^{-6})(\cos 128.0°)$$
$$= -146 \times 10^{-6}$$

이 결과는 각 $\theta_{s_2} = 64.0°$로 회전한 요소가 음의 최대전단변형률을 갖는다는 것을 보여 준다. 양의 최대전단응력의 방향에 대한 각 θ_{s_1}은 항상 θ_{p_1}보다 45°가 작다는 것으로부터 같은 결론에 도달할 수 있다. 따라서

$$\theta_{s_1} = \theta_{p_1} - 45° = 19.0° - 45° = -26.0°$$

그리고

$$\theta_{s_2} = \theta_{s_1} + 90° = 64.0°$$

가 된다. 이에 대응하는 전단변형률은 각각 $\gamma_{\max} = 290 \times 10^{-6}$, $\gamma_{\min} = -290 \times 10^{-6}$이다. 최대와 최소전단변형률을 갖는 요소의 수직변형률은

$$\epsilon_{\text{aver}} = \frac{\epsilon_x + \epsilon_y}{2} = 225 \times 10^{-6}$$

이다. 이 요소에 대한 그림이 그림 6-45(d)에 그려져 있다. $\gamma_{\max}/2$은 주변형률의 차이의 1/2이라는 것에 주의하라.

이 예제에서는 변환공식을 이용하여 변형률에 대해서 풀었다. 그러나 위의 모든 결과는 Mohr원으로도 쉽게 구할 수 있다.

예제 2

전기저항 **스트레인게이지**(strain gage)는 물체의 표면에 부착된 조그만 장치이다. 게이지는 물체가 그 점에서 형성될 때 늘어나거나 줄어드는 가는 선으로 되어 있다. 선의 전기적 저항은 길이의 변화에 따라 변한다. 게이지는 매우 민감하고 1×10^{-6}만큼 작은 변형률로 측정할 수 있다. 각 게이지는 오직 한 방향으로만 수직변형률을 측정하므로 각 게이지가 서로 다른 방향에서 변형률을 측정하도록 세 개의 게이지를 조합하여 사용할 필요가 있을 때가 있다. 세 개의 측정값으로부터 표면의 임의 방향에서의 변형률을 계산할 수 있다. 특수한 형식으로 배열된 세 개의 게이지를 **스트레인로제트**(strain rosette)라고 부른다. 로제트는 재료가 평면응력상

태에 있는 물체의 표면에 설치되어 있으므로 표시의 여러 가지 방향에서의 변형률을 계산하기 위해서 평면변형률에 대한 변환공식을 사용할 수 있다.

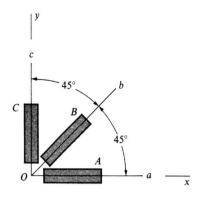

그림 6-46 예제 2. 스트레인로제트

풀이 45°스트레인로제트는 그림 6-46에서 보는 바와 같이 배열된 세 개의 전기저항 스트레인게이지로 구성되어 있다. 게이지 A, B, C는 선 Oa, Ob, Oc의 방향으로 각각 수직변형률 ϵ_a, ϵ_b, ϵ_c를 측정한다. xy축에 대한 변형률 ϵ_x, ϵ_y, ϵ_z를 어떻게 구하는지를 보이자.

게이지 A와 C는 x와 y축을 따라 있으므로 그들은 각각 직접 변형률 ϵ_x와 ϵ_y를 측정한다.

$$\epsilon_x = \epsilon_a \quad \epsilon_y = \epsilon_c$$

전단변형률 γ_{xy}를 구하기 위해서 변형률 ϵ_{x_1}에 대한 변환공식을 사용한다.

$$\epsilon_{x_1} = \frac{\epsilon_x + \epsilon_y}{2} + \frac{\epsilon_x - \epsilon_y}{2} \cos 2\theta + \frac{\gamma_{xy}}{2} \sin 2\theta$$

각 $\theta = 45°$에 대해서 $\epsilon_{x_1} = \epsilon_b$이므로 앞의 식은

$$\epsilon_b = \frac{\epsilon_a + \epsilon_c}{2} + \frac{\epsilon_a - \epsilon_c}{2} (\cos 90°) + \frac{\gamma_{xy}}{2} (\sin 90°)$$

가 된다. γ_{xy}에 대해서 풀면

$$\gamma_{xy} = 2\epsilon_b - \epsilon_a - \epsilon_c$$

가 된다. 그러므로 변형률 ϵ_x, ϵ_y, γ_{xy}는 스트레인게이지의 눈금으로부터 쉽게 결정된다. 이들 변형률을 알면 Mohr원이나 변환공식을 이용하여 앞의 예제에서 보여 준 것과 같이 다른 임의 방향에서의 변형률을 계산할 수 있다. 또한 재료의 주변형률과 최대전단변형률을 계산할 수 있다.

예제 3

평면응력과 Hooke의 법칙에 대한 변환공식을 이용하여 평면변형률에 대한 변환공식을 유도하라.

풀이 그림 6-47(a)에 그려진 평면응력요소로부터 시작하자. 이 요소에 작용하는 응력은 σ_x, σ_y, τ_{xy} 이다. 요소가 각 θ만큼 회전했을 때 요소에 작용하는 응력은 σ_{x_1}, σ_{y_1}, $\tau_{x_1y_1}$ 이 된다[그림 6-47(b)]. σ_{x_1}과 $\tau_{x_1y_1}$에 대한 변환공식[식 (6-4) 참조]은 다음과 같다.

$$\sigma_{x_1} = \frac{\sigma_x + \sigma_y}{2} + \frac{\sigma_x - \sigma_y}{2}\cos 2\theta + \tau_{xy}\sin 2\theta$$

$$\tau_{x_1y_1} = -\frac{\sigma_x - \sigma_y}{2}\sin 2\theta + \tau_{xy}\cos 2\theta$$

그리고 σ_{y_1}에 대한 식[식 (6-5) 참조]은

$$\sigma_{y_1} = \frac{\sigma_x + \sigma_y}{2} - \frac{\sigma_x - \sigma_y}{2}\cos 2\theta - \tau_{xy}\sin \theta$$

이다. 회전요소[그림 6-47(b)]에 대한 변형률 ϵ_{x_1}과 $\gamma_{x_1y_1}$은 Hooke의 법칙을 이용하여 이들 응력의 항으로 표시할 수 있다.

$$\epsilon_{x_1} = \frac{\sigma_{x_1}}{E} - \frac{\nu\sigma_{y_1}}{E} \quad \gamma_{x_1y_1} = \frac{\tau_{x_1y_1}}{G}$$

또는, σ_{x_1}, σ_{y_1}, $\tau_{x_1y_1}$에 대한 식을 대입하면

$$\epsilon_{x_1} = \frac{1}{E}\left(\frac{\sigma_x + \sigma_y}{2} + \frac{\sigma_x - \sigma_y}{2}\cos 2\theta + \tau_{xy}\sin 2\theta\right)$$

$$- \frac{\nu}{E}\left(\frac{\sigma_x + \sigma_y}{2} - \frac{\sigma_x - \sigma_y}{2}\cos 2\theta - \tau_{xy}\sin 2\theta\right)$$

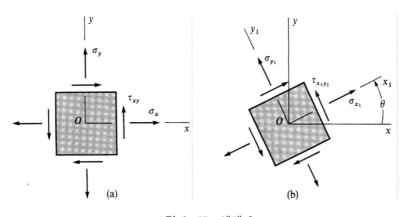

그림 6-47 예제 3.

$$\gamma_{x_1 y_1} = \frac{1}{G}\left(-\frac{\sigma_x - \sigma_y}{2}\sin 2\theta + \tau_{xy}\cos 2\theta\right)$$

가 된다. 마지막으로 Hooke의 법칙[식 (6-28)과 (6-29)를 참조]을 다시 한 번 사용하고, 변형률 $\epsilon_x, \epsilon_y, \gamma_{xy}$의 항으로 $\sigma_x, \sigma_y, \tau_{xy}$에 대한 마지막 두 식에 대입한다. 대입의 결과는

$$\epsilon_{x_1} = \frac{\epsilon_x + \epsilon_y}{2} + \frac{\epsilon_x - \epsilon_y}{2}\cos 2\theta + \frac{\gamma_{xy}}{2}\sin 2\theta$$

$$\frac{\gamma_{x_1 y_1}}{2} = -\frac{\epsilon_x - \epsilon_y}{2}\sin 2\theta + \frac{\gamma_{xy}}{2}\cos 2\theta$$

가 된다. 위의 식이 평면변형률에 대한 변환공식[식 (6-73)]이다.

위의 유도에서 평면응력을 받는 요소에 대한 변형률은 변형률이 이들과 같은 응력(이미 존재하는 변형률이다. 온도영향과 같은 다른 원인이 아닌)에 의해서 일어나며, Hooke의 법칙이 성립한다면 정확히 같은 방식으로 평면응력을 받는 요소에 대한 응력으로 변환한다는 것을 알 수 있다.

문제

6.2-1 평면응력상태에 있는 요소가 그림에서 보는 바와 같이 응력 $\sigma_x = -72\,\mathrm{MPa}$, $\sigma_y = 23.5\,\mathrm{MPa}$, 그리고 $\tau_{xy} = 40\,\mathrm{MPa}$을 받고 있다. x축으로부터 각 $\theta = 60°$ 회전한 요소에 작용하는 응력을 결정하라.

6.2-2 앞의 문제를 $\sigma_x = 65\,\mathrm{MPa}$, $\sigma_y = -28\,\mathrm{MPa}$, $\tau_{xy} = -34\,\mathrm{MPa}$, 그리고 $\theta = -10°$인 경우에 대해서 풀어라(그림 참조).

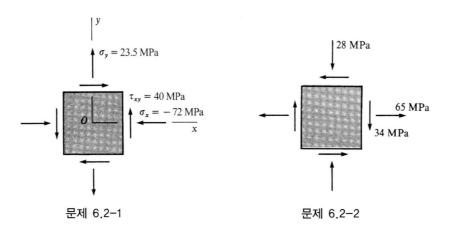

문제 6.2-1   문제 6.2-2

6.2-3 문제 6.2-1을 $\sigma_x = 47\,\text{MPa}, \sigma_y = -31\,\text{MPa}, \tau_{xy} = -16\,\text{MPa}$ 그리고 $\theta = -30°$인 경우에 대해서 풀어라(그림 참조).

6.2-4 문제 6.2-1을 $\sigma_x = -92\,\text{MPa}, \sigma_y = -47\,\text{MPa}, \tau_{xy} = 31\,\text{MPa}$ 그리고 $\theta = -40°$인 경우에 대해서 풀어라(그림 참조).

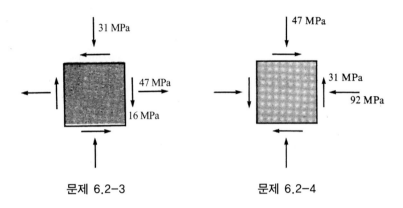

문제 6.2-3   문제 6.2-4

6.2-5와 6.2-6 평면응력상태에 있는 요소가 알고 있는 각 θ만큼 회전되었다(그림 참조). 회전된 요소상에 수직응력과 전단응력은 그림에서 보는 바와 같은 크기와 방향을 가진다. xy축에 평행한 요소의 면에 작용하는 수직응력과 전단응력을 결정하여라. 즉, σ_x, σ_y, 그리고 τ_{xy}를 결정하라.

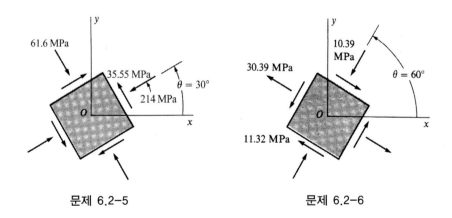

문제 6.2-5   문제 6.2-6

6.2-7과 6.2-8 구조물의 한 점에 평면응력을 받고 있는데 그 응력은 첫 그림의 요소 A에 나타난 것과 같은 크기와 방향을 가진다. 구조물의 같은 점에 위치한 B는 각 θ_1만큼 회전하여 두 번째 그림에 나타난 것과 같은 크기의 응력을 가진다. 수직응력 σ_b와 각 θ_1을 계산하라.

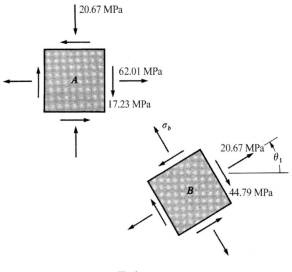

문제 6.2-7

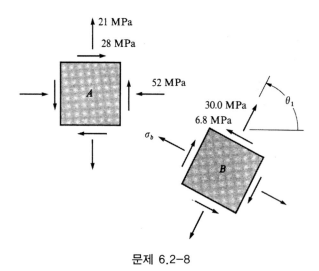

문제 6.2-8

6.3-1에서 **6.3-10** 평면응력상태에 있는 요소(그림 참조)가 아래에 열거한 것과 같은 응력 σ_x, σ_y 와 τ_{xy}를 받고 있다. (a) 주응력을 결정하고, 그들을 적당히 회전시킨 요소의 그림에 그려 보여라. (b) 최대전단응력을 결정하고, 그들을 적당히 회전시킨 요소의 그림에 그려 보여라(평면내응력만 고려하라).

6.3-1 $\sigma_x = 27.56 \, \text{MPa}, \sigma_y = 0, \tau_{xy} = -27.56 \, \text{MPa}$

6.3-2 $\sigma_x = 60 \, \text{MPa}, \sigma_y = 0, \tau_{xy} = 60 \, \text{MPa}$

6.3-3 $\sigma_x = 0, \sigma_y = 27.56\,\mathrm{MPa}, \tau_{xy} = 13.78\,\mathrm{MPa}$

6.3-4 $\sigma_x = 0, \sigma_y = -48\,\mathrm{MPa}, \tau_{xy} = 15\,\mathrm{MPa}$

6.3-5 $\sigma_x = 110\,\mathrm{MPa}, \sigma_y = 41\,\mathrm{MPa}, \tau_{xy} = 27.56\,\mathrm{MPa}$

6.3-6 $\sigma_x = -100\,\mathrm{MPa}, \sigma_y = 50\,\mathrm{MPa}, \tau_{xy} = -50\,\mathrm{MPa}$

6.3-7 $\sigma_x = -20.67\,\mathrm{MPa}, \sigma_y = -82.7\,\mathrm{MPa}, \tau_{xy} = 41\,\mathrm{MPa}$

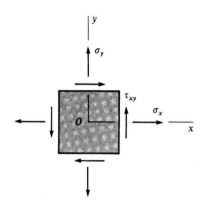

문제 6.3-1에서 6.3-10

6.3-8 $\sigma_x = -100\,\mathrm{MPa}, \sigma_y = -40\,\mathrm{MPa}, \tau_{xy} = -50\,\mathrm{MPa}$

6.3-9 $\sigma_x = 2.07\,\mathrm{MPa}, \sigma_y = -6.9\,\mathrm{MPa}, \tau_{xy} = -13.78\,\mathrm{MPa}$

6.3-10 $\sigma_x = -50\,\mathrm{MPa}, \sigma_y = 150\,\mathrm{MPa}, \tau_{xy} = -100\,\mathrm{MPa}$

6.4-1 1축응력상태에 있는 요소에 대한 Mohr원을 그려라(그림 참조). (a) 원으로부터 다음의 응력변환공식을 유도하라.

$$\sigma_{x_1} = \frac{\sigma_x}{2}(1 + \cos 2\theta) \quad \tau_{x_1} = -\frac{\sigma_x}{2}\sin 2\theta$$

(b) 원으로부터 주응력이 $\sigma_1 = \sigma_x$, $\sigma_2 = 0$이 됨을 보여라. (c) 원으로부터 최대전단응력을 구하고 그들을 적당히 회전시킨 요소의 그림에 그려 보아라.

6.4-2 순수전단상태에 있는 요소(그림 참조)에 대하여 Mohr원을 그려라. (a) 원으로부터 다음의 응력변환공식을 유도하라.

$$\sigma_{x_1} = \tau_{xy}\sin 2\theta \quad \tau_{x_1y_1} = \tau_{xy}\cos 2\theta$$

(b) 원으로부터 주응력을 구하고 그들을 적당히 회전시킨 요소의 그림에 그려 보여라. (c)

원으로부터 최대와 최소전단응력이 $\pm\tau_{xy}$ 임을 보여라.

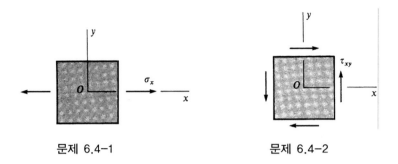

문제 6.4-1   문제 6.4-2

6.4-3 2축응력상태에 있는 요소(그림 참조)에 대하여 Mohr원을 그려라. $\sigma_x > \sigma_y$ 라고 가정하라. (a) 원으로부터 다음의 응력변환공식을 유도하라.

$$\sigma_{x_1} = \frac{\sigma_x + \sigma_y}{2} + \frac{\sigma_x - \sigma_y}{2}\cos 2\theta$$

$$\tau_{x_1 y_1} = -\frac{\sigma_x - \sigma_y}{2}\sin 2\theta$$

(b) 주응력이 $\sigma_1 = \sigma_x$, $\sigma_2 = \sigma_y$ 임을 보여라. (c) 최대전단응력을 구하고 그들을 적당히 회전시킨 요소의 그림에 그려 보아라.

6.4-4 그림에서 보는 바와 같이 동일한 두 응력을 받고 있는 2축응력상태에 있는 요소에 대하여 Mohr원을 그려라($\sigma_x = \sigma_y = \sigma_0$). 경사면에 작용하는 수직응력과 전단응력, 주응력, 그리고 최대전단응력에 대한 공식을 구하라.

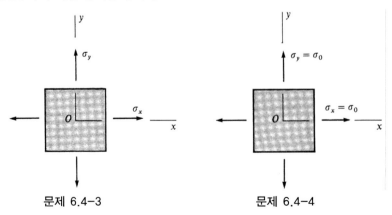

문제 6.4-3   문제 6.4-4

6.4-5와 **6.4-6** 1축응력상태에 있는 요소가 그림에서 보는 바와 같이 응력 σ_x 를 받고 있다. Mohr원을 사용하여, (a) x축으로부터 각 $\theta = 30°$만큼 회전한 요소에 작용하는 응력과 (b) 최대전단응력을 결정하라. 그 결과를 적당히 회전시킨 요소의 그림에 그려 보라.

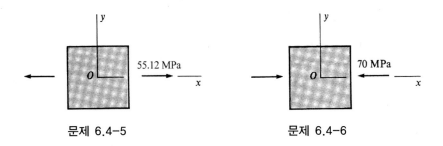

문제 6.4-5　　　　　　　　문제 6.4-6

6.4-7과 6.4-8 순수전단상태에 있는 요소가 그림에서 보는 바와 같이 응력 τ_{xy}를 받고 있다. Mohr원을 사용하여, (a) x축으로부터 각 $\theta = 75°$만큼 회전한 요소에 작용하는 응력과 (b) 주응력을 결정하라. 그 결과를 적당히 회전시킨 요소의 그림에 그려 보여라.

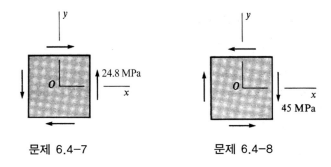

문제 6.4-7　　　　　　　　문제 6.4-8

6.4-9와 6.4-10 2축응력상태에 있는 요소가 그림에서 보는 바와 같이 응력 σ_x와 σ_y를 받고 있다. Mohr원을 사용하여, (a) x축으로부터 각 $\theta = 22.5°$만큼 회전한 요소에 작용하고 있는 응력과 (b) 최대전단응력을 결정하라. 그 결과를 적당히 회전시킨 요소의 그림에 그려 보여라.

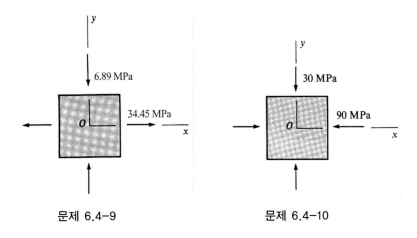

문제 6.4-9　　　　　　　　문제 6.4-10

6.4-11 문제 6.2-1을 Mohr원을 사용하여 풀어라.

6.4-12 문제 6.2-2를 Mohr원을 사용하여 풀어라.

6.4-13 문제 6.2-3을 Mohr원을 사용하여 풀어라.

6.4-14 문제 6.2-4를 Mohr원을 사용하여 풀어라.

6.4-15 문제 6.2-5를 Mohr원을 사용하여 풀어라.

6.4-16 문제 6.2-6을 Mohr원을 사용하여 풀어라.

6.4-17 문제 6.2-7을 Mohr원을 사용하여 풀어라.

6.4-18 문제 6.2-8을 Mohr원을 사용하여 풀어라.

6.4-19와 **6.4-20** 평면응력상태에 있는 요소가 그림에서 보는 바와 같이 응력 σ_x, σ_y, 그리고 τ_{xy}를 받고 있다. Mohr원을 사용하여 각 $\theta = 20°$만큼 회전한 요소에 작용하는 응력을 결정하라. 그 결과를 적당히 회전시킨 요소의 그림에 그려 보여라.

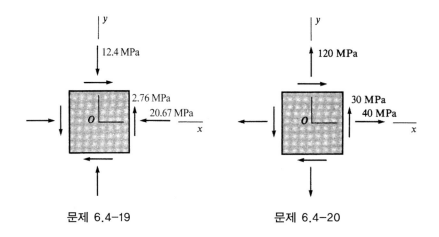

문제 6.4-19   문제 6.4-20

6.4-21 문제 6.3-1을 Mohr원을 사용하여 풀어라.

6.4-22 문제 6.3-2를 Mohr원을 사용하여 풀어라.

6.4-23 문제 6.3-3을 Mohr원을 사용하여 풀어라.

6.4-24 문제 6.3-4를 Mohr원을 사용하여 풀어라.

6.4-25 문제 6.3-5를 Mohr원을 사용하여 풀어라.

6.4-26 문제 6.3-6을 Mohr원을 사용하여 풀어라.

6.4-27 문제 6.3-7을 Mohr원을 사용하여 풀어라.

6.4-28 문제 6.3-8을 Mohr원을 사용하여 풀어라.

6.4-29 문제 6.3-9를 Mohr원을 사용하여 풀어라.

6.4-30 문제 6.3-10을 Mohr원을 사용하여 풀어라.

6.5-1 얇은 구형강판이 그림에서 보는 바와 같이 균일한 수직응력 σ_x와 σ_y를 받고 있다. x와 y방향으로 된 스트레인게이지가 강판의 점 A에 부착되어 있다. 게이지가 수직변형률 $\epsilon_x = 0.001$, $\epsilon_y = -0.0007$을 나타낸다. $E = 30 \times 10^6$ psi, $\nu = 0.3$을 알고 있을 때 응력 σ_x와 σ_y를 결정하라.

6.5-2 x와 y방향으로 된 스트레인게이지가 그림에서 보는 바와 같이 얇은 구형강판에 부착되어 있다. 강판은 균일한 수직응력 σ_x와 σ_y를 받고 있다. 게이지가 수직변형률 $\epsilon_x = 500 \times 10^{-6}$, $\epsilon_y = 100 \times 10^{-6}$을 가리킨다. $E = 200$ GPa, $\nu = 0.30$이라고 가정하고 응력 σ_x와 σ_y를 계산하라.

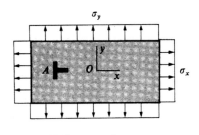

문제 6.5-1과 6.5-2

6.5-3 평면응력상태에 있는 요소에 대하여 수직변형률 ϵ_x와 ϵ_y를 스트레인게이지로 측정하였다 (그림 참조). (a) ϵ_x, ϵ_y, 그리고 푸아송비 ν의 항으로 z방향의 수직변형률 ϵ_z에 대한 공식을 구하여라. (b) 만일 $\epsilon_x = 170 \times 10^{-6}$, $\epsilon_y = 40 \times 10^{-6}$, 그리고 $\nu = 0.3$이라면 변형률 ϵ_z는 얼마인가?

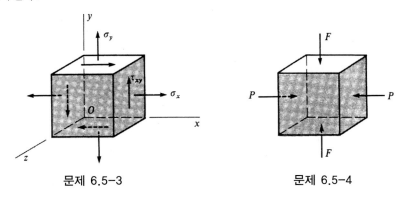

문제 6.5-3   문제 6.5-4

6.5-4 금속정육면체가 두 개의 상대면에 크기가 P인 균일분포압축하중을 받고 있다(그림 참조). 각 면의 간격을 원래의 거리로 유지하기 위하여 또 다른 한 쌍의 상대면에 가해져야 할 균일분포하중 F는 얼마인가?

6.5-5 얇은 강판이 그림에서 보는 바와 같이 균일수직응력 $\sigma_x = 68.9\,\text{MPa}$, $\sigma_y = 137.8\,\text{MPa}$을 받고 있다. 재료의 최대수평내전단변형률 $\gamma_{\max}$을 계산하라. $E = 30 \times 10^6$, $\nu = 0.3$이라고 가정한다.

6.5-6 균일수직응력 σ_x와 σ_y가 그림에서 보는 바와 같이 얇은 강판에 작용하고 있다($E = 200\,\text{GPa}$, $\nu = 0.3$). $\sigma_x = 90\,\text{MPa}$, $\sigma_y = -20\,\text{MPa}$이라 가정하고 강판의 최대평면내전단변형률 $\gamma_{\max}$을 계산하여라.

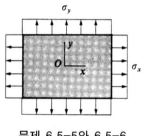

문제 6.5-5와 6.5-6

6.5-7 두께 t, 폭 b, 높이 h인 구형판이 그림에서 보는 바와 같이 수직응력 σ_x와 σ_y를 받고 있다. 아래와 같은 치수와 응력을 갖는다고 가정하고 두께변화 Δt와 체적변화 ΔV를 계산하여라: $t = 12.7\,\text{mm}$, $b = 762\,\text{mm}$, $h = 508\,\text{mm}$, $\sigma_x = 82.68\,\text{MPa}$, 그리고 $\sigma_y = -34.45\,\text{MPa}$, 또한 재료는 $E = 10,500\,\text{ksi}$, $\nu = 0.33$인 알루미늄이라고 가정하라.

6.5-8 앞 문제를 $t = 20\,\text{mm}$, $b = 800\,\text{mm}$, $h = 400\,\text{mm}$, $\sigma_x = 60\,\text{MPa}$, $\sigma_y = 18\text{MPa}$이라고 가정하고 풀어라. 또한 재료는 $E = 200\,\text{GPa}$, $\nu = 0.3$인 강이라고 가정한다.

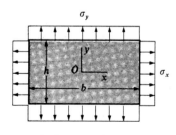

문제 6.5-7과 6.5-8

6.5-9 각 변이 $101.6\,\text{mm}$인 콘크리트 정육면체가 두 개의 수직방향으로 하중 $P = 71,200\,\text{N}$의 압축을 받는다. $E = 2.756\,\text{GPa}$, $\nu = 0.1$이라 가정하고 정육면체의 체적변화 ΔV와 정육면체에

저장된 전변형에너지 U를 계산하여라.

6.5-10 각 변이 50 mm인 동 정육면체가 두 개의 수직방향으로 하중 $P=175$ kN의 압축을 받는다. $E=100$ GPa, $\nu=0.34$라 가정하고 정육면체의 체적변화 ΔV와 정육면체에 저장된 전변형 에너지 U를 계산하여라.

6.5-11 폭 b, 두께 t인 정사각형판이 그림에서 보는 바와 같이 수직하중 P_x, P_y, 그리고 전단력 V를 받고 있다. 힘은 판의 각 면에 균일분포응력을 작용하게 한다. 치수가 $b=304.8$ mm $t=25.4$ mm이고 판이 $E=73.03$ GPa, $\nu=0.33$인 알루미늄으로 만들어져 있고, 힘이 $P_x=620.1$ MPa, $P_y=137.8$ MPa, $V=103.35$ MPa이라고 가정하고 판의 체적변화 ΔV와 판에 저장된 전변형에너지 U를 계산하여라.

6.5-12 앞의 문제를 $b=600$ mm, $t=40$ mm, $E=45$ GPa, $\nu=0.35$, $P_x=480$ kN, $P_y=180$ kN, $V=120$ kN인 마그네슘판에 대해서 풀어라.

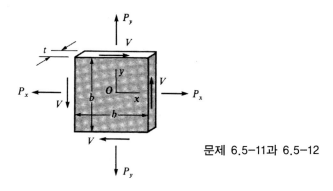

문제 6.5-11과 6.5-12

6.5-13 평면응력상태에 있는 요소가 $\sigma_y=-0.5\sigma_x$, $\tau_{xy}=0.5\sigma_x$인 응력 σ_x, σ_y 및 τ_{xy}를 받고 있다 (그림 참조). 요소의 변형에너지밀도는 $u=227.37$ kPa이다. 재료가 $E=200$ GPa, $\nu=0.3$인 강이라 가정하고 σ_x, σ_y, τ_{xy}를 결정하여라.

6.5-14 평면응력상태에 있는 요소가 응력 σ_x, σ_y, τ_{xy}를 받고 있다(그림 참조). 응력은 다음과 같은 관계를 가진다. $\sigma_y=-0.6\sigma_x$, $\tau_{xy}=\sigma_x$. 요소의 변형에너지 밀도는 $u=280$ kPa이고 재료는 $E=45$ GPa, $\nu=0.35$인 마그네슘이다. 응력 σ_x, σ_y, τ_{xy}를 결정하여라.

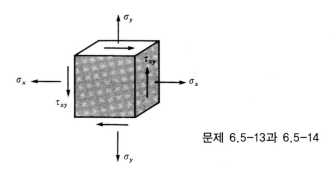

문제 6.5-13과 6.5-14

6.6-1 안지름이 457.2 mm인 구형스테인레스강탱크가 압축연료탱크로 사용된다. 용기의 두께가 2.362 mm, 인장에 대한 허용응력이 895.7 MPa이다. 탱크 내의 최대허용응력 p를 결정하라.

6.6-2 강으로 된 구형압력용기가 6 MPa의 압력과 안지름 600 mm로 설계되었다. 강의 항복응력은 400 MPa이다. 항복에 대한 안전계수가 2.5일 때 두께 t의 최소값은 얼마가 되겠는가?

6.6-3 안지름이 1.22 m, 벽 두께가 50.8 mm인 구형 탱크가 17.225 MPa의 압력으로 압축공기를 함유하고 있다. 탱크는 두 개의 반구를 용접하여 제작되었다. 용접부가 견딜 수 있는 인장하중 f(단위 길이당 lb)는 얼마인가?

6.6-4 내압 $p = 3.445$ MPa을 받는 구형용기가 안지름 1.02 m, 벽 두께가 12.7 mm이다. (a) 용기의 최대평면내전단응력은 얼마인가? (b) 절대최대전단응력 τ_{max}은 얼마인가?

6.6-5 구형탱크의 내압이 $P = 3.2$ MPa이다. 탱크의 안지름이 200 mm, 벽 두께가 5 mm이다. (a) 탱크의 벽에서의 최대평면내전단응력을 결정하라. (b) 절대최대전단응력 τ_{max}을 결정하라.

6.6-6 안지름 150 mm, 벽 두께가 10 mm인 이음매 없는 돌출알루미늄관이 압력 2 MPa의 액체를 함유하고 있다. 관의 최대인장응력 σ_{max}은 얼마인가?

6.6-7 안지름이 1.83 ft인 강 펜스톡(penstock)이 수두 152.5 m의 압력을 받는다. 원주방향응력이 110.24 MPa을 넘지 않기 위해서 관벽의 최소 두께는 얼마가 되어야 하는가?

6.6-8 강 펜스톡(penstock)의 안지름과 벽두께가 각각 1 m와 6 mm이다. 최대수두가 50 m이다. 관의 원주방향응력만을 고려한다면, 강의 항복응력이 $\sigma_y = 300$ MPa일 때 항복에 대한 안전계수는 얼마인가?

6.6-9 높이 $h = 15.25$ MPa, 안지름 $d = 2.44$ m인 연직강급수탑에 물이 채워져 있다(그림 참조). 원주방향응력만을 고려하여, 허용인장응력이 68.9 MPa이라면 벽 두께 t의 최소값을 구하여라.

6.6-10 그림에 나타난 바와 같은 급수탑이 안지름 $d = 2$ m, 벽 두께 $t = 10$ mm이다. 얼마의 수두 h가 관 벽에서 15 MPa의 원주방향응력을 만들어 내는가?

6.6-11 반구헤드를 가진 원통형탱크가 원주방향으로 용접된 강관으로 제작되었다(그림 참조). 탱크 지름이 1.22 m, 벽 두께가 19.05 mm, 최대내압이 2.07 MPa이다. (a) 탱크헤드에서의 최대인장응력 σ를 결정하여라. (b) 탱크의 원통부에서의 최대원주방향응력 σ_c를 결정하여라. (c) 용접부에 수직방향으로 작용하는 최대인장응력 σ_w를 결정하여라.

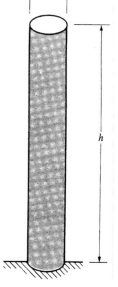

문제 6.6-9와 6.6-10

6.6-12 안지름이 300 mm인 원통형탱크가 최대내부가스압력 $p = 2.0\,\text{MPa}$을 받고 있다. 탱크는 원주방향으로 용접된 알루미늄관으로 제작되었다(그림 참조). 탱크의 헤드는 반구이다. 탱크의 벽에서의 허용인장응력이 60 MPa이고, 용접부에 수직방향으로 허용인장응력이 40 MPa이다. 탱크의 막응력만을 고려하여 (a) 탱크의 원통부와 (b) 반구헤드에서의 최소 두께를 결정하여라.

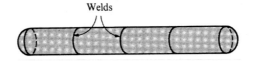

Welds

문제 6.6-11과 6.6-12

6.6-13 양단이 막힌 원통형탱크(그림 참조)가 최대압력 7.58 MPa의 압축공기를 함유하고 있다. 탱크의 안지름이 203.2 mm, 벽 두께가 6.35 mm이다. (a) 원통벽에서의 주막응력(principal membrane stress)을 계산하고 이들 응력을 적당히 회전시킨 요소의 그림에 그려 보여라. (b) 최대평면내전단응력을 결정하고 그들을 적당히 회전시킨 요소의 그림에 그려 보여라. (c) 원통의 절대최대전단응력을 계산하여라.

6.6-14 앞 문제를 안지름이 $d = 1.2\,\text{m}$, 벽 두께가 $t = 10\,\text{mm}$, 그리고 내압이 $p = 800\,\text{kPa}$인 탱크에 대하여 풀어라.

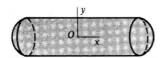

문제 6.6-13과 6.6-14

6.6-15 원통형탱크가 종방향축과 $\alpha = 75°$를 이루는 나선용접으로 제작되었다(그림 참조). 탱크의 안반지름은 $r = 508\,\text{mm}$이고 벽 두께는 $t = 15.24\,\text{mm}$이며, 내압은 $p = 1.65\,\text{MPa}$이다. 탱크의 원통부에 대해서 다음을 결정하여라. (a) 원주방향과 종방향응력, (b) 최대평면전단응력, (c) 절대최대전단응력, (d) 용접부에 수직평면과 평행한 평면에 작용하는 수직응력과 전단응력.

6.6-16 앞의 문제를 $\alpha = 60°$, $r = 0.5\,\text{m}$, $t = 12\,\text{mm}$, 그리고 $p = 1.8\,\text{MPa}$인 탱크에 대해서 풀어라.

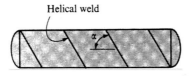

Helical weld

문제 6.6-15와 6.6-16

6.6-17 압축공기를 함유하고 있는 원통형탱크의 벽 두께는 $t = 6.35\,\text{mm}$ 이고 안반지름은 $r = 254$ mm 이다(그림 참조). 탱크의 벽에서 회전한 요소에 작용하는 응력은 그림에 나타난 바와 같다. 탱크 내의 공기압력 p는 얼마인가?

6.6-18 안반지름이 r인 얇은 벽을 가진 원통형탱크가 내부가스압력 p와 양단에서의 압축력 F를 동시에 받고 있다(그림 참조). 원통 벽에 순수전단이 발생하기 위해서는 힘 F의 크기가 얼마나 되어야 하는가?

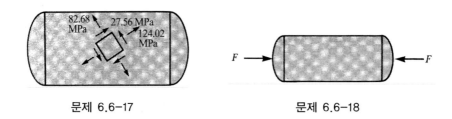

문제 6.6-17   문제 6.6-18

6.7-1 실원형단면 봉(지름 $d = 76.2\,\text{mm}$)이 축방향인장하중 $P = 200.25\,\text{kN}$과 비틀림모멘트 $T = 3.39\,\text{kN-m}$를 동시에 받고 있다(그림 참조). 봉의 최대인장응력 σ_t, 최대압축응력 σ_c, 그리고 최대전단응력 τ_{max}을 계산하여라.

문제 6.7-1

6.7-2 중공원형단면의 발전기 축(바깥지름 200 mm, 안지름 160 mm)이 비틀림모멘트 $T = 11.1$ kN·m와 축방향압축하중 $P = 362\,\text{kN}$을 동시에 받고 있다(그림 참조). 축의 최대인장응력 σ_t, 최대압축응력 σ_c, 그리고 최대전단응력 τ_{max}을 결정하여라.

문제 6.7-2

6.7-3 중공원형단면을 가진 기둥이 1.22 mm 길이의 상지(上肢) 끝에 작용하는 수평하중 $P = 1112.5\,\text{N}$을 지지하고 있다(그림 참조). 기둥의 높이는 7.62 m이며 단면계수(section modulus)는 $S = 164000\,\text{mm}^3$이다. (a) 하중 P에 의해서 발생하는 점 A에서의 최대인장응력 σ_{max}과 최대전단응력 τ_{max}을 계산하여라. 점 A는 굽힘에 의해서만 생긴 수직응력이

최대가 되는 위치이다. (b) 점 A에서의 최대인장응력과 최대전단응력이 각각 110.24 MPa 와 41.34 MPa이라면, 하중 P의 최대허용값은 얼마가 되는가?

6.7-4 간판이 바깥지름이 100 mm이고 안지름이 80 mm인 관에 부착되어 있다(그림 참조). 간판의 크기는 2 m×0.75 m이며 간판의 아랫면이 지지점으로부터 3 m 위에 있다. 간판에 대한 공기압력은 1.5 kPa이다. 관의 밑에 위치한 점 A, B 및 C에서 간판에 작용하는 공기압력에 의한 최대전단응력을 결정하여라.

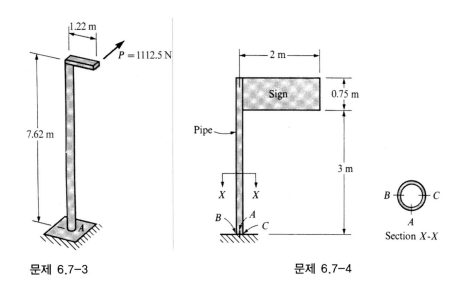

문제 6.7-3   문제 6.7-4

6.7-5 수평면에 놓여 있는 L-형브래킷 ABC가 하중 $P = 445$ N을 지지하고 있다(그림 참조). 브래킷(bracket)은 외부치수가 50.8 mm×101.6 mm이고, 벽 두께가 3.175 mm인 중공구형 단면이다. AB의 중심선 길이는 508 mm이고 BC의 중심선 길이는 762 mm이다. 힘 P만을 고려하여 지지점에서 브래킷의 꼭대기에 위치한 점 A에서의 최대인장응력 σ_t, 최대압축응력 σ_c, 그리고 최대전단응력 τ_{max}을 계산하여라.

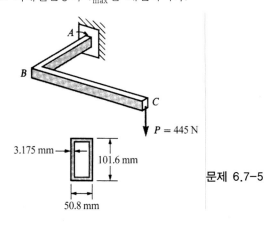

문제 6.7-5

6.7-6 지름 $d = 63.5$ mm인 축이 지름이 762 mm이고 무게가 2225 N인 벨트차(pulley)를 지지하고 있다(그림 참조). 벨트 인장력(수평력)은 7787.5 N과 1112.5 N이다. 벨트차로부터 152.4 mm 떨어진 첫 번째 지지점에서 축에 작용하는 최대인장응력 σ_{max}과 최대전단응력 τ_{max}을 결정하여라(힌트: 축에 작용하는 수직력과 수평력을 하나의 합력으로 합하라).

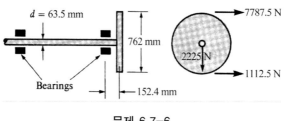

문제 6.7-6

6.7-7 질량 $M = 60$ kg의 원반으로 구성된 비틀진자가 그림에서 보는 바와 같이 길이 $L = 2$ m, 지름 $d = 4$ mm인 철선에 매달려 있다. 원반이 철선의 인장허용응력이 100 MPa, 전단허용응력이 50 MPa을 넘어서지 않고 가질 수 있는 최대회전각 ϕ_{max} (즉, 비틀진동에서의 최대진폭)을 계산하여라.

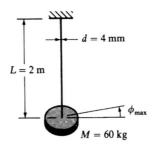

문제 6.7-7

6.7-8 반지름이 $r = 300$ mm, 벽 두께가 $t = 15$ mm인 원통형압력용기가 내압 $p = 2.5$ MPa을 받

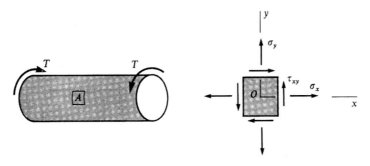

문제 6.7-8

고 있다. 또한 비틀림모멘트 $T = 120 \, \text{kN·m}$가 원통의 폐단부에 작용하고 있다(그림 참조). (a) 원통벽의 점 A의 응력요소에 작용하는 응력 σ_x, σ_y 및 τ_{xy}를 결정하여라. (b) 원통벽에서의 최대인장응력 σ_{max}과 최대전단응력 τ_{max}을 결정하여라.

6.7-9 원통형압력탱크가 비틀림모멘트 T와 인장력 P를 받고 있다(그림 참조). 탱크의 반지름은 $r = 50.8 \, \text{mm}$이고 벽 두께는 $t = 2.54 \, \text{mm}$이다. 내압 $p = 3.445 \, \text{MPa}$이고 비틀림모멘트 $T = 452 \, \text{N·m}$이다. 원통벽에서 허용인장응력이 $73 \, \text{MPa}$일 때 힘 P의 최대허용값은 얼마인가?

6.7-10 수평면에 있는 반원형 봉 AB가 B에 지지되어 있다(그림 참조). 봉의 중심선 반지름은 R이고 단위길이당 무게는 q이다(봉의 전체 무게는 $\pi q R$이다). 봉의 단면은 지름이 d인 원형 단면이다. 지지점의 봉의 꼭대기에서, 봉의 무게에 의해서 발생하는 최대인장응력 σ_t, 최대압축응력 σ_c, 그리고 최대전단응력 τ_{max}에 대한 공식을 구하여라(봉의 중심은 C점에 있으며, 중심 O로부터 $c = 2R/\pi$이다).

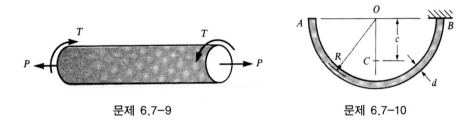

문제 6.7-9　　　　　　　　문제 6.7-10

6.8-1 구형단면의 외팔보가 자유단에서 집중하중 P를 받고 있다(그림 참조). 점 A에서 주응력과 최대평면내전단응력을 계산하고, 그들을 적당히 회전시킨 요소의 그림에 그려 보여라. 다음과 같은 수치를 작용하라. $P = 68.9 \, \text{MPa}$, $b = 101.6 \, \text{mm}$, $h = 254 \, \text{mm}$, $c = 0.61 \, \text{m}$, $d = 0.915 \, \text{m}$.

6.8-2 앞의 문제를 다음과 같은 값에 대해서 풀어라. $P = 36 \, \text{kN}$, $b = 100 \, \text{mm}$, $h = 200 \, \text{mm}$, $c = 0.5 \, \text{m}$, $d = 150 \, \text{mm}$.

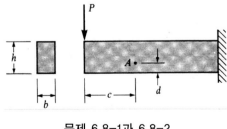

문제 6.8-1과 6.8-2

6.8-3 $W 12 \times 24$ WF단면보(부록 E의 표 E-1 참조)가 $2.44 \, \text{mm}$의 길이로 단순지지되어 있다.

보의 중앙점에 89 kN의 집중하중을 받고 있다. 좌측 지지점으로부터 0.61 m 떨어진 위치의 단면에서 다음 각 점에서의 주응력 σ_1과 σ_2, 그리고 최대평면내전단응력 τ_{max}을 결정하여라: (a) 보의 꼭대기, (b) 웨브의 꼭대기, (c) 중립축.

6.8-4 I-단면 보(그림 참조)가 다음과 같은 치수를 가진다. $b = 120\,\text{mm}$, $t = 10\,\text{mm}$, $h = 300\,\text{mm}$, $h_1 = 260\,\text{mm}$. 보는 길이 $L = 3.0\,\text{m}$로 단순지지되어 있다. 집중하중 $P = 100\,\text{kN}$이 중앙점에 작용한다. 좌측 지지점으로부터 1.0 m 떨어진 위치의 단면에서 다음 각 점에서의 주응력 σ_1과 σ_2, 그리고 최대평면내전단응력 τ_{max}을 계산하여라: (a) 보의 꼭대기, (b) 웨브의 꼭대기, (c) 중립축.

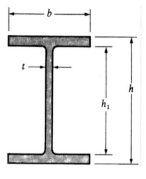

문제 6.8-4

6.8-5 T-형단면의 외팔보가 그림에서 보는 바와 같이 10 kN의 경사하중을 받고 있다. 보의 웨브에서 점 A와 B에서의 주응력 σ_1과 σ_2, 그리고 최대평면내전단응력 τ_{max}을 구하여라.

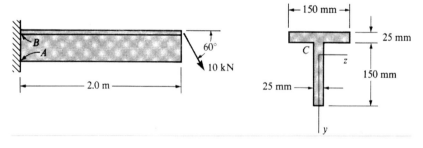

문제 6.8-5

6.8-6 구형단면의 단순보가 길이 $L = 1270\,\text{mm}$, 중앙점에서 집중하중 $P = 53.4\,\text{kN}$으로 지지되어 있다(그림 참조). 보의 높이는 $h = 152.4\,\text{mm}$이고 폭은 $b = 50.8\,\text{mm}$이다. 단면 mm가 좌측 지지점으로부터 355.6 mm 떨어져 위치한다. 주응력 σ_1과 σ_2, 그리고 최대평면내전단응력 τ_{max}이 보의 높이를 따라 어떻게 변하는가를 그래프로 그려라.

6.8-7 앞의 문제를 $L=0.7\,\mathrm{m}$, $P=140\,\mathrm{kN}$, $h=120\,\mathrm{mm}$, $b=30\,\mathrm{mm}$일 때 지지점으로부터 $0.15\,\mathrm{m}$ 떨어진 위치의 단면에 대해서 풀어라.

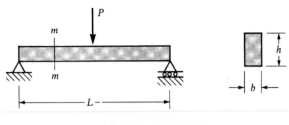

문제 6.8-6과 6.8-7

6.9-1 $a=152.4\,\mathrm{mm}$, $b=101.6\,\mathrm{mm}$, $c=76.2\,\mathrm{mm}$인 구형평행육면체(그림 참조)로 된 알루미늄블록이 x,y 및 z면에 각각 작용하는 $\sigma_x=82.68\,\mathrm{MPa}$, $\sigma_y=-27.56\,\mathrm{MPa}$, $\sigma_z=-6.89\,\mathrm{MPa}$의 3축응력을 받고 있다. 다음을 계산하여라. (a) 재료 내의 최대전단응력 $\tau_{\max}$, (b) 블록의 치수변화 Δa, Δb 및 Δc, (c) 체적변화 ΔV, 그리고 (d) 블록 내에 저장된 전변형에너지 U ($E=71.66\,\mathrm{MPa}$, $\nu=0.33$이라 가정).

6.9-2 앞의 문제를 각각 $a=300\,\mathrm{mm}$, $b=150\,\mathrm{mm}$, $c=150\,\mathrm{mm}$이고 응력이 $\sigma_x=-60\,\mathrm{MPa}$, $\sigma_y=-40\,\mathrm{MPa}$, $\sigma_z=-40\,\mathrm{MPa}$인 강 블록에 대해서 풀어라.

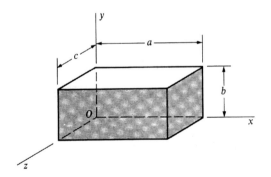

문제 6.9-1과 6.9-2

6.9-3 각 변의 길이가 $a=101.6\,\mathrm{mm}$인 주철 정육면체를 실험실에서 3축응력의 상태하에서 실험한다. 블록의 각 면에 부착된 스트레인게이지가 다음과 같은 변형률을 가리킨다: $\epsilon_x=-225\times10^{-6}$, $\epsilon_y=\epsilon_z=-37.5\times10^{-6}$. 다음을 계산하여라: (a) 요소의 x,y 및 z면에 작용하는 수직응력 σ_x,σ_y 및 σ_z: (b) 재료 내의 최대전단응력 $\tau_{\max}$: (c) 블록의 체적변화 ΔV, 그리고 (d) 블록에 저장된 전변형에너지 U($E=96.46\,\mathrm{GPa}$, $\nu=0.25$라 가정하라).

6.9-4 앞의 문제를 각 변의 길이가 $a = 75\,\text{mm}$이고 측정된 변형률이 $\epsilon_x = -720 \times 10^{-6}$, $\epsilon_y = \epsilon_z$ $= -270 \times 10^{-6}$인 화강암 정육면체인 경우에 대하여 풀어라. ($E = 60\,\text{GPa}, \nu = 0.25$)

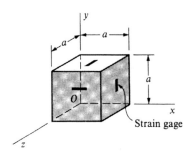

문제 6.9-3과 6.9-4

6.9-5 지름이 d인 고무원통 A가 강원통 B 안에서 힘 F로 압축을 받고 있다(그림 참조). (a) 고무와 강 사이의 횡방향압력 p에 대한 공식을 구하라. p를 F와 d, 그리고 고무의 푸아송비 ν의 항으로 표시하라. 고무와 강 사이의 마찰은 무시하고 강원통은 강체라고 가정하라. (b) $F = 4450\,\text{N}, d = 50.8\,\text{mm}, \nu = 0.45$일 때 압력 p를 계산하라.

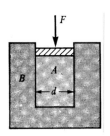

문제 6.9-5

6.9-6 단단한 고무블록 A가 평행벽 B 사이에 끼워져 있다(그림 참조). 고무는 그림이 그려진 평면에 수직방향으로 제한되어 있지 않다. 균일분포압력 p_0가 고무블록 윗면에 작용하고 있다. (a) 고무와 강체벽 사이의 횡방향압력 p에 대한 공식을 구하여라. p를 p_0와 고무의 푸아송비 ν의 항으로 표시하라. 고무와 벽 사이의 마찰은 무시하라. (b) p_0, ν, 그리고 E의 항으로 단위체적변화 e에 대한 공식을 구하여라. 변형률은 미소량이라고 가정한다. (c) 변형률이 미소량이라고 가정하지 않고 단위체적변화 e에 대한 공식을 구하여라. (d) 가한 압력이 $p_0 = 2.756\,\text{MPa}$이고 고무가 다음과 같은 성질을 가질 때 횡방향압력 p와 단위체적변화 e를 구하여라. $E = 4.134\,\text{MPa}, \nu = 0.48$, 미소 변형률에 기초를 둔 단위체적변화에 대한 공식이 왜 고무에 대해서 성립하지 않는지를 설명하여라.

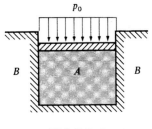

$$p_0$$

$$B \qquad A \qquad B$$

문제 6.9-6

6.9-7 실강구(solid steel sphere; $E = 200\,\text{GPa}$, $\nu = 0.3$)가 체적이 0.5% 감소하도록 정수압력(hydrostatic pressure) p를 받는다. (a) 압력 p를 계산하여라. (b) 강에 대한 체적탄성계수 K를 계산하여라. (c) 구의 지름이 $d = 152.4\,\text{mm}$일 때 구에 저장된 변형에너지 U를 계산하여라.

6.9-8 각 변이 250 mm인 마그네슘정육면체가 바다 속으로 각 변의 길이가 0.05 mm씩 감소하는 깊이까지 내리웠다. $E = 45\,\text{GPa}$, $\nu = 0.35$라고 가정하고, 다음을 계산하여라. (a) 정육면체가 내려간 깊이 d와 그리고 (b) 마그네슘의 밀도의 퍼센트 증가.

6.9-9 실동구(solid bronze sphere; 체적탄성계수 $K = 100\,\text{GPa}$)의 외면을 갑자기 가열하였다. 구의 가열된 외부의 팽창하려는 성질이 구 중심 근처의 모든 방향으로 균일한 인장을 발생시킨다. 구의 중심에서의 압력이 90 MPa이라면 변형률은 얼마인가? 또한, 구의 중심에서 단위체적변화 e와 변형에너지밀도 u를 계산하여라.

6.11절의 문제를 풀 때에는 평면내변형률(in-plane strain)만을 고려하여라.

6.11-1 평면변형률을 받는 재료의 요소가 다음과 같은 변형률을 가진다. $\epsilon_x = 230 \times 10^{-6}$, $\epsilon_y = 510 \times 10^{-6}$, $\gamma_{xy} = 180 \times 10^{-6}$, 각 $\theta = 40°$만큼 회전한 요소에 대한 변형률을 계산하여라.

6.11-2 앞의 문제를 다음과 같은 변형률에 대해서 풀어라. $\epsilon_x = 430 \times 10^{-6}$, $\epsilon_y = -170 \times 10^{-6}$, $\gamma_{xy} = 310 \times 10^{-6}$.

6.11-3 평면변형률상태에 있는 재료의 요소에 대한 변형률이 다음과 같다(그림 참조): $\epsilon_x = 500 \times 10^{-6}$, $\epsilon_y = 140 \times 10^{-6}$, $\gamma_{xy} = -360 \times 10^{-6}$. 주변형률과 최대전단변형률을 결정하여라.

6.11-4 앞의 문제를 다음과 같은 변형률에 대해서 풀어라. $\epsilon_x = 120 \times 10^{-6}$, $\epsilon_y = -570 \times 10^{-6}$, $\gamma_{xy} = -360 \times 10^{-6}$

6.11-5 평면변형률상태에 있는 재료의 요소(그림 참조)가 $\epsilon_x = 480 \times 10^{-6}$, $\epsilon_y = 70 \times 10^{-6}$, 그리고 $\gamma_{xy} = 470 \times 10^{-6}$의 변형률을 받고 있다. 다음을 결정하여라. (a) 각 $\theta = 80°$만큼 회전한 요소에 대한 변형률, (b) 주변형률, 그리고 (c) 최대전단변형률.

6.11-6 앞의 문제를 다음과 같은 변형률에 대해서 풀어라. $\epsilon_x = -1250 \times 10^{-6}$, $\epsilon_y = -430 \times 10^{-6}$, $\tau = 780 \times 10^{-6}$, 그리고 $\theta = 50°$

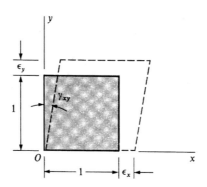

문제 6.11-1 , 6. 11-2 , 6. 11-3 , 6. 11-4 , 6. 11-5 , 6. 11-6

6.11-7 평면응력상태에 있는 요소가 응력 $\sigma_x = -65.46\,\text{MPa}$, $\sigma_y = 7.58\,\text{MPa}$, $\tau_{xy} = -11.71\,\text{MPa}$을 그림에서 보는 바와 같이 받고 있다. 재료는 탄성계수 $E = 68.9\,\text{MPa}$, 푸아송비 $\nu = 0.33$인 알루미늄이다. (a) 각 $\theta = 30°$만큼 회전한 요소에 대한 변형률, (b) 주변형률, 그리고 (c) 최대전단변형률을 결정하여라.

6.11-8 앞의 문제를 다음과 같은 자료에 대해서 풀어라. $\sigma_x = -145\,\text{MPa}$, $\sigma_y = -220\,\text{MPa}$, $\tau_{xy} = -16\,\text{MPa}$, 그리고 $\theta = 60°$. 재료는 $E = 100\,\text{GPa}$, $\nu = 0.34$인 황동이다.

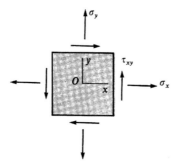

문제 6.11-7과 6. 11-8

6.11-9 비행기 날개의 정적 시험에서 45° 로제트(그림 참조)로부터 스트레인게이지 눈금은 다음과 같다. 게이지 A, 530×10^{-6}; 게이지 B, 420×10^{-6}; 게이지 C, -80×10^{-6}. 주변형률과 최대전단변형률을 결정하여라.

6.11-10 시험 중인 자동차 프레임에 설치된 45° 스트레인로제트(그림 참조)가 다음과 같은 양을

나타낸다. 게이지 A, 280×10^{-6}; 게이지 B, 190×10^{-6}; 게이지 C, -60×10^{-6}. 주변형률과 최대전단변형률을 결정하여라.

6.11-11 그림에서 보는 바와 같이 세 개의 전기저항 스트레인게이지로 구성된 60° 스트레인로제트 혹은 델타로제트(delta rosette)가 있다. 게이지 A는 x축방향의 수직변형률 ϵ_a를 측정한다. 게이지 B와 C는 그림과 같이 경사진 방향의 변형률 ϵ_b와 ϵ_c를 측정한다. xy축과 관련된 변형률 ϵ_x, ϵ_y, γ_{xy}에 대한 식을 구하여라.

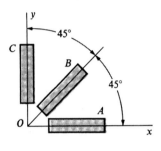

문제 6.11-9과 6.11-10

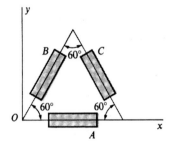

문제 6.11-11

Chapter 7

보의 처짐

7.1 서 론
7.2 처짐곡선의 미분방정식
7.3 굽힘모멘트방정식의 적분에 의한 처짐
7.4 전단력과 하중방정식의 적분에 의한 처짐
7.5 모멘트−면적법
7.6 중첩법
7.7 불균일단면보
7.8 굽힘변형에너지
*7.9 불연속함수
7.10 보의 처짐을 구하기 위한 불연속함수의 이용
*7.11 온도의 영향
7.12 전단변형영향
*7.13 보의 큰 처짐

7.1 서 론

보가 하중을 받으면 초기에 직선이던 종축이 곡선모양으로 된다. 이 곡선을 보의 **처짐곡선**(deflection curve)이라 한다. 이 장에서는 처짐곡선에 대한 방정식을 구하고 임의의 점에서 보의 처짐을 구하는 방법에 대해 기술하고자 한다. 처짐 계산은 부정정보를 해석하는 데 매우 긴요한 방법이며, 다음 장에서 다룰 것이다. 또한 처짐은 설계최대허용값을 넘지 않는가 확인하기 위해 계산하여야 한다. 이런 경우는 건물 설계에서도 나타나는데, 이때에는 처짐이 크면 구조물의 외관이 나빠지고 과다한 유연성을 주므로 항상 처짐의 상한을 준다.

7.2 처짐곡선의 미분방정식

일반적인 보의 처짐방정식을 구하기 위하여 그림 7-1(a)와 같은 일단고정보 AB를 생각해 보기로 하자. 원점을 고정단으로 하고 좌측방향을 x축, 하방향을 y축으로 잡는다. 앞에서 논의한 것과 같이, xy면은 보의 대칭평면이고 전 하중은 이 면에 작용한다고 가정하면 xy면은 굽힘평면이 된다. 원점에서 x만큼 떨어진 임의점 m_1에서 보의 **처짐** v는 x축에서 처짐곡선까지 측정한 m_1점의 y방향으로의 변위이다[그림 7-1(a) 참조]. 이때 보의 처짐 v를 x의 함수로 나타내면 우리가 구하고자 하는 처짐곡선방정식이 된다. 부호의 가정은 좌표축에서 하방향의 처짐이 양이고 상방향의 처짐은 음이다.

처짐 곡선상의 임의점 m_1에서의 접선과 x축이 이루는 각을 **회전각** θ라 한다[그림 7-1(b) 참조]. 이 각의 부호는 그림과 같은 좌표축일 때 시계방향을 양으로 한다.

처짐곡선을 따라 미소길이 dS만큼 이동된 점을 생각해 보자. 이 점은 x축상에서는 원점에서 $x + dx$거리만큼 떨어진 곳이 되고, 이렇게 이동된 곡선상의 점을 m_2라 할 때, 이 m_2점에서의 처짐은 $v + dv$가 되는데 dv는 m_1점에서 m_2로 이동됨에 따라 생긴 처짐의 증가분이다. 또 m_2점에서 회전각은 $\theta + d\theta$가 되는데 이 $d\theta$는 좌표점 이동에 따른 증가분이 된다. m_1점과 m_2점에서 처짐곡선에 대한 접선을 그리고 이에 대한 수직선을 그리면, 두 수직선이 만나는 점이 생기게 되는데, 이 교점이 **곡률중심** O'이 되며, O'에서 그 곡선까지의 거리를 **곡률반지름**(radius of curvature) ρ라 한다.

그림에서 보면 $\rho d\theta = ds$가 되며 이것과 **곡률**(curvature) κ와의 관계는 다음과 같은 식

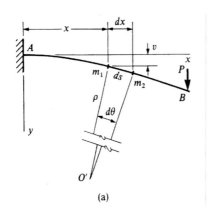
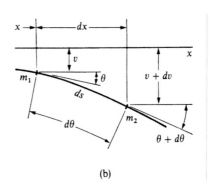

그림 7-1 보의 처짐곡선

으로 표시된다.

$$\kappa = \frac{1}{\rho} = \frac{d\theta}{ds} \tag{7-1}$$

곡률에 대한 **부호규약**은 그림 5-3과 같다. 양의 곡률은 양의 $d\theta/ds$값과 같으며, 이는 보에서 양의 x방향으로 이동하면 각 θ가 증가함을 나타낸다.

처짐곡선의 **기울기**(slope)는 1차 도함수 dv/dx가 된다. 그림 7-1(b)를 보면 dx는 아주 미소한 거리가 되기 때문에, 기울기가 회전각 θ의 tangent값과 같아진다.

즉 $\dfrac{dv}{dx} = \tan \theta$ 또는 $\theta = \arctan \dfrac{dv}{dx}$ \hfill (7-2a, b)

기하학적 고찰에서 유도된 식 (7-1), (7-2)는 어떤 재료의 보에도 사용할 수 있다. 또한 기울기나 처짐의 크기에 제한이 없다.

일반적으로 보는 하중을 받으면 아주 작은 회전을 일으키기 때문에 탄성곡선의 곡률은 거의 직선과 같은 평평한 모양이 된다. 따라서 각 θ는 아주 미소하게 되고 약간의 근사관계를 사용하여도 무방하게 된다. 그림 7-1(b)에서 보면

$$ds = \frac{dx}{\cos \theta}$$

가 되고, θ가 아주 작을 때 $\cos \theta \approx 1$이므로

$$ds \approx dx \tag{a}$$

따라서 식 (7-1)은

$$\kappa = \frac{1}{\rho} = \frac{d\theta}{dx} \qquad\qquad (7\text{-}3)$$

가 된다. 또 θ가 작을 때 $\tan\theta \approx \theta$이므로 식 (7-2a)는

$$\theta \approx \tan\theta = \frac{dv}{dx} \qquad\qquad (b)$$

가 된다. 보가 미소 회전을 할 때는 회전각과 기울기는 같게 된다(단, 회전각은 radian으로 측정한다). θ를 x에 관해 미분하면

$$\frac{d\theta}{dx} = \frac{d^2v}{dx^2} \qquad\qquad (c)$$

가 되고 위의 식을 식 (7-3)에 대입하면 곡률 κ는 다음과 같이 표시된다.

$$\kappa = \frac{1}{\rho} = \frac{d\theta}{dx} = \frac{d^2v}{dx^2} \qquad\qquad (7\text{-}4)$$

이 식은 보의 처짐과 곡률과의 관계를 나타내며, 회전각이 작을 때는 어떤 재료의 보에도 사용할 수 있다.

보의 재료가 선형 탄성적이고 Hooke의 법칙을 따른다면 곡률은 다음과 같이 표시된다[식 (5-9) 참조].

$$\kappa = \frac{1}{\rho} = -\frac{M}{EI} \qquad\qquad (7\text{-}5)$$

여기서 M은 굽힘모멘트, EI는 보의 굽힘강도(flexural rigidity)를 나타낸다. 식 (7-5)는 회전각의 크고 작음에 관계없이 사용할 수 있다. 곡률과 굽힘모멘트에 대한 부호규약은 그림 5-11의 표시를 따른다. 작은 회전각에 사용되는 식 (7-4)는 식 (7-5) 두 식으로부터

$$\frac{d\theta}{dx} = \frac{d^2v}{dx^2} = -\frac{M}{EI} \qquad\qquad (7\text{-}6)$$

이 되며, 이 식이 보의 **처짐곡선을 구하는 기본 미분방정식**이 된다. 만약 굽힘모멘트 M이 주어지면 회전각 θ와 처짐 v는 식 (7-6)을 적분하여 구할 수 있다.

식 (7-6)에 사용된 부호규약은 다음과 같다.

1) x축이 좌측방향이고, y축이 하방향일 때 양이다.
2) 회전각 θ는 x축으로부터 시계방향일 때 양이다.

3) 처짐 v는 하방향일 때 양이다.

4) 굽힘모멘트는 보의 상부를 압축시킬 때 양이다.

5) 곡률은 보가 아래로 오목해질 때 양이다.

만약 모멘트 M에 대한 **부호규약**이 반대가 되면, 또는 y축이 상방향일 때 양이라면, 식 (7-6)의 부호는 바뀌게 된다. 그러나 M과 y가 부호가 모두 바뀌면 식 (7-6)은 변함이 없다.

식 (7-6)을 x에 관해 미분하고 앞절의 식 (4-1)과 (4-3)의 $q = -dV/dx$, $V = dM/dx$을 대입하면 다음과 같은 식을 얻는다.

$$\frac{d^3v}{dx^3} = -\frac{V}{EI} \tag{7-7}$$

$$\frac{d^4v}{dx^4} = \frac{q}{EI} \tag{7-8}$$

위의 식에서 V는 전단력이고, q는 등분포하중이다. 보의 처짐 v는 편의에 따라 식 (7-6)~(7-8)에 의해 구할 수 있다.

식을 간단히 나타내기 위해 미분기호 대신 **프라임**(prime)을 사용하면 다음과 같이 된다.

$$v' = \frac{dv}{dx} \quad v'' = \frac{d^2v}{dx^2} \quad v''' = \frac{d^3v}{dx^3} \quad v'''' = \frac{d^4v}{dx^4} \tag{7-9}$$

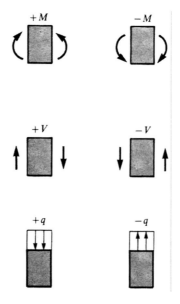

그림 7-2 굽힘모멘트(M), 전단력(V) 및 등분포하중의 크기(q)에 대한 부호규약

식 (7-9)와 같은 표시법으로 식 (7-6), (7-7), (7-8)을 다시 표시하면 다음과 같게 된다.

$$EIv'' = -M \quad EIv'' = -V \quad EIv'''' = q \qquad \text{(7-10a, b, c)}$$

다음 두 절에서는 이 식들을 이용하여 적분함으로써 보의 처짐문제를 해결할 것이다. 이 때 적분과정 중 생기는 적분상수는 적당한 경계조건을 세워 그 값을 정할 수 있다.

식 (7-10)은 재료가 선형거동으로 Hooke의 법칙을 따르고 처짐곡선 기울기가 아주 작다 는 가정하에 유도된 것이기 때문에 이 조건을 만족할 때 적용할 수 있음을 생각해야 한다.

또한 전단변형에 의한 영향을 고려하지 않고 오직 순수 굽힘에 의한 변형만을 고려하여 식을 유도했다는 점도 감안해야 한다.

그러나 이러한 제한에도 불구하고 대부분의 실제문제를 만족시킨다. 특별한 경우에는 전 단영향에 의한 추가적 처짐도 고려해야 한다(7.12절 참조).

곡률에 대한 정확한 식. 앞에서 설명한 바와 같이 보의 처짐곡선 기울기가 클 때에는 식 (a) 및 (b)와 같은 근사식을 사용할 수 없다. 이때에 곡률과 회전각에 대한 보다 정확한 식이 요구된다. 정확한 식을 유도하기 위해 식 (7-1)과 (7-26)을 결합하여 다음 식을 얻는다.

$$\kappa = \frac{1}{\rho} = \frac{d\theta}{ds} = \frac{d(\tan^{-1} v')}{dx} \frac{dx}{ds}$$

식 (7-1b)에서 $ds^2 = dx^2 + dv^2$임을 고려하여

$$\frac{ds}{dx} = \left[1 + \left(\frac{dv}{dx} \right)^2 \right]^{\frac{1}{2}} = [1 + (v')^2]^{\frac{1}{2}}$$

이 되고 또한

$$\frac{d}{dx}(\tan^{-1} v') = \frac{v''}{1 + (v')^2}$$

이 된다. 이 두 식을 곡률방정식에 대입하면 다음 식을 얻는다.

$$\kappa = \frac{1}{\rho} = \frac{v''}{[1 + (v')^2]^{3/2}} \qquad \text{(7-11)}$$

위의 식과 식 (7-4)를 비교해 볼 때, 만약 기울기가 작다면 $(v')^2$값은 1에 비해 아주 작아 무시할 수 있으므로 식 (7-11)은 식 (7-4)와 같아짐을 알 수 있다. v'값을 무시할 수 없는 과대처짐 문제를 풀 경우에는 곡률에 관한 식 (7-11)을 사용해야 한다(7.13절 참조).*

---

* Jacob Bernoulli는 비록 비례상수 값을 부정확하게 구했으나 처음으로 곡률이 굽힘모멘트에 비례한다는

7.3 굽힘모멘트방정식의 적분에 의한 처짐

처짐 v를 구하기 위해, 먼저 굽힘모멘트를 x의 함수로 표시한 다음 이 굽힘모멘트식을 식 (7-10a)에 대입하여 적분하여 구한다. 이 미분방정식은 2계이므로 두 번 적분해야 한다.

방정식을 푸는 첫 단계는, 자유물체도와 정적평형을 이용하여 굽힘모멘트에 대한 식을 구하는 것이다.[*]

보의 축을 따라 보에 작용하는 하중이 변하는 점을 기준으로 구간을 정하여 각 구간마다 독립된 굽힘모멘트를 세운다. 이 각 구간에 대한 모멘트식을 미분방정식에 대입하여 적분하면 기울기 v'을 얻게 되고, 이 과정에서 적분상수가 하나 생긴다. 또 한 번 적분하면 처짐 v를 얻게 되고, 또 다른 적분상수가 생긴다. 이 상수들은 v와 v'에 관한 경계조건과 기하학적 조건으로 구할 수 있다. 대부분의 경우 조건의 수와 적분상수의 수는 일치하므로 이들 조건을 방정식에 대입하여 상수에 관해 풀 수 있다. 이때 계산된 상수를 다시 원식에 대입하여 처짐곡선의 결과식을 얻는다. 이 같은 처짐계산법을 **연속적분법**(method of successive integration)이라 부른다.

다음 예제에서 단순보와 일단고정보에 대해 처짐계산과정을 보여 준다.

예제 1

등분포하중 q를 받는 단순보 AB에 대한 처짐곡선방정식을 구하라(그림 7-3 참조). 또 보의 중앙에서의 최대처짐 v와 지점에서의 회전각 θ_a와 θ_b를 구하라.

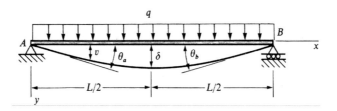

그림 7-3 예제 1. 등분포하중을 받는 단순보의 처짐

풀이 좌표의 원점을 좌측지점으로 잡으면, 굽힘모멘트식은

기본 관계식을 발표했다. 이 관계는 후에 Euler에 의해 이용되었으며 그는 큰 처짐[식 (7-11)]과 작은 처짐[식 (7-6)]에 대해 처짐곡선의 미분방정식을 풀었다. 탄성곡선 역사는 참고문헌 7-1 참조.

[*] 정정 문제만 이 장에서 취급되었고 부정정 문제는 8장에서 취급한다.

$$M = \frac{qLx}{2} - \frac{qx^2}{2}$$

이고, 식 (7-10a)의 2계 미분방정식에 대입하면

$$Ehv'' = -\frac{qLx}{2} + \frac{qx^2}{2}$$

과 같이 된다.

위의 식의 양변에 dx를 곱하여 x에 관해 적분하면

$$Ehv' = -\frac{qLx^2}{4} + \frac{qx^3}{6} + C_1 \qquad (a)$$

이 된다. 여기서 C_1은 적분상수이다. 상수를 결정하기 위해, 보의 중앙에서는 처짐곡선이 대칭이므로 처짐곡선의 기울기 v'이 0인 조건을 사용한다.

즉 $\qquad\qquad\qquad\qquad x = \dfrac{L}{2}$일 때 $v' = 0$

위의 조건을 다시 쓰면

$$v'\left(\frac{L}{2}\right) = 0$$

식 (a)에 앞의 조건을 사용하여 풀면

$$C_1 = \frac{qL^3}{24}$$

이 되며, 식 (a)는 다음과 같게 된다.

$$Ehv' = -\frac{qLx^2}{4} + \frac{qx^3}{6} + \frac{qL^3}{24} \qquad (7\text{-}12)$$

윗식의 양변에 다시 dx를 곱하여 적분하면 다음 식을 얻는다.

$$Ehv = -\frac{qLx^3}{12} + \frac{qx^4}{24} + \frac{qL^3 x}{24} + C_2 \qquad (b)$$

적분상수 C_2를 구하기 위해 $x = 0$일 때 $v = 0$인 조건, 즉 $v(0) = 0$인 조건을 식 (b)에 대입하여 풀면 $C_2 = 0$이 되고 원식에 대입하면 처짐곡선방정식은

$$v = \frac{qx}{24EI}(L^3 - 2Lx^2 + x^3) \qquad (7\text{-}13)$$

이 된다. 위의 식은 보의 임의점에서 처짐을 나타낸다. 보의 최대처짐 δ는 보의 중앙지점

에서 일어나며($v' = 0$인 지점이 최대이다), 식 (7-13)에 $x = \dfrac{L}{2}$을 대입하여 다음 식을 얻는다.

$$\delta = v_{\max} = \frac{5qL^4}{384EI} \tag{7-14}$$

최대회전각은 보의 양 지점에서 생긴다. 좌단에서 $\theta_a = v'$이므로 식 (7-12)에 $x = 0$을 대입하면

$$\theta_a = v'(0) = \frac{qL^3}{24EI} \tag{7-15}$$

이 되고, 같은 방법으로 우단의 회전각 θ_b는 $x = L$을 식 (7-12)에 대입하면

$$\theta_b = -v'(L) = \frac{qL^3}{24EI} \tag{7-16}$$

이 된다. 보의 하중은 중앙에서 대칭이기 때문에 양단의 회전각은 서로 같다. 보의 양끝이 그림 7-3과 같이 회전할 때 회전각은 양이 된다. 기울기 v'에 대한 양의 개념은 좌표축의 방향에 따라 결정된다. 이 예제에서는 A점에서 v'이 양이고, B점에서는 음, 중앙에서는 0이 된다.

예제 2

등분포하중 q를 받는 일단고정보 AB에 대한 처짐곡선방정식을 구하라(그림 7-4 참조). 또 자유단에서의 처짐 δ_b와 회전각 θ_b를 구하라.

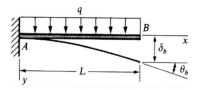

그림 7-4 예제 2. 등분포하중을 받는 일단 고정보의 처짐

풀이 굽힘모멘트식을 구하기 위해 좌단을 좌표의 원점으로 잡으면

$$M = -\frac{q(L-x)^2}{2}$$

이 되고 위의 식을 (7-10a)에 대입하면 미분방정식은 다음과 같이 된다.

$$EIv'' = \frac{q(L-x)^2}{2}$$

위의 식을 적분하면

$$EIv' = -\frac{q(L-x)^3}{6} + C_1$$

이 되고, 적분상수 C_1은 고정단에서 보의 회전각이 0이라는 조건에서 구할 수 있다. 즉 $v'(0)=0$이므로 $C_1 = qL^3/6$이다. 따라서

$$v' = \frac{qx}{6EI}(3L^2 - 3Lx + x^2) \tag{7-17}$$

이 된다. 위의 식을 다시 적분하면

$$v = \frac{qx^2}{24EI}(6L^2 - 4Lx + x^2) + C_2$$

가 된다. 고정단에서 보의 처짐이 0이라는 조건, 즉 $v(0)=0$인 경계조건을 이용하면 $C_2 = 0$이 된다. 그러므로 처짐곡선의 방정식은 다음과 같게 된다.

$$v = \frac{qx^2}{24EI}(6L^2 - 4Lx + x^2) \tag{7-18}$$

자유단에서의 회전각 θ_b와 처짐 δ_b는 식 (7-17), 식 (7-18)에 $x=L$을 대입하여 구한다.

$$\theta_b = v'(L) = \frac{qL^3}{6EI} \tag{7-19a}$$

$$\delta_b = v(L) = \frac{qL^4}{8EI} \tag{7-19b}$$

위의 값은 각각 최대회전각과 최대처짐을 나타낸다.

예제 ③

길이 L인 양단지지보 AB가 집중하중 P를 받을 때 처짐곡선방정식을 구하라(그림 7-5 참조). 또 각 지점에서의 회전각 θ_a와 θ_b, 최대처짐 v_{max} 및 보의 중앙 C에서의 처짐 δ_c를 각각 구하라(하중 P는 지점 A와 B에서 각각 거리 a, b만큼 떨어진 곳에 작용한다).

풀이 처짐방정식을 구하기 위해서 보의 각 부분에 대한 굽힘모멘트 식을 구한다. 다음에 보의 좌측과 우측 두 부분에 대한 각 모멘트식을 식 (7-10a)에 대입하여 다음과 같은 식을 구한다.

$$EIv'' = -\frac{Pbx}{L} \qquad\qquad (0 \le x \le a)$$

$$EIv'' = -\frac{Pbx}{L} + P(x-a) \qquad (a \le x \le L)$$

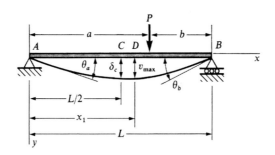

그림 7-5 예제 3. 집중하중을 받는 단순보의 처짐

위의 식을 적분하면 다음과 같이 된다.

$$EIv' = -\frac{Pbx^2}{2L} + C_1 \qquad\qquad (0 \le x \le a) \qquad\qquad \text{(c)}$$

$$EIv' = -\frac{Pbx^2}{2L} + \frac{P(x-a)^2}{2} + C_2 \qquad (a \le x \le L) \qquad \text{(d)}$$

위의 식을 또 한 번 적분하면

$$EIv = -\frac{Pbx^3}{6L} + C_1 x + C_3 \qquad\qquad (0 \le x \le a) \qquad\qquad \text{(e)}$$

$$EIv = -\frac{Pbx^3}{6L} + \frac{P(x-a)^3}{6} + C_2 x + C_4 \qquad (a \le x \le L) \qquad \text{(f)}$$

가 되며 위의 방정식에 있는 적분상수 C_1, C_2, C_3, C_4는 다음 조건들에 의해 구한다.

(1) $x = a$에서 보의 각 구간에 대해 구한 기울기 v'은 같다. (2) $x = a$에서 두 구간에 대한 처짐 v는 같다. (3) A, B 지지점에서 처짐은 없다. 즉 $x = L$에서 $v = 0$, $x = 0$에서 $v = 0$이다.

(1)조건에서 $x = a$일 때 식 (c)와 (d)에서 구한 기울기는 서로 같아야 하므로

$$(0 \le x \le a) - \frac{Pba^2}{2L} + C_1 = -\frac{Pba^2}{2L} + C_2$$

가 되고 따라서 $C_1 = C_2$가 됨을 알 수 있다.

두 번째 조건에서 $x = a$일 때 식 (e)와 (f)에서 구한 처짐은 서로 같아야 하므로

$$(0 \le x \le a) - \frac{Pba^3}{6L} + C_1 a + C_3 = -\frac{Pba^3}{6L} + C_2 a + C_4$$

가 된다. 이 식에서 보면 $C_3 = C_4$가 되어야 하고 마지막 조건 (3)을 식 (e)와 (f)에 적용시키면

$$C_3 = 0, \quad -\frac{PbL^2}{6} + \frac{Pb^3}{6} + C_2 L = 0$$

이 된다. 위의 결과로부터

$$C_1 = C_2 = \frac{Pb(L^2-b^2)}{6L} \quad C_3 = C_4 = 0$$

위의 값을 식 (e)와 (f)에 대입하면 처짐곡선에 대한 방정식은 다음과 같이 된다.

$$EIv = \frac{Pbx}{6L}(L^2-b^2-x^2) \qquad (0 \le x \le a) \tag{7-20a}$$

$$EIv = \frac{Pbx}{6L}(L^2-b^2-x^2) + \frac{P(x-a)^3}{6} \quad (a \le x \le L) \tag{7-20b}$$

위의 식 중 첫 번째 식은 하중 P가 작용한 지점에서 좌측부분 보에 대한 처짐곡선방정식이고, 두 번째 식은 하중지점에서 우측부분에 대한 처짐곡선방정식이다.

보의 두 구간에 대한 처짐각은 C_1, C_2 값을 식 (c)와 식 (d)에 대입하여 구한다.

$$EIv' = \frac{Pb}{6L}(L^2-b^2-3x^2) \qquad (0 \le x \le a) \tag{7-21a}$$

$$EIv' = \frac{Pb}{6L}(L^2-b^2-3x^2) + \frac{P(x-a)^2}{2} \quad (a \le x \le L) \tag{7-21b}$$

임의의 점에서 기울기는 위의 식을 사용하여 구할 수 있다. 따라서 양단에서 처짐각 θ_a와 θ_b는 위의 식 (7-21a, b)에 $x = 0$과 $x = L$을 대입함으로써 구할 수 있다.

$$\theta_a = v'(0) = \frac{Pb(L^2-b^2)}{6LEI} = \frac{Pba(L+b)}{6LEI} \tag{7-22a}$$

$$\theta_b = v'(L) = \frac{Pab(L+a)}{6LEI} \tag{7-22b}$$

각 θ_a는 $b = L/\sqrt{3}$일 때 최대값을 갖는다.

보의 최대처짐은 처짐곡선 기울기가 수평인 $\left(\frac{dv}{dx}=0\right)$ D점(그림 7-5 참조)에서 생긴다. $a > b$일 때에는 이 최대 처짐점이 작용하중의 좌측구간에 있게 되고 이 점은 식 (7-21a)의 처짐각 v'을 0으로 놓아서 찾는다. 보의 왼쪽지점 A에서 최대 처짐이 생기는 점까지의 거리를 x_1이라 하면, x_1값은 식 (7-21a)로부터 다음과 같이 구한다.

$$x_1 = \sqrt{\frac{L^2-b^2}{3}} \qquad (a \ge b) \tag{7-23}$$

위의 식을 보면 하중 P가 보의 중앙 $\left(b = \frac{L}{2}\right)$으로부터 오른쪽 끝단으로 이동함에 따라($b$가 0에 가까이 감에 따라), x_1은 $\frac{L}{2}$에서 $\frac{L}{\sqrt{3}} = 0.577L$까지 변한다. 즉 하중위치가 변하여도 최대처짐은 보의 중앙근처에서 생기며, 보의 중심과 하중 사이에 있게 된다. 최대처짐은 식 (7-20a)에 [식 (7-23)]을 대입하여 얻는데, 이를 정리하면 다음과 같이 된다.

$$v_{max} = \frac{Pb(L^2-b^2)^{3/2}}{9\sqrt{3}\,LEI} \qquad (a \geq b) \tag{7-24}$$

보의 중앙에서 처짐을 구하기 위해 식 (7-20a)에 $x = \dfrac{L}{2}$을 대입하여 얻는다.

$$\delta_c = v\left(\frac{L}{2}\right) = \frac{Pb(3L^2-4b^2)}{48EI} \qquad (a \geq b) \tag{7-25}$$

위에서 본 것과 같이 최대처짐은 항상 보의 중앙점 근처에서 일어나므로, 식 (7-25)는 최대처짐의 근사값이 된다. 극한의 경우(b가 0에 수렴될 때), 최대처짐과 중앙에서의 처짐 사이의 오차는 최대처짐의 3% 내외이다.

하중 P가 보의 중앙에 작용할 때에 $a = b = \dfrac{L}{2}$이므로, 앞의 식들은 다음과 같이 된다.

$$v' = \frac{P}{16EI}(L^2-4x^2) \qquad\qquad \left(0 \leq x \leq \frac{L}{2}\right) \tag{7-26}$$

$$v = \frac{Px}{48EI}(3L^2-4x^2) \qquad\qquad \left(0 \leq x \leq \frac{L}{2}\right) \tag{7-27}$$

$$\theta_a = \theta_b = \frac{PL^2}{16EI} \tag{7-28}$$

$$\delta_c = v_{max} = \frac{PL^3}{48EI} \tag{7-29}$$

이때에는 처짐곡선이 보의 중앙점에 대해 대칭이나, v'과 v에 관한 위의 식들은 보의 좌측 구간에만 적용된다.

7.4 전단력과 하중방정식의 적분에 의한 처짐

보의 처짐을 구하기 위해 전단력 V와 하중 q의 항으로 표기된 처짐곡선의 방정식[식 (7-10b)와 (c)]을 이용할 수 있다. 더 많은 적분이 요구되는 점을 제외하고는 그 풀이과정이 굽힘모멘트방정식에 대한 것과 거의 같다. 예를 들면 4계미방인 하중방정식을 사용하면 처짐방정식이 나올 때까지 4번 적용해야 한다. 이런 여러 번의 적분 때문에 적분상수가 많이 생기게 되는데, 이 값들 역시 경계 및 연속조건에 의해 구해진다. 이 조건들은 기울기와 처짐에 관한 조건들뿐만 아니라 전단력과 굽힘모멘트에 관한 조건들을 포함한 것이다.

세 가지 미분방정식 중에 어느 것을 선택하느냐하는 것은 수학적 편리성과 개인의 취향에

따라 결정된다. 예를 들면, 자유물체도로부터 정적평형을 택하여 굽힘모멘트를 구하는 것이 쉽지 않으나 하중 q에 관한 식을 구하기가 편할 때에는 하중방정식을 사용하는 것이 좋다.

예제 ①

그림과 같이 3각형 모양의 분포하중을 받는 일단고정보에서 단위길이에 대한 하중의 최대값이 q_0일 때 처짐곡선방정식을 구하라(그림 7-6 참조). 또한 자유단에서 처짐 δ_b와 회전각 θ_b를 구하라.

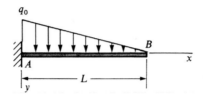

그림 7-6 예제 1. 3각형 하중을 받는 일단 고정보의 처짐

풀이 임의의 점에 대한 분포하중은 다음 식으로 표시된다.

$$q = \frac{q_0(L-x)}{L}$$

따라서 식 (7-10c)의 4계미분방정식에 대입하면

$$EIv''''= \frac{q_0(L-x)}{L}$$

가 되고, 이를 적분하면 다음과 같이 된다.

$$EIv''' = \frac{q_0 x}{2L}(2L-x) + C_1 \tag{a}$$

이 식의 좌변은 전단력 V의 $(-)$값을 나타낸다[식 (7-10b) 참조]. 상수 C_1를 구하기 위한 경계조건은 $x=L$에서 전단력이 0인 것을 고려하면 다음과 같이 표시된다.

$$v'''(L) = 0$$

이 조건을 식 (a)에 대입하면 $C_1 = -q_0 L/2$이 되며, 이 값을 다시 식 (a)에 대입하여 다음 식을 얻는다.

$$EIv''' = -\frac{q_0}{2L}(L^2 - 2Lx + x^2) = -\frac{q_0}{2L}(L-x)^2$$

위의 식을 적분하면

$$Ev'' = \frac{q_0}{6L}(L-x)^3 + C_2 \qquad \text{(b)}$$

가 되며, 위의 식은 (7-10a)의 굽힘모멘트식과 같은 형태이다. 두 번째 경계조건은 보의 자유단에서 굽힘모멘트가 0이라는 것이다. 즉,

$$v''(L) = 0$$

위의 조건을 식 (b)에 대입하여 $C_2 = 0$을 구한다. 따라서

$$Ev'' = \frac{q_0}{6L}(L-x)^3$$

이며 세 번째, 네 번째 적분을 계속하면 다음 식을 얻는다.

$$Ev' = -\frac{q_0}{24L}(L-x)^4 + C_3 \qquad \text{(c)}$$

$$Ev = \frac{q_0}{120L}(L-x)^5 + C_3 x + C_4 \qquad \text{(d)}$$

고정단에서 경계조건은

$$v'(0) = 0, \quad v(0) = 0$$

이기 때문에

$$C_3 = \frac{q_0 L^3}{24} \quad C_4 = -\frac{q_0 L^4}{120}$$

이 된다. 위의 상수값들을 식 (c)와 (d)에 대입하여, 보의 기울기 및 처짐에 대한 다음 식을 구한다.

$$v' = \frac{q_0 x}{24LEI}(4L^3 - 6L^2 x + 4Lx^2 - x^3) \qquad \text{(7-30)}$$

$$v = \frac{q_0 x^2}{120LEI}(10L^3 - 10L^2 x + 5Lx^2 - x^3) \qquad \text{(7-31)}$$

자유단에서의 회전각 θ_b 및 처짐 δ_b를 구하기 위해 식 (7-30) 및 (7-31)에 $x = L$을 대입하면 된다.

$$\theta_b = \frac{q_0 L^3}{24EI} \quad \delta_b = \frac{q_0 L^4}{30EI} \qquad \text{(7-32a, b)}$$

위와 같이 처짐곡선의 4계미분방정식을 풀어서 보의 처짐과 기울기에 관한 식을 유도할 수 있다.

예제 ❷

집중하중 P를 받는 돌출보에 대한 처짐곡선 방정식을 구하라(그림 7-7 참조). 전체 스팬 길이는 L이고 돌출부의 길이는 $L/2$이다.

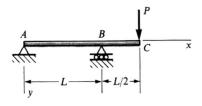

그림 7-7 예제 2. 돌출보의 처짐

풀이 지점 A와 B에는 반력이 작용하기 때문에 힘이 변하는 부분, 즉 보의 AB부분과 BC부분에 대해 서로 다른 미분방정식을 세워야 한다. 각각의 부분에 대한 전단력은 다음과 같다.

$$V=-\frac{P}{2} \qquad (0 < x < L)$$

$$V=P \qquad \left(L < x < \frac{3}{2}L\right)$$

따라서 식 (7-10b)와 같이 3계미분방정식으로 표시하면

$$EI v''' =\frac{P}{2} \qquad (0 < x < L)$$

$$EI v''' =-P \qquad \left(L < x < \frac{3}{2}L\right)$$

가 되며, 위의 식을 적분하여 다음과 같은 굽힘모멘트방정식을 얻는다.

$$EI v'' =\frac{Px}{2}+C_1 \qquad (0 \le x \le L) \tag{e}$$

$$EI v'' =-Px + C_2 \qquad \left(L \le x \le \frac{3L}{2}\right) \tag{f}$$

A지점과 C점에서 경계조건은 굽힘모멘트가 0이므로 다음과 같이 된다.

$$v''(0) = 0 \quad v''\left(\frac{3L}{2}\right)=0$$

위의 조건을 식 (e)와 (f)에 대입하여 다음을 얻는다.

$$C_1 = 0, \quad C_2 = \frac{3PL}{2}$$

따라서

$$Ev'' = \frac{Px}{2} \qquad (0 \le x \le L)$$

$$Ev'' = \frac{P(3L-2x)}{2} \qquad \left(L \le x \le \frac{3L}{2}\right)$$

가 되고, 위의 식을 다시 적분하면

$$Ev' = \frac{Px^2}{4} + C_3 \qquad (0 \le x \le L)$$

$$Ev' = \frac{Px(3L-x)}{2} + C_4 \qquad \left(L \le x \le \frac{2L}{2}\right)$$

가 된다. 기울기에 대한 오직 한 가지 조건은 B지점에서 연속이라는 것이다. AB에 대한 $v'(L) = BC$에 대한 $v'(L)$
즉

$$\frac{PL^2}{4} + C_3 = PL^2 + C_4$$

가 식에서 C_4는 C_3의 항으로 나타냄으로써 적분상수가 하나 줄게 된다.

$$C_4 = C_3 - \frac{3PL^2}{4}$$

세 번째 적분을 하면 다음과 같게 된다.

$$Ev = \frac{Px^3}{12} + C_3 x + C_5 \qquad (0 \le x \le L)$$

$$Ev = \frac{Px^2(9L-2x)}{12} + C_4 x + C_6 \qquad \left(L \le x \le \frac{3L}{2}\right)$$

A지점과 B지점에서의 처짐이 0이므로 경계조건 3개를 얻을 수 있다. 즉

$$v(0) = 0, \ (AB부분에 \ 대해); \ v(L) = 0, \ (BC부분에 \ 대해); \ v(L) = 0$$

따라서 적분상수들에 대한 식은

$$C_5 = 0 \quad C_3 = -\frac{PL^2}{12}$$

$$C_4 L + C_6 = -\frac{7PL^3}{12}$$

이 되는데, 이 식들을 식 (g)에 대입하여 다음 값들을 얻는다.

$$C_4 = -\frac{5PL^2}{6} \qquad C_6 = \frac{PL^3}{4}$$

따라서 보의 처짐방정식은 다음과 같게 된다.

$$v = -\frac{Px}{12EI}(L^2 - x^2) \qquad\qquad (0 \leq x \leq L) \qquad (7\text{-}33\text{a})$$

$$v = \frac{P}{12EI}(3L^3 - 10L^2 x + 9Lx^2 - 2x^3)$$

$$= \frac{P}{12EI}(3L - x)(L - x)(L - 2x) \qquad \left(L \leq x \leq \frac{3}{2}L\right) \qquad (7\text{-}33\text{b})$$

식 (7-33b)에서 도출부 끝$\left(x = \dfrac{3L}{2}\right)$에 대한 처짐을 구할 수 있다.

$$\delta_c = \frac{PL^3}{8EI} \qquad\qquad (7\text{-}34)$$

보의 처짐은 BC구간에서는 아래로 향하고, AB구간에서는 위로 향한다.

7.5 모멘트-면적법

이 절에서는 보의 처짐을 구하는 새로운 방법을 제시할 것이다. 이 방법을 **모멘트-면적법** (moment-area method)이라 하며 굽힘모멘트선도의 면적을 이용한다. 이 방법은 보의 임의의 한 점에서의 처짐이나 회전각을 구하고자 할 때 특히 유용하다. 이는 처짐곡선 방정식을 구하지 않고 그 값을 알 수 있기 때문이다.

이 방법을 설명하기 위해 보의 처짐곡선 중 일부인 곡률이 양인 영역 AB구간을 생각해 보기로 하자(그림 7-8 참조). A점에서는 처짐곡선에 대한 접선 AB'이 x축으로부터 양의 회전각 θ_a를 가지고, B점에서 접선 $C'B$는 회전각 θ_b를 갖는다. 두 접선 사이각 θ_{ba}는 θ_b와 θ_a의 차와 같다. 즉

$$\theta_{ba} = \theta_b - \theta_a \qquad\qquad (7\text{-}35)$$

여기서 θ_{ba}는 A점에서의 접선에 대한 B점의 접선의 상대적인 회전각을 나타낸다. 상대 회전각 θ_{ba}는 그림에서와 같이 θ_b가 θ_a보다 클 때 양이다.

보의 축상에서 거리 ds만큼 떨어진 두 점 m_1과 m_2를 생각해 보자. 이 점들에서 그린 접

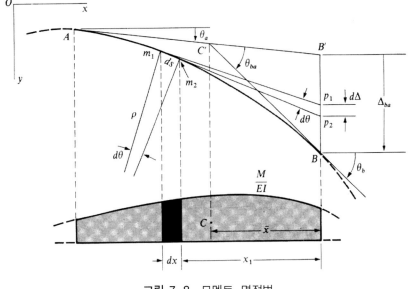

그림 7-8 모멘트-면적법

선을 그림에서 $m_1 p_1$, $m_2 p_2$로 나타내면, 이 접선들에 대한 법선들은 곡률중심에서 만나며 그 사이각 $d\theta$는 곡률반지름을 ρ라 할 때 ds/ρ와 같다. 또 두 개의 접선들의 사이각도 $d\theta$와 같으며 식 (7-6)으로부터 다음과 같이 구해진다.

$$d\theta = -\frac{Mdx}{EI} \tag{a}$$

위의 식에서 M은 굽힘모멘트이고, EI는 굽힘강도이다.

Mdx/EI값은 기하학적으로 간단하게 해석할 수 있다. 그림 7-8의 보 아래에 M/EI선도 (즉, 임의점에서의 y좌표값이 그 점에서의 굽힘모멘트 M값을 나타내고 그것을 굽힘강도로 나눈 선도)를 그린다. M/EI선도는 EI값이 상수인 경우에만 굽힘모멘트선도와 같은 모양을 갖는다. Mdx/EI항은 그림 7-8의 M/EI선도에서 검정부분의 면적이다.

이제 식 (a)를 A점에서 B점까지 적분하면

$$\int_A^B d\theta = -\int_A^B \frac{Mdx}{EI} \tag{b}$$

위의 식에서 좌변의 적분은 $\theta_b - \theta_a$이며 이는 B점과 A점에서 그린 접선 사이의 상대각 θ_{ba}이다. 우측의 적분은 M/EI선도에서 A점과 B점 사이의 면적을 나타낸다. M/EI선도의 면적값은 대수적인 양이기 때문에 굽힘모멘트의 부호에 따라 양의 값 또는 음의 값을 가진

494

다. 식 (b)를 다시 쓰면 다음과 같다.

$$\theta_{ba} = -\int_A^B \frac{Mdx}{EI}$$

$$= -[A\text{점과 } B\text{점 사이의 } M/EI \text{ 선도 면적}] \tag{7-36}$$

이것은 다음과 같은 정리로 표현된다.

모멘트–면적법 제1정리. 임의의 두 점 A와 B에서 처짐곡선에 그은 접선의 상대각 θ_{ba}는, M/EI선도에서 A와 B 사이의 면적의 음의 값과 같다.

이 정리에 사용된 부호규약은 다음과 같다.

(1) 두 접선 사이의 상대각 θ_{ba}는 θ_b가 대수적으로 θ_a보다 클 때(그림 7-8 참조) 양이다. 이 경우 B점은 A점의 좌측에 있어야 하며, 이는 보의 축을 따라 x방향으로 이동할 때 B점이 원점에서 더 먼 곳에 있어야 됨을 말한다. (2) 굽힘모멘트는 보의 상부에 압축을 줄 때 양이다. (3) M/EI선도의 면적은 굽힘모멘트의 부호가 양이냐 음이냐에 따라 부호가 결정된다. 즉 굽힘모멘트 부호가 양이면 면적의 부호도 양이고, 굽힘모멘트 부호가 음이면 선도면적의 부호도 음이다. 또 굽힘모멘트의 일부가 양이고, 일부는 음일 경우 M/EI선도의 부호도 이에 대응하여 부호를 정한다. 따라서 M/EI선도의 면적은 대수적 양으로 취급한다.

모멘트–면적 제1정리는 보 축상에 임의로 정해진 점들 사이의 회전각과 관련된 처짐문제 계산에 사용되며 다음에 설명될 것이다.

해석의 다음 단계로, 처짐곡선 B점과 A점에서 그린 접선상에 있는 B'점 사이의 수직거리 Δ_{ba}를 살펴보면(그림 7-8 참조), 회전각 θ_a와 θ_b는 매우 작은 값을 가짐을 감안하여(즉, A점과 B점에서 접선은 거의 수평선에 가깝다), 그림에서 수직거리 $d\Delta$ (P_1P_2 길이)는 $xd\theta$임을 알 수 있다. 여기서 x_1은 m_1m_2요소에서 B점까지 수평거리이며, $d\theta = -Mdx/EI$이므로

$$d\Delta = x_1 d\theta = -x_1 \frac{Mdx}{EI} \tag{c}$$

가 된다. 길이 $d\Delta$는 전체 처짐길이 Δ_{ba} 중 m_1m_2요소의 굽힘 때문에 생긴 부분적인 길이를 나타낸다. $x_1 Mdx/EI$값은 M/EI선도 중 까맣게 표시된 면적요소(Mdx/EI)의 B점에 대한 1차 모멘트로 해석할 수 있다. 식 (c)를 A점에서 B점까지 적분하면

$$\int_A^B d\Delta = -\int_A^B x_1 \frac{Mdx}{EI} \tag{d}$$

좌변의 적분값은 Δ_{ba}이며, 이는 B점으로부터 A점에서 그린 접선까지의 수직거리이고,

우변의 적분값은 M/EI선도 A와 B 사이 면적의 B점에 관한 1차 모멘트를 나타낸다. 때문에 식 (d)는 다음과 같이 쓸 수 있다.

$$\Delta_{ba} = -\int_A^B x_1 \frac{Mdx}{EI}$$

$$= -\,[M/EI선도에서\ A, B\ 사이\ 면적의\ B점에\ 대한\ 1차\ 모멘트]\quad(7\text{-}37)$$

이것은 다음과 같은 정리로 표현된다.

모멘트–면적법 제2정리. B점으로부터 A점에서 그은 접선까지의 연직거리 Δ_{ba}는
A점과 B점 사이의 M/EI선도면적의 B점에 관한 1차 모멘트의 음의 값이다.

연직거리 Δ_{ba}는 y방향을 양으로 한다. A점에서 B점을 향하여 x방향으로 움직일 때 M/EI선도의 면적이 음이면, 1차 모멘트도 음이고 연직거리는 양이다. 이것은 B점이 A점에서 그린 접선보다 아래에 있음을 나타낸다. 이 경우가 그림 7-8에 나타나 있다. 이때 면적이 양이면, 1차 모멘트도 양이고, 연직거리는 음이며, B점이 A점에서 그린 접선보다 위에 있음을 말한다. 1차 모멘트를 계산할 때 길이 x_1은 그림 7-8과 같이 B점에서 A점방향으로 갈 때 양이다.

M/EI선도의 면적 1차 모멘트는 선도의 면적과 B점에서 면적의 도심 C까지 길이 $\overline{x}$를 곱하여 얻는다(그림 7-8 참조). 이러한 과정은 적분과정에 비해 훨씬 쉽고 유리하다. 왜냐하면 선도는 일반적으로 사각형, 삼각형 또는 포물선과 같은 해석이 비교적 편리한 기하학적 모양으로 되어 있기 때문이다. 이런 모양에 대한 면적과 도심의 위치, 거리는 부록 D에 수록되어 있다.

모멘트–면적법 제2정리는 보 위의 한 점과 다른 위치의 점에서 그린 접선 간의 관계를 도시하기 때문에 처짐을 구하는데 매우 유용하다. 이것에 대한 설명은 다음 예제에서 설명된다.

대부분의 보에서는, 보가 위로 처지는가 아래로 처지는가 또는 회전각이 시계방향인가 반시계방향인가 하는 것이 명백하다. 그러므로 모멘트–면적법에서 설명했던(처음에는 복잡하게 느꼈던) 부호규약을 따를 필요가 없다. 다만 절대값으로 계산하고 방향은 그림을 보고 결정한다.

모멘트–면적법 이론은 식 (7-6)에 따르므로 선형탄성보에만 적용된다. 뒤에 10장에서 비탄성보에 적용되는 더욱 일반적인 곡률–면적 이론이 사용될 것이다.[*]

---

[*] 모멘트–면적법은 Saint-Venant(참고문헌 7-6, 7-7)에 의해 소개되었다. 이 방법은 Mohr(참고문헌 7-8, 7-9)와 Greene(참고문헌 7-10)에 의해 더욱 발전되었다.

예제 ①

그림과 같은 일단고정보 AB가 자유단 B에 집중하중 P를 받을 때 자유단 B에서의 회전각 θ_b 및 처짐 δ_b를 구하라(그림 7-9 참조).

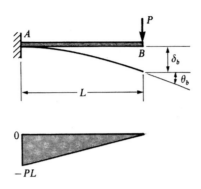

그림 7-9 예제 1. 집중하중을 받는 일단고정보

풀이 이 보에 대한 굽힘모멘트선도는 그림의 밑부분에서 보는 것처럼 삼각형 모양이다. 굽힘강도계수 EI값이 상수이므로 M/EI선도는 굽힘모멘트선도와 같은 모양을 갖는다. 모멘트-면적법 제1정리로부터, B점과 A점에서 그린 접선 사이의 상대회전각 θ_{ba}는 M/EI선도 면적의 음의 값과 같음을 알 수 있다. 선도의 면적은

$$A_1 = \frac{1}{2}L(-PL)\left(\frac{1}{EI}\right) = -\frac{PL^2}{2EI}$$

따라서

$$\theta_{ba} = \theta_b - \theta_a = -A_1 = \frac{PL^2}{2EI}$$

A점에서 처짐곡선에 그린 접선은 수평이므로($\theta_a = 0$)

$$\theta_b = \frac{PL^2}{2EI} \tag{7-38}$$

이 된다. 보의 자유단은 그림에서 보는 바와 같이 시계방향으로 회전한다.

자유단의 처짐 δ_b는 모멘트-면적법 제2정리를 통해 구한다. B점(처짐곡선상의 점)에서 A점에서 그린 접선까지의 연직거리 Δ_{ba}는 처짐 δ_b와 같다. 따라서 M/EI선도면적의 B점에 대한 1차 모멘트는 다음과 같이 된다.

$$Q_1 = A_1\left(\frac{2L}{3}\right) = -\frac{PL^2}{2EI}\left(\frac{2}{3}L\right) = -\frac{PL^3}{3EI}$$

모멘트-면적법 제2정리로부터 $\delta_b = -\theta_1$이고

$$\delta_b = \frac{PL^3}{3EI} \tag{7-39}$$

양의 값은 처짐이 아래로 향함을 의미한다.

예제 2

보의 일단에 등분포하중 q를 받는 일단고정보의 자유단에서의 회전각 θ_b 및 처짐 δ_b를 구하라 (그림 7-10 참조).

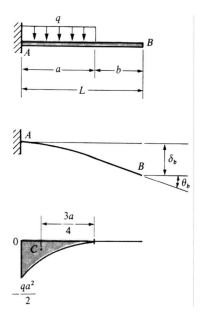

그림 7-10 예제 2. 보의 일부에 등분포하중을 받는 캔틸레버보

풀이 굽힘모멘트선도는 포물선 형태로 되어 있다(이 곡선에 대한 것은 부록 경우 1, 2 참조). EI가 상수이면 M/EI선도와 M에 관한 선도는 같은 모양을 갖는다. 보의 처짐축은 등분포하중을 받는 부분에서는 곡선으로, 그 외의 부분에서는 직선이 됨을 유의해야 한다. A점에서 접선이 수평이기 때문에 회전각 θ_b는 상대각 θ_{ba}와 같다. M/EI선도의 면적은

$$A_1 = \frac{1}{3}(a)\left(-\frac{qa^2}{2}\right)\left(\frac{1}{EI}\right) = -\frac{qa^3}{6EI}$$

모멘트-면적법 제1정리로부터, $\theta_b = -A_1$이다.

$$\theta_b = \frac{qa^3}{6EI} \tag{7-40}$$

이 각은 하중을 받지 않는 보의 부분에 대한 기울기이다. 이때에는 처짐 δ_b가 A점에서 그린 접선과 처짐곡선상 B점 사이의 수직길이 Δ_{ba}와 같다. 따라서 δ_b는 $\frac{M}{EI}$선도면적의 B 점에 관한 1차 모멘트의 $\frac{3a}{2}$만큼 떨어진 곳, 또는 B점에서 $b+\frac{3a}{4}$만큼 떨어진 곳에 위치한다. 따라서 1차 모멘트 값은 다음과 같이 된다.

$$Q_1 = A_1\left(b + \frac{3a}{4}\right) = \left(-\frac{qa^3}{6EI}\right)\left(b + \frac{3a}{4}\right) = -\frac{qa^3}{24EI}(4L - a)$$

또한 자유단에서의 처짐 $\delta_b = -Q_1$이 된다. 즉,

$$\delta_b = \frac{qa^3}{24EI}(4L - a) \tag{7-41}$$

$a = L$일 때, 즉 등분포하중이 길이 전체에 작용하는 일단고정보일 때 처짐값은 다음과 같이 된다[식 (7-19b) 참조].

$$\delta_b = \frac{qL^4}{8EI}$$

예제 ③

보의 우측 반 길이에 등분포하중 q를 받는 일단고정보 AB가 있다. 자유단에서의 회전각 θ_b와 처짐 δ_b를 구하라(그림 7-11 참조).

풀이 굽힘모멘트선도는 B에서 C까지는 포물선, C에서 A까지는 직선으로 되어 있다. EI가 상수이므로 $\frac{M}{EI}$선도도 같은 모양을 갖는다. $\frac{M}{EI}$선도 면적과 1차 모멘트를 구하기 위해서 이 선도는 면적 A_1, A_2 및 A_3를 갖는 3부분으로 나누는 것이 편리하다. 이들은 포물선형, 사각형, 삼각형으로 되어 있으며 면적들은 다음과 같다.

$$A_1 = \frac{1}{3}\left(\frac{L}{2}\right)\left(-\frac{qL^2}{8EI}\right) = -\frac{qL^3}{48EI}$$

$$A_2 = \frac{L}{2}\left(-\frac{qL^2}{8EI}\right) = -\frac{qL^3}{16EI}$$

$$A_3 = \frac{1}{2}\left(\frac{L}{2}\right)\left(-\frac{qL^2}{4EI}\right) = -\frac{qL^3}{16EI}$$

회전각 θ_b는 M/EI선도의 면적의 음의 값과 같으므로

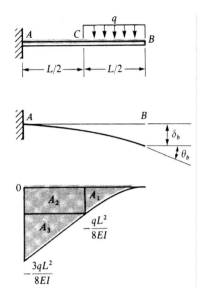

그림 7-11 예제 3. 보의 반길이에 등분포하중을 받는 일단고정보

$$\theta_b = -(A_1 + A_2 + A_3) = \frac{7qL^3}{48EI} \tag{7-42}$$

이 되고 처짐 δ_b는 $\frac{M}{EI}$선도 면적의 B에 관한 1차 모멘트의 음의 값과 같다. 즉

$$\delta_b = -(A_1 \overline{x}_1 + A_2 \overline{x}_2 + A_3 \overline{x}_3)$$

여기서 $\overline{x}_1, \overline{x}_2$ 및 $\overline{x}_3$는 B에서 각 면적의 도심까지의 거리이다. 따라서

$$\delta_b = \frac{qL^3}{48EI}\left(\frac{3L}{8}\right) + \frac{qL^3}{16EI}\left(\frac{3L}{4}\right) + \frac{qL^3}{16EI}\left(\frac{5L}{6}\right) = \frac{41qL^4}{384EI} \tag{7-43}$$

이 된다. 이 예제는 복잡한 모양의 $\frac{M}{EI}$선도의 면적과 1차 모멘트를 구하기 위해 선도를 여러 부분으로 나누어 구할 수 있음을 보여 준다.

예제 ④

그림 7-12와 같이 단순보 AB가 집중하중 P를 받고 있다. A지점에서의 회전각 θ_a, 하중 P 작용점에서의 처짐 δ 및 최대처짐 δ_{max} 을 구하라.

풀이 먼저 A지점에서 접선 AB'을 그린다. 길이 BB'은 B점에서 접선 AB'까지의 수직길이 Δ_{ba}이며 길이 BB'은 모멘트-면적법 제2정리에 따라 M/EI선도를 B점에 대한 1차 모멘트로 하여 구한다. 굽힘모멘트선도는 그림에 보는 바와 같이 삼각형이고 높이가 Pab/L이다.

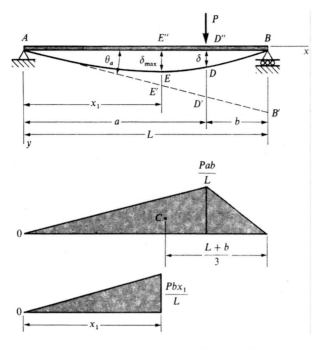

그림 7-12   예제 4. 집중하중을 받는 단순보

EI는 상수이므로 $\dfrac{M}{EI}$ 선도는 다음과 같은 모양을 갖는다. 따라서 $\dfrac{M}{EI}$ 선도의 면적은

$$A_1 = \frac{1}{2}(L)\left(\frac{Pab}{L}\right)\left(\frac{1}{EI}\right) = \frac{Pab}{2EI}$$

가 된다.

이 면적의 도심 C는 B점으로부터 $(L+b)/3$거리에 있다(부록 D의 경우 3 참조). 따라서 Δ_{ba}는

$$\Delta_{ba} = -A_1\left(\frac{L+b}{3}\right) = -\frac{Pab}{6EI}(L+b)$$

가 되며 여기서 음의 부호는 Δ_{ba}가 음의 y방향 또는 상방향임을 나타낸다. 즉 B점은 접선 위에 있다. 길이 BB'은 Δ_{ba}값과 같으므로

$$BB' = \frac{Pab}{6EI}(L+b)$$

이다. 또 그림으로부터 각 θ_a가 길이 BB'을 보의 길이로 나눈 값과 같으므로 다음과 같이 된다.

$$\theta_a = \frac{BB'}{L} = \frac{Pab}{6LEI}(L+b) \tag{7-44}$$

이와 같이 A점에서의 회전각을 구하였다.

그림 7-12에서 보는 바와 같이, 하중 P 바로 아랫점의 처짐 δ는 길이 $D'D'$에서 길이 $D'D$를 뺀 값과 같다. 길이 $D'D'$은 $a\theta_a$와 같고, 길이 $D'D$는 모멘트-면적법 제2정리로부터 구한다. $D'D$는 D점에서 A점에서 그린 접선까지의 수직 길이와 같다. A와 D 사이에 있는 $\frac{M}{EI}$선도의 면적에서 D점에 관한 1차 모멘트를 구하기 위해 선도의 면적을 구하면 이 면적은 좌측 삼각형의 면적을 EI로 나눈 값이다.

$$A_2 = \frac{1}{2}(a)\left(\frac{Pab}{L}\right)\left(\frac{1}{EI}\right) = \frac{Pa^2b}{2LEI}$$

따라서 D점에 관한 1차 모멘트는

$$Q_1 = A_2\left(\frac{a}{3}\right) = \frac{Pa^3b}{6LEI}$$

이고 처짐 Δ_{ba}는 이 값의 음의 값이다. 그러나 실제값 $D'D$는 Q_1과 같으므로

$$D'D = \frac{Pa^3b}{6LEI}$$

가 된다. 따라서 D점에서 처짐은 다음과 같이 된다.

$$\delta = D'D' - D'D = a\theta_a - \frac{Pa^3b}{6LEI} = \frac{Pa^2b^2}{3LEI} \tag{7-45}$$

위에 기술한 θ_a와 δ에 관한 공식은 하중 P의 위치에 관계없이 사용된다.

최대처짐을 구하기 위해, $a \geq b$라고 가정하면 최대처짐은 하중의 왼쪽에 나타나게 된다 ($a=b$인 특수 경우에는 하중의 작용점에 생긴다). 최대처짐은 A지점에서 거리 x_1만큼 떨어진 E점에서 생기는데, 이 점에서는 처짐곡선의 접선이 x좌표에 평행(수평)이 된다. 모멘트-면적법 제1정리에 의하면 E점과 A점에서 그린 접선의 상대각 θ_{ea}는 E점과 A점 사이에 있는 M/EI선도의 면적의 음의 값과 같다. 따라서 그림 7-12의 하부에 있는 굽힘모멘트선도의 AE구간 면적을 계산하면 다음과 같다.

$$A_3 = \frac{1}{2}(x_1)\left(\frac{Pbx_1}{L}\right)\left(\frac{1}{EI}\right) = \frac{Pbx_1^2}{2LEI}$$

제1정리로부터,

$$\theta_{ea} = \theta_e - \theta_a = -A_3 = -\frac{Pbx_1^2}{2LEI}$$

여기서 θ_e는 0이므로, x_1길이를 구하기 위해 식 (7-44)에 주어진 θ_a값을 대입하여 다음 식을 얻는다.

$$-\frac{Pab}{6LEI}(L+a) = -\frac{Pbx_1^2}{2LEI}$$

$$x_1 = \sqrt{\frac{a(2L-a)}{3}} = \sqrt{\frac{L^2-b^2}{3}} \tag{7-46}$$

이 값은 A점에서 E점까지의 거리이다.

최대처짐 $\delta_{\max}$은 $E'E''$에서 $E'E$를 뺀 값과 같다. $E'E''$은 $x_1\theta_a$와 같고, $E'E$의 거리는 $D'D$를 구한 것과 같이 모멘트–면적법 제2정리를 써서 구한다. 그 결과는 다음과 같다.

$$\delta_{\max} = x_1\theta_a - A_3\left(\frac{x_1}{3}\right) = \frac{Pb}{9\sqrt{3}\,LEI}(L^2-b^2)^{3/2} \tag{7-47}$$

$\delta_{\max}$을 구하는 간단한 다른 방법은 $\delta_{\max}$이 E점에서 그린 접선과 A지지점 사이의 수직거리와 같다는 것을 파악하는 것이다. 이것은 A점과 E점 사이에 있는 M/EI선도면적의 A점에 대한 1차 모멘트와 같으므로 $\delta_{\max}$은 다음과 같이 된다.

$$\delta_{\max} = A_3\left(\frac{2x_1}{3}\right) = \frac{Pbx_1^3}{3LEI} \tag{7-48}$$

예제 ⑤

어떤 보 ABC가 A점과 B점에서는 단순지지되고, B점에서 C점까지는 돌출되어 있다(그림 7-13 참조). A에서 B까지 스팬길이는 10 m, 돌출부길이는 4 m이다. A지점에서 4 m 떨어진 D점에 40 kN의 집중하중이 작용하고 돌출부에는 5 kN/m의 분포하중이 작용한다. 단면이 WF이고 $E = 200$ GPa, $I = 1.28 \times 10^9$ mm^{4}일 때 (a) 그림에 보인 각을 양으로 할 때, A, B, C 점에서 회전각 $\theta_a, \theta_b, \theta_c$를 구하라. (b) 자유단에서의 처짐 δ_c를 구하라. (c) 스팬 AB에서의 최대처짐 $\delta_{\max}$을 구하라.

풀이 (a) 여러 지점의 회전각과 처짐을 구하기 위해 굽힘모멘트선도가 필요하다. 정적평형으로부터, 처짐곡선 아래에 그린 것 같은 모멘트선도를 얻는다. 집중하중 작용점의 굽힘모멘트는 80 kN·m, B지지점에서는 -40 kN·m이다. 이 두 점 사이의 굽힘모멘트는 선형으로 변하며 B지점에서 2 m 거리에 있는 점에서는 0이 된다. 이 점을 지나면 굽힘모멘트 부호는 바뀌며 곡률 또한 부호가 바뀐다. 결과적으로 보의 처짐곡선상에 곡률이 0인 지점이 있게 되는데, 이 점을 **변곡점**(inflection point)이라 한다. 이 변곡점 좌측에서는 보가 아래로 볼록하게 굽혀지고, 이 점의 우측에서는 보가 위로 볼록하게 굽혀진다.

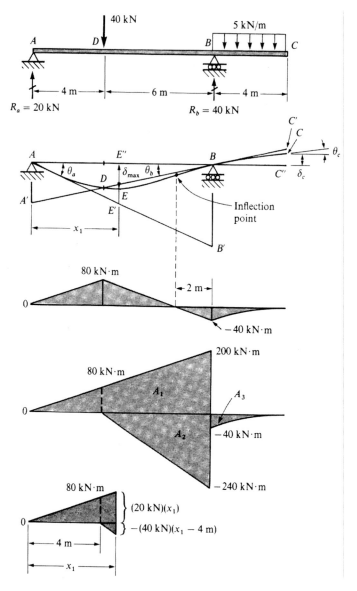

그림 7-13 예제 5. 돌출보

$\frac{M}{EI}$ 선도의 면적과 1차 모멘트를 계산하기 유리하도록 네 번째 그림과 같이 예상 굽힘모멘트선도를 다시 그린다. 이 모멘트선도는 바로 위에 그린 선도와 대등하며, 이를 확인하기 위해서 몇 군데 점에서 굽힘모멘트를 계산함으로써 쉽게 알 수 있다. 이 그림의 상부에 있는 삼각형은 A점의 반력으로 인해 생긴 A점과 B점 사이의 모멘트를 나타내며, 하부에 있는 삼각형은 집중하중에 의한 D점에서 B점 사이의 모멘트를 나타낸다. 이런 모양으로 굽힘모멘트선도를 그린 것을 부분적인 모멘트선도라고 부르는데, 이는 임의단면에서 전체

굽힘모멘트를 보여 주는 것이 아니라 부분적인 모멘트를 보여 주기 때문이다. 모멘트-면적법에 의해 계산할 때에는 두 가지 형태의 굽힘모멘트선도 중 어느 것을 사용해도 좋으나, 이 예제에서는 부분적으로 그린 선도를 사용하는 것이 편리하다. 보를 설계할 경우에는 전체 굽힘모멘트선도가 필요하다.

먼저 굽힘모멘트선도의 세 부분의 면적 A_1, A_2 및 A_3를 계산하면

$$A_1 = \frac{1}{2}(10 \text{ m})(200 \text{ kN·m}) = 1000 \text{ kN·m}^2$$

$$A_2 = \frac{1}{2}(6 \text{ m})(-240 \text{ kN·m}) = -720 \text{ kN·m}^2$$

$$A_3 = \frac{1}{3}(4 \text{ m})(-40 \text{ kN·m}) = -53.33 \text{ kN·m}^2$$

가 되고 이것에 대응하는 M/EI선도의 면적은 이들 면적을 EI로 나누어 얻는다.

다음 회전각 θ_a(그림 7-13)를 구하기 위해 길이 BB'을 스팬의 길이 10 m로 나눈다. 길이 BB'은 A점과 B점 사이의 M/EI선도면적의 B점에 대한 1차 모멘트와 같고 따라서 BB'에 EI를 곱한 값은 다음과 같이 된다.

$$EI(BB') = A_1\left(\frac{10 \text{ m}}{3}\right) + A_2\left(\frac{6 \text{ m}}{3}\right)$$

$$= (1000 \text{ kN·m}^2)\left(\frac{10 \text{ m}}{3}\right) - (720 \text{ kN·m}^2)\left(\frac{6 \text{ m}}{3}\right)$$

$$= 1893 \text{ kN·m}^5$$

$EI\theta_a$값은

$$EI\theta_a = \frac{EI(BB')}{10 \text{ m}} = 189.3 \text{ kN·m}^2$$

가 된다. 계산을 간략하게 하기 위해 EI값은 공통인자로 취급하여 후에 E와 I값을 대입함으로써 rad 단위의 θ_a값을 구한다. 회전각 θ_b도 같은 방법으로 구한다. 먼저 모멘트-면적법 제2정리에 의해 길이 AA'을 구한다.

$$EI(AA') = A_1\left(\frac{2}{3}\right)(10 \text{ m}) + A_2\left[4 \text{ m} + \frac{2}{3}(6 \text{ m})\right]$$

$$= (1000 \text{ kN·m}^2)\left(\frac{20 \text{ m}}{3}\right) - (720 \text{ kN·m}^2)(8 \text{ m})$$

$$= 906.7 \text{ kN·m}^3$$

따라서 $EI\theta_b$ 값은 다음과 같다.

$$EI\theta_b = \frac{EI(AA')}{10 \text{ m}} = 90.67 \text{ kN·m}^2$$

모멘트-면적법 제1정리에 의하면, 회전각 θ_c는 B점에서의 회전각 θ_b와 B점과 C점 사이의 M/EI선도의 면적을 합한 것과 같다. 따라서,

$$EI\theta_c = EI\theta_b + A_3$$
$$= 90.67 \text{ kN·m}^2 - 53.33 \text{ kN·m}^2 = 37.33 \text{ kN·m}^2$$

실제의 회전각은 앞의 식들에 $E = 200 \text{ GPa}$, $I = 1.28 \times 10^9 \text{ mm}^4$값을 대입하여 구한다. EI 값은 256.0 MN·m^2이다. 따라서 θ는

$$\theta_a = \frac{189.3 \text{ kN·m}^2}{256.0 \text{ MN·m}^2} = 739 \times 10^{-6} \text{ rad}$$

$$\theta_b = \frac{90.67 \text{ kN·m}^2}{256.0 \text{ MN·m}^2} = 354 \times 10^{-6} \text{ rad}$$

$$\theta_c = \frac{37.33 \text{ kN·m}^2}{256.0 \text{ MN·m}^2} = 146 \times 10^{-6} \text{ rad}$$

이 된다. 이렇게 하여 필요한 회전각의 값들을 모두 구하였다.

(b) 그림 7-13에서 처짐 δ_c는 길이 $C'C''$에서 길이 $C'C$를 뺀 값과 같음을 알 수 있다. 길이 $C'C''$은 θ_b에다 B점에서 C점까지의 길이를 곱하여 얻는다.

$$EI(C'C'') = EI\theta_b(4 \text{ m}) = (90.67 \text{ kN·m}^2)(4 \text{ m})$$
$$= 362.7 \text{ kN·m}^3$$

처짐길이 $C'C$는 B점의 접선에서 C점까지의 수직길이이며, 이는 B점과 C점 사이의 M/EI선도면적의 C점에 대한 1차 모멘트의 음의 값과 같다.

$$EI(C'C) = -A_3\left(\frac{3}{4}\right)(4 \text{ m}) = (53.33 \text{ kN·m}^2)(3 \text{ m})$$
$$= 160.0 \text{ kN·m}^3$$

따라서 $EI\delta_c$는

$$EI\delta_c = EI(C'C'') - EI(C'C)$$
$$= 362.7 \text{ kN·m}^3 - 160.0 \text{ kN·m}^3 = 202.7 \text{ kN·m}^3$$

가 된다. EI값을 넣어 δ_c를 계산하면

$$\delta_c = \frac{202.7 \text{ kN·m}^3}{256.0 \text{ MN·m}^2} = 0.792 \text{ mm}$$

이며, 이 처짐은 그림과 같이 위로 향한다.

(c) 최대처짐 δ_{max}은 스팬길이 AB 사이 E점에서 생긴다. 이 점이 D점과 B점 사이에 있다고 가정하자(만약 계산과정 중 가정이 틀리게 된다면 다시 E점이 A점과 D점 사이에 있다고 가정한다). E점에서는, 처짐곡선의 접선이 수평이어야 하므로(E점에서 최대처짐이 생긴다고 가정했으므로) A점과 E점 사이의 M/EI선도의 면적은 회전각 θ_a와 같아야 한다. A점에서 E점까지의 거리를 x_1이라 하면 다음과 같은 식을 얻는다(그림 7-13의 마지막 부분 참조).

$$EI\theta_a = \frac{1}{2}(x_1)(20\text{ kN})(x_1) - \frac{1}{2}(x_1 - 4\text{ m})(40\text{ kN})(x_1 - 4\text{ m})$$
$$= x_1^2(-10\text{ kN}) + x_1(160\text{ kN·m}) - 320\text{ kN·m}^2$$

여기서 x_1의 단위는 m이다. $EI\theta_a = 189.3\text{ kN·m}^2$를 위의 식에 대입하면 다음과 같은 x_1에 관한 2차 대수방정식을 얻는다.

$$x_1^2 - 16x_1 + 50.93 = 0$$

이 식을 풀면 $x_1 = 4.385\text{ m}$이다(다른 근은 물리적 의미가 없다). 이렇게 하여 D점과 B점 사이에 있는 E점의 위치를 구하였다.

최대처짐 δ_{max}은 E점에서의 수평접선에서 A점까지의 수직길이이다. 따라서 A점과 E점 사이의 면적을 A점에 관한 1차 모멘트를 취하여 δ_{max}을 계산한다(그림 7-13의 마지막 부분 참조).

$$EI\delta_{max} = \frac{1}{2}(x_1)(20\text{ kN})(x_1)\left(\frac{2x_1}{3}\right)$$
$$- \frac{1}{2}(x_1 - 4\text{ m})(40\text{ kN})(x_1 - 4\text{ m})\left[4\text{ m} + \frac{2}{3}(x_1 - 4\text{ m})\right]$$

위의 식에 앞에서 구한 $x_1 = 4.385\text{ m}$를 대입하면

$$EI\delta_{max} = 562.2\text{ kN·m}^3 - 12.63\text{ kN·m}^3 = 549.6\text{ kN·m}^3$$

가 된다. 윗식에 EI값을 대입하면 최대처짐 δ_{max}은 다음과 같이 구해진다.

$$\delta_{max} = \frac{549.6\text{ kN·m}^3}{256.0\text{ MN·m}^2} = 2.15\text{ mm}$$

이 예제에서는 회전각과 처짐 간의 관계를 알기 위해 처짐곡선의 모양에 의존하였다. 이와 같이 모멘트-면적법정리에 관련된 부호규약을 따르지 않고 도식적인 상식에 의한 해법이 더 효과적일 때가 많다.

7.6 중첩법

보의 처짐에 관한 방정식은 모든 항이 처짐 v 또는 v의 선형도함수만을 포함하는 선형미분방정식[식 (7-10)]이기 때문에 여러 하중조건에 대한 각각의 방정식해는 중첩될 수 있다.

즉, 여러 가지 다른 하중들이 동시에 작용할 때 보의 처짐은 각각의 하중이 따로 작용할 때의 처짐들을 중첩하여 구할 수 있다. 예를 들면, 하중 q_1에 대한 처짐을 v_1, 하중 q_2에 대한 처짐을 v_2라 하면 이들 하중 q_1과 q_2가 동시에 작용할 때의 처짐은 $v_1 + v_2$가 된다. 이것의 개념을 보이기 위해 그림 7-14와 같은 일단고정보를 생각해 보기로 하자. 이 보는 스팬의 일부에 등분포하중 q와 자유단에 집중하중 p를 받고 있다. 이때 자유단에서의 처짐 δ_b를 구하고자 한다. 하중 P만 작용한다면, 7.5절의 예제 1에서와 같이 B점에서의 처짐이 $PL^3/3EI$[식 (7-39)]이 된다. 또 등분포하중만 작용한다면 7.5절의 예제 2에서와 같이 B점에서의 처짐이 $qa^3(4L-a)/24EI$[식 (7-41)]로 된다. 따라서 조합하중에 의한 처짐 δ_b는

$$\delta_b = \frac{PL^3}{3EI} + \frac{qa^3(4L-a)}{24EI} \tag{7-49}$$

가 된다. 보의 임의의 점에서의 처짐과 회전각도 이러한 과정으로 구할 수 있다.

중첩법은 위에서 설명한 바와 같이, 보에 작용하는 하중들에 대한 개별적인 처짐을 알 수 있는 하중상태로 분해할 수 있을 때 매우 유용하다. 이런 경우 편리하게 적용할 수 있도록 **보의 처짐 공식표**(table of beam deflection)가 부록 G에 수록되어 있다. 중첩법을 사용할 때 이 표를 이용하면 여러 가지 종류의 하중을 받는 보에 대해 처짐과 회전각을 쉽게 구할 수 있다. 이러한 형태의 몇 가지 예가 다음에 설명될 것이다.

중첩법은 분포하중에도 이용될 수 있다. 이때에는 분포하중의 요소를 마치 집중하중처럼 취급한 다음, 하중이 작용하는 전 영역에 걸쳐 적분하면 된다. 이러한 과정은 그림 7-15의 예를 보면 쉽게 이해할 수 있다. 단순보 AB에 대한 하중은 보의 좌반부에 삼각형 모양으로 분포되어 있으며, 보 중앙에서의 처짐 δ를 구하고자 할 때 분포하중의 요소인 qdx를 집중하

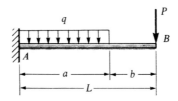

그림 7-14 두 가지 하중을 받는 일단고정보

중처럼 취급하여 좌단으로부터 거리 x만큼 떨어진 곳에 작용하는 집중하중 P에 대한 중앙의 처짐을 부록 G의 표 G-2의 5 경우로부터 다음과 같이 구한다.

$$\frac{Px}{48EI}(3L^2 - 4x^2)$$

이 식을 P 대신 qdx를 대입하고 $q = 2q_0 x/L$인 관계를 이용하여 적분하면 처짐 δ는 다음과 같이 된다.

$$\delta = \int_0^{\frac{L}{2}} \frac{qxdx}{48EI}(3L^2 - 4x^2)$$

$$= \frac{q_0}{24LEI}\int_0^{\frac{L}{2}} (3L^2 - 4x^2)x^2 dx = \frac{q_0 L^4}{240EI} \tag{7-50}$$

분포하중의 요소를 이렇게 중첩시키는 방법으로 보의 좌단에서의 회전각 θ_a도 구할 수 있다. 집중하중 P에 대한 회전각은(표 G-2의 경우 5 참조)

$$\frac{Pab(L+b)}{6LEI}$$

로 되고, 이 식에 P 대신 $2q_0 xdx/L$, a 대신 x, b 대신 $L-x$를 대입하여 적분하면 다음과 같이 된다.

$$\theta_a = \int_0^{\frac{L}{2}} \frac{q_0 xdx}{3L^2 EI}(x)(L-x)(2L-x) = \frac{41q_0 L^3}{2880EI} \tag{7-51}$$

이러한 방법은 예제 2에서도 적용된다.

앞에 설명한 각 예에서 보의 처짐을 구하기 위해 **중첩법**(principle of superposition)이 사용되었다. 이러한 개념은 역학분야에 널리 사용되며 구하고자 하는 값이 작용하중의 선형함수이기만 하면 언제나 사용할 수 있다. 이러한 조건하에서는, 전 하중이 동시에 작용할 때 구할 값들은 각각의 하중이 따로 작용할 때 값들을 구하여 이들을 중첩하여 구한다. 보의 처짐을 구하는 경우에는 재료가 Hooke의 법칙을 만족하고 보의 처짐과 회전이 작을 때에만 중첩법이 유효하다. 즉, 회전각이 작아야 한다는 요구조건은 처짐곡선의 미분방정식이 선형임을 보장하고, 처짐이 작아야 한다는 요구조건은 하중과 반력의 작용선이 원래의 위치와 별로 변하지 않음을 보장한다. 다음 예들은 중첩법을 사용하여 보의 처짐을 구하는 경우를 보여 준다.

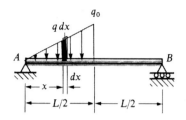

그림 7-15 삼각형 하중을 받는 단순보

예제 ①

단순보 AB가 양단에 우력 M_0와 $2M_0$를 각각 받고 있다(그림 7-16 참조). 보의 양단에서의 회전각 θ_a와 θ_b 및 중앙에서의 처짐 δ를 구하라.

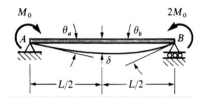

그림 7-16 예제 1. 양단에 우력을 받는 단순보

풀이 표 G-2의 7 경우를 이용하여 각각의 경우를 중첩하면 다음을 얻을 수 있다.

$$\theta_a = \frac{M_0 L}{3EI} + \frac{(2M_0)L}{6EI} = \frac{2M_0 L}{3EI}$$

$$\theta_b = \frac{M_0 L}{6EI} + \frac{(2M_0)L}{3EI} = \frac{5M_0 L}{6EI}$$

$$\delta = \frac{M_0 L^2}{16EI} + \frac{(2M_0)L^2}{16EI} = \frac{3M_0 L^2}{16EI}$$

예제 ②

일단고정보 AB가 그림 7-17에서와 같이 우측단에 걸쳐 등분포하중 q를 받고 있을 때 자유단에서의 처짐 δ_b와 회전각 θ_b를 구하라.

풀이 고정단에서 거리 x만큼 떨어진 곳에 작용하는 하중요소 qdx를 생각해보기로 하자. 이 원소에 의한 자유단에서의 처짐 $d\delta$와 회전각 $d\theta$는 표 G-1의 경우 5에서,

$$d\delta = \frac{(qdx)(x^2)(3L-x)}{6EI}$$

$$dθ = \frac{(qdx)(x^2)}{2EI}$$

으로 된다. 이를 좌반부에 대해 적분하면 다음과 같이 된다.

$$δ_b = \frac{q}{6EI} \int_{L/2}^{L} x^2(3L-x)dx = \frac{41qL^4}{384EI} \tag{7-52}$$

$$θ_b = \frac{q}{2EI} \int_{L/2}^{L} x^2 dx = \frac{7qL^3}{48EI} \tag{7-53}$$

표 G-1의 경우 3 공식에 $a=b=L/2$을 대입하면 위와 같은 결과를 쉽게 얻을 수 있다.

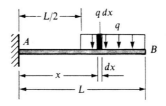

그림 7-17 예제 2. 전 길이 반에 등분포하중을 받는 일단고정보

예제 **3**

그림 7-18(a)와 같은 돌출보가 하중을 받고 있다. 돌출보에서의 처짐 $δ_c$를 구하라.

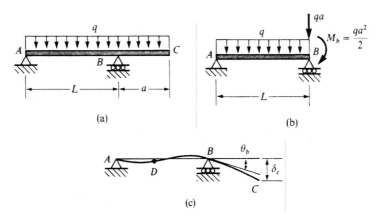

그림 7-18 예제 3. 돌출보

풀이 C점에서의 처짐은 다음의 두 부분의 합으로 나타낼 수 있다. (1) 지점 B에서 보의 축의 회전으로 인한 처짐 $δ_1$과 (2) 일단 고정보와 같이 작용하는 BC부분의 굽힘으로 인한 처짐 $δ_2$가 있다. $δ_1$을 구하기 위해서, 보의 AB부분은 그림 7-18(b)에 보인 바와 같이, 등분포

하중을 받고 좌단에 $qa^2/2$ 크기의 우력 M_b와 q_a 크기의 연직하중을 받는 단순보로 생각한다. B점에서의 회전각 θ_b는 표 G-2의 경우 1과 7에서

$$\theta_b = -\frac{qL^3}{24EI} + \frac{M_b L}{3EI} = \frac{qL(4a^2 - L^2)}{24EI}$$

이 되며 여기서 시계방향의 회전을 양으로 정한다. B점에서의 회전으로 인한 C점에서의 처짐 δ_1은 $a\theta_b$이므로

$$\delta_1 = \frac{qaL(4a^2 - L^2)}{24EI}$$

이며, 처짐은 아랫방향일 때 양이다.

돌출부의 굽힘은 C점에서 아랫방향의 처짐을 일으키는데 이 처짐은 길이가 a인 일단고정보의 처짐과 같다(표 G-1의 경우 1 참조).

$$\delta_2 = \frac{qa^4}{8EI}$$

C점에서의 전처짐은 아랫방향일 때 양이라 가정하므로 다음과 같게 된다.

$$\delta_c = \delta_1 + \delta_2 = \frac{qa}{24EI}(3a^3 + 4a^2 L - L^3) \tag{7-54}$$

위의 결과로부터, a가 $L(\sqrt{13}-1)/6$ 또는 $0.434L$보다 작으면 δ_c는 음의 값을 가지게 되므로 C점은 상방향으로 처지게 됨을 알 수 있다.

이 예제에서 보의 처짐곡선 모양은 그림 7-18(c)와 같은데, 이는 a값이 ($a > 0.434L$가 되어) C점의 처짐이 밑으로 향하고, $a < L$가 되어 A지점의 반력이 위의 방향으로 작용하는 경우에 대한 것이다. 이러한 조건에서는 보가 A점에서 D점까지 양의 굽힘모멘트를 가지게 되어 이 부분의 보는 아래로 볼록하게 된다. D점에서 C점까지는 음의 굽힘모멘트를 가지게 되어 처짐곡선은 위로 볼록하게 된다. D점에서는 굽힘모멘트가 0이므로 보의 곡률이 0이 되며 이 점이 변곡점이 된다. 처짐곡선의 곡률은 이 점에서 변하게 된다.

예제 ④

그림 7-19와 같은 합성보의 힌지 B에서의 처짐 δ_b를 구하라. 보는 다음과 같은 두 부분으로 구성되어 있다: (1) A점에서 단순지지된 보 AB, (2) C점에서 고정된 일단고정보 BC. 두 보는 B점에서 핀에 의해 연결되어 있다.

풀이 보 AB를 자유물체로 분리하면 A점과 B점에서의 수직반력은 $P/3$와 $2P/3$가 됨을 알 수 있다. 따라서 보 BC는 등분포하중 q를 받으면서 자유단에 $2P/3$의 집중하중을 받은 일단

고정보로 생각할 수 있다. 이러한 일단고정보의 자유단에서의 처짐은 바로 힌지에서의 처
짐과 같으며, 표 G-1의 경우 1과 4를 이용하면 다음과 같이 된다.

$$\delta_b = \frac{qb^4}{8EI} + \frac{2Pb^3}{9EI}$$

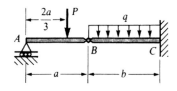

그림 7-19 예제 4. 힌지를 가진 합성보

7.7 불균일단면보

앞절에서는 전 길이에 걸쳐 단면이 일정한 보의 처짐을 구하는 방법을 소개하였다. 이 방
법은 불균일단면보의 처짐을 구하는 데에도 사용할 수 있다. 이러한 보에는 보의 각 부분에
서 각각 다른 단면적을 갖는 보(그림 7-20 참조)와 테이퍼보(그림 7-21 참조) 등이 포함된
다. 보의 단면적이 갑자기 바뀌면 그 점에서 국부적인 응력하중이 생기게 되나, 이러한 국부
응력으로 인한 처짐은 별 영향을 주지 않으므로 무시한다. 테이퍼보에 있어서도 테이퍼각이
작으면 균일단면보에서 유도된 굽힘이론을 써도 만족할 만한 결과를 얻을 수 있다.

처짐을 구하는 첫 번째 방법은 처짐곡선에 대한 미분방정식을 적분하는 것이며, 이 방법
을 설명하기 위해 그림 7-20(a)에 보인 예를 고찰해 보기로 한다. 이 보는 중앙부분을 강화
하기 위해 그 부분의 관성모멘트가 양쪽부분의 관성모멘트의 2배가 되도록 한 것이다. 보의
좌측구간에 대해 굽힘모멘트항으로 나타낸 처짐곡선의 미분방정식[식 (7-10a) 참조]은 다
음과 같이 두 부분으로 쓸 수가 있다.

$$EIv'' = -\frac{Px}{2} \qquad \left(0 \le x \le \frac{L}{4}\right) \qquad \text{(a)}$$

$$E(2I)v'' = -\frac{Px}{2} \qquad \left(\frac{L}{4} \le x \le \frac{L}{2}\right) \qquad \text{(b)}$$

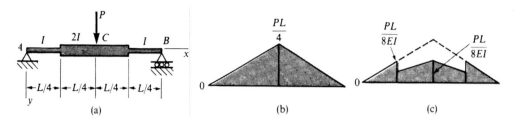

그림 7-20 두 개의 다른 관성모멘트를 가진 단순보

이 방정식들에 대해 기울기와 처짐을 구하기 위해 각각 적분하면 4개의 적분상수가 생기고 이것은 다음 조건들에 의해 구해진다: (1) $x = 0$에서 $v = 0$ (2) $x = \dfrac{L}{2}$에서 $v' = 0$ (3) $x = \dfrac{L}{4}$에 식 (a)에서 구한 경사각과 식 (b)에서 구한 기울기는 서로 같다. (4) $x = L/4$에서 식 (a)에서 구한 처짐은 식 (b)에서 구한 처짐과 서로 같다. 이 조건들로부터 적분상수를 구하여 원식에 대입하면 두 부분에 대한 보의 처짐곡선을 구할 수 있게 된다.

처짐을 구하기 위해 미분방정식을 사용하는 것은 풀어야 할 방정식의 수가 하나나 둘로 제한되고 앞의 예에서처럼 적분이 쉽게 되는 경우에만 실용적이다. 테이퍼보의 경우에는(그림 7-21 참조), 수학적으로 미분방정식을 푸는 것이 어렵거나 불가능할 수도 있다. 그 이유는 x의 함수로 나타나는 관성모멘트의 식이 복잡하고 상수계수가 아닌 변수계수를 가진 미분방정식이 되기 때문이다.

불균일단면보에 대한 적분법은 대부분의 경우 전단력과 하중방정식[식 (7-10b)와 (c)]을 사용하기 보다는 모멘트방정식[식 (7-10a)]을 사용하여 행해진다. 그 이유는 모멘트방정식을 다음과 같은 단순한 형태로 쓸 수 있기 때문이다.

$$v'' = -\frac{M}{EI_x} \tag{7-55}$$

여기서 I_x는 좌표 원점으로부터 거리 x만큼 떨어진 단면의 관성모멘트이며 만약 식 (7-55)의 우변이 적분될 수 있으면 적분방법은 가능하다. 그러나 전단력과 하중방정식은 식 (7-55)를 미분함으로써 얻을 수 있는 데, 이때 I_x가 변수를 포함한다면 이것도 미분되어야 하므로 미분방정식은 더욱 복잡하게 되어버린다.

처짐을 구하는 두 번째 방법으로 **모멘트-면적법**(moment-area method)이 있다. 이 방법에 사용할 보의 굽힘모멘트 선도는 그림 7-20(b)에 M/EI선도는 그림 7-20(c)에 나타나 있다. M/EI선도의 여러 부분에 대한 면적과 1차 모멘트는 회전각과 처짐을 구하는데 사용된다. 예로써, 좌측지점에서의 회전각과 중앙에서의 처짐을 구해보자. 보의 대칭성으로부터

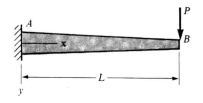

그림 7-21 테이퍼 일단 고정보

C점에서의 처짐곡선의 기울기는 수평임을 알 수 있다. 모멘트-면적법 제1정리에 의하면 좌측지점에서의 회전각 θ_a는 A점과 C점 사이의 M/EI선도의 면적과 같다. 따라서, 이 각은 다음과 같이 구해진다.

$$\theta_a = (삼각형의\ 면적) + (사다리꼴의\ 면적)$$

$$= \frac{1}{2}\left(\frac{L}{4}\right)\left(\frac{PL}{8EI}\right) + \frac{1}{2}\left(\frac{PL}{16EI} + \frac{PL}{8EI}\right)\left(\frac{L}{4}\right) = \frac{5PL^2}{128EI} \tag{c}$$

처짐곡선상 C점에서 그린 접선으로부터 A점까지의 수직길이는 보의 중앙에서 처짐 δ_c와 같으며, 모멘트-면적법 제2정리로부터 A점과 C점 사이의 M/EI선도면적의 A점에 대한 1차 모멘트를 계산하여 얻는다.

$$\delta_c = (삼각형의\ 1차\ 모멘트) + (사다리꼴의\ 1차\ 모멘트)$$

$$= \left(\frac{2}{3}\right)\left(\frac{L}{4}\right)\left(\frac{PL^2}{64EI}\right) + \left(\frac{L}{4} + \frac{5L}{36}\right)\left(\frac{3PL^2}{128EI}\right) = \frac{3PL^3}{256EI} \tag{d}$$

이 예에서는 불균일단면보에 대해 모멘트-면적법을 사용하는 것이 균일단면보에 적용한 것과 비슷함을 보여 준다.

처짐을 구하는 또다른 방법으로 **중첩법**이 있다. 불균일단면보에 대해 이 방법을 사용하는 예로써, 그림 7-22에 보인 일단고정보의 자유단에서 처짐 δ_a를 계산하는 경우를 생각해 보자. 이 처짐은 두 가지 단계에 의해 구해지는데, 처음에 보가 C점에서 고정되어 이 점에서는 처짐도 없고 처짐각도 없다고 가정한다. 다음에는 일단고정보로 간주하여 AC의 굽힘에 의한 A점의 처짐을 계산한다. 보의 길이는 $L/2$이고, 관성모멘트는 I, 처짐은 δ_1이므로

$$\delta_1 = \frac{P(L/2)^3}{3EI} = \frac{PL^3}{24EI}$$

이 된다. 또 보의 CB부분 역시 일단고정보같이 거동하며[그림 7-22(b)] A점의 처짐에 영향을 준다. 이때 C점에서의 처짐 δ_c와 회전각 θ_c는 다음과 같이 된다.

$$\delta_c = \frac{P(L/2)^3}{3(2EI)} + \frac{(PL/2)(L/2)^2}{2(2EI)} = \frac{5PL^3}{96EI}$$

$$\theta_c = \frac{P(L/2)^2}{2(2EI)} + \frac{(PL/2)(L/2)}{2EI} = \frac{3PL^2}{16EI}$$

처짐 δ_c와 회전각 θ_c는 하중 P의 작용점에서 처짐 δ_2만큼 추가적인 값을 주게 된다.

$$\delta_2 = \delta_c + \theta_c\left(\frac{L}{2}\right) = \frac{7PL^3}{48EI}$$

따라서, 자유단 A점에서의 전처짐은

$$\delta_a = \delta_1 + \delta_2 = \frac{3PL^3}{16EI} \tag{e}$$

이 된다.

위의 예에서 보는 바와 같이 어떤 종류의 불균일단면보에 대해서도 중첩법이 쉽게 적용될 수 있다. 불균일단면보의 처짐을 구하는데 사용되는 방법의 선택과정에 대한 세부사항은 문제에 따라 또는 풀고자 하는 사람의 취향에 따라 정하면 된다.

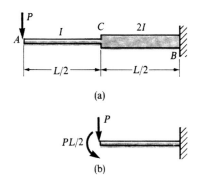

그림 7-22 두 개의 다른 관성모멘트를 가진 일단 고정보

7.8 굽힘변형에너지

변형에너지의 개념은 앞장에서 논의한 축하중을 받는 부재와 비틀림을 받는 봉(2.8절과 3.8절 참조)을 다룰 때 이미 설명되었다. 이제는 이 개념을 보의 굽힘에 적용시키고자 한다.

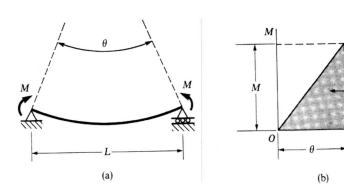

그림 7-23 (a) 우력 M에 의해 순수굽힘을 받는 보 (b) 굽힘모멘트 M과 회전각 θ와의 선형관계
를 나타내는 선도

선형 탄성적으로 변형하는 보만을 고려하므로 재료는 Hooke의 법칙을 따르며 처짐과 회전각이 매우 작아야 한다.

먼저 우력 M에 의해 순수굽힘을 받는 보를 생각해 보자. 처짐곡선[그림 7-23(a) 참조]은 일정한 곡률 $\kappa = -M/EI$을 가진 원호이다[식 (7-5) 참조]. 이 호에 대한 각은 L/ρ이며, L은 보의 길이이고 ρ는 곡률반지름이므로 절대값만을 생각하면 다음과 같이 된다.

$$\theta = \frac{ML}{EI} \tag{7-56}$$

우력 M과 각 θ와의 관계는 그림 7-23(b)에 보인 모멘트-회전각선도의 선분 OA에 의해 도해적으로 나타난 것과 같이 '선형'관계이다. 굽힘우력이 O에서부터 최대치 M까지 점차 증가함에 따라 선분 OA 밑의 면적[그림 7-23(b)의 검은 부분]에 해당하는 일 W를 하게 된다. 이 일은 보에 저장된 변형에너지 U로 나타내며 다음 식으로 표시된다.

$$U = W = \frac{M\theta}{2} \tag{7-57}$$

위의 방정식을 축하중과, 비틀림에서의 변형에너지를 각각 나타내는 식 (2-38)과 식 (3-39)에 대응된다.

식 (7-56)과 (5-57)을 조합하면 순수굽힘을 받는 보에 저장된 변형에너지식을 다음과 같은 두 가지 형태로 나타낼 수 있다.

$$U = \frac{M^2 L}{2EI} \qquad U = \frac{EI\theta^2}{2L} \tag{7-58a, b}$$

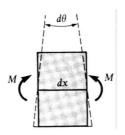

그림 7-24 보의 요소

위의 식들 중 첫 번째 식은 변형에너지를 모멘트 M의 항으로, 두 번째 식은 각 θ의 항으로 표시하였다. 이 방정식의 형태는 축하중과 비틀림을 받을 때 보에 대한 변형에너지식과 유사하다[식 (2-39) 및 (3-38) 참조].

굽힘모멘트 M이 보의 전구간에 걸쳐 변할 때(불균일굽힘), 식 (7-58)을 보의 요소에 적용하고 전구간에 걸쳐 적분하면 변형에너지를 얻을 수 있다. 모멘트 M을 받는 길이 dx의 요소를 고려해 보면, 요소의 양변 사이의 각 $d\theta$는[식 (7-6)] 절대값만을 고려하면 다음 식과 같이 된다.

$$d\theta = \frac{d^2v}{dx^2}dx = \frac{Mdx}{EI}$$

따라서 요소에 저장된 변형에너지 dU는 식 (7-58)로부터 다음과 같이 된다.

$$dU = \frac{M^2dx}{2EI} \quad \text{또는} \quad dU = \frac{EI}{2}\left(\frac{d^2v}{dx^2}\right)^2 dx$$

위의 식을 적분하면 보에 저장된 전변형에너지를 다음과 같은 두 가지 식의 형태로 나타낼 수 있다.

$$U = \int \frac{M^2dx}{2EI} \quad U = \int \frac{EI}{2}\left(\frac{d^2v}{dx^2}\right)^2 dx \quad \text{(7-59a, b)}$$

위의 식의 적분은 보의 전구간에 걸쳐 수행된다. 첫 번째 식은 굽힘모멘트를 알 때 사용하고, 두 번째 식은 처짐곡선방정식을 알 때 사용한다.

식 (7-59)는 굽힘모멘트 영향만을 고려할 때 보의 변형에너지를 나타낸다. 굽힘 변형에너지뿐만 아니라 전단변형에너지도 보의 요소에 저장되는데, 이 변형에너지는 7.12절에서 설명된다. 그러나, 보의 길이가 폭보다 훨씬 큰(예를 들면 $L/d > 6$) 일반적인 보에 대해서는 전단변형에너지가 굽힘변형에너지에 비해 대단히 작으므로 무시할 수 있다.

변형에너지에 기초를 둔 역학의 원리는 구조해석뿐만 아니라 동하중을 지탱하는 구조물 설계에도 중요한 역할을 한다. 이 원리 중 몇 가지가 12장에 소개될 것이다. 이 절에서는 주로 보의 변형에너지를 구하고, 이 에너지를 이용하여 간단한 처짐문제나 충격문제를 해결하는데 중점을 둔다. 예를 들면, 보가 단 한 개의 집중하중 P나 한 개의 우력 M_0만을 받는 경우, 하중에 의해 행해진 일($P\delta/2$ 또는 $M\theta/2$)과 보의 변형에너지를 같게 놓음으로써, 하중작용방향에 하중작용점에서의 처짐 δ와 회전각 θ를 구할 수 있다. 이와 같은 기법이 2.8절에서 논의된 바 있다. 그러나 이 방법은 구조물에 단 한 개의 하중만 작용할 때에 하중작용점에서의 처짐만을 구할 수 있다는 제한이 있다.

예제 ①

자유단에 집중하중 P를 받는 길이 L인 일단고정보에 저장되는 변형에너지를 구하라[그림 7-25(a) 참조]. 또한 자유단에서 연직처짐 δ_b를 구하라.

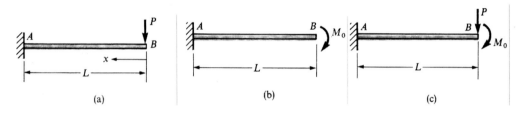

그림 7-25 예제 1, 2, 3 보의 변형에너지

풀이 자유단에서 거리 x만큼 떨어진 단면에서 굽힘모멘트는 $M = -Px$이다. 이 값을 식 (7-59a)의 M에 대입하면, 보의 변형에너지는

$$U = \int \frac{M^2 dx}{2EI} = \int_0^L \frac{(-Px)^2 dx}{2EI} = \frac{P^2 L^3}{6EI} \tag{a}$$

이 된다. 변형에너지는 언제나 양의 값을 가지며 하중은 자승의 항으로 나타남을 주의해야 한다.

하중 P의 작용점에서의 처짐을 구하기 위해 하중이 한 일과 변형에너지를 같게 놓으면 다음과 같이 된다.

$$\frac{P\delta_b}{2} = \frac{P^2 L^3}{6EI}$$

따라서

$$\delta_b = \frac{PL^3}{3EI} \tag{b}$$

예제에서 구할 수 있는 단 한 개의 처짐은 하중의 작용점에서의 처짐(자유단에서의 하향처짐)뿐이라는 것을 유의해야 한다.

예제 ②

그림 7-25(b)에 보인 일단고정보가 자유단에 우력 M_0를 받고 있다. 보의 변형에너지 U와 자유단에서의 회전각 θ_b를 구하라.

풀이 이 경우에는 굽힘모멘트가 일정하며 $-M_0$와 같다. 따라서 식 (7-59a)로부터

$$U = \int \frac{M^2 dx}{2EI} = \int_0^L \frac{(-M_0)^2 dx}{2EI} = \frac{M_0{}^2 L}{2EI} \tag{c}$$

이 된다. 보의 하중이 작용하는 동안 우력 M_0가 한 일은 $M_0 \theta_b / 2$이므로

$$\frac{M_0 \theta_b}{2} = \frac{M_0{}^2 L}{2EI}$$

따라서

$$\theta_b = \frac{M_0 L}{EI}$$

회전각의 부호는 모멘트의 부호와 같으며 이 보에서는 시계방향이다.

예제 ③

그림 7-25(c)에 보인 일단고정보가 자유단에 집중하중 P와 우력 M_0가 동시에 작용할 때 보의 변형에너지 U를 구하라.

풀이 보의 굽힘모멘트는 다음 식으로 나타난다.

$$M = -Px - M_0$$

여기서 x는 자유단으로부터 측정한 길이이다. 따라서 변형에너지는

$$U = \int \frac{M^2 dx}{2EI} = \frac{1}{2EI} \int_0^L (-Px - M_0)^2 dx$$

$$= \frac{P^2 L^3}{6EI} + \frac{PM_0 L^2}{2EI} + \frac{M_0{}^2 L}{2EI} \tag{e}$$

위의 식의 첫째항은 하중 P만 작용할 때의($M_0 = 0$) 변형에너지이고 마지막 항은 우력 M_0만 작용할 때의($P = 0$) 변형에너지이다. 그러나 두 개의 하중이 동시에 작용할 때에는 두 번째 항이 변형에너지식에 나타나게 된다. 이 결과는 두 개 또는 그 이상의 하중에 의한

구조물의 변형에너지는 각각의 하중이 따로 작용할 때의 변형에너지를 구해 이것을 더함으로써 전 변형에너지를 구할 수 없음을 나타낸다. 즉 변형에너지는 하중의 자승항으로 나타나므로(선형함수가 아니므로) 중첩의 원리가 적용되지 않는다.

또한 일에 관한 식은 너무 많은 미지수를 포함하기 때문에, 일과 변형에너지를 같게 놓음으로써 보의 처짐[그림 7-25(c) 참조]을 구할 수 없다.

일을 표시하는 식은,

$$W = \frac{P\delta_b}{2} + \frac{M_0\theta_b}{2}$$

인데, 이 식을 변형에너지 U와 같게 놓으면 두 개의 미지수를 가진 한 개의 식이 된다. 따라서 위의 식의 오류는 없으나 해석상 별 의미는 없다.

예제 ④

등분포하중을 받는 단순보의 처짐곡선방정식은[식 (7-26) 참조] 표 G-2의 경우 1에 따라 다음과 같이 된다.

$$v = \frac{qx}{24EI}(L^3 - 2Lx^2 + x^3)$$

위의 식을 사용하여 보에 저장되는 변형에너지를 구하라.

풀이 변형에너지를 구하기 위해 d^2v/dx^2항을 포함하는 식 (7-59b)를 사용하자. v에 대한 미분은 다음과 같다.

$$\frac{dv}{dx} = \frac{q}{24EI}(L^3 - 6Lx^2 - 4x^3)$$

$$\frac{d^2v}{dx^2} = -\frac{qx}{2EI}(L - x)$$

이 식들을 식 (7-59b)에 대입하고 적분하면 보에 저장된 변형에너지 U는 다음과 같게 된다.

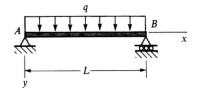

그림 7-26 예제 4. 보의 변형에너지

$$U = \int \frac{EI}{2}\left(\frac{d^2v}{dx^2}\right)^2 dx = \frac{EI}{2}\int_0^L \left[-\frac{qx}{2EI}(L-x)\right]^2 dx = \frac{q^2L^5}{240EI} \tag{f}$$

하중은 자승항이 되는 것에 주의하라.

충격에 의한 처짐. 충격하중을 받는 보의 동적처짐은 어떤 단순한 조건하에서 하중이 한 일과 보에 저장된 변형에너지를 같게 놓음으로써 결정할 수 있다. 이러한 접근방법은 충격하중을 받는 봉의 경우를 다룬 2.9절에서 이미 설명되었다. 그 때의 논의된 가정은 보에도 적용된다. 즉 하락하는 추는 보에 닿는 순간 하나가 되어 움직이고, 에너지 손실이 없고, 보는 선형적으로 탄성을 가지고 있다고 가정한다. 또 동하중하에서의 보의 처짐모양은 정하중하의 모양과 같으며, 보의 위치변화에 따른 위치에너지는 무시된다고 가정한다. 일반적으로, 이러한 가정은 낙하물체의 질량이 보의 질량에 비해 매우 클 경우에 잘 성립된다. 그렇지 않으면 이러한 근사해석은 적절하지 않으며 더욱 세밀한 해석이 필요하게 된다(참고문헌 2-12 및 2-13 참조).

이러한 접근방법의 예로서 무게가 W인 낙하물체가 보의 중앙에 떨어지는 단순보 AB를 생각해 보면(그림 7-27), 이때에도 앞에서 언급한 이상적인 상황하에서, 물체가 낙하 중에 한 일의 전부가 보의 탄성변형에너지로 변환된다고 가정한다. h를 보로부터 최초의 추의 위치까지의 높이, δ를 보의 최대동적처짐이라 하면, 추의 낙하거리는 $h+\delta$이므로 추가 한 일은

$$W(h+\delta)$$

이다. 이때 P를 보의 처짐이 최대일 때 보에 가해진 힘이라 하면, P와 δ의 관계는, 동하중하에서의 처짐모양과 정하중하에서의 모양이 같다는 가정 때문에 다음과 같이 표시된다.

$$\delta = \frac{PL^3}{48EI} \quad \text{또는} \quad P = \frac{48EI\delta}{L^3}$$

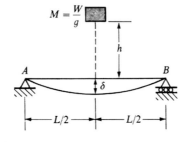

그림 7-27 낙하물체에 의한 보의 처짐

따라서 보의 변형에너지는 힘 P가 한 일과 같고 다음 식으로 표시된다.

$$U = \frac{P\delta}{2} = \frac{24EI\delta^2}{L^3}$$

낙하물체가 한 일과 변형에너지를 같게 놓으면

$$W(h+\delta) = \frac{24EI\delta^2}{L^3}$$

으로 된다.

위의 식은 δ에 관한 2차식이므로 양의 근을 구하면 다음과 같다.

$$\delta = \frac{WL^3}{48EI} + \left[\left(\frac{WL^3}{48EI}\right)^2 + 2h\left(\frac{WL^3}{48EI}\right)\right]^{\frac{1}{2}} \tag{7-60}$$

무게 W에 의한 보의 정적처짐을 δ_{st}라 하면 δ_{st}는 다음과 같이 된다.

$$\delta_{st} = \frac{WL^3}{48EI} \tag{7-61}$$

따라서 최대정적처짐을 나타내는 식 (7-60)은 다음과 같은 간단한 꼴로 표시될 수 있다.

$$\delta = \delta_{st} + (\delta_{st}^2 + 2h\delta_{st})^{\frac{1}{2}} \tag{7-62}$$

위의 식으로부터 동적처짐은 정적처짐보다 언제나 크다는 것을 알 수 있다. $h = 0$일 때, 즉 하중이 자유낙하하지 않고 갑자기 작용할 때에는 동적처짐이 정적처짐의 2배가 됨을 알 수 있다. h값이 처짐에 비해 매우 클 경우에는 식 (7-62) 중 h를 포함하는 항이 지배적이므로 이 식은 근사적으로 다음과 같이 쓸 수 있다.

$$\delta = \sqrt{2h\delta_{st}} \tag{7-63}$$

이러한 현상은 인장을 받는 봉이 충격을 받을 때와 유사하다(2.9절 참조).

충격과정 중 에너지 손실이 없다고 가정했으므로, 식 (7-62)에서 계산된 처짐 δ는 일반적으로 상한을 나타낸다. 왜냐하면 접촉면의 국부적인 변형, 낙하물체의 위로 튀어 오르려는 경향 및 보 자체의 질량이 처짐을 감소시키기 때문이다.

*7.9 불연속함수

불연속함수는 보의 해석, 전기회로 및 열전달문제를 포함한 많은 공학응용분야에 이용되고 있다. 이 함수는 보에 적용될 때 가장 편리하고 이해하기 쉽기 때문에, 재료역학을 공부함으로써 더욱 잘 알게 되고 친숙하게 될 것이다. 함수에 대한 수학이 이 절에서 기술되며 이 함수가 보에 대한 하중에 어떻게 표시되어 사용되는가를 예시할 것이다. 다음 절에서는 이 함수들을 이용해 보의 경사각과 처짐을 구하는 데 사용할 것이다.

불연속함수의 유일한 특성은 불연속인 함수를 단일식으로 쓸 수 있다는 것이다. 반면에 재래식 방법에서는 불연속인 함수를 함수값이 다른 매영역마다 한 개씩, 여러 개의 식으로 표시해야 한다. 예를 들어, 보에 작용하는 하중에 집중하중과 분포하중의 조합으로 되어 있는 경우 불연속함수를 이용하면 전길이에 적용되는 단 한 개의 식으로 쓸 수 있다. 그러나 통상적인 방법으로는 하중이 바뀌는 구간마다 각각 다른 식을 써야 한다. 비슷한 방법으로 보의 축을 따라 하중의 변화가 있다 할지라도, 보의 전단력, 굽힘모멘트, 경사각 및 처짐들을 각각 한 개의 식으로 표시할 수 있다.

이러한 결과는 이들 함수 자체가 불연속이기 때문에 얻어질 수 있다. 즉, 이 함수들은 독립변수가 다른 영역에서 각각 서로 다른 값을 가진다. 실제에 있어서 이 함수들은, 보통의 연속함수로서는 가능하지 않은, 불연속점을 통과할 수 있다. 그러나 이 함수들은 이제껏 우리가 사용해 온 함수들과는 전혀 다르므로 불연속함수는 주의해서 사용해야 한다.

Macaulay 함수와 특이함수(singularity function)라고 불리는 두 가지 함수가 불연속함수로서 이 절에서 논의될 것이다. 이 함수들은 각각 다른 정의와 성질을 가지고 있으나, 이 두 함수들은 같은 불연속함수군을 형성한다.[*]

Macaulay 함수. Macaulay 함수는 x축의 어떤 특수점에서(예를 들면 $x = a$인 점) 시작하고 그 점의 좌측에서는 값이 0이 되는 양을 나타낸다. 예를 들어, F로 표시되는 어떤 Macaulay 함수는 다음과 같이 정의된다.

$$F_1(x) = <x-a>^1 = \begin{cases} 0 & x \le a \text{ 일 때} \\ x-a & x \ge a \text{ 일 때} \end{cases} \tag{7-64}$$

---

[*] 때로는 두 가지 불연속함수를 모두 특이함수라 부르기도 하는데, 이러한 용어는 각각 다른 수학적 법칙을 따르는 두 함수 사이의 구별을 불분명하게 한다. 더구나 Macaulay함수는 특이해(singularity)를 가지지 않는다.

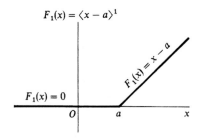

그림 7-28 Macaulay 함수 F의 그래프(단위 램프 함수)

위의 식에서 x는 독립변수, a는 함수가 시작되는 x값이다. 괄호$<>$표시는 불연속함수를 나타내는 수학적 기호이다. 함수 F_1의 경우에, 괄호표시는 x값이 a보다 작거나 같을 때 함수값이 0이 되며(즉 괄호 안의 값이 '음'이거나 '0'일 때), x값이 a보다 크거나 같을 때 함수값이 $x - a$와 같음을 의미한다. 그림 7-28에 **단위경사함수**(unit ramp function)의 그래프를 도시해 놓았다.

일반적으로 Macaulay 함수는 다음 식으로 정의된다:

$$F_n(x) = < x - a >^n = \begin{cases} 0 & n \leq a\text{일 때} \\ (x-a)^n & n \geq a\text{일 때} \end{cases} \tag{7-65}$$

$$n = 0, 1, 2, 3 \cdots$$

정의에 의하면 이 Macaulay 함수는 $x = a$인 점 좌측에서는 값이 0이고, 이 점의 좌측에서는 $(x - a)^n$ 값을 가진다. 뒤에서 논의될 $n = 0$의 경우를 제외하고는 $x = a$에서 함수값은 0이다. 이 정의를 다른 방법으로 표현하면, 괄호 안의 $x - a$값이 음이거나 0일 때에는 Macaulay 함수의 값은 0이고, $x - a$값이 양이거나 음일 때에는, Macaulay 함수의 값은 $<>$를 ( )로 바꾸어 계산된다.

앞에서 설명한 Macaulay 함수 정의는 n이 양의 정수와 0일 때 적용된다. $n = 0$인 경우 Macaulay 함수는 아래와 같은 특별한 값을 가진다.

$$F_0(x) = < x - a >^0 = \begin{cases} 0 & x \leq a\text{일 때} \\ 1 & x \geq a\text{일 때} \end{cases} \tag{7-66}$$

이 함수는 $x = a$인 불연속점에서 수직계단 모양을 가지며, $x = a$에서는 0과 1의 두 값을 가진다.

단위계단함수[*](unit step function)라고 부르는 함수 F_0는 다른 Macaulay 함수와 같이

---

[*] 단위계단함수는 영국의 물리학자이며 전기공학자인 Oliver Heaviside(1850~1925)의 이름을 따라 $H(x - a)$라 표기되는 **Heaviside의 계단함수**(Heaviside step function)라고도 한다.

표 7-1에 주어져 있다. 높은 계(degree)의 Macaulay 함수는 다음과 같이 단위계단함수로 나타낼 수 있다.

$$F_n(x) = <x-a>^n = (x-a)^n <x-a>^0 \qquad (7\text{-}67)$$

위의 식은 식 (7-65)와 (7-66)을 비교하면 쉽게 알 수 있다.

기본적인 대수계산, 즉 덧셈, 뺄셈, 상수곱셈 등을 Macaulay 함수에서도 적용할 수 있다. 이런 기본적인 계산의 예가 그림 7-29에 주어져 있다. 이 예에서 주목해야 할 중요한 사항은, x축에 따라 각각 다른 구간에서 구한 개개의 대수식을 포함하는 함수 y를 Macaulay 함수를 이용하여 한 개의 식으로 쓸 수 있다는 것이다. 각 개인이 이 함수들에 숙달되기 위해서는 그림 7-29에 나타난 각 그래프를 입증해 보는 것이 좋을 것이다.

Macaulay 함수는 표 7-1의 마지막 예에 주어진 공식에 의해 적분하거나 미분할 수 있다. 이 공식들은 함수들을 두 구간 $x \le a$와 $x \ge a$에서 정상적인 미분과 적분을 통해 증명된다.

Macaulay 함수의 단위는 x^n의 단위와 같다. 예를 들면, F_0는 무차원이고, F_1은 x의 단위와 같으며, F_2는 x^2의 단위와 같다. 불연속함수에 사용된 특수한 괄호는 영국의 수학자인 W. H. Macaulay에 의해 1919년에 최초로 사용되었다(참고문헌 7-11 참조). 따라서 이 괄호를 때때로 Macaulay의 괄호라고 부르기도 한다. 그러나 Macaulay는 이 함수를 표시하는데 { }를 사용하였으며 현재 보통으로 사용되고 있는 <>표시는 그 후에 소개되었다. 그러나 특별한 부호를 이용하여 두 개 이상의 식을 한 개의 식으로 조합하는 불연속함수의 일반적인 개념은 Macaulay를 본받은 것이다(참고문헌 7-12~7-15 참조).

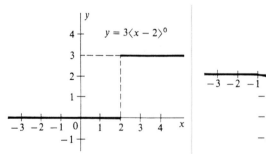

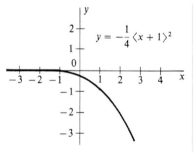

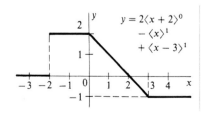

그림 7-29 Macaulay 함수를 포함한 식들의 그래프

특이함수. 불연속함수의 두 번째 종류는 특이함수이며, 다음과 같은 식으로 나타낸다.

$$F_n(x) = <x-a>^n = \begin{cases} 0 & n \neq a 일 \ 때 \\ \pm \infty & x = a 일 \ 때 \end{cases} \tag{7-68}$$

$$n = -1, \ -2, \ -3 \cdots$$

Macaulay 함수가 양의 정수와 0에 대해 정의되는데 비해 특이함수는 음의 정수에 대해 정의됨을 주의해야 한다. $<>$표시는 두 가지 함수에 같이 사용되지만, 두 경우에 대해 다른 의미를 가지고 있다(식 (7-65)와 식 (7-68) 비교).

특이함수는 특이점 $x = a$를 제외한 모든 구간에서 값이 0이다. n이 음의 정수이면, 함수 $(x-a)^n$은 분모에 $(x-a)$를 가진 분수로 쓸 수 있으며, $x = a$일 때 이 함수의 값은 무한대가 되기 때문에 singularity가 생기는 것이다. singularity의 성질은 n값에 따라 좌우되며 가장 중요한 두 경우가 표 7-1에 주어져 있다. **단위 doublet 함수,** $(n=-2)$는 길이가 무한대인 두 개의 화살표시로 나타나는 singularity를 가지는데, 한 개는 상방향, 한 개는 아랫방향이며, 화살표의 간격은 미소하다. 편의상 이 화살표시를 힘으로 간주하면, doublet은 두 힘의 모멘트인 점선으로 표시된 곡선의 화살표로 나타난다. 이 모멘트는 무한대인 힘과 0에 가까운 거리와의 곱과 같으며, 결국 단위값과 같음을 알 수 있다. 이러한 이유로 doublet은 **단위모멘트**로 알려져 있기도 하다(또는 dipole이라 부르기도 한다).[*]

단위임펄스함수$(n=-1)$는 $x = a$에서 무한대이다. 그러나 doublet과는 달리 그 표시방법이 한 개의 화살표로 나타난다(표 7-1 참조). 화살표를 힘으로 생각하면, 이 힘은 크기가 무한대이며 x축선상의 미소한 거리에 걸쳐 작용한다. 이 힘은 세기와 작용거리를 곱한 것과 같으며, 결국 단위값과 같음을 알 수 있다. 따라서 이 함수의 이름으로 **단위힘**이 사용되기도 한다.

특이함수는 연속함수도 아니고 $x = a$에서 미분할 수도 없으므로, 때로는 병적함수(pathological function)나 부적당함수(improper function)라고도 알려져 있다. 그러나 특이함수는 singularity를 통해 적분할 수 있으며, 적분 공식은 다음과 같다.

$$\int_{-\infty}^{x} F_n dx = \int_{-\infty}^{x} <x-a>^n dx = <x-a>^{n+1} = F_{n+1} \tag{7-69}$$

$$n = -1, \ -2, \ -3 \cdots\cdots$$

---

[*] **단위임펄스함수**(unit impulse function)라는 용어는 동역학에서 사용되는데, 이때는 x축이 시간을 나타낸다. 물리학과 수학에서는 이 함수를 영국의 이론물리학자인 Paul A.M. Dirac(1902~)의 이름을 따라 **Dirac delta 함수**(Dirac delta function)라 부르는 $\delta(x-a)$로 표시한다.

표 7-1 불연속함수

	Name	Definition	Graph	Derivative and integral
Singularity function	Unit doublet function	$F_{-2} = <x-a>^{-2} = \begin{cases} 0 & x \neq a \\ \pm\infty & x = a \end{cases}$		$\int_{-\infty}^{x} F_{-2}\,dx = F_{-1}$
	Unit impulse function	$F_{-1} = <x-a>^{-1} = \begin{cases} 0 & x \neq a \\ +\infty & x = a \end{cases}$		$\int_{-\infty}^{x} F_{-1}\,dx = F_{0}$
Macaulay functions	Unit step function	$F_{0} = <x-a>^{0} = \begin{cases} 0 & x \leq a \\ 1 & x \geq a \end{cases}$		$\int_{-\infty}^{x} F_{0}\,dx = F_{1}$
	Unit ramp function	$F_{1} = <x-a>^{1} = \begin{cases} 0 & x \leq a \\ x-a & x \geq a \end{cases}$		$\dfrac{d}{dx}F_{1} = F_{0}$ $\int_{-\infty}^{x} F_{1}\,dx = \dfrac{F_{2}}{2}$
	Unit second-degree function	$F_{2} = <x-a>^{2} = \begin{cases} 0 & x \leq a \\ (x-a)^2 & x \geq a \end{cases}$		$\dfrac{d}{dx}F_{2} = 2F_{1}$ $\int_{-\infty}^{x} F_{2}\,dx = \dfrac{F_{3}}{3}$
	General Macaulay function	$F_{n} = <x-a>^{n} = \begin{cases} 0 & x \leq a \\ (x-a)^n & x \geq a \end{cases}$ $n = 0, 1, 2, 3, \cdots$		$\dfrac{d}{dx}F_{n} = nF_{n-1}$ $n = 1, 2, 3, \cdots$ $\int_{-\infty}^{x} F_{n}\,dx = \dfrac{F_{n+1}}{n+1}$ $n = 0, 1, 2, 3, \cdots$

위의 공식은 표 7-1의 마지막 항에 주어진 Macaulay 함수에 대한 적분공식과 같지 않음
에 유의하라. 식 (7-69)는 단위 doublet 함수를 적분하면 단위임펄스함수가 되고, 단위임펄
스함수를 적분하면 단위 계단함수가 됨을 나타낸다(표 7-1 참조).

Macaulay 함수의 단위에서와 같이 특이함수의 단위도 x^n의 단위와 같다. 따라서 doublet
함수는 $1/x^2$의 단위를 가지며, 임펄스함수는 $1/x$의 단위를 가진다.

불연속함수에 대한 보의 하중 표시법. 표 7-1에 열거한 불연속함수들은 우력, 힘, 등분포하중
및 변화하중과 같은 보에 작용하는 하중을 표시하는 데 적당하다. 여러 가지 하중선도의 모

표 7-2 불연속함수로 표시한 하중의 세기

Case	Load on beam (shown positive)	Intensity $q(x)$ of equivalent distributed load (positive downward)
1	M_0 0 a x	$q(x) = M_0 <x-a>^{-2}$
2	P 0 a x	$q(x) = P <x-a>^{-1}$
3	q_0 0 a x	$q(x) = q_0 <x-a>^{0}$
4	b, q_0 0 a x	$q(x) = \dfrac{q_0}{b} <x-a>^{1}$
5	b, q_0 0 a x	$q(x) = \dfrac{q_0}{b^2} <x-a>^{2}$
6	q_0 0 a_1 a_2 x	$q(x) = q_0 <x-a_1>^{0}$ $\quad - q_0 <x-a_2>^{0}$
7	b, q_0 0 a_1 a_2 x	$q(x) = \dfrac{q_0}{b} <x-a_1>^{1}$ $\quad - \dfrac{q_0}{b} <x-a_2>^{1}$ $\quad - q_0 <x-a_2>^{0}$
8	q_0, b 0 a_1 a_2 x	$q(x) = q_0 <x-a_1>^{0}$ $\quad - \dfrac{q_0}{b} <x-a_1>^{1}$ $\quad + \dfrac{q_0}{b} <x-a_2>^{1}$

양은, 이에 대응하는 함수 F_{-2}, F_{-1}, F_0, F_1 등의 모양과 정확하게 대응된다. 하중을 수학적으로 표시하려면, 표에 나타난 함수(단위함수)에다 적당한 하중의 세기를 곱하면 된다.

표준하중에 대한 보다 세밀한 설명의 경우가 표 7-2에 참고로 수록되어 있다. 더 복잡한 하중들의 경우는 이 기본 경우들을 중첩하여 얻을 수 있다.

표 7-2의 식이 어떻게 구해진 것인가를 설명하기 위해 경우 3의 등분포하중을 생각해보자. 이 하중은 아래 공식으로 주어지는 단위계단함수 F_0(표 7-1 참조)로 표시할 수 있다.

$$F_0(x) = <x-a>^0$$

위의 함수는 $x \leq a$일 때는 0이고, $x \geq a$일 때는 +1의 값을 가진다. 이 함수에다 등분포하중의 크기를 나타내는 상수 q_0를 곱하면, 보에 작용하는 등분포하중은 다음의 식으로 나타낼 수 있다.

$$q(x) = q_0 <x-a>^0 \tag{a}$$

위의 식으로 정의된 하중 $q(x)$는 $x < a$일 때는 0이고, $x \geq a$일 때 q_0인 값을 가진다. $x=a$에서는, 좌측에서 접근할 때 함수값이 0이고, 우측에서 접근할 때는 값이 q_0와 같다. 식 (a)는 표 7-2의 마지막 란의 경우 3에 수록되어 있다. 식 (a)에 표시된 하중의 방향은 등분포하중에 적용되는 부호규약에 따라 윗방향이거나 아랫방향일 수 있다. 등분포하중의 작용방향이 아래쪽일 때 양으로 정했으므로, $q(x)$식은 표의 중간예에 표시된 하중을 표시한다. 부호규약에 따라, q_0값은 하향하중일 때 양, 상향하중일 때 음이다.[*] 등분포하중 q_0는 x축의 우측으로 무한정 계속됨에 유의해야 한다.

표 7-2의 경우 4와 5는 경우 3에서와 비슷한 방법으로 램프(ramp) 및 2차 함수를 사용하여 설명할 수 있다. 두 가지 하중함수는 우측으로 무한정 계속된다. 함수를 정의하기 위해서는 각 그래프에 특이점을 명기해야 한다. 이렇게 하기 위한 편리한 방법은 표에서 보는 바와 같이, $x=a$인 점에서 거리 b만큼 떨어진 임의의 점에서 종좌표값 q_0를 주는 것이다.

경우 6의 하중은 $x=a_1$에서 시작되고 $x=a_2$에서 끝나는 부분적 등분포하중이다. 이 하중들을 중첩하여 표시하면, 첫 번째 하중은 $x=a_1$에서 시작하여 우측으로 무한정 계속되는 크기 q_0인 등분포하중이고, 두 번째 하중은 $x=a_2$에서 시작되고 우측으로 무한정 계속되는 크기 $-q_0$인 하중이다. 따라서 두 번째 하중은 $x=a_2$인 점 우측구간의 첫 번째 하중을 제거

---

[*] 상방향 하중을 (+)라 가정하더라도 $q(x)$에 대한 식은 똑같다. $<x-a>^0$은 $x \geq a$에서 1이므로 q_0는 상방향하중일 때는 (+), 하방향 하중일 때 (−)가 될 것이다.

시킨다.

경우 7, 8의 하중은 부분적 분포하중으로 구성되었지만 기본하중 형태의 조합으로 쉽게 얻어질 수 있다. 이렇게 하면 표의 마지막 란의 식이 구해질 것이다. 분포하중을 포함하는 더욱 복잡한 하중의 형태는 Macaulay 함수를 이용한 비슷한 중첩법에 의해 구해질 수 있다.

우력이나 힘으로 주어지는 하중은(경우 1과 2) 특이함수에 의해 다룰 수 있는데, 단위 doublet 함수는 단위우력을 나타내며 단위임펄스함수는 단위힘을 나타낸다. 단위 doublet 함수에 M_0를 곱하면 세기 $q(x)$인 분포하중과 등가인 우력을 나타낸다.

M_0의 단위는 힘에다 길이를 곱한 것이고, 단위 doublet 함수의 단위는 길이의 자승의 역수이다. 따라서 이들의 곱은 힘을 길이로 나눈 단위를 가지며, 이는 분포하중 크기의 단위와 같다. 집중하중에 대한 경우도 이와 비슷하며, 힘 P와 단위 임펄스함수의 곱은 분포하중의 세기의 단위와 같다. 경우 1과 2에 대한 $q(x)$식은 모멘트와 힘에 등가되어지는 하중의 크기를 정의하는 수학적인 식이다. 이들은 하중에 대한 부호규약을 적용할 때 물리적 의미를 가지게 된다. 우력과 힘의 형태로 주어지는 표에 주어진 방향일 때 양이다(즉 반시계방향과 아랫방향일 때 양). 앞에서와 같이 등가하중 $q(x)$는 아랫방향일 때 양이다.

예제 1

그림 7-30(a)에 보인 단순보 AB는 집중하중 P와 우력 M_0를 지지하고 있다. (a) 지점 사이의 구간에서 보에 작용하는 등가분포하중의 크기 $q(x)$에 관한 식을 구하라($0 < x < L$). (b) 반력을 포함한 크기 $q(x)$에 관한 식을 구하라($0 \leq x \leq L$).

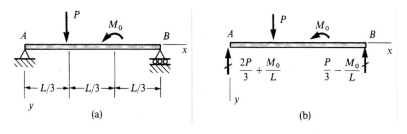

그림 7-30 예제 1. 불연속함수에 대한 하중표시

풀이 (a) 지점 사이 보에 작용하는 하중은 집중하중 P와 우력 M_0이다. 이들과 등가인 분포하중은 표 7-2의 경우 2와 1을 사용하여 얻는다. 지점 A를 원점으로 잡으면 다음 식을 구할 수 있다.

$$q(x) = P\left\langle x - \frac{L}{3} \right\rangle^{-1} + M_0 \left\langle x - \frac{2L}{3} \right\rangle^{-2}$$ (b)

이 한 개의 방정식은 지점을 제외한 보의 모든 점에 적용되는 등가분포하중을 나타낸다. 우변의 각 항은 하중작용점을 제외한 모든 점에서 0이 됨을 유의하라.

(b) 때로는 반력들을 하중 $q(x)$식에 포함하는 것이 필요할 때가 있다. 그러면 이 식은 양단을 포함한 보의 모든 점에 적용될 수 있다. $q(x)$식을 구하기 위해 정적평형으로부터 반력을 구하고 이들 보의 자유물체도에 도시하였다. 표 7-2를 이용하여 $q(x)$에 관한 식을 다음과 같이 구한다.

$$q(x) = -\left(\frac{2}{3}P + \frac{M_0}{L}\right)<x>^{-1} + P\left\langle x - \frac{L}{3} \right\rangle^{-1}$$
$$+ M_0\left\langle x - \frac{2L}{3} \right\rangle^{-2} - \left(\frac{P}{3} - \frac{M_0}{L}\right)<x-L>^{-1} \tag{c}$$

이 방정식의 마지막 항은 $<x-L>^{-1}$을 포함하며 우측지점을 제외한 보의 모든 점에서는 0이다. 따라서 이 항은 처짐계산에는 무관하며 제외될 수 있다.

다음 절에서는 보의 전단력, 굽힘모멘트, 경사각 및 처짐을 불연속함수의 항으로 구하기 위해 식 (b)와 (c) 같은 하중 $q(x)$식을 적분할 것이다.

예제 2

그림 7-31(a)와 같은 일단고정보 AB가 크기가 변하는 분포하중을 받고 있다. (a) 보의 고정단 우측에 작용되는 분포하중의 크기 $q(x)$에 관한 식을 유도하라. (b) 반력을 포함한 $q(x)$의 식을 구하라.

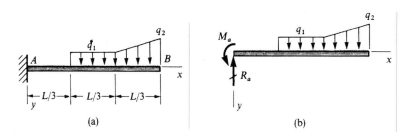

그림 7-31 예제 2. 불연속함수에 의한 하중표시

풀이 (a) 보에 작용되는 하중은 $x = L/3$로부터 $x = L$까지 작용되는 등분포하중과 $x = L/3$에서 $x = L$까지 작용하는 삼각형하중의 두 부분으로 나눌 수 있다. 그러므로 표 7-2의 경우 6, 7을 참조해 보면

$$q(x) = q_1\left\langle x - \frac{L}{3} \right\rangle^0 - q_1 <x-L>^0$$

$$+\frac{3(q_2-q_1)}{L}\left\langle x-\frac{2L}{3}\right\rangle^1-\frac{3(q_2-q_1)}{L}<x-L>^1$$
$$-(q_2-q_1)<x-L>^0$$

$<x-L>$이 포함된 항은 보의 축상의 모든 점에서 0이므로, 물리적 의미가 없고 처짐계산에도 무관하다. 따라서 $<x-L>$을 포함한 항을 제거하면 $q(x)$에 대한 식은 다음과 같이 된다.

$$q(x)=q_1\left\langle x-\frac{L}{3}\right\rangle^0+\frac{3(q_2-q_1)}{L}\left\langle x-\frac{2L}{3}\right\rangle^1$$

위의 식의 x에 특정값을 대입하여 $q(x)$를 구해 보면 식의 오류가 없음을 알 수 있다. 예를 들면 $x=L/6$일 때 $q(x)=0$이고, $x=L/2$일 때 $q(x)=q_1$, $x=L$일 때 $q(x)=q_1+(3/L)(q_2-q_1)(L-L/3)=q_2$가 된다.

(b) 반력이 포함된 $q(x)$식을 구하기 위해, 그림 7-31(b)와 같은 자유물체도를 그린다. 연직반력 R_a와 고정단 A에서 모멘트를 구해보면 다음과 같이 된다.

$$R_a=\frac{(3q_1+q_2)L}{6},\quad M_a=\frac{4(2q_1+q_2)L^2}{27} \tag{d}$$

표 7-2를 사용하여 아래와 같은 $q(x)$에 대한 식을 구한다.

$$q(x)=-R_a<x>^{-1}+M_a<x>^{-2}+q_1\left\langle x-\frac{L}{3}\right\rangle^0$$
$$+\frac{3(q_2-q_1)}{L}\left\langle x-\frac{2}{3}L\right\rangle^1$$

위의 식에 R_a와 M_a를 대입하여 $q(x)$에 대한 식을 구하면 된다.

예제 3

그림 7-32(a)와 같이 보의 A점와 B점 사이는 단순지지 되고 B와 C점에는 돌출된 보 ABC가 스팬의 일부에 크기 $q=12$ kN/m인 등분포하중과 자유단에 집중하중 $p=15$ kN을 받고 있다. 보에 작용되는 등가분포하중의 크기 $q(x)$를 구하라.

풀이 먼저 그림 7-32(b)의 자유물체도로부터 보의 반력을 구한다. A지점을 좌표 원점으로 잡고, 표 7-2를 이용하여 $q(x)$에 관한 식을 구하면

$$q(x)=-(9\text{ kN})<x>^{-1}+(12\text{ kN/m})(<x-5\text{ m}>^0-<x-10\text{ m}>^0)$$
$$-(66\text{ kN})<x-10\text{ m}>^{-1}+(15\text{ kN})<x-14\text{ m}>^{-1}$$

과 같이 된다. 위의 식에서 x의 단위는 [m]이다. 위의 식 마지막 항은 보의 좌단을 제외

한 모든 점에서 0이므로 제거시키고, 단위를 쓰는 것이 불편하므로 생략하면 $q(x)$식은

$$q(x) = -9 < x >^{-1} + 12 < x-5 >^0 - 12 < x-10 >^0 - 66 < x-10 >^{-1}$$

이 된다. 식에 사용된 단위는 $x;[m]$ $q(x);[kN/m]$이다. 이 단위를 사용했다는 것을 표시해야 되며 만약 이런 표시가 없다면, 식의 해석이 잘못될 수 있다.

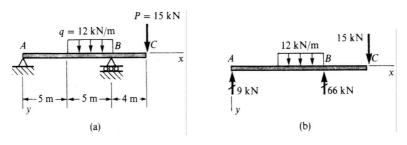

그림 7-32 예제 3. 불연속함수에 대한 하중표시

7.10 보의 처짐을 구하기 위한 불연속함수의 이용

보의 처짐을 구하는 보편적 방법은 하중이 변하는 점 사이의 각 구간에 대해 하중(q), 전단력(V) 및 굽힘모멘트(M)에 관계된 식을 구하여 이것을 적분함으로써 이루어지는 것이다(식 (7-10)과 7.3절, 7.4절 참조). 이 식들을 각 구간에 대해 적분할 때 생기는 적분상수는 경계조건 및 연속조건을 이용해 구할 수 있다. 위의 방법은 간단한 하중조건에서는 만족할만한 결과를 얻지만, 구간의 수가 2개 이상이 되면 상당히 난해해질 것이다. 이럴 경우 불연속함수를 이용하면 보의 전 구간에 대해 한 개의 식으로 표시할 수 있으므로, 이 식을 적분하면 적분상수는 하나만 나타나고 쉽게 이 상수를 구할 수 있을 것이다. 따라서 불연속함수로 나타낼 수 있는 문제에 대해서는 매우 위력적인 것이다.

불연속함수를 사용하는 과정은 명확하다. 먼저 앞장에서 기술한 방법을 사용하여 등가분포하중 $q(x)$에 관한 식을 구한다. 다음 이 식을 처짐곡선의 미분방정식에 대입한다[식 (7-10c) 참조]. 이 식을 연속적분하여 전단력 V, 굽힘모멘트 M, 처짐각 v', 처짐 v를 구한다. 이때 생기는 적분상수들은 경계조건을 이용해 구한다. 결과적으로 보의 모든 점에서 처짐 v를 나타내는 단 한 개의 식으로 표시될 수 있다. 불연속함수를 이용하면 경사각과 처

짐의 경계, 연속조건을 따지지 않더라도 불연속점과 특이점 모든 곳에 걸쳐 적분할 수 있기 때문에, 각 구간에 대해 따로 따로 적분할 필요가 없다. 보에 기울기와 처짐의 연속성은 적분과정에서 자동적으로 보장된다.

불연속 방법을 사용한 보의 처짐을 구하는 방법은 1883년 이 방법을 발견한 독일의 공학자 Clebsch의 이름을 따라 **Clebsch 방법**(Clebsch's method)이라 부르기도 한다(참고문헌 7-12~7-15 참조). 해석할 보의 특이조건과 해석자의 개인적 취향에 따라, 풀이과정에서 세부적인 많은 변화가 있게 된다. 이런 여러 사용방법을 다음 예제에 제시했으며, 그 외의 것은 문제에서 취급하게 된다. 해석은 하중, 전단력 또는 굽힘모멘트 방정식[식 (7-10a), (b) 또는 (c)]으로 시작할 수 있는데, 이 절의 예제에서는 하중방정식으로 시작한다. 왜냐하면 풀이가 다른 두 방정식을 자동적으로 포함하기 때문이다.

예제 ①

단순보 AB가 집중하중 P와 우력 M_0를 받고 있을 때 이 보의 처짐곡선방정식을 구하라(그림 7-33 참조).

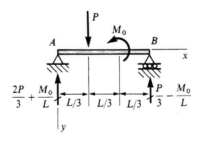

그림 7-33 예제 1. 불연속 함수

풀이 먼저 처짐곡선의 미분방정식을 분포하중 q[식 (7-10c)]의 항으로 표시한다. 좌표의 원점을 A단으로 잡으면, 하중 P와 M_0는 등가분포하중 $q(x)$로 나타낼 수 있으며 이 식은 다음과 같이 표시된다. [7.9절 예제 1 식 (b) 참조]

$$q(x) = P\left\langle x - \frac{L}{3}\right\rangle^{-1} + M_0 \left\langle x - \frac{2L}{3}\right\rangle^{-2} \tag{a}$$

따라서 미분방정식은

$$EIv'''' = q = P\left\langle x - \frac{L}{3}\right\rangle^{-1} + M_0 \left\langle x - \frac{2L}{3}\right\rangle^{-2} \tag{b}$$

이 되고 위의 방정식을 적분하면 다음과 같다.

$$Eb''' = -V = P\left\langle x - \frac{L}{3} \right\rangle^0 + M_0 \left\langle x - \frac{2L}{3} \right\rangle^{-1} + C_1 \tag{c}$$

적분상수 C_1은 전단력에 대한 조건으로부터 구한다. 보의 좌단에서의 전단력 조건은, $x = 0$일 때(실질적으로는 0보다 아주 미소한 길이만큼 크다) 전단력은 반력 R_a와 같다. 따라서,

$$V(0) = R_a = \frac{2P}{3} + \frac{M_0}{L}$$

가 된다. 이 조건을 식 (c)에 대입하면,

$$C_1 = -R_a = -\left(\frac{2P}{3} + \frac{M_0}{L} \right)$$

이므로 전단력으로 표시되는 미분방정식은 다음과 같다.

$$Eb''' = -V = -\left(\frac{2P}{3} + \frac{M_0}{L} \right) + P\left\langle x - \frac{L}{3} \right\rangle^0 + M_0 \left\langle x - \frac{2L}{3} \right\rangle^{-1} \tag{d}$$

지점에 작용되는 하중들로 시작하는 식 (a)를 푸는 대신에, 하중에 반력을 추가한 식으로부터 해석할 수 있다. 그림 7-33에 보인 보에 대해서는 이미 앞절에서 식이 유도되었다 [7.9절 예제 1의 식 (c) 참조]. 이 식을 사용하여 다음과 같은 미분방정식을 유도한다.

$$Eb'''' = q = -\left(\frac{2}{3}P + \frac{M_0}{L} \right) <x>^{-1} + P\left\langle x - \frac{L}{3} \right\rangle^{-1}$$
$$+ M_0 \left\langle x - \frac{2L}{3} \right\rangle^{-2} - \left(\frac{P}{3} - \frac{M_0}{L} \right) <x - L>^{-1} \tag{e}$$

위의 식의 마지막 항은 B점의 반력을 나타내며, 지점 B에 이르는 보의 축상의 모든 점에서 0이다. 그러므로 이 항은 보의 전단력, 경사각, 처짐을 계산하는 데 아무런 영향을 주지 않으므로 제외시키고 식 (e)를 적분하면 전단력에 관한 식은

$$Ex''' = -V = -\left(\frac{2P}{3} + \frac{M_0}{L} \right) <x>^0 + P\left\langle x - \frac{L}{3} \right\rangle^0$$
$$+ M_0 \left\langle x - \frac{2L}{3} \right\rangle^{-1} + C_1' \tag{f}$$

이 된다. 적분상수는 전단력을 알 수 있는 보의 임의 점 값을 대입하면 구할 수 있다. 이번에는 지점 B의 약간 좌측에 있는 점에서의 전단력을 구해 보기로 하자.

$$V(L) = R_a - P = \frac{2P}{3} + \frac{M_0}{L} - P$$

식 (f)로부터

$$-\left(\frac{2P}{3}+\frac{M_0}{L}-P\right)=-\left(\frac{2P}{3}+\frac{M_0}{L}\right)+P(1)+M_0(0)+C_1'$$

여기서 $C_1'=0$이다. $q(x)$에 대한 식이 모든 힘(하중 및 반력)을 포함할 때에는 적분상수가 필요없으므로 이 결과는 예측하던 대로이다. 또한 식 (f)의 $<x>^0$항은 보의 축상 모든 점에서 1과 같음을 유의하여, 식 (f)의 $<x>^0$ 대신에 1, C_1' 대신에 0을 대입하여 식 (d)와 같은 다음 식을 얻는다.

$$Ev'''=-V=-\left(\frac{2P}{3}+\frac{M_0}{L}\right)+P\left\langle x-\frac{L}{3}\right\rangle^0+M_0\left\langle x-\frac{2L}{3}\right\rangle^{-1} \tag{g}$$

따라서 앞의 두 가지 방법에서 똑같은 전단력에 관한 식이 얻어졌다. 위의 한 가지 방법은 하중방정식으로만 시작하여 전단력을 경계조건을 사용하여 구하는 것이며, 다른 방법은 반력을 포함하는 식으로 시작하며 경계조건이 필요하다. 두 가지 방법은 접근방법만 다르므로, 어느 것을 사용하는가는 개인의 취향에 달려 있다.

이번에는 전단력에 관한 식 (g)를 검토해 보자. 우변의 첫째 항은 반력 R_a에 의한 전단력이고, 두 번째 항은 하중 P에 의한 전단력이다. 자유물체도를 이용한 일반적 해석에서는 이 두 항만이 V에 대한 식으로 나타난 것이다. 우력 M_0를 포함하는 세 번째 항은 전단력선도의 singularity를 나타낸다. 이 항은 우력 M_0에 의해 점에 전단력집중이 생기기 때문에 존재한다. 그러나 이 항은 전단력선도 작성에는 아무 영향을 미치지 못하므로 실제 전단력을 고려할 때 무시된다. 그러나 이 항은 굽힘모멘트를 고려하는 다음 적분에는 영향을 주기 때문에 식에서 제거될 수 없다.

미분방정식을 두 번 적분하면 굽힘모멘트 M에 관한 식이 나온다.

$$Ev''=-M=-\left(\frac{2P}{3}+\frac{M_0}{L}\right)x+p\left\langle x-\frac{L}{3}\right\rangle^1+M_0\left\langle x-\frac{2L}{3}\right\rangle^0+C_2 \tag{h}$$

적분상수 C_2는 아무쪽이나 굽힘모멘트 경계조건에 의해 구한다. 좌단에서 $M(0)=0$이므로, $C_2=0$이다. 전단력에 관한 식이 모든 하중과 반력(모든 힘과 우력)의 효과를 포함하는 경우에는 적분상수가 필요없으므로, 이 결과는 생각하던 바이다.

굽힘모멘트에 대한 식 (h)는 자유물체도와 정적평형으로부터 직접 구할 수도 있었으며, 그다음 2계미분방정식[식 (7-12a)]으로부터 처짐 해석을 시작했었다.

식을 두 번 더 적분하면 보의 경사각과 처짐을 구할 수 있는데 각 경우마다 적분상수가 생긴다.

$$Ev'=-\left(\frac{2P}{3}+\frac{M_0}{L}\right)\frac{x^2}{2}+\frac{P}{2}\left\langle x-\frac{L}{3}\right\rangle^2+M_0\left\langle x-\frac{2L}{3}\right\rangle^1+C_3 \tag{i}$$

$$Elv = -\left(\frac{2P}{3} + \frac{M_0}{L}\right)\frac{x^3}{6} + \frac{P}{6}\left\langle x - \frac{L}{3}\right\rangle^3 + \frac{M_0}{2}\left\langle x - \frac{2L}{3}\right\rangle^2$$
$$+ C_3 x + C_4 \tag{j}$$

적분항수를 구하기 위한 추가 경계조건은

$$v(0) = 0 \quad v(L) = 0$$

이 되고, 이를 이용하면

$$C_4 = 0 \quad C_3 = \frac{5PL^2}{81} + \frac{M_0 L}{9}$$

이 된다. 적분상수를 대입한 결과 방정식은 다음과 같다.

$$Elv' = -\left(\frac{2P}{3} + \frac{M_0}{L}\right)\frac{x^2}{2} + \frac{P}{2}\left\langle x - \frac{L}{3}\right\rangle^2 + M_0\left\langle x - \frac{2L}{3}\right\rangle^1$$
$$+ \frac{5PL^2}{81} + \frac{M_0 L}{9} \tag{k}$$

$$Elv = -\left(\frac{2P}{3} + \frac{M_0}{L}\right)\frac{x^3}{6} + \frac{P}{6}\left\langle x - \frac{L}{3}\right\rangle^3 + \frac{M_0}{2}\left\langle x - \frac{2L}{3}\right\rangle^2$$
$$+ \left(\frac{5PL^2}{81} + \frac{M_0 L}{9}\right)x \tag{l}$$

보의 임의의 점에서 경사각과 처짐은 위의 식을 이용하여 구한다. 예를 들면, 좌측지점에 서는$(x=0)$ 식 (k)로부터 다음과 같은 식을 얻는다.

$$\theta_a = v'(0) = \frac{5PL^2}{81EI} + \frac{M_0 L}{9EI} \tag{m}$$

보의 중앙에서는 $(x = L/2)$, 회전각과 처짐은 다음과 같이 된다.

$$\theta_c = v'\left(\frac{L}{2}\right) = -\frac{5PL^2}{648EI} - \frac{M_0 L}{72EI} \tag{n}$$

$$\delta_c = v\left(\frac{L}{2}\right) = \frac{23PL^3}{1296EI} + \frac{5M_0 L^2}{144EI} \tag{o}$$

이와 같이 불연속함수를 사용하여 보의 해석을 끝마쳤다.

예제 ②

그림 7-34와 같은 일단고정보 AB에 대한 처짐곡선방정식을 구하라.

풀이 먼저 고정단에서의 반력을 구하면,

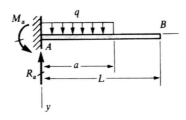

그림 7-34 예제 2. 불연속함수

$$R_a = qa, \quad M_a = \frac{qa^2}{2} \tag{p}$$

등분포하중의 크기 $q(x)$는 다음과 같이 된다.

$$q(x) = -R_a <x>^{-1} + M_a <x>^{-2} + q<x>^0 - q<x-a>^0 \tag{q}$$

미분방정식을 식 (p)와 (q)를 대입하여 하중의 항으로 표시하면[식 (7-10c) 참조]

$$E\hbar'''' = q = -qa <x>^{-1} + \frac{qa^2}{2}<x>^{-2} + q<x>^0 - q<x-a>^0 \tag{r}$$

이고 $<x>^0$을 1로 바꾸고, 적분하면 다음과 같이 된다.

$$E\hbar''' = -V = -qa<x>^0 + \frac{qa^2}{2}<x>^{-1} + qx - q<x-a>^1 \tag{s}$$

$q(x)$식은 반력을 포함한 식이므로 적분상수는 필요없다. 우변의 둘째항은 모멘트 반력에서 나온 것인데, 이 항은 전단력 선도에는 영향을 주지 않지만, 다음의 적분에는 영향을 미치므로 식에서 제거시키지 말아야 한다. 불연속함수를 사용할 때의 단점은 식 (s)로부터 확실히 알 수 있다. 즉, 보의 우측구간($a<x<L$)에서는 전단력이 0인데 이 사실은 방정식으로부터는 알 수 없다.

다음은 식 (s)를 적분하여 굽힘모멘트를 구하는 것이다. $<x>^0$을 1로 놓고 적분하면,

$$E\hbar'' = -M = -qax + \frac{qa^2}{2}<x>^0 + \frac{qx^2}{2} - \frac{q}{2}<x-a>^2 \tag{t}$$

V식에는 우력에 의한 항을 포함한 모든 항들이 있으므로, 위의 방정식의 적분상수는 필요가 없다. $<x>^0$을 1로 놓고, 두 번 더 적분하면

$$E\hbar' = \frac{q}{6}(x^3 - 3ax^2 + 3a^2x) - \frac{q}{6}<x-a>^3 + C_1 \tag{u}$$

$$E\hbar = \frac{q}{24}(x^4 - 4ax^3 + 6a^2x^2) - \frac{q}{24}<x-a>^4 + C_1x + C_2 \tag{v}$$

적분상수 C_1과 C_2는 다음과 같은 고정단의 경계조건으로부터 구해진다.

$$v'(0) = 0, \quad v(0) = 0$$

그러므로 $c_1 = 0$, $c_2 = 0$이 되고 v'과 v에 관한 최종식은 다음과 같이 된다.

$$EIv' = \frac{qx}{6} 6(3a^2 - 3ax + x^2) - \frac{q}{6} < x-a >^3 \tag{w}$$

$$EIv = \frac{qx^2}{24}(6a^2 - 4ax + x^2) - \frac{q}{24} < x-a >^4 \tag{x}$$

이것은 불연속함수를 이용해 처짐곡선방정식을 구한 예이다.

임의점에서의 경사와 처짐은 식 (w)와 (x)에 적당한 x값을 대입하여 얻는다. 예를 들면 $x = a$에서는

$$v'(a) = \frac{qa^3}{6EI} \quad v(a) = \frac{qa^4}{8EI} \tag{y}$$

이 되고, $x = L$에서는

$$\theta_b = v'(L) = \frac{qa^3}{6EI} \quad \delta_b = v(L) = \frac{qa^3}{24EI}(4L - a) \tag{z}$$

가 된다. 실제로 처짐곡선은 보에 하중이 작용하지 않는 구간에서는 직선이 됨에 유의해야 한다.

예제 3

그림 7-35에 보인 돌출보 ABC는 돌출보 BC와 스팬 AB로 되어 있다. C점과 D점에서의 처짐 δ_c와 δ_d를 구하라. 여기서 보의 탄성계수 $E = 200\,\text{GPa}$, 관성모멘트 $I = 118 \times 10^6\,\text{mm}^4$ 이다.

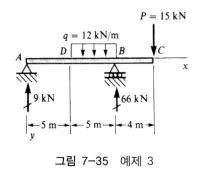

그림 7-35 예제 3

풀이 앞절의 예제 3에서 보에 대한 하중과 반력을 불연속함수의 항으로 표시하였다. 이것을 그

대로 사용하면 $q(x)$는 다음과 같이 표시된다.

$$q(x) = -9 < x >^{-1} + 12 < x-5 >^{0} - 12 < x-10 >^{0} - 66 < x-10 >^{-1}$$

여기서 x의 단위는 m, $q(x)$의 단위는 kN/m이다. 위의 식을 식 (7-10c)에 대입하면, 처짐곡선방정식은 다음과 같이 된다.

$$EIv'''' = q = -9 < x >^{-1} + 12 < x-5 >^{0} - 12 < x-10 >^{0} - 66 < x-10 >^{-1}$$

위의 식에서 v의 단위는 m, E의 단위는 kPa, I의 단위는 m^{4}이다. (v''''의 단위는 m^{-3}이다)

첫 번째 및 두 번째 적분에서 전단력과 굽힘모멘트의 식을 각각 얻는다.

$$EIv''' = -V = -9 < x >^{0} + 12 < x-5 >^{1} - 12 < x-10 >^{1} - 66 < x-10 >^{0}$$
$$EIv'' = -M = -9x + 6 < x-5 >^{2} - 6 < x-10 >^{2} - 66 < x-10 >^{1}$$

앞에서 논의한 바와 같이, $q(x)$식이 반력과 하중을 포함할 때는 V와 M에 관한 적분상수가 필요없다.

경사각과 처짐을 구하기 위해 두 번 적분을 하면,

$$EIv' = -\frac{9}{2}x^2 + 2 < x-5 >^{3} - 2 < x-10 >^{3} - 33 < x-10 >^{2} + C_1$$
$$EIv = -\frac{3}{2}x^3 + \frac{1}{2} < x-5 >^{4} - \frac{1}{2} < x-10 >^{4} - 11 < x-10 >^{3} + C_1 x + C_2$$

와 같이 된다. 적분상수를 구하기 위한 경계조건은 다음과 같다.

$$v(0) = 0, \quad v(10) = 0$$
$$\therefore \ C_1 = \frac{475}{4} \quad C_2 = 0$$

따라서 상수를 구해 대입한 결과식은 다음과 같이 된다.

$$EIv' = -\frac{9x^2}{2} + \frac{475}{4} + 2 < x-5 >^{3} - 2 < x-10 >^{3} - 33 < x-10 >^{2}$$
$$EIv = -\frac{3x^3}{2} + \frac{475x}{4} + \frac{1}{2} < x-5 >^{4} - \frac{1}{2} < x-10 >^{4} - 11 < x-10 >^{3}$$

위의 식의 단위는 다음과 같다.

$$x;[m], \ v;[m], \ E;[kPa], \ I;[m^4]$$

D점에서의 처짐 δ_d는 다음 수치를 대입하여 구한다.

$$x = 5\,m \quad E = 200\,GPa = 200 \times 10^6\,kPa$$

$$I = 118 \times 10^6 \, \text{mm}^4 = 118 \times 10^{-6} \, \text{m}^4$$

위의 수치를 넣어 적분하면 다음과 같이 된다.

$$EI\delta_d = EIv(5) = -\frac{3}{2}(5)^3 + \frac{475(5)}{4} = 406.25 \, \text{kN·m}^3$$

$$\delta_d = \frac{406.25 \, \text{kN·m}^2}{(200 \times 10^6 \, \text{kPa})(118 \times 10^{-6} \, \text{m}^4)} = 0.0172 \, \text{m} = 17.2 \, \text{mm}$$

같은 방법으로, 돌출부의 처짐 δ_c를 구하면

$$x = 14 \, \text{m} \quad E = 200 \times 10^6 \, \text{kPa} \quad I = 118 \times 10^{-6} \, \text{m}^4$$

$$
\begin{aligned}
EI\delta_c = EIv(14) &= -\frac{3}{2}(14)^3 + \frac{475(14)}{4} + \frac{1}{2}(14-5)^4 \\
&\quad -\frac{1}{2}(14-10)^4 - 11(14-10)^3 \\
&= -5.00 \, \text{kN·m}^3
\end{aligned}
$$

$$\delta_c = \frac{5.00 \, \text{kN·m}^3}{(200 \times 10^6 \, \text{kPa})(118 \times 10^{-6} \, \text{m}^4)} = -0.00021 \, \text{m} = -0.21 \, \text{mm}$$

가 되고 음부호는 처짐이 위로 향함을 뜻한다.

*7.11 온도의 영향

구속하지 않은 보 또는 봉에 온도를 균일하게 증가시키면 봉재의 길이는 증가하며 그 변화량은 다음과 같은 식으로 표시된다.

$$\delta_t = \alpha(\Delta T)L \tag{7-70}$$

여기서 α는 열 팽창계수*, ΔT는 온도변화량, L은 봉의 원래 길이이다[그림 2-20 및 식 (2-22) 참조].

위의 장에서 취급되는 모든 보가 길이방향으로의 팽창이 자유롭다면, 균일한 온도변화에 보는 아무런 응력도 발생하지 않는다. 또한 보가 굽혀지지 않기 때문에 이러한 보에 대해서는 아무런 횡방향의 처짐도 없다.

---

* 열계수 α의 값은 부록 표 H-4에 수록되었다.

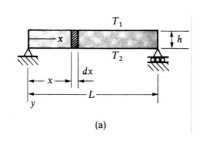
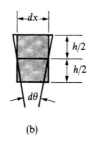

그림 7-36 보에서의 온도영향

온도가 보의 단면 높이에 따라 일정하지 않으면 보의 거동은 아주 다르게 된다. 예를 들어 그림 7-36(a)와 같이, 처음에 균일한 온도 T_0를 받는 곧고 일정한 단순보가 상면에서는 T_1으로, 하면에서는 T_2의 온도로 변화한다면, 또 온도변화가 보의 상하면 사이에서 선형적이라고 하면, 보의 평균온도는 $T_{aver} = (T_1 + T_2)/2$이고 이는 중간 높이에서 생긴다.

이 평균온도와 초기온도 T_0 사이의 온도차 때문에 앞에서 설명한 바와 같이 길이 방향에 변화가 생긴다. 또 보의 윗면과 아랫면 사이의 **온도차** $T_2 - T_1$ 때문에 보는 **곡률**이 생기게 되는데, 이는 세로 방향의 처짐이 생김을 의미한다.

이 처짐을 구하기 위해, 길이가 dx인 미소 거리의 변형을 고려해 보자[그림 7-36(b)]. 윗면과 아랫면에서의 미소 길이의 변화는 $\alpha(T_2 - T_0)dx$와 $\alpha(T_1 - T_0)dx$가 된다. T_1이 T_2보다 크면, 요소의 측면은 그림 7-36(b)와 같이 각각에 대해 각 $d\theta$만큼 회전한 것이 된다. 각 $d\theta$는 그림의 기하학적 모양으로부터 얻어지며 다음의 식으로 표시된다.

$$h d\theta = \alpha(T_1 - T_0)dx - \alpha(T_2 - T_0)dx$$

또는

$$\frac{d\theta}{dx} = -\frac{\alpha(T_2 - T_1)}{h} \tag{7-71}$$

여기서 h는 보의 단면 높이이다. 앞에서 $d\theta/dx$의 값이 보의 처짐곡선의 곡률을 나타냄을 설명했다(식 (7-4) 참조). 따라서 다음과 같은 처짐곡선에 대한 **미분방정식**(differential equation)을 구하게 된다.

$$\frac{d^2v}{dx^2} = -\frac{\alpha(T_2 - T_1)}{h} \tag{7-72}$$

T_2가 T_1보다 크면 곡률은 음이며 보는 위로 오목하게 된다. $\alpha(T_2 - T_1)/h$은, 앞에서 사

용한 처짐곡선의 미분방정식에 포함된 M/EI값에 해당된다[식 (7-6) 참조].

식 (7-72)는 보가 상하면에 선형적인 온도변화를 받을 때 처짐 미분방정식이 되었음을 알았다. 때문에 굽힘모멘트효과에 대해 처짐곡선 미분방정식을 사용한 방법과 같은 방법으로 식을 풀 수 있다. 즉, 윗식 (7-72)를 연속적분함으로써 처짐각 dv/dx와 처짐 v를 구할 수 있고, 적분상수는 경계조건을 사용해 구할 수 있다. 또한 모멘트-면적법 이론도 사용할 수 있다. 이때 M/EI 대신에 $\alpha(T_2 - T_1)/h$으로 대치하여 풀면 된다.

7.12 전단변형영향

이 장에 있는 앞에 설명한 절에서는 처짐을 구하는데 굽힘변형의 영향만이 고려되었다. 직사각형 단면의 보에서는 그림 7-37(a)에서 보는 것과 같이 보의 요소를 변형시키는 **전단변형**(shear deformation)에 의한 추가적인 처짐효과가 생긴다. 전단응력은 보의 높이에 따라 다르므로 단면은 곡면이 될 것이다. 그림에서는 전단만에 의한 처짐을 보여 주므로, 그의 변형영향(굽힘모멘트)은 제외되었다. 원래 보의 수평축을 mn으로 나타내고, 전단변형후 변화된 선의 위치를 mp로 표시한다. 점 m과 n에서는 요소의 측면이 수직을 유지한다고 보면, 보의 위, 아랫변은 선 mp에 평행하며 수평과 각 α를 이룰 것이다(γ_c는 중립축의 전단변형률이다). 요소의 변형은 요소를 얇은 층으로 쪼개보면 더욱 쉽게 알 수 있는데, 이때 각 층은 순수전단을 받고 있다고 가정한다[그림 7-37(b)]. 층 1에서의 전단변형률은 γ_c이고 층 2와 3에서의 전단변형률은 γ_c보다 작다. 가장 먼쪽의 층 4에서는 전단변형률이 0이고, 이 층의 측면은 직각이다.

전단만에 의한 보의 처짐곡선의 기울기는, 대략 중립축에서의 전단변형률과 같다[그림 7-37(a) 참조]. 따라서 전단만에 의한 처짐을 v_s로 표시하면, 기울기에 대한 다음 식을 얻는다.

$$\frac{dv_s}{dx} = \gamma_c = \frac{\alpha_s V}{GA} \tag{7-73}$$

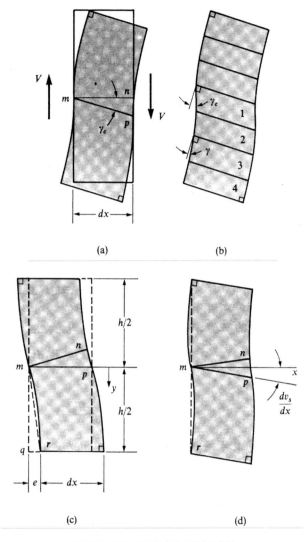

그림 7-37 보에서의 전단 변형

여기서 V/A는 전단력을 보의 단면적으로 나눈 평균전단응력이고, α_s는 단면의 도심에서의 전단응력을 구하기 위해 평균전단응력에 곱해야 하는 계수 [또는 **전단계수**(shear coefficient)]이며, G는 전단탄성계수이다. 직사각형 단면에 대해서는 $\alpha_s = 3/2$ [식 (5-23) 참조]이고, 원형단면에 대해서는 $\alpha_s = 4/3$ [식 (5-32) 참조]이며, I형 보에 대해서는 α_s가 대략 A/A_w인데, 여기서 A_w는 보의 웨브에서 단면적이다. GA/α_s값은 보의 **전단강도**(shearing rigidity)라고 한다.[*]

---

[*] 가상일의 원리에 의해 결정된 전단강도는 GA/f_s이고, 여기서 전단형상계수(form factor for shear)라고

보에 작용하는 하중 q가 연속적으로 분포되어 있다면, 전단력 V는 x에 대해 미분할 수 있는 연속함수이다. 이때 전단만에 의한 처짐곡선방정식은 다음과 같이 된다.

$$\frac{d^2v_s}{dx^2} = \frac{\alpha_s}{GA}\frac{dV}{dx} = -\frac{\alpha_s q}{GA} \tag{a}$$

보의 전처짐 v는 이 장의 전 절에서 설명한 굽힘에 의한 처짐 v_b와 전단에 의한 처짐 v_s의 합이다. 따라서 $v = v_b + v_s$이며, 전곡률은 다음과 같다.

$$\frac{d^2v}{dx^2} = \frac{d^2v_b}{dx^2} + \frac{d^2v_s}{dx^2} = -\frac{M}{EI} - \frac{\alpha_s q}{GA} \tag{7-74}$$

전단영향을 고려할 경우, 보의 처짐은 위의 식을 적분함으로써 구할 수 있다. 이때 생겨나는 적분상수를 구하기 위해 보의 경계조건을 사용한다. 예를 들면 단순지점에서는 보의 처짐은 0이다($v = v_b = v_s = 0$). 고정단에서는 처짐이 0이지만, 기울기에 대한 조건은 보의 단에 고정된 형태에 따라 다르다. 만약 중립축에서 요소의 측면이 수직을 유지한다면[그림 7-37(a)에서와 같이] 기울기에 대한 조건은 다음과 같이 된다.

$$\frac{dv_b}{dx} = 0 \qquad \frac{dv_s}{dx} = \gamma_c \tag{b}$$

왜냐하면, 이 경우에는 지점에서의 보의 축은 굽힘변형에 의해서는 기울기가 0이지만 전단변형에 의한 기울기는 γ_c를 가지기 때문이다. 전체 처짐곡선이 보의 끝단에서 0의 기울기를 갖도록 보가 구속되어 있다면, 그 조건은 다음과 같다.

$$\frac{dv_b}{dx} = 0 \qquad \frac{dv_s}{dx} = 0 \tag{c}$$

그리고 보의 끝단은 그림 7-37(c)에서와 같이 수평인 선 mp와 같은 방향을 갖는다.

또 다른 가능성은 보의 윗부분과 아랫부분이 연직선을 이루는 경우이다[그림 7-37(d) 참조]. 이 경우에는, 선 mn이나 선 mp가 모두 수평이 아니다. 대신에 기울기 dv_s/dx는 그림 7-37(c)의 요소를 선 mr이 연직선이 될 때까지 시계방향으로 회전하여 구할 수 있다. 회전각은 각 qmr이며, e를 $h/2$로 나눈 값과 같다. 길이 e는 다음과 같이 쓸 수 있다.

$$e = \int_0^{h/2} \gamma\, dy \tag{d}$$

부르는 f_s는 전단계수 α_s와 다를 수도 있다(10.9절 참조).

여기서 γ는 중립축으로부터 거리 y만큼 떨어진 곳의 전단변형률이다[그림 7-37(b) 참조]. 이 경우에 경계조건은 다음과 같다.

$$\frac{dv_b}{dx} = 0 \qquad \frac{dv_s}{dx} = \frac{2e}{h} \tag{e}$$

식 (d)로 주어진 e값은 어떤 특수한 형태의 단면에 대해서도 계산할 수 있다. 폭이 b인 직사각형 단면보에 대해서

$$e = \int_0^{h/2} \gamma \, dy = \frac{1}{G} \int_0^{h/2} \tau \, dy = \frac{1}{bG} \int_0^{h/2} \tau b \, dy = \frac{V}{2bG} \tag{f}$$

이고, 식 (e)는 다음과 같이 표시된다.

$$\frac{dv_b}{dx} = 0 \qquad \frac{dv_s}{dx} = \frac{V}{GA} \tag{g}$$

여기서 $A = bh$는 단면적이다. I형 보에서는 웨브가 모든 전단력을 받으며, 전단응력은 웨브의 높이에 걸쳐 거의 일정하다. 따라서

$$e = \int_0^{h/2} \gamma \, dy = \frac{1}{G} \int_0^{h/2} \tau \, dy = \frac{1}{t_w G} \int_0^{h/2} \tau t_w \, dy \approx \frac{V}{2t_w G} \tag{h}$$

이고 경계조건은 다음과 같이 된다.

$$\frac{dv_b}{dx} = 0 \qquad \frac{dv_s}{dx} = \frac{V}{GA_w} \tag{i}$$

여기서 $A_w \approx h t_w$는 보의 웨브에서 면적이다.

전단처짐의 계산과정을 보여주기 위해서, 등분포하중 q를 받은 단순보를 첫 번째 예로 들자(그림 7-3 참조). 이 보에 대한 곡률방정식은 다음과 같다[식 (7-74) 참조].

$$\frac{d^2v}{dx^2} = -\frac{q}{2EI}(xL - x^2) - \frac{\alpha_s q}{GA}$$

이 식을 두 번 연속 적분하면 처짐 v는

$$v = \frac{q}{24EI}(x^4 - 2x^3 L) = -\frac{\alpha_s q}{2GA}x^2 + C_1 x + C_2$$

가 된다. 경계조건은 보의 양단에서는 ($x = 0$과 $x = L$), 처짐 v가 0이므로, C_1과 C_2는 다

음과 같이 구해진다.

$$C_1 = \frac{qL^3}{24EI} + \frac{\alpha_s qL}{2GA} \quad C_2 = 0$$

따라서 보의 처짐곡선은

$$v = \frac{qL^4}{24EI}\left(\frac{x}{L}\right)\left(\frac{x^3}{L^3} - 2\frac{x^2}{L^2} + 1\right) + \frac{\alpha_s qL^2}{2GA}\left(\frac{x}{L}\right)\left(1 - \frac{x}{L}\right) \tag{7-75}$$

가 되는데, 이 식은 우변에 두 개의 항을 가지고 있다. 첫째는 굽힘에 의한 처짐[식 (7-13)과 비교할 것]이고, 둘째는 전단변형에 의한 추가적인 처짐이다.

보의 중앙$(x = L/2)$에서의 처짐은 아래와 같다.

$$v_c = \frac{5qL^4}{384EI} + \frac{\alpha_s qL^2}{8GA} = \frac{5qL^4}{384EI}\left(1 + \frac{48\alpha_s EI}{5GAL^2}\right) \tag{7-76}$$

위의 식을 앞에서 유도했던 식과 비교해 보면 마지막 항이 추가되는데, 이는 전단변형효과를 고려함으로써 생긴 항이며, 만약 보가 전단에 대해 무한한 강성을 갖는다고 보면, 식의 마지막 항은 0이 되며 전단변형영향은 무시되고 굽힘에 의한 처짐만 남는다. 전단변형에 의한 처짐은 직사각형단면 보와 같은 중실보에 대해서는 1에 비해 아주 작으므로 무시할 수 있지만, 샌드위치 보와 같은 기타의 보에 대해서는 아주 큰 값을 가지기도 한다.

실제 전단변형에 의한 처짐의 영향을 알아보기 위해, 높이 h와(즉 $\alpha_s = 1.5$, $I/A = h^2/12$) $E/G = 2.5$인 직사각형 단면보를 생각해 보자. 이때 중앙처짐은

$$v_c = \frac{5qL^4}{384EI}\left(1 + 3\frac{h^2}{L^2}\right) \tag{7-77}$$

이 된다. $L/h = 10$일 때 전단변형의 영향은 처짐을 3% 증가시키는 것을 알 수 있다. L/h 비가 작은(즉, 짧고 높은) 보에 대해서는 전단변형영향이 증가한다. I형 보에 있어서 전단 처짐의 효과는 직사각형 보의 해석결과와 유사하나, 전단변형의 상대적인 값이 보통 2~3배 크다. 또 샌드위치 보는 전단처짐 영향이 50%정도 된다.

전단처짐 방정식을 유도할 때, 그림 7-37(a)와 같이 보의 각 단면이 자유롭게 뒤틀린다는 가정하에 미분방정식을 유도하였다. 보가 등분포하중을 받는 경우 위의 가정은 만족스럽지만, 보의 중앙에는 대칭성에 의해 단면의 뒤틀림(warping)이 생기지 않는다. 왜냐하면 보의 중앙에서 $V = 0$이기 때문에 이 단면에서 뒤틀림이 생기지 않는다. 뒤틀림은 보의 중앙

에서 양끝 쪽으로 감에 따라 점점 커지고 전단력 자체도 커진다. 따라서 뒤틀림에 의해 생기는 처짐에 대한 추가적인 제한은 작은 효과만을 갖는다. 일반적으로, 제한된 뒤틀림 효과는 위에서 계산한 처짐값을 감소시킨다.

등분포하중을 받는 직사각형 단면의 단순보에 대해 탄성론의 기법을 이용하여 처짐곡선을 구할 수 있다(참고문헌 7-18). Poisson비가 $\nu = 0.25$인 경우에 중앙에서 처짐은 다음 식으로 표시된다.

$$v_c = \frac{5qL^4}{384EI}\left(1 + 2.2\frac{h^2}{L^2}\right) \tag{7-78}$$

이 값은 식 (7-77)에서 구한 값보다 약간 작은 값이다. 식(7-78)의 두 번째 항은 전단효과뿐만 아니라 연직방향의 응력 σ_y(보의 상부에 작용하는 등분포하중 q에 의한)의 효과도 고려한 것이다.

두 번째 예로서 중앙에 집중하중 P를 받는 단순보를 생각해 보자. 보의 좌측반 부분에 대해서 굽힘모멘트, 전단력 및 하중의 세기는 각각 $M = px/2$, $V = p/2$, $q = 0$이다. 따라서 굽힘과 전단에 의한 미분방정식은 다음과 같다.

$$\frac{d^2v_b}{dx^2} = -\frac{px}{2EI} \qquad \frac{d^2v_s}{dx^2} = 0 \qquad \left(0 \le x \le \frac{L}{2}\right)$$

보의 중앙에서는 굽힘과 전단처짐에 의한 기울기의 경계조건이 서로 다르므로, 이 두 식은 첫 번째 예와 같이 조합된 형태가 아니라, 독립적으로 적분하여야 한다. $x = L/2$에서 $dv_b/dx = 0$, $x = 0$에서 $v_b = 0$인 경계조건을 사용하여 v_b에 관한 미분방정식을 두 번 계속 적분하면 굽힘처짐은

$$v_b = \frac{PL^3}{48EI}\left(\frac{x}{L}\right)\left(3 - 4\frac{x^2}{L^2}\right) \qquad \left(0 \le x \le \frac{L}{2}\right)$$

이 된다. v_s에 관한 미분방정식을 적분하면

$$\frac{dv_s}{dx} = C_1$$

이 되는데, 이는 보의 좌측반 부분에선 전단에 의한 기울기가 일정함을 나타낸다. 이 기울기는 식 (7-73)에 주어진 것과 같이 $\alpha_s V/GA$와 같다. $x = 0$일 때 $v_s = 0$이라는 조건을 쓰면 두 번째 적분이 전단만에 의한 처짐방정식이 된다.

$$v_s = \frac{\alpha_s Px}{2GA} \quad \left(0 \le x \le \frac{L}{2}\right)$$

그러므로 전처짐은 다음과 같이 되고,

$$v = v_b + v_s = \frac{PL^3}{48EI}\left(\frac{x}{L}\right)\left(3 - 4\frac{x^2}{L^2}\right) + \frac{\alpha_s px}{2GA} \quad \left(0 \le x \le \frac{L}{2}\right) \tag{7-79}$$

보의 중앙에서의 처짐은 다음과 같이 된다.

$$v_c = \frac{PL^3}{48EI}\left(1 + \frac{12\alpha_s EI}{GAL^2}\right) \tag{7-80}$$

괄호 안의 마지막 항을 수치적으로 계산해 봄으로써 전단변형의 중요성을 판단할 수 있다. 앞에서 설명한 바와 같이, 식 (7-79)는 뒤틀림효과를 무시한 식이기 때문에 더욱 큰 처짐을 준다. 대칭성으로부터 보의 중앙단면은 평면으로 유지되어야 하고 그 곳에서는 뒤틀림이 생기지 않음을 알 수 있다. 그러나 중앙의 좌우에 인접한 단면에서는 각각 $P/2$와 $-P/2$의 전단력이 생기므로, 이 단면들에는 뒤틀림이 생긴다. 이들은 반대방향으로 뒤틀리려는 경향이 있으나 그렇게 못하도록 억제되어 있기 때문에 추가적인 응력이 발생한다. 이런 추가적인 뒤틀림 억제는 보의 처짐을 저항하는 경향이 있으므로, 실제적인 전단처짐은 위에서 결정된 값보다 작아지게 된다.

$E/G = 2.5$인 직사각형 단면보를 식 (7-80)을 이용하여 보의 중앙처짐을 구해 보면

$$v_c = \frac{PL^3}{48EI}\left(1 + 3.75\frac{h^2}{L^2}\right) \tag{7-81}$$

이 된다. 이 결과는 $\nu = 0.25$이고 $E/G = 2.5$인 경우 탄성론에 의해 얻은 아래와 같은 정확한 결과와 비교할 수 있다(참고문헌 7-19 참조)

$$v_c = \frac{PL^3}{48EI}\left(1 + 2.78\frac{h^2}{L^2} - 0.84\frac{h^3}{L^3}\right) \tag{7-82}$$

위의 식은 하중이 작용하는 보의 중앙부근의 국부력을 계산에 넣었기 때문에 식 (7-81)보다 작은 처짐을 준다.

세 번째 예는 좌단이 고정되고 자유단에 집중하중 P를 받는 일단고정보이다(부록 G, 표 G-1, 경우 4). 굽힘처짐 v_b에 대한 식은 부록 G에 수록되고 있으므로, 여기서는 전단처짐 v_s만을 고려하기로 한다. 전단력이 일정하기 때문에 전단에 의한 보의 기울기 dv_s/dx도 일

정하다. 이 기울기의 대소는 보가 좌단에서 어떻게 지지되어 있느냐에 따라 좌우된다. 중립축에서 요소측면이 수직으로 남아 있고 보의 단이 자유롭게 뒤틀릴 수 있다면, 그 기울기는

$$\frac{dv_s}{dx} = \frac{\alpha_s P}{GA}$$

이고 전단처짐은 다음 식으로 된다.

$$v_s = \frac{\alpha_s P}{GA} x \tag{j}$$

만약 지지점에서 처짐곡선이 수평을 유지하고, 자유단의 단면이 그림 7-37(c)와 같이 뒤틀린다면, $dv_s/dx = 0$이 되고 전단처짐 v_s도 없다. 마지막으로, 보의 위·아랫변이 지점에서 연직선상에 남아 있고 보가 그림 7-37(d)와 같이 뒤틀린다면, 전단에 의한 기울기는

$$\frac{dv_s}{dx} = \frac{2e}{h}$$

가 되고, 오직 전단만에 의한 처짐곡선은

$$v_s = \frac{2e}{h} x \tag{k}$$

가 된다. 일단고정보의 자유단에서의 전단처짐 v_s를 구하기 위해 $x = L$을 위의 식에 대입하고, 굽힘에 의한 처짐은 표를 이용해(부록 G 참조) 보면 $PL^3/3EI$이 된다. 전 처짐은 이들을 더하여 구한다.

탄성론의 방법으로 구한 일단고정보의 자유단에서의 처짐은, 중앙에 집중하중을 받고 있는 단순보에 대한 식에 P 대신 $2P$, L 대신 $2L$을 대입하여 구할 수 있다[식 (7-82) 참조].

이러한 처짐은 뒤틀림을 억제시키는 고정단을 가진(즉 평면으로 남는다고 가정되는 단의 단면을 가진) 일단고정보에 대해 유용하다.[*]

앞에서 설명한 유도과정에서, 중립축에서의 전단응력(또는 변형률)과 단면에서의 평균전단응력(또는 변형률)과의 비인 전단계수 α_s를 사용하였다. 이러한 방식으로 구한 α_s값은 전단강도 GA/α_s를 계산하는 데 사용하였다. 그러나 전단강도를 더 정확하게 구하려면 탄성론을 이용해야 한다. 다음은 전단계수에 관한 참고문헌 목록에 적혀 있는 참고문헌 7-21에서 구한 α_s에 대한 공식이다. 직사각형단면 및 원형단면에 대해서 α_s는 각각 다음과 같다.

---

[*] 보에 처짐공식에서의 전단영향은 Poncelet와 Rankine(참고문헌 7-20)에 의해 소개되었다.

$$\alpha_s = \frac{12 + 11\nu}{10(1+\nu)} \quad \alpha_s = \frac{7 + 6\nu}{6(1+\nu)} \tag{7-83a, b}$$

$\nu = 0.3$인 경우에는, 직사각형 또는 원형에 대해 위의 식으로부터 $\alpha_s = 1.18$, $\alpha_s = 1.13$을 각각 얻는다. 이미 유도된 전단처짐식에 이들 값을(3/2 또는 4/3값 대신) 사용하면 좀더 정확한 처짐값을 얻게 된다. 물론 정적 처짐 문제에 있어서는 전처짐에 비해 전단처짐은 불과 몇 %에 지나지 않으므로 전단처짐을 계산하는데 있어 큰 정확성을 필요로 하지 않는 점에 주의할 필요가 있다.

보의 전단처짐을 구하는 또 다른 방법으로서 단위하중법이 있다(12.9절 참조). 이것은 가상일 원리에 기초하고 있다. 위의 방법으로 직사각형단면보의 전단처짐을 구해보면, 그 값은 전단계수(3/2)를 사용한 미분방정식 해보다 약간 작고, $\alpha_s = 1.18$을 사용해 구한 값과는 아주 비슷하다.

샌드위치보(sandwich beam)의 처짐을 구할 때(5.10절 참조), 중앙재료부의 전단탄성계수 G_c는 통상 작고 전단강도가 작으므로, 일반적으로 전단변형의 효과를 필히 고려해야 한다. 그러므로 이 절에서 설명한 방법은 이런 보의 처짐해석에 유용하다.

보의 굽힘강도 EI를 $E_f I_f$로 대치하는데, 여기서 E_f는 면(face)의 탄성계수, I_f는 면의 관성모멘트이다[식 (5-53) 참조]. 전단응력이 핵심부 면적 A_c에 등분포되어 있다고 가정할 수 있기 때문에, 전단강도 GA/α_s는 $G_c A_c$가 된다. 따라서 전단계수 α_s는 1과 같아진다.

실제응용에서는, 샌드위치보에 사용된 재료의 다양성 때문에 정확한 자료의 부족으로 굽힘강도와 전단강도를 계산으로 구할 수 없기도 하다. 이러한 경우에는, 강도가 사용된 특수한 재료와 구조의 형태에 따라 실험적으로 결정되어야 한다.

전단변형에너지. 전단력 V의 효과로 인해 보에 저장된 변형에너지에 대한 식은 쉽게 구할 수 있다. 그림 7-37(a)로부터 전단력이 한 일은 요소에 저장된 변형에너지 dU_s와 같으므로

$$dU_s = \frac{V\gamma_c dx}{2}$$

가 되고, 식 (7-73)을 이용하면 이 식은 다음과 같이 쓸 수 있다.

$$dU_s = \frac{\alpha_s V^2 dx}{2GA}$$

따라서 전단변형만에 의해 보에 저장되는 변형에너지는 다음과 같다.

$$U_s = \int \frac{\alpha_s V^2 dx}{2GA} \tag{7-84}$$

전변형에너지를 구하기 위해서는 전단변형에너지를 굽힘변형에너지[식 (7-59)]에 합하면 된다. 물론 대부분의 경우, 전단변형에너지는 굽힘변형에너지에 비해 무시할만 하다.*

*7.13 보의 큰 처짐

이 장에서 이미 토의된 보의 처짐은 작은 회전각을 가진 경우 보의 미분방정식을 풀어서 구했다[식 (7-10) 참조]. 이때 기울기와 처짐이 크면, 처짐곡선의 미분방정식은 정확한 식을 사용해야 한다. 보의 재료가 선형적 탄성을 유지한다는 가정하에 이 식은 다음과 같다 [식 (7-1)과 식 (7-5) 참조].

$$\kappa = \frac{d\theta}{ds} = -\frac{M}{EI} \tag{7-85}$$

보의 곡률인 $d\theta/ds$는 θ(처짐곡선의 회전각)의 s(곡선 자체를 따라서 측정한 거리)에 대한 변화율이다. 회전각이 아주 작으면, 거리 s는 거리 x와 같아지고, 회전각 θ는 기울기 dv/dx와 같아지므로, $d\theta/ds$는 근사적으로는 d^2v/dx^2와 같다. 그러나 처짐이 큰 경우에는 이러한 단순화된 식은 유용하지 않으며, 식 (7-85)는 정확한 곡률식[식 (7-11)]을 이용하여 풀어야 한다. 따라서 처짐곡선의 미분방정식은 다음과 같다.

$$\frac{\dfrac{d^2v}{dx^2}}{\left[1 + \left(\dfrac{dv}{dx}\right)^2\right]^{3/2}} = -\frac{M}{EI} \tag{7-86}$$

이 방정식에서 구한 탄성처짐곡선의 정확한 모양은 elastica라고 부른다.

Elastica 문제의 수학적 해는 여러 가지 형태의 보와 하중조건에 대해 구해졌다. 해가 길기 때문에 여기서는 생략한다. 대신에 실제적인 어떤 보에 대한 최종결과를 주고 다른 해가 수록되어 있는 참고문헌을 제공하겠다.**

---

* 가상일의 방법은 보의 전단변형에너지에 대한 식을 유도하는데 사용되며, 이 식은 전단계수 α_s가 형상계수 f_s로 대치되는 것을 제외하고는 식 (7-84)와 비슷하다(12.9절 참조).

** elastica 문제는 Bernoulli, Euler, Lagrange 및 Planar에 의해 처음으로 연구되었다(참고문헌 7-22~

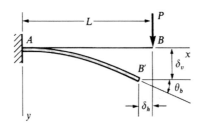

그림 7-38 일단고정보의 큰 처짐

그림 7-38에 보인 일단고정보 AB를 고찰해 보자. 하중 P는 보의 큰 처짐을 일으키고, 결과적으로 보의 자유단이 점 B에서 B'으로 움직인다고 가정한다. 이때 보의 자유단의 회전각이 θ_b로 표시되고, 수평 및 연직변위는 각각 δ_h와 δ_v이다. 처짐곡선의 길이 AB'은 직접적인 인장에 따른 축방향 길이의 변화를 무시하기 때문에 최초의 길이 L과 같다. 보는 정정보이므로, 굽힘모멘트 M에 대한 식은 쉽게 구할 수 있으며 이를 미분방정식 식 (7-8b)에 대입한다. 다음에 종속변수의 치환을 포함한 복잡한 수학적 과정을 거쳐 경계조건을 적용하면 이 식의 해는 타원함수(elliptic function)의 항으로 구해진다.[*] 이 해로부터 θ_b, δ_v 및 δ_h에 관한 식들이 타원적분의 항으로 구해진다. 예를 들면, 회전각 θ_b를 구하는 식은 다음과 같다.

$$F(k) - F(k, \phi) = \sqrt{\frac{PL^2}{EI}} \qquad (7\text{-}87)$$

이 식의 항들은 다음과 같이 정의된다.

$$k = \sqrt{\frac{1 + \sin \theta_b}{2}} \qquad (a)$$

$$\phi = \arcsin \frac{1}{k\sqrt{2}} \qquad (b)$$

$F(k) = $ 제1종 완전타원적분

$$= \int_0^{\pi/2} \frac{dt}{\sqrt{1 - k^2 \sin^2 t}} \qquad (c)$$

$F(k, \phi) = $ 제1종 불완전타원적분

7-27). elastica 문제의 해는 참고문헌 7-28~7-31에서 찾을 수 있다. 보의 큰 처짐에 관한 가장 완전한 참고서는 R. Frisch-Fay(참고문헌 7-31)의 책인데, 이 책도 많은 참고문헌을 포함하고 있다. 다른 참고문헌은 문헌 7-32에서 찾을 수 있다.

[*] 타원함수는 고등수학 교과서나 편람에 자세히 설명되어 있다.

$$= \int_0^\phi \frac{dt}{\sqrt{1-k^2 \sin^2 t}} \tag{d}$$

타원적분은 프로그램용 계산기를 사용한 수치적분에 의해 구해진다. 또한 여러 가지 modulus k와 amplitube ϕ에 대한 타원적분의 수치값이 수학편람에 표로 주어진다(예로서 참고문헌 7-33). 식 (7-87)의 두 개의 타원적분의 차이는 ϕ로부터 $\pi/2$까지의 적분값으로 표시할 수 있다.

식 (7-87)의 초월함수의 성질 때문에 θ_b를 구하기 위해 시행착오법을 사용해서 풀어야 한다. 그 진행과정은 다음과 같다: (1) $0°$와 $90°$ 사이의 θ_b값을 가정한다. (2) 식 (a)에서 k를 계산한다. (3) 식 (c)를 이용하여 이에 대응하는 $F(k)$값을 구한다. (4) 식 (b)에서 ϕ를 계산한다. (5) k와 ϕ값을 알면 식 (d)에서 $F(k, \phi)$값을 구한다. (6) 식 (7-87)에서 하중 P를 계산한다. 이 과정에서 특별히 가정된 θ_b값에 대응하는 하중 P를 알 수 있다. 또 다른 θ_b값에 대해 계산을 반복하면, 원하는 만큼의 대응하는 하중 p와 θ_b의 값을 결정할 수 있다.

이런 방법으로 결정된 값들의 기록이 표 7-3에 수록되어 있으며, 이는 참고문헌 7-34에서 인용된 것이다.

일단고정보의 자유단에서의 수직처짐방정식은 다음과 같다.

$$\frac{\delta_v}{L} = 1 - \sqrt{\frac{4EI}{PL^2}} \left[E(k) - E(k, \phi) \right] \tag{7-88}$$

여기서

표 7-3 집중하중을 받는 일단고정보의 회전각 및 처짐(그림 7-38 참조)

$\dfrac{PL^2}{EI}$	$\dfrac{\theta_b}{\pi/2}$	$\dfrac{\delta_v}{L}$	$\dfrac{\delta_h}{L}$
0	0	0	0
0.2	0.063	0.066	0.003
0.4	0.126	0.131	0.010
0.6	0.185	0.192	0.022
0.8	0.241	0.249	0.038
1.0	0.294	0.302	0.056
1.5	0.407	0.411	0.108
2	0.498	0.493	0.161
3	0.628	0.603	0.254
4	0.714	0.670	0.329
5	0.774	0.714	0.388
6	0.817	0.745	0.435
7	0.850	0.767	0.473
8	0.875	0.785	0.505
9	0.895	0.799	0.532
10	0.911	0.811	0.555
15	0.956	0.848	0.635
∞	1	1	1

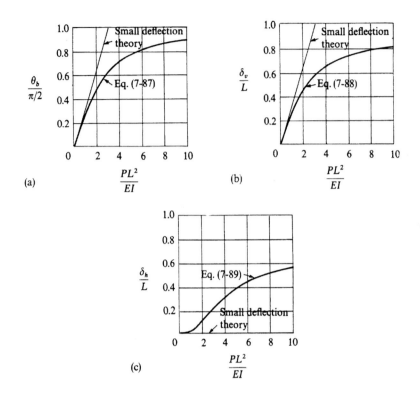

그림 7-39 자유단에 집중하중 P를 받는 일단고정보의 큰 처짐(그림 7-38 참조): (a) 회전각 θ_b (b) 수직처짐 δ_v (c) 수평처짐 δ_h

$$E(k) = \text{제2종 완전타원적분}$$
$$= \int_0^{\pi/2} \sqrt{1 - k^2 \sin^2 t}\, dt \tag{e}$$

$$E(k, \phi) = \text{제2종 불완전타원적분}$$
$$= \int_0^{\phi} \sqrt{1 - k^2 \sin^2 t}\, dt \tag{f}$$

식 (7-88)은 식 (7-87)의 해에서 구한 θ_b, k, ϕ 및 PL^2/EI값을 사용하여 풀 수 있다. 단한 가지 추가적인 단계는 $E(k)$와 $E(k, \phi)$값을 구하여 식 (7-88)에 대입하는 것이다. 계산 목적상 식 (7-88)의 두 개의 타원적분의 오차는 ϕ로부터 $\pi/2$까지의 적분값과 같다. 몇 가지 수치결과가 표 7-3에 수록되었다.

마지막으로 수평처짐은 다음 식에서 구할 수 있다.

$$\frac{\delta_h}{L} = 1 - \sqrt{\frac{2EI\sin\theta_b}{PL^2}} \qquad (7\text{-}89)$$

이 경우에 대한 결과는 표 7-3의 마지막 란에 있다. 회전각 θ_b, 처짐 δ_v 및 δ_h가 그림 7-39(a), (b), (c)에 그래프로 주어진다. 각 경우에 대해 큰 처짐의 결과는 하중이 0으로 접근함에 따라 작은 처짐이론에서 구한 것과 같아진다.

자유단에 수직하중이 작용하는 일단고정보에 대한 완전해는 참고문헌 7-31, 7-35 및 7-36에 수록되어 있으며, 등분포하중을 받는 일단고정보의 처짐은 참고문헌 7-37에 수록되어 있다. 일단고정보에 대한 해는, 단순보의 반이 일단고정보와 같다고 생각함으로써, 대칭으로 하중을 받는 단순보에도 적용할 수 있다. 큰 처짐에 대한 여러 경우에 관한 것이 참고문헌 7-31에 수록되어 있다.

보의 끝에 작용하는 우력과 함께 힘에 의해 굽은 일반적인 **3차원** 보에 대해서, elastica의 미분방정식은 고정점 주위를 돌고 있는 무거운 물체운동에 대한 식과 같은 형태를 가진다.

이 상이성은 1859년 Kirchhoff에 의해 관찰되었고, **Kirchhoff의 동역학적 상이성**(참고문헌 7-38)으로 알려지고 있다. 봉의 끝에 축하중만을 받는 특수한 경우에는 elastica에 대한 미분방정식이 큰 회전각을 갖는 단진자의 것과 같다. 탄성계와 동역학계 사이의 Kirchhoff 상이성을 알고 싶을 때는 참고문헌 7-39를 참조하기 바란다.

문제

7.3-1 균일분포하중을 받고 있는 단순보에 있어서 처짐곡선식을 연속 미분하여 보의 전단력 V와 굽힘모멘트 M을 구하고, 정적 평형상태를 이용하여 구한 결과와 비교하라[예제 1의 식 (7-13) 참조].

7.3-2 단순보 AB(그림 참조)의 처짐곡선식이 다음과 같다.

$$v = \frac{q_0 x}{360LEI}(7L^4 - 10L^2x^2 + 3x^4)$$

이때 보에 작용하는 하중은 얼마인가?

7.3-3 단순보 AB(그림 참조)의 처짐곡선식이 다음과 같다.

$$v = \frac{q_0 L^4}{\pi^4 EI} \sin \frac{\pi x}{L}$$

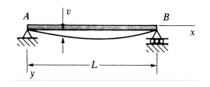

문제 7.3-2, 7.3-3

이때 보에 작용하는 하중은 얼마인가?

7.3-4 균일분포하중 q를 받고 있는 폭이 넓은 플랜지를 가진 보의 스팬의 길이가 $L = 4.88\,\text{m}$이다. $q = 26.28\,\text{kN/m}$이고 $E = 206.7\,\text{GPa}$일 때 최대 처짐 δ와 지점에서의 회전각 θ를 구하라.

7.3-5 균일분포하중을 받는 직사각형 단면의 단순보에서, 중앙점에서의 처짐이 $12\,\text{mm}$이다(그림 7-3과 예제 1 참조). 이때 보를 재질과 단면은 동일하고, 넓이가 원래 보의 1/2인 새로운 보로 대치하였다. 새로운 보가 똑같은 하중하에 $3\,\text{mm}$의 처짐이 생기게 하려면, 새로운 보의 높이 h_2와 원래의 보의 높이 h_1의 비는 얼마로 하여야 하는가?

7.3-6 균일분포하중을 받고 있는 일단고정보(그림 7-4와 예제 2 참조)의 높이 h는 길이 L의 1/10이다. 보는 넓은 플랜지 단면을 가지고 있으며, $E = 206.7\,\text{GPa}$과 인장과 압축에 대해 허용응력이 $137.8\,\text{MPa}$이다. 보가 최대 허용하중을 받는다고 가정하여 길이에 대한 끝 단의 처짐비 δ/L을 구하라.

7.3-7 최대 굽힘응력이 $72\,\text{MPa}$, 최대 처짐이 $3.0\,\text{mm}$, 보의 높이가 $400\,\text{mm}$이며, 탄성계수가 $200\,\text{GPa}$일 때 균일분포하중을 받는 넓은 플랜지 단면을 가진 단순보(그림 7-3과 예제 1 참조)의 스팬의 길이 L을 구하라.

7.3-8 균일분포하중을 받고 있는 넓은 플랜지 단면을 가진 강철 단순보(그림 7-3과 예제 1 참조)가 중앙에서 $7.9375\,\text{mm}$의 처짐과 끝 단에서의 0.01라디안의 기울기를 가진다. 최대 굽힘응력이 $\sigma = 124.02\,\text{MPa}$, $E = 206.7\,\text{GPa}$일 때 보의 높이 h를 구하라.

7.3-9 스팬의 길이가 $L = 2\,\text{m}$, $q = 2.5\,\text{kN/m}$, 최대 굽힘응력이 $\sigma = 60\,\text{MPa}$인 균일하중을 받는 단순보의 최대처짐 δ를 구하라(그림 7-3과 예제 1 참조). 보는 정방형 단면을 가지며, 탄성계수가 $E = 70\,\text{GPa}$인 알루미늄으로 되어 있다.

7.3-10 그림 7-5와 예제 3에서 보인 단순지지보 AB가 집중하중 P를 받고 있다. 하중 P의 위치를 정해주는 a/L의 비율에 따른 지점에서의 회전각 θ_a/θ_b를 그래프로 나타내라($0 < a/L < 1$).

7.3-11 집중하중 P를 받고 있는 단순지지보에서 최대처짐과 중앙점에서의 처짐비 $\delta_c/\delta_{\text{max}}$를 공식

으로 구하라(그림 7-5와 예제 3 참조). 구한 공식으로부터, 하중의 위치를 정해주는 a/L의 비에 따른 $\delta_c/\delta_{\max}$를 그래프로 나타내라($0.5 < a/L < 1$).

문제 7.3-12부터 문제 7.3-19까지는 처짐곡선의 2계미분방정식(굽힘모멘트방정식)을 적분하여 구하라.

7.3-12 자유단에 집중하중 P를 받는 일단고정보 AB의 처짐곡선식을 구하라.

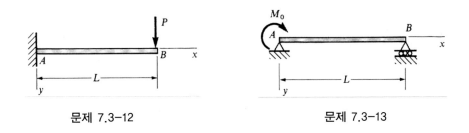

문제 7.3-12   문제 7.3-13

또한 자유단에서의 처짐 δ_b와 회전각 θ_b를 구하라(그림 참조).

7.3-13 끝단에 우력 M_0를 받는 단순보 AB에 대해 처짐곡선식을 구하라(그림 참조). 또한 최대처 짐 $\delta_{\max}$을 구하라.

7.3-14 최대하중의 크기가 q_0인 삼각형 분포하중을 받고 있는 일단고정보 AB가 있다(그림 참조). 자유단에서의 처짐 δ_b와 회전각 θ_b를 구하라.

7.3-15 보의 축을 따라 균일분포모멘트 m을 받고 있는 일단고정보 AB가 있다(그림 참조). 이때 처짐곡선식을 유도하고, 자유단에서의 처짐 δ_b와 회전각 θ_b를 구하라.

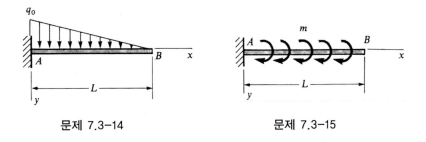

문제 7.3-14   문제 7.3-15

7.3-16 좌측 단으로부터 a만큼 떨어진 거리에 우력 M_0를 받고 있는 단순보 AB에서 처짐곡선식을 유도하라(그림 참조).

7.3-17 스팬의 일부에 균일분포하중 q를 받는 일단고정보 AB에 대해 처짐곡선식을 구하라(그림 참조).

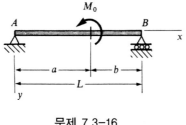

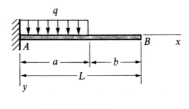

문제 7.3-16 문제 7.3-17

7.3-18 스팬 길이의 반에 균일분포하중 q를 받는 일단고정보 AB가 있다. 점 B와 점 C에서의 처짐 δ_b와 δ_c를 각각 구하라(그림 참조).

7.3-19 스팬 좌측 반에 균일분포하중 q를 받는 단순보 AB에 대한 처짐곡선식을 유도하라(그림 참조).

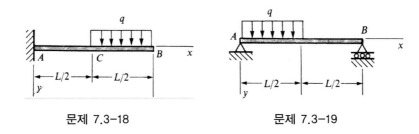

문제 7.3-18 문제 7.3-19

7.4-1 균일분포하중 q를 받고 있는 단순보에 대해 처짐곡선식을 유도하라(그림 7-3과 7.3절의 예제 1 참조). 처짐곡선의 4계미분방정식(하중방정식)을 이용하라.

7.4-2 처짐곡선의 3계미분방정식(전단력방정식)을 이용하여 문제 7.3-12(자유단에 집중하중을 받는 외팔보)를 풀어라.

7.4-3 자유단에 시계방향으로 작용하는 우력 M_0를 받고 있는 일단고정보 AB에서 처짐곡선식을 유도하라(그림 참조). 또한 자유단에서의 처짐 δ_b와 회전각 θ_b를 결정하라. 처짐곡선의 3계미분방정식(전단력방정식)을 이용하라.

7.4-4 최대하중이 q_0이고, $q_0 \cos \pi x/2L$로 표시되는 분포하중 q를 받고 있는 일단고정보가 있다(그림 참조). 처짐곡선식을 유도하고, 자유단에서의 처짐 δ_b를 구하라. 처짐곡선의 4계미분방정식(하중방정식)을 이용하라.

7.4-5 세기가 $q = q_0 \sin \pi x/L$인 분포하중을 받고 있는 단순보 AB가 있다(그림 참조). 중앙에서의 처짐 δ는 얼마인가? 처짐곡선의 4계미분방정식(하중방정식)을 이용하라.

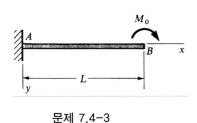

문제 7.4-3

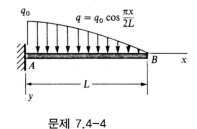

문제 7.4-4

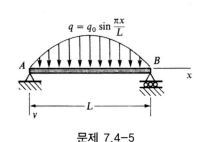

문제 7.4-5

7.4-6 세기가 $q = q_0(L^2 - x^2)/L^2$인 포물선 분포하중을 받고 있는 일단고정보 AB가 있다(그림 참조). 자유단에서의 처짐 δ_b와 회전각 θ_b를 구하라. 처짐곡선의 4계미분방정식(하중방정식)을 이용하라.

7.4-7 최대값이 q_0인 3각분포하중을 받고 있는 단순보에서 처짐곡선식을 유도하라(그림 참조). 또한 보의 최대처짐 δ_{max}을 구하라. 처짐곡선의 4계미분방정식(하중방정식)을 이용하라.

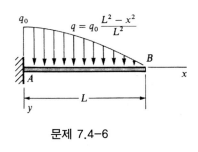

문제 7.4-6

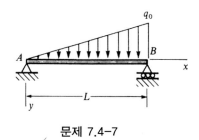

문제 7.4-7

7.4-8 집중하중 P를 받는 단순보의 처짐곡선식을 유도하라(그림 7-5와 7.3절의 예제 3 참조). 처짐곡선의 3계미분방정식(전단력방정식)을 이용하라.

7.4-9 처짐곡선의 4계미분방정식(하중방정식)을 이용하여 문제 7.3-19(스팬의 좌측 반에 균일하중을 받고 있는 단순보)를 풀어라.

7.4-10 처짐곡선의 4계미분방정식(하중방정식)을 이용하여 문제 7.3-18(길이의 반에 균일하중을 받고 있는 일단고정보)을 풀어라.

7.4-11 돌출부분에 균일하중 q를 받는 돌출보에 대해 처짐곡선식을 유도하라(그림 참조). 또한 돌출부분 끝단에서의 처짐 δ_c와 회전각 θ_c를 구하라. 이때 처짐곡선의 4계미분방정식(하중방정식)을 이용하라.

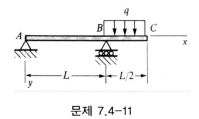

문제 7.4-11

7.5절의 문제는 모멘트-면적법을 이용하여 풀어라. 보의 강성도는 EI이다.

7.5-1 모멘트-면적이론을 유도하는 과정에 사용한 그림 7-8을 참조하여, 점 A와 점 B에서의 접선의 교점인 점 C'이 M/EI선도 면적의 중심궤적 C 선상에 존재함을 증명하라.

7.5-2 전 길이에 걸쳐 균일분포하중 q를 받고 있는 일단고정보가 있다(7.3절의 예제 2의 그림 7-6 참조). 이때 자유단에서의 회전각 θ_b와 처짐 δ_b를 구하라.

7.5-3 최대하중이 q_0인 3각형 분포하중을 받고 있는 일단고정보가 있다(7.4절 예제 1의 그림 7-6 참조). 자유단에서의 회전각 θ_b와 처짐 δ_b를 구하라.

7.5-4 자유단에 집중하중 P와 우력 M_0를 받고 있는 일단고정보가 있다(그림 참조). 끝단 B에서의 회전각 θ_b와 처짐 δ_b를 구하라.

7.5-5 길이의 중앙 1/3부분에 균일분포하중 q를 받고 있는 일단고정보 AB가 있다. 자유단에서 회전각 θ_b와 처짐 δ_b를 구하라.

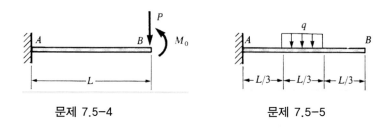

문제 7.5-4   문제 7.5-5

7.5-6 그림에 보인 일단고정보에서 점 B와 점 C에서의 처짐 δ_b와 δ_c를 각각 구하라. 단, $M_0 = 4.068$ kN-m, $P = 16.91$ kN, $L = 2.44$ m, 그리고 $EI = 6460$ kN-m^{2}로 가정하라.

7.5-7 그림과 같이 두 개의 집중하중 P_1과 P_2를 받고 있는 외팔보 AB가 있다. 이때 점 B와 점 C에서의 처짐 δ_a, δ_c를 각각 구하라. 단, $P_1 = 10$ kN, $P_2 = 5$ kN, $L = 2.6$ m, $E = 200$ GPa,

$I = 20.1 \times 10^6\,\text{mm}^4$이다.

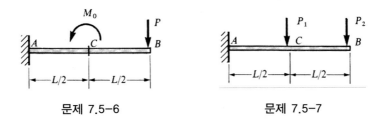

문제 7.5-6 ｜ 문제 7.5-7

7.5-8 7.3절 예제 1의 그림 2.3에 보인 균일분포하중을 받고 있는 단순보의 회전각 θ_a, θ_b를 구하고, 중앙점에서의 처짐 δ를 구하라.

7.5-9 단순보 AB가 끝단 B에 우력 M_0를 받고 있다(그림 참조). 이때 회전각 θ_a, θ_b를 구하고, 최대처짐 δ_{max}을 구하라.

7.5-10 그림에 보인 바와 같이 단순보 AB가 두 개의 집중하중 P를 받고 있다. 보 중앙의 지지점 C는 하중이 가해지기 전에 보의 아래로 d만큼 떨어져 있다. $d = 12.7\,\text{mm}$, $L = 6.1\,\text{m}$, $E = 206.7\,\text{GPa}$, $I = 1.647 \times 10^{-4}\,\text{m}^4$로 가정하여, 보가 점 C에 맞닿게 하기 위한 하중 p를 구하라.

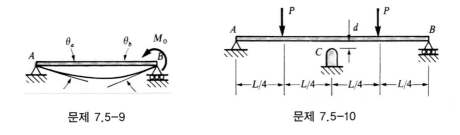

문제 7.5-9 ｜ 문제 7.5-10

7.5-11 그림에 보인 단순보 AB가 서로 방향이 반대이고 크기가 같은 두 개의 집중하중 P를 받고 있다. 죄단에서의 회전각 θ_a, 하향 하중점에서의 처짐 δ_1, 중앙점에서의 처짐 δ_2를 구하라.

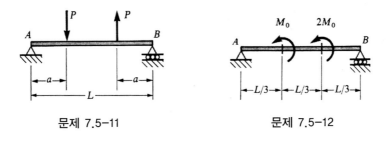

문제 7.5-11 ｜ 문제 7.5-12

563

7.5-12 그림에 보인 바와 같이 단순보 AB가 우력 M_0와 $2M_0$를 받고 있다. 보의 끝단에서의 회전 각 θ_a와 θ_b를 구하고, 최대처짐 δ_{max}을 구하라.

7.5-13 그림에 보인 바와 같이 단순보 AB가 두 개의 집중하중 P_1과 P_2를 받고 있다. $P_1 = 100 \, \text{kN}$, $P_2 = 200 \, \text{kN}$, $L = 10 \, \text{m}$, $E = 200 \, \text{GPa}$, $I = 1.20 \times 10^9 \, \text{mm}^4$로 가정하여, 보의 최대처짐 δ_{max}을 구하라.

7.5-14 그림에 보인 보 ABC에서 돌출 끝단에서의 처짐 δ_c를 구하라.

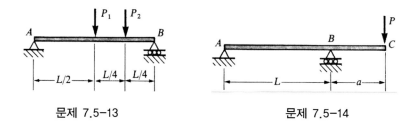

문제 7.5-13   문제 7.5-14

7.5-15 돌출보가 그림과 같이 하중 P와 Q를 받고 있다. 점 C에서의 처짐이 0이기 위한 P/Q의 비를 구하라.

7.5-16 그림에 보인 바와 같이 전 길이에 걸쳐 균일분포하중을 받는 돌출보 ABC가 있다. 자유단에서의 처짐 δ_c를 구하라.

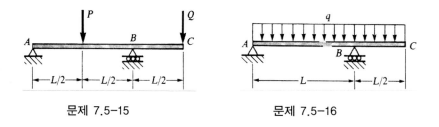

문제 7.5-15   문제 7.5-16

7.5-17 보 $ABCD$는 점 B, C에서 단순 지지되고, 점 A, D에 하중 P를 받고 있다(그림 참조). (a) 지지점 B, C에서의 회전각 θ_b, θ_c를 각각 구하라. (b) 보 끝에서의 처짐 δ_a, δ_b를 구하라. (c) 보의 중앙에서의 처짐 δ_e를 구하라.

7.5-18 그림에 보인 보는 양쪽으로 돌출부분이 있으며, 각각 돌출부분에 균일분포하중을 받고 있다. 보의 중앙에서의 처짐이 생기지 않게 하기 위한 하중 $P(q_L$의 항으로)는 얼마로 해야 하는가?

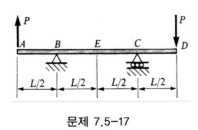

문제 7.5-17

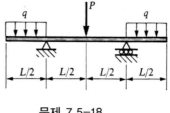

문제 7.5-18

7.6절의 문제들은 중첩법을 이용하여 풀어라.

7.6-1 외팔보 AB가 그림에서와 같이 두 개의 집중하중 P를 받고 있다. 자유단에서의 처짐 δ_b를 구하라.

7.6-2 크기가 같고, 서로 간격이 같은 집중하중 P를 받고 있는 단순보(그림 참조)의 중앙점에서 처짐 δ를 구하라.

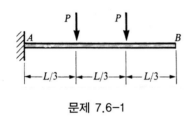

문제 7.6-1

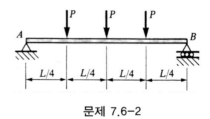

문제 7.6-2

7.6-3 그림과 같은 일단고정보 AB의 자유단에 브래키트(braket) BCD가 붙어있다. 브래키트 끝에 하중 P가 가해지고 있다. (a) 점 B의 수직처짐이 0이기 위한 a/L의 비를 구하라. (b) 점 B에서의 회전각이 0이기 위한 a/L의 비를 구하라.

7.6-4 하중 P가 봉의 위를 움직이며 항상 같은 높이를 유지하려면, 하중을 가하기 전의 굽은 보 AB(그림 참조)에 대한 축의 식 $y = f(x)$는 어떻게 되어야 하나?

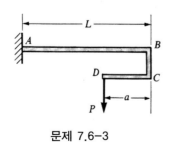

문제 7.6-3

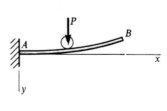

문제 7.6-4

7.6-5 문제 7.5-5(전체 길이의 중앙 1/3부분에 균일분포하중을 받는 외팔보)를 풀어라.

7.6-6 문제 7.5-6(자유단에 집중하중 P와 중앙점에 우력 M_0를 받는 외팔보)를 풀어라.

7.6-7 문제 7.5-7(두 개의 집중하중을 받는 일단고정보)을 풀어라.

7.6-8 식 $q = q_0 x^2 / L^2$의 포물선 하중을 받는 일단고정보 AB의 자유단에서의 회전각 θ_b와 처짐 δ_b를 구하라(그림 참조).

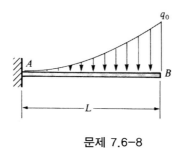

문제 7.6-8

7.6-9 동질의 재료인 두 개의 균일단면보가 서로 기하학적으로 상사하다. 즉 둘째 보의 치수가 첫째 보의 치수의 n배이다. 두 보는 같은 방법으로 지지되어 있고, 하중은 단지 자중뿐이다. 첫째 보의 처짐에 대한 둘째 보의 처짐의 비 δ_2 / δ_1를 구하라.

7.6-10 스팬의 중앙부분에 세기가 q인 균일분포하중을 받고 있는 단순보 AB가 있다(그림 참조). 좌측 지지점에서의 회전각 θ_a와 중앙점에서의 처짐 δ를 구하라.

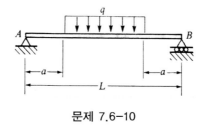

문제 7.6-10

7.6-11 문제 7.5-11(하나는 하향, 또 하나는 상향으로 크기가 같은 집중하중을 받는 단순보)을 풀어라.

7.6-12 문제 7.5-12(3등분 지점에 우력 M_0와 $2M_0$를 받고 있는 단순보)를 풀어라.

7.6-13 그림에 보인 단순보 AB의 중앙점에서의 처짐 δ를 구하라.

7.6-14 그림에 보인 바와 같이 돌출보에 두 개의 집중하중 P와 Q가 가해지고 있다. (a) 점 B에서의 처짐 δ_b를 구하라. (b) 점 B에서의 처짐이 0이기 위한 P/Q의 값을 구하라.

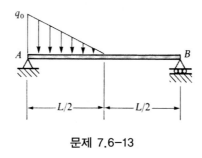

문제 7.6-13

7.6-15 그림에 보인 돌출보에서 점 D에서의 처짐 δ_d를 구하라. 점 D에서 처짐이 0이기 위한 P/Q 의 값을 구하라.

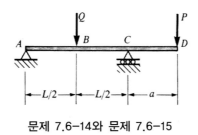

문제 7.6-14와 문제 7.6-15

7.6-16 예제 3에서 논의된 균일분포하중을 받는 돌출보의 지지점 A에서의 회전각 θ_a를 구하라(그림 7-18 참조).

7.6-17 문제 7.5-17(양 돌출부분 끝에 집중하중을 받고 있는 돌출보)을 풀어라.

7.6-18 문제 7.5-18(균일분포하중과 집중하중을 받는 양쪽에 돌출부분을 가진 보)을 풀어라.

7.6-19 그림과 같이 무게가 W, 길이가 L인 얇고 긴 강철판이 폭이 $L/3$인 탁자 위에 놓여 있다. 탁자의 중앙점과 철판 사이의 간격 δ를 구하라. (철판의 굽힘강도는 EI이다)

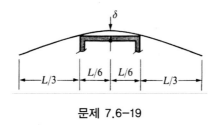

문제 7.6-19

7.6-20 예제 4(그림 7-19)에서 논의된 핀으로 조립된 보의 지지점 A에서의 회전각 θ_a를 구하라. 단, $a = L, b = L/2, P = 3ab$

7.6-21 그림에 보인 합성보는 점 A와 D에서 고정되어 있고, 점 B, C에서 핀으로 조립되어 있다. 하중 P가 가해질 때의 처짐 δ를 구하라.

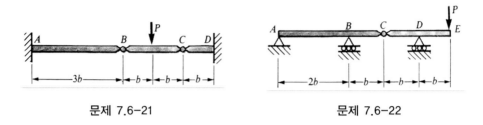

문제 7.6-21   문제 7.6-22

7.6-22 그림과 같이 두 개의 부분으로 된 합성보가 힌지로 조립되어 있다. 하중 P로 인한 자유단 E에서의 수직처짐 δ_e를 구하라.

7.6-23 강철보 ABC가 점 A에 단순 지지되어 있고, 점 B에서 고강철선으로 매달려 있다(그림 참조). 하중 $P = 890\,\text{N}$이 자유단 C에 가해진다. 강철선의 축강도는 $EA = 1335\,\text{kN}$, 보의 굽힘강도는 $EI = 86.13\,\text{kN-m}^2$이다. 만일 $b = 254\,\text{mm}$라면 점 C 처짐 δ_c는 얼마인가?

***7.6-24** 그림과 같이 거리 $L/4$만큼 떨어진 두 개의 바퀴가 길이 L인 단순보 AB 위를 구르고 있다. 보는 중앙점에서의 최대처짐 δ_c를 구하라.

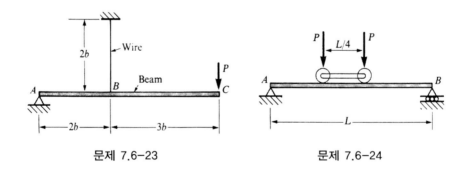

문제 7.6-23   문제 7.6-24

***7.6-25** 그림에 보인 프레임 ABC의 단 C에서의 수평처짐 δ_h와 연직처짐 δ_v를 구하라. 단, EI는 프레임 전 부분에 걸쳐 동일하다. (축 변형의 영향은 무시하고, 단지 굽힘의 영향만 고려하라.)

***7.6-26** 프레임 $ABCD$가 두 개의 하중으로 인해 조여지고 있다. 하중이 가해질 때 A와 D 사이의 간격의 감소치 δ를 구하라. (EI는 전 프레임에 걸쳐 동일하고, 축 변형효과는 무시하라.)

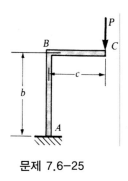

문제 7.6-25

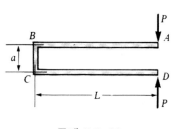

문제 7.6-26

7.7-1 그림에 보인 일단고정보 AB는 AC, CB부분의 관성모멘트가 각각 I_2와 I_1으로 되어 있다. (a) 하중 P로 인한 자유단에서의 처짐 δ_b를 구하라. (b) 이 δ_b값과, 관성모멘트가 I_1인 균일단면의 외팔보에 대한 B에서의 처짐 δ_b와의 비 r을 구하라.

7.7-2 두 개의 다른 관성모멘트 I_1과 I_2를 가진 외팔보 AB가 세기 q인 균일분포하중을 받고 있다 (그림 참조). $I_1 = I$, $I_2 = 2I$로 가정하여 하중 q로 인한 자유단 B에서의 처짐 δ_b를 구하라.

7.7-3 그림에 보인 일단고정보 AB의 자유단 B에서의 처짐 δ_b를 구하라. 보는 세기가 q인 균일분포하중을 받고 있으며, AC와 CB부분의 관성모멘트는 각각 I_2, I_1이다.

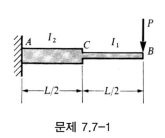

문제 7.7-1

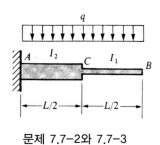

문제 7.7-2와 7.7-3

7.7-4 그림에 보인 단순보 AB는 두 개의 다른 관성모멘트 I_1과 I_2로 되어 있다. 하중 P로 인한 중앙점에서의 처짐 δ_c와 지지점 A에서의 회전각 θ_a를 구하라.

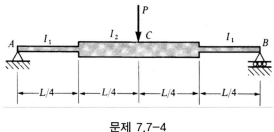

문제 7.7-4

7.7-5 그림 7-20에 보인 단순보 AB는 양 지지점부분은 관성모멘트가 I이고 중앙부분은 $2I$이다. 보의 전 길이에 균일분포하중 q로 인한 중앙점에서의 처짐 δ_c와 지지점 A에서의 회전각 θ_a를 구하라.

7.7-6 테이퍼 일단고정보 AB가 자유단에 집중하중 P를 받고 있다(그림 참조). 이 보는 일정한 폭 b를 가지고 있으며, 지지점 A에서의 높이는 d_a이고, 자유단 B에서의 높이는 $d_b = d_a/2$이다. B에서의 처짐 δ_b를 구하라.

7.7-7 테이퍼 일단고정보 AB가 일정한 폭 b를 가지고 있으며, 단 A, B에서의 높이가 각각 d_a, d_b이다. 이때 B에서의 처짐 δ_b를 구하라.

7.7-8 테이퍼 일단고정보 AB는 두께가 t인 얇은 벽을 가진 중공단면으로 되어 있다(그림 참조). 단 A, B에서의 지름이 각각 $d_a, d_b = d_a/2$이다. 보의 자유단에서의 처짐 δ_b를 구하라.

7.7-9 그림에 보인 단순보 AB의 중앙점의 처짐 δ_c를 구하라. 보는 일정한 높이 h를 가지며, 그림의 아래쪽에 보여진 것과 같은 폭을 가지고 있다.

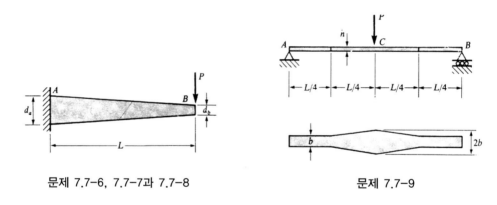

문제 7.7-6, 7.7-7과 7.7-8   문제 7.7-9

7.8-1 중앙에 집중하중 P를 받는 길이 L의 단순보에 저장된 변형에너지 U를 구하라(그림 참조). 이 결과로부터 보 중앙에서의 처짐 δ를 구하라.

7.8-2 돌출부분이 있는 단순보가 자유단에 하중 P를 받고 있다(그림 참조). (a) 보에 저장된 변형에너지 U를 구하라. (b) 이 결과로부터 하중 P를 받는 C점에서의 처짐을 구하라.

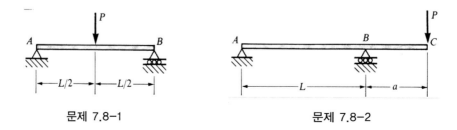

문제 7.8-1   문제 7.8-2

7.8-3 단위 길이당 균일하중 q를 받는 길이 L인 일단고정보에 저장된 변형에너지는 얼마인가? 보가 $W8 \times 15$ 강철의 넓은 플랜지 단면의 6 ft 길이를 가지고 있으며, 최대 굽힘응력이 137.8 MPa, $E = 206.7$ GPa일 때 U를 구하라.

7.8-4 동질의 재질로 된 두 개의 평행보가 자중만 지지하고 있다. 보는 같은 형태를 이루고 있으며, 둘째 보의 치수는 첫째 보의 n배이다. 그들의 변형에너지의 비 U_2/U_1를 구하라.

7.8-5 길이가 L, 직사각형 단면(폭이 b, 높이가 h)을 가진 균일분포하중을 받고 있는 단순보의 최대굽힘응력이 δ_{max}이다. 이때 보에 저장된 변형에너지를 구하라.

7.8-6 길이가 L인 단순보 AB가 중앙점에서의 처짐이 δ인 포물선(중심점에 대해 대칭) 처짐곡선을 가지는 하중을 받고 있다(그림 참조). 이때 보에 저장된 변형에너지 U는 얼마인가?

7.8-7 처짐곡선이 sine곡선의 반파인 경우 앞의 문제를 풀어라.

7.8-8 그림과 같이 단순보가 중앙점에 집중하중 P를 받고, 한쪽 단에 우력 M_0를 받고 있다. 이때 보에 저장된 변형에너지 U를 구하라.

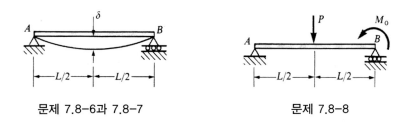

문제 7.8-6과 7.8-7　　　　　　문제 7.8-8

7.8-9 무게가 W인 물체가 높이 h에서 단순보의 중앙점에 떨어졌다(그림 참조). 이 보는 사각형 단면으로, 단면적이 A이다. h는 W에 의한 보의 정적처짐에 비해 크고, 물체의 무게도 보의 무게보다 크다고 가정하여 충격으로 인한 보의 최대굽힘응력 σ_{max}을 구하라.

7.8-10 무게가 W인 매우 무거운 물체가 높이 h에서 단순보의 중앙점에 떨어졌다(그림 참조). 이때 충격으로 인한 최대굽힘응력 σ_{max}을 $h, \sigma_{st}, \delta_{st}$로 나타내라. 단, σ_{st}와 δ_{st}는 무게 W

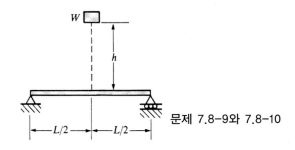

문제 7.8-9와 7.8-10

가 정적으로 작용할 때의 최대굽힘응력과 처짐이다. 그리고 σ_{max}/σ_{st} (즉, 정적응력에 대한 동적응력의 비) 대 h/δ_{st} (h/δ_{st}는 $0 \sim 10$의 간격으로 정한다)를 그래프로 나타내어라.

7.8-11 길이가 $L = 2.44\,\mathrm{m}$ 의 외팔보가 $W8 \times 21$인 넓은 플랜지 단면으로 되어 있다. ($E = 30 \times 10^6$ psi) 보의 끝단에 높이 $h = 6.35\,\mathrm{mm}$ 로부터 무게 $W = 8900\,\mathrm{N}$이 떨어졌다. 충격으로 인한 보의 끝단에서의 최대처짐 δ_{max}과 최대굽힘응력 σ_{max}을 구하라.

7.8-12 길이가 $L = 3.05\,\mathrm{m}$ 인 단순보의 중앙에 높이 $h = 12.7\,\mathrm{mm}$ 로부터 무게 $W = 17800\,\mathrm{N}$인 물체가 떨어졌다. 보의 허용굽힘응력이 $\sigma_{allow} = 124.02\,\mathrm{MPa}$, $E = 206.7\,\mathrm{GPa}$로 가정하여 부록 표 E-1에서 만족할만한 가장 가벼운 넓은 플랜지보를 선택하라(단, 보의 자중은 무시한다).

7.8-13 길이가 $L = 3\,\mathrm{m}$ 인 단순보의 중앙에 높이 $h = 1.0\,\mathrm{mm}$ 로부터 무게 $W = 20\,\mathrm{kN}$인 물체가 떨어졌다. 보는 정사각형단면(각변이 d)인 나무로 되어 있고, $E = 12\,\mathrm{GPa}$이다. 나무의 허용굽힘응력이 $\sigma_{allow} = 10\,\mathrm{MPa}$일 때 요구되는 d의 최소치수는 얼마인가? (단, 보의 자중은 무시한다.)

7.8-14 반지름이 r인 원판의 형태를 가진 무거운 flywheel이 굽힘강도가 EI이고, 길이가 L인 단순보의 끝에 베어링에 의해 매달려 있다(그림 참조). flywheel은 무게가 W이고, 각속도 ω로 회전하고 있다. 갑자기 베어링이 얼어 붙었을 때 지지점 A에서의 반력 R은 얼마인가? (단, 보의 무게는 무시한다.)

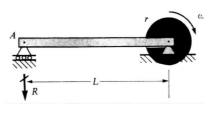

문제 7.8-14

7.9-1부터 7.9-12 그림에 보인 바와 같이 여러 형태의 보가 있다. 불연속함수를 이용하여 모든 반력을 포함한 보에 작용하는 등가분포하중의 세기 $q(x)$를 구하라.

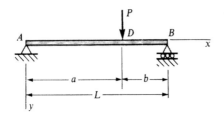

문제 7.9-1과 7.10-1

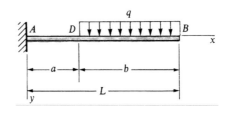

문제 7.9-2와 7.10-2

7.10절의 문제는 불연속함수를 이용하여 풀어라.

7.10-1, 7.10-2와 **7.10-3** 그림에 보인 일단고정보 AB에 대한 처짐곡선식을 구하라. 또 자유단에서의 처짐 δ_b와 회전각 θ_b를 구하라. (문제 7.10-3의 보에 대해서는 $E = 68.9\,\text{GPa}$ $I = 1.9968 \times 10^{-4}\,\text{m}^4$로 가정한다.)

7.10-4, 7.10-5, 7.10-6과 **7.10-7** 그림에 보인 단순보 AB에 대한 처짐곡선식을 구하라. 또한 좌측 지지점에서의 회전각 θ_a와 점 D에서의 처짐 δ_b를 구하라. (문제 7.10-7의 보에 대해서는 $E = 210\,\text{GPa}$, $I = 305 \times 10^6\,\text{mm}^4$로 가정한다.)

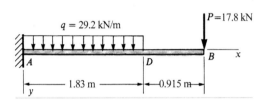

문제 7.9-3과 7.10-3

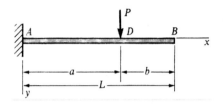

문제 7.9-4와 7.10-4

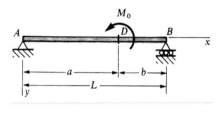

문제 7.9-5와 7.10-5

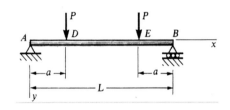

문제 7.9-6과 7.10-6

7.10-8, 7.10-9와 **7.10-10** 단순보 AB에 대한 처짐곡선식을 구하라(그림 참조). 또한 우측 지지점에서의 회전각 θ_b(시계 반대반향이 양의 방향)와 점 D에서의 처짐 δ_d를 구하라(문제 7.10-9의 보에 대해서는 $E = 200\,\text{GPa}$, $I = 2.50 \times 10^9\,\text{mm}^4$로 가정한다.)

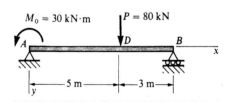

문제 7.9-7과 7.10-7

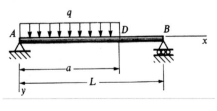

문제 7.9-8과 7. 10-8

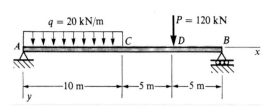

문제 7.9-9와 7. 10-9

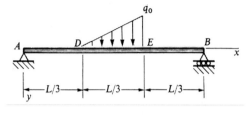

문제 7.9-10과 7. 10-10

7.10-11 그림에 보인 바와 같이 돌출부분 BD를 가진 단순보 AB가 있다. 보의 처짐곡선식을 구하라. 또한 점 C와 D에서의 처짐 δ_c, δ_d를 각각 구하라(단, $E = 206.7\,\text{GPa}$, $I = 1.04 \times 10^{-4}$ m^4로 가정한다.)

7.10-12 그림에 보인 돌출보가 점 A와 B에서 지지되어 있다. 처짐곡선식을 구하고, 점 C와 D에서의 처짐 δ_c, δ_d를 각각 구하라(단, $E = 200\,\text{GPa}$, $I = 12 \times 10^6\,\text{mm}^4$로 가정한다.)

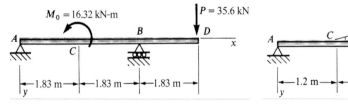

문제 7.9-11과 7. 10-11

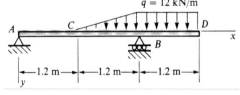

문제 7.9-12와 7. 10-12

7.11-1 길이 L, 높이 h인 단순보가 보의 윗면에 온도 T_1, 아랫면의 온도 T_2를 받고 있다[그림 7-36(a) 참조]. 보의 처짐곡선식을 구하고, 지지점에서의 회전각 θ와 중앙에서의 처짐 δ를 구하라.

7.11-2 길이 L, 높이 h인 외팔보가 보의 윗면에 온도 T_1, 아랫면의 온도 T_2를 받고 있다. 회전각 θ(시계방향이 양의 방향)와 자유단에서의 처짐 δ(아랫방향이 양의 방향)를 구하라.

7.11-3 높이 h인 돌출보 ABC가 보의 윗면에 온도 T_1, 아랫면의 온도 T_2를 받고 있다(그림 참조). 돌출 부분의 끝단에서의 처짐 δ_c(아랫방향이 양의 방향)를 구하라.

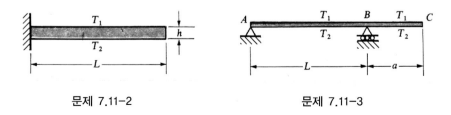

문제 7.11-2   문제 7.11-3

7.11-4 길이 L, 높이 h인 단순보가[그림 7-36(a) 참조] 보의 윗면에 온도 T_1, 아랫면의 온도 T_2로 온도차($T_2 - T_1$)가 길이에 따라 선형적으로 변하고 있다. 즉 $T_2 - T_1 = T_0 x$이다. 여기서 T_0는 상수이다. 이때 보의 최대처짐 δ_{max}을 구하라.

Chapter 8

부정정 보

8.1 부정정 보

8.2 처짐곡선의 미분방정식

8.3 모멘트 면적법

8.4 중첩의 원리

8.5 연속보

8.6 열 효과

8.7 보 단부의 수평변위

8.1 부정정 보

이 장에서는 정역학적 평형방정식의 수보다 더 많은 수의 반력을 가지고 있는 보의 해석을 다루게 될 것이다. 그러한 보를 **부정정**(statically indeterminate)이라 하고, 그것을 해석할 때는 처짐을 고려해야 한다. 전장까지는 정정보만을 고려하였으므로, 그 때에는 보의 반력은 정역학적 평형방정식만을 풀면 곧 쉽게 구해질 수 있었다. 반력을 알기만 하면 보의 임의의 단면에서의 응력과 처짐을 구하는 데 필요한 굽힘모멘트와 전단력을 구할 수 있게 된다. 그러나 부정정보가 되면 정역학의 원리만으로는 해석할 수 없으므로, 보의 처짐을 고려하여 정역학적 방정식을 보완할 수 있는 적합방정식을 세워야 한다. 이와 동일한 과정은 인장과 압축을 받는 부정정구조의 경우에 대해서 이미 2장에서 논의된 바 있다.

부정정보에는 그림 8-1과 같이 여러 가지 형태가 있다. 그림 8-1(a)의 보는 지점 A에서 고정되어 있고, 반면에 지점 B에서는 가동지점으로 지지되어 있다. 그러한 보를 일단고정 타단가동지지된 보(propped cantilever beam or fixed-simple beam)라고 부른다. 이 보에 생길 수 있는 반력은 A점의 수평반력, 연직반력, A점의 모멘트 및 B점의 연직반력 등이다. 이 보에 적용시킬 수 있는 방정식은 3개의 독립된 정역학적 평형방정식밖에는 없으므로 이 식들로는 보에 생기는 4개의 미지 반력을 구할 수 없다. 이 정역학적 평형방정식의 수를 초과하는 반력의 수를 **부정정 차수**(degree of statical indeterminacy)라 부른다. 그러므로 그림 8-1(a)의 보는 1차 부정정 보이다. 이때 하나의 구조물을 정정으로 지지하는데 필요한 수 이상의 반력요소를 **정역학적 과잉력**(statical redundants)이라 하며, 이 과잉력의 수는 반드시 부정정차수와 같아야 한다. 예를 들면 그림 8-1(a)의 반력 R_b를 과잉력으로 생각할 수 있다. 이 보에서 반력 R_b, 즉 지점 B가 제거된다면 외팔보가 된다. 이렇듯 과잉력이 이완된 정정구조물을 **이완구조물**(released structure or primary structure)이라 한다.

그림 8-1(a)에서 반력 R_a 외에도 반력모멘트 M_a를 과잉력으로 취할 수도 있다. 그렇게 되면 이완구조물은 A점에 **핀 지점**(pin support), B점에 **롤러지점**(roller support)으로 지지된 단순보로 된다.

그림 8-1(b)와 같이 보 위에 연직하중만이 작용하게 되면 수평반력은 발생하지 않으므로 반력이 전체적으로 3개만 생겨 마치 정정구조물인 것처럼 생각되지만, 이 경우에는 평행력만을 받는 경우가 되어 정역학적 평형방정식도 2개가 되므로 결국 방정식은 2개이고, 미지수는 3개가 되어 1차 부정정보가 된다.

그림 8-1(c)의 보를 **양단고정보**(fixed-end beam or fixed-fixed beam)라 하고, 이 경우

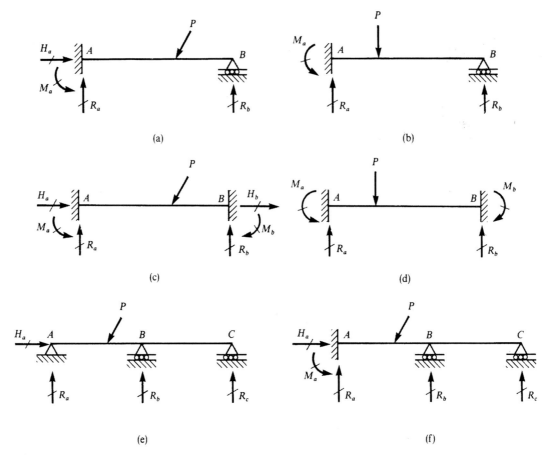

그림 8-1 부정정보

에는 양지점에 각각 3개씩의 반력, 즉 전체로 6개의 반력이 생길 수 있다. 그러므로 3차 부정정구조물인 것이다. 만일 양단 중 어느 한쪽의 3반력을 3개의 과잉력으로 하고, 또한 그과잉력을 제거한다면 이완구조물은 외팔보가 될 것이다. 한편 양단의 모멘트와 어느 한쪽의수평반력을 과잉력으로 취하여 제거하면 이완구조물은 단순보가 될 것이다.

그림 8-1(d)와 같이 연직력만이 작용하는 경우를 보면 반력은 4개가 되고, 평형방정식의수는 2개가 되어 역시 2차 부정정보가 된다.

그림 8-1의 나머지 두 보는 2개 이상의 연속된 지간 위에 지지된 **연속보**(continuous beam)의 경우이다. 그림 8-1(e)의 보는 4개의 반력과 3개의 평형방정식을 가지고 있으므로 1차 부정정이다. R_b를 과잉력으로 취하고, 그 보로부터 R_b를 제거하면 정정의 단순보 AC만이 남을 것이다. 또한 R_c가 과잉력으로 취해지면 이완구조물은 BC부분을 돌출시킨

돌출보 ABC가 될 것이다. 그리고 마지막 그림은 2차 부정정이고, R_b와 R_c를 과잉력으로 취하게 되면 외팔보가 이완구조물이 된다.

앞으로 계속되는 각 절에서는 부정정보를 해석하는 각종의 방법들이 다루어질 것이다. 각 방법마다 과잉력을 구하는데 주목적을 둘 것이다. 왜냐하면 과잉력이 결정된 후에는 나머지 반력들은 정역학적으로 구해질 수 있기 때문이다. 또한 구해진 반력들을 이용하여 임의의 점에서의 응력과 처짐을 구할 수 있게 된다.

8.2 처짐곡선의 미분방정식

부정정보는 탄성 처짐곡선의 미분방정식을 풂으로써 해석될 수 있다. 그 과정은 정정보의 경우와 동일하다(7.2, 7.3, 7.4절 참조). 즉 미분방정식을 세워 그 일반해를 구한 다음에 경계조건을 이용하여 적분상수를 결정하면 되는 것이다. 굽힘모멘트의 항으로 표시된 2계미분방정식[식 (7-10a)], 전단력의 항으로 표시된 3계미분방정식[식 (7-10b)] 또는 분포하중 항으로 표시된 4계 미분방정식[식 (7-10c)] 등이 사용될 수 있다. 그리고 언제나 충분한 경계조건이 존재할 것이므로 적분상수나 과잉력을 용이하게 구할 수 있을 것이다.

이 방법은 계산해야 할 적분상수가 많을 때는 계산이 번거롭게 되므로, 작용하중이 비교적 간단하고 일경간의 보에만 적용하는 것이 좋을 것이다. 다음 예제에서 풀이과정을 다루어 보기로 하자[*]

예제 ①

예로서 그림 8-2와 같이 등분포하중을 받는 일단고정 타단가동지지된 보를 해석해 보자.

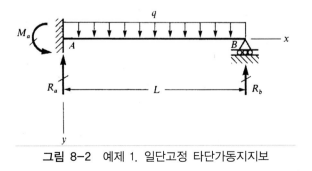

그림 8-2 예제 1. 일단고정 타단가동지지보

---

[*] 부정정보에 대한 최초의 미분방정식 해법은 Navier의 재료역학에 나타나있다(참고문헌 8-1).

풀이 2계 미분방정식을 이용하려면 우선 보의 임의의 점에서의 굽힘모멘트식을 세워야 한다. 이를 위해서는 하나의 과잉력을 결정하고, 나머지 다른 반력들을 이 과잉하중의 항으로 표시할 필요가 있다. 반력 R_b를 과잉력으로 하여 평형방정식을 적용하면 R_b의 항으로 표시된 A점의 반력은 다음과 같다.

$$R_a = qL - R_b, \quad M_a = \frac{qL^2}{2} - R_b L \tag{a}$$

이제 R_b의 항으로 표시된 굽힘모멘트의 일반식을 세우면,

$$M = R_a x - M_a - \frac{qx^2}{2} = qLx - R_b x - \frac{qL^2}{2} + R_b L - \frac{qx^2}{2}$$

이 되고, 처짐곡선의 미분방정식은 다음과 같다.

$$Ev'' = -M = -qLx + R_b x + \frac{qL^2}{2} - R_b L + \frac{qx^2}{2}$$

또 이 식을 두 번 적분하면 다음과 같이 된다.

$$Ev' = -\frac{qLx^2}{2} + \frac{R_b x^2}{2} + \frac{qL^2 x}{2} - R_b Lx + \frac{qx^3}{6} + C_1$$

$$Ev = -\frac{qLx^3}{6} + \frac{R_b x^3}{6} + \frac{qL^2 x^2}{4} - \frac{R_b Lx^2}{2} + \frac{qx^4}{24} + C_1 x + C_2$$

이 세 식 속에는 3개의 미지수(C_1, C_2 및 R_b)가 있고, 한편 3개의 경계조건은 다음과 같다.

$$v(0) = 0, \quad v'(0) = 0, \quad v(L) = 0$$

이 조건을 위의 방정식에 적용하면

$$C_1 = 0, \quad C_2 = 0$$

$$R_b = \frac{3qL}{8} \tag{8-1}$$

을 얻는다. 여기서 설정된 과잉력 R_b를 이용하여 식 (a)로부터 나머지 반력들을 쉽게 구할 수 있다.

$$R_a = \frac{5qL}{8}, \quad M_a = \frac{qL^2}{8} \tag{8-2a, b}$$

또한 이 R_a, R_b, M_a의 값들을 처짐 v, 기울기각 v' 및 굽힘모멘트 M의 식에 대입함으로써 예로 든 보를 완전히 해석할 수 있다.

그림 8-2의 보를 M_a를 과잉력으로 취하여 해석할 수도 있다. 이때에는 임의의 점의 굽힘

모멘트 M을 M_a의 함수로 표시하고, 그것을 2계 미분방정식에 대입하여 전과 같이 풀면 된다. 또한 다음 예제에서 취급되지만 4계 미분방정식을 이용하여도 된다.

예제 2

처짐곡선의 4계 미분방정식을 이용하여 그림 8-3과 같은 양단고정보를 해석하라.

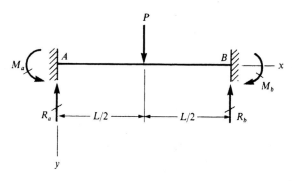

그림 8-3 예제 2. 양단고정보

풀이 집중하중 P가 보의 중앙에 작용하므로 대칭조건으로부터 $M_b = M_a$, $R_a = R_b = P/2$이다. 고로 한 개의 과잉력 M_a만이 미지로 남게 된다. $x = 0$과 $x = L/2$ 사이의 구간에서는 작용 하중이 없으므로 미분방정식은 다음과 같다.

$$EIv'''' = 0$$

계속 적분하면,

$$EIv''' = C_1 \tag{b}$$

$$EIv'' = C_1 x + C_2 \tag{c}$$

$$EIv' = \frac{C_1 x^2}{2} + C_2 x + C_3 \tag{d}$$

$$EIv = \frac{C_1 x^3}{6} + \frac{C_2 x^2}{2} + C_3 x + C_4 \tag{e}$$

가 된다. 보의 좌측부에 적용할 수 있는 경계조건은 다음과 같다.

첫째로 보의 좌측부의 전단력은 R_a와 같으므로 식 (b)에서 $C_1 = -\dfrac{P}{2}$이다.

둘째로 $x = 0$인 점에서의 굽힘모멘트는 $-M_a$이므로 식 (c)로부터 $C_2 = M_a$이다.

셋째로 $x = 0$과 $x = \dfrac{L}{2}$인 두 점에서 보의 기울기각은 0이므로 식 (d)에서 $v' = 0$으로 되고 $C_3 = 0$이 된다. 고로 과잉력으로 취해진 모멘트 M_a는

$$M_a = \frac{PL}{8} \qquad (8\text{-}3)$$

이 된다.

마지막으로 $x=0$에서 처짐 $v=0$이므로 $C_4=0$이다.

이상의 적분상수들을 처짐 미분방정식에 대입하면,

$$v = \frac{Px^2}{48EI}(3L - 4x) \quad \left(0 \le x \le \frac{L}{2}\right) \qquad (8\text{-}4)$$

이 되고, 이 식의 도함수를 취함으로써 임의의 점에서의 기울기각과 굽힘모멘트를 구할 수 있다.

이상의 예제에서와 마찬가지로 적분상수와 과잉력의 계산에 필요한 경계조건은 항상 충분히 존재한다. 때때로 앞의 정정구조물에서 행하였던 바와 같이 보의 한쪽 부분만이 아니라 여러 구간에 대하여 미분방정식을 세워 구간과 구간 사이의 연속조건을 적용할 경우도 있다.

8.3 　모멘트 면적법

부정정보를 해석하는 또 다른 방법은 보의 처짐을 구하기 위하여 이미 7.5절에서 설명한 바 있는 모멘트 면적법을 사용하는 것이다. 이 방법은 과잉력을 구하기 위한 추가방정식을 얻는데 두 종류의 모멘트 면적정리를 이용하는 것이다. 이 추가방정식은 보의 요각과 처짐에 관한 조건을 표시하게 되고, 그 조건의 수는 항상 과잉력의 수와 같게 될 것이다.

모멘트 면적법을 이용하여 보를 해석할 때는 앞에서 기술한 바와 같이 우선 과잉력을 선택한 후 정정의 이완구조물에 작용한다고 가정하여 그에 해당되는 굽힘모멘트 선도를 그린다. 마찬가지로 과잉력도 이완구조물에 작용한다고 보아 굽힘모멘트선도를 그린다. 이 계단에서 모멘트면적 정리는 $\dfrac{M}{EI}$ 선도의 면적과 1차 모멘트를 포함하는 방정식으로 구성된 추가 관계식을 세우는데 이용된다. 물론 보의 형태와 과잉력의 선택여하에 따라 관계식도 여러 가지가 될 것이다.

예제 ①

모멘트 면적법을 이용하여 그림 8-4(a)에 보여 준 바와 같은 일단고정타단가동지지된 보의 반력을 구하라.

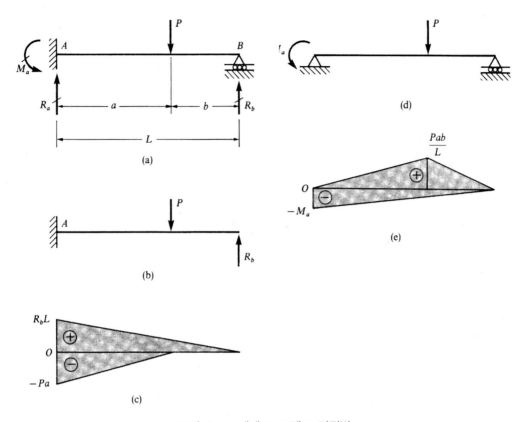

그림 8-4   예제 1. 모멘트 면적법

풀이 R_b를 과잉력으로 택하면 이완구조물은 외팔보로 되고[그림 8-4(b)], P와 R_b에 의한 굽힘 모멘트선도는 그림 8-4(c)와 같다. 지점 A에서의 보의 기울기각은 0이므로 처짐곡선의 A점에서의 접선은 B점을 통하게 될 것이다. 고로 모멘트면적법의 제2정리에 의하면, A와 B 사이의 $\dfrac{M}{EI}$ 선도의 B점 둘레에 대한 1차 모멘트는 0이어야 한다. 이 관계를 식으로 표시하면

$$\frac{1}{2}\left(\frac{R_b L}{EI}\right)(L)\left(\frac{2L}{3}\right) - \frac{1}{2}\left(\frac{Pa}{EI}\right)(a)\left(L - \frac{a}{3}\right) = 0$$

이 되고, 이로부터

$$R_b = \frac{Pa^2}{2L^3}(3L - a) \tag{8-5}$$

를 얻는다. 다음에는 정역학의 원리로부터

$$R_a = \frac{Pb}{2L^3}(3L^2 - b^2) \quad M_a = \frac{Pab}{2L^2}(L + b) \tag{8-6a, b}$$

를 구할 수 있다.

한편 M_a를 과잉력으로 취하여 위의 보를 달리 풀 수도 있다. 결국 이완구조물은 단순보가 되고[그림 8-4(d)], 대응하는 P와 M_a에 의한 굽힘모멘트선도는 그림 8-4(e)와 같이 된다. 다시 모멘트 면적법 제2정리를 이용하여 B점에 대한 $\dfrac{M}{EI}$ 선도의 단면 1차 모멘트를 취하면

$$\frac{1}{2}\left(\frac{Pab}{LEI}\right)(L)\left(\frac{L+b}{3}\right) - \frac{1}{2}\left(\frac{M_a}{EI}\right)(L)\left(\frac{2L}{3}\right) = 0$$

을 얻고, 다시 전과 같이 풀면[식 (8-6b) 참조] M_a를 얻을 수 있다.

보의 중앙에 한 개의 집중하중 P가 작용할 경우에는 앞에서 구한 결과를 이용하여 $a = b = \dfrac{L}{2}$을 대입하여 반력을 용이하게 구할 수 있다. 즉,

$$R_a = \frac{11}{16}P, \quad R_b = \frac{5P}{10}, \quad M_a = \frac{3PL}{16} \tag{8-7a, b, c}$$

예제 ②

그림 8-5(a)와 같이 우력 M_0를 받고 있는 양단고정보의 반력을 구하라. 또한 우력의 작용점 C에서의 보의 처짐도 구하라.

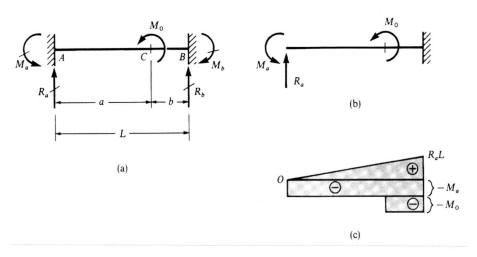

(a)

(b)

(c)

그림 8-5 예제 2. 모멘트 면적법

풀이 우선 과잉력을 선택해야 하는데, R_a와 M_a, R_b와 M_b, M_a와 M_b의 3가지 중 하나를 택할 수 있다.

이들 중 A점의 반력 R_a와 M_a를 과잉력으로 취해 보자. 그러면 이완구조물은 B점에 고정

단을 두고 있는 외팔보[그림 (8-5b)]가 되므로 R_a, M_a와 하중 M_0에 의한 굽힘모멘트선도가 쉽게 그려질 수 있다[그림 (8-5c)].

두 과잉력의 크기를 구하려면 보의 처짐과 관계된 2개의 조건식이 필요하다. 첫째 조건은 보의 양단에서의 기울기각을 0, A와 B 사이의 기울기각의 변화량이 0이라는 것이다. 모멘트 면적법의 제1정리에 의하면 A와 B 사이의 $\dfrac{M}{EI}$ 선도의 면적이 0이어야 한다는 뜻이다. 즉,

$$\frac{1}{2}\left(\frac{R_aL}{EI}\right)(L) - \frac{M_a}{EI}(L) - \frac{M_0}{EI}(b) = 0$$

또는

$$R_aL^2 - 2M_aL = 2M_0b \tag{a}$$

가 된다. 두 번째 조건은 처짐곡선의 A점의 접선이 B점을 통과한다는 것이다. 다시 말해서 A와 B 사이의 $\dfrac{M}{EI}$ 선도의 면적의 B점에 대한 단면 1차 모멘트가 0이어야 한다는 것을 의미하므로 그 결과식은

$$\frac{1}{2}\left(\frac{R_aL}{EI}\right)(L)\left(\frac{L}{3}\right) - \frac{M_a}{EI}(L)\left(\frac{L}{2}\right) - \frac{M_0}{EI}(b)\left(\frac{b}{2}\right) = 0$$

또는

$$R_aL^3 - 3M_aL^2 = 3M_0b^2 \tag{b}$$

이 된다. 이제 과잉력에 대한 연립방정식 (a)와 (b)를 풀면 다음과 같다.

$$R_a = \frac{6M_0ab}{L^3}, \quad M_a = \frac{M_0b}{L^2}(2a-b) \tag{8-8a, b}$$

한편 나머지 두 반력도 정역학적으로 다음과 같이 얻어진다.

$$R_b = -R_a, \quad M_b = \frac{M_0a}{L^2}(a-2b) \tag{8-9a, b}$$

하중의 작용점에서의 처짐 δ_c는 모멘트면적법 제2정리를 이용하여 구할 수 있다. 이 처짐은 AC 간의 $\dfrac{M}{EI}$ 선도면적의 C점 둘레에 대한 1차 모멘트의 크기와 같아야 한다. 그림 8-5(c)를 참조하여 이 처짐을 구해 보면 다음과 같다.

$$\delta_c = \frac{1}{2}\left(\frac{a}{L}\right)\left(\frac{R_aL}{EI}\right)(a)\left(\frac{a}{3}\right) - \frac{M_a}{EI}(a)\left(\frac{a}{2}\right) = \frac{R_aa^3}{6EI} - \frac{M_aa^2}{2EI}$$

이 식에 식 (8-8)의 R_a와 M_a를 대입하여

$$\delta_c = \frac{M_0 a^2 b^2 (b-a)}{2L^3 EI} \tag{8-10}$$

를 얻게 된다.

만약 우력 M_0가 보의 중앙점에 작용한다면 보의 반력은

$$M_a = -M_b = \frac{M_0}{4}, \quad R_a = -R_b = \frac{3M_0}{2L} \tag{8-11a, b}$$

가 되고, 한편 보의 중앙점의 처짐은 0이 된다.

예제 ③

그림 8-6(a)의 양단고정보 AB는 오른쪽 지점 B가 회전없이 수직으로 Δ만큼 아래로 처져 있다. 이 보의 반력들을 구하라.

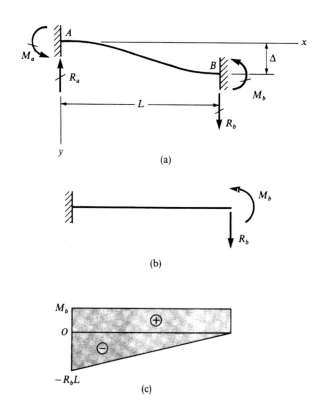

그림 8-6 예제 3. 한 지점변위를 갖는 양단고정보

풀이 지점 B에서 반력 R_b와 M_b를 과잉력으로 취하면 그림 8-6(b)와 같은 하중 R_b와 M_b를 받

은 이완구조물이 되고 굽힘모멘트 선도는 그림 8-6(c)와 같다. 미지수 R_b와 M_b를 풀기 위해서 두 방정식이 필요하다. 첫째 방정식은 각 지점에서 기울기각이 0이라는 조건을 나타낸다. 따라서 지점 A와 B 사이의 $\frac{M}{EI}$선도의 면적이 0이다. 즉

$$L\left(\frac{M_b}{EI}\right) - \frac{L}{2}\left(\frac{R_bL}{EI}\right) = 0$$

고로,

$$2M_b = R_bL \tag{c}$$

둘째 조건은 A에서의 접선으로부터 지점 B의 편위에 관계된다. 이 편위가 Δ이므로 모멘트 면적법 제2정리로부터 B점에 관한 A와 B 사이의 $\frac{M}{EI}$선도의 부의 단면 1차 모멘트와 같다. 즉,

$$\Delta = -L\left(\frac{M_b}{EI}\right)\left(\frac{L}{2}\right) + \left(\frac{L}{2}\right)\left(\frac{R_bL}{EI}\right)\left(\frac{2L}{3}\right)$$

고로,

$$2R_bL - 3M_b = \frac{6EI\Delta}{L^2} \tag{d}$$

식 (c)와 (d)로부터

$$R_b = \frac{12EI\Delta}{L^3} \quad M_b = \frac{6EI\Delta}{L^2} \tag{8-12a, b}$$

를 얻는다. 보의 대칭으로부터 $R_a = R_b$, $M_a = M_b$이다.

8.4　중첩의 원리

　중첩의 원리는 부정정구조물을 해석하는 가장 기본적인 방법으로 생각될 수 있다. 이 장에서 주로 다루고 있는 보 외에도 트러스나 뼈대구조물과 같은 각종 형태의 구조물에도 적용할 수 있다. 우리는 이 방법을 인장과 압축만을 받는 부재로 구성된 부정정구조물의 해석에 사용하여 왔다(2.4절 참조).

　중첩의 방법은 다음과 같이 간단히 설명될 수 있다.

　첫 단계는 앞절의 경우와 마찬가지로 정적 과잉력을 취하는 것이다.

　두 번째 단계는 부정정 구조물의 과잉 구속조건(또는 과잉지점)을 제거하여 정정의 이완

구조물을 만드는 것이다.

셋째 단계는 7장에서 기술된 처짐을 구하는 방법으로 이완구조물상의 요구되는 변위들을 구하는 것이다. 특히 과잉력지점에서 하중에 의해 발생되는 변위(처짐이나 회전각)와 과잉력을 이완구조물의 한 외력으로 간주했을 때 발생하는 대응변위를 구하는 것이다. 중첩의 원리로부터 실제의 하중과 과잉력이 동시에 가해진 경우의 처짐은 분리되어 작용한 경우의 각각을 합한 처짐과 같아야 한다는 것을 알 수 있다.

과잉 구속조건의 경우에 최종의 변위는 0이거나 기지의 값을 가지게 되므로 이들의 관계를 표시하는 중첩방정식을 세울 수 있다.

마지막 단계로는 앞에서 세운 식들을 과잉력에 대하여 푸는 것이다. 이렇게 해서 과잉력이 결정된 후 나머지 반력들은 정역학적으로 구해진다.

이상의 단계들은 예제를 통하여 더 명확히 알 수 있다. 등분포하중을 받고 있는 일단고정 타단 가동지지된 보를 해석하여 보자[그림 8-7(a) 참조]. 과잉력을 R_b로 택하고 또 그에 해당되는 지지조건을 제거하면 이완구조물은 외팔보[그림 8-7(b)]보가 된다. 과잉력 지지점에서 등분포하중에 의해 생긴 이 보의 처짐을 δ_b'이라 하고, 과잉력에 의해 일어난 처짐을 δ_b''으로 표시한다[그림 8-7(c)]. δ_b'과 δ_b''의 중첩으로 생긴 원래의 구조물에서의 전체 처짐 δ_b는 0이어야 한다. 이것을 식으로 표시한 중첩 방정식은 다음과 같다.

$$\delta_b = \delta_b' - \delta_b'' = 0 \tag{a}$$

이 식에서 부의 부호가 붙은 이유는 δ_b'은 하향이고, δ_b''은 상향이기 때문이다. 하중 q와 과잉력 R'으로 인한 처짐 δ_b'과 δ_b''은 부록의 표 G-1로부터 쉽게 구할 수 있다(경우 1과 4를 참조). 이 표에 수록된 식을 이용하여 식 (a)로부터 다음과 같은 관계식을 얻을 수 있다.

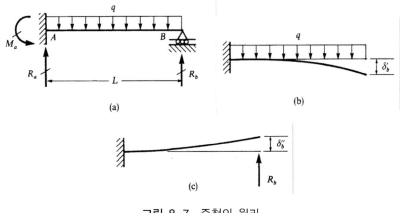

그림 8-7 중첩의 원리

$$\delta_b = \frac{qL^4}{8EI} - \frac{R_bL^3}{3EI} = 0$$

고로

$$R_b = \frac{3qL}{8} \tag{8-13}$$

이다. 한편 반력 R_a와 모멘트 M_a는 보의 평형조건을 고려함으로써 다음과 같이 얻어진다.

$$R_a = \frac{5qL}{8}, \quad M_a = \frac{qL^2}{8} \tag{8-14a, b}$$

이 예의 보는 M_a를 과잉력으로 취하고 이완구조물을 단순보로 택함으로써 위의 방법과는 별도로 해석될 수 있다. 등분포하중의 작용으로 이완구조물에 발생되는 회전각(표 G-2, 경우 1 참조)은

$$\theta_a' = \frac{qL^3}{24EI}$$

으로 되고, 과잉력 M_a에 의해 발생하는 회전각(표 G-2 경우 7 참조)

$$\theta_a'' = \frac{M_aL}{3EI}$$

이 된다. 원래의 보에서 지점 A의 전회전각은 0이므로 이들의 관계를 나타내는 중첩방정식은

$$\theta_a = \theta_a' - \theta_a'' = \frac{qL^3}{24EI} - \frac{M_0L}{3EI} = 0 \tag{b}$$

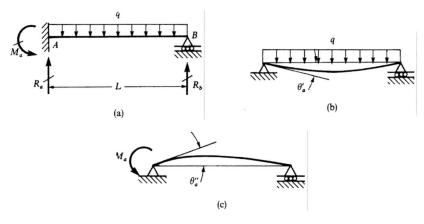

그림 8-8 중첩의 원리

이 된다. 이 방정식을 풀면 $M_a = \dfrac{qL^2}{8}$으로 되어 앞의 결과와 동일하게 된다.

부정정구조물의 반력을 구하고 나면 모든 합응력(축력, 전단력 및 굽힘모멘트)은 별 어려움 없이 정역학적 평형방정식으로부터 구해진다. 더욱이 보의 임의의 점에서의 처짐과 기울기각은 처짐미분방정식이나 또는 부록 G에 수록된 처짐공식을 중첩방정식에 적용함으로써 쉽게 구해질 수 있다. 앞으로 나오는 예제나 문제에서는 반력을 구하는 것이 문제를 해결하는 열쇠가 되므로 주로 반력을 구하는데 중점을 둘 것이다.

이 절에서 이용된 해석방법을 때로는 **유연도법** 또는 **응력법**(flexibility or force method)이라고도 부른다. 후자의 명칭은 과잉력으로서 힘(반력이나 우력)을 취하기 때문에 붙은 것이고, 전자는 미지항의 계수[식 (b)의 $\dfrac{L}{3EI}$과 같은 항]가 유연도(flexibility), 즉 단위하중에 의한 처짐량이기 때문이다. 처짐을 포함하는 중첩방정식인 식 (a)와 (b)를 보통 **적합방정식**(equations of compatibility)이라고 부른다. 중첩의 원리는 모멘트면적법 및 처짐곡선의 미분방정식과 같이 선형탄성구조물에만 적용된다.

예제 1

그림 8-9(a)와 같은 2경간 연속보의 반력을 중첩법을 이용하여 구하라. 단, 이 보는 등분포하중 q를 받고 있다.

풀이 중앙지점의 반력 R_b를 과잉력으로 택하면, 이완구조물은 단순보[그림 8-9(b)]가 된다. 등분포하중을 받고 있는 이완구조물의 B점에서의 하향 처짐(표 G-2, 경우 1 참조)은

$$\delta_b' = \frac{5q(2L)^4}{384EI} = \frac{5qL^4}{24EI}$$

이고, 이 식에서 L은 각 지점 간의 거리이다. 과잉력에 의하여 발생되는 상향의 처짐[그림 8-9(c)]은 부록의 표 G-2, 경우 4에서 다음과 같이 얻어진다.

$$\delta_b'' = \frac{R_b(2L)^3}{48EI} = \frac{R_b L^3}{6EI}$$

B점의 수직처짐에 관계된 적합방정식은

$$\delta_b = \delta_b' - \delta_b'' = \frac{5qL^4}{24EI} - \frac{R_b L^3}{6EI} = 0$$

이 되어, 이 식으로부터

$$R_b = \frac{5qL}{4} \tag{8-15}$$

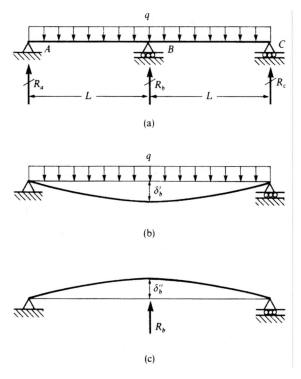

그림 8-9 예제 1. 2경간연속보

을 얻는다. 한편 정역학적 평형방정식으로부터 나머지 두 지점의 반력 $R_a = R_c = \dfrac{3qL}{8}$ 이 된다. 이들 반력만 가지면 합응력과 처짐을 용이하게 구할 수 있다.

예제 2

그림 8-10(a)와 같이 양단 고정보가 집중하중 P를 받고 있다. 보의 양단에서 생기는 반력과 모멘트를 구하라.

풀이 과잉력으로 반력모멘트 M_a와 M_b를 택하면 이완구조물은 그림 8-10(b)와 같은 단순보가 된다. 하중 P에 의해 생기는 양단의 회전각은 부록 표 G-2 의 경우 5로부터 얻어진다.

$$\theta_a' = \frac{Pab(L+b)}{6LEI} \qquad \theta_b' = \frac{Pab(L+a)}{6LEI}$$

과잉력으로 선택된 M_a와 M_b를 하중으로 생각했을 때 이완구조물 [그림 8-10(c)와 (d)]에 생기는 회전각을 구하면 다음과 같다. M_a에 의한 양단의 회전각은

$$\theta_a'' = \frac{M_a L}{3EI}, \quad \theta_b'' = \frac{M_a L}{6EI}$$

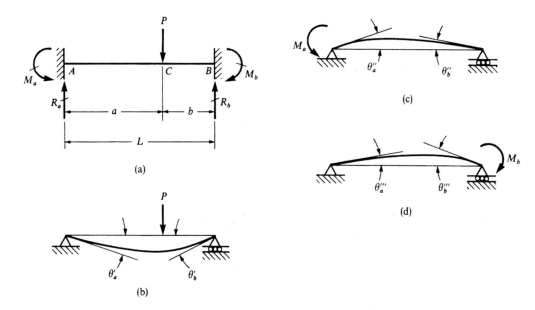

그림 8-10 예제 2. 양단고정보

이고, M_b에 의한 각은

$$\theta_a''' = \frac{M_b L}{6EI}, \quad \theta_b''' = \frac{M_b L}{3EI}$$

이다. 원래의 구조물은 양단에서 회전각이 0이므로 우리는 2개의 적합방정식을 세울 수 있다.

$$\theta_a = \theta_a' - \theta_a'' - \theta_a''' = 0$$
$$\theta_b = \theta_b' - \theta_b'' - \theta_b''' = 0$$

위에서 구한 회전각들을 이 식에 대입하면 미지수 M_a와 M_b에 대한 2개의 연립방정식을 세우게 된다.

$$\frac{M_a L}{3EI} + \frac{M_b L}{6EI} = \frac{Pab(L+b)}{6LEI}$$
$$\frac{M_a L}{6EI} + \frac{M_b L}{3EI} = \frac{Pab(L+a)}{6LEI}$$

이 연립방정식을 풀면

$$M_a = \frac{Pab^2}{L^2}, \quad M_b = \frac{Pa^2 b}{L^2} \tag{8-16a, b}$$

를 얻고, 또 이것과 평형방정식을 이용하여 연직반력을 구한다.

$$R_a = \frac{Pb^2}{L^3}(L+2a), \quad R_b = \frac{Pa^2}{L^3}(L+2b) \qquad \text{(8-17a, b)}$$

중첩의 원리가 처짐을 구할 때 어떻게 이용되는지를 알아보기 위하여 이제 하중이 가해진 C점의 처짐을 계산하여 보자[그림 8-10(a)]. 이 점의 처짐은 하중 P를 받고 있는 이완 구조물[그림 8-10(b)]에서

$$\delta_c{}' = \frac{Pa^2b^2}{3LEI}$$

이 된다(표 G-2, 경우 5 참조).

이완구조물의 동일한 점에서 M_a와 M_b로 인한 하향의 처짐[그림 8-10(c) 및 (d)와 표 G-2의 경우 7 참조]은

$$\delta_c{}'' = \frac{M_a ab}{6LEI}(L+b), \quad \delta_c{}''' = \frac{M_b ab}{6LEI}(L+a)$$

이다. 이 식에 식 (8-16)의 M_a, M_b를 대입하면

$$\delta_c{}'' = \frac{Pa^2b^3}{6L^3EI}(L+b), \quad \delta_c{}''' = \frac{pa^3b^2}{6L^3EI}(L+a)$$

로 되므로, C점의 전체 처짐은

$$\delta_c = \delta_c{}' - \delta_c{}'' - \delta_c{}''' = \frac{Pa^3b^3}{3L^3EI} \qquad \text{(8-18)}$$

이 된다.

특별한 경우로서 하중 P가 보의 중앙에 작용할 때의 중앙점에서의 처짐은

$$\delta_c = \frac{PL^3}{192EI} \qquad \text{(8-19)}$$

이 되고, 반력은 다음과 같이 된다.

$$M_a = M_b = \frac{PL}{8} \quad R_a = R_b = \frac{P}{2} \qquad \text{(8-20a, b)}$$

예제 3

그림 8-11과 같이 보의 일부분에만 등분포하중을 받고 있는 양단고정보의 반력을 구하라.

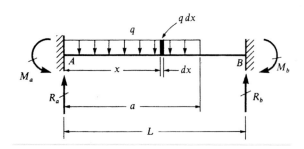

그림 8-11 예제 3. 보의 일부분에만 등분포하중을 받고 있는 양단고정보

풀이 보의 좌단으로부터 x만큼 떨어진 곳에 qdx의 하중을 받는 미소부분을 생각해 보자. 이 qdx의 미소부분을 집중하중으로 간주하여 앞절에서 유도한 식을 그대로 이용할 수 있다. 먼저 M_a와 M_b[식 (8-16) 참조]에 대한 식을 보면 P는 qdx, a는 x, b는 $L-x$로 놓을 수 있다. 고로 qdx로 인한 고정단모멘트는

$$dM_a = \frac{qx(L-x)^2 dx}{L^2} \quad dM_b = \frac{qx^2(L-x)dx}{L^2}$$

로 되고, 보의 하중을 받고 있는 길이에 대하여 적분하면

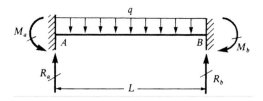

그림 8-12 예제 3. 등분포하중을 받는 양단고정보

$$M_a = \int dM_a = \frac{q}{L^2} \int_0^a x(L-x)^2 dx = \frac{qa^2}{12L^2}(6L^2 - 8aL + 3a^2) \tag{8-21}$$

$$M_b = \int dM_b = \frac{q}{L^2} \int_0^a x^2(L-x)dx = \frac{qa^3}{12L^2}(4L-3a) \tag{8-22}$$

를 얻는다. 동시에 식 (7-9)를 참조하여 양단의 반력을 구하면

$$R_a = \frac{q}{L^3} \int_0^a (L-x)^2(L+2x)dx = \frac{qa}{2L^3}(2L^3 - 2a^2L + a^3) \tag{8-23}$$

$$R_b = \frac{q}{L^3} \int_0^a x^3(3L-2x)dx = \frac{qa^3}{2L^3}(2L-a) \tag{8-24}$$

가 되어, 요구하는 결과가 다 얻어질 수 있다.

만약 양단고정보가 전경간에 등분포하중을 받게 될 때에는 앞 공식에 $a = L$을 대입하면 된

다. 즉,

$$M_a = M_b = \frac{qL^2}{12}, \quad R_a = R_b = \frac{qL}{2} \tag{8-25}$$

이와 같은 양단고정보의 지점반력을 **고정단모멘트**(fixed-end moments), **고정단반력**(fixed-end reactions)이라 한다. 이들은 **강성법**(stiffness method)과 **모멘트분배법**(moment distribution method)과 같은 구조물 해석방법을 이용할 때 매우 중요한 역할을 하게 된다.

예제 ④

보 ABC[그림 8-13(a)]가 A와 B에서 단순지지되어 있고, C점에서는 케이블 CD로 D점에 매달려 있다. 등분포하중 q가 작용하기 전에는 케이블에는 아무런 힘도 걸리지 않고, 늘어짐도 없다. 하중 q가 작용하면 보는 C점에서 밑으로 처지게 되어 케이블에는 장력 T가 발생한다. 이 케이블의 장력 T를 구하라.

풀이 이 구조물을 해석하려면 우선 두 부분으로 나누고[그림 8-13(b)], 케이블에 작용하는 미지력을 과잉력으로 택하는 것이 편리하다. 이완구조물은 각각 독립된 보 ABC와 케이블

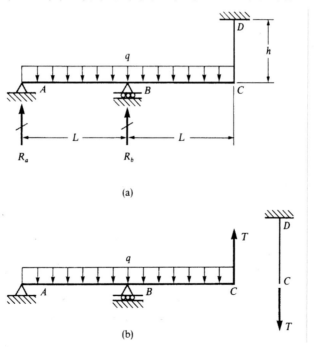

(a)

(b)

그림 8-13 예제 4. 케이블로 지지된 보

CD로 구성되고, 이때 T는 보에서는 상향, 케이블에서는 하향으로 작용하게 된다. 보의 C 점의 처짐은 등분포하중에 의한 하향처짐 $\delta_c{}'$과 T에 의한 상향처짐 $\delta_c{}''$의 두 부분으로 된다. 동시에 케이블의 끝단(C점)에서는 케이블의 늘음양 $\delta_c{}'''$ 만큼 밑으로 처짐이 일어날 것이다. 그러므로 보의 단부의 하향처짐이 케이블 끝단의 연직변위와 같다는 것으로부터 적합 방정식을 다음과 같이 세울 수 있다.

$$\delta_c{}' - \delta_c{}'' = \delta_c{}'''$$

고로 이제는 윗식에서 3개항의 처짐을 구하기만 하면 된다.

돌출된 단부에서 등분하중에 의하여 일어난 처짐은 7.6절의 예제 3(7-54)식에 $a = L$을 대입함으로써 얻어질 수 있다.

$$\delta_c{}' = \frac{qL^4}{4EI}$$

여기서 EI는 보의 굽힘 강도이다. 또 T에 의한 보의 C점의 처짐을 문제 7.5-14의 해답에 $a = L$을 대입하여 구할 수 있다.

$$\delta_c{}'' = \frac{2TL^3}{3EI}$$

끝으로 케이블의 늘음은

$$\delta_c{}''' = \frac{Th}{EA}$$

인데, 여기서 h는 케이블의 길이이고, EA는 케이블의 축방향강도이다.

위의 처짐식들을 적합방정식에 대입하고 T에 대하여 풀면

$$T = \frac{3qAL^4}{8AL^3 + 12hI} \tag{8-26}$$

을 얻는다.

이 예제에서 과잉력은 외적 반력 대신에 내력의 양으로 택한 사실에 주의해야 한다.

8.5 연속보

그림 8-14에 보는 바와 같이 여러 개의 지점 위에 연속적으로 놓여 있는 보를 연속보라

하고, 건축물, 관수로, 교량 등과 같은 특수구조물에 많다. 연속보상의 하중이 연직으로만 작용하고, 또 축방향의 변형이 없다면 여기에 생기는 모든 반력들은 연직으로만 작용할 것이다.

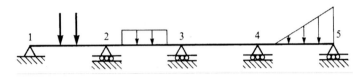

그림 8-14 연속보

이 구조물의 거동을 표시하기 위하여 이들 지점들 중 하나만이 핀지점이고 나머지 지점들은 모두 그림과 같은 가동지지로 생각한다. 반력의 총수는 지점의 수와 같게 될 것이고 또 부정정 차수는 이들 수보다 2개가 적을 것이다. 그림 8-14와 같은 보에서는 5개의 반력이 있으므로 3개의 과잉력이 존재하게 된다. 앞의 여러 절에서 설명된 어떤 방법에 의해서도 연속보의 해석이 가능하지만 그 중 중첩의 원리만이 실제적이다. 이 방법을 사용할 때는, 중간지점들의 반력을 과잉력으로 취하게 되며, 이완구조물은 단순보가 된다. 이 기법은 8.4절의 예제 1(그림 8-9 참조)에서 이용되었는데, 특히 2경간이나 3경간의 연속보에만 만족스러운 결과를 준다. 과잉력의 2개를 초과할 때는 과잉력으로서 보의 중간지점의 굽힘모멘트를 취하는 것이 편리하다. 이렇게 하면 과잉력의 수에 관계없이 각 방정식에 최대 3개의 미지수만이 포함되는 연립방정식들로만 이루어져서 계산이 매우 간단하게 된다.

연속보를 해석하기 위하여 이 과정을 보다 상세히 전개해 보자. 지점에서의 굽힘모멘트가 원래의 구조물에서 이완되면 지점에서의 보의 연속성이 무너지고 따라서 이완구조물은 일련의 단순보들로 구성된다. 그러한 각각의 보는 연직으로 작용하는 외력과 단부에 작용하는 2개의 과잉력모멘트를 함께 받는다. 이런 하중조건하에서 각 단순보의 양단의 회전을 결정할 수 있다. 각 지점에서는 인접한 두 보끼리는 동일한 회전각을 가져야 한다는 사실을 나타내는 적합방정식을 세우므로써 미지의 굽힘모멘트에 대한 필요한 방정식을 얻을 수 있다. 예로서 그림 8-15(a)에서와 같은 연속보의 일부만을 생각해 보자. 세 개의 연속된 지점을 A, B, C라 하고, 두 인접경간의 길이와 단면 2차 모멘트를 L_a, I_a 및 L_b, I_b로 표시하고 또한 3지점에서의 굽힘모멘트를 M_a, M_b, M_c라 하자. 이 모멘트들의 방향은 보에 작용하는 하중에 의하여 결정되겠지만 식의 유도 편의상 정의 방향, 즉 보의 상부에 압축응력을 일으키는 것을 정으로 가정한다. 단순보로 된 이완 구조물은 두 인접경간에 대하여 표시된 그림 8-15(b)와 같이 된다. 각 경간은 작용외력과 과잉력 굽힘모멘트의 두 가지를 동시에 받고

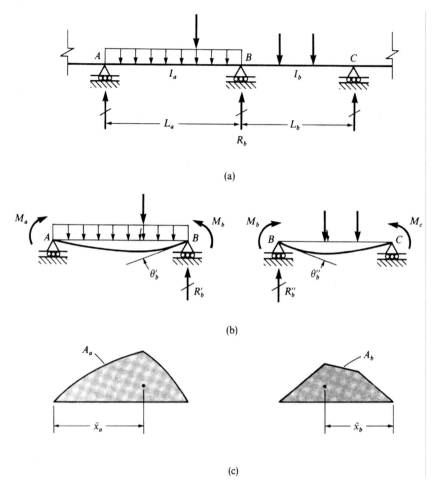

(a)

(b)

(c)

그림 8-15 3모멘트 식

있다.

그림 8-15(b)의 하중은 두 개의 단순보의 처짐을 일으킨다. 지점 B의 좌측부의 회전각은 그림에서 θ_b'으로 표시하고, 그리고 우측보의 지점 B의 회전각은 θ_b''으로 표시한다. 한편 이 각들은 그림과 같이 취한 것, 즉 정의 굽힘모멘트 M_b와 동일한 방향으로 취한 것을 정으로 한다. 실제로 보의 축은 보의 지점 B를 지나 연속된 것이므로 이 경우 적합방정식은

$$\theta_b' = -\theta_b'' \tag{8-27}$$

으로 되며, 또한 이 식은 두 단순보의 기울기각이 B점에서 서로 일치되어야 함을 나타내고 있다.

다음 단계는 각 $\theta_b{'}$과 $\theta_b{''}$에 대한 식을 세우고 (8-27)에 대입하는 것이다. 이완구조물의 외력에 의한 굽힘모멘트선도는 그림 8-15(c)에서 보여 주는 바와 같다. 이 선도의 특수한 모양은 하중의 성질에 따라 결정되는 것이다. 그러나 모든 경우에 굽힘모멘트선도는 그 면적과 도심까지의 거리를 가지고 특성을 부여할 수 있다. 두 모멘트선도의 면적을 각각 A_a와 A_b로 표시하자. 또한 A로부터 A_a의 도심까지의 거리는 $\overline{x}_a$ 그리고 C로부터 A_b의 도심까지의 거리를 $\overline{x}_b$라 하자. 이제 굽힘모멘트선도를 이용하여 각 $\theta_b{'}$과 $\theta_b{''}$을 계산한다. 모멘트 면적법 제2정리에 의하여 $\theta_b{'}$을 구함에 있어서 우선 보 AB상의 외력에 의한 것은

$$\frac{A_a \overline{x}_a}{EI_a L_a}$$

이고, M_a와 M_b에 의한 것은 다음과 같다.

$$\frac{M_a L_a}{6EI_a} \text{와} \quad \frac{M_b L_a}{3EI_a}$$

고로 각 $\theta_b{'}$은

$$\theta_b{'} = \frac{M_a L_a}{6EI_a} + \frac{M_b L_a}{3EI_a} + \frac{A_a \overline{x}_a}{EI_a L_a} \tag{a}$$

로 되고, 한편 우측보 BC에서도 위와 비슷한 방법으로 $\theta_b{''}$을 다음과 같이 구할 수 있다.

$$\theta_b{''} = \frac{M_b L_b}{3EI_b} + \frac{M_c L_b}{6EI_b} + \frac{A_b \overline{x}_a}{EI_b L_b} \tag{b}$$

(b)와 (c)를 식 (a)에 대입하여 정리하면

$$M_a \left(\frac{L_a}{I_a} \right) + 2M_b \left(\frac{L_a}{I_a} + \frac{L_b}{I_b} \right) + M_c \left(\frac{L_b}{I_b} \right) = -\frac{6A_a \overline{x}_a}{I_a L_a} - \frac{6A_b \overline{x}_b}{I_b L_b} \tag{8-28}$$

를 얻는다. 이 식은 보상의 연속된 3개의 굽힘모멘트들 간의 관계를 나타내기 때문에 **3모멘트식**(three-moment equation)이라고 불린다. 연속보의 각 중간지점마다 미지의 굽힘모멘트수만큼의 3모멘트식을 세울 수 있다.

모든 경간에 대해 단면 2차 모멘트 I가 동일할 때는 3모멘트식은 간단히 된다.

$$M_a L_a + 2M_b (L_a + L_b) + M_c L_b = -\frac{6A_a \overline{x}_a}{L_a} - \frac{6A_b \overline{x}_b}{L_b} \tag{8-29}$$

만약 모든 경간이 같은 길이 L이라면, 방정식은 보다 간단히 된다. 즉,

$$M_a + 4M_b + M_c = -\frac{6}{L^2}(A_a\overline{x}_a + A_b\overline{x}_b) \qquad (8\text{-}30)$$

3모멘트 방정식을 이용할 때의 과정은 단순보의 각 중간지점에 대하여 그 방정식을 한 번 사용하는 것이 되고, 따라서 그 방정식은 굽힘모멘트로서 구성되어 모멘트에 관한 연립방정식으로 물려질 수 있다.

예를 들어 지간 AB에 등분포하중 q가 작용한다면

$$A_a = \frac{2}{3}\left(\frac{qL_a^2}{8}\right)(L_a) = \frac{qL_a^3}{12}, \quad \overline{x}_a = \frac{L_a}{2}$$

이므로

$$A_a\overline{x}_a = \frac{qL_a^4}{24} \qquad (8\text{-}31)$$

으로 된다. 한편 보의 중앙에 집중하중 P가 작용한다면

$$A_a = \frac{1}{2}\left(\frac{PL_a}{4}\right)(L_a) = \frac{PL_a^2}{8}, \quad \overline{x}_a = \frac{L_a}{2}$$

이고

$$A_a\overline{x}_a = \frac{PL_a^2}{16} \qquad (8\text{-}32)$$

으로 된다. 이 두 예제를 보면 굽힘모멘트선도를 포함하는 각 항을 별로 어려움 없이 계산할 수 있음을 알 수 있다. 일단 이 단계가 끝나면 각 연속된 보에 대하여 식을 세운 후, 미지의 굽힘모멘트에 대하여 풀면 된다.[*]

앞의 설명에서는 연속보의 두 끝단은 단순지지되어 있는 것으로 가정하였다. 만일 이 단부의 한쪽이나 양쪽이 다 고정되면 과잉력 모멘트의 수가 늘어날 것이다[그림 8-16(a) 참조].

이러한 문제를 다룰 때는 고정단 대신에 그 보 끝에 추가로 단면 2차 모멘트가 무한히 큰 보가 추가되어 있다고 가정하여 푸는 것이 가장 간단하다[그림 8-16(b) 참조]. 강도가 무한히 큰 추가경간을 생각하는 것은 원래의 고정단과 동일한 조건으로 만들어 지점 1에서 보의 회전이 발생하지 않도록 하기 위한 것이다. 그림 8-16(b)에서 보는 바와 같이 연속보의 1,

---

[*] 3모멘트식은 19세기 중엽에 프랑스 기사인 Clapeyron과 Bertot에 의하여 개발되었음(참고문헌 8-3).

2, 3점에서 구한 굽힘모멘트는 원래의 보의 것과 동일한 것이다. 추가보의 길이는 항상 3모멘트식에서 제거되기 때문에 문제가 되지 않는다(그 외에는 길이는 항상 0보다 커야함).

연속보의 각 지점에 작용하는 굽힘모멘트를 구한 다음에는 정역학적으로 쉽게 각 반력들을 구할 수 있게 된다.

그림 8-15(b)의 두 인접한 지간을 생각해 보자. 두 단순보 AB와 BC에서 지점 B의 반력을 각각 $R_b{}'$, $R_b{}''$이라 하면 결국 이들의 합이 그림 8-15(a)와 같이 지점 B의 반력 R_b가된다. 반력 $R_b{}'$은 다음의 3부분으로 되어 있다. 단순보에서 외력에 의한 반력, M_a에 의한 반력$\left(즉 \dfrac{M_a}{L_a}\right)$, M_b에 의한 반력$(-M_b/L_b)$의 3가지로 구성되어 있다. 마찬가지 방법으로 반

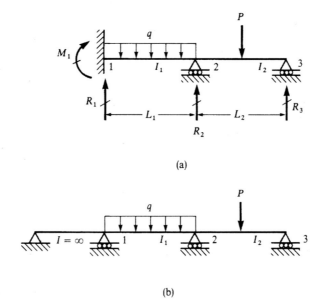

(a)

(b)

그림 8-16 고정단을 무한히 큰 단면 2차 모멘트를 가진 경간으로 대치한 예

력 $R_b{}''$은 외력에 의한 단순보 반력 $R_b{}''$에다 $\dfrac{M}{L_b}$과 $-\dfrac{M_b}{L_b}$를 합한 것이다. 이 모든 항들을 합하면 B점의 전반력 R_b가 얻어진다. 이런 과정은 구하고자 하는 모든 반력이 계산될 때까지 각 지점에서 되풀이 된다. 물론 만일 지점 위에 집중하중이 있을 때는 그 하중은 직접 반력으로 전달될 것이다.

예제 **1**

3모멘트식을 이용하는 예제로서 그림 8-17의 예제를 풀도록 한다. 이 보는 지점 사이의 거리가 같은 3경간으로 되어 있고, 단면 2차 모멘트는 일정하고, 첫째 경간과 셋째 경간에만 하중이 작용하고 있다. 집중하중 P는 qL로 가정한다.

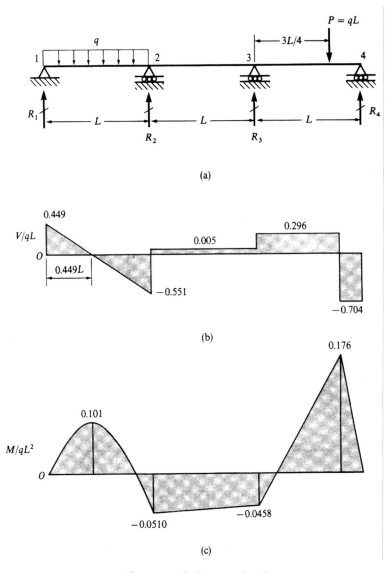

그림 8-17 예제 1. 3모멘트식

풀이 단면 2차 모멘트가 전경간에 대하여 동일하기 때문에 본 예제에서는 식 (8-30)을 사용한다. 일차적으로 각 경간에 대하여 방정식의 우변에 있는 $\dfrac{6A\overline{x}}{L}$ 의 항을 계산하게 된다. 이 항은

경간 1-2에 대해서는 식 (8-31)로부터 $\dfrac{qL^3}{4}$이고, 2-3의 경간에서는 하중이 없기 때문에 0이다. 마지막으로 3-4의 경간에서는 굽힘모멘트선도가 최대값 $\dfrac{3}{16}PL$을 갖는 삼각형임을 알 수 있다. 삼각형의 면적은 $\dfrac{3PL^2}{32}$이고, 4점으로부터 도심까지의 거리는 $\dfrac{5L}{12}$(부록 D의 경우 3 참조)이다. 그러므로 $A\overline{x}$항은 $\dfrac{5PL^2}{128}$인데 $P=qL$이므로 $\dfrac{5qL^3}{128}$이 된다.

이제 내부지점들의 3모멘트식을 세워보자. 지점 2를 생각해 보면 일반식 (8-30)에서의 M_a는 M_1(0이 됨), M_b는 M_2, M_c는 M_3가 되므로

$$4M_2 + M_3 = -\frac{qL^2}{4} \tag{c}$$

마찬가지로 지점 3에 대한 3모멘트 방정식은 다음과 같다.

$$M_2 + 4M_3 = -\frac{15qL^2}{64} \tag{d}$$

위의 (c)와 (d)식을 풀면 굽힘모멘트를 구할 수 있다.

$$M_2 = -\frac{49qL^2}{960}, \quad M_3 = \frac{11qL^2}{240} \tag{e}$$

보의 3부분을 각각 나누어 자유물체도를 그린 다음에 정역학적 평형방정식을 세움으로써 반력을 얻을 수 있다.

$$R_1 = \frac{431qL}{960}, \quad R_2 = \frac{89qL}{160}, \quad R_3 = \frac{93qL}{320}, \quad R_4 = \frac{169qL}{240} \tag{f}$$

이 값들을 알았으므로 그림 8-17(b)와 (c)에 보여 준 바와 같이 전단력도와 굽힘모멘트선도를 그릴 수 있다.

예제 2

지점의 침하나 기타 다른 원인으로 인하여 연속보의 지점들이 같은 높이에 있지 않다고 가정하자. 이들의 영향은 3모멘트식과 어떤 관계를 가질 것인가?

풀이 3지점이 그림 8-18과 같이 변형하였다고 가정하자. A, B, C점을 연결하는 점선은 보의 축을 나타내는 것이 아니고 단순히 3지점 간을 연결한 직선에 불과하다. β_a와 β_b를 이 선들의 회전각이라 하고, 우측 지점이 좌측 지점보다 낮을 때를 정으로 하자. 이제 θ_b'을 구하는 식 (a)를 검토해 보면 그 식에 있는 모든 항은 그대로 있게 되고, 오히려 거기에 β_a의 영향을 고려해야 한다. 각 β_a는 β_b'의 값을 감소시킬 것이므로 식 (a)에 대치할 수 있다. 새로운 θ_b'식은 다음과 같이 된다.

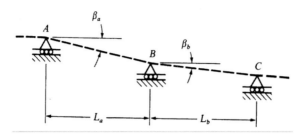

그림 8-18   예제 2. 지점의 위치가 다른 연속보

$$\theta_b{}' = \frac{M_a L_a}{6EI_a} + \frac{M_b L_a}{3EI_a} + \frac{A_a \overline{x}_a}{EI_a L_a} - \beta_a \qquad (g)$$

$\theta_b{}''$ [식 (b)] 식도 또한 다음과 같이 바뀔 것이다.

$$\theta_b{}'' = \frac{M_b L_b}{3EI_b} + \frac{M_c L_b}{6EI_b} + \frac{A_b \overline{x}_b}{EI_b L_b} + \beta_b \qquad (h)$$

이들을 적합방정식[equation of compatibility; 식 (8-27)]에 대입하여 정리하면 3모멘트식의 일반식을 구할 수 있다.

$$M_a \left(\frac{L_a}{I_a} \right) + 2M_b \left(\frac{L_a}{I_a} + \frac{L_b}{I_b} \right) + M_c \left(\frac{L_b}{I_b} \right) = - \frac{6A_a \overline{x}_a}{I_a L_a} - \frac{6A_b \overline{x}_b}{I_b L_b} + 6E(\beta_a - \beta_b) \qquad (8\text{-}33)$$

이 식은 지점들이 동일한 높이의 위치에 있지 않을 때 식 (8-28) 대신에 사용된다.

8.6   열 효과

부정정보에서는 온도변화가 보에 응력과 처짐을 일으킨다. 이 양은 하중을 받는 보의 경우에 대하여 이미 설명한 것과 유사한 방법으로 결정될 수 있다. 가장 편리한 방법은 아마도 중첩의 원리일 것이다. 그림 8-19의 양단고정보를 예로 들어본다. 이 보의 상부표면의 온도는 T_1이고 하부표면의 온도는 T_2라 하자.

중첩의 원리를 이용하려면 우선 과잉력을 이완시켜 정정의 이완구조물을 만들어야 한다. 과잉력으로서 R_b와 M_b를 취하면 이완구조물은 외팔보가 된다. 상하의 온도차로 인하여 생긴 이 외팔보의 B단의 처짐과 회전각은 문제 7.11-2에서 얻어진 결과를 이용하여 구하면

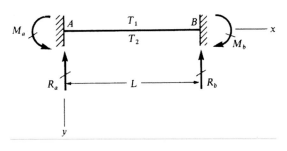

그림 8-19 온도차를 갖고 있는 양단고정보

다음과 같다.

$$\delta_b' = \frac{\alpha(T_2 - T_1)L^2}{2h}, \quad \theta_b' = \frac{\alpha(T_2 - T_1)L}{h}$$

이 문제에서 α는 열팽창계수이고, h는 보의 높이이다. T_2가 T_1보다 큰 경우에는 처짐 δ_b'은 상향이고, 회전각 θ_b'은 반시계방향이다.

R_b에 의하여 이완구조물에 생긴 처짐과 회전각은

$$\delta_b'' = \frac{R_b L^3}{3EI}, \quad \theta_b'' = \frac{R_b L^2}{2EI}$$

이고, M_b에 의한 처짐과 회전각은

$$\delta_b''' = -\frac{M_b L^2}{2EI}, \quad \theta_b''' = -\frac{M_b L}{EI}$$

이고, 여기서 상향의 처짐과 반시계방향의 회전각이 정의 값이다. 이제 적합조건식을 세우면

$$\delta_b' + \delta_b'' + \delta_b''' = 0, \quad \theta_b' + \theta_b'' + \theta_b''' = 0$$

이 된다. 이 방정식에 위에서 구한 각종 처짐을 대입하여 풀면

$$R_b = 0, \quad M_b = \frac{\alpha EI(T_2 - T_1)}{h}$$

을 얻는다. R_b가 0이라는 사실은 보의 대칭의 성질로부터도 추측할 수 있다. 이 조건을 처음부터 적용시켰더라면 위의 해는 한 개의 적합방정식만을 필요로 하기 때문에 보다 간략하게 되었을 것이다. 대칭조건을 잘 관찰해 보면 M_a는 M_b와 같다는 것을 알 수 있다. 그러므로 그림 8-19와 같은 고정단 보의 최종반력은 다음과 같다.

$$R_a = R_b = 0, \quad M_a = M_b = \frac{\alpha EI(T_2 - T_1)}{h} \tag{8-34}$$

그림 8-19에 보여 준 보는 처짐탄성곡선식을 이용하여 풀 수도 있다. 예를 들면 미분방정식은

$$EIv'' = - M - \frac{\alpha EI(T_2 - T_1)}{h} \tag{8-35}$$

이 된다. 이 식은 굽힘모멘트[식 (7-10a) 참조]와 온도[식 (7-72)와 비교]의 두 가지 영향을 고려한 식이다. 보의 굽힘모멘트식은

$$M = R_a x - M_a$$

가 되지만 전에 설명한 바와 같이 대칭의 성질로부터 연직반력이 없음을 알 수 있다. 고로 $R_a = 0$으로 놓으면

$$EIv'' = M_a - \frac{\alpha EI(T_2 - T_1)}{h}$$

을 얻고 또 이 식을 한 번 적분하여

$$EIv' = M_a x - \frac{\alpha EI(T_2 - T_1)}{h} x + C_1$$

을 얻는다. 기울기각에 대한 2개의 경계조건($x = 0$과 $x = L$에서 $v' = 0$)을 이용하여 앞의 식 (8-34)와 일치하는 $C_1 = 0$과 $M_0 = \alpha EI(T_2 - T_1)/h$을 얻는다. 이런 방법으로 고정단모멘트를 구하고 나면 결국 부정정문제를 풀 수 있게 된다. 또한 기울기각 v' 및 처짐 v를 쉽게 구할 수 있다.

8.7 보 단부의 수평변위

그림 8-20(a)에서와 같이 보 AB의 일단은 핀으로 지지되고, 다른 쪽은 수평이동이 가능한 가변지점으로 지지되어 있다고 가정하자. 하중을 받아 보가 휘게 되면, B단은 B에서 B'으로 λ만큼의 적은 수평변위를 일으키게 될 것이다. 여기서 변위 λ는 보의 초기의 길이

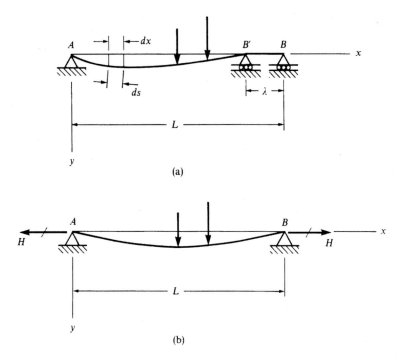

그림 8-20 (a) 보의 단부의 수평변위 (b) 양단이 이동할 수 없는 경우 지점에 생기는 수평반력

와 구부러진 후의 보의 길이, 즉 현 AB'의 길이의 차와 같다. 이 λ를 구하기 위하여 보의 곡선축상의 미소구간 ds를 생각해 보자. 이 ds를 x축에 투영한 길이는 dx이다. 이때 ds와 dx 간의 차는

$$ds - dx = \sqrt{dx^2 + dv^2} - dx = dx\sqrt{1 + \left(\frac{dv}{dx}\right)^2} - dx \qquad \text{(a)}$$

가 되고, 여기서 v는 보의 처짐을 나타낸다. 이제 어떤 변수 t가 1이하일 때

$$(1+t)^{\frac{1}{2}} = 1 + \frac{t}{2} - \frac{t^2}{8} + \frac{t^3}{16} - \cdots\cdots \qquad \text{(8-36)}$$

임을 알 수 있다. t가 1보다도 훨씬 적다면 첫 항이나 둘째 항에 비해서 t^2, t^3 등의 항은 무시할 수 있을 것이다. 그렇게 되면

$$(1+t)^{\frac{1}{2}} \approx 1 + \frac{t}{2} \qquad \text{(8-37)}$$

가 된다. 그런데 식 (a)에서 $(dv/dx)^2$항은 언제나 매우 작은 값이므로 식 (8-37)을 이용하

여 식 (a)를 다음과 같이 표시할 수 있다.

$$ds - dx = dx\left[1 + \frac{1}{2}\left(\frac{dv}{dx}\right)^2\right] - dx = \frac{1}{2}\left(\frac{dv}{dx}\right)^2 dx$$

이 식을 보의 길이에 대하여 적분하면, 보의 전 길이와 현 AB' 간의 차 λ를 구할 수 있다. 이 차 λ는

$$\lambda = \frac{1}{2}\int_0^L \left(\frac{dv}{dx}\right)^2 dx \qquad (8\text{-}38)$$

이다. 고로 보의 처짐곡선식만 알면 언제나 식 (8-38)을 이용하여 수평변위를 구할 수 있다.

보의 양단이 그림 8-20(b)와 같이 수평이동을 할 수 없게 구속되어 있을 때는 각 단부에 수평반력 H가 발생할 것이다. 이 힘은 보에 휨이 생길 때 보의 축을 늘어나게 하려는 작용을 일으킬 것이다. 여기서는 이 복잡한 문제의 정밀해를 구하지 않고, 대신에 그 중요성만을 인식시키기 위해 힘 H에 대한 근사식을 구하도록 한다.

보의 처짐곡선에 대한 합리적인 근사식은 다음과 같이 포물선식이다.

$$v = \frac{4\delta x(L-x)}{L^2} \qquad (b)$$

여기서 δ는 보의 중앙점에서의 처짐이다. 이 가정된 처짐곡선에 대응하는 수평이동 λ는 식 (b)를 식 (8-38)에 대입함으로써

$$\lambda = \frac{8\delta^2}{3L}$$

을 얻을 수 있다. 이 λ만큼 보를 늘어나게 하는데 필요한 힘 H는

$$H = \frac{EA\lambda}{L} = \frac{8EA\delta^2}{3L^2}$$

이 되고, 이에 대응하는 축인장응력은

$$\sigma = \frac{H}{A} = \frac{8E\delta^2}{3L^2} \qquad (c)$$

이 된다. 보의 중앙점에서의 처짐 δ는 길이에 비하여 보통 매우 작다. 예를 들면 $\frac{\delta}{L}$의 비가 보통 $\frac{1}{500}$ 정도이다. 만일 사용된 재료가 $E = 30 \times 10^6$ psi를 갖고 있는 강재라고 가정하

고, $\dfrac{\delta}{L} = \dfrac{1}{500}$에 해당하는 응력을 (c)식으로부터 구해 보면 320 psi에 불과하다. 그러므로 H로 인하여 생기는 축응력이란 보의 허용굽힘응력에 비하여 매우 작음을 알 수 있다. 더욱이 실제적으로는 보의 단부가 완전히 고정될 수는 없으므로 약간의 이동은 항상 있게 마련이다. 고로 실제는 위에 계산한 값보다도 더 작은 힘이 발생할 것이다. 그러므로 실제에 있어서 보의 수평구속조건의 영향을 무시하거나 보의 일단이 롤러 위에 놓여 있다고 가정하여도 무방하다.*

문제

8.2절에 관한 문제들은 처짐곡선의 미분방정식을 적분하여 풀어라.

8.2-1 그림 8-2(예제 1)의 일단고정 타단가동지지된 보에서 M_a를 과잉력으로 취하여, 처짐곡선의 2차 미분방정식을 이용하여 반력과 처짐곡선의 방정식을 구하고, 최대처짐량 δ_{max}과 그것이 발생하는 위치를 구하라.

8.2-2 처짐곡선의 4계미분방정식을 이용하여 그림 8-2의 보의 반력을 구하고, 보의 전단력도와 굽힘모멘트 선도를 그리고 최대 및 최소값을 포함한 모든 종거(縱距)를 기입하라.

8.2-3 그림 8-3(예제 2)과 같이 집중하중을 받고 있는 양단고정보의 반력을 구하고, 보의 최대처짐량 δ_{max}을 구하라. 그리고 전단력도와 굽힘모멘트 선도를 그리고 최대 및 최소값을 포함한 모든 종거를 기입하라.

8.2-4 그림과 같은 보의 처짐곡선식을 유도하고 지점의 반력을 구하라. 그리고 전단력도와 굽힘모멘트 선도를 그리고 모든 종거를 기입하라.

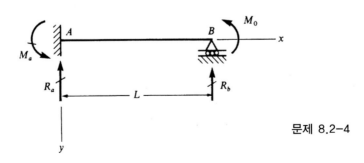

문제 8.2-4

* 수평이동이 안되는 지점을 가진 보의 해석에 대해서는 참고문헌 8-6을 참고하라.

8.2-5 그림과 같은 외팔보에서 B점에서 보가 와이어에 의해 아래로 당겨져 있다. 처짐 $\varDelta$의 항으로 처짐곡선식을 구하고, $\varDelta$의 항으로 반력 R_a, R_b 및 M_a를 구하라.

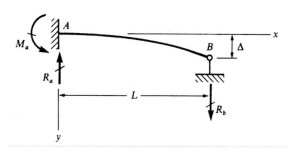

문제 8.2-5

8.2-6 그림과 같은 등분포하중을 받는 양단고정보의 처짐곡선식과 반력을 구하라.

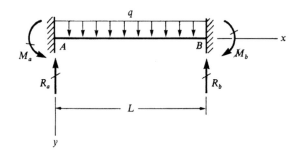

문제 8.2-6

8.2-7 그림과 같이 3각분포하중을 받고 있는 보의 처짐곡선식과 반력을 구하라.

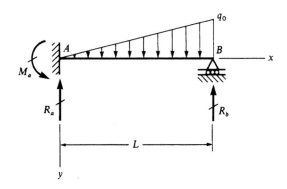

문제 8.2-7

8.2-8 그림과 같은 양단고정보의 반력과 최대처짐 δ_{max} 을 구하라.

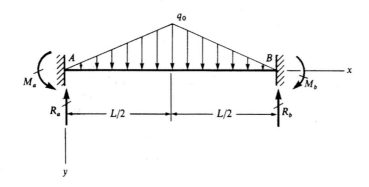

문제 8.2-8

8.2-9 그림과 같이 3각분포하중을 받고 있는 양단고정보의 처짐곡선을 유도하고, 모든 반력을 구하라.

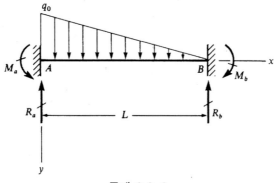

문제 8.2-9

8.3절의 문제들을 모멘트 면적법으로 풀어라.

8.3-1 그림과 같은 보의 반력을 구하라.

8.3-2 다음 그림과 같이 2개의 집중하중을 받고 있는 보의 반력을 구하라.

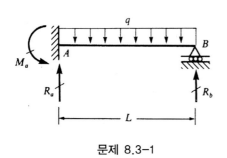

문제 8.3-1

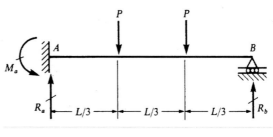

문제 8.3-2

8.3-3 그림과 같은 보의 반력을 구하고 전단력도와 굽힘모멘트 선도를 그려라.

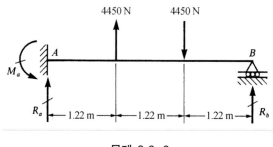

문제 8.3-3

8.3-4 그림과 같은 보의 반력을 구하라. B점에서 처짐곡선이 수평이 되기 위한 우력 M_0의 위치 a_1을 구하라. 또 지점 A에서의 모멘트가 0이 되기 위한 우력 M_0의 위치 a_2를 구하라. 단, a_1, a_2는 지점 A로부터의 거리이다.

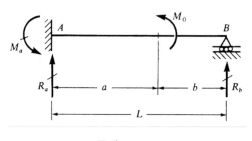

문제 8.3-4

8.3-5 그림과 같은 보에서 과잉력으로 R_b를 택하여 반력을 계산하라.

8.3-6 그림과 같은 보의 반력과 중앙점에서의 처짐 δ_{max}을 구하라.

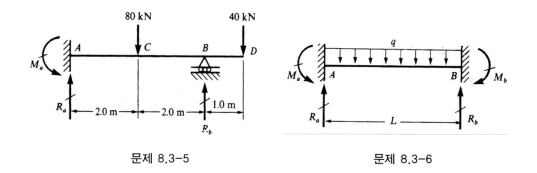

문제 8.3-5   문제 8.3-6

8.3-7 다음 그림과 같이 2개의 집중하중을 받고 있는 양단고정보의 반력을 구하라. 그리고 최대 처짐 δ_{max}을 구하라.

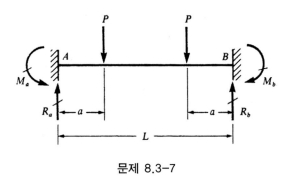

문제 8.3-7

8.3-8 그림과 같은 대칭삼각분포하중을 받는 양단고정보의 반력과 중앙점에서의 처짐 δ_{max}을 구하라. M_a 및 M_b를 과잉력으로 택하라.

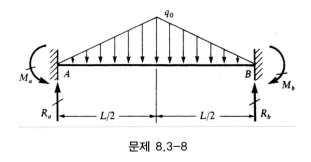

문제 8.3-8

8.3-9 그림과 같은 양단고정보에 집중하중이 작용할 때 반력과 하중 P점 아래에서의 처짐 δ를 구하라.

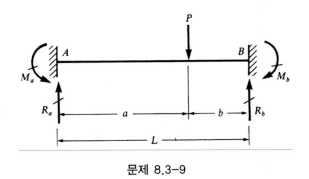

문제 8.3-9

8.3-10 다음 그림과 같이 집중하중 P를 받고 있는 불균일단면보의 고정단모멘트와 중앙점에서의

처짐 δ_{max} 을 구하라.

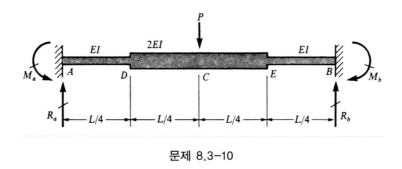

문제 8.3-10

8.3-11 앞 문제의 그림에서 D와 E점에 같은 크기의 하중 P가 작용할 때 문제 8.3-10을 풀어라 (중앙점에 하중이 없다).

8.4절의 문제를 중첩법으로 풀어라.

8.4-1 그림 8-9(a)[예제 1]에서 반력 R_c를 과잉력으로 취하여 반력을 구하고 전단력도와 굽힘모 멘트 선도를 그리고 최대 및 최소값을 포함한 종거를 기입하라.

8.4-2 문제 8.3-2를 풀어라.

8.4-3 그림과 같이 3각분포하중을 받고 있는 보의 반력을 구하라.

8.4-4 그림과 같은 보의 반력을 구하고 전단력도와 굽힘모멘트선도를 그리고 모든 종거를 기입 하라.

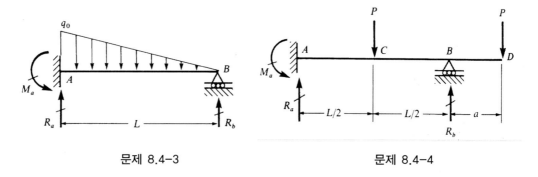

문제 8.4-3   문제 8.4-4

8.4-5 문제 8.3-5를 풀어라.

8.4-6 다음 그림과 같이 등분포하중을 받으며 지간의 길이가 같지 않은 2경간 연속보의 반력을 구하라.

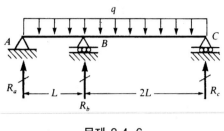

문제 8.4-6

8.4-7 문제 8.3-7을 풀어라.

8.4-8 그림에서 보는 바와 같이 외팔보 AB의 자유단이 케이블 BC에 매달려 있다. 하중이 작용하기 전에는 케이블은 팽팽하지만 그 내부에는 응력이 발생하지 않는다. 등분포하중에 의해서 발생된 케이블의 내력 T를 구하라. 단 EI는 보의 굽힘강도, EA는 케이블의 축강도라 가정한다.

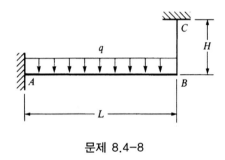

문제 8.4-8

8.4-9 두 캔틸레버보 AB와 CD가 그림과 같이 지지되어 있다. D점에서는 두 보 사이에 롤러가 들어 있다. AB보의 굽힘강도를 EI_1, CD보의 굽힘강도를 EI_2라 하면 D점에서 두 보 사이에 전달되는 힘 F를 구하라.

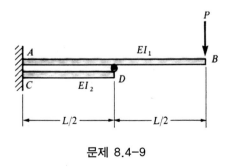

문제 8.4-9

8.4-10 그림과 같은 3경간 연속보의 반력을 구하라.

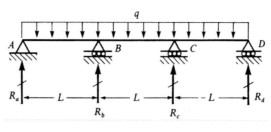

문제 8.4-10

8.4-11 그림과 같이 보 *ABC*의 굽힘강성도는 $EI = 40 \text{ MN·m}^2$이다. 하중이 작용할 때 지점 *B*는 수직으로 3.0 mm까지 침하한다. *B*점에서의 반력 R_b를 계산하라.

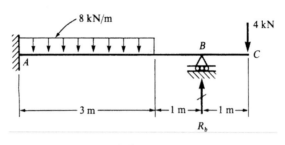

문제 8.4-11

8.4-12 그림과 같은 불균일단면보(nonprismatic beam) *AB*가 등분포하중을 받고 있다. 이 보의 반력을 구하라.

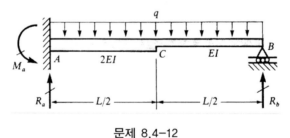

문제 8.4-12

8.4-13 그림과 같이 하중이 작용되기 전에는 2경간 연속보가 지점 *A*와 *C* 위에만 놓여 있다. 이때 지점 *B*와 보 사이에는 *Δ*의 작은 간격이 있게 된다. 하중이 작용하게 되면 간격이 없어지고, 반면에 3지점에서 반력이 생기게 된다. 이 구조물에서 3지점의 반력이 모두 같게 되려면 간격 *Δ*의 크기는 얼마이겠는가?

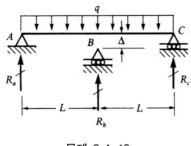

문제 8.4-13

8.4-14 그림 8-10(a) [예제 2]에서 반력 R_b와 M_b를 과잉력으로 취하여 반력들을 구하고 전단력도와 굽힘모멘트 선도를 그리고 모든 종거를 기입하라.

8.4-15 그림 8-11[예제 3]에서 M_a와 M_b를 과잉력으로 취하여 반력들을 구하라.

8.4-16 단면고정보 AB의 좌측 지점이 그림과 같이 작은 각 θ만큼 회전할 때 이 보에 생기는 반력을 구하라.

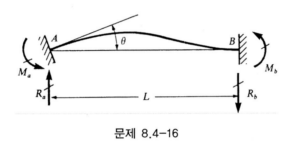

문제 8.4-16

8.4-17 양단고정보 AB의 한쪽 지점의 다른쪽 지점과 Δ만큼의 상대적 연직변위를 일으킬 때 이 보에 생기는 반력을 구하라.

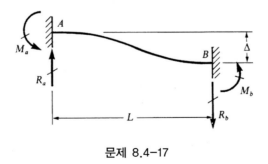

문제 8.4-17

8.4-18 3경간 연속보 $ABCD$가 그림과 같이 한쪽 끝 경간에 등분포하중을 받고 있다. 이 보의 반

력을 구하라.

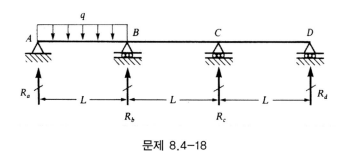

문제 8.4-18

8.4-19 그림과 같은 보에 모든 반력을 구하라. 그리고 전단력도와 굽힘모멘트선도를 그려라.

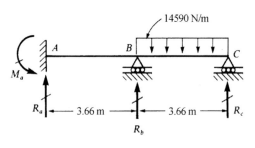

문제 8.4-19

8.4-20 그림과 같은 외팔보 AB가 다른 외팔보 CD 위에 지지되어 있다. 하중이 없을 때 두 보는 접촉상태에 있지만 두 보 사이에는 압력은 없다. 하중 P가 작용할 때 점 D에서 두 보 사이에 어떤 힘 F가 발생하느냐? (힌트: 두 보가 단지 C와 D점에서만 접촉함을 보여라.)

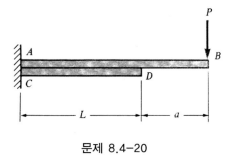

문제 8.4-20

8.4-21 그림과 같은 외팔보 AB는 $S6 \times 17.25$강의 I형보이다 ($E = 20.69\,\mathrm{MPa}$). 단순보 DE는 단면이 $101.6\,\mathrm{mm} \times 304.8\,\mathrm{mm}$인 나무보이다 ($E = 10.35\,\mathrm{MPa}$). 강봉 AC는 지름이 $6.35\,\mathrm{mm}$, 길이 $3.05\,\mathrm{m}$로서 두 보를 연결하는 구실을 하고 있다. 하중이 작용하기 전에는 강봉은 두 보 사이에 힘을 받지 않는 상태로 연결되어 있다. 보 DE에 등분포하중 $q = 5836\,\mathrm{N/m}$가 작용

할 때 강봉 내의 힘 F와 최대굽힘모멘트 M_{ab}와 M_{de}를 구하라.

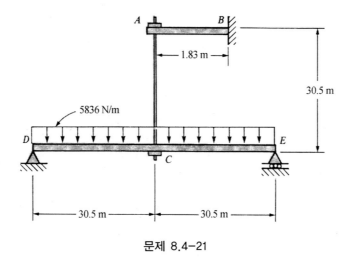

문제 8.4-21

8.4-22 그림과 같이 중앙점 C에 강성계수 k인 스프링으로 지지되는 단순보가 있다. 최대 굽힘모멘트가 가능한 한 가장 작은 값을 갖도록 하는 강성계수 k를 구하라.

8.4-23 그림과 같은 연속 뼈대구조물 ABC가 A에서는 고정되어 있고, C에서는 가동지지되어 있고, B에서는 강절(剛節)되어 있다. 이때 뼈대구조물의 반력을 구하라(단, 부재의 축방향 변형은 무시하고, 휨의 영향만을 고려한다. 또한 각 부재의 길이는 L이고, 굽힘강도는 EI임).

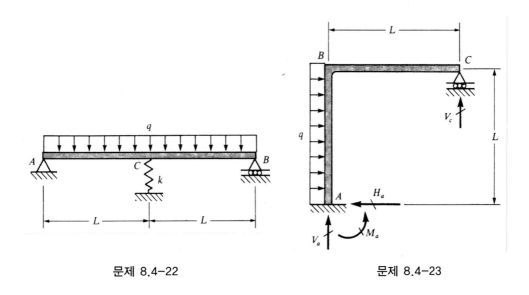

문제 8.4-22   문제 8.4-23

8.4-24 그림과 같이 브래킷 BCD로 연결된 보에 하중 P가 작용할 경우 D점에서의 수평변위 δ_h와

수직변화 δ_v를 구하라. 단 굽힘강도 EI는 구조물 전체에 동일하다.

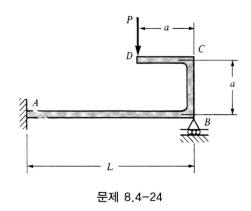

문제 8.4-24

8.5절의 문제를 3모멘트식을 이용하여 풀어라.

8.5-1 문제 8.4-6을 풀어라.

8.5-2 문제 8.4-10을 풀어라.

8.5-3 2경간 연속보가 전길이에 걸쳐 등분포하중 q를 받고 있다. 하중 q가 가해지면 중앙지점이 Δ만큼 침하할 경우에 중앙점 위에 생기는 굽힘모멘트 M을 구하라. 양쪽보 지간은 동일하고 휨강도 EI도 일정하다.

8.5-4 그림과 같이 각 경간의 중앙에 집중하중 P가 작용하는 3경간 연속보 $ABCD$가 있다. 각 지간은 L이고 굽힘강도는 EI이다. 지점 A의 반력 R을 구하고, 전단력도와 굽힘모멘트 선도를 그려라.

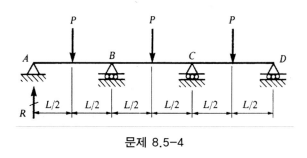

문제 8.5-4

8.5-5 그림과 같은 연속보에서 보의 반력을 계산하고 전단력도와 굽힘모멘트선도를 그려라.

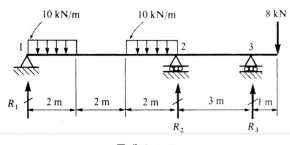

문제 8.5-5

8.5-6 문제 8.4-18을 풀어라.

8.5-7 4경간 연속보가 전길이에 걸쳐 균일하중세기 q를 받고 있다. 각 지간을 L이라 할 때 지점 1에서의 반력 R을 구하고, 전단력도와 굽힘모멘트선도를 그려라.

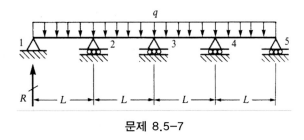

문제 8.5-7

8.5-8 문제 8.4-19를 풀어라.

8.5-9 그림 8-16(a)에서 $L_1 = L_2 = L$, $I_1 = I_2$, 그리고 $P = 0$이라 가정하여 균일하중세기 q에 의한 굽힘모멘트 M_1, M_2를 구하라.

8.5-10 그림 8-16(a)에서 $L_1 = 5$ m, $L_2 = 4$ m 이고, 굽힘강도 EI도 일정하며 균일 하중세기 $q = 8$ kN/m, $P = 15$ kN일 때 하중 P가 경간의 중앙점에 작용한다고 가정하여 M_1, R_1, R_2 및 R_3를 구하라.

8.5-11 그림과 같은 보에서 굽힘모멘트 M_1, M_2 및 M_3를 구하라. 또한 전단력도와 굽힘모멘트선도를 그려라.

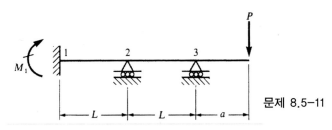

문제 8.5-11

8.5-12 다음 그림과 같은 4경간 연속보의 지점에서의 굽힘모멘트를 구하라. 단 $P_1 = 4.45$ kN, $q = 5.84$ kN/m, $P_3 = 13.35$ kN, $I_1 = 4.6592 \times 10^{-5}$ m^4, $I_2 = 4.368 \times 10^{-5}$ m^{4}임.

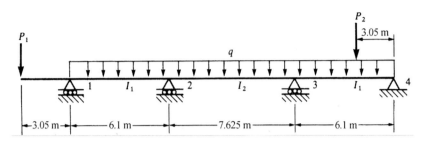

문제 8.5-12

8.5-13 그림과 같은 보에서 굽힘모멘트 M_1, M_2 및 M_3를 구하고 전단력도와 굽힘모멘트선도를 그려라.

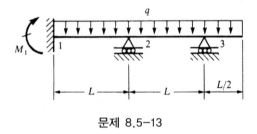

문제 8.5-13

8.5-14 지간 L인 7경간을 갖는 연속보에서 중간경만이 등분포하중 q를 받고 있다. 굽힘모멘트 M_1, M_2, $\cdots$, M_8을 구하라.

8.5-15 다음 그림과 같이 연속보가 지점 1에서는 고정, 지점 2, 3, 4에서는 단순지지되어 있다. 등분포하중 $q = 73$ kN/m이고 $P = 44.5$ kN이다. 3경간의 단면 2차 모멘트는 $I_1 = 9.984 \times 10^{-4}$ m^4, $I_2 = 4.992$ m^4, $I_3 = 2.9952$ m^{4}이다. 하중의 작용을 받아 지점 3이 $\Delta = 0.1$ in만큼 침하하였다. 이때 보상의 굽힘모멘트 M_1, M_2, M_3를 구하라. 단, $E = 206.7$ GPa임.

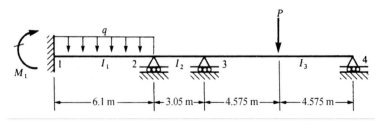

문제 8.5-15

8.5-16 그림과 같이 동일경간과 동일굽힘강도 EI를 갖는 연속보가 오른쪽으로 무한히 계속된다. 지점들은 $n = 0, 1, 2, 3, \cdots$의 번호를 갖는다. 왼편 지점$(n = 0)$에서 우력 M_0가 작용할 때 M_0의 항으로 n차 지점에서 굽힘모멘트 M_n에 관한 식을 유도하라. 힌트 임의의 지점 i에서 M_{i+1}/M_i의 비는 일정하다.

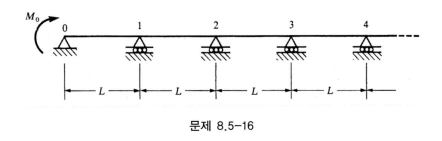

문제 8.5-16

8.6-1 좌단 A는 고정되어 있고 우단 B는 단순지지되어 있는 그림과 같은 보의 상면은 T_1, 하면은 T_2의 온도를 가지고 있을 경우 이 보의 반력을 구하라.

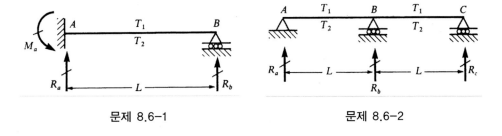

문제 8.6-1   문제 8.6-2

8.6-2 그림과 같은 2경간 연속보가 온도차의 영향을 받고 있을 경우 이 보의 반력을 구하라.

8.6-3 그림과 같이 단순보 AB가 케이블 CD에 연결되어 있다. 케이블 CD는 팽팽하지만 초기인 장력은 걸리지 않고 있다. 케이블의 길이를 H, 그 단면적을 A라 하자. 보와 케이블이 둘 다 동일한 재료이고, 온도가 T도만큼 강하할 경우 케이블 내에 생기는 장력 S를 구하라.

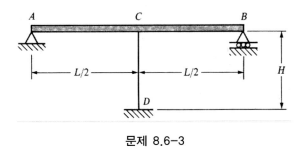

문제 8.6-3

8.7-1 그림 8-20(b)와 같이 수평이동이 불가능한 보의 처짐곡선이 $v = \delta \sin \dfrac{\pi x}{L}$로 주어졌다고 가정하고 단부의 수평력 H를 구하라. 만약 보가 $E = 68.9 \, \text{GPa}$인 알루미늄으로 만들어진다면 δ/L의 비가 1/300일 때 축방향 인장응력 σ를 계산하라.

8.7-2 등분포하중을 받고 있는 단순보의 일단의 수평변위 λ에 대한 식을 구하라(보의 길이는 L이다). 만약 보가 강재인 $W12 \times 14$, $L = 3.05 \, \text{m}$, $q = 26280 \, \text{N/m}$이고 $E = 206.7 \, \text{GPa}$인 경우, 수평변위 λ를 일으키는 균일 축방향 응력 σ_1을 구하라. 균일한 하중을 받고 있는 단순보 내의 최대 굽힘응력 σ_2와 σ_1을 비교해 보라.

Chapter **9**

기 둥

9.1 좌굴과 안정성

9.2 양단이 핀 연결된 기둥

9.3 다른 단부조건을 갖는 기둥

9.4 편심축하중을 받는 기둥

9.5 Secant 공식

*9.6 기둥의 결함

9.7 탄성과 비탄성거동

*9.8 비탄성좌굴

9.9 기둥의 설계공식

9.1   좌굴과 안정성

구조물과 기계류는 재료와 하중의 종류, 단부조건에 따라 여러 가지 방법에 의하여 파괴된다. 예를 들어, 연성재료는 과잉하중을 받게 되면 과도하게 신장되거나 굽힘을 받게 되어 마침내 구조물이 파괴된다. 파괴는 반복하중(피로파괴) 또는 취성재료에 있어서 과잉응력에 의해서 발생한다. 이러한 파괴형태의 대부분은 부재가 받는 최대응력이나 최대처짐을 허용한 계값 이내로 유지할 수 있도록 설계함으로써 피할 수 있다. 그러므로 재료의 **강도**(strength)와 **강성도**(stiffness)는 설계에 있어서 중요한 기준이 되며 앞의 여러 장에서 이미 논의된 바 있다.

또 다른 형태의 파괴는 이 장에서 취급할 **좌굴**(buckling)이다. 특히 기둥(column: 즉 축방향으로 압축응력을 받는 가늘고 긴 부재)의 좌굴에 대해서 고찰할 것이다[그림 9-1(a)].

부재가 가늘고 긴 경우에는 직접적인 압축력에 의해 파괴되기 보다는 축방향으로 굽어지거나, 쳐지게 되는데[그림 9-1(b)], 이러한 현상을 기둥이 좌굴되었다고 한다. 이때 축하중을 증가시키면 횡방향처짐 역시 크게 증가하며 마침내 완전히 붕괴된다. 물론, 좌굴은 여러 가지 다른 종류의 구조물에서도 발생하며 그 형태도 다양하다.

빈 알루미늄 깡통을 밟으면, 누르는 힘에 의하여 얇은 원통형벽은 좌굴된다. 몇 년전 대형교각이 붕괴된 사실이 있었는데 그것은 압축응력을 받아 구겨진 납작한 강판의 좌굴에 의해 일어났다.

기본적인 형태의 좌굴현상을 고찰하기 위해서 그림 9-2(a)와 같은 **이상구조물**(idealized structure)을 생각하여 보자. 부재 AB는 하단이 핀 연결되어 있고 상단이 강성도 β의 탄

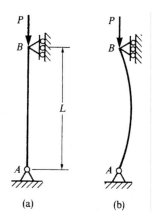

그림 9-1 압축응력 P에 의한 좌굴현상

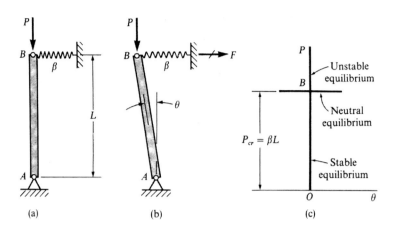

그림 9-2　스프링에 의해 지지되는 강봉의 좌굴현상

성스프링(강성도 β를 스프링상수라고도 함)에 의해 지지되어 있는 강봉이다. 봉은 축방향과 완전히 일치된 도심축하중(centrally applied load) P를 받고 있으므로 처음에 스프링은 아무런 힘도 받지 않는다. 봉이 외력을 받아 지지점 A에 대하여 미소각 θ만큼 회전하였다고 가정하자[그림 9-2(b)]. 만일 힘 P가 작으면 봉–스프링계는 안정(stable)하며 외력이 제거되면 초기위치로 되돌아온다. 그러나 힘 P가 매우 크면 봉은 계속 회전하게 되어 계는 붕괴되어 버린다. 그러므로 큰 힘에 대하여 봉–스프링계는 **불안정**(unstable)하며 봉이 큰 회전을 하게 되어 좌굴이 발생한다.

　봉–스프링계의 정역학적평형상태를 고려하여 계를 더 상세하게 해석해 보자. 봉이 미소각 θ만큼 회전[그림 9-2(b)]하였을 때 스프링은 θL만큼 늘어난다. 여기서 L은 봉의 길이이다. 이에 대응하여 스프링에 가해지는 힘 F는

$$F = \beta \theta L$$

이 되며, 이 힘은 점 A에 대한 시계방향의 모멘트 FL 또는 $\beta \theta L^2$을 발생하게 한다. 이 모멘트는 봉을 초기위치로 되돌아오게 하려는 경향이 있으므로 $\beta \theta L^2$을 **복원모멘트**(restoring moment)라 부른다. 힘 F는 A에 대한 반시계방향 모멘트를 만들어서 봉을 전복하려는 경향이 있으므로 $P \theta L$을 **전복모멘트**(overturning moment)라 한다. 만일 복원모멘트가 전복모멘트보다 크면 계는 안정하며 처음의 곧은 상태로 되돌아온다. 그러나 전복모멘트가 복원모멘트 보다 크면 계는 불안정하고 봉은 큰 각으로 회전하여 붕괴된다. 따라서 다음과 같은 조건을 갖는다.

$$P \theta L < \beta \theta L^2 \text{ 또는 } P < \beta L \text{이면 계는 안정}$$

$$P\theta L > \beta\theta L^2 \text{ 또는 } P > \beta L\text{이면 계는 불안정}$$

안정계에서 불안정계로의 천이(transition)는 $P\theta L = \beta\theta L^2$, 즉 $P = \beta L$에서 발생한다. 이러한 하중값을 **임계하중**(critical load)이라 한다. 즉,

$$P_{cr} = \beta L \tag{9-1}$$

$P < P_{cr}$에서 계는 안정하고, $P > P_{cr}$에서 계는 불안정하다는 것을 알 수 있다.

P가 P_{cr}보다 작은 값을 갖는 한 계는 초기위치로 되돌아가게 되어 $\theta = 0$이 된다. 다시 말하면 봉은 $\theta = 0$일 때만 평형상태에 있게 된다. P가 P_{cr}보다 큰 값을 가지면 $\theta = 0$일 때에도 봉은 평형상태에 있을 수 있다(왜냐하면 봉에 직접적인 압축력이 걸리고 스프링은 아무런 힘도 받지 않는다). 그러나 이러한 평형상태는 불안정하여 유지될 수 없으나 미소한 외력에 의해서도 봉은 붕괴하게 된다. 임계하중에서는 복원모멘트와 전복모멘트는 임의의 미소값에 대해서 같은 값을 가진다(θ는 평형방정식으로부터 소거될 수 있다). 그러므로 봉은 미소각 θ에 대해서 평형상태에 있으며 이러한 상태를 **중립평형상태**(neutral equilibrium)라 한다.

이들 평형관계가 P-θ 그래프[그림 9-2(c)]에 그려져 있다. 그림 9-2(c)에서 두 개의 굵은 선은 평형상태를 나타낸다. 평형상태가 나뉘어지는 점 B를 **분기점**(bifurcation point)이라 한다. 중립평형상태에 대한 수평선은 각 θ가 시계방향 또는 반시계방향으로 회전할 수 있으므로 연직축으로부터 좌우로 늘어난다. 그러나 수평선은 θ가 미소각이란 가정하에서 해석했기 때문에 단지 짧은 양밖에는 늘어나지 않는다.

물론 이러한 가정은 매우 타당하다. 그 이유는 봉이 좌굴이 시작되어 초기의 곧은 상태를 이탈할 때는 실제로 θ가 미소각이기 때문이다(만일 θ가 커지면 평형곡선은 수평으로부터 멀어질 것이다).

그림 9-2에 나타난 봉의 평형상태는 곡면 위의 공의 평형상태와 대응시킬 수 있다(그림 9-3). 곡면이 접시의 안쪽 면과 같이 위로 오목한 면일 때 평형상태는 안정하며 공은 항상 가장 낮은 위치로 되돌아간다. 그러나 곡면이 둥근 지붕 같이 위로 볼록한 면일 때에는 이론적으로는 면의 꼭대기에서 평형상태에 있다고 할 수 있으나 그러한 평형상태는 불안정하며

그림 9-3 안정, 불안정, 중립평형 상태의 공

실제로 공은 아래로 굴러 떨어진다. 공이 평면 위에 있을 때 중립평형상태에 있다고 하며 공을 어느 곳에 위치시키든지 그 위치에 있게 된다.

다음 절에서 보게 되는 바와 같이 이상탄성기둥(ideal elastic column)의 거동은 그림 9-2에 나타난 봉-스프링계의 거동과 유사하다. 더욱이 구조물과 기계시스템에 있어서 여러 종류의 좌굴과 안정성문제는 이러한 모델과 일치한다.

9.2 양단이 핀 연결된 기둥

기둥의 안정거동을 고찰하기 위해 양단이 핀 연결된 가늘고 긴 기둥[그림 9-4(a)]을 생각해 보자. 기둥은 길이 방향과 일치하고 단면의 도심을 통해 작용하는 연직력 P를 받는다. 기둥 자체는 완전히 곧은 상태이며 Hooke의 법칙을 만족하는 선형탄성재료(linear elastic material)로 만들어져 있다. 이렇게 해서 **이상기둥**(ideal column)의 거동을 해석할 것이다.

xy-평면을 대칭평면이라 하고, 기둥의 어떠한 굽힘도 이 평면 내에서 발생한다고 가정한다[그림 9-4(b)].

축하중 P가 미소값일 때 기둥은 곧은 상태를 유지하고 오직 축방향 압축력만 받는다. 균일압축응력은 $\sigma = P/A$로부터 구할 수 있다. 이러한 곧은 형태의 평형상태를 **안정**(stable)하다고 하며, 기둥이 다른 외력에 의해 교란되더라도 곧은 상태로 되돌아간다는 것을 의미

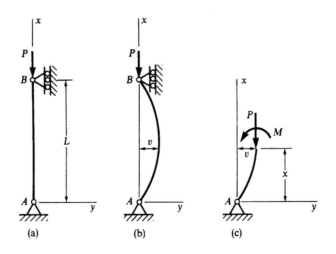

그림 9-4 양단 핀연결기둥, (a) 이상기둥 (b) 좌굴된 모양 (c) 기둥의 자유물체도

한다. 예를 들어서 미소 횡방향하중을 가하여 기둥이 굽힘을 받도록 한다 해도 횡방향 하중을 제거하면 처짐은 사라지고 기둥은 원래의 위치로 되돌아가게 된다. 축하중 P를 점차 증가함에 따라 기둥은 휘어진 모양을 하는 **중립평형상태**(neutral equilibrium)에 도달하게 된다. 이때의 하중을 **임계하중**(critical load) P_{cr}이라 한다. 임계하중에서 이상기둥은 축방향의 힘에는 변화가 없이 미소 횡방향처짐을 갖게 되며 미소 횡방향하중은 그 힘을 제거하여도 사라지지 않는 휜 모양을 갖게 한다. 그러므로 임계하중은 기둥을 곧은 **상태** 혹은 미소하게 휜 모양을 한 **상태**로 정력학적평형상태를 유지하게끔 한다. 임계하중보다 큰 값에서는 기둥은 **불안정**(unstable)하게 되며 굽힘에 의해 붕괴하게 된다. 여기서 논의되는 이상적인 경우에는 P가 P_{cr}보다 큰 값을 갖는다 할지라도 기둥은 곧은 상태로서 평형상태에 존재한다. 그러나 그러한 평형상태는 불안정하며 가능한 최소의 외력에 의해서도 기둥은 횡방향으로 처짐을 일으키며, 처짐은 곧 증가하여 마침내 붕괴하게 된다. 이러한 경우는 연필을 그 끝으로 균형을 유지하게 하는 것과 유사하다. 이론적으로 연필은 균형을 유지하여 평형상태에 있을 수는 있으나 그러한 상태를 계속 지속할 수 없다.

축하중 P에 의해 압축을 받는 이상기둥의 거동은 다음과 같이 요약할 수 있다(그림 9-4).

$P < P_{cr}$면 곧은 상태의 안정평형상태

$P = P_{cr}$면 곧은 상태 또는 미소처짐 상태의 중립평형상태

$P > P_{cr}$면 곧은 상태의 불안정상태, 좌굴발생

물론 실제 기둥은 항상 결함이 존재하기 때문에 이와 같이 이상화된 방법으로 거동하지는 않는다. 그러나 이들 이상기둥의 고찰은 실제 기둥의 거동에 대한 통찰력을 갖게 하기 때문에 중요하다.

임계하중과 좌굴된 기둥의 처진 모양[그림 9-4(b)]을 결정하기 위해서 보의 처짐곡선에 대한 미분방정식[식 (7-10) 참조]을 이용한다. 이들 방정식은 좌굴이 일어날 때 보에서와 같이 기둥에 굽힘이 발생하여 굽힘모멘트가 생기기 때문에 기둥에도 적용할 수 있다. 하중(load intensity) q의 항으로 표시되는 4계미분방정식과 전단력 V의 항으로 표시되는 3계미분방정식도 기둥 해석에 적용할 수 있지만 여기서는 굽힘모멘트 M의 항으로 표시되는 2계미분방정식을 사용한다. 왜냐하면 2계미분방정식의 일반해가 가장 간단하기 때문이다. 이 방정식[식 (7-10a)]은

$$EIv'' = -M \tag{9-2}$$

이며 여기서 v는 y방향의 횡방향처짐을 나타낸다. 기둥에 대한 x, y축은 그림 9-4(b)와 같이 놓고 해석하는데 그것은 수평으로부터 90° 회전한 보 AB와 같아지게 되기 때문이다. 좌굴된 기둥의 하단 A로부터 x만큼 떨어진 거리에서의 굽힘모멘트는 그림 9-4(c)에서 보는 바와 같이 자유물체도에서 구한다. 지지점 A에서 x만큼 떨어진 거리에서 기둥을 자르면 정역학적평형상태로부터 연직력 P와 굽힘모멘트 M(pv와 같다)이 단면에 작용한다는 것을 알 수 있다. 그러므로 미분방정식은 다음과 같이 된다.

$$EIv'' = -M = -Pv$$

혹은

$$EIv'' + Pv = 0 \tag{9-3}$$

EI는 좌굴이 일어나는 평면이라고 가정한 xy평면 내의 굽힘에 대한 휨강도(flexural rigidity)이다.

상수계수를 갖는 동차 2계선형미분방정식 식 (9-3)의 풀이는 x의 함수로 표시되는 처짐 v에 대한 풀이이다. 미분방정식의 일반해를 간편히 쓰기 위해서 다음과 같이 표기한다.

$$k^2 = \frac{P}{EI} \tag{9-4}$$

식 (9-3)을 다시 쓰면 다음과 같다.

$$v'' + k^2 v = 0 \tag{9-5}$$

위의 미분방정식의 일반해는

$$v = C_1 \sin kx + C_2 \cos kx \tag{9-6}$$

이며, C_1, C_2는 기둥의 경계조건 혹은 양단조건으로부터 계산되는 상수이다. 임의 상수의 수(이 경우 두 개)는 미분방정식의 차수와 반드시 일치해야 한다. 또한 식 (9-6)이 식 (9-5)의 일반해라는 것은 v에 대한 식 (9-6)을 미분방정식에 대입해서 미분방정식이 만족하는가를 알아봄으로써 쉽게 증명된다. 적분상수를 구하기 위해 다음과 같은 양단의 경계조건을 이용한다.

$$v(0) = 0, \quad v(L) = 0$$

첫 번째 조건으로부터 $C_2 = 0$, 그리고 두 번째 조건으로부터 다음 식이 구해진다.

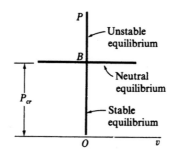

그림 9-5 이상탄성기둥에 대한 하중-처짐

$$C_1 = \sin kL = 0 \qquad \text{(a)}$$

위의 식을 만족하기 위해서는 $C_1 = 0$ 혹은 $\sin kL = 0$이 되어야 한다. 만일 $C_1 = 0$이면 처짐 v도 역시 0이 되며 이 경우 기둥은 곧은 상태를 유지한다. 이러한 경우 식 (a)는 kL의 어떠한 값에 대해서도 만족한다. 그러므로 축하중 P 또한 임의의 값을 가질 수 있다[식 (9-4) 참조]. 미분방정식의 이러한 풀이(가끔 무한해라고도 함)는 그림 9-5에 나타난 하중-처짐그래프의 연직축을 나타낸다. 또 이런 풀이는 압축하중 P의 작용하에서 평형상태(안정 또는 불안정)에 있는 이상기둥의 경우와 일치한다.

식 (a)를 만족하는 또 하나의 다른 경우는

$$\sin kL = 0 \qquad \text{(b)}$$

이다. 식 (b)는 $kL = 0, \pi, 2\pi, \cdots$일 때 성립한다. $kL = 0$에서는 $P = 0$이 되므로 풀이로서의 의미가 없다. 그러므로 풀이는 다음과 같다[식 (9-4) 참조]

$$kL = n\pi \qquad n = 1, 2, 3, \cdots \qquad \text{(c)}$$

혹은

$$p = \frac{n^2 \pi^2 EI}{L^2} \qquad n = 1, 2, 3, \cdots \qquad \text{(d)}$$

위의 식은 식 (a)를 만족하는 p의 값을 결정하며 미분방정식에 대한 풀이가 된다(무용해가 아닌 해). 그러므로 처짐곡선의 방정식은 다음과 같이 표시된다.

$$v = C_1 \sin kx = C_1 \sin \frac{n\pi x}{L} \qquad n = 1, 2, 3, \cdots \qquad \text{(e)}$$

오직 P가 식 (d)에 의해 한 개의 값을 가질 때에만 이상적으로 기둥이 휜 모양을 하게 된

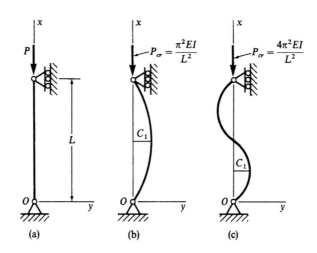

그림 9-6 양단 핀연결기둥의 좌굴형태 (a) 초기 곧은 상태 (b) $n=1$인 좌굴형상 (c) $n=2$인 좌굴형태

다. 즉, 다른 모든 P값에 대해서 봉이 곧은 상태에 있을 때에만 평형상태가 된다는 의미이다. 그러므로 식 (d)에 의해 주어진 값 P는 기둥의 **임계하중**(critical load)이 된다.

기둥의 최소임계하중(smallest critical loads)은 $n=1$일 때 다음과 같이 주어진다.

$$P_{cr} = \frac{\pi^2 EI}{L^2} \tag{9-7}$$

이에 대응하는 좌굴된 모양[형식곡선(mode shape)이라고도 함]은 그림 9-6에 나타나 있듯이 다음과 같이 표시된다.

$$v = C_1 \sin \frac{\pi x}{L} \tag{9-8}$$

상수 C_1은 기둥의 중앙에서의 처짐을 나타내며 정(+) 또는 부(−)의 값을 가질 수 있다. 그러므로 하중-처짐그래프상에서 P_{cr}에 대응하는 부분은 수평선(그림 9-5)으로 나타난다. 이 하중에서의 처짐은 미소각에 대한 미분방정식을 사용했기 때문에 작은 값을 가지지만 미지수로 남아 있다. 분기점(bifurcation point) B는 임계하중을 나타내며 점 B 이상에서의 평형상태는 불안정하고 점 B 이하에서는 안정하다. 제1형식($n=1$)의 양단 핀 연결 기둥의 좌굴현상을 기둥좌굴의 **기본형**(fundamental case)이라 한다.

이상탄성기둥의 임계하중을 **Euler 하중**(Euler load)이라 함은 잘 알려져 있다. 모든 시대에 있어서 가장 위대한 수학자라고 일컫는 유명한 수학자 Leonhar Euler(1707~1783)는

가늘고 긴 기둥의 굽힘을 고찰하고 임계하중을 결정(1744)한 최초의 사람이다. 참고문헌 1-1에서 1-3, 9-1에서 9-7을 참조하라. Euler의 생애와 업적에 대해서는 참고문헌 9-3을 참조하라.

식 (d), (e)에 있는 n값을 보다 큰 값으로 취하면 무한한 수의 임계하중과 그 값에 대응하는 형식곡선(mode shope)을 구할 수 있다. $n=2$일 때의 형식곡선이 그림 9-6(c)에 그려져 있다. $n=2$일 때의 임계하중은 기본형보다 4배의 큰 값을 갖는다. 즉 임계하중의 크기는 n의 자승에 비례하며 좌굴된 모양의 반파형(half-wave)의 수는 n과 같음을 알 수 있다. 그러나 그러한 좌굴된 모양은 보통 실제적인 관심을 갖지 못한다. 그 이유는 기둥은 축하중 P가 최소임계하중에 도달했을 때 항상 좌굴이 발생하기 때문이다[식 (9-7)]. 좌굴의 고차형식을 얻는 유일한 방법은 변곡점(inflection point)에 횡방향지지점을 설치하는 것이다.

기둥의 임계하중은 휨강도(flexural rigidity) EI에 비례하고 길이의 자승에 반비례한다. 그러나 재료 자체의 강도(예를 들어 비례한도)는 임계하중에 대한 식에 나타나지 않는다. 그러므로 임계하중은 고강도재료를 사용해도 증가하지 않는다. 그러나 고강성도재료(즉 탄성계수 E의 값이 큰 재료)를 사용함으로써, 하중을 증가시킬 수는 있다. 또한 보에서 관성모멘트 I의 값을 증가시킴으로써 더욱 보를 강하게 만들 수 있는 것과 마찬가지로 단면의 관성모멘트 I를 증가시킴으로써 임계하중을 증가시킬 수 있다. 관성모멘트는 가능한 한 단면의 도심으로부터 재료가 멀리 분포할수록 증가한다. 그래서 중앙관형 부재가 동일한 단면적을 갖는 실부재보다 더 경제적이다. 단면적을 일정하게 유지하면서 관형단면의 벽 두께를 줄이고 횡방향 치수를 증가시키면 I가 커지게 되어 임계하중은 증가하게 된다. 그러나 이러한 방법은 벽 자체가 근본적으로 불안정하게 되므로 실질적으로 한계가 있다. 즉 벽에 미소한 주름이 생기거나 구겨진 형태로 국부좌굴(localized buckling)이 발생한다. 그리하여 그림 9-6에서 보는 바와 같이 기둥의 전체적 좌굴현상과 부분적으로 발생하는 국부좌굴현상은 구별하여야 한다. 국부좌굴은 좌굴과 안정성에 관한 참고문헌(9.1, 9.2, 9.8, 9.9, 9.10)에서 좀더 세부적인 고찰을 하여야 한다. 이 장에서는 단지 기둥의 전체적인 좌굴현상에 대해서만 고찰하겠다.

앞에서 xy평면을 대칭평면이라 하고 좌굴은 이 평면(그림 9-6) 내에서만 발생한다고 가정했다. 후자의 가정은 기둥이 그림이 그려져 있는 평면에 연직으로 횡방향 지지점을 갖게 하면 만족한다. 즉 기둥이 xy평면 내에서 좌굴이 발생할 수 있도록 구속된다. 만일 기둥이 양단에서만 지지되어 있어 임의 방향으로 좌굴이 일어날 수 있다면 굽힘은 더 작은 관성모멘트를 갖는 도심주축(principal centroidal axis)에 대해서 발생하게 된다.

예를 들어 그림 9-7과 같이 거형단면과 WF(wide flange)단면을 생각해 볼 때 관성모멘

트 I_1은 I_2보다 크다. 그러므로 기둥은 1-1평면에서 좌굴이 일어나며 I_1보다 작은 관성모멘트 I_2는 임계하중을 계산하는 공식에 사용된다. 만일 단면이 정사각형 혹은 원형단면이면 모든 도심축에서 동일한 관성모멘트를 가지게 되므로 좌굴은 임의의 연직평면에서 일어나게 된다.

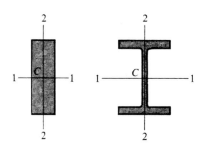

그림 9-7 $I_1 > I_2$에 대한 주도심축을 나타내는 기둥의 단면

과대한 처짐, 결함, 비탄성거동의 영향 임계하중에 대한 식은 처짐이 미소하고 제작이 완전하며 재료가 Hooke의 법칙을 따르는 이상기둥에 대해서 유도되었다. 그 결과 좌굴에서의 처짐의 크기는 미지수로 남아 있다는 것을 알았다.* 그러므로 $P = P_{cr}$에서 기둥의 임의의 미소처짐을 가질 수 있으며, 그러한 조건은 그림 9-8의 하중-처짐곡선의 수평선 A로 나타내어진다(이 그림에서는 그래프의 우측 반만을 나타내며 나머지 반은 연직축에 대해 대칭이다). 이러한 이론은 곡률을 근사적으로 v''을 사용했기 때문에 미소처짐에 대해서만 적용할 수 있다. 곡률에 대한 정확한 표현[식 (7-11)]에 기초를 둔 보다 정확한 해석은 좌굴상태에

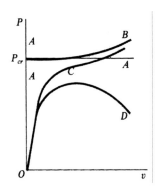

그림 9-8 기둥의 하중-처짐도: 직선 A는 미소처짐을 갖는 이상탄성기둥, 곡선 B는 큰 처짐을 갖는 이상탄성기둥, 곡선 C는 결함을 갖는 탄성기둥, 곡선 D는 결함을 갖는 비탄성기둥

---

* 수학적 용어를 사용하여 선형고유값 문제라 한다. 임계하중은 고유값이며 이에 대응하는 좌굴형식곡선은 고유함수이다.

서 처짐의 크기에 대하여 아무런 부정확이 없음을 보여 준다. 그 대신 이상탄성 기둥에 대한 하중-처짐곡선은 그림 9-8의 곡선과 같이 위로 올라간다. 그리하여 탄성기둥이 좌굴을 시작한 후 처짐을 증가시키기 위해서는 더 큰 힘이 필요하게 된다.

기둥이 완전하게 제작되지 않았다고 가정하자. 예를 들어 기둥이 미소초기곡률의 형태로 결함을 가질 수 있으므로 하중을 받지 않는 상태의 기둥이 완전히 곧은 상태가 되지 않을 수도 있다. 그러한 결함은 그림 9-8의 곡선 C와 같이 하중을 가하기 시작할 때부터 처짐을 발생시킨다. 처짐이 미소할 때 곡선 C는 직선 A에 접근하며 처짐이 커질수록 곡선 B에 접근한다. 결함이 크면 클수록 곡선 C는 더욱더 우측으로 치우친다. 만일 기둥이 매우 높은 정도로 제작되었다면 곡선 C는 더욱더 직선 A에 가까이 접근한다(하나는 연직선, 하나는 수평선). 곡선 A, B, C로부터 임계하중은 실제 사용하는 탄성기둥의 최대하중능력(maximum load-carrying capacity)을 나타낸다. 왜냐하면 과대한 처짐은 보통 실제 사용목적에 부합되지 않기 때문이다.

마지막으로 응력이 비례한도를 넘어서 기둥의 재료가 더 이상 Hooke의 법칙을 만족하지 않을 경우에 대해서 고찰해 보자. 물론 하중-처짐 곡선은 하중이 비례한도에 도달할 때까지는 변하지 않는다. 그리고는 비탄성거동에 대한 곡선(곡선 D)은 탄성곡선과 분리되어 계속 상승하다가 최대점에 이르러서는 아래로 처진다. 물론 이들 곡선에 대한 상세한 모양은 재료의 성질과 기둥치수에 따라 다르지만 그러나 일반적인 거동성질은 전형적으로 그림에서 나타난 곡선과 같다.

단지 극단적으로 가늘고 긴 기둥만은 임계하중 P_{cr}까지 탄성적이다. Stokier 기둥은 비탄성적으로 거동하며 D와 같은 곡선을 따른다. 비탄성기둥이 견딜 수 있는 최대하중은 임계하중 P_{cr}보다 매우 작은 값일 수 있다는 것을 아는 것은 매우 중요하다. 더욱이 곡선 D의 하강부분은 크고 급작스런 붕괴현상을 나타내는데 그 이유는 계속 처짐이 커질수록 하중은 더욱더 작아지기 때문이다. 반면에 탄성기둥에 대한 곡선은 처짐이 증가할수록 곡선은 계속 상승하기 때문에 매우 안정하다. 즉 처짐이 증가할수록 계속 더 큰 하중을 필요로 하기 때문이다.

최적기둥 대부분의 기둥은 각주형부재이다. 즉 길이 방향으로 동일한 단면적을 갖는다.

이러한 기둥에 대해서만 이 장에서 취급한다. 그러나 주어진 같은 양의 재료로 만들어진 기둥의 임계하중은 굽힘모멘트가 더 큰 부분에서 단면적을 더 크게 테이퍼작업을 함으로써 증가시킬 수 있다. 예를 들어서 양단 핀연결 실원형단면 기둥을 생각해 보자. 적당히 변하는 단면[그림 9-9(a)]을 가진 '잠수함 형(submarine-shape)' 기둥은 같은 부피의 재료로 만든 각주형 기둥보다 더 큰 임계하중을 갖는다. 물론 그러한 기둥을 만드는 것은 비실용적이

지만 때로는 최적조건에 근접시키기 위해서 길이의 일부분을 보강(reinforce)하기도 한다 [그림 9-9(b)].

임의의 방향으로 좌굴이 일어날 수 있는 양단 핀연결 각주형 기둥을 고찰해 보자[그림 9-10(a)].

또한 원형, 정사각형, 삼각형, 거형(矩形), 육각형과 같은 실볼록단면에 대해서도 고찰해 보자. 같은 면적에 대해서 어떤 형태가 가장 효율적인 기둥이 되겠는가? 좀더 정확히 표현하여 임계하중은 단면의 최소관성모멘트를 사용한 공식 $P_{cr} = \pi^2 EI/L^2$로부터 계산된다고 생각하여 어떠한 단면이 가장 큰 임계하중을 갖게 될 것인가를 알고 싶다. 대부분의 사람들은 직관적으로 원형단면이 최적이라고 생각한다. 그러나 정삼각형단면이 같은 면적의 원형 단면보다 임계하중이 21%가 더 크다는 것은 쉽게 증명할 수 있다(문제 9.2-10 참조). 정삼각형 단면은 다른 어떠한 단면보다도 더 큰 하중을 견딜 수 있어서 이것이 최적단면이 된다 (최적기둥 형태의 수학적 해석은 참고문헌 9-11 참조).

실제로 기둥은 오직 한 평면 내에서 좌굴이 발생하도록 구속되어 있다. 그러므로 좌굴평면 내에서 굽힘에 대한 큰 관성모멘트를 가지는 모양을 갖는 것을 선택해야 한다. 강제작에 있어서 WF(wide flunge)단면은 보통 기둥의 재료로 사용된다. 또한 보강콘크리트와 목재 건축의 경우 거형과 원형단면이 사용된다. 기계설계뿐 아니라 항공구조물과 우주구조물로 사용되는 모양은 특정한 응용목적에 따라 매우 다양하다. 일반적으로 중공단면은 실단면보다 같은 면적에 대해서 더 큰 관성모멘트를 가지므로 더욱더 효율적이다.

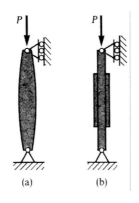

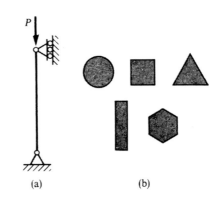

그림 9-9 단면이 변하는 기둥   **그림 9-10** 어느 것이 각주형 기둥의 최적단면인가?

9.3 다른 단부조건을 갖는 기둥

양단 핀연결된 기둥의 좌굴을 좌굴의 기본형(fundamental case)이라 한다. 그러나 양단 고정단, 탄성지지단, 자유단과 같은 많은 다른 단부조건을 갖는 것들이 실제적으로 사용된다. 여러 종류의 단부조건을 갖는 기둥에 대한 임계하중은 핀연결기둥에 대한 방법과 유사한 방법으로 처짐곡선의 미분방정식으로부터 결정된다. 굽힘모멘트 M에 대한 식을 구하기 위해서 자유물체도를 그려본다. 그리고 굽힘모멘트의 항으로 된 미분방정식의 풀이를 구한다. 처짐 v와 기울기 v'에 대한 경계조건은 임의 상수와 풀이 속에 존재하는 미지수를 결정하는데 이용된다. 최종해는 임계하중 P_{cr}과 좌굴된 기둥의 처짐곡선에 대한 식으로 표시된다.

먼저 하단이 고정단이고 상단이 자유단이며 연직축하중 P를 받는 이상탄성기둥을 생각하여 보자[그림 9-11(a)]. 이런 특수한 형태의 기둥은 1744년 Euler에 의해 처음으로 해석되었다. 그림 9-11(b)에서 보는 바와 같이 기둥의 하단으로부터 x만큼 떨어진 곳의 굽힘모멘트는

$$M = -P(\delta - v)$$

이며, 여기서 δ는 자유단에서의 처짐을 나타낸다. 그러므로 처짐곡선의 미분방정식[식 (9-2)]은

$$EIv'' = -M = -P(\delta - v) \tag{a}$$

가 되며, I는 xy평면 내의 좌굴에 대한 관성모멘트이다.

$k^2 = P/EI$[식 (9-4) 참조]를 이용해서 식 (a)를 다음과 같이 쓸 수 있다.

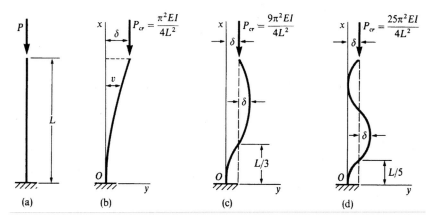

그림 9-11 하단이 고정이고 상단이 자유단인 이상기둥, (a) 초기 곧은 상태 (b) $n=1$인 좌굴형태 (c) $n=3$인 좌굴형태 (d) $n=5$인 좌굴형태

$$v'' + k^2 v = k^2 \delta \tag{b}$$

위의 식은 상수계수를 갖는 2계선형미분방정식이다. 그러나 위의 식은 우변에 0이 아닌 항이 존재하기 때문에 양단 핀연결 기둥에 대한 식[식 (9.5) 참조]보다 더 복잡하다. 그러므로 일반해는 두 개의 부분으로 나뉘어지는데, (1) 우변을 0으로 둔 동차 선형미분방정식의 동차해와 (2) 우변을 그대로 둔 미분방정식의 풀이인 특수해로 구성된다. 동차해 v_H(보조해라고도 한다)는 식 (9.5)의 풀이와 동일하다. 그러므로

$$v_H = C_1 \sin kx + C_2 \cos kx \tag{c}$$

이고, 여기서 C_1, C_2는 임의상수이다. v_H를 미분방정식[식 (b)]의 좌변에 대입하면 성립한다. 특수해는 다음과 같다.

$$v_p = \delta \tag{d}$$

v_p를 미분방정식에 대입하면 우변과 같아진다. 일반해는 v_H와 v_p의 합이므로 다음과 같이 표시할 수 있다.

$$v = C_1 \sin kx + C_2 \cos kx + \delta \tag{e}$$

식 (e)는 세 개의 미지수를 포함하므로 세 개의 경계조건이 필요하다.
기둥의 하단이 고정단이므로 다음과 같은 두 개의 경계조건을 얻는다.

$$v(0) = 0 \quad v'(0) = 0$$

첫째 조건으로부터 다음이 성립한다.

$$C_2 = -\delta \tag{f}$$

두 번째 조건을 이용하기 위하여 식 (e)를 일차 적분하여 기울기를 구한다.

$$v' = C_1 k \cos kx - C_2 k \sin kx$$

그러므로 두 번째 조건에서 $C_1 = 0$이 성립한다.
C_1, C_2의 값을 일반해에 대입하여 처짐곡선의 식을 구하면 다음과 같다.

$$v = \delta(1 - \cos kx) \tag{g}$$

위의 식은 처짐곡선의 모양은 나타내지만 처짐의 폭은 미지수로 남아 있다.

세 번째 경계조건은 기둥의 자유단에서의 처짐이 δ라고 하는 것으로부터 구한다. 즉,

$$v(L) = \delta$$

이 조건을 이용해서 식 (g)로부터 다음을 얻는다.

$$\delta \cos kL = 0 \qquad \text{(h)}$$

위의 식으로부터 $\delta = 0$ 혹은 $\cos kL = 0$이 되어야 한다. 만일 $\delta = 0$이면, 봉의 처짐은 존재하지 않게 되고 따라서 좌굴은 발생하지 않는다[그림 9-11(a)]. 이러한 경우 식 (h)는 어떠한 값 kL에 대해서도 성립한다. 그러므로 하중 P의 값은 어떤 값이라도 가질 수 있음을 의미한다. 이 결과는 그림 9-5에서 보는 바와 같이 하중-처짐곡선의 연직축으로 나타난다. 또 다른 조건은 $\cos kL = 0$이 되는 것이다. 이러한 경우 식 (h)는 처짐 δ의 값에 관계없이 성립하며 따라서 δ는 미지수로 남게 되고 임의의(미소)값을 가질 수 있게 된다. $\cos kL = 0$이라는 조건으로부터 다음이 성립한다.

$$kL = \frac{n\pi}{2} \qquad n = 1, 3, 5, \cdots \qquad \text{(i)}$$

이에 대응하는 임계하중에 대한 공식은 다음과 같다.

$$P_{cr} = \frac{n^2 \pi^2 EI}{4L^2} \qquad n = 1, 3, 5, \cdots \qquad \text{(9-9)}$$

또한 좌굴된 형식곡선(mode shape)은 다음 식으로 주어진다.

$$v = \delta\left(1 - \cos\frac{n\pi x}{2L}\right) \qquad n = 1, 3, 5, \cdots \qquad \text{(9-10)}$$

최소임계하중(The smallest citical load: $n = 1$)만이 실제적인 관심이 있는 하중으로서 다음과 같다. 즉

$$P_{cr} = \frac{\pi^2 EI}{4L^2} \qquad \text{(9-11)}$$

이에 대응하는 좌굴곡선은 다음과 같으며 그림 9-11(b)에 그려져 있다.

$$v = \delta\left(1 - \cos\frac{\pi x}{2L}\right) \qquad \text{(9-12)}$$

이미 앞에 언급한 바와 같이 처짐값 δ는 미지수로 남아 있으며 따라서 하중-처짐 곡선상

의 수평선으로 나타난다(그림 9-5).

n을 좀더 높은 값으로 취해 나가면 식 (9-9)로부터 무한한 수의 임계하중을 얻는다. 이에 대응하는 좌굴형식곡선(buckled mode shape)은 더 많은 파형을 그리게 된다. $n = 3$일 때 P_{cr}은 $n = 1$일 때의 값보다 아홉 배 큰 값을 가지며 이에 대한 좌굴곡선은 그림 9-11(c)에 나타난 바와 같다. 같은 방법으로 $n = 5$일 때의 곡선은 그림 9-11(d)에 그려져 있다.

기둥의 유효길이 여러 가지 단부조건을 가진 기둥에 대한 임계하중은 **유효길이**(effective length)의 개념을 도입함으로써 핀연결된 기둥의 임계하중과 관련지을 수 있다. 하단이 고정단이고 상단이 자유단[그림 9-12(a)]인 기둥의 처짐곡선을 살펴보자.

이 기둥은 하나의 정현곡선의 1/4에 해당하는 곡선의 형태로 좌굴되어 있다. 처짐곡선을 확장하면[그림 9-12(b)] 양단 핀연결된 기둥의 처짐곡선 또는 정현곡선의 반파형이 된다. 유효길이 L_e는 양단 핀연결 기둥의 등가길이 또는 처짐곡선의 변곡점 사이의 거리가 된다. 그러므로 고정-자유단기둥에서의 유효길이는 다음과 같다.

$$L_e = 2L \qquad\qquad (j)$$

유효길이는 양단 핀연결된 기둥의 등가길이이므로 임계하중에 대한 일반공식도 다음과 같이 쓸 수 있다.

$$P_{cr} = \frac{\pi^2 EI}{L_e^{\,2}} \qquad\qquad (9\text{-}13)$$

위의 식에 $L_e = 2L$을 대입함으로써 고정-자유단 기둥(그림 9-11)에 대한 임계하중을 구할 수 있다.

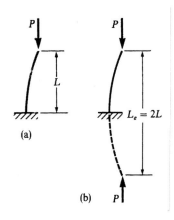

그림 9-12 하단이 고정이고 상단이 자유단인 기둥의 유효길이

유효길이를 **유효길이계수**(effective length factor) K의 항으로 표시하기도 하는데 다음과 같다.

$$L_e = KL \qquad (9\text{-}14)$$

그러므로 임계하중은 다음과 같이 알 수 있다.

$$P_{cr} = \frac{\pi^2 EI}{(KL)^2} \qquad (9\text{-}15)$$

계수 K의 값은 하단고정단 상단자유단인 기둥에 대해서 2, 양단 핀연결 기둥에 대하여 1의 값을 가진다.

양단고정단 기둥 양단이 모두 회전에 대하여 고정된 기둥에 대해서 고찰해 보자[그림 9-13(a)]. 기둥의 양단은 서로를 향하여 자유롭게 움직인다고 가정한다. 그러면 축하중 P가 상단에 가해지면 동일한 크기의 반력이 하단에 생긴다. 좌굴이 발생하면서 반력모멘트 M_0도 역시 각 단에 발생한다[그림 9-13(b)]. 좌굴의 제1형식(first mode of buckling) 곡선은 각 단으로부터 $L/4$ 거리에 변곡점을 갖는 삼각함수곡선이다. 그러므로 변곡점 사이의 길이와 같은 유효길이는 다음과 같다.

$$L_e = L/2 \qquad (k)$$

식 (k)를 식 (9-13)에 대입하면 임계하중은 다음과 같다.

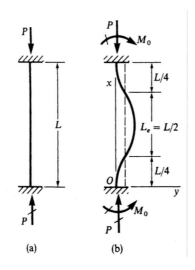

그림 9-13 양단 고정단기둥의 유효길이

$$P_{cr} = \frac{4\pi^2 EI}{L^2} \tag{9-16}$$

양단고정단 기둥의 임계하중은 양단 핀연결 기둥보다 4배 크다는 것을 알 수 있다. 이러한 결과는 미분방정식을 풀어서 구할 수도 있다(문제 9.3-6).

하단고정단 상단 핀연결기둥 하단이 고정단이고 상단이 핀연결된 기둥[그림 9-14(a)]의 임계하중과 좌굴형식곡선은 변곡점의 위치가 분명하지 않기 때문에 좌굴형식곡선[그림 9-4(b)]의 고찰에 의해서 결정할 수 없다. 그러므로 P_{cr}을 구하기 위해서 미분방정식을 풀어야 한다.

기둥이 좌굴을 일으키면 양단에 수평반력 R과 하단에 반력모멘트 M_0가 생긴다[그림 9-14(b)]. 정역학적 평형방정식으로부터 두 수평력은 크기가 같고 방향이 반대이므로 다음의 식이 성립한다.

$$M_0 = RL$$

하단으로부터 x만큼 떨어진 거리에서 좌굴된 기둥의 굽힘모멘트는

$$M = Pv - R(L - x)$$

이다. 앞의 해석과 같은 방법으로 다음의 미분방정식을 얻는다.

$$v'' + k^2 v = \frac{R}{EI}(L - x) \tag{1}$$

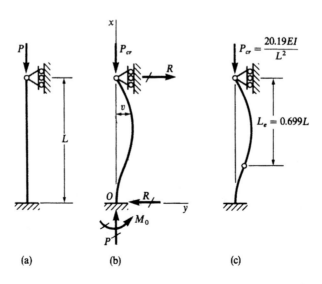

그림 9-14 하단고정 상단자유단인 기둥

여기서 $k^2 = P/EI$이다.

위의 미분방정식의 일반해는

$$v = C_1 \sin kx + C_2 \cos kx + \frac{R}{P}(L-x) \qquad \text{(m)}$$

이며 세 개의 미지상수(C_1, C_2, R)를 갖는다. 세 개의 경계조건은

$$v(0) = 0 \quad v'(0) = 0 \quad v(L) = 0$$

이므로 이들 경계조건을 식 (m)에 대입하면 다음을 얻는다.

$$C_2 + \frac{RL}{P} = 0 \quad C_1 k - \frac{R}{P} = 0 \quad C_1 \tan kL + C_2 = 0 \qquad \text{(n)}$$

$C_1 = C_2 = R = 0$을 취하면 이들 세 식은 만족하지만 이러한 경우는 무용해가 되어 처짐이 존재하지 않는다. 좌굴에 대한 풀이를 얻기 위해 더 일반적인 방법으로 방정식을 풀어야 한다. 풀이를 얻는 한 방법은 처음 두 방정식으로부터 R을 소거하는 것이다. 즉,

$$C_1 kL + C_2 = 0$$

또는 $C_2 = -C_1 kL$이 된다. C_2에 대한 위의 식을 식 (m)의 세 번째 방정식에 대입하면 **좌굴방정식**(buckling equation)을 얻게 된다. 즉,

$$kL = \tan kL \qquad \text{(o)}$$

좌굴방정식에서 임계하중을 얻는다.

좌굴방정식은 초월함수방정식(trancendental equation)*이므로 직접적으로 해결되지 않는다. 그러나 kL의 값은 방정식의 근을 찾는 프로그램을 가진 계산기를 사용해서 시행착오법(trial and error method)으로 구할 수 있다.

식 (o)를 만족하는 0이 아닌 최소의 kL값은

$$kL = 4.4934 \qquad \text{(p)}$$

이다. 이에 대응하는 임계하중은

$$P_{cr} = \frac{20.19EI}{L^2} = \frac{2.046\pi^2 EI}{L^2} \qquad \text{(9-17)}$$

---

* 초월함수는 일정수의 대수연산(algebraic operation)으로 표시되지 않는다. 그러므로 삼각함수, 로그함수, 지수함수 등은 초월함수라 한다.

이며 위의 값은 양단 핀연결 기둥과 양단고정단 기둥인 경우의 임계하중값의 사이에 해당되는 값이다[식 (9-17)과 (9-16) 참조]. 이 기둥에 대한 유효길이를 식 (9-17)과 식 (9-13)을 비교해서 구하면 다음과 같다.

$$L_e = 0.699L \approx 0.7L \tag{q}$$

이 길이는 좌굴곡선상에서 핀연결단에서부터 변곡점까지의 거리[그림 9-14(c)]이다.

좌굴형식곡선의 방정식을 $C_2 = -CkL$과 $R/P = kC_1$을 일반해[식 (m)]에 대입하여 구하면

$$v = C_1[\sin kx - kL \cos kx + k(L-x)] \tag{9-18}$$

이며, 여기서 $k = 4.4934/L$가 된다. 괄호 안의 항은 좌굴된 기둥의 처짐에 대한 형식곡선(mode shape)을 나타내지만 처짐 폭은 C_1이 임의의 값(v가 미소하다는 가정하에서)을 가질 수 있기 때문에 미지수로 남아 있다.

9.4 편심축하중을 받는 기둥

앞절에서 단면의 도심으로 축하중 P가 작용하는 이상기둥에 대해서 고찰했다. 그러한 경우 기둥은 임계하중에 도달할 때까지 곧은 상태를 유지한다. 하중이 축방향으로부터 작은 편심거리 e만큼 떨어진 곳에 작용한다고 가정한다[그림 9-15(a)]. 하중의 크기가 작은 경우 일지라도 편심에 의해서 하중 P는 기둥에 굽힘이 생기게 한다. 그러므로 하중이 가해질 때부터 기둥은 처지게 되고 P가 증가함에 따라 점차적으로 처짐도 증가하게 된다. 이런 상황하에서 기둥의 허용하중(allowable load)은 임계하중보다는 처짐의 크기나 굽힘응력에 의해서 결정된다.

이러한 기둥을 해석하기 위해서 그림 9-15(b)와 같은 이상양단 핀연결 기둥을 생각한다. 즉 xy평면이 대칭평면이고 초기에 기둥은 곧은 상태에 있으며 재료는 선형탄성재료라고 가정한다. 기둥의 하단으로부터 거리 x만큼 떨어진 곳에서의 굽힘모멘트는

$$M = P(e+v)$$

이며, 여기서 v는 기둥의 축으로부터 측정된 횡방향처짐이다. 처짐곡선의 미분방정식은

$$EIv'' = -M = -P(e+v)$$

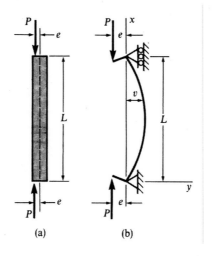

그림 9-15 편심축하중을 받는 기둥

또는

$$v'' + k^2 v = -k^2 e \tag{a}$$

이며 $k^2 = P/EI$이다.

위의 방정식의 일반해는 동차해와 특수해의 합으로써 다음과 같이 표시된다.

$$v = C_1 \sin kx + C_2 \cos kx - e \tag{b}$$

여기서 C_1, C_2는 동차해의 상수이며 $-e$는 특수해이다.

적분상수 C_1, C_2는 봉의 양단의 경계조건으로부터 구해진다. 즉,

$$v(0) = 0 \quad v(L) = 0$$

위의 조건으로부터

$$C_2 = e \quad C_1 = \frac{e(1 - \cos kL)}{\sin kL} = e \tan \frac{kL}{2}$$

그러므로 처짐곡선의 방정식은 다음과 같이 표시된다.

$$v = e\left(\tan \frac{kL}{2} \sin kx + \cos kx - 1\right) \tag{9-19}$$

하중 P와 편심거리 e를 알고 있는 기둥에 대해서 위의 식으로부터 임의점에서의 처짐량을 계산할 수 있다. 그러므로 편심을 갖는 기둥의 상태는 임계하중에 대해서 논의하던 것과

는 판이하게 다르다. 그러한 경우 처짐의 크기는 0 혹은 미지수로 남게 된다. 왜냐하면 임계하중에서는 기둥은 중립평형상태에 있기 때문이다. 그러나 지금은 특정하중값 P에 대해서 유한처짐값을 구할 수 있다. 물론 미소처짐에 대해서만 성립한다.

최대처짐 δ는 기둥의 중앙에서 발생하며 식 (9-19)에서 x에 $L/2$을 대입함으로써 구한다.

$$\delta = v_{\max} = v\left(\frac{L}{2}\right) = e\left(\sec\frac{kL}{2} - 1\right) \tag{9-20}$$

특수한 경우로서 만일 $e = 0$ 혹은 $P = 0$이라면 $\delta = 0$이 된다.

식 (9-20)으로부터 하중-처짐 곡선을 그릴 수 있다. 특정편심거리 e_1을 취하면 P와 δ의 값을 계산할 수 있고 그 결과와 $e = e_1$에 대하여는 그림 9-16에 나타나 있다. P가 증가함으로써 처짐량 δ가 증가한다는 것을 곧 알 수 있으나 그 관계는 비선형적이다. 그러므로 한 개 이상의 하중에 의한 처짐을 계산하기 위해서 중첩원리를 이용할 수 없다. 그러나 e에 대한 처짐 δ는 선형적이며, $e = e_2$의 곡선은 e_1에 대한 곡선과 같은 형태를 갖지만 횡좌표는 e_2/e_1비로 증가한다.

하중 P가 임계하중$(P_{cr} = \pi^2 EI/L^2)$으로 접근하면 kL은 π에 접근하고 식 (9-20)의 secant 항은 무한대로 발산한다. 그러므로 처짐량 δ는 하중이 P_{cr}에 접근하게 되면 무한히 증가한다. 따라서 그림 9-16의 $P = P_{cr}$에 대응하는 수평선은 곡선의 접근선이 된다. e가 더욱 작아져서 0에 접근하는 극단적인 경우 그래프상의 곡선은 두 직선이 되며 하나는 연직선, 또하나는 수평선이 된다. 그러므로 도심축하중을 받는 이상기둥은 편심축하중을 받는 기둥의 극단적인 경우이다. 그림 9-16에 그려진 곡선은 수학적으로는 정확하지만 그의 미분방정식은 처짐이 미소할 때만 성립한다는 것을 알아야 한다. 큰 δ값에 대해서 곡선은 큰 처짐이 존재하거나 비선형 굽힘에 의한 효과(그림 9-18 참조)에 대해서 고려하여 수정해야 한다.

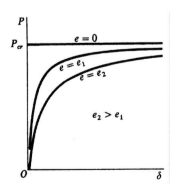

그림 9-16 편심축하중을 받는 기둥의 하중-처짐도

처짐이 미소하고 Hooke의 법칙을 만족하는 경우일지라도 하중-처짐이 비선형적인 관계가 되는 원인은 축하중 P[그림 9-15(b)]가 도심축하중 P와 기둥의 양단에 작용하는 우력 Pe의 합과 같다는 것을 생각해 봄으로써 쉽게 이해할 수 있다. 만일 우력 Pe만이 작용한다고 가정하면 보의 경우와 같은 양상으로 기둥에 굽힘에 의한 처짐이 발생하게 될 것이다. 보의 경우, 처짐이 존재한다 하여도 하중의 작용형태는 변하지 않으며 굽힘모멘트는 처짐이 존재하건 하지않건 간에 같다. 그러나 기둥에 축하중이 작용할 경우 처짐은 축력에 의해 생긴 굽힘모멘트를 증가시킨다(모멘트 Pv에 의해서). 모멘트가 증가하면 처짐은 더욱 증가하게 되고 그 결과 모멘트는 더욱더 증가하게 된다. 그러므로 굽힘모멘트는 처짐에 관계하며 이들을 어떻게 결정하느냐가 처짐해석의 한 부분이 된다.

우력 P가 임계하중에 비해서 매우 작을 때 하중-처짐 곡선은 근사적으로 원점 근처에서 직선이 된다(그림 9-16). 곡선은 원점 근처에서 가파른 기울기를 가지지만 그 기울기는 유한값이다. 곡선 초기부분의 방정식을 구하기 위해서 secant함수를 급수전개한다. 즉

$$\sec t = 1 + \frac{t^2}{2!} + \frac{5t^4}{4!} + \cdots$$

이 경우 t는 $kL/2$에 해당한다[식 (9-20) 참조]. 축하중이 임계하중에 비하여 매우 작을 경우(같은 이치로 kL도 미소하다) 고차항은 무시하고 처음 두 항만 사용한다.

$$\sec \frac{kL}{2} = 1 + \frac{k^2 L^2}{8}$$

위의 식을 식 (9-20)에 대입하면

$$\delta = \frac{k^2 L^2 e}{8} = \frac{Pe L^2}{8EI} \tag{c}$$

이 된다. 위의 식은 양단에 우력 Pe가 작용하는 단순지지보의 중앙에서의 처짐과 같다(경우 10, 표 G-2, 부록 G 참조). 또한 원점에서 하중-처짐곡선의 기울기도 나타낼 수 있다.

$$\text{원점에서 기울기} = \frac{P}{\delta} = \frac{8EI}{eL^2} \tag{d}$$

만일 $e = 0$이면 기울기는 무한대가 된다.

편심축하중을 받는 기둥의 최대굽힘모멘트는 처짐이 최대가 되는 중앙에서 발생하며 다음 식으로 표시된다.

$$M_{\max} = P(e + \delta) = Pe \sec \frac{kL}{2} \tag{9-21}$$

$M_{\max}$이 축하중 P의 함수로 변화하는 모양이 그림 9-17에 나타나 있다. P가 미소한 경우 최대굽힘모멘트는 Pe가 되며 이는 처짐의 영향을 무시했음을 의미한다. P가 증가함에 따라, 굽힘모멘트는 비선형적으로 증가하며 이론적으로는 P가 임계하중에 접근함에 따라 매우 큰 값이 된다. 그러나 이미 설명하였듯이 위의 식들은 처짐이 커지고 다른 변수가 중요한 영향을 미칠 때는 성립하지 못한다.

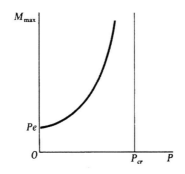

그림 9-17 편심축하중을 받는 기둥(그림 9-15)의 최대굽힘모멘트 선도

9.5 Secant 공식

앞절에서 편심축하중을 받는 기둥에 대해서 고찰하였으며(그림 9-15), 그리고 이에 대한 최대굽힘모멘트 $M_{\max}$을 결정하였다[식 (9.21)]. 기둥에 발생하는 응력은 두 가지 종류가 있는데 첫 번째, 축하중에 의한 등분포응력(uniformly distributed stress)과 두 번째로 굽힘모멘트에 의한 수직응력(normal stress)이다. 기둥의 재료가 Hooke의 법칙을 따르기 때문에 굽힘에 의한 응력은 단면에서 선형적으로 변하며 휨공식(flexure formula)으로부터 구할 수 있다. 따라서 기둥에 작용하는 최대압축응력(오목한 면)은

$$\sigma_{\max} = \frac{P}{A} + \frac{M_{\max}}{S} \tag{a}$$

이며 여기서 A는 단면적, S는 단면계수(section modulus)이다. 기둥에 발생하는 압축응

력을 정(+)이라고 가정한다. 위의 식에 $M_{\max}$에 대한 식[식 (9-21) 참조]을 대입하면 다음과 같다.

$$\sigma_{\max} = \frac{P}{A} + \frac{Pe}{S} \sec \frac{kL}{2} \qquad \text{(b)}$$

위의 식을 세 개의 치환식으로 바꿈으로써 좀더 유용한 형태로 만든다. 첫째, 단면계수 S를 I/c로 바꾼다. 여기서 c는 도심축으로부터 기둥의 오목하게 굽어들어간 쪽 최외단까지의 거리이다. 둘째, 굽힘 평면에서 단면의 **회전반지름**(radius of gyration)에 대한 아래의 식을 사용한다. 즉

$$r = \sqrt{\frac{I}{A}} \qquad \text{(9-22)}$$

셋째로 k를 $\sqrt{P/EI}$로 치환한다. 위의 세 개의 치환식으로부터 식 (b)는 다음과 같이 된다.

$$\sigma_{\max} = \frac{P}{A}\left[1 + \frac{ec}{r^2}\sec\left(\frac{L}{2r}\sqrt{\frac{P}{EA}}\right)\right] \qquad \text{(9-23)}$$

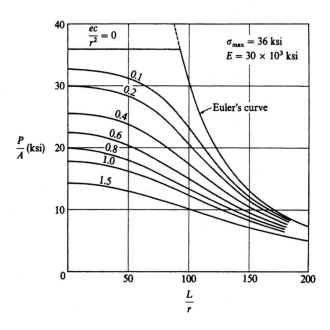

그림 9-18 $\sigma_{\max} = 36$ ksi, $E = 30 \times 10^3$ ksi에 대한 Secant 공식의 선도[식 (9-23)]

위의 식을 편심축하중을 받는 기둥의 **secant 공식**(secant formula)이라 한다. 위의 식은 평균압축응력 P/A와 두 개의 무차원비, 즉 **편심비**(eccentricity ratio)와 **세장비**(slenderness ratio)의 함수로서 최대압축응력을 나타낸다. 즉

$$편심비 = \frac{ec}{r^2} \tag{9-24}$$

$$세장비 = \frac{L}{r} \tag{9-25}$$

편심비는 단면의 성질에 대한 하중의 편심도를 나타내며, 세장비는 기둥이 가늘고 긴 정도를 나타낸다. 세장비 200은 기둥에 있어서 매우 큰 값이다.

secant 공식은 평균응력 P/A에 대한 기둥의 최대응력의 관계식이다. 최대응력에 한계값을 두면(예를 들어서 σ_{max}을 항복응력 σ_y와 같게 둘 수 있다) secant 공식으로부터 이에 대응하는 P의 값을 계산할 수 있다. 위의 공식은 초월함수이므로 시행착오법으로 풀어야 한다. 위의 공식을 유용하게 사용하기 위해서 그림 9-18과 같이 그래프를 그려 나타내었다.

위의 그래프는 최대응력 $\sigma_{max} = 36\,\text{ksi}$와 탄성계수 $E = 30 \times 10^6\,\text{ksi}$를 갖는 강에 대한 그림이다. 횡축은 세장비 L/r이고 종축은 평균압축응력 P/A로 나타내었다. 곡선은 여러 가지 편심비 ec/r^2에 대해서 그렸다. 물론 secant 공식은 Hooke 법칙을 이용해서 유도했기 때문에 최대응력이 재료의 비례한도보다 작은(혹은 같은) 경우에만 성립한다.

편심거리 e가 0일 때 secant 공식은 적용할 수 없다. 그 대신 도심축하중을 받는 이상기둥에 대해서 논의했으므로 최대하중은 임계하중$(P_{cr} = \pi^2 EI/L^2)$이 되며, 이에 대응하는 임계응력은 다음과 같다.

$$\sigma_{cr} = \frac{P_{cr}}{A} = \frac{\pi^2 EI}{AL^2} = \frac{\pi^2 E}{(L/r)^2} \tag{9-26}$$

위의 식은 임계응력이 세장비의 자승에 반비례함을 보여 준다. 식 (9-26)은 σ_{cr}이 재료의 비례한도를 넘지 않는 범위에서 성립한다.

식 (9-26)은 세장비 L/r에 대한 평균응력 P/A에 대한 관계식이므로 그림 9-18과 같이 그래프상에 그릴 수 있다. 이 곡선을 secant 공식에 대한 곡선과 구별하기 위해서 **Euler 곡선**(Euler Curve)이라 부른다.[*] 그러나 secant 공식은 e가 0으로 접근함에 따라서 Euler 곡선으로 접근한다. 이미 언급 하였듯이 Euler 곡선은 응력 P/A가 비례한도보다 작을 때

---

[*] Euler 곡선은 일반적인 기하학적 곡선이 아니다. 가끔 쌍곡선으로 잘못 불리는데, Euler 곡선은 2변수 3차 방정식의 곡선인데 반하여 쌍곡선은 2변수 3차 다항식의 곡선이다.

에만 성립한다. 지금 최대응력이 36 ksi라 가정했고 이 값은 비례한도를 넘지 않는다. 그러므로 이 응력값에서 그래프는 수평선을 긋는다. 즉 그래프상의 수평선과 Euler 곡선은 편심거리 e가 0으로 접근함에 따라 secant 공식곡선의 한계값을 나타낸다.

secant 공식[식 (9-23)]과 임계응력에 대한 식[식 (9-26)]은 모두 다 다른 단부조건을 갖는 기둥에 대해서도 기둥길이 L을 유효길이 Le로 대치시킴으로써 사용할 수 있다.

그림 9-18에서 기둥의 하중능력(load-carrying capacity)은 세장비 L/r이 증가할수록 특히 L/r값이 중앙부분에서 매우 감소한다. 그러므로 가늘고 긴 기둥은 단주보다 더 불안정하다. 또한 위의 그림은 편심거리가 증가할 때 하중견딤능력이 감소한다는 것도 나타내는데 이러한 현상은 장주(long column)에서 보다 단주에서 비교적 더 크게 나타난다.

secant 공식에서 하중 P는 이상선형탄성조건하에서 최대응력 σ_{max}을 일으키는 하중이다. 보통 설계상에서는 σ_{max}에 항복응력 σ_y와 같은 한도응력값을 대입한다. 이에 대응하는 P의 값은 최대응력을 일으키는 축하중이다. 허용하중 P_{allow}는 P를 안전계수 n으로 나눈 값이다. secant 공식이 기둥거동에 대해 매우 우수한 이론적인 해석을 표현한다 할지라도 하중이 편심거리 e가 정확히 알려지지 않기 때문에 실제 설계에 사용할 때는 어려움이 발생한다.

축의 초기곡률, 불안전한 단부조건, 재료의 불균일성 등과 같은 결함으로 인해 이상기둥과는 다른 실제기둥에 대해서 고찰해 보자. 더욱이 하중을 도심축하중이라고 가정하는 경우일지라도 하중의 작용점과 방향에 피할 수 없는 편심이 존재하게 된다. 이러한 결함과 편심정도는 기둥마다 다르며 기둥에 대한 실험결과를 일정하지 않게 한다. 물론 이러한 모든 결함이 기둥으로 하여금 직접 압축력에다 굽힘을 받게 한다. 그러므로 도심축하중을 받는 실제 기둥은 9.2와 9.3절에서 고찰한 이상기둥과는 다르다. 결함을 지닌 도심축하중을 받는 기둥의 거동은 이상편심축하중을 받는 기둥의 거동과 유사하다고 가정하는 것이 합당하다. 그러므로 secant 공식을 모든 결함을 고려하여 편심비 ec/r^2의 적당한 값을 택하여 곧은 상태의 도심축하중을 받는다고 가정한 기둥의 설계에 이용하는 것이 바람직하다. 그러나 편심비 ec/r^2는 결함의 종류를 아는 정확한 이론적인 방법이 없기 때문에 실험결과에 기준하여야 한다. 예를 들어 구조용강 설계에서 양단 핀연결 기둥에 보통 사용되는 편심비는 ec/r^2 = 0.25이다. 이와같이 도심축하중을 받는 기둥에 대한 secant 공식의 이용은 안전계수를 증가함으로써 단순히 결함에 대한 허용값을 고려하기보다는 결함의 영향을 설명하는 근거 있는 방법이 된다.

secant 공식에 의하여 도심축하중을 받는 기둥을 해석하는 방법은 다음과 같이 요약할 수 있다. 실험결과와 다른 경험에 기초를 둔 편심비 ec/r^2의 값을 가정한다. 그리고 이 값을

L/r, A, E와 함께 secant 공식에 대입한다. $\sigma_{\max}$의 값에 재료의 항복응력 σ_y(혹은 비례한도)를 넣는다. 그리고는 σ_y를 일으키는 하중 P_y에 대해서 secant 공식을 푼다. 이렇게 해서 구한 하중은 항상 기둥의 임계하중 P_{cr}보다 작은 값이다. 기둥의 허용하중은 안전계수 n으로 나눈 값과 같다. 적당한 n값은 2이다.

예제 ①

WF 14×82 단면(그림 9-19)으로 된 양단 핀연결 강플랜지 기둥(steel wideflange column)의 길이가 7.625 mm이다. 이 기둥은 도심하중 $P_1 = 1424$ kN과 도심으로부터 342.9 mm 떨어진 축 2-2상에 편심하중 $P_2 = 178$ kN을 받고 있다[그림 9-19(b)]. 좌굴은 2-2 평면 내에서 발생한다.

(a) Secant 공식을 이용해서 기둥에 작용하는 최대압축응력을 계산하라.

(b) 항복응력이 $\sigma_y = 289.4 \times 10^6$ kPa이라면 강의 초기항복에 대한 안전계수는 얼마인가?

풀이 (a) 그림 9-19와 같이 작용하는 두 개의 하중 P_1과 P_2는 편심거리 $e = 0.0381$ m를 갖는 단일하중 $P = 1602$ kN과 정역학적으로 같다[그림 9-19(c)]. 부록 E로부터 $W14 \times 82$ 단면의 성질을 이용하여

$$\frac{P}{A} = \frac{1602 \text{ kN}}{15548 \text{ mm}^2} = 102.937 \text{ MPa} \qquad \frac{L}{r} = \frac{7.625 \text{ m}}{153.67 \text{ mm}} = 49.59$$

$$\frac{ec}{r^2} = \frac{eA}{S} = \frac{(38.1 \text{ mm})(15548 \text{ mm}^2)}{2017200 \text{ mm}^3} = 0.2939$$

이 값들을 secant 공식에 대입하고 $E = 206.7 \times 10^3$ MPa을 사용하면

$$\sigma_{\max} = \frac{P}{A}\left[1 + \frac{ec}{r^2} \ \sec\left(\frac{L}{2r}\sqrt{\frac{P}{EA}}\right)\right] = 138.489 \text{ MPa}$$

그러므로 위의 응력이 기둥에 작용하는 최대압축응력이다.

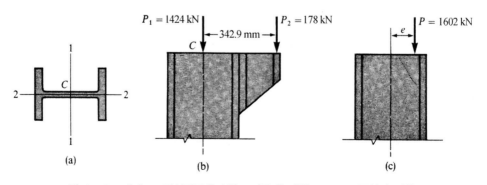

그림 9-19 예제 1. 편심하중을 받는 기둥에 대한 secant 공식의 사용

(b) 최대응력을 항복응력 $\sigma_y = 289.38\,\mathrm{MPa}$로 되게 하는 하중 P를 결정한다. 이러한 하중값은 재료의 초기항복을 일으키기에 충분한 값이므로 이를 P_y라 표시한다. 비 σ_y/σ_{max}에 P를 곱함으로써 P_y를 결정할 수 있다. 왜냐하면 하중과 응력 사이의 비선형 관계를 취급하기 때문이다. 그 대신 $\sigma_{max} = \sigma_y = 289.38\,\mathrm{MPa}$을 secant 공식에 대입하고 시행착오법으로 하중 P_y를 구한다. 그러므로 다음 식을 만족하는 P_y의 값을 구해야 한다.

$$289.38\,\mathrm{MPa} = \frac{P_y}{15548\,\mathrm{mm}^2}\left[1 + 0.2939\sec\left(24.79\sqrt{\frac{P_y}{(2067 \times 10^5\,\mathrm{kPa})(15548\,\mathrm{mm}^2)}}\right)\right]$$

또는

$$1012 = P_y\left[1 + 0.2939\sec\left(0.02915\sqrt{P_y}\right)\right]$$

여기서 P_y의 단위는 kips이다. 그 결과

$$P_y = 3186.2\,\mathrm{kN}$$

실제 하중 P는 360 k이므로 기둥의 항복에 대한 안전계수를 다음과 같이 구할 수 있다.

$$n = \frac{P_y}{P} = \frac{3186.2\,\mathrm{kN}}{1602\,\mathrm{kN}} = 1.99$$

---

*9.6 기둥의 결함

앞절의 마지막 부분의 논의에서 기둥 제작상의 결함의 영향과 추정된 편심비로 secant 공식을 이용한 하중의 작용선상에 존재하는 편심의 영향에 대해서 설명하였다.

그러한 문제의 또 다른 접근방법은 기둥의 부정확성을 초기처짐 또는 뒤틀림과 유사하게 나타낼 수 있다고 가정하는 것이다. 양단이 핀연결된 기둥에서 초기처짐 v_0는 최대처짐 a를 갖는 정현곡선의 반파형과 같다고 가정할 수 있다[그림 9-20(a)].

$$v_0 = a\sin\frac{\pi x}{L} \tag{a}$$

위의 식은 구부러진 재료가 가질 수 있는 임의의 실제 처짐모양과 매우 근사한 초기처짐을 나타낸다. 축하중 P가 도심상에 작용할 때 기둥의 굽힘모멘트

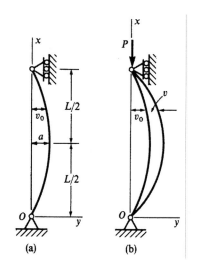

그림 9-20 초기처짐 v_0를 가진 기둥

$$M_0 = P(v_0 + v)$$

이며 여기서 v는 굽힘에 의해 부가적으로 생기는 기둥의 처짐이다. 이 M에 대한 식을 처짐 곡선의 미분방정식에 대입하여 앞 절에서 설명한 방법에 의해 풀 수 있다. 기둥의 중앙에서의 처짐에 대한 결과식은

$$\delta_{\max} = a + v_{\max} = \frac{a}{1-\alpha} \tag{9-27}$$

이며 여기서 α는 기둥의 임계하중에 대한 축하중 P의 비이다.

$$\alpha = \frac{P}{P_{cr}} = \frac{PL^2}{\pi^2 EI} \tag{9-28}$$

식 (9-27)은 축하중이 기둥의 초기처짐을 계수 $1/(1-\alpha)$만큼 증가시키는데 영향을 미친다는 것을 보여 준다. $\alpha < 1$이므로 이 계수는 항상 1보다 크다. $\alpha = 0$일 때는 최대처짐은 a가 되며 $\alpha = 1$일 때는 최대처짐이 무한대로 커진다는 것에 주의하라.

기둥의 최대굽힘모멘트는

$$M_{\max} = P\delta_{\max} = \frac{Pa}{1-\alpha} \tag{b}$$

이며 최대압축응력은

$$\sigma_{\max} = \frac{P}{A} + \frac{M_{\max}C}{I} = \frac{P}{A}\left[1 + \frac{ac}{r^2(1-\alpha)}\right]$$

이다. 여기서 $r^2 = I/A$이다.

식 (9-28)에 α를 대입하면

$$\sigma_{\max} = \frac{P}{A}\left[1 + \frac{\dfrac{ac}{r^2}}{1 - \dfrac{P}{\pi^2 EA}\left(\dfrac{L}{r}\right)^2}\right] \tag{9-29}$$

가 되며 ac/r^2를 **결함비**(imperfection ratio)라 한다. secant 공식(9.5절 참조)을 사용하고 최대응력 $\sigma_{\max}$에 한계값을 두면 식 (9-29)로부터 이에 해당하는 임의의 주어진 비 ac/r^2에 대한 P/A값을 계산할 수 있다.

식 (9-29)는 secant 공식과 같은 방법으로 도식적으로 나타낼 수 있다. 식 (9-29)의 그래프는 ac/r^2항이 편심비 ec/r^2 대신 들어간다는 것을 제외하고는 secant 공식의 그래프(그림 9-18)와 거의 같다. $L/r = 0$일 때 두 공식은 같은 값 P/A를 가진다. $L/r > 0$일 때는 식 (9-29)로부터 그려진 곡선은 secant 공식의 곡선보다 항상 조금 위에 위치한다. 그밖에 이들은 항상 Euler 곡선의 아래에 위치한다($a = 0$인 극단적인 경우는 제외).

계산을 하기 위해서 식 (9-29)를 미지수 P/A에 대한 2차 방정식으로 다음과 같이 쓸 수 있다.

$$b_1\left(\frac{P}{A}\right)^2 - b_2\left(\frac{P}{A}\right) + \sigma_{\max} = 0 \tag{9-30}$$

여기서

$$b_1 = \frac{1}{\pi^2 E}\left(\frac{L}{r}\right)^2 \quad b_2 = 1 + \frac{ac}{r^2} + \frac{\sigma_{\max}}{\pi^2 E}\left(\frac{L}{r}\right)^2$$

이다. 이리하여 $\sigma_{\max}$의 값이 주어지면 식 (9-30)을 P/A에 대하여 풀 수 있다(2차 방정식에서 구한 두 근 중 작은 값을 사용). 만일 P/A의 값이 주어지면 식 (9-29)를 $\sigma_{\max}$에 대해서 풀 수 있다. 물론 P는 임계하중 P_{cr}보다는 작은 값이어야 한다. 또한 식 (9-29)와 식 (9-30)은 재료가 선형탄성거동을 할 경우에만 성립한다.

기둥의 초기처짐 a는 보통 $L/1000$에서 $L/400$ 범위 사이의 값이다. 만일 a가 주어지면 ac/r^2를 계산할 수 있고 임의의 주어진 하중 P에 대한 최대응력 $\sigma_{\max}$을 식 (9-29)를 사용

하여 구할 수 있다. 바꾸어 말하면, 최대응력값이 주어지면 시행착오법으로 하중 P를 구할 수 있다(결함의 영향에 대한 보다 상세한 내용은 참고문헌 9-1, 9-2, 9-8, 9-12를 참조하라).

9.7 탄성과 비탄성거동

앞절에서 재료가 Hooke의 법칙을 따를 때의 기둥의 거동에 대해서 논의했다. 도심축하중을 받는 이상기둥을 고찰함으로써 임계하중 P_{cr}의 개념에 도달했었다. 이상기둥의 거동은 평균압축응력 P/A에 대한 세장비 L/r의 그림상에 나타난 **Euler 곡선**(Euler's curve)으로 표시된다(그림 9-21). 이 곡선은 재료의 비례한도 σ_{pl} 이하의 CD영역에서만 성립한다.

Euler 곡선이 적용되는 범위 이상의 세장비는 식 (9-26)에서 σ_{cr}을 σ_{pl}과 같이 두고 L/r에 대해 풀어서 구한다. 여기서 $(L/r)_c$는 세장비의 임계값(critical value of slenderness ratio)을 나타낸다. 즉

$$\left(\frac{L}{r}\right)_c = \sqrt{\frac{\pi^2 E}{\sigma_{pl}}} \tag{9-31}$$

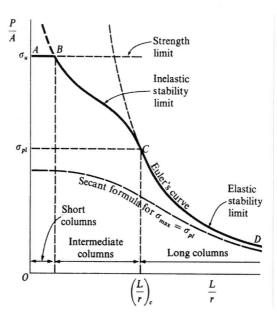

그림 9-21 평균압축응력 P/A에 대한 세장비 L/r 선도

한 예로서 $\sigma_{pl} = 36$ ksi, $E = 30{,}000$ ksi인 강에서는 $(L/r)c = 90.7$이 된다.

하중의 편심에 의한 영향 또는 기둥의 결함에 의한 영향을 고려함과 동시에 재료가 Hooke의 법칙을 따른다고 가정한다면 그림 9-21상에 나타난 **secant 공식**(secant formula)으로 그려지는 곡선을 얻는다. 이 곡선은 최대하중을 비례한도 σ_{py}와 같게 두고 그려졌다.

그러므로 secant 공식에 대한 곡선과 Euler 곡선을 비교하여 두 곡선 사이의 차이점을 명심해야만 한다. Euler 곡선의 경우 응력 P/A는 하중 P에 비례할 뿐 아니라 좌굴이 발생할 때 기둥에 생기는 최대응력이기도 하다. 그러므로 C에서 D로 움직임에 따라 하중 P와 최대응력은 둘 다 같은 비율로 감소한다. 그러나 secant 공식에서 하중 P는 곡선상에서 왼쪽에서 오른쪽으로 움직임에 따라 감소하지만 최대응력은 변하지 않는다.

Euler 곡선으로부터 큰 세장비를 가진 기둥이 낮은 평균압축응력 P/A에서 좌굴한다는 것을 알 수 있다. 이러한 조건은 고강도재료를 사용한다고 해서 개선되지는 않는다. 왜냐하면 파괴는 재료 자체의 파괴에 의해서가 아니라 기둥의 전체적인 불안정성에 기인하기 때문이다. 임계응력은 L/r을 감소시키거나 고탄성계수 E를 가지는 재료를 사용함으로써 상승될 수 있다.

압축부재가 매우 짧을 때는 재료의 항복이나 붕괴에 의해서 파괴되므로 좌굴이나 안정성을 고려할 필요가 없다. 이러한 경우 최대압축응력 σ_u를 재료의 파괴응력(failure stress)이라고 정의할 수 있다. 이 응력은 그림의 수평선 AB로 나타내는 기둥에 대한 **한계강도**(strength limit)를 나타낸다. 이러한 응력은 압축하에서의 극한응력을 나타내기 때문에 비례한도보다 매우 높은 값이 된다.

단주와 장주 영역 사이에 탄성적 안정성은 매우 작고 강도 자체는 매우 큰 중간세장비영역이 존재한다. 그러한 중간주는 **비탄성좌굴**(inelastic buckling)에 의해 파괴된다. 이때에 기둥은 불안정해지지만 최대응력은 비례한도를 넘어선다. 응력-변형률 곡선의 기울기는 비례한도를 넘어서부터 감소하므로 비탄성좌굴의 임계하중은 다음 절에서 설명하겠지만 Euler 하중보다 작다. 단주, 중간주, 장주를 구분하는 선은 명확하지 않지만 이들 세 가지 형태의 기둥의 거동을 구분하는 것이 유용하다. 그림 9-21의 곡선 $ABCD$는 전형적인 기둥의 최대하중능력(maximum load-carrying capacity)을 나타낸다. 위의 그림은 길이 L을 유효길이 Le로 대치시킬 수만 있으면 어떠한 단부조건을 갖는 기둥에 대해서도 적용할 수 있다.

기둥에 대한 실험은 곡선 $ABCD$와 매우 일치한다. 실험결과를 그래프로 그리면 일반적으로 곡선 $ABCD$의 바로 밑에 위치하는 띠를 형성한다. 위의 결과와 상당한 차이를 가지는 기둥의 실험결과가 예상되기도 하는데 그것은 기둥의 제작의 정밀도, 하중의 일치성, 단부조건 등에 민감하기 때문이다. 이러한 다양한 요소를 고려하여 최대응력(곡선 $ABCD$)을

보통 2의 값을 갖는 적당한 **안전계수**(factor of safety)로 나누어서 기둥의 허용응력(allowable stress)을 얻어낸다. 기둥이 길어질수록 결함은 증가하기 때문에 때로는 여러 가지의 안전계수(L/r이 증가할수록 증가)를 사용한다. 9.9절에서 허용응력에 대한 전형적인 공식에 대해서 취급할 것이다.

*9.8 비탄성좌굴

탄성좌굴에 대한 임계하중(혹은 Euler 하중)은 앞절에서 논의하였듯이 장주(long column)에 대해서만 성립한다. 이상중간주(ideal column of intermediate length)에서 기둥 내에 생기는 응력은 좌굴이 시작되기 전에 비례한도를 넘어선다(그림 9-21), 그러므로 이러한 범위의 세장비에 대한 임계하중을 계산하기 위해 **비탄성좌굴**(inelastic buckling) 이론이 필요하다.

축력 P를 받는 이상양단 핀연결기둥을 생각하자[그림 9-22(a)]. 기둥의 세장비 L/r이 $(L/r)_c$보다 작은 값을 가지므로 축응력 P/A는 탄성임계하중(inelastic critical load)에 도달하기 전에 비례한도에 도달한다(그림 9-21 참조). 기둥의 재료에 대한 응력-변형률 그래프가 그림 9-23에 나타나 있다. 기둥 내의 응력 σ_a를 그래프상의 A점과 같이 비례한도보

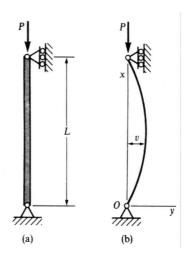

그림 9-22 비탄성적으로 좌굴하는 이상기둥

다 큰 값이라고 가정하자. 응력이 조금 증가하게 되면 응력증분과 그에 따른 변형률증분 사이의 관계식은 그래프상의 점 A에서 응력-변형률곡선의 기울기가 된다. 점 A에서의 접선의 기울기를 **접선계수**(tangent modulus)라 하고 E_t로 표시한다.

$$E_t = \frac{d\sigma}{d\epsilon} \qquad (9\text{-}32)$$

재료에 있어서 접선계수는 비례한도를 넘어서서 응력이 증가할수록 감소하는 가변적인 값이다. 응력이 비례한도 이하에 있을 때 E_t는 탄성계수 E와 같다.

비탄성좌굴의 **접선계수이론**(tangent-modulus theory)에 따르면 그림 9-22(a)의 기둥은 임계하중에 도달할 때까지 곧은 상태로 존재한다. 그러한 하중값에서 기둥은 미소횡방향처짐[그림 9-22(b)]을 갖는다. 굽힘응력의 합은 압축응력 σ_a에 중첩된다. 기둥이 곧은 상태에서 굽힘을 시작하기 때문에 초기의 굽힘응력은 응력의 미소증분만을 나타낸다. 그러므로 굽힘응력과 변형률 사이의 관계식은 접선계수 E_t로 나타낸다. 변형률이 단면을 통해서 선형적으로 변하기 때문에 초기굽힘응력 역시 단면에 걸쳐 선형적으로 변하게 되고 곡률에 대한 식도 E_t가 E를 대신한다는 것을 제외하고는 탄성굽힘의 경우와 동일하다.

$$\kappa = \frac{1}{\rho} = \frac{d^2 v}{dx^2} = -\frac{M}{E_t I} \qquad (9\text{-}33)$$

굽힘모멘트가 $M = Pv$이므로 처짐곡선의 미분방정식은

$$E_t I v'' + Pv = 0 \qquad (9\text{-}34)$$

이다. 위의 식은 E_t가 E를 대신했다는 것을 제외하고는 탄성좌굴[식 (9-3) 참조]에 대한 방정식과 같은 형식이다. 그러므로 같은 방법으로 풀면 **접선계수하중**(tangent modulus load)에 대한 다음 방정식을 얻는다.

$$P_t = \frac{\pi^2 E_t I}{L^2} \qquad (9\text{-}35)$$

이 하중은 접선계수이론에 의한 기둥의 임계하중을 나타낸다. 이에 대응하는 응력은

$$\sigma_t = \frac{\pi^2 E_t}{(L/r)^2} \qquad (9\text{-}36)$$

이며 식 (9-26)과 비슷한 형태이다.

접선계수가 압축응력 P/A에 따라 변하는 만큼(그림 9-23), 보통 반복과정(iterative

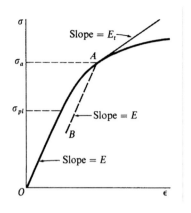

그림 9-23 응력-변형률 선도

procedure)으로 P_t를 구해야 한다. P_t의 값을 구하는 데 있어서 시행값 P_1(trial value)은 응력이 비례한도에 도달할 때의 하중 $\sigma_{pt}A$보다 조금 큰 값이어야 한다. P_1을 알면 이에 대응하는 축응력 $\sigma_1 = P_1/A$을 계산할 수 있고, 또 응력-변형률곡선에서 접선계수 E_t를 결정할 수 있다. 그 다음 식 (9-35)를 사용해서 두 번째 추정값 P_t를 구한다. 이 값을 P_2라 하자. P_2가 P_1에 아주 가까운 값이면 하중 P_2를 접선계수하중 P_t로서 취할 수 있다. 그러나 시행하중과 매우 일치하는 하중을 계산할 때까지 반복과정을 계속해야 한다. 이러한 방법으로 접선계수하중값에 도달한다.

접선계수하중으로부터 계산된 임계응력 σ_t가 어떻게 세장비에 따라 변하는가는 전형적인 금속기둥에 대한 그림 9-24에 나타나있다. 다른 단부조건을 가지는 기둥에 대해서는 L 대신 유효길이 Le를 이용하여 접선계수공식을 사용할 수 있다.

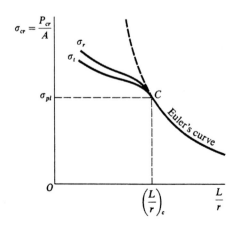

그림 9-24 세장비에 대한 임계 하중선도

접선계수이론은 단순성(simplicity)과 사용의 간편성이 그 특색이다. 그러나 다음과 같이 기둥의 완전한 거동을 설명해 주지 못하는 이론적인 결함을 가지고 있다. 그림 9-22의 기둥이 처음으로 곧은 상태에서 이탈할 때 오목한 면의 조직은 압축굽힘응력을 받고 볼록한 면의 조직은 인장응력을 받는다. 이들 응력은 응력-변형률 곡선(그림 9-23)상에 점 A에서 이미 존재하는 큰 압축응력 $\sigma_a = P/A$에 중첩된다. 그러므로 오목한 면의 조직에서는 압축응력의 크기가 증가하고 볼록한 면의 조직의 압축응력은 감소한다. 점 A에서 응력이 증가할 때 응력-변형률 관계는 접선계수 E_t로 표시된다. 그러나 응력이 감소하면 재료는 응력-변형률 곡선상의 제하선(unloading line) AB를 따라 변한다. 이 선은 그래프의 초기선형부분과 평행하며 기울기는 탄성계수 E와 동일하다. 그러므로 초기굽힘이 작용하는 동안 기둥은 오목한 면은 계수 E_t, 볼록한 면은 E인 두 개의 서로 다른 재료로 만들어진 기둥처럼 거동한다. 이러한 기둥의 굽힘해석은 두 재료로 만들어진 보의 이론을 이용한다(5.10절 참조).

또 이런 해석의 결과는 기둥이 E와 E_t값 사이의 중간정도의 탄성계수를 갖는 재료처럼 굽는다는 것을 보여 준다. 이러한 유효계수(effective modulus)를 **감소계수**(reduced moudulus) E_r이라 하며 그 값은 응력의 크기뿐만 아니라(E_t가 응력의 크기에 따라 변하므로) 기둥단면의 형태에 따라서도 변한다. 그러므로 E_r은 E_t보다 그 값을 결정하기가 더 어렵다. 따라서 E_r에 대한 공식을 유도하지 않고 그 대신 한 결과를 예시한다. 만일 기둥이 **구형단면**(rectangular cross section)이면 감소계수에 대한 방정식은 다음과 같다.

$$E_r = \frac{4EE_t}{(\sqrt{E} + \sqrt{E_t})^2} \tag{9-37}$$

이중계수(double modulus)라고 불리는 감소계수에 대한 더 상세한 논의는 참고문헌 9-1, 9-2, 9-10에 잘 나와 있다.

감소계수는 기둥이 곧은 상태에서 처음 이탈할 때 기둥의 굽힘을 지배하는 유효계수(effective modulus)이므로 비탄성좌굴의 **감소계수이론**(reduced modulus theory)을 공식화할 수 있다. 접선계수이론과 같은 방법으로 곡률에 대한 식과 처짐곡선에 대한 미분방정식을 쓸 수 있다. 이들 방정식은 E_t 대신 E_r을 대입한다는 것을 제외하고는 식 (9-33)과 식 (9-34)와 동일하다. 그러므로 감소계수하중(reduced modalus load)의 식은

$$P_r = \frac{\pi^2 E_r I}{L^2} \tag{9-38}$$

이며 이에 대응하는 임계응력의 식은

$$\sigma_r = \frac{\pi^2 E_r}{(L/r)^2} \tag{9-39}$$

감소계수하중 P_r을 구하기 위해서는 E_r이 E_t에 따라 변하므로 시행착오법을 사용해야한다. 감소계수이론에 의한 임계응력은 그림 9-24에 나타나 있다. σ_r에 대한 곡선은 E_r이 항상 E_t보다 크기 때문에 σ_t의 곡선보다 위에 위치한다.

감소계수이론은 E_r이 응력-변형률곡선뿐만 아니라 단면의 모양에 따라서도 변하기 때문에 실질적으로 사용하기에는 어려우므로 각 기둥에 대해 유도해야 한다[구형단면은 유일한 예외이며, 구형단면에 대해서는 식 (9-37)이 유용하다]. 더욱이 이 이론도 이론적인 결함을 가지고 있다. 감소계수 E_r을 적용하기 위해서 기둥의 오목한 면의 조직에서의 응력이 감소해야 한다. 그러나 그러한 응력감소는 굽힘이 발생할 때까지는 일어날 수 없다. 그러므로 이상곧은기둥(ideal straight column)에 작용하는 하중 P는 감소계수하중 P_r까지 도달할수는 없다. 그러한 하중에 도달하기 위해서는 굽힘이 미리 존재해야 하는데 그것은 모순이다.

그러므로 접선계수이론이나 감소계수이론은, 비록 두 이론을 이해하는 것이 더 완전하고 논리적으로 모순이 없는 이론을 만들어 내는 데 필요하지만 그 자체로서는 비탄성거동을 설명하기에는 불충분하다. 그러한 이론이 F.R. Shanley에 의해서 개발되었는데 그것을 **비탄성좌굴의 Shanley 이론**(Shanley theory of inelastic buckling)이라 부른다. 이 이론은 기둥이 비탄성적일 때는 Euler형 좌굴이 일어날 가능성이 없다는 것을 인식하고 접선계수이론과 감소계수이론의 난점을 극복해 나갔다. Euler 좌굴에서의 임계하중은 기둥이 중립평형에 존재할 때 생기며 하중-처짐 그래프에서 수평선으로 표시된다(그림 9-25). 이미 설명했듯이 접선계수하중 P_t나 감소계수하중 P_r은 이런 형태의 거동을 하지 않으며, 두 경우 모두 다

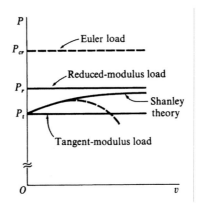

그림 9-25 탄성과 비탄성좌굴에 대한 하중

중립평형조건과 이들 하중 사이의 관계를 갖게 한다면 모순에 봉착하게 된다. 그 대신 항상 증가하는 축하중(ever-increasing axial load)을 받는 기둥을 고려해야 한다. 하중이 P_t에 도달할 때, 하중이 계속 증가하게 된다면 굽힘이 시작될 수 있다. 이런 상태하에서 하중의 증가와 동시에 굽힘이 일어나고 그 결과 기둥의 볼록한 면에 변형률이 감소한다. 그러므로 단면을 통해 재료의 유효계수(effective modulus)가 E_t보다 커지게 되어 하중이 증가할 수 있다. 그러나 유효계수가 E_r만큼 커지지는 않는다. 왜냐하면 E_r은 기둥의 오목한 면의 전 변형률의 역에 기초를 둔 값이기 때문이다. 다시 말해서 E_r은 증가하는 축하중이 존재한다는 것이 변형률의 감소가 그렇게 크지 않다는 것을 의미하는 반면, 축하중의 변화없이 기둥이 굽힘을 받을 때 존재하는 변형률의 역의 양에 기초를 둔 값이다. 그러므로 하중-처짐의 관계가 정의되지 않는 중립평형 대신 하중과 그에 대응하는 처짐의 각 값 사이의 명확한 관계식을 가져야 한다. 이러한 거동은 그림 9-25의 Shanley 이론에 의한 곡선에 나타나 있다.

좌굴은 접선계수하중에서 시작된다. 즉 하중은 증가하지만 처짐이 무한대로 증가할 때까지 감소계수하중에 도달하지 못한다. 그러나, 또다른 영향은 처짐이 증가할수록 중요한 요소가 되는데 실제로 곡선은 접선과 같이 아래로 처진다.

비탄성좌굴의 Shanley 이론은 여러 사람과 많은 실험을 통해서 입증되었다. 그러나 실제 기둥에서 얻어진 최대하중(그림 9-25의 점선곡선 참조)은 접선계수하중 P_t보다 조금 높을 뿐이다. 다행히 접선계수하중은 계산하기가 매우 쉬우며 접선계수하중을 실제 적용에서 기둥의 비탄성좌굴의 임계하중으로 택하는 것이 합당하다.

탄성과 비탄성좌굴에 대한 앞의 고찰은 이상화된 조건하에서 논의했다. 기둥의 거동을 이해하는데 이론적인 개념이 중요하다. 그러나 실제기둥의 설계는 이론에서 고려되지 않았던 또 다른 부가적인 요소를 고려해 주어야 한다. 예를 들어 강기둥은 압연과정에서 잔유응력을 항상 가지게 된다. 단면의 여러 다른 부분에서 매우 심하게 변하는 이들 잔유응력 때문에 응력수준은 단면을 걸쳐서 변화하는 항복응력을 갖게 된다. 그러한 이유로 기둥을 설계하는데 있어서의 다양한 실험적 설계공식이 존재하게 된다. 사용되는 공식 중에서 가장 일반적인 몇 가지를 다음 절에 소개하겠다.

역사적 고찰

탄성좌굴의 임계하중공식은 참고문헌 9-3에 설명되어 있듯이 1744년 Euler에 의해 시작되었다. 약 100년 동안 거의 진전이 없었다가 1885년 A.H.E Lamarle는 Euler 공식은 특정 한계값 이상의 세장비에서만 사용되고 그 이하에서는 실험재료에 의존해야 한다고 지적

했다(참고문헌 9-13). 1889년 프랑스 공학자 A. Considère는 기둥의 32가지 연속적인 실험을 하였다(참고문헌 9-14). 그는 기둥의 오목한 면의 응력은 E_t에 따라 증가하여 볼록한 면의 응력은 E에 따라 감소한다는 것을 관찰했다. 그래서 그는 비탄성좌굴에 Euler 공식을 적용하지 못하는 이유를 밝혔고 또 E와 E_t 사이에 유효계수가 존재한다는 것을 밝혔다. 그는 유효계수를 유도하려 하지는 않았지만 감소계수이론의 창시자이다. 같은 해 거의 따로 독일 공학자 F. Engesser는 접선계수이론을 제안하였다(참고문헌 9-5). 그는 접선계수에 대한 기호 $T(d\sigma/d\epsilon$와 같다)를 사용하여 임계하중에 대해서 Euler 공식의 E 대신 T를 대입해야 한다고 주장했다. 그 후 1895년 3월 Engesser는 Considère의 업적에 대해서는 알지 못한 상태에서 접선계수이론을 다시 제안했다(참고문헌 9-16). 3개월 후 폴란드 태생 F. Jasinsky는 St. Peterburg 교수 시절에 Engesser의 접선계수이론은 부정확하다는 것을 지적하고 Considère의 이론에 주의를 기울여 감소계수이론을 제안했다(참고문헌 9-17). 그는 또한 감소계수이론은 이론적으로 계산될 수 없다는 것도 밝혔다. 이때 한 달 후 Engesser는 접선계수 접근방법의 오류를 발견하고, 임의 단면에 대한 감소계수를 얻는 방법을 보였다(참고문헌 9-18). 이리하여 접선계수이론은 Engesser 이론이라 불리기도 하고 감소계수이론은 Considère-Engesser 이론이라 불린다.

감소계수이론은 앞의 사람들과는 달리 1908년과 1910년에 유명한 과학자 Theodore Von Karman에 의해서도 제안되었다(참고문헌 9-19와 9-20). 그의 나중 논문에서 구형단면에 대한 E_r 공식을 유도했으며 WF(wide flauge) 단면(즉, web가 없는 단면)을 이상화시켰다. 그는 좌굴하중에 있어서 편심의 영향을 포함하는 이론으로 확장시켰으며 최대하중은 편심이 증가할수록 급격히 감소한다는 것을 보였다. 영국의 탄성학자 R.V. Southwell도 역시 감소계수이론을 제안하였다. 1912년 그의 논문(참고문헌 9-22)에서 그는 재료의 감소계수 대신 기둥의 수정길이(modified length)를 이용한 이론을 유도했다. 비록 그의 연구는 기본적인 개념은 같지만 다른 사람과는 별개로 발표했다. 감소계수이론은 미국의 항공공학 교수 F.R. Shanley가 두 이론의 모순점을 지적하기 전 1946년까지는 비탄성이론으로 받아들여져 왔다. 유명한 한 페이지의 논문(참고문헌 9-23)에서 Shanley는 일반적으로 받아들여진 이론의 틀린 점을 설명할 뿐만 아니라 그 모순을 다시 해석한 그 자신의 이론도 제출했다.

5개월 후 그의 두 번째 논문에서 그의 이론을 입증하기 위해 더 상세한 해석을 했으며 그에 대한 실험결과(참고문헌 9-24)를 제시했다. 다른 연구자도 Shanley 이론에 대해서 확신을 가지고 확장해 나갔다(참고문헌 9-25에서 9-32). 비탄성좌굴이론의 기초는 참고문헌 9-1, 9-2, 9-8에 잘 설명되어 있다. 기둥좌굴에 대한 문제의 뛰어난 고찰은 Hoff의 포괄적인 논문을 참조하라(참고문헌 9-6과 9-32). 그리고 역사적인 고찰은 Johnston의 논문을

참조하라(참고문헌 9-7).

9.9 기둥의 설계공식

앞절에서 단지 이론적인 고찰에 근거한 기둥의 하중견딤능력에 대해서 논의했다. 다음 단계는 이론적인 결과뿐 아니라 실험에서 관찰된 실제 기둥의 거동을 고려한 기둥의 허용하중(allowable load)을 결정하는 것이다. 일반적인 방법은 기둥 거동의 비탄성영역(낮은 세장비)의 실험데이터에 맞는 실험설계공식을 만드는 것과 탄성영역(높은 세장비)의 임계하중에 대한 Euler 공식을 사용하는 것이다. 최대하중으로부터 허용하중(혹은 최대응력으로부터 허용응력)을 구하기 위해서는 안전계수(factor of safety)를 적용해야 한다. 실험설계공식의 사용은 충분한 실험데이터가 있을 때에는 공식이 성립하는 범위 내에서 매우 잘 만족한다. 다음의 조건은 기둥 설계공식을 사용할 때 주의해야 할 것들이다. (1) 공식은 반드시 특정재료에 대해서만 성립한다. (2) 공식은 특정세장비 내에서만 성립한다. (3) 공식은 허용응력에 대해서 나타낼 수도 있고 최대응력에 대해서도 나타낼 수 있다. 후자의 경우 반드시 안전계수를 적용해서 허용응력을 구해야 한다.

다음의 예는 도심축하중을 받는 기둥에 적용되는 설계공식의 예이다. 그러나 여기서 논의되지 않는 많은 요소들이 기둥의 설계에 고려되어야 하며 특수한 목적을 가진 기둥을 설계할 때에는 다른 참고문헌을 참조해야 한다.

이들 공식을 사용하여 기둥을 설계할 때에는 시행착오법으로 계산한다. 축방향압축응력을 알면 먼저 허용응력 σ_{allow}를 계산한 다음 개략적으로 소요 단면적을 계산한다. 그런 다음 가용한 치수를 가진 표로부터 단면을 선택한다. 선택한 단면이 하중을 지지하기에 적당한가를 알아보기 위해 적절한 설계공식을 사용하여 검사한다. 만일 부당하다고 판명되면 좀더 큰 단면을 택하여 이와 같은 과정을 반복한다. 만일 단면이 너무 크게 설계된 경우에는 보다 가벼운 단면을 택하여 다시 검사해야 한다.

구조용강 축하중을 받는 구조용강기둥을 설계하기 위해서 구조안정연구회(SSRC: Structural Stability Research Council)가 최근 일반적으로 사용되는 설계공식을 제안하였다.[*] SSRC

---

[*] 구조안정연구회는 1944년 기둥연구회(Column Reserach Council: CRC)로서 설립되었다. 금속구조물에 대한 안정설계기준안내서를 출판하는데(참고문헌 9-8), 이것은 금속기둥을 설계하는 모든 사람이 참고해야 한다.

공식으로부터 기둥의 최대응력 또는 임계응력을 구한다(즉 기둥이 견딜 수 있는 확정된 최대하중을 단면적으로 나눈 응력).

세장비 L/r이 클 때 Euler 하중에 근거를 두고 구한 최대응력은

$$\sigma_{\max} = \frac{\pi^2 E}{(KL/r)^2} \tag{a}$$

이며 유효길이 KL[식 (9-14), (9-15) 참조]은 여러 가지 다른 단부조건에도 적용할 수 있도록 하기 위해 사용되었다. 식 (a)는 앞에서 논의되었듯이 기둥의 응력이 비례한도 σ_{pl}을 넘지 않을 때에만 성립한다(그림 9-21). 구조용강에서는 비례한도가 항복응력 σ_y와 같다고 보통 가정한다. 그러나 압연단면(WF 단면과 같이)은 그 자체에 큰 잔류응력을 가진다. 즉 압축잔류응력은 항복응력의 반 정도의 큰 값을 가진다. 그러한 기둥에 대해서 비례한도는

$$\sigma_{pl} = \sigma_y - \sigma_{rc} = 0.5\sigma_y \tag{b}$$

이며 σ_{rc}는 기둥의 압축잔류응력을 나타내며 $0.5\sigma_y$와 같은 값이라고 가정한다.

식 (a)를 적용할 수 있는 최소세장비를 결정하기 위해서 $\sigma_{\max}$을 σ_{pl}[식 (b)]과 같이 두고 $(KL/r)_c$로 표시되는 KL/r에 대해서 푼다.

$$\left(\frac{KL}{r}\right)_c = \sqrt{\frac{2\pi^2 E}{\sigma_y}} \tag{9-40}$$

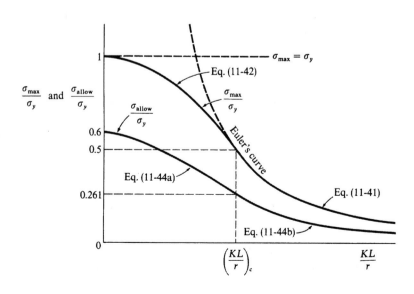

그림 9-26 구조용강기둥에 대한 설계공식

유효세장비(effective slenderness ratio)가 $(KL/r)_c$보다 같거나 큰 경우에는 언제나 임계응력에 대한 Euler 공식[식 (a)]을 사용할 수 있다. 위의 식[식 (a)]을 항복응력 σ_y로 나누어 무차원형태로 편리하게 표시하고 식 (9-40)을 대입하면 다음과 같다.

$$\frac{\sigma_{\max}}{\sigma_y} = \frac{\pi^2 E}{\sigma_y \left(\frac{KL}{r}\right)^2} = \frac{\left(\frac{KL}{r}\right)_c^2}{2\left(\frac{KL}{r}\right)^2} \quad \frac{KL}{r} \geq \left(\frac{KL}{r}\right)_c \tag{9-41}$$

위의 식은 Euler 곡선과 같이 그림 9-26에 그려져 있다.

$KL/r \leq (KL/r)_c$의 영역인 비탄성좌굴의 범위에 대해 최대응력은 포물선으로 주어진다.

$$\frac{\sigma_{\max}}{\sigma_y} = 1 - \frac{\left(\frac{KL}{r}\right)^2}{2\left(\frac{KL}{r}\right)_c^2} \quad \frac{KL}{r} \leq \left(\frac{KL}{r}\right)_c \tag{9-42}$$

위의 실험공식도 그림 9-26에 그려져 있다. 곡선은 $KL = 0$에서 수평접선이며 이때 $\sigma_{\max}$값은 σ_y와 같은 값을 가진다. $(KL/r) = (KL/r)_c$인 점에서 곡선은 Euler 곡선과 원활하게 합쳐진다(두 곡선은 만나는 점에서 같은 기울기를 가진다).

구조용강 설계의 명세서(specification)를 마련하는 조직인 미강구조협회(AISC[*])는 SSRC가 제안한 $\sigma_{\max}$에 대한 공식을 채택했다. 허용응력을 구하기 위해서 AISC는 최대응력을 다음의 안전계수로 나눌 것을 제안했다.

$$n_1 = \frac{5}{3} + \frac{3\left(\frac{KL}{r}\right)}{8\left(\frac{KL}{r}\right)_c} - \frac{\left(\frac{KL}{r}\right)^3}{8\left(\frac{KL}{r}\right)_c^3} \qquad \frac{KL}{r} \leq \left(\frac{KL}{r}\right)_c \tag{9-43a}$$

$$n_2 = \frac{23}{12} \approx 1.92 \qquad \frac{KL}{r} \geq \left(\frac{KL}{r}\right)_c \tag{9-43b}$$

따라서 안전계수는 $KL/r = 0$에서 5/3가 되며 점점 증가하여 $(KL/r) = (KL/r)_c$에서 23/12이 된다. 좀더 높은 세장비에 대해서, 안전계수는 그 값에서 일정하다. 허용응력에 대한 AISC 공식은 최대응력 $\sigma_{\max}$을 적당한 안전계수로 나누어 줌으로써 구한다. 따라서

---

[*] AISC 시방서는 참고문헌 5-5에 있다.

$$\frac{\sigma_{\text{allow}}}{\sigma_y} = \frac{1}{n_1}\left[1 - \frac{\left(\dfrac{KL}{r}\right)^2}{2\left(\dfrac{KL}{r}\right)_c^2}\right] \qquad \frac{KL}{r} \leq \left(\frac{KL}{r}\right)_c \qquad (9\text{-}44a)$$

$$\frac{\sigma_{\text{allow}}}{\sigma_y} = \frac{\left(\dfrac{KL}{r}\right)^2}{2n_2\left(\dfrac{KL}{r}\right)^2} \qquad \frac{KL}{r} \geq \left(\frac{KL}{r}\right)_c \qquad (9\text{-}44b)$$

가 된다. 허용응력에 대한 위의 식은 그림 9-26에 그려져 있다. 이들은 USCS 단위 또는 SI 단위로 사용할 수 있다. AISC 명세서가 허용하는 KL/r의 최대값은 200이며 또한 탄성계수는 29×10^6 psi로 제안한다. 끝으로 AISC는 $(KL/r)_c$ 대신 기호 C_c, σ_{allow} 대신 F_a, σ_y 대신 F_y를 사용한다는 것에 주의하라.

알루미늄. 알루미늄기둥의 설계는 알루미늄협의회(Aluminum Association; 참고문헌 5-6)의 명세서를 따르며 구조용강기둥의 설계와 유사하다. Euler 곡선은 세장비가 큰 경우에만 사용되며 세장비가 작은 경우는 두 개의 직선, 수평선과 경사선이 사용된다(그림 9-27). 단주, 중간주, 장주를 구분하는 세장비를 S_1, S_2라 표시한다. 허용응력에 대한 공식은 다음과 같다.

$$\sigma_{\text{allow}} = \frac{\sigma_y}{k_c n_y} \qquad\qquad 0 \leq \frac{L}{r} \leq S_1 \qquad (9\text{-}45a)$$

$$\sigma_{\text{allow}} = \frac{1}{n_u}\left(B_c - D_c \frac{L}{r}\right) \qquad S_1 \leq \frac{L}{r} \leq S_2 \qquad (9\text{-}45b)$$

$$\sigma_{\text{allow}} = \frac{\pi^2 E}{n_u\left(\dfrac{L}{r}\right)^2} \qquad\qquad S_2 \leq \frac{L}{r} \qquad (9\text{-}45c)$$

위의 식에서 길이 L은 수평지지점 사이의 거리 혹은 외팔기둥(cantilever column)길이의 두 배로 정의한다. 그러므로 L을 유효길이라고 해도 무방하다. 응력 σ_y는 압축항복응력 (0.2% offset), k_c는 상수, n_y는 항복응력에 대한 안정계수, n_u는 극한응력에 대한 안전계수이며 B_c, D_c, S_1, S_2는 상수이다. 이들의 값은 합금, 경도, 용도에 따라 다르다. 여러 가지 알루미늄 합금과 경도에 대해서 알루미늄협의회 명세서는 재료에 따라 여러 상수에 대한 표 (table)를 제공한다.

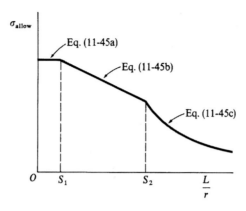

그림 9-27 알루미늄기둥에 대한 설계공식

한 예로서 다음은 건축과 구조물에 사용되는 합금에 대한 전형적인 공식이다.

1. 2012-T6 합금

$$\sigma_{\text{allow}} = 192920 \text{ kPa} \qquad\qquad 0 \le \frac{L}{r} \le 12 \qquad\qquad (9\text{-}46a)$$

$$\sigma_{\text{allow}} = 30.7 - 1584.7\left(\frac{L}{r}\right) \text{kPa} \quad 12 \le \frac{L}{r} \le 55 \qquad\qquad (9\text{-}46b)$$

$$\sigma_{\text{allow}} = \frac{3720.6 \times 10^5 \text{ kPa}}{\left(\dfrac{L}{r}\right)^2} \qquad\qquad 55 \le \frac{L}{r} \qquad\qquad (9\text{-}46c)$$

2. 6061-T6 합금

$$\sigma_{\text{allow}} = 130910 \text{ kPa} \qquad\qquad 0 \le \frac{L}{r} \le 9.5 \qquad\qquad (9\text{-}47a)$$

$$\sigma_{\text{allow}} = 20.2 - 868.14\left(\frac{L}{r}\right) \text{kPa} \quad 9.5 \le \frac{L}{r} \le 66 \qquad\qquad (9\text{-}47b)$$

$$\sigma_{\text{allow}} = \frac{3513.9 \times 10^5 \text{ kPa}}{\left(\dfrac{L}{r}\right)^2} \qquad\qquad 66 \le \frac{L}{r} \qquad\qquad (9\text{-}47c)$$

이들 공식은 1.65에서 2.20 사이의 안전계수를 적용한 허용응력 값들을 준다.

목재. 목재 구조물부재의 설계는 국립산림생산협회(National Forest Products Association)에서 출판되는 목재건축표준설계명세서(National Design Specification for wood construction)에 의해 설계한다(참고문헌 5-8). 단주, 중주, 장주의 구형단면에 대한 목재

기둥의 허용응력에 관한 공식은 다음과 같다.

$$\sigma_{\text{allow}} = F_c \qquad\qquad 0 \le \frac{L}{d} \le 11 \qquad\qquad (9\text{-}48\text{a})$$

$$\sigma_{\text{allow}} = F_c\left[1 - \frac{1}{3}\left(\frac{L/d}{K}\right)^4\right] \qquad 11 < \frac{L}{d} \le K \qquad (9\text{-}48\text{b})$$

$$\sigma_{\text{allow}} = \frac{0.3E}{(L/d)^2} = \frac{2F_c}{3}\left(\frac{K}{(L/d)}\right)^2 \qquad K \le \frac{L}{d} \le 50 \qquad (9\text{-}48\text{c})$$

응력 F_c는 하중이 작용하는 기간과 다른 부가조건들에 대해서 수정된 것으로서 나무결에 평행한 압축응력의 설계값이다. 구조물부재에 대한 F_c의 대표적인 값은 700에서 1,800 사이에 존재한다. 세장비 L/d은 좌굴이 주평면(principal plane) 내에서 일어날 때 기둥의 유효길이 L을 동일평면의 단면치수 d로 나눈 값이다. 계수 K는 중주와 장주를 구분하는 세장비를 나타낸다.

$$K = \sqrt{\frac{0.45E}{F_c}} \qquad\qquad (9\text{-}49)$$

K의 값은 보통 18에서 30 사이에 존재한다. 탄성계수 E는 압축응력 F_c와 같이 목재의 종류와 등급에 따라 변하지만 전형적인 값은 1×10^6에서 12402×10^6 Pa 사이에 존재한다. 식 (9-48a, b, c)의 그래프는 $E/F_c = 1,500$에 대해서 그림 9-28에 그려져 있다. 식 (9-48)

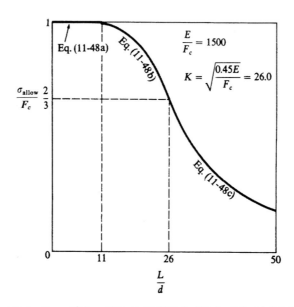

그림 9-28 $E/F_c = 1500$의 구형목재기둥에 대한 설계공식

은 USCS 또는 SI 단위로 쓸 수 있다.

 강, 알루미늄, 목재에 대한 기둥공식은 문제를 풀기 위해 쓰인다. 그러나 이들 공식은 기둥의 완벽한 설계과정의 단지 일부분에 지나지 않기 때문에 실제 기둥의 설계에 미숙한 사람이 사용해서는 안된다. 시방서와 건축규약들로부터 채택한 모든 설계공식은 충분한 지식을 갖고 정확하게 판단하여 사용해야 한다. 건축규약에 맞는 많은 구조물이 있으나 그럼에도 불구하고 붕괴되거나 파괴된다. 더욱이 규약은 여기서 설명되지 않은 많은 부가적인 한계를 설명하고 있다.

문제

9.1절에 대한 문제는 봉이 강체이고 스프링은 탄성적이며 처짐과 회전각은 미소하다는 가정하에서 풀어라.

9.9-1 그림과 같은 봉-스프링계의 임계하중 P_{cr}을 결정하라. 봉은 B에서 자유단이고 A는 강성도 α의 회전스프링에 의해 지지된다. 즉 $M=\alpha\theta$, 여기서 M은 스프링에 작용하는 모멘트이고 θ는 회전각이다.

9.1-2, 9.1-3, 9.1-4, 9.1-5 그림과 같은 봉-스프링계의 임계하중 P_{cr}을 결정하라.

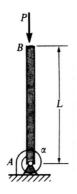

문제 9.1-1

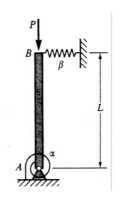

문제 9.1-2

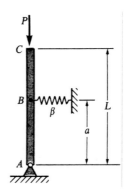

문제 9.1-3

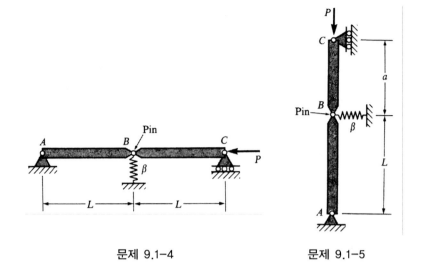

문제 9.1-4   문제 9.1-5

9.2절에 대한 문제는 이상적이고 가늘고 길며 균일단면의 탄성기둥이라는 가정하에서 풀어라. 좌굴은 다른 말이 없으면 그림이 그려진 평면에서 발생한다.

9.2-1 길이 $L = 4.27\,\text{m}$, $E = 2.067 \times 10^{11}\,\text{Pa}$인 $W10 \times 45$ 강기둥의 임계하중을 계산하라. 기둥은 양단 핀연결기둥이며 좌굴은 임의의 방향으로 일어날 수 있다.

9.2-2 앞의 문제를 길이 $L = 7.32\,\text{m}$인 $W12 \times 87$ 강기둥에 대해서 풀어라.

9.2-3 양단 핀연결기둥이 축하중 $P = 1023.5\,\text{kN}$을 받으며 좌굴에 대한 안전계수는 $n = 2.5$이다. 기둥의 길이는 $L = 4.27\,\text{m}$이며 좌굴은 임의의 방향으로 일어날 수 있다. 부록에 있는 표 E-1에서 위의 하중을 지지할 수 있는 가장 가벼운 강 WF단면($E = 2.067 \times 10^{11}\,\text{Pa}$)을 결정하라.

9.2-4 앞의 문제를 하중이 $P = 1246\,\text{kN}$이고 길이가 $L = 4.88\,\text{m}$인 기둥에 대해서 풀어라.

9.2-5 길이가 $L = 2\,\text{m}$인 양단 핀연결된 알루미늄지주($E = 73\,\text{GPa}$)가 바깥지름이 $d = 50\,\text{mm}$인 원통관으로 제작되었다. 지주는 축하중 $P = 14\,\text{kN}$을 지지해야 하며 좌굴에 대한 안전계수는 $n = 2$이다. 관의 소요두께 t를 결정하라.

9.2-6 앞의 문제를 길이가 $L = 7.32\,\text{m}$이고 바깥지름이 $d = 139.7\,\text{mm}$이며 하중이 $P = 124.6\,\text{kN}$인 강관($E = 2.067 \times 10^{11}\,\text{Pa}$)에 대해서 풀어라.

9.2-7 그림과 같이 기둥의 단면이 강으로 된 I형단면($S6 \times 12.5$ 단면)으로 구성되어 있다. 각 부재는 하나의 기둥으로 작용하도록 간격봉(spaced bar: 점선으로 표시)으로 연결되어 있다. 기둥은 핀연결되어 있으며 임의의 방향으로 좌굴이 일어날 수 있다. $E = 2.067 \times 10^{11}\,\text{Pa}$, $L = 3.965\,\text{m}$라고 할 때 기둥의 임계하중 P_{cr}을 계산하여라.

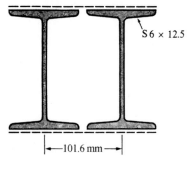

문제 9.2-7

9.2-8 길이가 $L = 3.05\,\mathrm{m}$인 등변앵글단면(equal-leg angle section)이 핀연결지주로 사용된다. 앵글은 각 단에서만 지지되어 있으므로 임의의 방향으로 좌굴이 일어날 수 있다. 앵글에 작용하는 축하중은 $P = 80.1\,\mathrm{kN}$이고 좌굴에 대한 안전계수는 $n = 2.5$이다. 부록 E에 있는 표 E-4에서 위의 조건을 만족하는 가장 가벼운 강앵글단면($E = 2.067 \times 10^{11}\,\mathrm{Pa}$)을 결정하라.

9.2-9 앞의 문제를 $L = 2.44\,\mathrm{m}$이고 $P = 89\,\mathrm{kN}$인 앵글에 대해서 풀어라.

9.2-10 동일한 재료로 된 세 개의 양단 핀연결기둥의 길이와 단면적이 같다. 기둥은 임의의 방향으로 좌굴이 일어날 수 있다. 기둥의 단면이 (1) 등변삼각형, (2) 정사각형, (3) 원형일 때 각 단면에 대해서 임계하중의 비 $P_1 : P_2 : P_3$를 결정하라.

9.2-11 단면의 치수가 b와 h인 구형기둥이 A와 C단에서 핀지지되어 있다(그림 참조). 기둥은 중앙에서 그림이 그려진 평면 내로 구속되어 있으나 그림이 그려진 평면의 연직방향으로는 자유로이 휠 수 있다(A와 C단은 제외). 기둥의 두 개의 주평면 내에서 일어나는 좌굴에 대한 임계하중이 동일하게 되는 비 h/b를 결정하라.

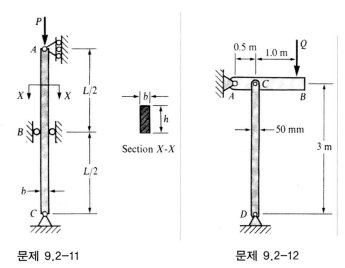

문제 9.2-11   문제 9.2-12

9.2-12 수평봉 *AB*가 그림과 같이 핀연결기둥 *CD*에 의해 지지되어 있다. 기둥은 정사각단면(각 변의 길이가 50 mm)으로 된 강봉이다. 기둥의 좌굴에 대한 안전계수가 $n = 3$일 때 허용하 중 *Q*를 계산하라.

9.2-13 그림과 같이 수평봉 *AB*가 *A*단에서 핀지지되어 있으면서 *B*단에서 하중 *Q*를 받고 있다. 길이가 *L*인 두 개의 동일한 핀연결기둥이 *C*와 *D*에 지지되어 있다. 각 기둥의 굽힘강성도 (flexural rigidity)는 *EI*이다. 기둥의 좌굴에 의해서 계가 붕괴되는 하중 *Q*를 구하라.

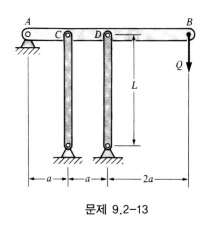

문제 9.2-13

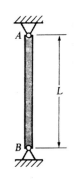

문제 9.2-14

9.2-14 핀연결된 가늘고 긴 봉 *AB*가 움직이지 않는 지지점 사이에 고정되어 있다(그림 참조). 봉 이 얼마만한 온도 ΔT만큼 상승해야 좌굴이 일어나겠는가?

9.2-15 가늘고 긴 기둥 *ABC*가 *A*와 *C*단에서 핀연결되어 있고 축하중 *P*에 의해서 압축을 받고 있 다(그림 참조). 중앙점 *B*에서 수평지지에 의해 그림이 그려져 있는 평면 내에서 처지지 못 하도록 되어 있다. 그러나 *A*와 *C*단에서만 그림이 그려져 있는 평면의 연직방향으로 처지 지 못하도록 되어 있다. 기둥은 $E = 2.067 \times 10^{11}$ Pa인 강 WF단면($W14 \times 82$)으로 되어 있 다. 기둥이 도심주축(principal centroidal axis) 1-1 혹은 2-2에 대해서 좌굴이 일어날 수 있다고 생각하고 안전계수가 $n = 2$일 때 허용하중 *P*를 계산하라.

9.2-16 핀연결된 트러스 *ABC*(그림 참조)가 동일 재료, 동일단면적을 갖는 두 개의 봉으로 구성되 어 있다. 하중 *P*가 *AB*의 연장선과 θ의 각도로 점 *B*에 작용한다. 각 θ는 0°에서 90° 사이 로 변할 수 있다. 붕괴가 봉의 좌굴에 의해서 발생한다고 가정하고 하중 *P*의 최대값을 각 θ에 대한 공식으로 유도하라.

*9.2-17 그림과 같이 트러스 *ABC*가 점 *B*에서 하중 *W*를 받고 있다. 부재 *AB*의 길이 L_1은 고정 되어 있으나 지주 *BC*의 길이는 각 θ가 변함에 따라 변한다. 지주 *BC*는 실원형단면이다. 붕괴는 지주의 좌굴에 의해서 발생한다고 가정하고 지주의 최소무게에 대한 각 θ를 결정 하라.

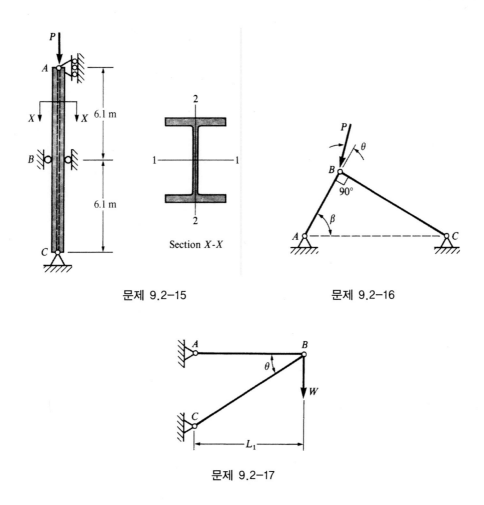

문제 9.2-15

문제 9.2-16

문제 9.2-17

9.3절에 대한 문제는 이상적이고 가늘고 길며, 균일단면의 탄성기둥이라는 가정하에서 풀어라. 좌굴은 다른 말이 없으면 그림이 그려진 평면에서 발생한다.

9.3-1 $W12 \times 87$ 모양의 강 WF 기둥($E = 2.067 \times 10^{11}$ Pa)의 길이가 $L = 9.15$ m 이다. 양단에만 지지되어 있어서 임의의 방향으로 좌굴이 일어날 수 있다. 다음 단부조건에 대해서 임계하중 P_{cr} 을 계산하여라. (1) 양단 핀연결, (2) 고정-자유단, (3) 고정-핀연결단, (4) 양단고정.

9.3-2 앞의 문제를 길이가 $L = 7.625$ m 인 $W10 \times 60$ 단면에 대해서 풀어라.

9.3-3 문제 9.3-1을 길이가 $L = 3$ m 인 중공원형단면의 알루미늄기둥($E = 70$ GPa)에 대해서 풀어라. 기둥의 안지름과 바깥지름은 각각 130 mm, 150 mm이다.

9.3-4 관형기둥 AB가 하단이 고정단이고 상단이 수평봉과 핀연결되어 있는 상태에서 하중 $Q = 200$ kN을 받고 있다(그림 참조). 바깥지름이 100 mm이고 좌굴에 대한 소요 안전계수가

$n=3$일 때 관의 소요두께 t를 결정하라. 관은 $E=72\,\mathrm{GPa}$의 알루미늄으로 만들어져 있다.

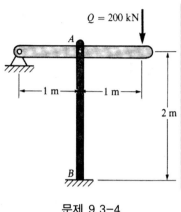

문제 9.3-4

9.3-5 그림과 같이 수평봉이 기둥 AB와 CD에 의해서 지지되어 있다. 각 기둥의 상단은 수평봉과 핀연결되어 있으나 지지점 A는 고정단이고 D는 핀연결되어 있다. 두 기둥 모두 폭이 $15\,\mathrm{mm}$인 정사각형단면을 가진 강실봉(solid steel bar: $E=200\,\mathrm{GPa}$)으로 되어 있다. (a) $a=0.4\,\mathrm{m}$일 때 하중 Q의 임계값을 구하라. (b) 거리 a가 0에서 $1\,\mathrm{m}$ 사이로 변할 때 Q_{cr}의 최대값은 얼마인가? 이에 대응하는 a의 값은 얼마인가?

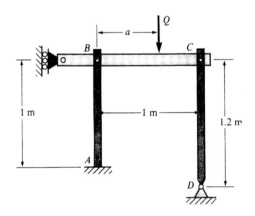

문제 9.3-5

9.3-6 처짐곡선의 미분방정식을 풀어서 양단고정기둥에 대한 임계하중과 좌굴형식곡선의 방정식을 결정하라(그림 9-13 참조).

*9.3-7 처짐곡선의 미분방정식을 풀어서 하단이 고정단이고 상단이 강성도(stiffness) β의 선형탄성스프링에 의해 지지되어 있는 기둥에 대한 다음과 같은 좌굴방정식을 구하여라(그림 참조).

$$\tan kL - kL + k^3 L^3 \left(\frac{EI}{\beta L^3}\right) = 0$$

또 $\beta = 3EI/L^3$가 되는 특수한 경우에 대해서 임계하중 P_{cr}을 계산하라.

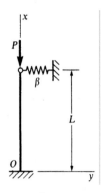

문제 9.3-7

9.4절에 대한 문제는 이상적이고 가늘고 길며 균일단면의 탄성기둥이라는 가정하에서 풀어라. 굽힘은 다른 말이 없으면 그림이 그려진 평면에서 발생한다.

9.4-1 그림 9-15(b)와 같이 편심축하중을 받는 기둥에서 굽힘모멘트 M에 대한 방정식을 구하라. 축하중이 $P = 0.25P_{cr}$일 때 이 기둥의 굽힘모멘트 선도를 그려라.

9.4-2 그림과 같이 하단이 고정단이고 상단이 자유단인 기둥이 있다. 압축력 P가 기둥의 축으로 부터 편심거리 e만큼 떨어진 곳에서 기둥의 꼭대기에 작용한다. 미분방정식을 이용해서 다음을 유도하라. (a) 기둥의 최대처짐 δ (b) 기둥에 작용하는 최대굽힘모멘트 M_{max}

문제 9.4-2

9.4-3 정사각형단면($50\,\mathrm{mm} \times 50\,\mathrm{mm}$)이고 길이가 $L = 2\,\mathrm{m}$인 강봉이 편심압축하중 $P = 60\,\mathrm{kN}$을 받고 있다[그림 9-15(a) 참조]. 힘은 한 변의 중앙에서 단면의 가장자리에 작용한다. $E = 210\,\mathrm{GPa}$이라고 가정하고 봉의 최대처짐 δ와 최대굽힘모멘트 M_{max}을 계산하라.

9.4-4 구형단면(30 mm×60 mm)이고 길이가 $L=1.0$ 미인 알루미늄봉이 편심축하중 $P=15$ kN 을 받고 있다[그림 9-15(a) 참조]. 힘은 단면의 긴 가장자리의 중앙에 작용한다. $E=70$ GPa 이라 가정하고 봉의 최대처짐 δ와 최대굽힘모멘트 M_{max}을 계산하라.

9.4-5 정사각형단면의 중공상자형 알루미늄기둥이 하단은 고정단이고 상단은 자유단이다(그림 참조). 하중 $P=200$ kN이 한 변의 중앙에서 기둥의 외곽 가장자리에 작용한다. 상단에서의 처짐이 120 mm를 넘지 않을 기둥의 최장길이 L은 얼마인가?($E=700$ GPa이라 가정하라.)

9.4-6 기둥으로 사용된 I형강보($S8 \times 23$단면)가 그림에 나타난 바와 같이 1-1축상에서 하중 P를 지지하고 있다. 기둥은 하단이 고정단이고 상단이 자유단이며 길이가 4.27 m이다. $E=2.067 \times 10^8$ kPa라 가정하고 기둥 내에 최대굽힘모멘트 4.52 kN-m를 발생시키는 하중 P를 결정하라.

9.4-7 앞의 문제를 7.91 kN-m의 최대굽힘모멘트가 생길 때 4.88 m인 $S10 \times 35$단면에 대해서 풀어라.

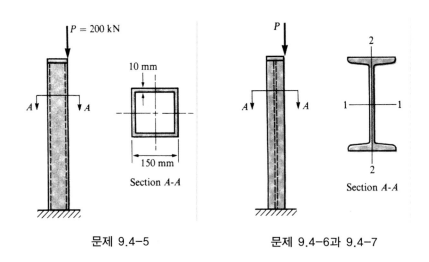

문제 9.4-5   문제 9.4-6과 9.4-7

9.5절에 대한 문제는 이상적이고 가늘고 길며 균일단면의 탄성기둥이라는 가정하에서 풀어라. 굽힘은 다른 말이 없으면 그림이 그려진 평면에서 발생한다.

9.5-1 각 변의 폭이 $b=50.8$ mm인 정사각형단면을 가진 강봉($E=2.067 \times 10^8$ kPa)이 있다(그림 참조). 봉은 길이가 $L=1.83$ m이며 핀연결된 기둥이다. (a) 봉이 도심축하중 P를 받는다고 가정한다. 하중 P가 임계하중에 도달할 때 봉에 작용하는 임계응력 σ_{cr}은 얼마인가? (b) 하중 $P=44.5$ kPa가 한 변의 중앙에 작용한다면($e=25.4$ mm) 봉에 작용하는 최대응력 σ_{max}은 얼마인가? (c) 25.4 mm의 편심거리를 가지고 한 변의 중앙에 하중이 작용할 때 최대응력이 $\sigma_1=103.35$ MPa이 되게 하는 하중 P_1은 얼마인가?

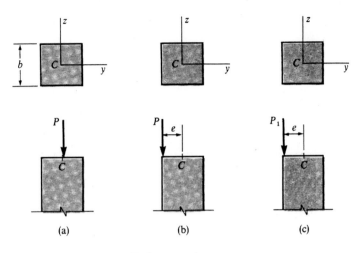

문제 9.5-1과 9.5-2

9.5-2 각 변의 폭이 $b = 40\,\text{mm}$ 인 정사각형단면을 가진 강봉($E = 200\,\text{GPa}$)이 있다(그림 참조). 봉은 길이가 $L = 1.5\,\text{m}$ 이며 핀연결된 기둥이다. (a) 봉이 도심축하중 P를 받는다고 가정한다. 하중 P가 임계하중에 도달할 때 봉에 작용하는 임계응력 σ_{cr}은 얼마인가? (b) 하중 $P = 20\,\text{kN}$이 한 변의 중앙에 작용한다면($e = 20\,\text{mm}$) 봉에 작용하는 최대응력 σ_{max}은 얼마인가? (c) 20 mm의 편심거리를 가지고 한 변의 중앙에 하중이 작용할 때 최대응력이 100 MPa이 되게 하는 하중 P는 얼마인가?

9.5-3 길이가 $L = 1.525\,\text{m}$ 인 핀연결된 기둥이 안지름이 $d_1 = 50.8\,\text{mm}$ 바깥지름이 $d_2 = 55.8\,\text{mm}$ 인 강관($E = 2.607 \times 10^8\,\text{kPa}$)으로 제작되었다(그림 참조). 압축하중 P가 관의 벽 중앙에 작용한다($e = 26.67\,\text{mm}$). (a) 하중이 $P = 11125\,\text{N}$라면 관에 작용하는 최대응력 σ_{max}은 얼마인가? (b) 재료의 항복에 대한 안전계수가 $n = 2$라고 한다면 소요허용하중 P_{allow}은 얼마인가?($\sigma_y = 248040\,\text{kPa}$라 가정하라).

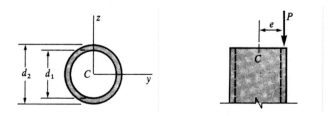

문제 9.5-3과 9.5-4

9.5-4 길이가 $K = 2\,\text{m}$ 인 핀연결된 기둥이 안지름이 $d_1 = 60\,\text{mm}$ 바깥지름이 $d_2 = 70\,\text{mm}$ 인 강관($E = 210\,\text{GPa}$)으로 제작되었다(그림 참조). 압축하중 P가 관의 벽 중앙에 작용한다($e =$

2.5 mm). (a) 하중이 $P = 12$ kN이라면 관에 작용하는 최대응력 σ_{max}은 얼마인가? (b) 재료의 항복에 대한 안전계수가 $n = 2$라고 한다면 소요 허용하중 P_{allow}는 얼마인가? ($\sigma_y = 250$ MPa 이라 가정하라).

9.5-5 길이가 $L = 3.66$ m인 강관($E = 2.067 \times 10^8$ kPa)이 하단이 고정단이고 상단이 핀연결되어 있다. 관의 안지름과 바깥지름이 각각 76.2 mm, 88.9 mm이다. 추정 편심비가 $ec/r^2 = 0.25$인 압축하중 P가 작용한다. (a) 하중이 $P = 89$ kN이라면 관에 작용하는 최대응력 σ_{max}은 얼마인가? (b) 재료의 항복에 대한 안전계수가 $n = 2.0$이라고 하고 허용하중 P_{allow}를 결정하라($\sigma_y = 2.48 \times 10^8$ kPa라 가정하라).

9.5-6 길이가 $L = 3.5$ m인 강봉($E = 200$ GPa)이 하단이 고정단이고 상단이 핀연결되어 있다. 관의 안지름과 바깥지름이 각각 75 mm, 90 mm이다. 추정 편심비가 $ec/r^2 = 0.5$인 압축하중 P가 작용한다. (a) 하중이 $P = 100$ kN이라면 관에 작용하는 최대응력 σ_{max}은 얼마인가? (b) 재료의 항복에 대한 안전계수가 $n = 2.5$라 하고 허용하중 P_{allow}를 결정하라($\sigma_y = 250$ MPa이라 가정하라).

9.5-7 양단 핀연결되어 있고 길이가 $L = 4.88$ m인 강기둥($E = 2.067 \times 10^8$ kPa)이 $W8 \times 35$ WF단면으로 제작되어 있다(그림 참조). 편심거리 $e = 63.754$ mm를 가지고 축 2-2상에 압축하중 P가 작용한다. (a) $P = 445$ kN이라 하고 기둥에 작용하는 최대압축응력 σ_{max}을 결정하라. (b) $\sigma_y = 2.48 \times 10^8$ kPa라고 하면 재료의 항복을 일으키는 하중 P_y는 얼마인가?

9.5-8 하단이 고정단이고 상단이 자유단인 강기둥($E = 2.067 \times 10^8$ kPa)이 $W10 \times 60$ WF단면으로 제작되어 있다(그림 참조). 기둥의 길이는 3.66 m이다. 편심거리 $e = 50.8$ mm를 가지고 축 2-2상에 압축하중 P가 작용한다. (a) $P = 534$ kN이라 하고 기둥에 작용하는 최대압축응력 σ_{max}을 결정하라. (b) $\sigma_y = 289380$ kPa이고 재료의 항복에 대한 안전계수가 $n = 2.0$일 때 허용하중 P_{allow}를 결정하라.

9.5-9 길이가 $L = 91.5$ m인 핀연결기둥이 $W14 \times 53$ WF단면의 강($E = 2.067 \times 10^8$ kPa)으로 제작되어 있다(그림 참조). 기둥은 도심축하중 $P_1 = 667.5$ kN과 기둥의 가장자리의 축 2-2상에 작용하는 편심하중 $P_2 = 267$ kN을 받고 있다. (a) 기둥에 작용하는 최대압축응력 σ_{max}을 계산하라. (b) $\sigma_y = 248.04$ MPa이라고 하면 재료의 항복에 대한 안전계수는 얼마인가?

9.5-10 길이가 $L = 9.76$ m인 핀연결기둥이 $W12 \times 50$ WF단면의 강($E = 2.067 \times 10^8$ kPa)으로 제작되어 있다(그림 참조). 기둥은 도심축하중 $P_1 = 623$ kN과 기둥의 가장자리의 축상 2-2에 작용하는 편심하중 $P_2 = 222.5$ kN을 받고 있다. (a) 기둥에 작용하는 최대압축응력 σ_{max}을 계산하라. (b) $\sigma_y = 289380$ kPa이라고 하면 재료의 항복에 대한 안전계수는 얼마인가?

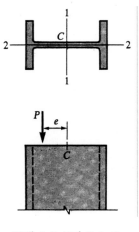

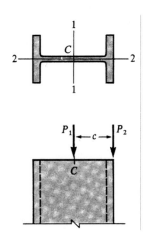

문제 9.5-7과 9.5-8   문제 9.5-9와 9.5-10

9.5-11 $W16 \times 57$ 강단면이 핀지지된 기둥으로 사용된다. 축 1-1상에 작용하는 편심축하중 $P = 890$ kN을 받고 있으며 따라서 좌굴은 1-1평면에서 일어난다(그림 참조). 강은 탄성계수가 $E = 2.067 \times 10^8$ kPa이고 항복응력이 $\sigma_y = 2.48 \times 10^8$ kPa이다. 또한 편심비를 $ec/r^2 = 0.2$라고 가정한다. 항복에 대한 소요 안전계수를 $n = 2.0$이라 하면 기둥이 가질 수 있는 최장길이 L은 얼마인가?

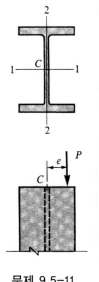

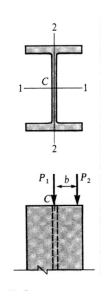

문제 9.5-11   문제 9.5-12

9.5-12 강기둥($W12 \times 87$ WF단면)이 양단 핀연결되어 있고 두 개의 하중을 받는다. 즉 도심 C에 작용하는 하중 P_1과 축 1-1상에서 도심으로부터 거리 $b = 190.5$ mm 떨어진 곳에 작용

하는 하중 P_2 이다(그림 참조). 기둥의 길이가 $L = 4.88\,\mathrm{mm}$, $E = 2.067 \times 10^8\,\mathrm{kPa}$, $\sigma_y = 289380\,\mathrm{kPa}$ 이다. $P_1 = 712\,\mathrm{kN}$ 이라고 하면 항복에 대한 안전계수를 2.5로 유지하기 위한 P_2 의 최대허용값은 얼마인가?

9.6절에 대한 문제는 이상적이고 가늘고 길며 정현곡선의 반파형으로 주어지는 초기처짐을 갖는 균일단면의 탄성기둥이라는 가정하에서 풀어라. 굽힘은 다른 말이 없으면 그림이 그려진 평면에서 일어난다.

9.6-1 정현곡선의 반파형의 초기처짐을 가지는 핀연결기둥을 생각하자[그림 9-20(a)와 식 (a)]. 처짐곡선의 미분방정식을 풀어서 이러한 기둥의 최대처짐 $\delta_{\max}$ 에 대한 식 (9-27)을 유도하라.

9.6-2 지름이 $d = 50.8\,\mathrm{mm}$ 이고 길이가 $L = 1016\,\mathrm{mm}$ 인 실원형알루미늄봉이 양단 핀지지되어 있다. 봉은 길이의 1/800에 해당하는 중앙에서의 초기처짐 a를 갖는다. 봉에 작용하는 축하중은 $P = 89\,\mathrm{kN}$ 이고 $E = 6890 \times 10^4\,\mathrm{kPa}$ 이다. (a) 봉에 작용하는 최대응력 $\sigma_{\max}$ 을 결정하라. (b) $\sigma_y = 275600\,\mathrm{kPa}$ 일 때 항복에 대한 안전계수 n을 결정하라.

9.6-3 지름이 $d = 40\,\mathrm{mm}$ 이고 길이가 $L = 0.8\,\mathrm{m}$ 인 실원형강봉($E = 200\,\mathrm{GPa}$)이 있다. 봉은 양단 핀연결되어 있고 길이의 1/500에 해당하는 중앙에서의 초기처짐을 갖는다고 가정한다. 봉에 작용하는 축하중은 $P = 100\,\mathrm{kN}$ 이다. (a) 항복에 대한 안전계수가 $n = 2$ 이고 $\sigma_y = 290\,\mathrm{MPa}$ 일 때 최대허용하중 P_{allow} 를 계산하라.

9.6-4 양단 핀연결되어 있고 길이가 $L = 4.575\,\mathrm{m}$ 인 $W10 \times 45$ 강기둥($E = 2.067 \times 10^8\,\mathrm{kPa}$)이 축하중 $P = 667.5\,\mathrm{kN}$ 을 받는다. 기둥은 각 단에서만 지지되어 있으므로 축 2-2에 대한 굽힘에 의해서 좌굴이 일어날 수 있다(그림 참조). 기둥은 길이의 1/900에 해당하는 중앙에서의 초기처짐을 갖는다고 가정한다($L/a = 900$). (a) 봉에 작용하는 최대응력 $\sigma_{\max}$ 을 결정하라. (b) $\sigma_y = 248040\,\mathrm{kPa}$ 일 때 항복에 대한 안전계수를 결정하라.

9.6-5 양단이 핀연결되어 있고 길이가 $L = 3.66\,\mathrm{m}$ 인 $W8 \times 35$ 강기둥($E = 2.067 \times 10^8\,\mathrm{kPa}$)이 축하중 $P = 445\,\mathrm{kN}$ 을 받고 있다. 기둥은 각 단에서만 지지되어 있으므로 축 2-2에 대한 굽힘에 의해서 좌굴이 일어날 수 있다(그림 참조). 기둥은 중앙에서 $7.62\,\mathrm{mm}$ 의 초기처짐을 갖는다고 가정한다. (a) 봉에 작용하는 최대응력 $\sigma_{\max}$ 은 얼마인가? (b) 항복에 대한 안전계수가 $n = 2.2$ 이고 $\sigma_y = 248040\,\mathrm{kPa}$ 일 때 최대허용하중 P_{allow} 은 얼마인가?

9.6-6 $L3 \times 3 \times 1/4$ 앵글단면이 양단 핀연결된 압축부재로 사용된다(그림 참조). 기둥은 각 단에서만 지지되어 있으므로 축 3-3에 대한 굽힘에 의해서 좌굴이 발생할 수도 있다. 앵글단면에 대한 자료는 다음과 같다. $L = 1.22\,\mathrm{mm}$, $E = 2.607 \times 10^8\,\mathrm{kPa}$, $\sigma_y = 248040\,\mathrm{kPa}$. 중앙에서의 초기처짐이 길이의 1/800이라고 가정한다. 항복에 대한 안전계수가 $n = 2$ 일 때 허용축하중 P_{allow} 를 계산하라.

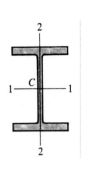

문제 9.6-4와 9.6-5

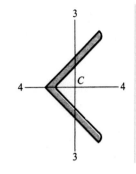

문제 9.6-6

9.9절에 대한 문제는 축하중이 기둥의 각 단에서 도심에 작용한다는 가정하에서 풀어라. 기둥은 각 단에서만 지지되어 있어서 임의방향으로 좌굴이 일어날 수 있다.

9.9-1 양단이 핀연결된 $W10 \times 45$ 강 WF 단면기둥에서 다음 각 길이에 대한 허용축하중 P를 결정하라. $L = 2.44\,\text{m}, 4.88\,\text{m}, 7.32\,\text{m}, 9.76\,\text{m}$ ($E = 1.9981 \times 10^8\,\text{kPa}, \sigma_y = 248.04\,\text{MPa}$이라 가정한다).

9.9-2 양단이 핀연결된 $W10 \times 60$ 강 WF 단면기둥에서 다음 각 길이에 대한 허용축하중 P를 결정하라. $L = 3.05\,\text{m}, 6.1\,\text{m}, 9.15\,\text{m}, 12.2\,\text{m}$ ($E = 1.9981 \times 10^8\,\text{kPa}, \sigma_y = 248.04\,\text{MPa}$이라 가정한다).

9.9-3 양단이 핀연결된 $W12 \times 50$ 강 WF 단면기둥에서 다음 각 길이에 대한 허용축하중 P를 결정하라. $L = 2.44\,\text{m}, 4.88\,\text{m}, 7.32\,\text{m}, 9.76\,\text{m}$ ($E = 1.9981 \times 10^8\,\text{kPa}, \sigma_y = 344.5\,\text{MPa}$이라 가정한다).

9.9-4 양단이 핀연결된 $W12 \times 87$ 강 WF 단면기둥에서 다음 각 길이에 대한 허용축하중 P를 결정하라. $L = 3.05\,\text{mt}, 6.10\,\text{m}, 9.15\,\text{m}, 12.2\,\text{m}$ ($E = 1.9981 \times 10^8\,\text{kPa}, \sigma_y = 344.5\,\text{MPa}$이라 가정한다).

9.9-5 양단이 핀연결되어 있고 바깥지름이 $1.3725\,\text{mm}$, 벽 두께가 $0.072285\,\text{m}$인 강관기둥에서 다음 각 길이에 대한 허용축하중 P를 결정하라. $L = 1.83\,\text{m}, 3.66\,\text{m}, 5.49\,\text{m}, 7.32\,\text{m}$ ($E = 1.9981 \times 10^8\,\text{kPa}, \sigma_y = 248.04\,\text{MPa}$이라 가정한다).

9.9-6 양단이 핀연결되어 있고 바깥지름이 $0.168\,\text{m}$, 벽 두께가 $0.011\,\text{m}$인 강관기둥에서 다음 각 길이에 대한 허용축하중 P를 결정하라. $L = 2.44\,\text{m}, 4.88\,\text{m}, 7.32\,\text{m}, 9.76\,\text{m}$ ($E = 1.9981 \times 10^8\,\text{kPa}, \sigma_y = 248.04\,\text{MPa}$이라 가정한다).

9.9-7 양단 핀연결되어 있고 바깥지름이 $140\,\text{mm}$, 벽 두께가 $7\,\text{mm}$인 강관기둥에서 다음 각 길이에 대한 허용축하중 P를 계산하라. $L = 2\,\text{m}, 4\,\text{m}, 6\,\text{m}, 8\,\text{m}$ ($E = 200\,\text{GPa}, \sigma_y = 250\,\text{MPa}$

이라 가정한다).

9.9-8 양단 핀연결되어 있고 바깥지름이 220 mm, 벽 두께가 12 mm인 강관기둥에서 다음 각 길이에 대한 허용축하중 P를 계산하라. $L = 2.5\,\text{m}, 5\,\text{m}, 7.5\,\text{m}, 10\,\text{m}$. ($E = 200\,\text{GPa}$, $\sigma_y = 250\,\text{MPa}$이라 가정한다).

9.9-9 양단 핀연결된 강관기둥이 축하중 $P = 93.45\,\text{kN}$을 지지하고 있다. 관의 바깥지름과 안지름이 각각 88.9 mm, 73.66 mm이다. $E = 1.9981 \times 10^8\,\text{kPa}$, $\sigma_y = 2.487\,\text{MPa}$일 때 기둥의 최장허용길이 L은 얼마인가?

9.9-10 양단 핀연결된 $W8 \times 28$ 강 WF 기둥이 축하중 P를 받고 있다. $P = 222.5\,\text{kN}$과 $P = 445\,\text{kN}$인 경우 각의 최장허용길이 L은 얼마인가?($E = 1.9981 \times 10^8\,\text{kPa}$, $\sigma_y = 248.04\,\text{kPa}$이라 가정한다).

9.9-11 양단 핀연결된 $W8 \times 35$ 강 WF 기둥이 축하중 P를 받고 있다. $P = 333.75\,\text{kN}$과 $P = 667.5\,\text{kN}$인 경우 각각의 최장허용길이 L은 얼마인가?($E = 1.8603 \times 10^8\,\text{kPa}$, $\sigma_y = 248.04\,\text{kPa}$이라 가정한다).

9.9-12 양단 핀연결된 실원형단면 강기둥에서 기둥이 축하중 $P = 800\,\text{kN}$을 지지해야 한다면 최소허용지름 d는 얼마인가?($E = 200\,\text{GPa}$, $\sigma_y = 250\,\text{MPa}$이라 가정한다).

9.9-13 양단 핀연결되어 있고 길이가 $L = 15\,\text{m}$인 정사각형단면을 가진 강기둥에서 기둥이 축하중 $P = 250\,\text{kN}$을 지지해야 한다면 최소허용폭 b는 얼마인가?($E = 200\,\text{GPa}$, $\sigma_y = 250\,\text{MPa}$이라 가정한다).

9.9-14 양단 핀연결된 알루미늄관기둥(2014-T6 합금)에서 다음 각 길이에 대한 허용축하중 P를 결정하라. $L = 1.22\,\text{m}, 2.44\,\text{m}, 3.66\,\text{m}, 4.88\,\text{m}$. 기둥의 바깥지름과 안지름은 각각 141.3 mm, 122.174 mm이다.

9.9-15 앞의 문제를 바깥지름이 168.27 mm, 안지름이 154.051 mm인 알루미늄관에 대해서 풀어라.

9.9-16 폭이 50.8 mm인 정사각형 알루미늄봉이 힘 P로서 압축을 받는다. 봉은 양단이 핀연결되어 있고 2014-T6 합금으로 제작되어 있다. $P = 400.5\,\text{kN}$과 $P = 133.5\,\text{kN}$인 경우 각각의 봉의 최장허용길이 L은 얼마인가?

9.9-17 양단 핀연결되어 있고 길이가 $L = 0.6\,\text{m}$인 실원형단면을 가진 알루미늄기둥에서 기둥이 축하중 $P = 53.4\,\text{kN}$을 지지해야 한다면 최소허용지름 d는 얼마인가?(2014-T6 합금이라 가정한다).

9.9-18 양단 핀연결된 152.4 mm × 152.4 mm 목재기둥(실측은 139.7 mm × 139.7 mm 이다. 부록 F 참조)에서 다음 각 길이에 대한 허용축하중 P를 결정하라. $L = 1.525\,\text{m}, 3.05\,\text{m}, 4.575\,\text{m}$,

6.1 m. ($E = 1.24 \times 10^{10}$ Pa, $F_c = 8268 \times 10^3$ Pa이라 가정한다).

9.9-19 양단 핀연결된 101.6 mm × 203.2 mm 목재기둥(실측은 88.9 mm × 184.15 mm 이다. 부록 F 참조)에서 다음 각 길이에 대한 허용축하중 P를 결정하라. $L = 1.83$ m, 2.44 m, 3.05 m, 3.66 m. ($E = 1.1024 \times 10^{10}$ Pa, $F_c = 6890 \times 10^3$ Pa이라 가정한다).

9.9-20 폭이 120 mm(실측)인 정사각형 목재기둥이 양단 핀연결되어 있다. 다음 각 하중에 대해서 기둥의 최장허용길이 L을 결정하라. $P = 90$ kN, 60 kN, 30 kN. ($E = 12$ GPa, $F_c = 8$ MPa이라 가정한다).

9.9-21 양단 핀연결되어 있고 길이가 3 m인 정사각형 목재기둥에서 기둥이 축하중 $P = 150$ kN을 지지해야 한다면 최소허용폭 b는 얼마인가? ($E = 12$ GPa, $F_c = 9$ MPa이라 가정한다).

Chapter 10

에너지법

10.1 서 론

10.2 가상일의 원리

10.3 단위하중법

10.4 상반정리

10.5 변형에너지와 공액에너지

10.6 변형에너지법

10.7 공액에너지법

10.8 Castigliano의 제2정리

10.9 보의 전단처짐

10.1 서 론

일과 변형에너지에 대한 개념은 앞의 장들에서 소개되었고, 선형탄성구조물이 축하중, 비틀림 및 굽힘작용을 받아서 일어나는 변화를 구조물 속에 저장되는 변형에너지의 값으로 표현하였다. 이제 가상일과 공액에너지를 포함한 부가적인 개념에 대하여 생각해 보자. 가상일의 원리는 단위하중법으로 유도되며, 이는 모든 종류의 구조물의 변위나 처짐을 구하는 매우 좋은 방법을 마련해 준다.* 변형에너지와 공액에너지를 이용하는 방법은 정정이거나 부정정, 선형이거나 비선형을 막론하고 모든 경우의 해석에 적용할 수가 있다. 이 장에서는 단지 단순한 트러스, 보 및 프레임에 대하여 논하였으나, 그 개념은 보다 복잡한 구조물에도 적용할 수가 있다. 따라서 고등구조해석을 위한 응용역학의 기본원리를 도입한 장이라고 볼 수 있다.

10.2 가상일의 원리

가상변위와 가상일의 원리는 정역학에서 정역학적 평형문제를 푸는데 사용하기 위해 통상 소개된다. '가상'이란 말은 어떤 양이 순전히 가정적이라는 것, 즉 실제적으로나 물리적 의미로는 존재하지 않는다는 것을 의미한다. 그러므로 **가상변위**라는 것은 어떤 구조시스템에 임의로 작용하는 가상적 변위이다. 즉 구조물에 작용하는 하중에 의해 생기는 처짐과 같은 실제변위가 아니다. 가상변위가 일어나는 동안 실제의 힘이 한 일을 **가상일**이라 부른다.

그림 10-1(a)와 같은 입자가 정역학적 평형을 이루고 있는 일군의 힘을 받고 있을 때, 임의의 방향으로 이행하는 가상변위를 입자에게 주었다고 가정하자. 그러면 이러한 가상변위가 일어나는 동안 이들 힘이 한 가상일은 이들 힘이 평형상태에 있으므로 0이 되어야 한다. 이와 같이 외관상으로 지극히 간단한 서술이 **가상변위의 원리**를 설명하고 있다. 정역학에서 보여 준 바와 같이 이 원리는 정역학 문제를 푸는데 보다 더 친숙한 방법인 평형방정식 대신에 사용될 수 있다.

또한 가상변위의 원리는 집중하중, 우력, 분포하중 등 일련의 하중의 작용에 의해 평형상

---

* 처짐은 하변형구조물의 한 점의 이행이다. 그러나 변위한 이행뿐만 아니라 회전도 포함하는 보다 일반적인 양이다.

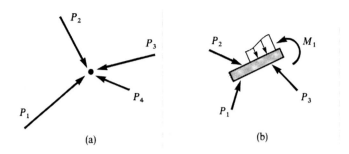

그림 10-1 가상일의 원리: (a) 입자의 경우 (b) 강체의 경우

태에 있는 강체에도 적용할 수 있다[그림 10-1(b)]. 강체에 임의의 방향으로의 이행이나 어떤 축에 대한 회전 또는 회전과 이행이 함께 일어나는 어떤 가상변위를 주었다고 하자. 어느 경우에나 강체가 평형상태에 있다면 이들 힘이 행한 가상일은 0이 된다. 통상 가상변위가 일어나는 동안 이들 힘의 작용선이 변하지 않도록 하기 위하여 가상변위를 매우 작은 변위로 제한해야 된다.[*]

구조해석에 사용하기 위해서는 이 가상변위의 원리를 변형이 일어나는 구조물의 경우도 포함하도록 확대시켜야 한다. 이러한 종류의 구조물을 위해서는 외력에 의한 가상일뿐만 아니라 내력이나 응력에 따르는 가상일도 고려해야 한다. 이것을 설명하기 위하여 그림 10-2(a)와 같은 구조물을 생각하자. 이 구조물은 집중하중, 굽힘우력, 비틀림우력, 분포하중 등으로 이루어진 가장 일반적인 형태의 하중이 부하되었다고 가정한다. 물론 구조물은 여러 하중의 작용하에서 정지상태에 있으며 또한 평형상태에 있다.

부재로부터 끊어낸 길이 dx인 요소의 왼쪽 면에 작용하는 힘들이 보여 주는 바와 같이 구조물의 임의의 단면에는 축력 N, 굽힘모멘트 M, 전단력 V, 비틀림우력 T 등의 형태를 갖는 합응력이 작용한다. 요소의 반대면에는 이러한 합응력이 미소량만큼 변하게 되므로 이들은 $N+dN$, $M+dM$, $V+dV$, $T+dT$로 표시된다.

이제 그림 10-2(a)의 구조물에 처짐의 모양이 약간 변하는 가상변형을 주었다고 가정하자.

이 가상변형은 임의의 방법으로 구조물에 주어지고 실제로 구조물에 작용하는 하중에 의해 생기는 실제의 처짐과는 완전히 무관하다. 실제의 처짐은 하중과 구조물의 성질에 의해 결정되는 한정된 크기를 갖는다. 그러나 가상변형은 실제하중의 작용하에서 이미 평형상태에 있는 구조물에 부가적으로 주어지는 변형을 나타낸다. 가상변위에 대한 유일한 제한은

---

[*] 가상변위의 원리는 John Bernoulli(1667~1748)에 의해 처음으로 이론화되었다(참고문헌 7-1 참조).

가상변형이 실제로 가능한 변형의 모양을 나타내야 한다는 것이다. 다시 말하면 처짐형상의 가상변화는 구조물의 지지조건에 적합한 것이 되어야 하며 구조물의 요소들 사이의 연속성을 유지해야 한다. 보에 주어지는 가상변형의 결과 보의 축상의 점들은 연직방향의 처짐과 같은 따위의 가상변위를 일으키게 될 것이다.

가상변형이 일어나는 동안 구조물의 각 요소는 새로운 위치로 옮아가게 되고 결국 처짐형상도 변하게 된다. 따라서 어떤 요소에 작용하는 힘들[그림 10-2(b)에서와 같은 합응력과 외부하중]은 가상일을 하게 된다. 이 가상일의 전체크기를 dW_e로 표시하자. 요소에서 일어나는 이 가상일은 다음과 같은 두 부분, 즉 (1) 강체로서의 변위(이행과 회전)에 의한 일 dW_r과 (2) 변형으로 인한 일 dW_d로 구성되어 있다고 볼 수 있다. 그러므로

$$dW_e = dW_r + dW_d$$

요소는 평형상태에 있으므로 요소에 강체로서의 변위가 일어나는 동안 외력과 내력이 하는 가상일 dW_r은 0이다. 그러므로 위의 식은 다음과 같이 된다.

$$dW_e = dW_d \tag{a}$$

이 식은 가상변위가 일어나는 동안 요소에 작용하는 모든 힘이 하는 가상일(강체변위로 인한 가상일과 요소변형으로 인한 가상일)은 다만 요소에 가상변형이 일어나는 동안 이들 힘이 하는 가상일과 같다는 것을 의미한다. 식 (a)에서 가상일의 항들을 구조물의 모든 요소에 대해 합하면

$$\int dW_e = \int dW_d \tag{b}$$

로 되며 적분은 구조물 전체에 대해 적용시킨 것이다.

여기서 식 (b)에 대한 간단한 설명이 필요하다. 방정식 좌변의 적분은 그림 10-2(b)에서

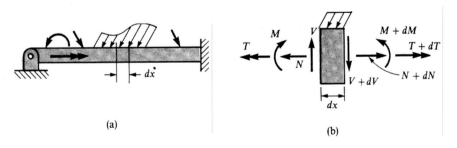

(a)　　　　　　　　　　(b)

그림 10-2 가상일의 원리의 유도

보여 준 것과 같은 요소의 모든 면에 작용하는 모든 힘, 즉 하중과 합응력들이 구조물에 가상 변형이 일어나는 동안에 한 전체 가상일을 표시한다. 그렇지만 각 요소의 양 단면은 인접 요소의 면들과 직접 접해 있다는 것을 유의해야 한다. 그러므로 어떤 요소에 작용하는 합응력이 하는 가상일은 인접요소에 작용하는 크기가 같고 방향이 반대인 합응력이 하는 가상일과 서로 상쇄된다. 오직 남게 되는 가상일은 요소의 외부경계[그림 10-2(b)에서 요소의 윗부분과 아랫부분]에 작용하는 외력이 한 일뿐이다. 그러므로 식 (b)의 좌변적분항은 구조물에 작용하는 외력이 하는 가상일과 같다. 이것을 **외부가상일**(external virtual work)이라고 부르고 W_{ext}로 표시한다.

식 (b)의 우변항은 요소의 변형에 관계되는 가상일을 적분하여 구한 것이다. 이 일은 요소에 작용하는 모든 힘, 즉 합응력과 외력의 영향을 포함한 것이다. 그러나 요소가 변형을 할 때에는(예를 들어, 늘어날 때) 합응력만이 일을 하게 된다. 따라서 실제로 식 (b)의 두 번째 항은 합응력만의 가상일을 나타낸다. 이 가상일은 합응력이 작용하는 요소가 가상변형을 일으킬 때 합응력이 하는 일과 같다. 모든 요소에 대해서 이 가상일을 합하여 얻은 일의 총량을 **내부가상일**(internal virtual work)이라 부르고 W_{int}로 나타낸다. 그러면 식 (b)는 다음과 같이 표시된다.

$$W_{ext} = W_{int} \tag{10-1}$$

이 식이 **가상일의 원리**(principle of virtual work)를 나타내며 다음과 같이 말할 수 있다:

> 만일 어떤 하중군의 작용하에 평형상태에 있는 변형이 가능한 구조물에 작은 가상변형을 주었다면 외부하중에 의한 가상일은 내력(또는 합응력)에 의한 가상일과 동일하다.

가상일의 원리는 구조해석에 가장 일반적으로 쓰이며 구조해석과 응용역학분야에 많이 적용되고 있다. 다음 절에서 이 원리를 처짐을 구하는 단위하중법을 유도하는데 이용하자. 그러나 이 원리를 사용하기 전에 다음과 같은 두 가지 면에 유의할 필요가 있다. 첫째, 가상변형이나 가상변위는 구조물의 지지조건에 적합해야 하고 또한 구조물의 연속성을 유지해야 한다. 둘째, 변형과 변위는 구조의 기하학적 형태가 변하지 않도록 충분히 작아야 하며, 계산에 있어서도 처음 형태에 기초하여야 한다. 이러한 제한을 제외하면 구조형상에 대한 임의의 가상변화를 구조물에 줄 수 있다. 그러나 이것을 실제하중에 의해 생기는 구조물의 변형된 형상과 혼동해서는 안된다. 마지막으로 이 원리의 전개를 돌이켜 볼 때 구조물의 재료의 성질에 대해서는 언급하지 않았다는 것을 알 수 있다. 그러므로 가상일의 원리는 재료의

거동이 선형적이거나 비선형적이거나 또는 탄성적이거나 비탄성적이거나를 막론하고 모든 구조물에 적용된다.

이제부터 식 (10-1)에 나타난 외부가상일과 내부가상일의 수치를 구하는 문제를 생각하자. 외부일 W_{ext}는 가상변위가 일어나는 동안 구조물에 작용하는 하중이 하는 일이다. 가상변위가 생길 때 이들 하중은 그들이 가진 원래의 크기 그대로 작용하고 있으므로 이들이 하는 가상일은 하중에다 변위를 곱한 것과 같다. 특히 집중하중에 의한 가상일은 하중에다 하중이 작용하는 점의 가상변위를 곱한 것과 같다. 이러한 경우 변위의 정의 방향은 힘의 정의 방향과 같은 방향으로 취해야 한다. 만일 하중이 우력인 경우에는 가상일은 우력의 모멘트에다 가상회전각을 곱한 것과 같다.

합응력에 의한 내부가상일 W_{int}를 구하기는 약간 더 복잡하다. 그림 10-2(b)와 같은 요소에 적용하는 합응력이 하는 가상일은 가상변위에 따르는 요소의 변형에 좌우된다. 그림 10-3에 여러 가지 작은 가상변형이 주어져 있다. 그림 (a)는 요소에 균일한 축변형을 생기게 하는 가상변위를 나타낸다. 따라서 요소의 길이는 $d\delta$만큼 늘어난다. 이 가상변형은 축력에 의해 $(N+dN)d\delta$의 가상일을 하게 만들지만[그림 10-2(b)] 굽힘모멘트, 전단력, 비틀림모멘트에 의한 가상일은 발생하지 않는다. 아직까지 가상변형 $d\delta$가 생긴 원인에 대해서 언급하지 않은 것에 유의해야 한다(이 변형은 축력 N에 의해서 생긴 것은 분명히 아니다).

가상변형의 다음 형태는 요소의 두 면의 상대적인 회전 $d\theta$로 나타나는 휨변형이다[그림 10-3(b)]. 이러한 가상변형이 일어나는 동안 일을 하게 되는 합응력은 굽힘모멘트뿐이며 그 가상일은 $(M+dM)d\theta$이다. 전단가상변형과 비틀림가상변형이 그림 10-3(c)와 (d)에 각각 주어져 있다. 전단가상변형은 요소의 다른 쪽 측면에 대한 한 쪽 측면의 가로 이행 $d\lambda$로 나타나며 비틀림가상변형은 종방향축에 대한 상대적인 회전각 $d\phi$로 표시된다. 이들 가상변형에 대응하는 가상일은 $(V+dV)d\lambda$와 $(T+dT)d\phi$이다.

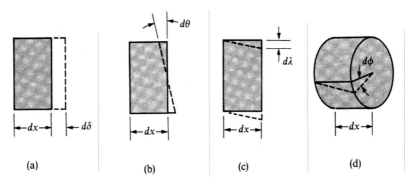

그림 10-3 구조요소의 가상변형: (a) 축방향변형 (b) 휨변형 (c) 전단변형 (d) 비틀림변형

이상과 같은 네 가지의 내부가상일에서 두 개의 미분항의 곱(예를 들면 $dNd\delta$)과 유한항과 미분항의 곱(예를 들면 $Nd\delta$)을 비교해 볼 때 두 미분항의 곱은 무시할 수 있을 정도로 작으므로 간단하게 줄여서 표현할 수 있다. 따라서 어떤 구조요소에 작용하는 합응력이 하는 내부가상일은 다음과 같이 표현할 수 있다.

$$Nd\delta + Md\theta + Vd\lambda + Td\phi$$

구조물의 모든 요소에 대해 적분하여 구한 내부가상일에 대한 완전한 표현은

$$W_{\text{int}} = \int Nd\delta + \int Md\theta + \int Vd\lambda + \int Td\phi \tag{10-2}$$

이며, 이 식에서 합응력 N, M, V, T는 실제 하중으로 인해 구조물에 발생하는 실제합응력이고, 변형량 $d\delta$, $d\theta$, $d\lambda$, $d\phi$는 구조물의 가상변위에서 오는 가상변형인 것이다. 다음 절에서는 식 (10-1)과 (10-2)를 이용하여 구조물의 변위를 구하는 방법을 소개하려 한다.

10.3 단위하중법

구조물의 변위를 결정하는 일은 구조해석과 설계에 있어서 필수적인 부분이다. 이미 2.3절과 7장에서 단순트러스와 보의 처짐을 구하는 방법을 논의하였지만 이는 비교적 부재가 적은 것들이었다. 이 절에서는 구조물의 변위를 구하는데 널리 이용되는 **단위하중법**을 가상일의 원리를 이용하여 유도하여 보자. 이 방법은 보, 트러스 및 다른 간단한 구조물뿐만 아니라 많은 부재를 갖는 대단히 복잡한 구조물에서도 사용될 수 있다. 더구나 단위하중법은 구조의 임의의 점에서의 처짐, 부재축의 회전, 두 점 사이의 상대적 처짐 등 모든 형태의 변위를 구하는데 아주 적당하다. 논리적으로 단위하중법은 정정 또는 부정정구조물에 모두 적용할 수 있지만 합응력을 알아야 사용할 수 있기 때문에 실제로는 정정구조물에만 사용되도록 제한되어 있다.

단위하중법의 기본식은 가상일의 원리로부터 유도할 수 있기 때문에 때로는 단위하중법 자체를 **가상일의 방법**(method of virtual work)이라고 일컫는다. 또한 **가하중법**(dummy-load method), **맥스웰-모어법**(Maxwell-Mohr method)이라고도 알려져 있다. 전자는 이 방법이 가상하중(단위하중)을 사용하기 때문에 붙여진 이름이며 후자는 1864년에 S.C. Maxwell이, 1874년에 O. Mohr가 각각 이 방법을 독자적으로 창안해냈기 때문에 붙여진

이름이다(참고문헌 10-1, 10-4 참조).

구조물의 변위를 구하기 위하여 단위하중법을 사용하는 경우에는 두 가지의 하중계를 고려해야 한다. 제1하중계는 실제하중과 온도변화 그 외에 구하려고 하는 변위를 일으키는 원인이 되는 모든 요인들로 구성하고, 제2하중계는 구조물에 유일하게 작용하는 단위하중으로 한다. 단위하중은 단지 실제의 하중에 의해 생기는 구조물의 변위 Δ를 계산하기 위해 도입된 가상하중이며, 구하고자 하는 변위 Δ에 **대응**해야 한다. 변위에 대응하는 하중이란 변위를 구하고자 하는 구조물상의 특정한 곳에 변위의 정의 방향으로 작용하는 하중이다. 앞에서 언급한 바와 같이 '변위'라는 용어는 일반적인 의미로 사용하고 있으므로 변위 Δ는 이행, 회전, 상대변위, 상대회전 등을 의미한다. 따라서 계산될 변위가 이행이라면, 대응하는 단위하중은 이행이 일어나는 점에 작용하는 집중하중이며 하중의 정의 방향은 이행의 정의 방향과 일치한다. 만일 계산할 변위가 회전이면 단위하중은 회전이 일어나는 점에 작용하는 우력이 되며 단위우력의 정의 방향은 회전의 정의 방향과 일치한다. 변위가 두 점을 연결하는 선상에서의 두 점 간의 상대이행이라면 단위하중은 두 점에 작용하는 동일 선상의 방향이 반대인 두 힘을 의미한다. 이러한 모든 경우는 예로써 뒤에 각각 설명되어 있다.

단위하중이 구조물에 작용하면 지지부분에는 반력이 생기게 되며 부재에는 합응력이 생기게 된다. 이들 합응력을 N_U, M_U, V_U, T_U로 나타내자. 단위하중 및 반력과 더불어 이들 합응력은 평형역계를 구성한다. 가상일의 원리에 의하면 구조물에 작은 가상변위(또는 형상변화)가 주어질 때, 외력이 하는 가상일은 내력이 하는 가상일과 같다(식 (10-1) 참조). 단위하중법을 유도하는데 결정적인 단계는 가상변형의 적절한 선택이다.

제1하중계에 의해 생기는 구조물의 실변형을 제2하중계(단위하중만 받는 구조물)에 주어지는 가상변형으로 생각하자. 이 가상변형이 일어나는 동안 외력이 하는 가상일은 단위하중이 구조물에 작용하는 유일한 외력이기 때문에 단위하중에 의한 일뿐이다. 이 가상일은 단위하중과 변위 Δ의 곱과 같다. 그러므로

$$W_{\text{ext}} = 1 \cdot \Delta \tag{a}$$

여기서 Δ는 실하중에 의해 생기는 구하고자 하는 변위이다(단위하중은 Δ에 대응하도록 선택되었음을 유의하라).

내부가상일은 구조요소들이 가상적으로 변형할 때 합응력(N_U, M_U, V_U, T_U)이 하는 일이다. 그러나 여기서는 구조물이 실하중을 받을 때의 실변형과 같도록 가상변형을 선택하였다. 그림 10-3처럼 이러한 변형을 $d\delta$, $d\theta$, $d\lambda$, $d\phi$로 나타내면 내부일에 대한 다음과 같은 식을 얻게 된다[식 (10-2) 참조].

$$W_{\text{int}} = \int N_U d\delta + \int M_U d\theta + \int V_U d\lambda + \int T_U d\phi \qquad \text{(b)}$$

최종적으로 외부일과 내부일을 같게 놓으면[식 (a)와 (b)] **단위하중법의 식**을 얻는다.

$$\Delta = \int N_U d\delta + \int M_U d\theta + \int V_U d\lambda + \int T_U d\phi \qquad (10\text{-}3)$$

이 식에서 Δ는 이행, 회전, 상대변위 등으로 된 계산하고자 하는 변위를 나타낸다. 그리고 합응력 N_U, M_U, V_U, T_U는 Δ에 대응하는 단위하중에 의해 생기는 축력, 굽힘모멘트, 전단력, 비틀림우력을 나타낸다. 또 $d\delta$, $d\theta$, $d\lambda$ 및 $d\phi$는 실하중에 의해서 일어나는 대응되는 변형들이다. 식 (10-3)에서 단위하중은 좌변에 Δ만 남도록 나누어 없앴으므로 N_U, M_U, V_U, T_U의 차원은 작용단위하중의 단위치당 힘 또는 모멘트의 차원이 되도록 해야한다.

단위하중법의 식[식 (10-3)]은 매우 일반적이어서 재료나 구조물의 선형거동에 관한 어떠한 제한도 받지 않는다. 다시 말하면 식 (10-3)을 사용하기 위해 겹침의 원리가 성립해야한다는 가정이 필요없다는 것이다. 그러나 전절에서 설명한 바와 같이 구조물의 기하학적형상을 변화시키지 않기 위해서 $d\delta$, $d\theta$ 등의 변형들은 작아야 한다.

대개 구조물의 재료는 훅의 법칙을 따르고 거동이 선형일 경우가 가장 일반적이다. 이러한 경우 실제하중에 의해 구조물에 생기는 변형 $d\delta$, $d\theta$, $d\lambda$, $d\phi$에 대한 식을 쉽게 구할 수있다. 실제하중에 의하여 생기는 구조물의 합응력을 N_L, M_L, V_L, T_L로 표시하면 요소의 변형은 다음과 같이 표시된다.

$$d\delta = \frac{N_L dx}{EA} \quad d\theta = \frac{M_L dx}{EI} \quad d\lambda = \frac{\alpha_s V_L dx}{GA} \quad d\phi = \frac{T_L dx}{GI_P} \qquad \text{(c)}$$

첫 번째 식은 축력 N_L에 의해 일어나는 요소의 신장을 나타낸다[그림 10-3(a) 참조]. 마찬가지로 나머지 세 식은 휨, 전단, 비틀림[그림 10-3(b), (c), (d) 참조]에 관계되는 변형을 나타낸다. 이 네 개의 식은 전장에서 유도한 식들에 근거를 두고 있다[식 (2-1), (7-6), (7-73), (3-8) 참조]. 이 네 개의 식을 식 (10-3)에 대입하여 **선형탄성구조물**(linear elastic structure)을 위한 단위하중법의 일반식을 구하면 다음과 같다.

$$\Delta = \int \frac{N_U N_L dx}{EA} + \int \frac{M_U M_L dx}{EI} + \int \frac{\alpha_s V_U V_L dx}{GA} + \int \frac{T_U T_L dx}{GI_P} \qquad (10\text{-}4)$$

이 식은 재료가 선형탄성체이며 겹침의 원리가 적용될 수 있는 구조물상 임의의 점에서의

변위 Δ를 구하는데 사용할 수 있다. 각 적분식은 전체변위에 대한 어느 한 형태의 변형량을 나타내는 것이다. 그러므로 첫째 적분항은 변위 Δ 내의 축력에 의한 변형효과들, 둘째 항은 휨으로 인한 변형효과를 나타내며 나머지 항들도 마찬가지이다.

식 (10-4)에 나타나는 합응력의 **부호규약**은 일관성이 있어야 한다. 따라서 축력 N_U와 N_L은 동일한 부호규약에 의해 구해야 하며 M_U와 M_L, V_U와 V_L, T_U와 T_L 등도 마찬가지이다.

이러한 조건하에서만 변위 Δ는 언제나 단위하중과 같은 정의 의미를 갖는다.

식 (10-4)의 단위하중법을 이용하여 변위를 계산하는 과정은 다음과 같다.

(1) 실제하중에 의해 생기는 구조물의 합응력 N_L, M_L, V_L, T_L을 구한다.

(2) 구해야 될 Δ에 대응하는 단위하중을 구조물상에 위치시킨다.

(3) 단위하중에 의해 생기는 구조물의 합응력 N_U, M_U, V_U, T_U를 구한다.

(4) 식 (10-4)와 같은 항들을 만든 다음 모든 구조물에 대해 각 항을 적분한다.

(5) 변위 Δ를 얻기 위해 각 항의 결과를 합한다. 이 과정은 뒤에 나오는 예제에 설명되어 있다.

구조물의 형태에 따라 식 (10-4) 중의 어느 항은 필요치 않을 것이라는 것을 알 수 있다.

예를 들면 핀 트러스의 각 절점에 하중이 작용한다면 부재에는 휨, 전단, 비틀림변형이 생기지 않으므로 식 (10-4)의 첫째 항만이 필요하다. 더구나 부재의 축력은 부재의 전 길이를 통해 일정하므로 만일 부재가 균일단면이면 어느 한 부재에 대한 적분은 $N_U N_L L/EA$로 되며, 여기서 L은 부재의 길이이다. 그러므로 모든 부재에 대한 합이 다음과 같은 **트러스**의 식이 된다.

$$\Delta = \sum \frac{N_U N_L L}{EA} \tag{10-5}$$

이 식에서 트러스의 임의점에서의 처짐 Δ를 다음과 같은 과정에 의해 구할 수 있음을 보여 준다.

(1) 단위하중과 실제하중 각각에 의해 생기는 축력 N_U와 N_L을 모든 부재에 대해 구한다.

(2) 각 부재에 대해 $N_U N_L L/EA$값을 계산한다.

(3) 처짐을 구하기 위하여 모든 부재에 대해 이 결과들을 합한다.

보나 평면프레임구조물에서는 휨변형만을 취하게 되는 경우가 보통이다. 이 경우 단위하중법에 의한 **보**의 식은 다음과 같이 된다.

$$\Delta = \int \frac{M_U M_L dx}{EI} \tag{10-6}$$

이 식을 구조물의 각 부재에 대해 적분할 수 있으면 구조물의 모든 부재에 대해 이들 적분결과를 합하여 처짐을 구한다.

일반적으로 구조물의 형태와 하중에 따라 식 (10-4)에서 적절한 항들을 선택하여 사용함으로써 구조물의 처짐을 구할 수 있다.

온도의 영향 만일 변위가 온도의 변화와 같은 하중 이외의 어떤 영향에 의해서 일어난다면 하중만의 영향에 대한 식 (c) 대신에 $d\delta$, $d\theta$, $d\lambda$, $d\phi$에 대한 적절한 표현을 사용해야 한다.

예를 들면 온도가 증가하는 경우, 길이의 증가[그림 10-3(a) 참조]는 다음 식으로 표시된다.

$$d\delta = \alpha(\Delta T)dx$$

여기서 α는 선팽창계수이며 ΔT는 온도의 증가량을 나타낸다[식 (2-22) 참조]. 이렇게 되면 단위하중식[식 (10-3)]은 다음과 같은 형태로 된다.

$$\Delta = \int N_U \alpha(\Delta T)dx \tag{10-7}$$

이 식은 부재의 축에 따라 온도의 변화량 ΔT가 변할 때에 사용할 수 있다. 이 경우 ΔT를 x의 함수로 표시하여 적분하기만 하면 된다. 그러나 대개의 경우 온도의 변화가 부재 전 길이에 걸쳐 일정하므로 식 (10-7)의 적분을 전 부재에 대한 합으로 바꾸어 다음과 같이 표시한다.

$$\Delta = \Sigma N_U \alpha L(\Delta T) \tag{10-8}$$

이때 L은 부재의 길이이다. 따라서 $N_U \alpha L(\Delta T)$항을 구조물의 각 부재에 대해 구하고 다음에 이 항들을 합하여 변위를 구해야 한다.

온도가 부재의 길이에 따라서는 일정하지만 보의 상단에서 하단으로 직선적으로 변할 때의 변형은 그림 10-3(b)의 형태가 되고, 이때 변형 $d\theta$는 식 (7-71)과 같이

$$d\theta = \frac{\alpha(T_2 - T_1)dx}{h}$$

이며 여기서 h는 보의 높이, T_2는 아랫면의 온도, T_1은 윗면의 온도이다. 따라서 이러한 조건하에서의 Δ는 다음과 같다.

$$\Delta = \int \frac{M_U \alpha(T_2 - T_1)dx}{h} \tag{10-9}$$

이 식에서 $d\theta$는 그림 10-3(b)처럼 보의 상단섬유가 줄어들고 하단섬유가 늘어날 때 정으로 가정한다. 그러므로 이와 동일한 조건하에서 굽힘모멘트 M_U를 정으로 취해야 한다. 즉, 보의 상단이 압축을 일으킬 때 M_U가 정이 된다는 것을 의미한다.

승적분의 계산(Evaluation of product integrals) 식 (10-4)의 적분을 계산할 때, 부재는 보통 재료의 성질과 단면크기가 부재의 한쪽 단에서 다른 끝단까지 일정한 것을 취급한다.

그러므로 강성도 EA, EI, GA/α_s, GI_P는 적분기호 바깥으로 뽑아낼 수 있으므로 나머지 적분은 다음과 같은 승적의 형태가 된다.

$$\int M_U M_L dx \tag{10-10}$$

이 승적분을 각 부재의 길이에 대해 계산한 다음, 전 부재에 대한 이들의 합을 구해야 한다. 어떤 특정한 부재의 경우 각 양(M_U나 M_L)은 부재축을 따라 측정한 거리 x의 함수이다. 좀더 구체적으로 말하자면 이들(M_U나 M_L)은 부재길이에 따라 일정하거나 또는 길이에 따라 직선적으로 변할 수 있으며, 2차나 3차 같은 고차함수일 수도 있다. 시간을 절약하기 위하여 이 승적분을 미리 계산하여 필요할 때 언제나 그 결과를 사용할 수 있도록 표로 만들 수 있다. 보통 많이 접하게 되는 함수의 승적분에 대한 편람이 표 10-1에 주어져 있다.

표에는 함수 M_U와 M_L의 항으로 적분값이 표시되어 있지만 이들은 V_U와 V_L 또는 T_U와 T_L 같은 다른 항으로도 대치될 수 있음이 명백하다. 다음 예제들에서 표의 사용법을 설명하였다.

예제 ①

절점 A에 하중 P와 $2P$를 받고 있는 그림 10-4(a)와 같은 트러스가 있다. 트러스의 부재단면은 모두 균일하며 동일한 축강도 EA를 가지고 있다고 하자. 단위하중법을 사용하여 트러스의 B점의 수평처짐과 연직처짐을 구하라.

풀이 하중이 절점에만 작용하므로 각 부재의 축력은 부재 전장에 걸쳐 일정하다. 그러므로 요구되는 처짐량은 식 (10-5)를 사용하여 구할 수 있으며 표 10-2와 같이 계통적인 방법을 이용하여 기록하는 것이 편리하다. 표의 처음 두 란은 트러스의 부재와 부재 길이를 표시하며, 그림 10-4(a)의 트러스에 대한 정역학적 평형해석(static equilibrium analysis)으로 구한 축력 N_L은 표의 제3란에 주어져 있다(인장력이 정임).

절점 B의 수평처짐 δ_h를 구하기 위하여 B점에 수평단위하중을 작용시킨다[그림 10-4(b) 참조]. 이 단위하중에 의한 축력 N_U는 표의 제4란에 표시되어 있으며, 여기서도 인장력이 정이다. 제5란에서는 $N_U N_L L$의 곱을 각 부재에 대해 계산한 뒤 이들을 합산하였다. 이 결과를 EA로 나누면 구하고자 하는 변위량이 된다[식 (10-5) 참조].

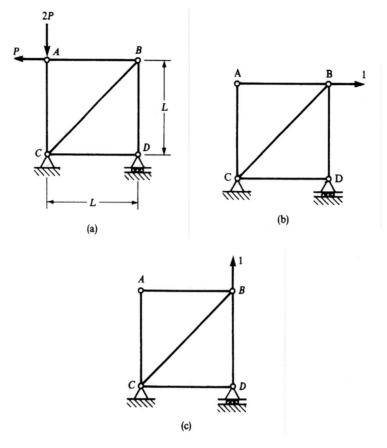

그림 10-4   예제 1. 단위하중법에 의한 트러스의 변위

$$\delta_h = -3.828 \frac{PL}{EA}$$

이 식에서 부의 부호는 처짐의 방향이 단위하중의 방향과 반대되는 것, 즉 처짐은 왼쪽으로 일어난다는 것을 의미한다.

B점의 연직처짐 δ_v를 구하는데도 동일한 과정이 반복된다. 대응하는 단위하중(상방향을 정으로 취한)이 그림 10-4(c)에 표시되어 있으며 이 단위하중에 의한 축력 N_U가 표의 제6란에 표시되어 있다. 마지막 란에 $N_U N_L L$의 곱을 계산하고 그 합산을 표시하였다. 이 합을 EA로 나누면

$$\delta_v = \frac{PL}{EA}$$

이 결과가 정이므로 하중 P와 $2P$에 의한 절점 B의 연직처짐은 상방향으로 일어남을 알수 있다.

표 10-1 승적분 $\int_0^L M_U M_L dx$의 값

M_L \ M_U	M_1 (triangle, rising, base L)	M_1–M_2 (trapezoid, base L)	M_1 (triangle with apex, a–b, base L)	M_1 (parabola, base L)
M_3 (rectangle, base L)	$\dfrac{L}{2}M_1M_3$	$\dfrac{L}{2}(M_1+M_2)M_3$	$\dfrac{L}{2}M_1M_3$	$\dfrac{2L}{3}M_1M_3$
M_3 (triangle, rising, base L)	$\dfrac{L}{3}M_1M_3$	$\dfrac{L}{6}(M_1+2M_2)M_3$	$\dfrac{L}{6}\left(1+\dfrac{a}{L}\right)M_1M_3$	$\dfrac{L}{3}M_1M_3$
M_3 (triangle, falling, base L)	$\dfrac{L}{6}M_1M_3$	$\dfrac{L}{6}(2M_1+M_2)M_3$	$\dfrac{L}{6}\left(1+\dfrac{b}{L}\right)M_1M_3$	$\dfrac{L}{3}M_1M_3$
M_3–M_4 (trapezoid, base L)	$\dfrac{L}{6}M_1(M_3+2M_4)$	$\dfrac{L}{6}M_1(2M_3+M_4)$ $+\dfrac{L}{6}M_2(M_3+2M_4)$	$\dfrac{L}{6}\left(1+\dfrac{b}{L}\right)M_1M_3$ $\dfrac{L}{3}\left(1+\dfrac{cd}{L^2}\right)M_1M_3$	$\dfrac{L}{3}M_1(M_3+M_4)$
M_3 (triangle with apex, c–d, base L)	$\dfrac{L}{6}\left(1+\dfrac{c}{L}\right)M_1M_3$	$\dfrac{L}{6}\left(1+\dfrac{d}{L}\right)M_1M_3$ $+\dfrac{L}{6}\left(1+\dfrac{c}{L}\right)M_2M_3$	For $c \le a$: $\dfrac{L}{3}M_1M_3$ $-\dfrac{L(a-c)^2}{6ad}M_1M_3$	$\dfrac{L}{3}\left(1+\dfrac{cd}{L^2}\right)M_1M_3$
M_3 (parabola, base L)	$\dfrac{L}{3}M_1M_3$	$\dfrac{L}{3}(M_1+M_2)M_3$	$\dfrac{L}{3}\left(1+\dfrac{ab}{L^2}\right)M_1M_3$	$\dfrac{8L}{15}M_1M_3$
M_3 (parabolic spandrel, base L)	$\dfrac{L}{4}M_1M_3$	$\dfrac{L}{12}(M_1+3M_2)M_3$	$\dfrac{L}{12}\left(1+\dfrac{a}{L}+\dfrac{a^2}{L^2}\right)M_1M_3$	$\dfrac{L}{5}M_1M_3$

Note: All curves are second-degree parabolas with vertices shown by heavy dots.

표 10-2 예제 1의 계산

(1) Member	(2) Length	(3) N_L	(4) N_U	(5) $N_U N_L L$	(6) N_U	(7) $N_U N_L L$
AB	L	P	0	0	0	0
AC	L	$-2P$	0	0	0	0
BD	L	P	-1	$-PL$	1	PL
CD	L	0	0	0	0	0
CB	$\sqrt{2}\,L$	$-\sqrt{2}\,P$	$\sqrt{2}$	$-2.828PL$	0	0
				$-3.828PL$		PL

이 예제에서 문제를 간단하게 만들기 위해 모든 부재의 단면적은 동일하다고 가정하였다. 만일 부재의 단면이 같지 않다면 표 10-2에 단면적을 표시하는 란을 더 첨가시킬 필요가 있다. 그러면 제5, 제7란 $N_U N_L L$ 대신에 $N_U N_L L / A$을 계산하게 된다. 부재의 탄성계수가 서로 다른 경우도 마찬가지로 쉽게 포함시킬 수 있다.

예제 ②

이 예제에서도 그림 10-4(a)에 보인 바와 같은 하중을 받고 있는 트러스를 다시 생각해 보겠다. 그러나 여기서는 절점의 처짐을 구하는 대신 부재 AB의 회전각과 두 절점 A와 D 간의 거리의 변화량을 구해 보자.

풀이 회전에 대응하는 단위하중은 단위우력이다. 따라서 이 예제에서는 그림 10-5(a)와 같이 부재 AB의 양단에 크기가 같고 방향이 반대인 두 힘으로 구성된 단위우력을 작용시킨다. 이들 각 힘은 단위우력을 부재 AB의 길이로 나눈 값과 같다. 이 우력에 대응하는 변위는 부재 AB의 반시계방향의 회전이라는 것을 쉽게 알 수 있다. 트러스에 가상변위가 일어나는 동안 이 두 힘이 되는 외부일은

$$W_{\text{ext}} = \frac{1}{L}(\delta_a) + \frac{1}{L}(\delta_b) = \frac{1}{L}(\delta_a + \delta_b) \tag{d}$$

임을 알게 된다. 이때 δ_a는 절점 A의 하방향으로의 처짐이며 δ_b는 절점 B의 상방향으로의 처짐이다. 식 (d)에서 각 항의 단위는 '1'이 단위우력을 나타내며 길이×힘의 단위를 갖고 있으므로 아무런 모순이 없음을 알 수 있다. 식 (d)에서 두 개의 처짐 δ_a와 δ_b의 합을 부재의 길이 L로 나눈 값은 부재 AB의 회전각을 나타내며

$$\theta_{ab} = \frac{\delta_a + \delta_b}{L} \tag{e}$$

식 (d)와 (e)로부터

$$W_{\text{ext}} = 1 \cdot \theta_{ab} \tag{f}$$

이다. 따라서 그림 10-5(a)에서 보여 주는 바와 같이 두 개의 힘으로 된 단위우력을 작용시킴으로써 회전각 θ_{ab}를 구할 수 있다.

표 10-3은 이 예제의 계산결과를 나타낸다. 처음 세 란은 표 10-2와 같지만 제4란은 그림 10-5(a)에 보인 하중에 대한 축력 N_U를 포함하고 있다. 제5란은 $N_U N_L L$의 곱을 나타내며 이들의 합으로부터

$$\theta_{ab} = \frac{3P}{EA}$$

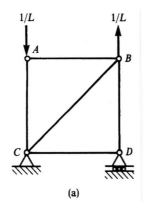

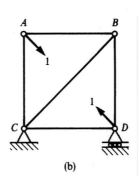

그림 10-5   예제 2

이며, 결과가 정이라는 것은 부재가 반시계방향으로 회전함을 의미한다. 이상과 같은 방법으로 하중 P와 $2P$에 의해 생기는 회전각을 계산하였다. 다른 부재의 회전각을 구하는데도 이와 비슷한 과정을 반복하면 된다.

다음, 그림 10-4(a)와 같은 트러스의 또 다른 형태의 변위, 즉 두 절점 간의 거리의 변화량을 구해 보자. 지금 절점 A와 D를 연결하는 선상에서의 상대이행 δ_{ab}를 구할 필요가 있다고 가정하자. 이에 대응하는 단위하중은 A와 D를 연결하는 선을 따라 작용하는 크기가 같고 방향이 반대인 두 개의 단위하중이다[그림 10-5(b) 참조]. 트러스의 축력 N_U에 대한 결과값은 표 10-3의 제6란에 표시되어 있고 $N_U N_L L$의 곱은 제7란에 주어져 있다. 따라서 절점 A와 D의 상대이행은

$$\delta_{ad} = -\frac{2PL}{EA}$$

이며, 이때 부의 부호는 A와 D 사이의 거리가 증가되었다는 것을 의미한다(즉, 상대이행은 단위하중의 방향과 반대이다).

표 10-3 예제 2의 계산

(1) Member	(2) Length	(3) N_L	(4) N_U	(5) $N_U N_L L$	(6) N_U	(7) $N_U N_L L$
AB	L	P	0	0	$-1/\sqrt{2}$	$-0.707PL$
AC	L	$-2P$	$-1/L$	$2P$	$-1/\sqrt{2}$	$1.414PL$
BD	L	P	$1/L$	P	$-1/\sqrt{2}$	$-0.707PL$
CD	L	0	0	0	$-1/\sqrt{2}$	0
CB	$\sqrt{2}L$	$-\sqrt{2}P$	0	0	1	$-2PL$
				$\underline{3P}$		$\underline{-2PL}$

예제 3

그림 10-4(a)와 같은 트러스에서 어느 한 부재의 균일한 온도변화가 트러스에 미치는 영향을 생각해 보자. 예를 들어 부재 BD의 온도가 ΔT만큼 균일하게 증가함으로써 그 길이가 $\alpha(\Delta T)L$만큼 늘어났다고 가정하자. 이로 인한 트러스절점 B의 수평처짐을 구하고자 한다.

풀이 이 절점의 처짐을 구하기 위해서는 식 (10-8)을 사용해야 하나, 온도변화로 인하여 트러스의 부재 하나만이 길이가 변했기 때문에 식 (10-8)에 나타나는 합에는 한 개의 항만이 존재할 것이다. 온도의 변화로 인한 절점 B의 수평처짐을 구하기 위해서는 그림 10-4(b)에서와 같은 단위하중을 사용하고 표 10-2의 제4란으로부터 이 단위하중에 대한 N_U를 취한다. 따라서 부재 BD의 힘은 $N_U = -1$이며, 수평처짐은 식 (10-8)로부터

$$\delta_h = -\alpha L(\Delta T)$$

이고, 부의 부호는 처짐이 왼쪽 방향(즉, 단위하중과 반대방향)으로 일어난다는 것을 의미한다. 유사한 방법으로 온도변화에 의한 다른 절점변위도 쉽게 구할 수 있다.

예제 4

그림 10-6(a)와 같이 경간의 일부에 등분포하중 q를 받고 있는 균일단면 외팔보 AB에서, 자유단 B의 처짐 δ와 회전각 θ을 구해 보자.

풀이 보의 처짐을 구하기 위해서는 휨 변형의 영향만을 고려하는 단위하중식을 사용한다[식 (10-6)]. 좌단 A를 좌표축의 원점으로 잡고 오른쪽으로 거리 x를 측정한다[그림 10-6(a)]. 그러면 하중으로 인한 굽힘모멘트 M_L은

$$M_L = -\frac{q}{2}(a-x)^2 \qquad (0 \le x \le a)$$
$$M_L = 0 \qquad\qquad (a \le x \le L)$$

여기서 정의 굽힘모멘트는 보의 상단을 압축한다.

하방향 처짐 δ에 대응하는 단위하중은 그림 10-6(b)에 표시되어 있으며, 이 하중은 다음과 같은 굽힘모멘트를 일으킨다.

$$M_U = -1(L-x) \qquad (0 \le x \le L)$$

M_U와 M_L을 식 (10-6)에 대입하여 적분하면 B점에서의 처짐을 아래와 같이 얻으며, 그 결과는 정이므로 처짐은 하방향이다.

$$\delta = \frac{1}{EI}\int_0^a (-1)(L-x)\left(-\frac{q}{2}\right)(a-x)^2 dx = \frac{qa^3}{24EI}(4L-a)$$

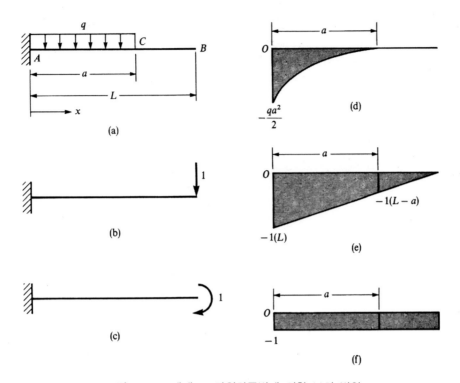

그림 10-6 예제 4. 단위하중법에 의한 보의 변위

회전각 θ를 구하는 순서는 그림 10-6(c)에서 보여 주는 바와 같이 단위하중이 단위우력으로 된다는 것을 제외하고는 모두 유사하다. 이 하중에 의한 굽힘모멘트는

$$M_U = -1 \qquad (0 \le x \le L)$$

이며, 단위하중식은

$$\theta = \frac{1}{EI} \int_0^a (-1)\left(-\frac{q}{2}\right)(a-x)^2\, dx = \frac{qa^3}{6EI}$$

이때, 정의 부호는 회전각 θ가 단위우력과 같은 방향(시계방향)을 갖는다는 것을 표시한다. 변위를 구하는 또 하나의 방법으로 승적분에 대한 표 10-1을 이용할 수도 있다. 하중 q에 대한 모멘트선도는 그림 10-6(d)에 보인 바와 같이 보 AC부분의 포물선이다. 단위하중에 대한 이 부분에서의 모멘트선도는 각각 사다리꼴과 직사각형이다[그림 10-6(e), (f) 참조]. 표 10-1에서 포물선과 사다리꼴*의 경우를 취하면 다음과 같은 승적분의 값을 얻는다.

$$\frac{a}{12}\left[-1(L-a) - 3(L)\right]\left(-\frac{qa^2}{2}\right) = \frac{qa^3}{24}(4L-a)$$

---

* 직사각형의 경우는 표 10-1에서 사다리꼴을 $M_1 = M_2$로 놓음으로써 얻을 수 있음을 유의할 것.

다시 EI로 이를 나누면 처짐 δ는 앞에서와 동일한 결과를 얻는다. 또한 포물선과 직사각형*의 경우는

$$\frac{a}{12}(-4)\left(-\frac{qa^2}{2}\right)=\frac{qa^3}{6}$$

이며, 이는 회전각 θ에 대한 앞의 결과와 일치한다.

흔히 굽힘모멘트선도와 관련시켜 승적분표를 사용하는 것이 굽힘모멘트식을 구한 다음, 적분하는 것보다 훨씬 빠르다.

예제 5

내다지부분의 길이가 b이고 지점 사이의 길이가 L인 보 ABC[그림 10-7(a)]는 상면온도 T_1, 하면온도 T_2인 온도의 변화를 받고 있다. 보의 내다지 끝단에서의 연직처짐 δ_c를 계산하라.

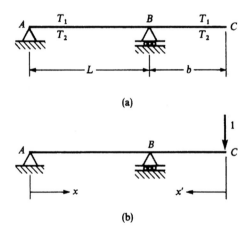

그림 10-7 예제 5. 온도차가 있는 보

풀이 δ_c에 대응하는 단위하중이 그림 10-7(b)에 주어져 있다. 이때 AB부분의 단위하중에 의한 굽힘모멘트는

$$M_U=-1\left(\frac{b}{L}\right)x \qquad\qquad (0 \le x \le L)$$

이며, x는 A로부터 오른쪽으로 측정한 길이이다. 또한 BC부분의 굽힘모멘트는

$$M_U=-1(x') \qquad (0 \le x' \le b)$$

이며, x'은 C점에서 왼쪽으로 측정한 길이이다. 이때 굽힘모멘트 M_U는 보의 양쪽 부분

에서 모두 보의 상단에 인장을 일으키므로 부의 값을 취한다.

이와같이 굽힘모멘트 M_U를 구한 다음 식 (10-9)에 이 모멘트를 직접 대입하여 처짐을 계산할 수 있다.

$$\delta_c = \int_0^L -1\left(\frac{b}{L}\right)(x)\frac{\alpha(T_2-T_1)}{h}dx + \int_0^b -1(x')\frac{\alpha(T_2-T_1)}{h}dx'$$

이로부터

$$\delta_c = \frac{\alpha b(T_1-T_2)(L+b)}{2h} \tag{g}$$

이며, 여기서 h는 보의 높이이고 α는 선팽창계수이다. 만약 계산된 δ_c의 값이 부이면 처짐은 실제로 상방향으로 일어난다. 이러한 상태는 T_2가 T_1보다 크면 항상 존재한다.

예제 6

A점이 고정되어 있고 자유단 C에 연직하중 P를 받고 있는 그림 10-8(a)와 같은 평면프레임 ABC가 있다. 부재 AB와 BC는 B점에서 강결되어 있으며 두 부재의 휨강도는 EI이다. C점의 수평처짐 δ_h, 연직처짐 δ_v, 회전각 θ를 구하라.

풀이 하중 P로 인한 굽힘모멘트 M_L이 그림 10-8(b)에 표시되어 있으며 굽힘모멘트 선도는 인장을 일으키는 쪽에 나타내었다. C점의 수평처짐, 연직처짐, 회전각에 대응하는 단위하중들은 그림의 나머지 세 부분에 각각 표시되어 있다. 이러한 경우에 대한 M_U의 완전한 굽힘모멘트선도가 주어져 있으며 이들은 또한 부재가 인장을 일으키는 쪽에 그려져 있다. 이와같이 필요한 굽힘모멘트 모두를 구한 다음 식 (10-6)을 적분하거나 표 10-1에 있는 승적분공식을 이용함으로써 처짐을 계산할 수 있다. 이 예제의 경우에는 후자의 방법이 더 간단해 보인다. 예를 들면 δ_h를 구하기 위하여 그림 10-8(c)로부터 M_U를, 그림 10-8(b)로부터 M_L을 취하여 표 10-1을 사용하면

$$\frac{H}{2}(1)(H)(PL)$$

이 되고 이것을 EI로 나누면 C점의 수평처짐 δ_h가 구해진다.

$$\delta_h = \frac{PLH^2}{2EI} \tag{h}$$

연직처짐도 그림 10-8(b)와 (d)의 선도를 사용하여 유사한 방법으로 구한다. 부재 BC에서는 두 개의 삼각형의 경우를 사용하고, 부재 AB에서는 두 개의 직사각형의 경우를 사용함으로써 표 10-1로부터

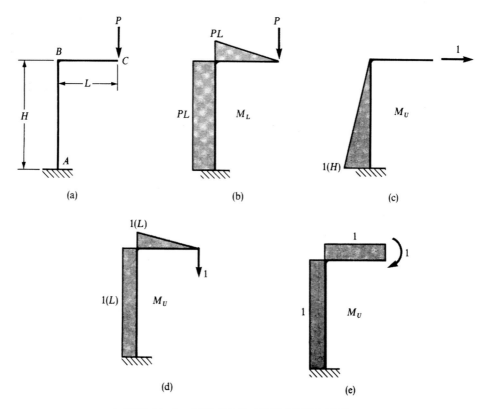

그림 10-8   예제 6과 7. 평면프레임의 변위

$$\frac{L}{3}(1)(L)(PL)+\frac{H}{2}(2L)(PL)=\frac{PL^3}{3}+PL^2H$$

가 되며, 따라서 연직처짐은

$$\delta_v = \frac{PL^2(L+3H)}{3EI} \tag{i}$$

마지막으로 그림 10-8(b), (e)와 표 10-1을 사용하여

$$\frac{L}{2}(PL)(1)+\frac{H}{2}(2)(PL)=\frac{PL^2}{2}+PLH$$

를 구하고 이 식으로부터 회전각 θ는

$$\theta = \frac{PL(L+2H)}{2EI} \tag{j}$$

이므로 이 프레임구조의 요구되는 변위는 모두 구한 셈이다.

예제 **7**

예제 6의 평면프레임에서 부재의 축변형으로 인한 부가적인 처짐성분 $\delta_h, \delta_v, \theta$를 구하라. 역시 두 부재의 축강도 EA가 일정하다고 가정한다.

풀이 이러한 부가적인 변위는 식 (10-5)를 사용하여 구할 수 있다. 이 식에서 축력 N_L은 그림 10-8(a)에서 보인 바와 같이 하중 P에 의해 생기는 축력이다. 이러한 힘은 부재 AB에서의 $N_L = -P$뿐이다. 수평처짐 δ_h를 구하기 위하여 그림 10-8(c)로부터 축력 N_U를 취한다. 이러한 힘은 부재 BC에서의 $N_U = 1$뿐이다. 그러므로 수평처짐 δ_h는 축변형에 의한 영향을 받지 않는다는 것을 알 수 있다.

연직처짐 δ_v를 구하기 위한 단위하중에 의해 생긴 축력은 부재 AB에 대한 $N_U = -1$뿐임을 그림 10-8(d)로부터 알 수 있다. 따라서 축변형으로 인한 연직처짐은 식 (10-5)로부터

$$\Sigma \frac{N_U N_L L}{EA} = \frac{(-1)(-P)(H)}{EA} = \frac{PH}{EA}$$

절점 C의 전체 연직처짐을 얻기 위하여 이 값을 예제 6에서 얻은 결과에 합해야 한다.

$$\delta_v = \frac{PL^2(L+3H)}{3EI} + \frac{PH}{EA} \tag{k}$$

실제로 수치를 이 식에 대입해 보면 대개 축변형의 영향을 나타내는 마지막 항은 첫째 항에 비해 아주 작다는 것을 알 수 있다. 이러한 이유 때문에 평면프레임 구조를 해석할 때는 다만 휨변형의 영향만을 고려하고 축변형의 영향은 완전히 무시하는 것이 보통이다. 마지막으로 회전각 θ를 구하는 문제를 생각해 보자. 이에 대응하는 단위하중[그림 10-8(e)]은 아무런 축력을 발생시키지 않는다. 따라서 θ는 축변형으로는 아무런 영향을 받지 않는다.

예제 **8**

그림 10-9(a)에 보인 바와 같이 중심선의 반지름 R인 4분원호의 형태를 갖는 곡선봉 AB가 있다. 봉은 A점이 고정되어 있고 자유단인 B점에서 연직하중 P를 받고 있다. B점의 수평처짐 δ_h를 얻기 위한 식을 구하라.

풀이 곡선봉의 변위를 구하기 위한 단위하중식을 일반적인 형태로 나타내면

$$\Delta = \int \frac{M_U M_L ds}{EI} \tag{10-11}$$

가 되며, 여기서 $ds = Rd\theta$는 봉의 요소 mn의 길이이다. 원래 직선봉의 굽힘에 대해 유도된 위의 공식을 반지름 R에 비해 봉의 두께가 얇다고 가정함으로써 곡선봉에도 사용할 수

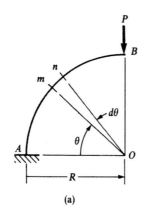

(a)

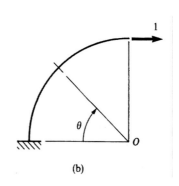

(b)

그림 10-9   예제 8. 곡선봉의 처짐

있다. 또한 식 (10-11)은 굽힘변형만을 고려하고 있다.

하중 P로 인한 굽힘모멘트 M_L은 $M_L = -PR\cos\theta$이며 이때 정의 모멘트는 곡선봉의 바깥쪽면이 압축을 받게 하는 것으로 가정하였다. 또한 수평단위하중[그림 10-9(b)]으로 인한 굽힘모멘트 M_U는 $M_U = -R(1-\sin\theta)$이다. M_U와 M_L을 식 (10-11)에 대입하여 적분하면

$$\delta_h = \frac{1}{EI}\int_0^{\pi/2}(-R)(1-\sin\theta)(-PR\cos\theta)Rd\theta = \frac{PR^3}{2EI}$$

이로써 B점의 수평처짐이 단위하중법으로 구해진다.

10.4 상반정리

상반정리는 응용역학과 구조해석에 중요한 개념이다. 이는 선형탄성 구조물에만 적용된다 (즉, 중첩의 원리가 적용되는 구조물). 그러므로 다음과 같은 두 개의 기본적인 조건을 만족하여야 한다. 즉, (1) 재료는 Hooke의 법칙을 따라야 하고 (2) 변위는 변형되지 않는 기하학적 형상의 구조물에 관하여 계산할 수 있도록 충분히 작아야 한다. 이 절에서는 이 정리를 변형에너지의 개념을 이용하여 유도하겠다.

상반변위정리 이 정리를 좀더 구체적으로 설명하기 위하여 자유단에 집중하중 P를 받고 있는 외팔보 AB[그림 10-10(a)]를 예로서 취해 보자. 부록 G의 공식을 사용하여 이 보의

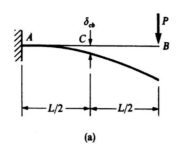
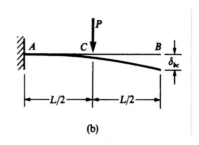

그림 10-10   상반변위정리

$$\delta_{cb} = \frac{5PL^3}{48EI}$$

중앙점 C에서의 처짐을 구할 수 있으며, 이 처짐은 다음과 같다.

위의 식에서 δ에 사용된 첨자 중의 첫 번째는 처짐이 일어나는 점을 나타내며, 두 번째 첨자는 하중이 작용하고 있는 점을 나타내도록 한 것이다. 따라서 기호 δ_{cb}는 B점에 작용하는 하중에 의해 생긴 C점에서의 처짐을 나타낸다.

이제, 보의 중앙점 C에 하중 P를 받고 있는 동일한 외팔보를 다시 생각해 보자[그림 10-10(b)]. 이번에는 자유단 B에서의 처짐을 구하고자 할 때, 처짐은 기호 δ_{bc}로 나타낸다.

다시 부록 G의 공식을 참고로 하여 처짐을 구하면,

$$\delta_{bc} = \frac{5PL^3}{48EI}$$

이 된다. 따라서 B점에 작용하는 하중 P로 인한 C점에서의 처짐은 C점에 작용하는 하중 P로 인한 B점에서의 처짐과 서로 같다는 것을 알 수 있다. 이 예는 **상반변위정리**를 설명한 것이다.

보다 일반적인 경우에 대해 이 정리를 증명하기 위하여 임의의 형태를 갖는 구조물을 생각해 보자(즉, 트러스, 보, 3차원적 형상 등). 편의상 단순보에 대해서만 거론하지만(그림 10-11 참조), 선형거동을 하는 다른 여하한 형태의 구조물도 가능한 것이다. 여기서 두 개의 부하형태를 생각해 보자. 제1부하상태로는 하중 P가 구조물상 임의의 점 A에 작용하고 [그림 10-11(a)] 제2부하상태로는 동일한 하중 P가 다른 임의의 점 B에 작용하고 있다[그림 10-11(b)]. 제1부하상태에 대한 A점과 B점에서의 처짐을 전술한 첨자기호로 쓰면 각각 δ_{aa}와 δ_{ba}가 되고 마찬가지로 제2부하상태에 대한 처짐은 δ_{ab}와 δ_{bb}가 된다.

두 보의 처짐도 하중과 처짐 사이의 대응개념(10.3절 참조)을 사용하여 기술할 수 있다. 이를테면 δ_{aa}와 δ_{ab}는 모두 그림 10-11(a)에 보인 A점에 작용하는 하중 P에 대응하는

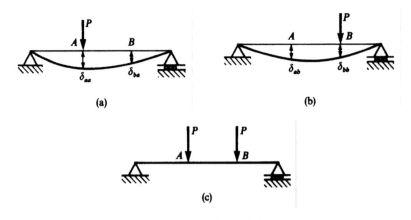

그림 10-11 상반변위정리

것이다. 좀더 분명히 이해하기 위하여 하중에 대응하는 변위란 그 힘이 작용하는 점에서의 처짐으로 구성되어 있고 이 처짐은 힘의 작용선에 따라 측정되고 힘의 방향이 정이라는 것을 상기해야 한다. 그렇지만 처짐이 반드시 이에 대응하는 힘에 의해서 일어날 필요는 없다는 것이다. 즉, 처짐 δ_{aa}의 경우는 제1부하상태에 의한 것이며 δ_{ab}의 경우는 제2부하상태에 의한 것이다. 그럼에도 불구하고 두 처짐은 그림 10-11(a)의 하중 P에 대응하는 것이다. 마찬가지로 비록 δ_{ba}는 첫 번째 하중에 의한 것이고, δ_{bb}는 두 번째 하중에 의한 것이지만 처짐 δ_{ba}와 δ_{bb}는 모두 제2부하상태의 하중 P에 대응하는 것이다. 처짐을 판별하는 수단으로서의 대응개념은 후술의 편의를 위하여 대단히 유용하다.

이제 다시 상반변위정리를 유도하는 문제로 되돌아가서 보에 두 개의 하중 P가 동시에 작용하고 있다고 가정해 보자[그림 10-11(c)]. 만일 보가 선형탄성재료이며 처짐이 매우 작다면 이 보의 처짐을 구하기 위하여 겹침의 원리를 사용할 수 있다. A에 작용하는 하중 P에 대응하는 처짐은 $\delta_{aa} + \delta_{ab}$이며 B점에 작용하는 하중 P에 대응하는 처짐은 $\delta_{ba} + \delta_{bb}$이다. 이들 처짐값을 안다면 두 개의 하중 P가 천천히 동시에 보에 작용할 때 이들 하중이 한 일을 쉽게 계산할 수 있다. 보의 전체 변형에너지 U와 같은 이 일은 Clapeyron의 정리[식 (2-38)]에서 구한 바와 같다.

$$U = \frac{1}{2}P(\delta_{aa} + \delta_{ab}) + \frac{1}{2}P(\delta_{ba} + \delta_{bb}) \tag{a}$$

두 개의 하중[그림 10-11(c)]을 받고 있는 보의 전체 변형에너지는 두 개의 하중이 작용하는 순서에 무관하다. 왜냐하면 보는 선형거동을 하기 때문에 두 하중이 동시에 작용하는 경우나 혹은 한 하중이 먼저 작용한 다음 다른 하중이 작용하는 경우에도 변형에너지는 모

두 같아야 한다. 처음에 A점에 하중이 먼저 작용한 다음에 B점에 하중이 작용한다고 가정해 보자. 그러면 그림 10-11(a)에 보인 바와 같이 이 첫 번째 하중이 처짐 δ_{aa}를 일으키기 때문에 처음 하중이 작용하는 동안 보의 변형에너지는 다음과 같다.

$$\frac{1}{2}P\delta_{aa} \tag{b}$$

두 번째 하중이 작용할 때 B점에는 δ_{bb}와 같은 부가적인 처짐이 생기게 된다. 따라서 두 번째 하중이 하는 일은

$$\frac{1}{2}P\delta_{bb} \tag{c}$$

와 같게 되며 이만큼의 부가적인 변형에너지가 보에 생기게 된다. 그런데 B점에 하중이 작용되는 동안 이미 A점에 작용하고 있는 하중 P도 부가적인 처짐 δ_{ab}를 받는다는 사실을 간과해서는 안된다. 첫 번째 하중으로 인한 대응하는 일의 양은

$$P\delta_{ab} \tag{d}$$

이며, 따라서 이만한 양의 변형에너지가 생기게 된다. 부가적인 처짐 δ_{ab}가 일어나는 동안 하중 P는 일정하므로 식 (d)에는 $\frac{1}{2}$의 계수가 없다. 식 (b), (c), (d)를 합하면 하중이 연속적으로 작용하는 경우에 대한 전체 변형에너지가 얻어진다.

$$U = \frac{1}{2}P\delta_{aa} + \frac{1}{2}P\delta_{bb} + P\delta_{ab} \tag{e}$$

이와같은 변형에너지는 두 개의 하중이 동시에 작용하는 경우[식 (a) 참조]에 생긴 변형에너지와 같아야 한다. 따라서 변형에너지에 대한 위의 두 식을 같다고 놓음으로써 다음과 같은 결과를 얻는다.

$$\delta_{ab} = \delta_{ba} \tag{10-12}$$

이 식은 **상반변위정리**를 나타내고 있으며 다음과 같이 말할 수 있다.

> B점에 작용하는 하중으로 인한 A점의 처짐은 A점에 작용하는 하중으로 인한 B점
> 의 처짐과 같다.

이때 처짐의 정의 방향은 대응하는 하중의 정의 방향과 같다.

두 개의 하중 가운데 하나는 힘인데 다른 하중이 우력일 경우나 또는 두 개의 하중이 모

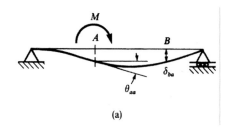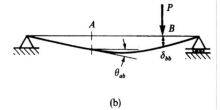

그림 10-12   상반변위정리

두 우력인 경우에도 이 정리는 적용될 수 있다. 전자의 가능성을 구체적으로 설명하기 위하여 두 개의 부하형태를 받는 단순보의 경우를 다시 생각하면(그림 10-12) 제1부하는 A점에 작용하는 우력 M이 된다[그림 10-12(a)]. M에 대응하는 첫 번째 보의 변위는 회전각 θ_{aa} 이며, 두 번째 보의 회전각은 θ_{ab}이다. 앞에서와 같은 유도과정을 반복하면 M과 P가 동시에 작용할 때의 보의 변형에너지는 다음과 같이 된다.

$$U = \frac{1}{2} M(\theta_{aa} + \theta_{ab}) + \frac{1}{2} P(\delta_{ba} + \delta_{bb})$$

우력 M이 먼저 작용하고 난 다음에 힘 P가 작용하는 경우의 변형에너지는 다음과 같다.

$$U = \frac{1}{2} M\theta_{aa} + \frac{1}{2} P\delta_{bb} + M\theta_{ab}$$

변형에너지에 대한 두 식을 같다고 놓으면

$$M\theta_{ab} = P\delta_{ba} \tag{10-13}$$

가 된다. 만일 하중 M과 P의 수치가 서로 같으면 θ_{ab}와 δ_{ba}는 수치가 서로 같게 된다. 그러므로 이 경우의 상반정리를 다음과 같이 말할 수 있다.

> B점에 작용하는 집중하중으로 인한 A점의 회전각은 만일 힘과 우력이 수치적으로 같다면 A점에 작용하는 우력에 의한 B점의 처짐과 수치적으로 같다.

물론 이때 쓰인 값들은 모든 양에 대해 일관성 있는 단위를 써야 한다.

만일 구조물에 작용하는 하중이 모두 우력 M인 경우(그림 10-13)에는 다음과 같이 된다.

$$\theta_{ab} = \theta_{ba} \tag{10-14}$$

이 경우의 상반정리는

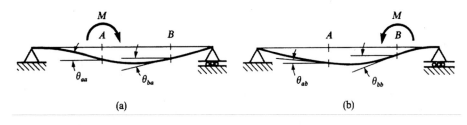

그림 10-13 상반변위정리

*B*점에 작용하는 우력에 의한 *A*점의 회전각은 *A*점에 작용하는 동일한 우력에 의한 *B*점의 회전각과 같다고 말할 수 있다.

여기서 각의 정의 방향은 우력의 정의 방향과 같다. 이미 앞에서 언급한 바와 같이 상반변위정리에 대한 이상과 같은 유도는 단지 구체적인 설명을 목적으로 하는 단순보에 대한 것이었다. 그러나 트러스, 프레임구조 또는 거대한 물체 등과 같은 다른 어떠한 형태의 구조물에도 사용될 수 있다. 왜냐하면 이들 유도는 단지 변형에너지와 겹침의 원리에만 근거를 두고 있기 때문이다. 따라서 이 정리는 매우 일반적인 축변형, 휨변형, 전단변형 또는 비틀림변형 등 여하한 형태의 변형을 일으키는 구조물에도 성립한다. 이 정리에 대한 유일한 제한은 겹침의 원리가 적용되어야 된다는 것이다. 즉 선형탄성구조물이라야 한다. 상반변위정리는 J.C. Maxwell에 의해 처음으로 발견되었으며 1864년에 발표되었다(참고문헌 10-1 참조). 따라서 **Maxwell의 상반정리**(Maxwell's reciprocal theorem)라고도 부른다.

상반일정리 이 정리는 상반변위정리보다 더 일반적인 것이며 상반변위정리를 특수한 경우로 포함하고 있다. 이 정리를 유도하기 위해 겹침의 원리가 성립하는 선형탄성체를 고려해 보자(그림 10-14). 여기서 탄성체란 전술한 바와 같이 보, 트러스, 프렘임구조 또는 다른 여러 종류의 구조물들을 나타낸다. 먼저, 구조물에 작용하는 두 가지 부하상태를 고려해야 한다. 제1부하상태로는 m개의 하중 $P_1, P_2, \cdots, P_m$이 있고[그림 10-14(a)], 제2부하상태로는 n개의 하중 $Q_1, Q_2, \cdots, Q_n$이 있다[그림 10-14(b)]. 제1부하상태의 처짐은 δ로 표시하고 첨자는 각 처짐이 대응하고 있는 특수한 하중을 나타내게 한다. 이를테면 δ_{Q2}는 힘 Q_2에 대응하는 처짐을 나타낸다. 비록 하중 Q_2가 작용하는 점은 Q_2의 방향으로만 움직여야한다는 것은 아니지만, 이 처짐은 힘 Q_2의 방향으로 측정되어야 한다. 즉, 처짐은 δ_{Q2} 방향에 수직인 성분도 가질 수 있지만 이 성분은 Q_2에 대응하는 것이 아니므로 거론한 대상에 들어가지 않는다.

제2부하상태[그림 10-14(b)]의 경우도 마찬가지이며, Q하중계는 P하중계에 대응하는 일부의 변위와 Q하중계에 대응하는 일부의 변위를 일으킨다. 이들 변위는 모두 기호 δ'으

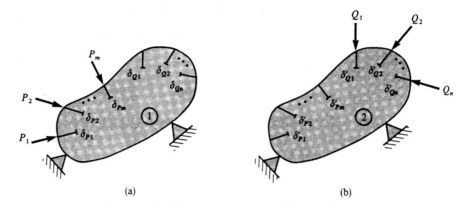

그림 10-14 상반일정리

로 표시되며, 사용되는 첨자는 처짐이 대응하는 힘을 나타낸다.

상반일정리를 유도하기 위하여 상반변위정리를 유도하는데 사용하였던 변형에너지에 관한 동일한 개념을 다시 사용하겠다. 두 하중계 P와 Q가 탄성체에 동시에 작용하였다면(이들 힘이 한 일과 같은) 전체 변형에너지는 다음과 같다.

$$U = \frac{1}{2}P_1(\delta_{P1} + \delta'_{P1}) + \frac{1}{2}P_2(\delta_{P2} + \delta'_{P2}) + \cdots + \frac{1}{2}P_m(\delta_{Pm} + \delta'_{Pm})$$
$$+ \frac{1}{2}Q_1(\delta_{Q1} + \delta'_{Q1}) + \frac{1}{2}Q_2(\delta_{Q2} + \delta'_{Q2}) + \cdots + \frac{1}{2}Q_n(\delta_{Qn} + \delta'_{Qn}) \tag{f}$$

이러한 변형에너지는 처음에 P하중계 전부를 작용시킨 다음, Q하중계 전부를 작용시켜서 얻는 변형에너지와 같아야 한다. P하중계만 작용시켰을 때의 변형에너지는

$$\frac{1}{2}P_1\delta_{P1} + \frac{1}{2}P_2\delta_{P2} + \cdots + \frac{1}{2}P_m\delta_{Pm} \tag{g}$$

두 번째 하중계인 Q하중들이 하는 일에 의한 변형에너지의 양은

$$\frac{1}{2}Q_1\delta'_{Q1} + \frac{1}{2}Q_2\delta'_{Q2} + \cdots + \frac{1}{2}Q_n\delta'_{Qn} \tag{h}$$

이 되며, 이에 부가하여 P하중들이 한 일에 의한 변형에너지는 다음과 같다.

$$P_1\delta'_{P1} + P_2\delta'_{P2} + \cdots + P_m\delta'_{Pm} \tag{i}$$

그러므로 전체 변형에너지는(처음에 P하중계가 먼저 작용하고 다음 하중계 Q가 작용하는 경우) 식 (g), (h), (i)의 합이다. 이 합을 하중이 동시에 작용하는 경우의 변형에너지인

식 (f)와 같다고 놓으면

$$P_1 \delta'_{P1} + P_2 \delta'_{P2} + \cdots + P_m \delta'_{Pm} = Q_1 \delta_{Q1} + Q_2 \delta_{Q2} + \cdots + Q_n \delta_{Qn}$$

또는

$$\sum_{i=1}^{m} P_i \delta'_{Pi} = \sum_{j=1}^{n} Q_j \delta_{Qj} \tag{10-15}$$

이 식의 좌변은 P하중계보다 Q하중계에 의해 일어나는 P하중계의 대응변위를 곱하여 합한 것이다. 우변은 Q하중계와 P하중계에 의해 일어나는 Q하중계의 대응변위를 곱하여 합한 것이다. 이 식이 **상반일 정리**를 나타내며 다음과 같이 말할 수 있다.

> **제1부하상태하의 하중이 제2부하상태에 의해 일어나는 대응변위를 따라 움직일 때 하는 일은 제2부하상태하의 하중이 제1부하상태에 의해 일어나는 대응변위를 따라 움직일 때 하는 일과 같다.**

상반일정리는 힘과 우력에 모두 적용된다. 이를테면 P_i가 힘 또는 우력을 나타내면 대응변위는 각각 처짐 또는 회전각을 나타낸다.

상반일정리를 유도하는데 구조물상의 서로 다른 점에 작용하는 두 가지 하중계를 사용했지만(그림 10-14 참조) 반드시 그럴 필요는 없다. 예를 들면 힘 Q_1은 P하중계의 하나로서 동일한 점에 작용할 수 있다. 이 힘은 심지어 같은 방향으로 작용할 수도 있고 크기도 같을 수 있다. 다시 말하면 하중의 개수나 그들의 작용점의 위치 또는 방향에 대해서는 P역계나 Q역계에 아무런 제한을 두지 않고 있다는 것이다. 이러한 일반성 때문에 상반일의 정리는 구조역학에서 매우 유용한 원리의 하나로 간주되어 있다. 상반변위정리의 경우처럼 상반일 정리는 겹침의 원리가 사용될 수 있는 구조물에 대해서만 타당하다. 상반일의 정리는 E. Betti(참고문헌 10-5)와 Lord Rayleigh(참고문헌 10-6~10-8)에 의해 알려졌고 따라서 **Betti-Rayleigh의 상반정리**라고도 부른다.

상반변위정리는 상반일정리의 특수한 경우라는 것을 쉽게 알 수 있다. 이를테면 그림 10-11(a)와 (b)의 경우에서 보여 주는 것과 같은 두 가지 부하의 경우에 대해 상반일정리를 적용할 수 있다. 그러면 상반변위정리에 대한 식 (10-12)에 해당하는 $P\delta_{ab} = P\delta_{ba}$를 즉시 구할 수 있다. 마찬가지로 그림 10-12에 표시된 두 하중조건에 이 정리를 적용하면 $M\theta_{ab} = P\delta_{ba}$가 되고 이는 식 (10-13)과 동일하다. 마지막으로 그림 10-13의 두 부하상태에 대해 상반일정리를 적용하면 식 (10-14)를 얻을 수 있다.

10.5 변형에너지와 공액에너지

변형에너지와 공액에너지의 이중개념은 구조해석에 사용되는 매우 유용한 방법들에 대한 이론적 근거를 마련해 준다. 이 방법들은 가장 일반적인 형태의 선형, 비선형인 구조물에 모두 적용할 수 있다. 여기서는 비선형구조물에 대한 개념을 서술하고, 특수한 경우로서 선형구조물을 생각해 보자. 10.3절의 단위하중법을 논할 때에도 이 방식을 사용하였으며, 비선형구조물에 대한 식 (10-3)을 유도한 후에 특수한 경우로서 선형구조물에 대한 식 (10-4)를 구하였다.

구조물의 거동에서 비선형성은 주로 다음의 두 가지 원인에 기인한다. 가장 자명한 원인은 재료가 비선형 응력-변형률곡선을 갖는데 있다. 이러한 경우 구조물은 **재료의 비선형성**(material nonlinearities)을 갖는다고 한다. 다른 하나의 가능성은 처짐이 발생한 구조물의 기하학적 형상에 의해 비선형성이 일어난다는 것이다. 이러한 상태는 구조물의 처짐이 작용하는 하중이나 반력의 작용상태를 변경시키는 경우에 일어난다.

편심축하중을 받는 기둥(11.4절 참조)이 그 하나의 예인데, 이러한 기둥에서는 횡방향의 처짐도 기둥의 굽힘모멘트에 지대한 영향을 미친다는 것을 알 수 있었다. 다른 하나의 예로는 7.13절에서 설명한 과대한 처짐을 갖는 보를 들 수 있다. 이 두 개의 예에서 모두 보의 재료는 Hooke의 법칙을 따른다고 가정하였지만 변형된 구조물의 기하학적 형상 때문에 처짐이나 합응력은 작용하는 하중과 비선형관계를 갖는다는 것을 알았다. 이러한 것들이 **기하학적 비선형성**(geometric nolinearities)에 대한 구체적인 예이다. 비선형구조물을 해석할 때에는 아주 특수한 방법 외에는 겹침의 원리가 적용되지 않는다는 것을 되새겨 보아야 한다.

여기서는 재료면에서나 기하학적인 면에서 비선형이거나 아니거나에 관계 없이 구조물의 재료가 항상 탄성한계 내에 있다고 가정한다. 이 조건은 에너지보존법칙을 포함하여 여러 가지 에너지원리가 타당성을 가지기 위해 필요하다.

에너지의 개념을 실례를 들어 설명하기 위하여 균일단면봉에 작용하는 축하중 P가 균등분포된 응력 $\sigma = P/A$를 유발하는 경우를 생각해 보자[그림 10-15(a)]. 봉의 변형률은 $\epsilon = \delta/L$이며 이때 δ는 봉의 신장량이고 L은 길이이다. 봉의 재료는 탄성재이며 그림 10-15 (b)에 보인 바와 같이 비선형 응력-변형률곡선을 갖는다고 가정한다. 그러면 하중-처짐관계[그림 10-15(c)]는 응력-변형률곡선과 같은 일반적인 형태를 취하게 될 것이다.

이때 하중 P가 한 일은

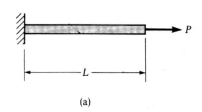

(a)

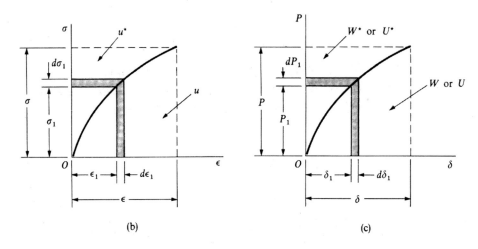

(b)   (c)

그림 10-15 변형에너지와 공액에너지

$$W = \int_0^\delta P_1 d\delta_1$$

이며, 여기서 P_1은 0과 최대값 P 사이의 어떤 하중값이며, δ_1은 이에 대응하는 처짐량이고 δ는 처짐의 최대값이다. 봉은 탄성적인 거동을 하며 하중이 부하되고 제거되는 동안에 생기는 에너지 손실을 무시하기 때문에, 즉 보존계(conservative system)로 취급하고 있기 때문에 하중이 하는 모든 일은 하중이 제거되는 동안 회복될 수 있는 탄성변형에너지의 형태로 봉에 저장될 것이다. 그러므로 **변형에너지**는 일 W와 같으며 다음과 같다.

$$U = W = \int_0^\delta P_1 d\delta_1 \tag{10-16}$$

이 식의 적분은 그림 10-15(c)의 하중-처짐곡선하의 면적이므로 기하학적으로 구할 수 있다.

재료의 **변형에너지밀도**(단위체적당의 변형에너지) u는 응력 σ_1과 최대치가 $\epsilon = \delta/L$로 되는 변형률 ϵ_1을 받는 단위치수의 미소체적요소를 고려하여 구할 수 있다. 따라서

$$u = \int_0^\epsilon \sigma_1 d\epsilon_1 \tag{10-17}$$

식 (10-17)의 적분은 그림 10-15(b)의 응력-변형률곡선하의 면적을 나타낸다. 전체 변형에너지에 관한 식 (10-16)을 봉의 체적 $V(=AL)$로 나누고 $\sigma_1 = P_1/A$, $d\epsilon_1 = d\delta_1/L$임을 유의하면 u에 대한 식 (10-16)과 같은 결과를 얻을 수 있다. 역으로 전체 변형에너지 U는 변형에너지밀도를 다음과 같이 적분함으로써 구할 수 있다.

$$U = \int u\,dV \tag{10-18}$$

여기서 dV는 미소체적이며 적분은 봉의 전 체적에 대한 것이다.

응력-변형률곡선이 Hooke의 법칙을 따르므로 $\sigma_1 = E\epsilon_1$, $P_1 = EA\delta_1/L$이 되는 특별한 경우 U와 u [식 (10-16)과 (10-17)]에 대한 표현은 다음과 같이 된다.

$$U = \frac{EA\delta^2}{2L} \tag{10-19}$$

$$u = \frac{E\epsilon^2}{2} \tag{10-20}$$

이 식들은 2.8절에서 이미 유도한 식들과 같다[식 (2-39b), (2-41b) 참조].

다음에 그림 10-15와 같은 각주봉에 대한 다른 유형의 일을 정의해 보자. 이 새로운 일은 **공액일**(complementary wrok) $W^{\star}$라고 불리며 다음과 같이 정의된다.

$$W^{\star} = \int_0^P \delta_1\,dP_1$$

공액일은 하중-처짐곡선과 하중축 사이의 면적으로 나타내어진다[그림 10-15(c)]. 이것은 일 W가 가진 것과 같은 명백한 물리적 의미를 가지고 있지는 않지만 다음과 같은 사실을 알 수 있다.

$$W + W^{\star} = P\delta \tag{10-21}$$

그러므로 기하학적인 의미에서 일 $W^{\star}$는 그림 10-15(c)에 보여 주는 것과 같은 직사각형을 만들어 줌으로 일 W의 공액인 것이다.

봉의 **공액에너지**(complementary energy) $U^{\star}$는 작용하는 하중의 공액일과 같다. 즉,

$$U^{\star} = W^{\star} = \int_0^P \delta_1\,dP_1 \tag{10-22}$$

봉의 단위체적당 변형에너지를 정의할 때 사용한 것과 유사한 방법으로 **공액에너지밀도**

$u^\star$ (또는 단위체적당의 공액에너지)도 응력 σ_1과 변형률 ϵ_1을 받는 단위체적의 미소부분을 고려함으로써 표현할 수 있다. 즉

$$u^\star = \int_0^\sigma \epsilon_1 d\sigma_1 \tag{10-23}$$

공액에너지밀도는 응력-변형률곡선과 응력축 사이의 면적과 같다[그림 10-15(b)]. 또한 구조물의 전체 공액에너지는 $u^\star$를 적분하여 얻을 수 있다.

$$U^\star = \int u^\star dV \tag{10-24}$$

때로는 변형에너지와의 유사성을 유지하기 위하여 공액에너지를 **응력에너지**(stress energy)라 부르기도 한다.

또 다시 Hooke의 법칙($\epsilon_1 = \sigma_1/E, \delta_1 = P_1L/EA$)을 따르는 재료의 특수한 경우를 생각하고, 식 (10-22)와 (10-23)을 치환하면 다음과 같은 $U^\star$와 $u^\star$를 얻는다.

$$U^\star = \frac{P^2L}{2EA} \tag{10-25}$$

$$u^\star = \frac{\sigma^2}{2E} \tag{10-26}$$

위의 식으로부터 공액에너지는 하중의 항, 변형에너지[식 (10-19)]는 변위의 항으로 표현됨을 알 수 있으며 이는 U와 $U^\star$의 고유의 정의에 의한 것이다[각기 식 (10-16)과 (10-22)]. 그러나 이들은 Hooke의 법칙이 적용될 때와 같아지며 다음과 같은 식을 얻게 된다.

$$U = U^\star = \frac{EA\delta^2}{2L} = \frac{P^2L}{2EA} \tag{10-27}$$

$$u = u^\star = \frac{E\epsilon^2}{2} = \frac{\sigma^2}{2E} \tag{10-28}$$

그들의 수치가 서로 같은 선형부재의 경우에도 U와 $U^\star$ 사이의 개념적인 차이는 명심해 두어야 한다.

전술한 변형에너지와 공액에너지에 관한 모든 식은 인장을 받는 봉과 연관되었지만 이들 개념을 비틀림이나 굽힘을 일으키는 다른 하중을 포함하는 경우에도 쉽게 연장시킬 수 있다. 그러므로 보, 평면프레임, 트러스 등과 같은 여하한 형태의 구조물에서도 하중과 대응변위 사이의 관계를 그림 10-15(c)에 보인 바와 같은 하중-처짐곡선으로 생각할 수 있다. 만약 하중이 대응변위 θ를 가진 우력 M이라면 단순히 P와 θ를 M과 θ로 대치하면 된다.

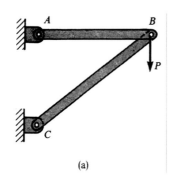
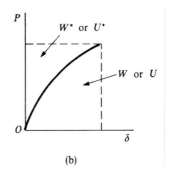

(a)   (b)

그림 10-16   비선형적인 재료로 된 트러스

다음은 그림 10-16(a)와 같이 하나 이상의 부재로 구성된 단순트러스 ABC가 한 하중 P 를 지지하고 있는 탄성체를 논의하자. 트러스재는 그림 10-15(b)와 같은 응력-변형률 곡선 을 갖는다고 하면, 하중 P와 이에 대응하는 처짐 δ의 선도(즉, 조인트 B의 연직처짐)는 역 시 비선형일 것이다[그림 10-16(b)]. 하중 P에 의한 일 W와 공액일 $W^{\star}$는 이 하중-처짐 곡선에서 찾아볼 수 있으며, 이 양은 구조물의 변형에너지 U와 공액에너지 $U^{\star}$와 같다.

이 구조물의 부재들은 변형에너지와 공액에너지를 가지고 있으며, 이 양은 각 부재의 축 력(정적 평형으로부터)과 응력-변형률의 관계로부터 쉽게 알 수 있다. 부재의 변형에너지의 합 U_m은 탄성체의 에너지보존의 원리에 따라서 하중 P의 일 W와 같다(고로 $U_m = U$).

이 결론은 구조물이 기하학적으로 비선형인 경우에도 적용되며, 처짐이 클 때에도 타당하 다. 그러나 부재들의 공액에너지의 합 $U_m^{\star}$은 단지 구조물이 기하학적인 선형을 이룰 때에 만 하중 P의 공액일 $W^{\star}$와 같다(참고문헌 10-14). 그러므로 재료는 비선형이라도 기하학 적으로 비선형이 아닌 경우에만 공액일은 보존되어 $U_m^{\star} = U^{\star}$가 된다. 기하학적 선형이 이루어지기 위하여는 처짐이 작아야 되나, 뒤의 예제 2에서 보여 주는 바와 같이 이 조건을 만족시키기는 쉽지 않다. 만약 기하학적 비선형이 성립되었다면 구조물의 공액에너지 $U^{\star}$ 는 공액일 $W^{\star}$와 같다고 정의되나, 이 에너지는 각 부재의 공액에너지의 합 $U_m^{\star}$보다 크 게 된다. 그러므로 이 상황에서 공액에너지는 보존되지 않고 부하과정에서 그 일부를 잃게 된다.

하나 이상의 하중이 구조물에 작용하는 경우에는 합계에 의하여 전체 일을 얻을 수 있다.

이때 하중은 동시에 작용하고, 부하과정에서는 서로 균형을 이루어야 한다. 전체일 W와 공액일 $W^{\star}$를 구하기 위하여 다음과 같이 개개의 일과 공액일을 더하면 된다.

$$W = \sum_{i=1}^{n} \int_0^{\delta_i} P d\delta \quad W^{\star} = \sum_{i=1}^{n} \int_0^{P_i} \delta dP \qquad (10\text{-}29\text{a, b})$$

이 식에서 P_i와 δ_i는 각기 i번째 하중과 이에 대응하는 변위의 최대값이며, P와 δ는 중간값(0에서 최대값 사이), n은 하중의 전체수이다. 식 (10-29a)로 주어지는 일 W는 구조물의 변형에너지 U와 같으며, 구조물의 재료성질 및 기하학적 비선형 여부에 관계 없이 각 부재의 변형에너지의 합 U_m과 같다. 공액일 $W^\star$ [식 (10-29b)]는 구조물의 공액에너지 $U^\star$와 같으며, 이미 언급한 바와 같이 기하학적 비선형이 존재하지 않는 경우에 한하여 부재의 공액에너지의 합 $U_m{}^\star$과 같다. 하중-처짐의 관계를 얻으면 식 (10-29)에 대입하여 W와 $W^\star$를 얻을 수 있으며, 전자는 변위의 항으로 후자는 하중의 항으로 표현된다. 그러나 하중과 이에 대응하는 처짐은 일반적으로 구조해석이 완전히 끝날 때까지 알 수가 없으므로, 부재에서 부재로의 축차적인 방법으로 구하는 것이 일반적인 과정이고 각 변형에너지와 공액에너지로 평가하여[식 (10-16), 식 (10-22) 이용] 합산함으로써 전체 구조물의 U와 $U^\star$를 얻는다. U를 얻는 방법은 어떠한 종류의 비선형구조물에서도 타당하나 $U^\star$는 재료성질상의 비선형만이 허용된다.

구조물이 선형거동을 하는 경우 하중의 일 W와 공액일 $W^\star$는 같으며, 또한 이들 일의 항의 각각은 구조물의 변형에너지 및 공액에너지와 같다($W= W^\star = U = U^\star$). i번째 하중의 일은 $P_i\delta_i/2$이므로 U와 $U^\star$의 식은 다음과 같다.

$$U= U^\star = \sum_{i=1}^{n} \frac{P_i\delta_i}{2} = \frac{P_1\delta_1}{2} + \frac{P_2\delta_2}{2} + \cdots + \frac{P_n\delta_n}{2} \tag{10-30}$$

이 식은 U와 $U^\star$를 하중과 변위의 항으로 표시한 것이지만 어느 한 양을 다른 양으로 나타내어 대입함으로써 변위나 하중 어느 하나의 항으로만 표현할 수 있다. 이의 결과적인 성격을 한 눈에 볼 수 있도록 부호로 나열해 보자. 구조물은 탄성거동을 하므로 하중은 다음과 같이 변위의 일차결합으로 표시할 수 있다.

$$\begin{aligned}
P_1 &= a_{11}\delta_1 + a_{12}\delta_2 + \cdots + a_{1n}\delta_n \\
P_2 &= a_{21}\delta_1 + a_{22}\delta_2 + \cdots + a_{2n}\delta_n \\
&\quad\cdots\cdots\cdots\cdots \\
P_n &= a_{n1}\delta_1 + a_{n2}\delta_2 + \cdots + a_{nn}\delta_n
\end{aligned} \tag{10-31}$$

여기서 계수 $a_{11}, a_{12}, \cdots a_{nn}$은 구조물의 성질에 좌우되는 상수이다. 이들 관계를 식 (10-30)에 대입하면 변형에너지와 공액에너지는 변위만의 함수로 표시되며 다음과 같은 일반적인 형태를 갖는다.

$$U= U^\star = b_{11}\delta_1{}^2 + b_{12}\delta_1\delta_2 + \cdots + \delta_{1n}\delta_1\delta_n$$

$$+ b_{21}\delta_2\delta_1 + b_{22}\delta_2{}^2 + \cdots + \delta_{2n}\delta_2\delta_n$$

$$\cdots\cdots\cdots\cdots$$ (10-32)

$$+ b_{n1}\delta_n\delta_1 + b_{n2}\delta_n\delta_2 + \cdots + b_{nn}\delta_n{}^2$$

여기서 b는 a로부터 얻어지는 새로운 상수이다. 이러한 형태의 우변은 항들이 모두 2차이기 때문에 **2차형식**(quadratic form)이라고 부른다.

하중을 변위의 항으로 표현하는 방법 이외에 변위를 하중의 일차결합으로도 풀 수 있으며 이는 다음과 같다.

$$\delta_1 = c_{11}P_1 + c_{12}P_2 + \cdots + c_{1n}P_n$$
$$\delta_2 = c_{21}P_1 + c_{22}P_2 + \cdots + c_{2n}P_n$$
$$\cdots\cdots\cdots\cdots$$ (10-33)
$$\delta_n = c_{n1}P_1 + c_{n2}P_2 + \cdots + c_{nn}P_n$$

이 식들은 c가 또한 구조물의 성질에 따라서 결정되는 상수이므로 식 (10-31)에서 동시에 풀 수 있다. 식 (10-33)을 식 (10-30)에 대입하면 U와 $U^{\star}$에 대한 새로운 2차형식을 얻는다. 즉

$$U = U^{\star} = d_{11}P_1{}^2 + d_{12}P_1P_2 + \cdots + d_{1n}P_1P_n$$

$$+ d_{21}P_2P_1 + d_{22}P_2{}^2 + \cdots + d_{2n}P_2P_n$$

$$\cdots\cdots\cdots\cdots$$ (10-34)

$$+ d_{n1}P_nP_1 + d_{n2}P_nP_2 + \cdots + d_{nn}P_n{}^2$$

여기서 d는 c에서 얻은 상수이다. 위의 식들은 구조물이 선형탄성거동을 하는 경우, 변형에너지와 공액에너지는 변위의 2차 함수 또는 하중의 2차 함수로 표시될 수 있다는 것을 나타낸다(변형에너지와 공액에너지의 부가적인 토론은 많은 예와 함께 참고문헌 10-14, 10-15에서 볼 수 있다).

예제 ①

$\delta = CP^2$으로 주어질 때 대응변위 δ가 일어나는 하중 P를 받고 있는 구조물을 생각해 보자. 여기서 C는 상수이다(그림 10-17 참조). 이 구조물의 변형에너지와 공액에너지를 구하라.

풀이 식 (10-16)에 $P_1 = \sqrt{\delta_1/C}$을 대입하여 변형에너지를 구하면

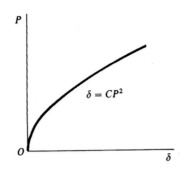

그림 10-17 예제 1. 비선형 하중-처짐곡선

$$U = \int_0^\delta \sqrt{\frac{\delta_1}{C}}\, d\delta_1 = \frac{2}{3}\sqrt{\frac{\delta^3}{C}} \tag{10-35}$$

식 (10-22)로부터 공액에너지는

$$U^\star = \int_0^P CP_1{}^2 dP_1 = \frac{CP^3}{3} \tag{10-36}$$

변형에너지는 변위의 항으로 표시되었고 공액에너지는 하중의 항으로 표시된 것에 유의하라. 이와 같은 형태로 에너지를 나타내는 것은 U와 $U^\star$에 대한 정의의 본질과 일치한다. 더구나 이러한 형태는 처짐을 구하고 구조물을 해석하는데 대단히 유용하다는 것을 다음 몇 개의 절에서 알게 될 것이다. 물론 어떤 경우에는 변형에너지를 하중의 항으로 표시할 수 있고 공액에너지를 변위의 항으로 표시할 수 있다. 이 예제에서도 그러한 결과는 원래의 하중-처짐관계식 $\delta = CP^2$을 식 (10-35)와 식 (10-36)에 대입함으로써 얻을 수 있다. 또한 U와 $U^\star$는 이 비선형 구조물에서는 같지 않다(이 특이예에서는 $U = 2U^\star$).

예제 ❷

그림 10-18(a)와 같이 길이가 L인 두 개의 수평봉 AC와 CB로 된 구조물이 있다. 봉은 핀 지지이며 C점에서 서로 연결되어 있다. 봉은 선형탄성재료로 되어 있으며 각 봉의 축강도 EA는 일정하다. 연직하중 P가 C점에 작용한다면 봉이 초기에 수평위치에 있는 한 하중을 지지할 수 없을 것이다. 그러므로 절점 C는 아랫방향으로 처지게 되며, 이때 봉에는 인장력이 생기게 될 것이다. 그렇게 되면 이러한 하중하에서 미소처짐 δ와 함께 구조물은 평형위치에 도달하게 될 것이다[그림 10-18(b)]. 처짐 δ가 작다고 가정하고 이 구조물에 대한 변형에너지와 공액에너지를 계산해 보자.

풀이 변형에너지 U를 결정하기 위하여 한 부재에서 변형에너지를 구하여 2배한다.

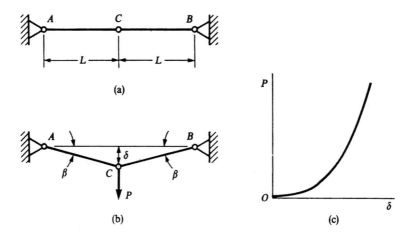

그림 10-18 예제 2. 기하학적으로 비선형적인 구조물

한 부재의 변형에너지는(Hooke의 법칙이 성립하므로) 식 $EA\Delta^2/2L'$ [식 (10-19) 참조]에서 얻어지며, Δ는 신장량, L'은 부재의 길이이다. 길이 L'을 구하기 위해서 그림 10-18(b)를 참조하면

$$L' = \frac{L}{\cos\beta} \tag{a}$$

단, β는 그림에서 보는 바와 같이 작은 각이다. $\cos\beta$의 급수전개는 다음과 같다.

$$\cos\beta = 1 - \frac{\beta^2}{2!} + \frac{\beta^4}{4!} - \cdots\cdots \tag{b}$$

β는 작은 양이므로 멱수를 포함하는 모든 항을 무시할 수 있으므로 $\cos\beta = 1$이 되어 $L' = L$로 취할 수 있다. 신장량 Δ를 처짐 δ의 항으로 얻기 위해 유사한 방법으로 진행시키면

$$L' = L + \Delta = \frac{L}{\cos\beta} = L\sec\beta \tag{c}$$

$\sec\beta$의 급수전개는

$$\sec\beta = 1 + \frac{\beta^2}{2!} + \frac{5\beta^4}{4!} + \cdots \tag{d}$$

이를 식 (c)에 대입하면

$$L + \Delta = L\left(1 + \frac{\beta^2}{2!} + \frac{5\beta^4}{4!} + \cdots\right)$$

또는

$$\Delta = \frac{L\beta^2}{2}\left(1 + \frac{5\beta^2}{12} + \cdots\right)$$

을 얻는다. β는 같은 크기이므로 첫 항을 제외한 모든 항은 무시할 수 있어 다음을 얻는다.

$$\Delta = \frac{L\beta^2}{2} \tag{e}$$

그림 10-18(b)로부터 $\tan\beta = \delta/L$이고, 각이 작으므로 $\tan\beta = \beta$로 하면

$$\beta = \frac{\delta}{L} \tag{f}$$

식 (e)와 (f)를 종합하여

$$\Delta = \frac{\delta^2}{2L} \tag{g}$$

을 얻는다. 그리하여 전체 변형에너지는 다음과 같이 된다.

$$U_m = (2)\frac{EA\Delta^2}{2L'} = \frac{EA\delta^4}{4L^3} \tag{10-37}$$

이 해석은 δ가 L에 비해 작을 때 타당하다.

부재의 공액에너지는 재료가 Hooke의 법칙을 따르므로 부재의 변형에너지와 같다.

$$U_m^{\star} = \frac{EA\delta^4}{4L^3} \tag{h}$$

그러나 이 구조물은 처짐이 힘의 작용을 변화시키므로 기하학적으로 비선형이다. 따라서 $U_m^{\star}$은 전체의 공액에너지 $U^{\star}$는 아니다. 이 사실을 확인하기 위하여 구조물에 대한 하중-처짐방정식을 얻어 보자[식 (10-16)과 (10-22) 참조]. 조인트 C의 정적평형으로부터 [그림 10-18(b)] 부재의 인장력 T를 얻게 된다.

$$T = \frac{P}{2\sin\beta}$$

β가 작으므로 $\sin\beta = \beta$로 대치하고, 식 (f)를 이용하면

$$T = \frac{PL}{2\delta}$$

한 봉의 신장 Δ는 축력 T와 유관하며

$$\Delta = \frac{TL}{EA} = \frac{PL}{2\delta}\left(\frac{L}{EA}\right) = \frac{PL^2}{2EA\delta} \tag{i}$$

식 (g)와 (i)에서 Δ를 소거하면 다음과 같은 형태 중의 하나로 하중-처짐관계식을 얻는다.

$$P = \frac{EA\delta^3}{L^3} \quad \delta = \sqrt[3]{\frac{PL^3}{EA}} \tag{10-38a, b}$$

관계 그래프가 그림 10-18(c)이다. 재료 자체가 Hooke의 법칙을 따르고 처짐이 작다 하더라도 구조물이 기하학적으로 비선형이라는 것은 매우 중요한 유의사항이다.

이제 식 (10-16)에서 구조물의 변형에너지를 계산할 수 있다.

$$U = \int_0^\delta P_1 d\delta_1 = \int_0^\delta \frac{EA{\delta_1}^3}{L^3} d\delta_1 = \frac{EA\delta^4}{4L^3} \tag{10-39}$$

이는 식 (10-37)과 일치한다. 공액에너지는 식 (10-22)에서 구해지며

$$U^\star = \int_0^P \delta_1 dP_1 = \int_0^P \sqrt[3]{\frac{P_1 L^3}{EA}}\, dP_1 = \frac{3P^{4/3}L}{4\sqrt[3]{EA}} \tag{10-40}$$

다시금 변형에너지가 변위의 항으로, 공액에너지가 하중의 항으로 표현되는데 유의하라. 공액에너지 $U^\star$와 부재들의 공액에너지 $U_m^\star$ [식 (h)]을 비교하기 위하여 식 (10-38a)를 식 (10-40)에 대입하면 공액에너지의 다른 표현을 얻는다.

$$U^\star = \frac{3EA\delta^4}{4L^3} \tag{10-41}$$

이 결과는 $U_m^\star$보다 큰데, 이는 구조물이 기하학적으로 비선형일 때 공액에너지가 보존되지 않음을 보여 준다.

예제 ③

길이가 L이고 직사각형단면(폭 b, 높이 h)을 가진 외팔보가 자유단에 집중하중 P를 받고 있다(그림 10-19). 응력-변형률선도는 방정식 $\sigma = B\sqrt{\epsilon}$으로 표시되며 여기서 B는 상수이고 인장과 압축 모두에 동일하게 적용할 수 있다. 이 보의 공액에너지를 계산하라.

풀이 이 예제에서 응력과 변형률은 보의 체적에 따라 변하게 되므로 변형에너지 밀도 u와 공액에너지 밀도 $u^\star$를 먼저 구할 필요가 있다. 그 다음에 U와 $U^\star$를 구하기 위해서 적분한다. 이 양들은 응력 σ_1과 변형률 ϵ_1을 알면 보의 모든 점에서 구할 수 있으며, 역으로 곡률을 알아도 구해진다.

곡률은 보의 비탄성굽힘에 대한 10.7절의 방법으로 쉽게 구해진다. 즉, 곡률은

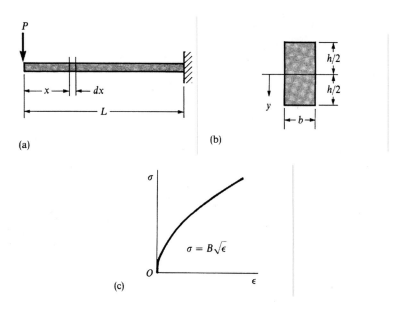

그림 10-19 예제 3. 비선형성부재로 된 외팔보

$$\kappa = -\frac{\epsilon_t}{h} \tag{j}$$

이며, 여기서 ϵ_t는 보의 하부섬유 변형률의 2배이다[식 (10-22)참조]. $\epsilon_1 = \epsilon_t / 2$와 식 (10-27)로부터 임의 단면에서의 굽힘모멘트 M은 다음과 같다.

$$M = \frac{2bh^2}{\epsilon_t{}^2} \int_0^{\epsilon_t/2} \sigma \epsilon \, d\epsilon$$

$\sigma = B\sqrt{\epsilon}$ 을 대입하여 적분하면

$$M = \frac{Bbh^2 \sqrt{\epsilon_t}}{5\sqrt{2}}$$

또는

$$\epsilon_t = \frac{50M^2}{B^2 b^2 h^4} \tag{k}$$

이제, 곡률은 식 (j)와 식 (k)에서 ϵ_t를 소거시키고 또한 굽힘모멘트 M 대신에 Px를 대입함으로써 얻을 수 있다.

$$\kappa = \frac{50P^2 x^2}{B^2 b^2 h^5} \tag{l}$$

이 식은 보의 축을 따라 잰 거리 x의 함수로서 곡률을 나타내고 있다[그림 10-19(a)].

보의 임의의 단면에서의 변형률 ϵ_1은 식 (10-1)에 주어진 것과 같이

$$\epsilon_1 = -\kappa y = -\frac{50 P^2 x^2 y}{B^2 b^2 h^5} \tag{m}$$

이다. 거리 y는 그림 10-19(b)에서와 같이 측정되며, 압력은 압력-변형률 관계를 사용하여 변형률로부터 구할 수 있다.

$$\sigma_1 = B \sqrt{\epsilon_1} \tag{n}$$

물론 식 $\sigma = B\sqrt{\epsilon}$ 은 압력-변형률선도의 인장부분에 대한 것이며 이는 그림 10-19의 보의 상반에 대응된다(y는 음의 값). 그러므로 식 (m)을 식 (n)에 대입하여 그 절대값만을 사용한다.

$$\sigma_1 = \frac{5\sqrt{2}\, P y^{1/2} x}{b h^{5/2}} \tag{o}$$

그러므로 보의 어느 점에서나 응력과 변형률을 알 수 있다.

변형에너지밀도[식 (10-17)]는

$$u = \int_0^\epsilon \sigma_1 d\epsilon_1 = \int_0^\epsilon B\sqrt{\epsilon_1}\, d\epsilon_1 = \frac{2B\epsilon^{3/2}}{3}$$

변형률 ϵ을 대입하고[식 (m) 참조] 절대값을 취하면

$$u = \frac{500\sqrt{2}\, P^3 x^3 y^{3/2}}{3 B^2 b^3 h^{15/2}} \tag{p}$$

이 식은 변형에너지밀도를 x, y좌표의 함수로 구한 것이다. 전체보의 변형에너지 U는 보의 체적을 통해 u를 적분하면 되며, 적분한계 x는 0에서 L까지, y는 0에서 $h/2$까지로 하였으므로 앞에 2를 곱하였다. 따라서 변형에너지 U의 식은

$$U = \int u\, dV = 2 \int_0^L \left[\int_0^{h/2} u b\, dy \right] dx$$

u에 식 (p)를 대입하면 다음과 같다.

$$U = \frac{1000\sqrt{2}\, P^3}{3 B^2 b^2 h^{15/2}} \int_0^L \left[\int_0^{h/2} y^{3/2} dy \right] x^3 dx = \frac{25 P^3 L^4}{3 B^2 b^2 h^5} \tag{12-42}$$

하중 P가 한 일 W도 같은 형식으로 주어진다.

공액에너지밀도[식 (10-23)]는

$$u^\star = \int_0^\sigma \epsilon_1 d\sigma_1 = \int_0^\sigma \frac{\sigma_1^{\,2}}{B^2} d\sigma_1 = \frac{\sigma^3}{3B^2}$$

응력 σ를 소거하면[식 (o) 참조]

$$U^\star = \frac{250\sqrt{2}\,P^3 x^3 y^{3/2}}{3B^2 b^3 h^{15/2}} \tag{q}$$

이는 x와 y의 함수로서 공액에너지밀도를 나타낸다. 이제 변형에너지에서와 같이 보의 체적을 통하여 적분하면 다음과 같다.

$$U^\star = \int u^\star dV = 2\int_0^L \left[\int_0^{h/2} u^\star b\, dy\right] dx$$

$u^\star$에 식 (q)를 대입하면

$$U^\star = \frac{500\sqrt{2}\,P^3}{3B^2 b^2 h^{15/2}} \int_0^L \left[\int_0^{h/2} y^{3/2} dy\right] x^3 dx = \frac{25 P^3 L^4}{6B^2 b^2 h^5} \tag{10-43}$$

이로써 이 보의 변형에너지와 공액에너지에 대한 식을 얻었다. 응력–변형률곡선 아래 면적[그림 10-19(c)]이 곡선과 수직축 사이의 면적의 두 배이므로 변형에너지가 공액에너지의 두 배임을 유의하라.

10.6 변형에너지법

여기서 구조해석에 중요한 변형에너지 원리를 유도하자. 구조물이 n개의 하중 P_1, P_2, $\cdots$, P_n을 받고 있고 이들 하중이 대응변위 δ_1, δ_2, $\cdots$, δ_n을 일으킨다고 생각하면, 이미 전술한 바와 같이 P와 δ는 일반적인 의미로서의 힘과 대응변위를 나타내며 따라서 하중과 이행, 우력과 회전, 한 쌍의 힘과 상대변위, 한 쌍의 우력과 상대회전 등이 될 수 있다. 또한 구조물은 비선형거동을 할 수 있다. 즉, 임의의 힘 P_i와 대응변위 δ_i의 관계는 그림 10-15(c)의 하중–변위선도에 의해 특징지어진다는 것을 알 수 있다.

구조물의 변형에너지 U는 하중이 작용하는 동안 하중이 한 일 W와 같다. 이론적으로 각 힘 P_i는 적절한 하중–변위관계식을 사용하여 대응변위 δ_i의 함수로 표시할 수 있다. 하중에 대한 이들 식을 식 (10-29a)에 대입할 수 있으며, 변형에너지 U에 대한 결과적인 표현은

변위 δ_i의 함수로 나타날 것이다. 이와 같이 변위의 항으로 나타낸 U를 가지고 다른 모든 변위는 일정하고 어떤 변위 δ_i만 $d\delta_i$만큼 증가할 때의 변형에너지의 증가량을 구할 수 있으며, dU로 표시되는 변형에너지의 증가량은 다음 식으로 나타낼 수 있다.

$$dU = \frac{\partial U}{\partial \delta_i} d\delta_i$$

여기서 편도함수 $\partial U / \partial \delta_i$는 δ_i에 대한 변형에너지의 증가율이다. 또한 변위 δ_i가 미소량 $d\delta_i$만큼 증가할 때 대응하중 P_i는 일을 하게 되지만 다른 변위는 변하지 않으므로 이에 대응하는 하중들은 일을 하지 못한다는 것을 알 수 있다. $P_i d\delta_i$로 표시되는 이 일은 구조물에 저장된 변형에너지의 증가량과 같다.

$$dU = P_i d\delta_i$$

dU에 대한 위의 두 식을 같다고 놓으면

$$P_i = \frac{\partial U}{\partial \delta_i} \tag{10-44}$$

만약 변형에너지가 변위의 함수로 표시된다면 임의의 변위 δ_i에 대한 변형에너지의 편도함수는 대응하중 P_i와 같다는 것을 이 식은 말해 준다. 이태리인 기술자 Castigliano가 1879년 출판한 그의 유명한 저서 속에 이 식을 유도하고 적용시킨 뒤부터 이 식을 **Castigliano의 제1정리**라고 부른다(참고문헌 10-16~10-20 참조). 또한 이 정리는 식의 양변의 미분을 구함으로써 변형에너지의 정의[식 (10-16)]로부터 직접 유도할 수 있다.

Castigliano의 제1정리를 좀더 구체적으로 설명하기 위해 전절의 예제 1에서 사용한 비선형구조물을 생각해 보자. 구조물의 변형에너지는 식 (10-35)에 주어지며

$$U = \frac{2}{3}\sqrt{\frac{\delta^3}{C}}$$

여기서 U가 하중 P에 대응하는 변화 δ의 함수로 주어지고 있음을 유의하라. Castigliano의 제1정리를 이 식에 적용하면

$$P = \frac{dU}{d\delta} = \sqrt{\frac{\delta}{C}}$$

이며, 이로부터 $\delta = CP^2$이 되며 이것은 하중과 처짐 사이의 올바른 관계를 나타낸다.

이와 마찬가지로 전절의 예제 2에서 설명한 그림 10-18과 같은 기하학적 비선형구조물에 Castigliano의 제1정리를 적용할 수 있다. 변형에너지(변위의 항으로)는 다음과 같다[식 (10-37), (10-39) 참조].

$$U = \frac{EA\delta^4}{4L^3}$$

그러므로 Castigliano의 제1정리로 다음 식을 얻는다.

$$P = \frac{dU}{d\delta} = \frac{EA\delta^3}{L^3}$$

이 결과는 앞에서 해석한 것과 일치함을 알 수 있다[그림 10-38(a) 참조].

Castigliano의 제1정리는 구조물의 해석에 변형에너지를 활용하는 방법을 제공해 준다. 이 방법을 유도하기 위해 n개의 미지 절점변위 $D_1, D_2, \cdots, D_n$을 갖는 비선형구조물이 있다고 가정하자. 부호 D는 보다 일반적인 양인 δ_i로부터 구분하기 위해 쓴다. δ_i와 P_i는 변위와 대응힘을 나타내며, 변위 D는 조인트변위로서 해석에서의 미지량을 말한다. 실제적인 목적을 위하여 모든 조인트변위는 D의 하나로 포함시키며, 모든 하중은 조인트에 작용하게 한다. 이 하중은 각각 $D_1, D_2, \cdots, D_n$에 대응하는 $P_1, P_2, \cdots, P_n$으로 나타낸다.

이미 설명한 바와 같이 구조물의 변형에너지 U를 미지 절점변위 $D_1, D_2, \cdots, D_n$의 항으로 표시할 수 있다. U를 이런 방식으로 나타내면 각각의 변위에 관해 Castigliano의 제1정리를 적용시킴으로써 n개의 연립방정식을 얻는다.

$$P_1 = \frac{\partial U}{\partial D_1} \quad P_2 = \frac{\partial U}{\partial D_2} \cdots \quad P_n = \frac{\partial U}{\partial D_n} \tag{10-45}$$

임의의 전형적인 방정식, 즉 i번째 식을 살펴보면 이 식의 우변은 n개의 미지 절점변위 $D_1, D_2, \cdots, D_n$으로 구성되어 있음을 알 수 있다. 이들 항을 합하면 하중 P_i 자체가 되므로 이 식은 실제로 하중 P_i에 대응하는 힘에 대한 평형조건을 나타내는 것이라 결론을 얻을 수 있다. 따라서 식 (10-45)는 절점변위 $D_1, D_2, \cdots, D_n$을 하중 $P_1, P_2, \cdots, P_n$의 항으로 풀수 있는 일군의 평형방정식이다. 절점변위를 앎으로써 반력, 합응력과 같은 다른 양을 계산할 수 있으며, 이로서 구조의 해석이 끝난다.

위에서 설명한 변형에너지법은 절점변위를 미지수로 취급하여 평형방정식의 해를 구하고 있다. 이 방법을 해석의 **변위법**(displacement method)이라 하며 선형과 비선형구조물의 해석에 모두 사용하고, 선형구조물의 경우에는 **강성도법**(stiffness method)이라 불린다.

이제 선형구조물, 즉 겹침의 원리가 타당한 구조물에 대해 좀더 자세히 고찰해 보자. 이 경우, 전절에서 설명한 바와 같이 변형에너지 U는 변위의 2차 함수이다. 그러므로 n개의 미지 절점변위 $D_1, D_2, \cdots, D_n$과 대응하중 $P_1, P_2, \cdots, P_n$이 있을 때 변형에너지 U의 일반 형태는

$$U = a_{11}D_1{}^2 + a_{12}D_1D_2 + \cdots + a_{1n}D_1D_n$$
$$+ a_{21}D_2D_1 + a_{22}D_2{}^2 + \cdots + a_{2n}D_2D_n$$
$$\cdots$$
$$+ a_{n1}D_nD_1 + a_{n2}D_nD_2 + \cdots + a_{nn}D_n{}^2$$

이 되며, 계수 $a_{11}, a_{12} \cdots$은 구조물의 성질에 따라 결정되는 새로운 상수이다. Castigliano 의 제1정리식 (10-44)를 여기에 적용시키면 다음과 같은 평형방정식[식 (10-45)]을 얻는다.

$$P_1 = \frac{\partial U}{\partial D_1} = S_{11}D_1 + S_{12}D_2 + \cdots + S_{1n}D_n$$
$$P_2 = \frac{\partial U}{\partial D_2} = S_{21}D_1 + S_{22}D_2 + \cdots + S_{2n}D_n$$
$$\cdots \tag{10-46}$$
$$P_n = \frac{\partial U}{\delta D_n} = S_{n1}D_1 + S_{n2}D_2 + \cdots + S_{nn}D_n$$

여기서 계수 $S_{11}, S_{12} \cdots$은 상수 a, 즉 구조물의 성질에 의해 결정되는 상수이다. 이 상수 들은 **강성도상수** 또는 **강성도**로 알려져 있으며 식 (10-46)은 해석에 있어서의 강성도법의 **평 형방정식**이다.

구조물의 변형에너지와 강성도법 사이의 중요한 관계가 식 (10-46)의 편도함수를 취함으 로써 얻어진다.

$$\frac{\partial P_1}{\partial D_1} = S_{11} \quad \frac{\partial P_1}{\partial D_2} = S_{12} \cdots \frac{\partial P_1}{\partial D_n} = S_{1n} \tag{a}$$

$$\frac{\partial P_2}{\partial D_1} = S_{21} \quad \frac{\partial P_2}{\partial D_2} = S_{22} \cdots \frac{\partial P_2}{\partial D_n} = S_{2n} \tag{b}$$

나머지 식들에 대해서도 마찬가지이다. P_1은 $\partial U / \partial D_1$와 같으므로 식 (a)는 다음과 같이 쓸 수 있다.

$$S_{11} = \frac{\partial^2 U}{\partial D_1{}^2} \quad S_{12} = \frac{\partial^2 U}{\partial D_2 \partial D_1} \cdots S_{1n} = \frac{\partial^2 U}{\partial D_n \partial D_1}$$

이와 유사한 방법으로 식 (b)도 다음과 같이 된다.

$$S_{21} = \frac{\partial^2 U}{\partial D_1 \partial D_2} \quad S_{22} = \frac{\partial^2 U}{\partial D_2{}^2} \cdots S_{2n} = \frac{\partial^2 U}{\partial D_n \partial D_2}$$

이 식들에서 나타나는 도함수의 유형으로부터 강성도계수는 다음과 같은 일반식으로 변형에너지와 관계된다는 결론을 얻을 수가 있다.

$$S_{ij} = \frac{\partial^2 U}{\partial D_j \partial D_i} \tag{10-47}$$

즉, 변형에너지 U가 미지변위 $D_1, D_2, \cdots, D_n$의 2차함수로 표시되는 경우에는 즉각 미분과정을 거쳐 구조물의 강성도를 구할 수 있다. 더구나 U의 미분순서는 중요하지 않으므로 강성도에 대한 상반정리를 구할 수 있다.

$$S_{ij} = \frac{\partial^2 U}{\partial D_j \partial U_i} = \frac{\partial^2 U}{\partial D_i \partial D_j} = S_{ji} \tag{10-48}$$

물론 강성도에 대해 상술한 내용은 선형탄성구조물에만 적용이 가능하다. 강성도의 자세한 사항은 구조해석의 책을 참조하라(예를 들어, 참고문헌 10-22)

예제 1

그림 10-20(a)와 같은 트러스 ABC가 절점 B에서 연직하중 P를 받고 있다. 봉 AB와 BC의 단면적은 A이다. 재료의 응력-변형률관계는 $\sigma = B\sqrt{\epsilon}$이며[그림 10-20(b) 참조] 여기서 B는 상수이고 응력-변형률 곡선의 형태는 압축과 인장의 경우에 모두 동일하다. 이 비선형탄성트러스를 Castigliano의 제1정리를 사용하여 변위법에 의해 해석하라.

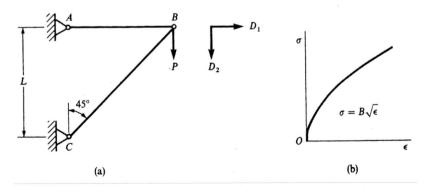

그림 10-20 예제 1. 비선형응력-변형도곡선을 가진 재료로 된 트러스

풀이 절점 B에서 두 개의 미지변위, 즉 수평변위 D_1과 연직변위 D_2를 가지고 있다(그림 10-20). Castigliano의 제1정리로 평형방정식을 얻기 위해서는 구조물의 변형에너지를 변위의 항으로 표시해야 한다. 변형에너지는 다음과 같은 방법으로 결정된다. 변위 D_1으로 인해 봉 AB의 신장은 D_1과 같고 봉 BC의 신장은 $D_1/\sqrt{2}$과 같다. 또한 변위 D_2로 인한 봉 BC는 $D_2/\sqrt{2}$만큼 줄어 들고 봉 AB의 길이는 변하지 않는다. 그러므로 봉 AB의 전 신장량은 D_1이며 봉 BC의 전수축량은 $(D_2-D_1)/\sqrt{2}$이다. 따라서 봉의 변형률은

$$\epsilon_{ab}=\frac{D_1}{L}\,(\text{신장}) \tag{c}$$

$$\epsilon_{bc}=\frac{D_2-D_1}{2L}\,(\text{수축}) \tag{d}$$

각 봉의 변형에너지밀도는 식 (10-17)로부터 구할 수 있다.

$$u_{ab}=\int_0^{\epsilon_{ab}}\sigma_1 d\epsilon_1=\int_0^{\epsilon_{ab}}B\sqrt{\epsilon_1}\,d\epsilon_1=\frac{2B}{3}\left(\frac{D_1}{L}\right)^{3/2}$$

$$u_{bc}=\int_0^{\epsilon_{bc}}\sigma_1 d\epsilon_1=\int_0^{\epsilon_{bc}}B\sqrt{\epsilon_1}\,d\epsilon_1=\frac{2B}{3}\left(\frac{D_2-D_1}{2L}\right)^{3/2}$$

응력과 변형률은 각 봉의 전 체적에 걸쳐 일정하므로 변형에너지밀도에 봉의 전 체적을 곱하여 각 봉에 대한 전체 변형에너지를 구할 수 있다. 또한, 구조물의 전체 변형에너지 U를 구하기 위하여 이들 변형에너지를 합해야 한다.

$$U=U_{ab}+U_{bc}=u_{ab}AL+u_{bc}AL\sqrt{2}$$

이로부터

$$U=\frac{AB}{3\sqrt{L}}[2D_1^{3/2}+(D_2-D_1)^{3/2}] \tag{10-49}$$

여기서 A는 각 봉의 단면적이다. 이 식은 변형에너지를 미지 절점변위 D_1과 D_2의 항으로 표시한 것이다.

이제, Castigliano의 제1정리를 사용하여 평형방정식을 구할 수 있다[식 (10-44), (10-45) 참조]. 식 (10-45)에서 P_1은 D_1에 대응하는 하중을 나타내며 0과 같고, 반면에 P_2는 D_2에 대응하는 하중을 나타내며 P와 같다. 그러므로

$$P_1=\frac{\partial U}{\partial D_1}=\frac{AB}{2\sqrt{L}}[2D_1^{1/2}-(D_2-D_1)^{1/2}]=0$$

$$P_2=\frac{\partial U}{\partial D_2}=\frac{AB}{2\sqrt{L}}(D_2-D_1)^{1/2}=P$$

위의 두 식을 재정리하면

$$2D_1^{1/2} - (D_2 - D_1)^{1/2} = 0 \qquad\qquad (e)$$

$$(D_2 - D_1)^{1/2} = \frac{2P\sqrt{L}}{AB} \qquad\qquad (f)$$

위의 두 식을 연립시켜 풀면 다음과 같은 절점연립을 얻는다.

$$D_1 = \frac{P^2 L}{A^2 B^2} \quad D_2 = \frac{5P^2 L}{A^2 B^2} \qquad\qquad (10\text{-}50\text{a, b})$$

이 단계가 변위법에 의한 해석의 핵심적인 부분이라고 할 수 있는데 그 이유는 D_1과 D_2를 알고나면 봉의 모든 힘과 반력을 쉽게 계산할 수 있기 때문이다.

최종적인 계산을 보여 주기 위하여 트러스의 부재력을 구해 보자. 먼저 봉의 변형률은 D_1과 D_2[식 (10-50a), (b) 참조]를 식 (c)와 (d)에 대입하여 구할 수 있다.

$$\epsilon_{ab} = \frac{D_1}{L} = \frac{P^2}{A^2 B^2} \,(\text{신장})$$

$$\epsilon_{bc} = \frac{D_2 - D_1}{2L} = \frac{2P^2}{A^2 B^2} \,(\text{수축})$$

다음 응력-변형률의 법칙으로부터 응력을 계산한다.

$$\sigma_{ab} = B\sqrt{\epsilon_{ab}} = \frac{P}{A} \,(\text{신장})$$

$$\sigma_{bc} = B\sqrt{\epsilon_{bc}} = \frac{\sqrt{2}\,P}{A} \,(\text{압축})$$

마지막으로 트러스의 부재력 N은

$$N_{ab} = \sigma_{ab}A = P \,(\text{인장})$$

$$N_{bc} = \sigma_{bc}A = \sqrt{2}\,P \,(\text{압축})$$

이 결과는 정역학적 평형에 의해 쉽게 확인된다.

이 예제에서는 비록 구조물이 매우 단순하며 또한 정정구조물로서 훨씬 쉽게 해석될 수 있었지만 변위법의 일반적인 개념과 Castigliano의 제1정리를 사용하는 방법을 설명하기 위하여 해를 구하는 모든 단계를 하나 하나 보여 주었다. 변위법을 사용하는 경우, 2개의 절점변위가 미지이므로 두 개의 연립방정식의 해가 요구되었다. 그러나 정정구조물이므로 다음과 같이 해석될 수도 있다. (1) 정역학적 평형으로부터 부재력을 구한다. (2) 부재력을 단면적으로 나누어 응력을 구한다. (3) 응력-변형률선도로부터 봉의 변형률을 구한다. (4) 변형률로부터 봉의 신장량을 구한다. (5) 절점 B의 변위 D_1과 D_2를 구하기 위해 Williot

선도(2.3절 참조)를 그린다.

예제 2

공통절점 E에서 4개의 봉이 이어지는 트러스는 그림 10-21(a)와 같다. 부재는 모두 탄성계수가 E인 선형탄성재료로 되어 있다고 가정한다. 각 부재의 길이는 L이고 단면적은 A이며 각 β는 30°이다. 트러스의 절점 E에 하중 P_1과 P_2가 작용할 때의 Castigliano의 제1정리와 강성도법을 이용하여 이 부정정트러스를 해석하라.

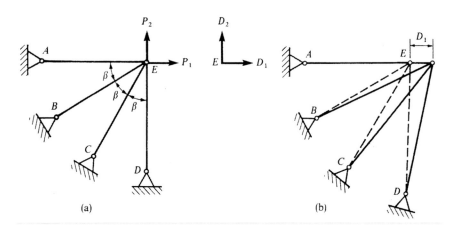

그림 10-21 예제 2. Hooke의 법칙에 따르는 재료로 된 트러스

풀이 이 트러스는 2개의 미지 절점변위, 즉 절점 E에서의 수평 및 연직이행 D_1과 D_2만을 가지고 있다[그림 10-21(a)]. 변형에너지 U를 D_1과 D_2의 함수로 나타내기 위해 먼저 D_1만이 일어난다고 가정해 보자[그림 10-21(b)]. 이러한 조건하에서의 봉의 신장은 다음과 같다.

$$\Delta_{ae} = D_1 \quad \Delta_{be} = \frac{\sqrt{3}\,D_1}{2} \quad \Delta_{ce} = \frac{D_1}{2} \quad \Delta_{de} = 0$$

이는 그림의 기하학적 형상으로부터 곧 확인할 수 있으며, 또한 변위 D_2만이 일어나는 경우 부재의 신장은 다음과 같다.

$$\Delta_{ae} = 0 \quad \Delta_{be} = \frac{D_2}{2} \quad \Delta_{ce} = \frac{\sqrt{3}\,D_2}{2} \quad \Delta_{de} = D_2$$

그러므로 변위 D_1과 D_2가 동시에 일어날 때, 봉의 신장은 다음과 같다.

$$\Delta_{ae} = D_1 \quad \Delta_{be} = \frac{\sqrt{3}\,D_1 + D_2}{2} \quad \Delta_{ce} = \frac{D_1 + \sqrt{3}\,D_2}{2} \quad \Delta_{de} = D_2 \qquad \text{(g)}$$

각 부재의 변형에너지는 부재의 신장으로부터 구해지며[식 (10-19)] 트러스의 전체 변형에너지 U는 4개의 부재의 변형에너지를 합하여 얻을 수 있다.

$$U = \frac{EA}{2L}D_1{}^2 + \frac{EA}{2L}\left(\frac{\sqrt{3}\,D_1+D_2}{2}\right)^2 + \frac{EA}{2L}\left(\frac{D_1+\sqrt{3}\,D_2}{2}\right)^2 + \frac{EA}{2L}D_2{}^2$$

또는

$$U = \frac{EA}{2L}(2D_1{}^2 + \sqrt{3}\,D_1D_2 + 2D_2{}^2) \tag{10-51}$$

이 식은 변형에너지를 변위의 2차 함수로 나타내고 있음에 유의하라.

Castigliano의 제1정리를 적용하면 다음과 같은 평형방정식을 얻는다[식 (10-46) 참조].

$$P_1 = \frac{2EA}{L}D_1 + \frac{\sqrt{3}\,EA}{2L}D_2 \tag{h}$$

$$P_2 = \frac{\sqrt{3}\,EA}{2L}D_1 + \frac{2EA}{L}D_2 \tag{i}$$

이 식들은 절점변위에 대해 쉽게 풀 수 있으며 그 결과는 다음과 같다.

$$D_1 = \frac{2L}{13EA}(4P_1 - \sqrt{3}\,P_2) \quad D_2 = \frac{2L}{13EA}(-\sqrt{3}\,P_1 + 4P_2)$$

마지막으로 트러스 부재의 축력 N을 계산할 수 있다. 그 절차는 먼저 절점변위 D_1과 D_2를 식 (g)에 대입하여 봉의 신장량 Δ를 구한 다음 식 $N = EA\Delta/L$를 사용하여 신장량으로부터 부재력을 구한다.

$$N_{ae} = \frac{8P_1}{13} - \frac{2\sqrt{3}\,P_2}{13} \quad N_{be} = \frac{3\sqrt{3}\,P_1}{13} + \frac{P_2}{13}$$

$$N_{ce} = \frac{P_1}{13} + \frac{3\sqrt{3}\,P_2}{13} \quad N_{de} = \frac{2\sqrt{3}\,P_1}{13} + \frac{8P_2}{13}$$

이로서 강성도법을 사용하여 부정정트러스의 완전한 해석을 한 셈이다.

예제 ③

그림 10-22(a)와 같은 부정정프레임 ABC는 A에서 고정지지되고 C에서 핀으로 지지되며, 절점 B에서 우력 M_0를 받고 있다. 부재 AB와 BC의 길이는 L이며 굽힘강도는 EI이다. 절점 B와 C의 회전각인 절점변위 D_1과 D_2를 구하라[그림 10-22 (b)].

풀이 이 프레임의 미지 절점변위는 축방향의 변형효과를 생각하지 않으면(그러므로 부재의 길이들이 변하지 않는다면) 회전각 D_1, D_2뿐이다. 프레임의 변형에너지를 미지변위 D_1, D_2의

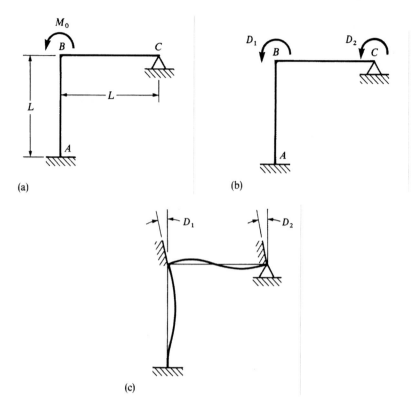

그림 10-22 예제 3. Hooke의 법칙을 따르는 부재로 된 프레임

항으로 구하여야 한다. 프레임에 대해 이 단계를 해나가기 위해서는 먼저 미지변위에 대응하는 구속을 준 다음, 구조물에 미지변위를 부여시킨다고 상상하는 것도 때로는 유익하다[그림 10-22(c) 참조]. 그렇게 되면 프레임의 각 부재는 양단에 회전각을 가진 고정보의 상태가 된다. 따라서 보에 저장된 변형에너지에 대한 공식을 얻는다면 이를 사용하여 프레임의 변형에너지를 구할 수 있다.

그림 10-23의 보 AB를 생각해 보자. 이 경우, 단 A, B는 각각 θ_1과 θ_2만큼 회전한다고 가정하고, 보의 변형에너지 U의 식을 θ_1과 θ_2의 항으로 얻으면 된다. 그 한 방법은 4계 미분방정식을 풂으로써 처짐곡선을 유도하는 것이며[식 (7-10c)]

$$EIv'''' = q = 0$$

이 식을 네 번 계속적으로 적분하여 다음 식을 얻는다.

$$EIv = \frac{C_1 x^3}{6} + \frac{C_2 x^2}{2} + C_3 x + C_4$$

경계조건은

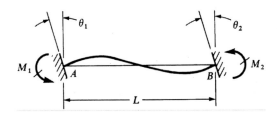

그림 10-23 단회전각이 θ_1, θ_2인 보의 변형에너지

$$v'(0) = -\theta_1 \quad v'(L) = -\theta_2 \quad v(0) = 0 \quad v(L) = 0$$

이를 위의 식에 적용시키면 다음의 처짐곡선식을 얻는다.

$$v = -\frac{x^3}{L^2}(\theta_1 + \theta_2) + \frac{x^2}{L}(2\theta_1 + \theta_2) - \theta_1 x$$

따라서 보의 변형에너지의 식을 다음과 같이 얻을 수 있다[식 (7-59b) 참조].

$$U = \frac{EI}{2}\int_0^L \left(\frac{d^2v}{dx^2}\right)^2 dx = \frac{2EI}{L}(\theta_1{}^2 + \theta_1\theta_2 + \theta_2{}^2) \tag{10-52}$$

다른 한 법은 보의 양단에 작용하는 모멘트 M_1과 M_2에 의하여 이루어지는 일을 결정하는 방법이다(그림 10-23 참조). 이러한 모멘트들이 단순보에 작용하는 경우에는 양단의 경사각은(부록 G, 표 G-2의 경우 7 참조)

$$\theta_1 = \frac{M_1 L}{3EI} - \frac{M_2 L}{6EI} \quad \theta_2 = -\frac{M_1 L}{6EI} + \frac{M_2 L}{3EI}$$

이 식들은 M_1과 M_2에 대하여 동시에 풀 수 있다.

$$M_1 = \frac{2EI}{L}(2\theta_1 + \theta_2) \quad M_2 = \frac{2EI}{L}(\theta_1 + 2\theta_2) \tag{10-53a, b}$$

식 (10-30)으로부터 보의 변형에너지는

$$U = \frac{M_1\theta_1}{2} + \frac{M_2\theta_2}{2}$$

가 되고, 식 (10-53)을 대입하면 앞에서 얻은 바와 같은 U의 식이 된다[식 (10-52) 참조]. 다시 그림 10-22의 프레임으로 되돌아가 변위 D_1과 D_2의 항으로 된 변형에너지를 구해 보자. 이는 식 (10-52)를 각 부재에 적용한 다음, 그 결과들을 합하는 것으로 이루어진다. 부재 AB에서는 $\theta_1 = 0, \theta_2 = D_1$이며 부재 BC에서는 $\theta_1 = D_1, \theta_2 = D_2$이다. 따라서 변형에너지는 다음과 같이 된다.

$$U = \frac{2EI}{L}(D_1{}^2) + \frac{2EI}{L}(D_1{}^2 + D_1D_2 + D_2{}^2) = \frac{2EI}{2}(2D_1{}^2 + D_1D_2 + D_2{}^2)$$

Castigliano의 제1정리로부터 다음과 같은 두 개의 평형방정식을 얻는다.

$$M_0 = \frac{\partial U}{\partial D_1} = \frac{2EI}{L}(4D_1 + D_2)$$

$$0 = \frac{\partial U}{\partial D_2} = \frac{2EI}{L}(D_1 + 2D_2)$$

이 식들을 절점변위 D_1과 D_2에 대해 풀 수 있으며

$$D_1 = \frac{M_0 L}{7EI} \quad D_2 = -\frac{M_0 L}{14EI}$$

이로서 프레임에 대한 절점회전각이 구해진다. 해를 구하는 최종단계로서 각 부재의 양단에서의 모멘트는 식 (10-53)을 사용하여 구할 수 있다.

이 예제는 하중 M_0가 미지 절점변위 중의 하나에 대응하므로 변형에너지법과 Castigliano의 제1정리를 사용하여 풀기에 아주 적합한 문제이다. 이 방법을 사용하여 구조물을 해석하는데 있어 요구되는 조건 중의 하나는 모든 하중이 미지절점변위에 대응해야만 한다는 것이므로 구조물에 대응할 수 있는 다른 유일한 하중은 D_2에 대응하는 우력뿐이다. 이 사실은 부재의 중앙점에 집중하중이 작용하는 경우와 같이 하중이 다른 위치에서 작용할 때, 구조물을 해석하는 방법에 대한 의문을 일으킨다. 가능한 한 가지 방법은 모든 부하점을 구조물의 절점으로 생각함으로써 이들 하중에 대응하는 부가적인 미지의 절점변위를 도입하는 것이다. 이 방법의 불리한 점은 풀어야할 평형방정식의 수가 크게 증가한다는 것이다. 대부분의 구조해석자들에 의해 애용되는 다른 하나의 방법은 절점들 사이에 작용하는 임의의 하중을 절점에 작용하는 정역학적 등가하중(statically equivalent loads)으로 대치시키는 것이다. 물론 등가하중계의 작용은 겹침의 원리가 성립할 때에만 가능하다. 등가하중을 구하는 방법은 어렵지 않으나, 보다 상세한 내용을 알기 원하면 구조해석에 관한 문헌을 참고하기 바란다(예를 들어 참고문헌 10-22).

10.7 공액에너지법

앞절에서는 변형에너지에 관한 몇 가지 중요한 원리에 대해 취급하였다. 이제 공액에너지에 관계되는 몇 가지 유사한 원리들에 대해 생각해보기로 하겠다. 변형에너지는 변위의 함

수로 표시되지만 반면 공액에너지는 힘의 항으로 표시된다는 것은 이미 앞에서 지적하였다. 따라서 변형에너지 정리는 변위법 및 강성도법에 관계되며, 반면에 공액에너지 원리는 설명 하는 바와 같이 **응력법**과 **유연도법**에 관계된다는 것은 당연한 일이다.

공액에너지에 관계되는 기본적인 정리를 유도하기 위해 대응변위 δ_1, δ_2, $\cdots$, δ_n 을 생기게 하는 n개의 하중 P_1, P_2, $\cdots$, P_n을 받고 있는 비선형구조물을 다시 생각해 보자. 전술한 바 와 같이 P와 δ는 일반적인 의미로서의 힘과 대응변위를 나타낸다. 구조물의 공액에너지 $U^\star$는 하중의 공액일 $W^\star$와 같다고 정의된다(10.5절의 중앙부분 참조). 이 일을 구할 때 에는 식 (10-29b)에 보인 바와 같이 변위가 하중의 항으로 표현되고 적분된다. $U^\star$는 결과 적으로 하중 P_1, P_2, $\cdots$, P_n의 함수가 될 것이다. 그렇게 되는 경우 임의의 하중, 즉 P_i가 미소량 dP_i만큼 증가하는 반면에 다른 하중들은 변하지 않는다고 상상해보면 공액에너지는 미소량 $dU^\star$만큼 증가하게 될 것이며 이는 다음과 같다.

$$dU^\star = \frac{\partial U^\star}{\partial P_i} = dP_i$$

이 식은 단지 $U^\star$의 증가량은 P_i에 대한 $U^\star$의 증가율에다 P_i의 증가량을 곱한 것과 같 다는 것을 수학적인 형태로 말해 주고 있다.

$dU^\star$에 대한 식을 구하는 또 하나의 방법은 힘 P_i가 dP_i만큼 증가할 때 하중이 하는 공 액일을 고려하는 것이다. 이 공액일은 구조물의 공액에너지의 증가량 $dU^\star$와 같다. 다른 하중들은 변하지 않기 때문에 공액일을 하는 유일한 하중은 P_i 자체뿐이다. 그러므로 공액 에너지의 증가량은 변위 δ_i와 하중의 증분 dP_i의 곱이다. 즉,

$$dU^\star = \delta_i dP_i$$

$dU^\star$에 대한 위의 두 식을 같다고 놓으면

$$\delta_i = \frac{\partial U^\star}{\partial P_i} \tag{10-54}$$

이 식은 만일 공액에너지가 하중의 함수로 표시된다면 임의의 하중 P_i에 대한 공액에너지 의 편도함수는 대응변위 δ_i와 같다는 것을 말해 준다. 이는 1878년에 이 식을 유도한 이태리 인 기술자 Francesco Crotti[참고문헌 10-23, 10-24]와 1889년에 독자적으로 구한 독일인 기술자 Friedrich Engesser[참고문헌 10-25]의 이름을 따서 **Crotti-Engesser 정리**라고 부 른다. 이 정리는 공액에너지의 정의로부터 직접 구할 수 있으며[식 (10-22), (10-29b) 참

조], 식의 양변을 미분하여 얻어진다.

Crotti-Engesser 정리는 Castigliano의 제1정리와 대단히 유사한데[식 (10-44)] 이는 두 정리에 관한 식을 비교해 봄으로써 명백하다. Crotti-Engesser 정리의 경우 하중의 함수로서 공액에너지를 표시한 뒤 하중에 대한 도함수를 취함으로써 대응변위를 구하지만, 반면에 Castigliano의 제1정리의 경우에는 변위의 함수로서 변형에너지를 나타낸 다음, 변위에 대한 도함수를 취함으로써 대응하중을 구한다. 이 두 정리는 모두 매우 일반적이며 비선형 거동을 하는 구조물에 적용할 수 있다. 그러나 10.5절에서 설명한 바와 같이 구조물의 공액에너지 $U^\star$는 하중의 공액일에서 구해야만 한다. 만약 기하학적인 비선형이 존재하지 않는다면 공액에너지 $U^\star$는 부재들의 공액에너지의 합과 같으므로 부재에너지들이 $U^\star$를 구하는데 사용될 수 있다. 그러나 기하학적인 비선형이 존재한다면 부재들의 공액에너지는 구조물의 공액에너지보다 적다.[*]

Crotti-Engesser 정리를 예증하기 위하여 10.5절의 예제 1에서 언급한 재료적인 비선형 구조물을 생각하자. 이 구조물의 공액에너지(표 10-36으로부터)는 다음과 같다.

$$U^\star = \frac{CP^3}{3}$$

이 식은 $U^\star$를 처짐 δ에 대응하는 하중 P의 식으로 표현하고 있음에 유의하라. Crotti-Engesser 정리로부터 하중과 처짐 사이의 정확한 관계는 다음과 같다.

$$\delta = \frac{dU^\star}{dP} = CP^2$$

다른 예로서 10.5절의 예제 2, 그림 10-18에 보인 기하학적인 비선형구조물을 생각해 보자. 이 구조물의 공액에너지(하중 P의 항으로)는 다음과 같다[식 (10-40) 참조].

$$U^\star = \frac{3P^{4/3}L}{4\sqrt[3]{EA}}$$

그러므로 Crotti-Engesser 정리에서 다음 식을 얻는다.

$$\delta = \frac{dU^\star}{dP} = \sqrt[3]{\frac{PL^3}{EA}}$$

---

[*] 구조물이 선형거동을 하는 특별한 경우에 공액에너지는 변형에너지와 같게 되며 Crotti-Engesser 정리는 Castigliano의 제2정리로 된다(10-8절 참조).

이는 앞의 해석과 일치한다[식 (10-38b) 참조].

세 번째 예로서, 10.5절의 예제 3의 재료적으로 비선형인 외팔보의 공액에너지는[식 (10-43) 참조]

$$U^\star = \frac{25P^3L^4}{6B^2b^2h^5}$$

이며, 보 끝의 처짐 δ는 다음과 같다.

$$\delta = \frac{dU^\star}{dP} = \frac{25P^2L^4}{2B^2b^2h^5} \tag{10-55}$$

이 처짐은 하중 P와 비선형적임을 명심하라.

예제 1

그림 10-20(a)와 같은 트러스 ABC는 조인트 B에서 연직하중 P를 지지한다. 트러스 재료의 응력-변형률 관계는 인장과 압축 모두 $\sigma = B\sqrt{\epsilon}$으로 주어지며 여기서 B는 상수이다. 조인트 B에서의 연직처짐 δ_v를 구하라.

풀이 Crotti-Engesser 정리에 의해 처짐을 구하는 첫 단계로서 구조물의 공액에너지를 힘 P의 항으로 구해야 한다. 전체 공액에너지 $U^\star$는 두 개의 부재가 갖는 에너지의 합이다. 즉,

$$U^\star = U_{ab}^\star + U_{bc}^\star \tag{a}$$

또한 응력과 변형률은 전 부재에 걸쳐 일정하므로 각 부재의 공액에너지는 공액에너지밀도에 부재의 체적을 곱하여 구할 수 있다. 그러므로

$$U_{ab}^\star = u_{ab}^\star AL \quad U_{bc}^\star = u_{bc}^\star AL\sqrt{2} \tag{b}$$

여기서 A는 각 부재의 단면적이다. 각 부재의 공액에너지밀도는 식 (10-23)으로부터 구할 수 있으며 다음과 같다.

$$u_{ab}^\star = \int_0^{\sigma_{ab}} \epsilon_1 d\sigma_1 = \int_0^{\sigma_{ab}} \frac{\sigma_1^2}{B^2} d\sigma_1 = \frac{\sigma_{ab}^3}{3B^2} \tag{c}$$

$$u_{bc}^\star = \int_0^{\sigma_{bc}} \epsilon_1 d\sigma_1 = \int_0^{\sigma_{bc}} \frac{\sigma_1^2}{B^2} d\sigma_1 = \frac{\sigma_{bc}^3}{3B^2} \tag{d}$$

여기서 σ_{ab}와 σ_{bc}는 부재응력이다. 이제 식 (a)에서 (b)를 통해 트러스의 전체 공액에너지에 대한 다음과 같은 식을 얻는다.

$$U^{\star} = \frac{AL}{3B^2}(\sigma^3{}_{ab} + \sqrt{2}\,\sigma^3{}_{bc}) \tag{e}$$

트러스에 작용하는 하중 P[그림 10-20(a)]는 평형으로부터 구할 수 있는 부재응력을 생기게 한다.

$$\sigma_{ab} = \frac{P}{A} \quad \sigma_{bc} = \frac{\sqrt{2}\,P}{A} \tag{f}$$

여기서는 응력의 절대값만을 고려한다. 그러므로 트러스의 공액에너지[식 (e)]는

$$U^{\star} = \frac{5P^3L}{3A^2B^2} \tag{10-56}$$

이 식은 하중 P의 함수로 공액에너지를 표시한 것이다.

다음 단계로 하중 P에 대응하는 변위를 구하기 위해 Crotti-Engesser 정리를 사용할 수 있으며 이는 다음과 같다.

$$\delta_v = \frac{dU^{\star}}{dP} = \frac{5P^2L}{A^2B^2} \tag{10-57}$$

이 식은 트러스의 절점 B의 연직처짐 δ_v를 나타낸다.

절점 B의 수평처짐 δ_h를 구하기 위해서는 그 처짐에 대응하는 수평하중 Q를 추가시킬 필요가 있다. 그리고 나서 공액에너지 $U^{\star}$를 구하기 위해 전술한 과정을 되풀이하면 되며, 단지 주된 차이점이라고 할 수 있는 것은 $U^{\star}$는 P와 Q의 함수라는 것이다. 그런 후 Crotti-Engesser 정리를 적용시키고 Q에 대한 미분계수를 취함으로써 수평처짐 δ_h를 얻는다. δ_h에 대한 최종결과는 P와 Q 모두를 포함하는 식이 된다. 이 식에서 Q를 0으로 놓음으로써 하중 P만 작용할 때의 수평처짐을 구하게 된다(문제 10.7-2 참조).

단위하중법. 전절의 예제에서 설명한 바와 같이 구조물의 처짐을 구하는데 Crotti-Engesser 정리를 직접 사용하려면, 구조물의 공액에너지를 하중의 함수로 구해야 된다. 그런 다음 구하고자 하는 변위를 얻기 위해 공액에너지의 도함수를 계산해야 한다. 이 과정이 매우 길기 때문에 이제부터 설명하고자 하는 보다 실제적인 방법이 사용될 수 있다.

가장 간단한 방법을 유도하기 위해 축력이 유일한 합응력인 트러스 구조물을 고려해 보겠다. 트러스의 임의의 한 부재의 길이는 L이며 단면적이 A이고 부재는 축력 N을 받고 있다고 가정해 보자. 그러면 이 부재의 공액에너지 $U^{\star}$는

$$U^{\star} = \int_0^N \epsilon_1 L\, dN_1 \tag{g}$$

이며, 이 식은 $\delta_1 = \epsilon_1 L_1$으로 놓고 식 (10-22)로부터 구한 것이며 여기서 ϵ_1은 축력 N_1으로 인한 부재의 일정한 변형률이다. 축력 N_1이 초기값 0으로부터 최대값 N으로 증가할 때, 변형도 ϵ_1은 0으로부터 최대값 ϵ까지 증가한다는 것을 유의해야 한다. 마찬가지로 부재응력 σ_1도 0으로부터 최대값 σ까지 증가한다. 또한 응력 σ_1과 변형률 ϵ_1 사이의 관계는 그림 10-15(b)에 보인 비선형 응력-변형률선도로 나타낼 수 있다고 가정한다.

여기서 부재의 단위길이당 공액에너지를 나타내는 함수 F를 정의하면 편리하며, 식 (g)를 길이 L로 나누면 F는 다음과 같다.

$$F = \int_0^N \epsilon_1 \, dN_1 \tag{h}$$

이 식에서 보여 주는 바와 같이 F는 축력 N의 함수이며 응력-변형률곡선을 이용하여 계산할 수 있다[응력-변형률곡선은 ϵ_1과 σ_1 사이의 관계를 나타내지만 $N_1 = \sigma_1 A$이므로 ϵ_1과 N_1의 관계도 알 수 있음을 유의해야 한다. 그러므로 변형률 ϵ은 N의 기지함수이며 따라서 식 (h)의 적분을 구할 수 있다].

이제 대응변위 $\delta_1, \delta_2, \cdots, \delta_n$을 생기게 하는 하중 $P_1, P_2, \cdots, P_n$을 받고 있는 많은 부재로 구성된 트러스 구조물을 고려해 보자. 두 단면 사이의 길이가 dx인 트러스의 전형적인 요소 하나를 취해 보자[그림 10-3(a) 참조]. 이 요소에 작용하는 축력은 N이며 대응신장은 (ϵdx와 같은) $d\delta$이다. 요소의 공액에너지는 $dU^\star = F dx$의 형태로 표시될 수 있다는 것을 알 수 있으며, F는 식 (h)에 의해 주어진다. 구조물 전체에 대한 공액에너지는

$$U^\star = \int F \, dx \tag{i}$$

이며, 식은 구조물의 전 부재축을 따라서 적분해야 한다는 것을 표시한다. 또한 부재들의 공액에너지를 더함으로써 $U^\star$를 얻기 때문에 단지 재료적인 비선형을 가진 구조물에만 적용된다.

하중 P_i에 대응하는 변위 δ_i를 구하기 위해 Crotti-Engesser 정리를 식 (i)에 적용시키면 다음과 같이 된다.

$$\delta_i = \frac{\partial U^\star}{\partial P_i} = \frac{\partial}{\partial P_i} \left[\int F \, dx \right]$$

적분기호 내의 항을 미분하면

$$\delta_i = \int \frac{\partial F}{\partial P_i} \, dx$$

이제 도함수 $\partial F/\partial P_i$에 대해 생각해 보자. 식 (h)와 관련해서 이미 설명한 바와 같이 F는 출력 N의 함수이며, 출력 N은 하중 $P_1, P_2, \cdots, P_n$의 함수이다. 그러므로 F는 중간변수 N을 통해 P_i의 함수가 된다. 따라서 위의 식은 다음과 같은 형태로 다시 나타낼 수 있다.

$$\delta_i = \int \frac{\partial F}{\partial N} \frac{\partial N}{\partial P_i} dx \tag{j}$$

이 식에서 각 도함수는 간단한 물리적 의미를 내포하고 있으며, 도함수 $\partial F/\partial N$는 ϵ과 같다[식 (h) 참조].* 도함수 $\partial N/\partial P_i$은 하중 P_i의 단위치로 인한 축력 N의 값을 나타낸다. 그러므로 단위하중법의 기호(10.3절)로 표시하면 이 도함수는 N_U와 같으며 이는 변위 δ_i에 대응하는 단위하중으로 인해 생기는 축력으로 정의된다. 식 (j)에서 도함수들을 ϵ과 N_U로 각각 대치시키면

$$\delta_i = \int \epsilon N_U dx = \int N_U d\delta \tag{k}$$

가 되며, 여기서 ϵdx로 되는 $d\delta$는 요소의 신장량이다[그림 10-3(a) 참조]. 위의 식은 축변형만을 고려하는 경우의 단위하중법[식 (10-3)]의 기본식이다.

보나 프레임의 경우와 같이 휨변형[그림 10-3(b)]을 받는 구조물에서도 유사한 식을 유도할 수 있다. 우력 M의 작용하에서 순수굽힘을 일으키는 길이 L인 보를 생각해 보자. 이 우력은 보의 양단 사이에 상대회전 θ를 일으킨다. 보의 공액에너지는 식 (10-22)의 P와 δ를 각각 M과 θ로 대치시킴으로써 얻어진다. 즉

$$U^\star = \int_0^M \theta_1 dM_1 \tag{l}$$

이며, 여기서 M은 우력 M_1의 최대값이다. 보의 양단 사이의 각 θ_1은 작용우력 M_1이 0으로부터 M으로 증가할 때, 0으로부터 최대값 θ까지 증가한다. 또한 보의 곡률 κ는 0으로부터 최대값 $\kappa = \theta/L$까지 변한다. 식 (l)에서 각 θ_1을 $\kappa_1 L$로 대치시키면 다음과 같이 된다.

$$U^\star = \int_0^M \kappa_1 L dM_1$$

이제 보의 단위길이당의 공액에너지를 나타내는 새로운 함수 G를 정의하자. 즉,

---

* 해석학에서 $\dfrac{\partial}{\partial a}\displaystyle\int_0^a f(x)dx = f(a)$임을 안다. 이 관계를 식 (h)에 적용하면 $a = N,\ f(x) = \epsilon_1, dx = dN_1,$ $f(x) = \epsilon$이 된다.

$$G = \int_0^M \kappa_1 dM_1 \qquad \text{(m)}$$

이 양은 굽힘모멘트 M의 함수이며 응력-변형률선도를 이용하여 특정한 보에 대해 계산될 수 있다.

대응변위 δ_1, δ_2, $\cdots$, θ_n이 생기게 하는 하중 P_1, P_2, $\cdots$, P_n을 받고 있는 보나 평면프레임을 여기서 고려해 보자. 이러한 구조물의 전형적인 요소[그림 10-3(b) 참조]는 굽힘모멘트 M을 받고 있으며(κdx와 같은) 휨변형 $d\theta$를 일으킨다.

식 (m)을 근거로 하여 이 요소의 공액에너지 $dU^\star = Gdx$를 얻는다. 그러므로 구조물 전체에 대한 공액에너지는

$$U^\star = \int Gdx$$

이며, 구조물의 전 요소에 대해 적분을 해야 한다. 다음 Crotti-Engesser 정리로부터 이 구조물의 변위 δ_i를 얻는다.

$$\delta_i = \frac{\partial U^\star}{\partial P_i} = \frac{\partial}{\partial P_i}\left[\int Gdx\right] = \int \frac{\partial G}{\partial P_i} dx$$

이 식의 마지막 도함수에서 G는 굽힘모멘트 M의 함수[식 (m) 참조]이며 M은 하중의 함수라는 것에 유의해야 한다. 그러므로 위의 식은 다음과 같은 형태로 다시 나타낼 수 있다.

$$\delta_i = \int \frac{\partial G}{\partial M}\frac{\partial M}{\partial P_i} dx \qquad \text{(n)}$$

이 식에서 도함수 $\partial G/\partial M$는 곡률 κ와 같으며 [식 (m)과 앞의 주 참조] 도함수 $\partial M/\partial P_i$은 하중 P_i의 단위치에 의해 생기는 보의 굽힘모멘트이다. 그러므로 식 (n)은 다음과 같이 된다.

$$\delta_i = \int \kappa M_U dx = \int M_U d\theta \qquad \text{(o)}$$

여기서 $d\theta = \kappa dx$의 관계가 사용되었다. M_U는 변위 δ_i에 대응하는 단위하중에 의해 생기는 구조물의 굽힘모멘트이다. 따라서 식 (o)는 굽힘변형만을 고려할 때의 단위하중법의 기본식[식 (10-3)]과 동일하다.

전단변형과 비틀림변형의 영향을 고려하는 구조물에 대해서도 유사한 유도를 할 수 있다.

그러므로 공액에너지와 Crotti-Engesser 정리를 사용하여 직접 식 (10-3)에 의해 표현되는 단위하중법을 유도할 수 있다는 결론을 얻는다. 이 식은 변위를 구하는데 매우 효과적인 수단을 제공해 주며 비선형거동을 하는 구조물에도 성립된다(그러나 기하학적으로 비선형이 아닌).*

예제 2

직사각형단면과 길이 L을 갖는 외팔보가 자유단에서 집중하중 P를 받는다(그림 10-19와 10.5절의 예제 3 참조). 재료의 응력-변형률의 관계는 $\sigma = B\sqrt{\epsilon}$이며 B는 상수이다. 단위하중법을 사용하여 보의 자유단에서의 처짐 δ를 구하라.

풀이 이 보에서는 굽힘변형만이 중요하므로 단위하중식[식 (10-3)]의 두 번째 항만 사용한다. 굽힘모멘트 M_U는 처짐 δ에 대응하는 단위하중에 의해 생기는 모멘트이다. 그러므로 모멘트 M_U는 $1 \cdot x$이며 여기서 x는 보의 자유단으로부터 잰 거리[그림 10-19(a)]이다. 변형 $d\theta$는 κdx와 같으며 여기서 κ는 곡률이다. 이 보에 대한 곡률은 10.5절 식 (1)에 주어져 있으며 따라서 변형 $d\theta$는 다음과 같다.

$$d\theta = \frac{50P^2x^2}{B^2b^2h^5}dx \tag{p}$$

이를 단위하중식에 대입하면 처짐에 관한 다음 식을 얻는다.

$$\delta = \int M_U d\theta = \int_0 1(x)\left(\frac{50P^2x^2}{B^2b^2h^5}\right)dx = \frac{25P^2L^4}{2B^2b^2h^5} \tag{q}$$

이 결과는 전에 구한 처짐과 일치한다[식 (10-55) 참조]. 그렇지만 공액에너지를 계산하는 기나긴 과정을 거칠 필요가 없기 때문에 단위하중법은 앞의 예제에서 보다 더욱 쉽게 해를 구하도록 해 준다[식 (10-43)의 유도 참조].

예제 3

그림 10-20(a)에서와 같이 연직하중 P를 받는 트러스 ABC가 있다. 재료의 응력-변형률 관계는 $\sigma = B\sqrt{\epsilon}$에 따르며, B는 상수이다. 단위하중법을 이용하여 조인트 B에서의 연직처짐 δ_v를 구하라.

풀이 트러스에서의 응력은 다만 축하중에 의한 것이므로 식 (10-3)의 첫째 항만을 고려하여 처짐을 구할 수 있다. 처짐 δ_v에 대응하는 단위하중은 절점 B에서의 연직하중이다. 트러스의

---

* 선형구조물의 경우는 10.8절에 설명되어 있음.

두 부재에서의 대응축력 N_U는 다음과 같다.

$$(N_U)_{ab} = 1 \quad (N_U)_{bc} = -\sqrt{2}$$

봉의 변형률은 응력-변형률의 관계에서

$$\epsilon_{ab} = \frac{\sigma^2_{ab}}{B^2} \quad \epsilon_{bc} = -\frac{\sigma^2_{bc}}{B^2}$$

여기서 $\sigma_{ab} = P/A$, $\sigma_{bc} = -\sqrt{2}\,P/A$이다. 이 응력을 변형률에 대한 식에 대입하면

$$\epsilon_{ab} = \frac{P^2}{A^2 B^2} \quad \epsilon_{bc} = -\frac{2P^2}{A^2 B^2}$$

마지막으로 N_U와 $d\delta$(ϵdx와 같은)를 단위하중식에 대입하여 처짐을 구할 수 있다.

$$\delta_v = \int N_U d\delta = \int_0^L (1)\left(\frac{P^2}{A^2 B^2}\right)dx + \int_0^{\sqrt{2}\,L}(-\sqrt{2})\left(-\frac{2P^2}{A^2 B^2}\right)dx = \frac{5P^2 L}{A^2 B^2} \quad\quad (r)$$

이 처짐은 예제 1에서 구한 처짐과 동일하다[식 (10-57) 참조]. 그렇지만 단위하중법을 사용하여 보다 간단하게 해를 구할 수 있다는 것을 또다시 알 수 있다. 계산해야 할 처짐이 구조물의 실제하중의 어느 하나에 대응하지 않는 경우 단위하중법의 이점은 더욱 크다(문제 10.7-2 참조).

응력법 공액에너지와 Crotti-Engesser 정리는 구조물의 해석에 사용할 수 있는 중요한 방법을 제공해 주고 있다. 이 방법은 **응력법**(force method)이라 불리며 부정정성의 개념에 근거를 두고 있으며 해석에서 미지량으로는 정역학적 과잉력을 활용한다(합응력과 반력 따위의). 힘이 미지수라는 사실은 Crotti-Engesser 정리를 적용하기 위해서는 공액에너지를 힘의 함수로서 표시해야 한다는 것과도 일치한다.

n차 부정정성을 갖는 재료적인 비선형구조물을 생각해 보자. 먼저 과잉력 $X_1, X_2, \cdots, X_n$을 택한 다음, 구조물에 적당한 이완(release)메커니즘을 부여함으로써 이들 과잉력을 해제시킨다. 이를테면 과잉력이 반력이면 지점을 제거시키고, 굽힘모멘트이면 핀을 삽입하면 된다. 그 결과로 생긴 이완구조물(released structure)은 정정이며 부동이어야 된다. 그런 다음 이완구조물에 실제하중뿐만 아니라 과잉력 자체도 작용하고 있는 것으로 간주한다. 다시 말하면 과잉력을 이완구조물에 작용하는 하중으로 취급해야 된다는 것이다. 그렇게 되면 이완구조물의 공액에너지 $U^\star$는 통상적인 방법으로 계산할 수 있다. 여기서 유일하게 새로운 점이라곤 단지 이완구조물의 공액에너지는 하중과 과잉력 모두의 함수라는 것뿐이다.

Crotti-Engesser 정리에 의하면 공액에너지의 이들 과잉력에 관한 편도함수를 취함으로써 과잉력에 대응하는 이완구조물의 변위를 구할 수 있다. 과잉력 X_1, X_2, $\cdots$, X_n에 대응하는 원래구조물의 변위를 D_1, D_2, $\cdots$, D_n으로 표시하자. 그러면 Crotti-Engesser 정리[식 (10-54)]로부터 다음과 같은 n개의 연립방정식을 얻는다.

$$D_1 = \frac{\partial U^\star}{\partial X_1} \quad D_2 = \frac{\partial U^\star}{\partial X_2} \cdots \ D_n = \frac{\partial U^\star}{\partial X_n} \tag{10-58}$$

위의 각 식들의 일반적인 형태는 모두 같다. i번째 식을 살펴 보면 우변은 과잉력을 미지수로 하며 정역학적 과잉력과 하중으로 구성되어 있음을 알 수 있다. 이 항들을 모두 합하면 원래구조물의 진변위 D_i가 되며 이는 대응과잉력 X_i가 아무런 변위도 생기지 않는 합응력이나 지점반력일 때는 언제나 0이 된다. 따라서 식 (10-58)은 과잉력에 대응하는 변위에 대한 적합조건을 나타낸다는 것을 알 수 있다. 이 방정식들은 하중의 항으로 표시되는 과잉력에 대해 연립시켜 풀 수 있으며 나머지 반력과 합응력은 정적평형에 의해 구할 수 있다.

상술한 공액에너지법에 의한 해석은 미지량으로 과잉력을 활용하며 적합방정식의 해를 요구한다. 이것을 해석의 **응력법**이라 부르며, 재료적 비선형구조물에 적용한다. 선형구조물의 경우, 이 방법은 **유연도법**으로 알려져 있다.*

식 (10-58)로 표시되는 응력법은 식 (10-45)로 표시되는 변위법과 유사하다. 응력에서는 공액에너지를 정역학적 과잉력의 함수로 표시한 다음, 과잉력에 대해 풀 수 있는 적합방정식을 얻기 위하여 Crotti-Engesser 정리를 사용한다. 변위법에서는 변형에너지를 미지의 절점변위의 함수로 표시하고, 절점변위에 대해 풀 수 있는 평형방정식을 얻기 위하여 Castigliano의 제1정리를 사용한다.

이제 원래구조물에, 정역학적 과잉력에 대응하는 변위가 생기지 않는 응력법의 특별한 경우를 고려해 보자. 이미 언급한 바와 같이 이러한 경우는 과잉력이 변위되지 않는 합응력이거나 반력으로 이루어질 때에 존재한다. 이러한 조건하에서 적합방정식[식 (10-58)]의 변위 D_1, D_2, $\cdots$, D_n은 0이 된다. 그렇게 되면 이 식들은 다음과 같이 간단한 형태로 된다.

$$\frac{\partial U^\star}{\partial X_1} = 0 \quad \frac{\partial U^\star}{\partial X_2} = 0 \cdots \ \frac{\partial U^\star}{\partial X_n} = 0 \tag{10-59}$$

이 식들은 공액에너지의 정체값(stationary value)에 대한 조건을 나타낸다. 또한 안정평형상태에 있는 구조물의 정체값은 실제로 최소값이 되므로 식 (10-59)는 **최소공액에너지의**

---

* 유연도법은 10.8절에 보다 상세하게 설명되어 있다.

원리를 나타낸다. 이 원리는 만일 원래구조물에서 과잉력에 대응하는 변위가 없다면 안정구조물의 정역학적 과잉력 X_1, X_2, $\cdots$, X_n은 공액에너지를 최소가 되게 하는 값을 갖는다는 것을 의미한다.[*]

예제 4

그림 10-24(a)와 같은 트러스가 있다. 이 트러스재료의 응력-변형률 관계는 $\sigma = B\sqrt{\epsilon}$으로 주어지며 여기서 B는 상수이다. 공액에너지법과 응력법을 사용하여 모든 부재의 축력을 구하라.

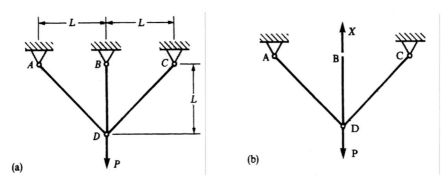

그림 10-24 예제 4. 응력법

풀이 절점 B의 반력을 정역학적 과잉력 X로 가정하면 그림 10-24(b)와 같은 이완구조물을 얻는다. 이완구조물의 부재의 축력은 평형에 의해 다음과 같이 된다.

$$N_{ad} = N_{cd} = \frac{P-X}{\sqrt{2}} \quad N_{bd} = X \tag{s}$$

이에 대응하는 응력은

$$\sigma_{ad} = \sigma_{cd} = \frac{P-X}{\sqrt{2}\,A} \quad \sigma_{bd} = \frac{X}{A}$$

여기서 A는 각 부재의 단면적이다.

부재 BD의 공액에너지밀도는 다음과 같이 구해진다[식 (10-23) 참조].

---

[*] 최소공액에너지의 원리는 최초로 Crotti에 의해 제안되었고(참고문헌 10-23, 10-24), 뒤에 Engesser에 의해 발전되었다(참고문헌 10-25). 구조물이 선형거동을 하는 경우에는 공액에너지와 변형에너지는 같아지며 최소공액에너지의 원리는 최소변형에너지의 원리로 된다(10-8절 참조).

공액에너지는 구조역학의 괄목할 만한 발전에 기초를 마련해 주었으며 이에 대한 보다 더 광범위한 자료를 원하는 독자는 참고문헌 10-14, 10-15, 10-26, 10-27과 같은 다른 참고문헌을 참조하기 바란다. 공액에너지법의 사적인 고찰은 Oravas와 Mc Lean이 상세하게 취급하였으며(참고문헌 2-5), 참고문헌 10-15, 10-28, 10-29에서는 이들의 다른 사적 고찰에 대해 언급하고 있다.

$$u_{bd}^{\star} = \int_0^{\sigma_{bd}} \epsilon d\sigma = \int_0^{\sigma_{bd}} \frac{\sigma^2}{B^2} d\sigma = \frac{\sigma_{bd}^3}{3B^2} = \frac{1}{3B^2} \left(\frac{X}{A} \right)^3$$

부재 AD와 CD의 공액에너지밀도도 같은 방법으로 구해지며 그 결과는 다음과 같다.

$$u_{ad}^{\star} = u_{cd}^{\star} = \frac{1}{3B^2} \left(\frac{P-X}{\sqrt{2}\,A} \right)^3$$

최종적으로 각 부재의 공액에너지밀도에 부재의 체적을 곱한 다음 그 결과를 합함으로써 이완구조물 전체의 공액에너지를 구할 수 있으며

$$U^{\star} = \frac{L}{3A^2B^2} [(P-X)^3 + X^3]$$

$U^{\star}$에 대한 이 식은 하중 P와 과잉력 X의 비선형함수이다.

지지점 B에는 변위가 없으므로 과잉력 X에 대응하는 원래구조물의 변위는 0이다. 그러므로 Crotti-Engesser 정리를 과잉력 X에 적용하면 다음과 같은 식을 얻는다[식 (10-58), (10-59) 참조].

$$\frac{dU^{\star}}{dX} = \frac{L}{3A^2B^2} [3(P-X)^2(-1) + 3X^2] = 0$$

이 식으로부터 $X = P/2$를 얻는다. X에 대한 이 값을 식 (s)에 대입하면

$$N_{ad} = N_{cd} = \frac{P}{2\sqrt{2}} \quad N_{bd} = \frac{P}{2}$$

가 된다. 이와 같이 하여 이 부정정, 비선형 트러스부재의 축력이 응력법에 의해 구해진다.

10.8 Castigliano의 제2정리

전술한 절에서는 처짐을 구하고 구조물을 해석하는데 공액에너지법을 사용하는 방법을 설명하였고, 이 개념이 비선형거동을 하는 구조물에 적용된다는 것을 강조하였다. 이 절에서는 선형거동을 하며 겹침의 원리를 적용할 수 있는 구조물만을 생각해 보기로 하자. 이러한 조건하에서는 구조물의 공액에너지 $U^{\star}$와 변형에너지 U는 서로 같다.

이제 하중 $P_1, P_2, \cdots, P_n$을 받으며 이들 하중이 대응변위 $\delta_1, \delta_2, \cdots, \delta_n$을 일으키는 임의

의 선형구조물을 가정해 보자. 더구나 U와 $U^\star$는 모두 하중의 2차함수로 표시할 수 있다 [식 (10-34) 참조]. 또한 Crotti-Engesser 정리[식 (10-54)]에서 $U^\star$를 U로 대치할 수 있으며 다음과 같은 식을 얻는다.

$$\delta_i = \frac{\partial U}{\partial P_i} \qquad (10\text{-}60)$$

이 식이 **Castigliano의 제2정리**로 알려져 있으며 다음과 같이 말할 수 있다. 즉, 선형구조물에서 변형에너지를 하중의 함수로 표현할 수 있다면 임의의 하중 P_i에 관한 변형에너지의 편도함수는 대응변위 δ_i와 같다(이 정리의 역사는 참고문헌 10-16~10-20 참조).

Castigliano의 제2정리를 적용하는 예로서 자유단에 하중 P와 우력 M_0를 받고 있는 외팔보를 고려해 보자(그림 10-25). 보는 선형거동을 하며 굽힘강도 EI는 일정하다. 보의 변형에너지는 식 (7-59a)로부터 구할 수 있으며 다음과 같다.

$$U = \int \frac{M^2 dx}{2EI} \qquad (10\text{-}61)$$

이 식에서 M은 임의 단면에서의 굽힘모멘트를 나타낸다. 그림 10-25와 같은 보에서, 자유단으로부터 x만큼 떨어진 곳의 굽힘모멘트는 $M = -Px - M_0$이다. 이 M을 식 (10-61)에 대입하면 다음과 같다.

$$U = \frac{1}{2EI}\int_0^L (-Px - M_0)^2 dx = \frac{P^2 L^3}{6EI} + \frac{PM_0 L^2}{2EI} + \frac{M_0^2 L}{2EI} \qquad (a)$$

이 식은 변형에너지 U를 하중 P와 M_0의 2차 함수로 나타내고 있다.

보의 자유단에서의 연직처짐 δ를 구하기 위해 Castigliano의 제2정리를 사용할 수 있으며, 하중 P에 대한 U의 편도함수를 취하면 δ는 다음과 같다.

$$\delta = \frac{\partial U}{\partial P} = \frac{PL^3}{3EI} + \frac{M_0 L^2}{2EI}$$

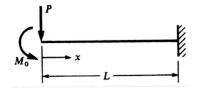

그림 10-25 Castigliano의 제2정리에 의한 보의 처짐

마찬가지로 M_0에 대한 U의 편도함수를 취하여 보의 자유단에서의 회전각 θ를 구할 수 있다. 즉,

$$\theta = \frac{\partial U}{\partial M_0} = \frac{PL^2}{2EI} + \frac{M_0 L}{EI}$$

δ와 θ에 대한 부호규약은 다음과 같다. δ의 정의 부호는 처짐이 하중 P와 같은 방향(즉, 하향)이며, θ의 정방향은 회전각이 우력 M_0와 같은 경우(즉 반시계방향)이다. 예상한대로 δ와 θ는 모두 하중의 선형함수이다.

Castigliano의 제2정리는 구조물에 작용하는 하중에 대응하는 변위를 구하는 데만 사용될 수 있으며 이는 Crotti-Engesser 정리의 경우에도 마찬가지였다. 하중이 작용하지 않는 어떤 점의 변위를 구하고자 할 때는 구하고자 하는 변위에 대응하는 가상적인 하중을 구조물에 작용시켜야 한다. 이와 같이 하면 Castigliano의 제2정리를 사용하여 계산을 그대로 계속할 수 있으며 변위의 결과적인 표현은 실제하중과 가상적인 하중의 항으로 표시될 것이다. 최종식에서 가상적인 하중을 0으로 놓음으로써 실제하중으로 인한 변위가 얻어진다.

단위하중법 구조물에 작용하는 하중이 2개 이상이라면 Castigliano의 제2정리를 직접 적용하여 변위를 구하는 과정은 매우 귀찮다. 그 이유는 변형에너지와 그 제곱의 계산이 매우 길기 때문이다. 이를테면 그림 10-25와 같은 외팔보에 2개의 하중 대신 4개의 하중이 작용한다고 가정해 보자. 그러면 식 (a)와 유사한 변형에너지의 식을 계산하려면 4개의 항으로 된 식의 자승을 구해야 되며 따라서 U에 대한 최종 결과는 10개의 항으로 이루어진다.

굽힘모멘트에 대한 식을 적분하기 전에 Castigliano의 제2정리를 적용하면 변위를 매우 간단하게 구할 수 있다. 이 점을 보여주기 위해 단지 굽힘변형만이 지배적인 보나 프레임을 생각하자. 변형에너지 U는 식 (10-61)로 주어지며, 하중 P_i에 대응하는 처짐 δ_i를 구하기 위해 P_i에 대한 U의 편도함수를 취해야 한다. 따라서 적분기호하에서 적분을 하면 다음과 같이 된다.

$$\delta_i = \frac{\partial U}{\partial P_i} = \frac{\partial}{\partial P_i} \int \frac{M^2 dx}{2EI} = \int \frac{M}{EI} \frac{\partial M}{\partial P_i} dx \tag{b}$$

편도함수 $\partial M/\partial P_i$은 하중 P_i의 단위치에 의해 생기는 굽힘모멘트 M의 값을 나타낸다. 따라서 이 도함수는 M_U와 같으며, 이는 구하고자 하는 변위에 대응하는 단위하중으로 인해 구조물에 생기는 굽힘모멘트이다. 식 (b)에서 적분기호 안에 나타나는 굽힘모멘트 M은 구조물에 작용하는 실제하중으로 인한 굽힘모멘트이다. 그러므로 이 모멘트는 M_L과 같다.

이 기호를 사용하면 식 (b)는 다음과 같이 된다.

$$\delta_i = \int \frac{M_U M_L dx}{EI}$$

이 식은 휨변형만을 고려하는 경우의 단위하중법[식 (10-4) 참조]을 나타낸다.

축변형, 전단변형, 비틀림변형의 영향에 대해서도 이와 유사한 유도를 할 수 있다. 그러므로 선형구조물에 적용되는 단위하중법[식 (10-4)]은 Castigliano의 제2정리로부터 직접 유도할 수 있다는 결론을 얻는다. 비선형구조물에 적용할 수 있는 단위하중법의 일반식[식 (10-3)]은 Crotti-Engesser 정리로부터 유도할 수 있다는 것을 이미 보여 주었기 때문에 이러한 결과는 결코 놀라운게 아니다. 이미 지적한 바와 같이 단위하중법은 구조물에 대한 변위를 구하는데 매우 효과적인 수단이 되고 있으며, Castigliano의 제2정리 대신에 사용된다.

유연도법 앞 절에서는 공액에너지와 Crotti-Engesser 정리를 사용하여 중요한 구조해석법 중의 하나인 응력법을 유도하는 방법에 대해 설명하였다. 응력법의 특별한 경우인 **유연도법**은 구조물이 선형거동을 할 때 일어난다. 이러한 조건하에서 공액에너지와 같게 되는 이완 구조물의 변형에너지는 하중과 정역학적 과잉력 $X_1, X_2, \cdots, X_n$의 2차 함수로 표시된다. 그렇게 되면 Castigliano의 제2정리를 적용시킴으로써 다음과 같은 연립방정식을 얻게 된다.

$$D_1 = \frac{\partial U}{\partial X_1} \quad D_2 = \frac{\partial U}{\partial X_2} \cdots \quad D_n = \frac{\partial U}{\partial X_n} \tag{10-62}$$

여기서 $D_1, D_2, \cdots, D_n$은 과잉력에 대응하는 미래구조물의 변위를 나타내며, 이 식들의 일반적인 형태는 서로 같다. 우변은 과잉력에 대응하는 변위를 나타내는 항들로 구성되어 있다. 즉, 변위의 일부는 과잉력 자체에 의한 것이며 나머지는 구조물의 실제하중으로 인한 것이다. 이 항들을 합하면 원래구조물의 진변위가 되며 대응과잉력이 변위를 일으키지 않는 합응력이나 반력일 경우에는 언제나 0이다. 그러므로 식 (10-62)는 과잉력이 하중의 항으로 동시에 구해지는 적합방정식이다. 따라서 식 (10-62)는 구조물이 선형거동을 하는 경우, 변형에너지 U를 공액에너지 $U^\star$ 대신에 사용하는 하중법[식 (10-58)]에 대한 특수 적합방정식의 예이다. 식 (10-62)는 유연도법의 식이고 이는 강성도법의 상대역(counter part)의 식이라 할 수 있다.[*]

---

[*] 유연도법은 1864년 J.C. Maxwell과 1874년 O. Mohr에 의해 창안되었고(참고문헌 10-1, 10-13, 10-30), 종종 **Maxwell-Mohr**법이라 불린다. 구조해석에서 널리 쓰이는 이 방법은 교과서에 강술되어 있다(예, 참고문헌 10-22 참조).

과잉력이 변위를 일으키지 않는 합응력이나 반력일 때는 특별한 경우를 만들어 준다. 즉, 그러한 모든 경우에 과잉력에 대응하는 원래구조물의 변위는 0이므로 유연도법의 식[식 (10-62)]은 다음과 같이 된다.

$$\frac{\partial U}{\partial X_1} = 0 \quad \frac{\partial U}{\partial X_2} = 0 \cdots \quad \frac{\partial U}{\partial X_n} = 0 \tag{10-63}$$

이 식들은 변형에너지의 정체값에 대한 조건을 나타내며 구조물이 안정평형상태에 있는 경우, 실제로 정체값은 최소값을 갖는다. 그러므로 식 (10-63)은 **최소변형에너지의 정리**를 나타내며, 이 원리는 원래구조물에 과잉력에 대응하는 변위가 없다면 선형구조물의 과잉력 $X_1, X_2, \cdots, X_n$은 변형에너지를 최소로 되게 하는 값을 갖는다는 것을 말해 준다. 최소변형에너지의 원리는 보다 일반적 원리인 최소공액에너지의 원리[식 (10-59) 참조]를 선형구조물에 적용하는 특수한 경우에 해당한다.[*]

식 (10-62)의 일반형을 좀더 상세하게 알아보기 위하여 구체적인 예를 취해 보자. 두 개의 하중 P_1과 P_2를 받고 있는 어떤 2차 부정정구조물을 가정하면, 과잉력 X_1과 X_2 그리고 하중 P_1과 P_2의 2차 함수인 이완구조물의 변형에너지는 다음과 같은 일반형을 갖는다(식 10-34 참조).

$$\begin{aligned} U = \; & a_{11}X_1{}^2 + a_{12}X_1X_2 + a_{13}X_1P_1 + a_{14}X_1P_2 \\ & + a_{21}X_2X_1 + a_{22}X_2{}^2 + a_{23}X_2P_1 + a_{24}X_2P_2 \\ & + a_{31}P_1X_1 + a_{32}P_1X_2 + a_{33}P_1{}^2 + a_{34}P_1P_2 \\ & + a_{41}P_2X_1 + a_{42}P_2X_2 + a_{43}P_2P_1 + a_{44}P_2{}^2 \end{aligned}$$

여기서 계수 $a_{11}, a_{12}, \cdots, a_{44}$는 구조물의 성질에 좌우되는 상수들이다. Castigliano의 제2정리를 U에 대한 위의 식에 적용하면 적합방정식을 얻는다[식 (10-62)].

$$D_1 = \frac{\partial U}{\partial X_1} = F_{11}X_1 + F_{12}X_2 + b_{11}P_1 + b_{12}P_2$$

$$D_2 = \frac{\partial U}{\partial X_2} = F_{21}X_1 + F_{22}X_2 + b_{21}P_1 + b_{22}P_2$$

여기서 계수 F와 b는 a로부터 얻어지는 새로운 상수이며 구조물의 성질에 좌우된다. 더

---

[*] 최소변형에너지의 원리를 **최소일의 원리**라고 흔히 지칭하기도 한다. 이러한 명칭은 비록 만족할만한 증명을 하지는 않았지만 1858년에 최초로 이 원리를 발표한 L.F. Ménabréa와 1873년에 이를 증명한 Castigliano에 의해 사용되었다(참고문헌 10-16~10-20, 10-31 참조).

구나 이 상수 F_{11}, F_{12}, F_{21}, F_{22}들은 미지과잉력의 계수이므로 이들은 이완구조물의 **유연도계수** 또는 **유연도**로 알려져 있다. 나머지 항들은 하중 P_1과 P_2 그리고 구조물의 성질에 좌우된다. 따라서 이 항들은 과잉력에 대응하여 하중에 의해 생기는 이완구조물의 변위임을 알 수 있다.

이제 위의 식에 대해 몇 개의 추가적인 편도함수를 더 취하면 다음과 같다.

$$\frac{\partial D_1}{\partial X_1} = \frac{\partial^2 U}{\partial X_1{}^2} = F_{11} \qquad \frac{\partial D_1}{\partial X_2} = \frac{\partial^2 U}{\partial X_2 \partial X_1} = F_{12}$$

$$\frac{\partial D_2}{\partial X_1} = \frac{\partial^2 U}{\partial X_1 \partial X_2} = F_{21} \qquad \frac{\partial D_2}{\partial X_2} = \frac{\partial^2 U}{\partial X_2{}^2} = F_{22}$$

이 관계로부터 유연도에 대한 다음과 같은 일반식을 쉽게 판별할 수 있다.

$$F_{ij} = \frac{\partial^2 U}{\partial X_j \partial X_i} \tag{10-64}$$

따라서 변형에너지 U가 정역학적 과잉력 X_1, X_2, $\cdots$, X_n의 2차 함수로 표시될 때는 언제나 이완구조물의 유연도는 변형에너지를 미분하여 구할 수 있다는 것을 이 식은 보여 준다.

또한 U의 미분순서는 중요치 않으므로

$$F_{ij} = \frac{\partial^2 U}{\partial X_j \partial X_i} = \frac{\partial^2 U}{\partial X_i \partial X_j} = F_{ji} \tag{10-65}$$

로 기술할 수 있으며, 따라서 유연도에 대한 상반정리를 변형에너지를 고려하여 구한 셈이다.

구조해석의 기타 방법 유연도법과 강성도법외의 구조해석의 다른 방법들도 기술자에게 중요하다. 예를 들면 **매트릭스 구조해석법**은 보편적으로 사용되고 있는 해석법이다. 매트릭스법은 모든 방정식인 매트릭스 형태로 표시되며 필요한 모든 유도와 계산이 행렬대수학(matrix algebra)에 의해 이루어지는 등의 수정을 가한 유연도법과 강성도법으로 구성되어 있다. 매트릭스의 사용은 이 방법을 보다 체계적으로 만들고, 모든 표현을 집약적이며 간결하게 해주며 컴퓨터프로그래밍에 이상적으로 적합하게끔 만들어 준다.* 구조물(판, shell, 고체 연결체 포함)의 수치해석에 가장 일반적으로 쓰이고 있는 방법은 **유한요소법**(참고문헌 10-32)이며, 이 고등해석법은 변형에너지와 공액에너지의 개념을 포함한 재료역학의 철저한 이해가 바탕이 된다.

---

* 구조해석의 매트릭스(행렬)법은 구조이론에 관한 교과서(예를 들어 참고문헌 10-22)에 상술되어 있다. 또한 매트릭스대수에 대해서는 공업수학책에서 찾아볼 수 있다(예를 들어 참고문헌 6-1).

10.9 보의 전단처짐

보의 처짐에 대한 전단변형의 효과는 굽힘변형의 효과에 비하여 일반적으로 비교적 작기 때문에 무시하는 것이 보통이다. 그러나 정확성이 요구되는 경우에는 전단변형도 구하여 굽힘변형에 추가하여야 한다. 7.12절에서 논의한 것은 처짐곡선의 미분방정식을 이용한 처짐의 해석이었다. 여기서는 미분방정식에 전단계수 α_s를 포함하는 새로운 항을 추가시키는 방법을 논의했었다. 이 전단계수는 보 중립축에서의 전단응력의 평균전단응력에 대한 비와 같다(예를 들면 직사각형보의 $\alpha_s = \dfrac{3}{2}$). 바로 이 전단계수가 단위하중법의 일반식[식 (10-4)]에서도 나타난다.

미분방정식이나 단위하중법을 사용하여 얻은 전단처짐은 적어도 다음과 같은 두 가지 이유 때문에 근사값이다. 첫째, 처짐은 중립축의 전단변형률에 근거를 두고 있으므로 보의 높이에 따라 변하는 것을 고려하지 않기 때문이고, 둘째, 처짐은 순수굽힘만을 고려하는 경우에 대해 유도된 굽힘이론에 근거를 두고 있기 때문이다. 후자의 결점은 보다 더 정확한 탄성론의 방법을 다시 사용함으로써만 수정될 수 있으며, 이에 대한 결과의 일부가 7.12절에 주어져 있다. 반면에 전자의 결정은 가상일의 원리[식 (10-1)]를 사용하여 보의 전 체적에 대해 적분하여 내부일을 구함으로써 제거될 수 있다. 지금부터 상세하게 설명할 이 방법은 전단계수 α_s보다 더 정확한 계수(factor)를 사용하도록 만든다.

보의 처짐을 구하는 단위하중법은 가상일의 원리에 근거를 두고 있으며(10.2 및 10.3절 참조), 이 가상일의 원리는 외부일과 내부일에 대한 표현을 요구한다. 여기서 단위하중이 구조물에 작용하는 유일한 하중이므로 외부일에 대한 표현은 10.3절의 식 (a)에서와 같인 $W_{\text{ext}} = 1 \cdot \Delta$이다. 이 식에서 Δ는 실제하중에 의해 생긴 구하고자 하는 처짐이며, 1은 그 처짐에 대응하는 단위하중이다.

내부가상일은 보의 응력(단위하중에 의해 생긴 응력)이 실제하중으로 인한 변형을 따라서 움직일 때, 이 응력이 하는 일이다. 앞에서 우리는 네 개의 가능한 합응력, 즉 축력, 굽힘모멘트, 전단력, 비틀림우력을 고려하였다. 지금 우리는 보의 전단처짐에만 관심을 두고 있기 때문에 축력과 비틀림의 영향은 생략하겠다. 또한 전절의 유도에서는 합응력을 취하여 보의 요소에 대한 적절한 변형량에 이 각각의 응력들을 곱하여 내부일을 구하였다. 즉, 이러한 방법으로 10.3절의 식 (b)를 구하였다. 그러나 이제는 직접 보의 응력을 내부가상일을 얻기 위하여 전 체적에 대해 적분하자.

단위하중을 받는 보의 내부로부터 잘라낸 크기가 dx, dy, dz인 미소요소[그림 10-26(a)]를 생각해 보자. 이 미소요소의 표면에는 단위하중으로 인합 굽힘모멘트 M_U와 전단력 V_U에 의해 생긴 수직응력 σ와 전단응력 τ[그림 10-26(b)]가 작용하고 있다. 이 응력들은 휨과 전단공식에 의해 구할 수 있다.

$$\sigma = \frac{M_U y}{I} \quad \tau = \frac{V_U Q}{Ib}$$

단위하중법을 사용할 때 요소에 주어지는 가상변형은 실제하중에 의해 생기는 변형과 동일하게 선택되었다. 이들은 굽힘모멘트 M_L과 전단력 V_L을 야기하며, 굽힘모멘트 M_L에 의한 신장[그림 10-26(c)]과 전단력 V_L에 의한 전단변형[그림 10-26(d)]으로 구성되어 있다. 이들 변형과 관계되는 신장변형률 ϵ과 전단변형률 γ는

$$\epsilon = \frac{M_L y}{EI} \quad \gamma = \frac{V_L Q}{GIb}$$

그러므로 미소요소에 작용하는 응력 σ와 τ의 내부가상일은

$$dW_{\text{int}} = (\sigma dy dz)(\epsilon dx) + (\tau dy dz)(\gamma dx)$$

$$= \frac{M_U M_L y^2}{EI^2} dx dy dz + \frac{V_U V_L Q^2}{GI^2 b^2} dx dy dz$$

전체 가상일은 위의 식을 보의 전 체적에 대해 적분함으로써 구해진다. 따라서

$$W_{\text{int}} = \int \frac{M_U M_L y^2}{EI^2} dx dy dz + \int \frac{V_U V_L Q^2}{GI^2 b^2} dx dy dz$$

이 식은 보의 한 단면에서는 M_U, M_L, V_U, V_L, E, G, I 등의 양들이 일정하다는 것에 유의함으로써 간단하게 만들 수 있다. 그러므로 위의 적분식들을 단면적에 대한 적분과 축에 따른 적분으로 다음과 같이 분리할 수 있다.

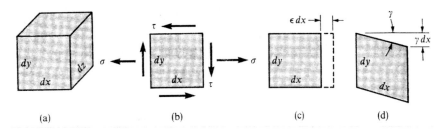

(a)   (b)   (c)   (d)

그림 10-26 보의 요소

$$W_{\text{int}} = \int_L \frac{M_U M_L}{EI^2}\left[\int_A y^2 dydz\right]dx + \int_L \frac{V_U V_L}{GI^2}\left[\int_A \frac{Q^2}{b^2}dydx\right]dx \qquad \text{(a)}$$

여기서 기호 L과 A는 각각 길이 L과 단면적 A에 대해 적분을 한다는 것을 나타낸다. 위의 식 (a)에서 첫 번째 괄호 항은 단면의 성질을 나타내는 관성모멘트 I이며, 두 번째 괄호 항은 보의 단면크기에만 의존하는 것들이다. 그러므로 새로운 단면성질로서 **전단형상계수**(form factor for shear)라 불리는 f_s를 정의하면 편리하며, 이는 다음과 같이 정의된다.

$$f_s = \frac{A}{I^2}\int_A \frac{Q^2}{b^2}dA \qquad \text{(10-66)}$$

여기서 $dA = dydz$의 보의 단면의 면적요소를 나타낸다. 형상계수는 뒤에 논의하는 바와 같이 보의 개개의 특수한 형상에 대해 계산되는 무차원의 양이다.

식 (a)의 괄호의 두 항을 각각 I와 $f_s I^2/A$으로 대치함으로써 내부가상일에 대한 최종적인 식을 얻는다.

$$W_{\text{int}} = \int \frac{M_U M_L dx}{EI}\int \frac{f_s V_U V_L dx}{GA} \qquad \text{(b)}$$

끝으로, 외부일($= 1 \cdot \Delta$)과 내부일[식 (b)]이 같다고 놓음으로써 처짐 Δ에 대한 **단위하중식**을 얻을 수 있다.

$$\Delta = \int \frac{M_U M_L dx}{EI} + \int \frac{f_s V_U V_L dx}{GA} \qquad \text{(10-67)}$$

식 (10-67)은 굽힘모멘트와 전단력의 영향을 모두 고려한 보의 처짐을 구하는데 사용된다. 방정식 우변의 첫째 항은 앞에서 구한[식 (10-4) 참조] 휨에 대한 항과 같다. 그러나 두 번째 항은 앞에서 구한 전단에 대한 항과는 약간 다르며, 차이점은 전단계수 α_s 대신에 형상계수 f_s로 대치한데 있다. 따라서 보의 **전단강도**는 GA/α_s 대신 GA/f_s로 정의한다. 전단형상계수는 개개의 단면형상에 따라 계산되어야 한다. 예로서 폭이 b이고 높이가 h인 직사각형단면의 경우 1차 모멘트 Q에 대한 표현은 다음과 같다[그림 5-24, 5.5절의 식 (c) 참조].

$$Q = \frac{b}{2}\left(\frac{h^2}{4} - {y_1}^2\right)$$

또한 직사각형단면에 대해 A/I^2는 $144/bh^5$이다. 그러므로 형상계수는

$$f_s = \frac{144}{bh^5} \int_{-h/2}^{h/2} \frac{1}{4}\left(\frac{h^2}{4} - {y_1}^2\right)^2 b\,dy_1 = \frac{6}{5}$$

이와 유사한 방법으로 다른 형태의 단면에 대한 형상계수를 계산할 수 있다. 이를테면 실 원형단면의 형상계수는 10/9이며, 얇은 원통형단면의 경우에는 2이다. I형보나 박스형보에 서는 전단응력이 web의 전 높이에 대해 균일하게 분포되어 있으며 그 크기는 근사적으로 전단력을 web의 면적으로 나눈 값과 같다고 가정할 수 있다(5.6절과 그림 5-28 참조). 이 러한 가정에 의해 그러한 보의 형상계수는 통상 2~5의 값을 갖는 A/A_web의 비로 된다는 결론에 도달하게 된다. 전단계수 α_s와 형상계수 f_s의 값이 표 10-4에 주어져 있다.

보의 전단처짐을 계산하는 예로서, 등분포하중이 작용하는 단순지지보의 중앙에서의 처짐 을 구하기 위해 단위하중법을 사용해 보자. 보의 왼쪽 지지단으로부터 x만큼 떨어진 곳의 실제하중에 의한 전단력과 굽힘모멘트는

$$M_L = \frac{qLx}{2} - \frac{qx^2}{2} \quad V_L = \frac{qL}{2} - qx$$

이며, L은 보의 길이이고 q는 등분포하중의 크기이다. 보의 중앙점에 작용하는 단위하중은 다음과 같은 굽힘모멘트와 전단력을 생기게 한다.

$$M_U = \frac{1(x)}{2} \quad V_U = \frac{1}{2} \quad \left(0 \le x \le \frac{L}{2}\right)$$

표 10-4 전단계수 α_s와 형상계수 f_s

Section		α_s	f_s
	Rectangle	$\dfrac{3}{2}$	$\dfrac{6}{5}$
	Circle	$\dfrac{4}{3}$	$\dfrac{10}{9}$
	Thin tube	2	2
	I or box Section	$\dfrac{A}{A_\text{web}}$	$\dfrac{A}{A_\text{web}}$

이를 식 (10-67)에 대입하면 보의 중앙점에서의 처짐 δ는 다음과 같다.

$$\delta = \frac{2}{EI}\int_0^{L/2}\frac{x}{2}\left(\frac{qLx}{2}-\frac{qx^2}{2}\right)dx + \frac{2f_s}{GA}\int_0^{L/2}\frac{1}{2}\left(\frac{qL}{2}-qx\right)dx$$

$$= \frac{5qL^4}{384EI}\left(1+\frac{48f_sEI}{5GAL^2}\right) \tag{10-68}$$

이 결과는 전단계수 α_s 대신에 형상계수 f_s가 나타나는 것 외에는 미분방정식[식 (7-76) 참조]을 풀어서 얻은 결과와 일치한다.

만일 단순보의 중앙에 집중하중 P가 작용하는 경우, 단위하중법을 사용하여 보의 중앙에서의 처짐을 구하면

$$\delta = \frac{PL^3}{48EI}\left(1+\frac{12f_sEI}{GAL^2}\right) \tag{10-69}$$

가 되며, 이것은 식 (7-80)의 α_s 대신에 f_s를 대입한 것과 동일하다. 자유단에 집중하중 P가 작용하는 외팔보의 경우에 단위하중법을 사용하여 자유단에서의 처짐을 구하면

$$\delta = \frac{PL^3}{3EI} + \frac{f_sPL}{GA} \tag{10-70}$$

이 된다. 단위하중법을 사용하여 이 결과를 얻는데 고정단에서의 세부적인 지지조건에 대한 어떠한 가정도 하지 않았다. 그러나 고정단의 경계조건으로 뒤틀림(warping)이 자유롭게 일어나며 중립축에 있는 요소는 연직면을 그대로 연직으로 유지한다고 가정하였던 특수한 경우에 대해 식 (10-70)의 우변의 둘째 항은 7.12절의 예제와 일치한다[7.12절의 식 (j) 참조]. 고정단에서의 다른 조건에 대해서는 7.12절의 방법이 다른 결과를 주게 된다[예를 들어 7.12절의 식 (k) 참조]. 따라서 단위하중법을 사용하는 경우에는 고정지지부에서의 경계조건에 대한 가정을 암암리에 내포하고 있는 것이다.

전단변형에너지 전단응력 τ를 받고 있는 보의 요소[그림 10-26(b), (d) 참조]의 전단변형에너지는 $u\,dx\,dy\,dz$이며 여기서 u는 단위체적당 전단변형에너지이다. 단위체적당 변형에너지는 식 (3-37a)에 주어진 바와 같이 $u = \tau^2/2G$이다. 따라서 전단응력 τ의 항으로서 나타낸 전단변형에너지 dU_s를 다음과 같이 표현할 수 있다.

$$dU_s = \frac{\tau^2}{2G}dx\,dy\,dz$$

전단응력 τ는 VQ/Ib와 같으므로 전단변형에너지는 다음과 같다.

$$dU_s = \frac{V^2 Q^2}{2GI^2 b^2} dx\,dy\,dz$$

이 식을 보의 전 체적에 대해 적분하면 전체 전단변형에너지는

$$U_s = \int_L \frac{V^2}{2GI^2} \left[\int_A \frac{Q^2}{b^2} dy\,dz \right] dx$$

이며, 전술한 바와 같이 L과 A는 각각 길이를 따라서 그리고 단면적에 대해서 적분해야 한다는 것을 나타낸다. 식 (10-66)과의 비교로서 알 수 있는 바와 같이 괄호 안의 항은 $f_s I^2/A$과 같다. 그러므로 U_s에 대한 표현을 간략화시키면

$$U_s = \int \frac{f_s V^2 dx}{2GA} \tag{10-71}$$

가 된다. 이 식은 보의 전단변형에너지를 전단력 V로 표시한 것이다. 이것은 α_s를 f_s로 대치한 것을 제외하고는 앞에서 유도한 전단변형에너지에 대한 식 (7-84)와 같다.

형상계수 f_s는 탄성론의 방법을 사용하여서 얻은 보다 더 정확한 값에 매우 근사적이다 [식 (7-83) 참조]. 일반적으로 전단으로 인한 보의 처짐을 구하거나 변형에너지를 계산하는 데는 전단계수 α_s보다 형상계수 f_s를 사용하는 것이 바람직하다.

문제

10.3절에 대한 문제는 단위하중법으로 풀어야 한다.

10.3-1 그림과 같이 두 개의 부재로 된 트러스 ABC가 조인트 B에서 연직하중 P를 받고 있다. 각 부재의 축강도는 EA이다. $\beta = 60°$일 때 다음을 구하라. (a) 절점 B의 연직처짐 δ_V (b) 조인트 B의 수평처짐 δ_h (c) 부재 AB의 회전각 θ_{ab}

10.3-2 부재 AB에 ΔT만큼의 균일한 온도증가가 일어나고 $P = 0$인 경우에 대해 앞의 문제를 풀어라.

10.3-3 $\beta = 45°$일 때의 문제 10.3-1을 풀어라.

10.3-4 그림과 같은 트러스에서 두 부재의 축강도가 EA이고 $\beta = 30°$인 때, 조인트 B에서의 연

직처짐 δ_v와 수평처짐 δ_h를 구하라.

10.3-5 앞의 문제를 $\beta = 45°$인 경우에 대하여 풀어라.

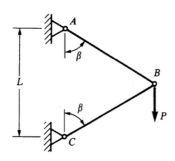

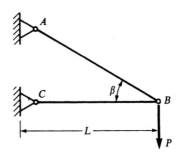

문제 10.3-1, 10.3-2, 10.3-3 　　　　　　문제 10.3-4, 10.3-5

10.3-6 그림의 정사각형 트러스의 바깥쪽 4개의 부재가 ΔT의 온도강하를 일으켰을 때, 조인트 B와 D 간의 거리변화는 얼마가 되겠는가?

10.3-7 높이 $H = 1.83\,\text{m}$, 스팬의 길이 $L = 4.88\,\text{m}$인 그림과 같은 대칭트러스 $ABCD$가 조인트 D에서 연직하중 $P = 106.8\,\text{kN}$을 받고 있다. 각 인장부재의 단면적은 $A_t = 1290\,\text{mm}^2$, 각 압축부재는 $A_c = 3225\,\text{mm}^2$이며, 트러스는 $E = 2.067 \times 10^8\,\text{kPa}$인 강재로 만들어졌다. 조인트 C에서의 수평처짐 δ_h와 조인트 D에서의 연직처짐 δ_v를 구하라.

10.3-8 트러스가 아래와 같은 data를 가질 때의 앞의 문제를 풀어라. $H = 2\,\text{m}$, $L = 4\,\text{m}$, $P = 100\,\text{kN}$, $A_t = 1200\,\text{mm}^2$, $A_c = 2800\,\text{mm}^2$, $E = 210\,\text{GPa}$.

10.3-9 문제 10.3-7의 트러스 $ABCD$에서 $P = 0$이라고 가정하자. 트러스가 부하로 인해 이완되

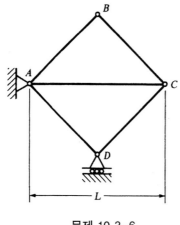

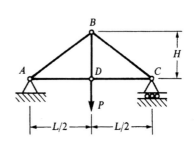

문제 10.3-6 　　　　　　　　문제 10.3-7, 10.3-8, 10.3-9

는 것을 막기 위해서는 조인트 D에 위로 향하는 처짐이 일어나도록 만들어야 하며, 이를 'Camber(상방향으로 휨)'라고 한다. 조인트 D의 camber가 12.7 mm가 되려면 부재 AB와 BC의 길이(이들의 이론적인 길이 3.05 m와 비교하여)는 얼마나 증가(ΔL)하면 되겠는가?

10.3-10 축강도가 EA인 9개의 부재로 구성된 그림과 같은 트러스가 있다. 조인트 D와 B에 P와 $2P$의 하중이 가해질 때, 다음을 구하라. (a) 조인트 A에서의 연직처짐 δ_v (b) 조인트 A, E 간의 거리증가 δ_{ae}.

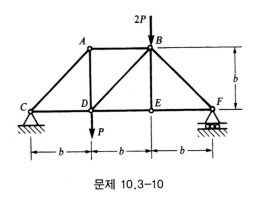

문제 10.3-10

10.3-11 3개의 하중 P_1, P_2, P_3를 지지하고 있는 그림과 같은 강제트러스부재의 단면적은 아래와 같다.

부재 AB, CD	면적 $= A_1$
부재 AE, EF, FG, GD	면적 $= A_2$
부재 BC	면적 $= A_3$
부재 BE, BF, CF, CG	면적 $= A_4$

다음과 같은 data를 써서 조인트 F에서의 연직 및 수평처짐 δ_v, δ_h를 구하라.

$$P_1 = P_2 = 35.6 \text{ kN}, \ P_3 = 17.8 \text{ kN},$$
$$A_1 = 3870 \text{ mm}^2, \ A_2 = 1935 \text{ mm}^2, \ A_3 = 2580 \text{ mm}^2, \ A_4 = 1290 \text{ mm}^2$$
$$L = 15.25 \text{ m}, \ H = 4.88 \text{ m} \ 203.2 \text{ mm}$$
$$E = 2.067 \times 10^{11} \text{ Pa}$$

10.3-12 앞의 문제에서 부재 BC의 회전각 θ_{bc}와 조인트 B, G 간의 거리감소 δ_{bg}를 구하라.

10.3-13 문제 10.3-11에 다음 data를 넣어 풀어라.

$$P_1 = 30 \text{ kN}, \ P_2 = 40 \text{ kN}, \ P_3 = 20 \text{ kN}$$
$$A_1 = 4000 \text{ mm}^2, \ A_2 = 2000 \text{ mm}^2, \ A_3 = 3000 \text{ mm}^2, \ A_4 = 1200 \text{ mm}^2$$
$$L = 16 \text{ m}, \ H = 3 \text{ m}$$
$$E = 200 \text{ GPa}$$

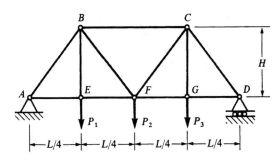

문제 10.3-11, 10.3-12, 10.3-13

10.3-14 길이 L, 굽힘강도 EI인 단순보 AB가 그림과 같이 중점 C에서 하중 P를 지지하고 있다. 하중점의 처짐 δ_c와 왼쪽 지점에서의 회전각 θ_a를 구하라.

10.3-15 길이 L, 굽힘강도 EI인 외팔보 AB가 그림과 같이 전체 보에 걸친 세기 q의 등분포하중 을 지지하고 있다. 자유단에서의 처짐 δ_b와 회전각 θ_b를 구하라.

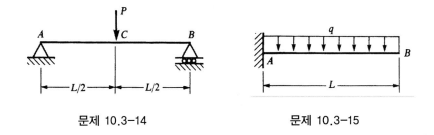

문제 10.3-14   문제 10.3-15

10.3-16 길이 L, 굽힘강도 EI인 단순보 AB가 그림과 같은 3개의 집중하중 P를 받고 있다. 보의 중점의 처짐을 구하라.

10.3-17 길이 L, 굽힘강도 EI인 외팔보 AB가 그림과 같은 2개의 집중하중 P를 받고 있다. C, D 및 B점의 처짐 δ_c, δ_d, δ_b를 구하라.

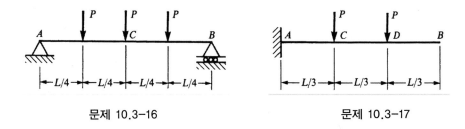

문제 10.3-16   문제 10.3-17

10.3-18 굽힘강도 EI인 내다지 BC를 갖는 단순보 AB가 그림과 같은 하중 P를 자유단에서 받는 다. 하중점에서의 처짐 δ_c와 회전각 θ_c를 구하라.

10.3-19 앞의 문제에서 스팬 AB의 중점에서의 처짐 δ와 A점에서의 회전각 θ를 구하라.

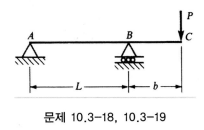

문제 10.3-18, 10.3-19

10.3-20 그림과 같은 높이 h인 각주형 overhanging 보 $ABCD$는, 상면이 T_1, 하면이 T_2인 온도 변화를 하고 있다. 스팬의 중심에 대한 처짐 δ와 자유단 A의 회전각 θ_a 및 지점 B의 회전각 θ_b를 구하라.

10.3-21 길이 L, 굽힘강도 EI인 외팔보 AB는 그림과 같이 반쪽에 세기 q의 등분포하중을 받는다. B점과 C점의 처짐 δ_b, δ_c를 구하라.

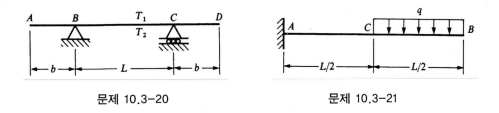

문제 10.3-20   문제 10.3-21

10.3-22 길이 L, 굽힘강도 EI인 단순보 AB는 최대세기 q_0인 삼각형적 분포하중을 그림과 같이 받고 있다. 회전각 θ_a, θ_b를 구하라.

10.3-23 프레임 ABC는 그림과 같이 A는 pin으로 B는 롤러로 지지된다. AB와 BC 부재는 모두 길이가 L이고 굽힘강도가 EI이다. 조인트 B에 수평하중 P가 걸릴 때, 이 점의 수평 처짐 δ를 구하라.

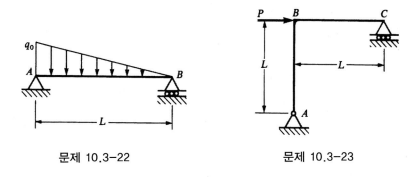

문제 10.3-22   문제 10.3-23

10.3-24 A점에서 롤러로 지지되고 D점에서 핀지지된(그림참조) 직사각형 프레임 $ABCD$가 있다. 이는 부재 BC의 중앙점에서 하중 P를 받고 있다. 연직부재의 굽힘강도는 EI_1이며 수평부재의 굽힘강도는 EI_2이다. A점의 수평처짐 δ_h와 회전각 θ를 구하라.

10.3-25 그림과 같은 프레임 ABC는 고정단 A와 자유단 C를 가진다. 길이 L과 굽힘강도 EI인 부재 AB와 BC는 서로 직각을 이룬다. C점에 수평하중 P를 받을 때, 이 점의 수평 및 연직처짐 δ_h와 δ_v를 구하라.

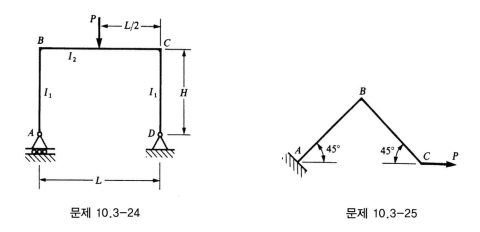

문제 10.3-24 문제 10.3-25

10.3-26 그림과 같은 프레임 $ABCD$는 고정단 A와 자유단 D를 가진다. 모든 부재는 길이가 L이고, 굽힘강도는 EI이다. 연직하중 P가 D점에 작용할 때, 자유단의 수평처짐 δ_h, 연직처짐 δ_v 및 회전각 θ를 구하라.

10.3-27 그림과 같이 D점이 고정되고 A점이 자유인 Z형 프레임 $ABCD$가 있다. 연직하중 P로 인한 A점의 회전각 θ를 구하라. 모든 부재의 굽힘강도는 EI이다.

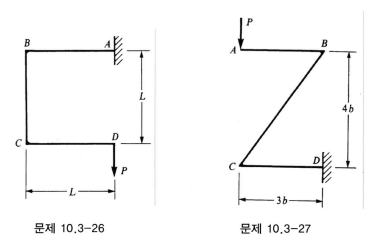

문제 10.3-26 문제 10.3-27

10.3-28 그림과 같이 A, C점에서 하중 P를 받고 있는 프레임 ABC에 대해 굽힘과 축변형의 영향을 생각하여 P힘에 의한 A점과 C점 사이의 거리의 증가량 Δ를 구하라. $\beta=0$인 경우와 $\beta=90°$인 경우의 결과를 검토하라. AB와 BC는 모두 길이 L, 굽힘강도 EI, 축강도 EA를 가진 똑같은 부재이다.

10.3-29 그림과 같이 A는 고정단이고 C가 자유단인 프레임 ABC가 있다. 부재의 왼쪽면과 상면의 온도는 T_1이고 그 상대면들의 온도는 T_2이다. C점의 수평처짐 δ_h, 연직처짐 δ_v 및 회전각 θ를 구하라. 다만, 각 부재는 같은 단면(단면높이=h)과 같은 재료(열팽창계수=α)로 되어 있다.

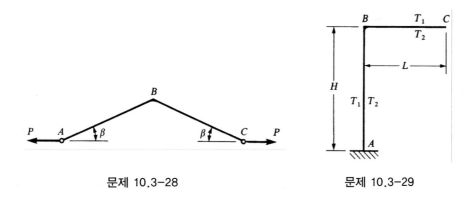

문제 10.3-28 문제 10.3-29

10.3-30 상단이 고정되고 하단이 자유인 그림과 같은 계단형 프레임의 각 부재의 길이는 L, 굽힘강도는 EI이다. 연직하중 P가 자유단에 작용할 때, n개의 계단이 있다고 보고 자유단에서의 연직처짐 δ를 구하라.

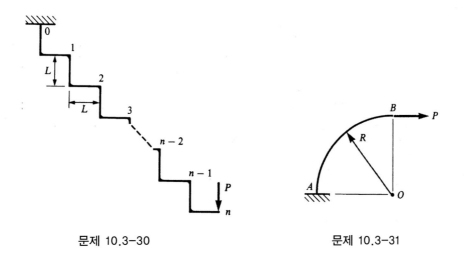

문제 10.3-30 문제 10.3-31

10.3-31 그림과 같이 중심선이 반지름 R인 1/4원을 이루는 가늘은 곡선봉 AB는 A에서 고정되고 B가 자유단이다. 수평하중 P가 자유단에서 작용할 때, 자유단의 수평처짐 δ_h, 연직처짐 δ_v 및 회전각 θ를 구하라.

10.3-32 그림과 같이 A가 고정되고 B가 자유단인 반원형의 가늘은 곡선봉이 자유단에 연직하중 P를 받고 있다. 자유단의 수평처짐 δ_h, 연직처짐 δ_v 및 회전각 θ를 구하라.

10.3-33 그림과 같이 핀지지 A와 롤러지지 B를 갖는 반원형의 가늘은 곡선봉 ACB가 C점에서 연직하중 P를 받고 있다. C점의 연직처짐 δ_c와 B점의 수평처짐 δ_b를 구하라.

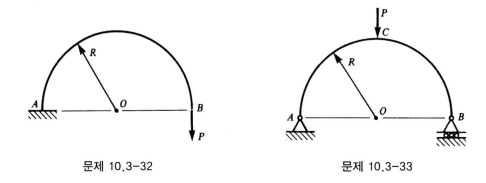

문제 10.3-32 문제 10.3-33

10.3-34 반지름 R인 반원부분 BC와 길이가 각각 L인 두 직선부분으로 구성되어 있는 그림과 같은 가늘은 프레임 $ABCD$는 모든 부재의 굽힘강도가 EI이다. 작용하는 두 하중 P로 인한 A점과 D점 사이의 거리의 증가량 Δ를 구하라.

10.3-35 그림과 같이 1/4원 BC와 직선부분 AB로 구성된 가늘은 봉 ABC는 두 부분 모두 같은 굽힘강도 EI를 갖는다. 연직하중 P가 C점에 작용할 때, 이 점의 수평처짐 δ_h와 연직처짐 δ_v 및 회전각 θ를 구하라.

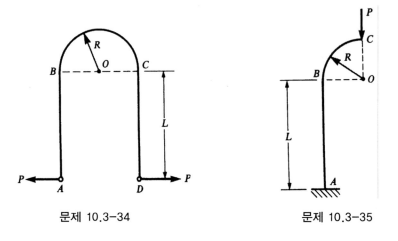

문제 10.3-34 문제 10.3-35

10.3-36 평균반지름이 R, 굽힘강도가 EI인 가늘은 원환을 그림과 같이 임의의 점에서 끊은 다음 그 사이에 작은 블록을 끼워 넣어 펼쳐 놓았다. 블록의 폭을 e라 하고 환에 생기는 최대 굽힘모멘트 M_{max}을 구하라.

10.3-37 그림과 같이 중심선이 반지름 R인 사분원을 형성하는 가늘고 긴 곡선봉 AB가 수평면상에 놓여 있으며 자유단에서 연직하중 P를 받고 있다. 봉의 굽힘강도는 EI이며 비틀림강도는 GI_P이다. 자유단 B의 연직처짐 δ_v와 비틀림각 ϕ를 구하라.

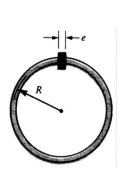

문제 10.3-36

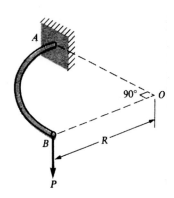

문제 10.3-37

10.3-38 A점에서 고정되고 D점이 자유인 그림과 같은 수평브래킷 $ABCD$는 균일한 단면을 갖는 원형파이프로 만들어지고, 그 굽힘강도는 EI, 비틀림강도는 GI_P이다. 부재 AB와 CD의 길이는 L, BC의 길이는 b라 하고, 자유단 D에 연직하중 P가 작용할 때 다음을 구하라. (a) D점의 연직처짐 δ_v와 비틀림각 ϕ, (b) 아래와 같은 data를 갖는 Al 파이프의 δ_v와 ϕ의 값을 계산하라.

$$P = 1.0 \text{ kN}, \ L = 1.5 \text{ m}, \ b = 1.2 \text{ m}$$
$$I = 3.0 \times 10^6 \text{ mm}^4, \ E = 70 \text{ GPa}, \ G = 26 \text{ GPa}$$

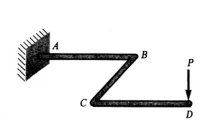

문제 10.3-38

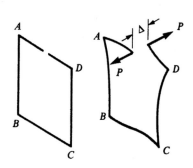

문제 10.3-39

10.3-39 정방형프레임 $ABCD$가 AD부분의 중앙에서 잘려져 있다(그림 참조). 프레임평면에 수직인 방향으로 크기가 같고 방향이 반대인 힘 P가 잘려진 부분의 양단에서 작용하고 있다. 모든 부재의 굽힘강도는 EI, 비틀림강도는 GI_P, 정방형 프레임의 각 변의 길이는 L이다. 잘려진 양단 사이의 거리 Δ를 구하라.

10.4-1 그림 10-11(a), (b)의 단순보에 단위하중법[식 (10-6)]을 적용하여 상반변위정리 $\delta_{ab} = \delta_{ba}$[식 (10-12) 참조]를 유도하라(점 A, B는 보에 연한 임의점에서 선택).

10.4-2 내다지 BD를 가지는 단순보 AB는 그림에 보인 바와 같이 두 가지 부하상태를 가진다. 첫 하중은 C점에 작용하는 연직하중 P이고, 두 번째는 D점에 작용하는 연직하중 P이다. 단위하중법으로 두 처짐을 구하여 $\delta_{dc} = \delta_{cd}$임을 보여라.

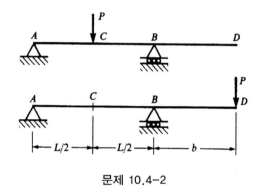

문제 10.4-2

10.4-3 균일한 단면적을 갖는 프레임 ABC는 그림에 보인 바와 같이 두 가지 부하상태를 가진다. 첫 번째는 C점에 작용하는 연직하중 P이고 두 번째는 B점에 작용하는 우력 M이다. $M\theta_{bc} = P\delta_{cb}$임을 보여라[식 (10-13) 참조]. 여기서 θ_{bc}는 하중 P에 의한 B점의 회전각이고, δ_{cb}는 우력 M에 의한 C점의 처짐이다(변위를 단위하중법으로 구한다).

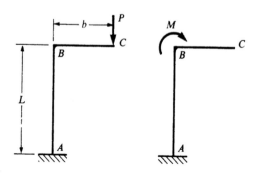

문제 10.4-3

10.4-4 단순보 AB는 그림에 보인 바와 같이 두 가지 부하상태를 가지며, 그 첫째는 C에 작용하는 우력 M이고 둘째는 D에 작용하는 M이다. 단위하중법으로 두 가지 회전각을 구하여 $\theta_{dc} = \theta_{cd}$임을 보여라.

10.4-5 그림과 같이 동일재료와 동일 단면적을 갖는 12개의 부재로 이루어진 부정정트러스가 있다. 조인트 A에 연직하중 P가 작용할 때, 상반변위정리를 이용하여 이 조인트의 수평처짐 δ_h를 구하라.

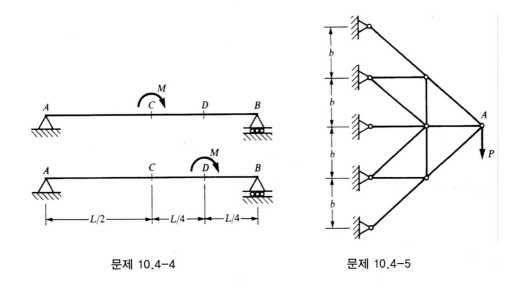

문제 10.4-4 문제 10.4-5

10.4-6 그림과 같은 수평하중을 받는 부정정프레임 $ABCD$의 부재 AB와 DE는 같은 재료이다. 상반변위정리를 이용하여 C점의 연직처짐 δ_c를 구하라(굽힘변형의 영향만을 생각하라).

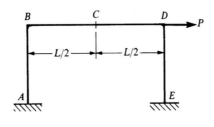

문제 10.4-6

10.4-7 그림과 같은 두 봉 트러스는 조인트 B에 수평력 P가 작용하는 것과, 조인트 B에 연직력 P가 작용하는 두 가지 부하상태에 있다. 각 부재의 축강도가 EA일 때, $\delta_{12} = \delta_{21}$임을 보여라. 여기서 δ_{12}는 연직력에 의한 수평처짐이고, δ_{21}은 수평력에 의한 연직처짐이다(변위를 구하는데 단위하중법을 쓰라).

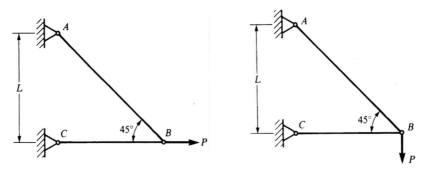

문제 10.4-7

10.4-8 길이가 L이고, 좌단고정, 우단자유인 외팔보가 그림과 같이 두 가지 부하상태에 있다. 제1부하상태는 중점에 작용하는 연직하방향의 하중 P_1과 자유단에 작용하는 시계방향 우력 M_1이며, 제2부하상태는 중점과 자유단에 각각 작용하는 연직하방향의 하중 P_2와 P_3이다. 두 경우에서의 변위를 구하고, 식 (10-15)에 대입하여 상반일정리가 성립함을 검증하라.

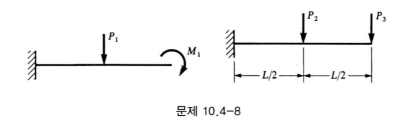

문제 10.4-8

10.4-9 길이가 L인 단순보는 그림과 같은 두 가지 부하상태에 있다. 제1부하상태는 좌단에서 $L/3$되는 점에 연직하방향의 힘 P_1이 작용하는 것이고, 제2부하상태는 좌단과 중점에 동일한 반시계방향의 우력 M_0가 작용하는 것이다. 두 경우의 변위를 구하여 식 (10-15)에 대입하여 상반일정리가 성립함을 검증하라.

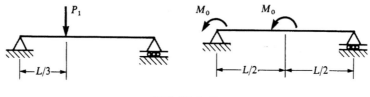

문제 10.4-9

10.4-10 길이가 L인 단순보는 그림과 같은 두 가지 부하상태에 있다. 제1부하상태는 q의 세기를 가진 등분포하중이 보 전체에 걸리는 것이고, 제2부하상태는 집중하중 P가 중앙에 작용

하는 것이다. 두 경우의 변위를 구하고 식 (10-15)에 대입하여 상반일정리가 성립함을 검증하라(Hint: 분포하중의 경우, 상응하는 변위는 처짐선도의 면적과 같다).

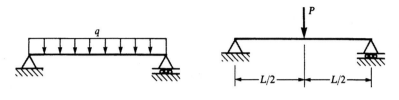

문제 10.4-10

10.6-1 그림과 같은 대칭트러스는 조인트 D에서 만나는 3개의 봉으로 구성된다. 모든 부재는 같은 축강도 EA를 가지며 중간봉의 길이가 L이다. 연직하중 P가 D점에 걸릴 때,

    (a) 조인트 D의 연직변위 δ의 함수로서 구조물의 변형에너지를 구하라.

    (b) Castigliano의 제1정리를 이용하여 변위 δ를 구하라.

    (c) 트러스부재의 축력 N_{ab}, N_{bd}, N_{cd}를 구하라.

10.6-2 그림과 같은 단순트러스 ABC가 있다. 두 봉은 같은 축강도 EA를 가지며 부재 AB의 길이가 L일 때, 조인트 B의 수평변위를 D_1(우방향이 정) 연직변위를 D_2(하방향을 정)라고 할 때,

    (a) D_1, D_2의 함수로 구조물의 변형에너지 U를 구하라.

    (b) Castigliano의 제1정리를 이용하여 변위 D_1, D_2를 구하라.

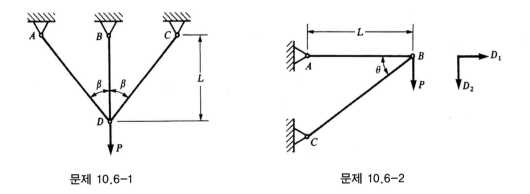

문제 10.6-1   문제 10.6-2

10.6-3 정적으로 가해진 하중을 받는 자전거바퀴의 살(spoke)이 받는 힘은 rim이 강체이고 살이 그림과 같이 방사상이라고 보아 근사적으로 결정할 수 있다. 살은 예비 인장응력이 주어지고 있으므로 압축력을 견디게 된다(압축력은 거의 인장력을 상쇄한다). Castigliano의 제1정리를 이용하여 단면적 A, 길이 L, 탄성계수 E인 등분된 32개의 살이 하중 P를

받아서 일어나게 되는 hub의 하향변위 δ를 구하라.

10.6-4 단면적 A, 길이 L인 동일한 부재 AB와 BC로 구성된 그림과 같은 트러스가 연직하중 P를 지지하고 있다. 응력-변형률의 관계는 $\sigma^n = B\epsilon$에 따르며 n과 B는 상수이다.

    (a) 조인트 B의 연직처짐 δ의 함수로 트러스의 변형에너지 U를 구하라.

    (b) Castigliano의 제1정리를 이용하여 변위 δ를 구하라.

10.7-1 단면적 A, 길이 L인 동일한 부재 AB와 BC로 구성된 그림과 같은 트러스가 연직하중 P를 지지하고 있다. 응력-변형률의 관계는 $\sigma^n = B\epsilon$에 따르며 n과 B는 상수이다.

    (a) 구조물의 공액에너지와 Crotti-Engesser의 정리를 이용하여 조인트 B의 연직변위 δ를 구하라.

    (b) 단위하중법에 의하여 변위 δ를 구하라.

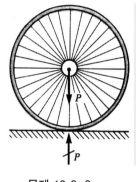

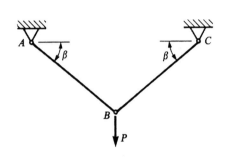

문제 10.6-3   문제 10.6-4, 10.7-1

10.7-2 그림 10-20의 트러스 ABC는 조인트 B에서 연직하중 P를 받고 있다. 각 봉의 단면적은 A이고, $\sigma = B\sqrt{\epsilon}$ (B는 상수)인 응력-변형률관계를 가진 재료이다.

    (a) 구조물의 공액에너지와 Crotti-Engesser의 정리를 이용하여 조인트 B의 수평변위 δ_h를 구하라.

    (b) 단위하중법으로 변위 δ_h를 구하라.

10.7-3 길이 L, 단위체적당의 무게 γ인 연직각주봉이 천정에 매달려 있다. 응력-변형률의 관계는 $\sigma^n = B\epsilon$에 따르며 n과 B는 상수이다.

    (a) 공액에너지와 Crotti-Engesser의 정리를 이용하여 봉의 신장량 δ를 구하라.

    (b) 단위하중법으로 신장량 δ를 구하라.

참고문헌 및 주석

1-1 Timoshenko, S. P., *History of Strength of Materials*, Dover Publications, Inc., New York, 1983, 452 pages (originally published by McGraw-Hill Book Co., Inc., New York, 1953). [주: Stephen P. Timoshenko(1878~1972)는 유명한 과학자, 엔지니어이자 교수였다. 러시아에서 태어나 1922년에 미국으로 왔다. 그는 Westinghouse Research Laboratoy의 연구자였으며 Michigan 대학의 교수였고 만년에 Stanford 대학에서 교수하다 1944년에 은퇴하였다. Timoshenko는 응용역학분야에서 이론과 실험의 분야에 많은 독창적인 기여를 하였으며 미국의 역학교육을 개혁시킨 12권의 저서가 있다. 이 책들은 정역학, 동역학, 재료역학, 진동, 구조, 안정, 탄성, 판과 쉘(shell)에 관한 문제를 다루고 있으며, 5판 이상이 발간되었고 35개 국어로 번역되었다.]

1-2 Todhunter, I., and Pearson, K., *A History of the Theory of Elasticity and of the Strength of Materials*, Vols. I and II, Dover Publications, Inc., New York, 1960 (originally published by the Cambridge University Press in 1886 and 1893). [주: Isaac Todhunter(1820~1884)와 Karl Pearson(1857~1936)은 영국의 수학자이며 교육가이다. Pearson은 특히 통계학에 대한 많은 특창적인 기여로 유명하다.]

1-3 Love, A. E. H., *A Treatise on the Mathematical Theory of Elasticity*, 4th Ed., Dover Publications, Inc., New York, 1944, 643 pages(originally published by the Cambridge University Press in 1927); see "Historical Introduction," pp. 1~31. [주: Augustus Edward Hough Love(1863~1940)는 Oxford 대학에서 강의했던 뛰어난 영국의 탄성학자이다. 그는 지구물리학에서 Love waves라고 불리는 지진에 의한 표면파를 해석하였다.]

1-4 See Ref. 1-1, p. 88 and Ref. 1-2, Vol. I, pp. 10, 533, and 873. [주: Jacob Bernoulli (1654~1705)는 James, Jacques, Jakob이라는 별명이 있었고 Ref. 1-2에서는 James로 유명하다. 그는 단서의 Basel의 수학, 과학자가계의 일원이었고 보의 탄성곡선 연구에 대한 중요한 업적을 남겼다. 그는 극좌표법을 발전시키고 확률론, 해석기하, 기타분야의 연구로 유명해졌다.

Jean Victor Poncelet(1788~1867)는 프랑스인이며 Napoleon의 대로전에 참전, 전투에서 사경을 헤매다 소생하여 포로가 되었다가 프랑스에 돌아와 수학연구를 계속하였다. 그는 기하학에 공헌이 크고, 역학에 있어서는 재료의 성질과 동역학에 대한 연구로 널리 알려져 있다.]

1-5 See Ref. 1-1, pp. 17~20 and Ref. 1-2, Vol. I, p. 5. [주: Robert Hooke(1635~1703)은 영국과학자로 탄성체에 대한 많은 실험을 하였고 time pieces에 대한 개선방안을 전개시켰다. 그는 또 Newton과 독립적으로 중력의 법칙을 공식화하였다. 1662년에는 London 왕립학회 설립에 있어서 첫 번째 주사로 지명되었다.]

1-6 Hooke, Robert, *De Potentiâ Restitutiva*, John Martyn, London, 1678.

1-7 See Ref. 1-1, pp. 90~98 and Ref. 1-2, Vol. I, pp. 80~86. [주: Thomas Young (1773 ~1829)은 걸출한 영국의 과학자였으며 광학, 음향, 충격, 기타에 대한 개척적인 연구를 하였다.]

1-8 Young, Thomas, *A Course of Lectures on Natural Philosophy and the Mechanical Arts*, Vols. 1 and 2, London, 1807.

1-9 See Ref. 1-1, pp. 111~114; Ref. 1-2, Vol. I, pp. 208~318; and Ref. 1-3, p. 13. [Note: Siméon Denis Poisson(1781~1840)은 위대한 프랑스의 수학자였다. 그는 수학과 역학에서 많은 기여를 하였으며 그의 이름은 Poisson's ratio라는 문구로서 여러 방면에 남아있다. 예로 편미분방정식에 있어서 "Poisson의 방정식"과 확률론의 Poisson의 분포가 그것이다. 그는 재료의 성질에 대한 이론에 입각하여 인장시판에서 횡변형도가 종변형도의 1/4임을 밝혔다.]

2-1 Timoshenko, S. P., and Goodier, J. N., *Theory of Elasticity*, 3rd Ed., McGraw-Hill Book Co., Inc., New York, 1970, p. 110. [주: James Norman Goodier(1905~1969)는 탄성론, 안정, 고체에서의 파동전달 및 기타 응용역학의 연구기여로 잘 알려져 있다. 영국에서 태어난 그는 Cambridge 대학과 Michigan 대학에서 공부했다. 그는 Cornell 대학과 후에 Stanford 대학에서 교수하였으며 거기서 응용역학의 문제에 관해 선두역할을 하였다.]

2-2 See Ref. 1-1, p. 314. [주: Joseph Victor Williot(1843~1907)은 프랑스의 엔지니어였다.]

2-3 Weaver, W., Jr., and Gere, J. M., *Matrix Analysis of Framed Structures*, 2nd Ed., D. Van Nostrand Co., New York, 1980.

2-4 See Ref. 1-1, p. 36 and Ref. 2-5, p. 650. [Note: Leonhard Euler(1707~1783)는 유명한 스위스의 수학자였으며, 아마도 이 시대의 가장 위대한 수학자였다. 그의 생애에 대한 전기는 Ref. 9-3 참조.]

2-5 Oravas, G. A., and McLean, L., "Historical development of energetical principles in elastomechanics," *Applied Mechanics Reviews*, Part I, vol. 19, no. 8, August 1966, pp. 647~658 and Part II, vol. 19, no, November 1966, pp. 919~933.

2-6 See Ref. 1-1, p. 75; Ref. 1-2, Vol. I, p. 146; and Ref. 2-5, p. 652. [주: Louis Marie Henri Navier(1785~1836)는 유명한 프랑스 수학자이자 엔지니어였으며 탄성의 수학적 이론설립자의 한 사람이며, 보, 평판, 쉘(shell)에 대한 이론과 진동론, 점성유체이론에 공헌하였다.]

2-7 Piobert, G., Morin, A.-J., and Didion I., "Commission des Principes du Tir," *Mémorial de l'Artillerie*, vol. 5, 1842, pp. 501~552. [주: 이 논문에는 철판에 대한 탄환 포격연구가 기재되어 있다. p. 505에 전단미끄럼선에 대한 연구기록이 있다. 이 기록은 간략하여 재료의 고유성질에 대한 연구에 공헌이 크다고는 말할 수 없다. Guillaume Piobert (1793~1871)는 프랑스의 장군이며 수학자이고 탄도학에 연구가 깊고 발간당시에 포병부대

장이었다.]

2-8 Lüders, W., "Ueber die Äusserung der elasticität an stahlartigen Eisenstäben und Stahlstäben, und über eine beim Biegen solcher Stäbe beobachtete Molecularbewegung," *Dingler's Polytechnisches Journal*, vol. 155, 1860, pp. 18~22. [주: 이 논문은 재료항복 중에 연마된 강철표면에 나타난 전단대상선에 대한 명백한 해설과 예시를 하였다. 물론 이들 전단대는 3차원 변형영역의 표면에 명백히 나타난 것에만 한한 것이다. 이 전단대는 대라 기보다는 쐐기꼴(wedge)로 특성을 지워야 할 것이다. 그럼에도 불구하고 통상 Lüders의 선이라 불리고 때로는 Piobert선이라 불린다. 이것에 대한 상세한 진술과 사진과 문헌은 Refs. 2-9와 2-10에서 볼 수 있다. 우리는 여전히 Lüders 자신에 대한 정보를 찾고 있다.]

2-9 Fell, E. W., "The Piobert effect in iron and soft steel," *The Journal of the Iron and Steel Institute*, vol. 132, no. 2, 1935, pp 75~91.

2-10 Turner, T. H., and Jevons, J. D., "The detection of strain in mild steels," *The Journal of the Iron and Steel Institute*, vol. 111, no. 1, 1925, pp. 169~189.

2-11 See Ref. 1-1, pp. 118 and 288; Ref. 1-2, Vol. I, p. 578; and Ref. 1-2, Vol. Ⅱ, p. 418. [Note: Benoit Paul Emile Clapeyron(1799~1864)는 유명한 프랑스의 구조기술자이며 교량설계자였다. 그는 파리의 Ecole des Ponts er Chaussées에서 엔지니어링을 가르쳤다. 선형탄성물체에 작용하는 외부하중들의 일은 변형에너지와 같다는 Clapeyron의 정리는 1833년에 처음 출간된 것 같다.]

2-12 Timoshenko, S. P., Young, D. H., and Weaver, W., Jr., *Vibration Problems in Engineering*, 4th Ed., John Wiley and Sons, Inc., New York, 1974. (Note: Longitudinal impact on a bar is discussed on pp. 373~387, and lateral impact on a beam is discussed on pp. 435~441.)

2-13 Goldsmith, W., *Impact*, Edward Arnold Ltd., London, 1960, 379 pages.

2-14 See Ref. 1-1, p. 88. [주: Poncelet는 충격하중으로 인한 봉의 수평진동을 조사하였다. 그의 생애와 업적의 추가적인 것은 Ref. 1-4 참조.]

3-1 See Ref. 1-1, pp. 51~53, 82, and 92, and Ref. 1-2, Vol. I, P. 69. [주: 단면이 원인 봉에서 회전모멘트와 비틀림각 사이의 정확한 관계식의 확립은 1784년 프랑스의 유명한 과학자 Charles Augustin Coulomb(1736~1806)에 의한 것이다. Coulomb는 전기와 자기, 유체의 점성, 마찰, 보의 굽힘, 지지벽과 아치(arch), 비틀림각과 비틀림진동, 기타 등에도 연구공헌이 많다(Ref. 1-1. pp. 47~54 참조). Thomas Younng은 1807년 그의 책에서(Ref. 1-8) 적용회전 모멘트가 단면의 전단응력에 의하여 평형되고 축으로부터의 거리에 비례한다고 밝혔다. 프랑스의 엔지니어 Alphonse J.C.B. Duleau(1789~1832)는 봉의 비틀림특성의 실험을 하였으며 원형봉에 대한 이론도 개발하였다: Ref. 1-1, p. 82 참조.]

3-2 See Ref. 1-1, pp. 229~237 and Ref. 1-2, Vol. II, Part II, pp. 1~51. [주: 비틀림에 대한 연구보고의 결론은 1955년에 출판되었으며 이 참고문헌에 기술되어 있다. Barré de Saint-Venant(1797~1886)는 일반적으로 이 시대에 가장 뛰어난 탄성학자로서 알려져 있

다. 파리 근교에서 태어나 Ecole Polytechnique에서 잠시 수학하고 후에 Ecole des Ponts et Chaussées에서 졸업했다. 직업적인 경력으로는 Napoleon의 퇴위직전 1814년 3월 파리의 방어를 준비하는데 양심과 정치의 문제로써 동창들과의 합류거절로 많은 고통을 받았다. 양심에 관한 그의 업적은 프랑스보다 다른 나라에서 큰 인정을 받았다. 그의 유명한 업적 중의 몇몇은 탄성기초식의 공식화와 굽힘과 비틀림의 정확한 이론의 개발이다. 또한 소성변형과 진동의 이론도 개발하였다. 그의 성명은 Adéhmar Jean Claude Barré, Count de Saint-Venant. 그의 생애와 업적은 Ref. 1-1, pp. 229~242와 Ref. 1-2, Vol. I, pp. 833~872, Vol. II, Part I, pp. 1~286.]

3-3 See Ref. 1-1, p. 216 and note to Ref. 1-9.

3-4 Bredt, R., "Kritische Bemerkungen zur Drehungs-elastizität," *Zeitschrift des Vereines Deutscher Ingenieure*, vol. 40, 1896, pp. 785~790 and 813~817. [주: Rudolph Bredt(1842~1900)는 독일의 엔지니어였다. 그는 Karlsruhe와 Zürich에서 공부하였고 잠시 영국의 Crewe의 열차공장에서 일을 하는 동안, 크레인의 설계와 제조에 대해 배웠다. 이 경험이 독일의 크레인 제조업자로서의 그의 작업에 기초를 이루었다. 비틀림의 이론은 이 box-girder cran의 설계와 관련지어지고 있다.]

3-5 Timoshenko, S. P., and Gere, J. M., *Theory of Elastic Stability*, 2nd Ed., McGraw-Hill Book Co., Inc., 1961, pp. 500~509.

5-1 Fazekas, G. A., "A note on the bending of Euler beams," *Journal of Engineering Education*, vol. 57, no. 5, January 1967, pp. 393~394.

5-2 See Ref. 2-1, pp. 42 and 48.

5-3 Galilei, Galileo, *Dialogues Concerning Two New Sciences*, translated from the Italian and Latin into English by Henry Crew and Alfonso De Salvio, The Macmillan Company, New York, 1933(translation first published in 1914) [주: Two New Sciences가 1638년 Leida 지금의 네덜란드의 Leiden에서 Louis Elzevir에 의하여 출판되었다. 이 책은 역동학과 재료역학에 관한 Galileo의 업적의 극치를 표현한 것이며, 이미 아는 바와 같이 이 두 주제가 Galileo와 이 책의 발간에서 시작되었다고 말할 수 있다.

Galileo Galilei는 1564년 Pisa에서 태어나, 동역학의 시작인 낙하물체와 진자 등을 포함한 많은 유명한 실험과 발견을 했다. Galileo는 유창한 강의를 하였고 많은 나라에서 온 학생들을 사로 잡았다. 그는 우주를 개척하였고 망원경을 개발하여 달의 분화구 같은 모양, 목성의 위성, 금성의 상들과 흑점을 포함한 많은 우주학적 발견을 하였다. 그러나 태양계에 대한 그의 과학적 견해는 신학에 위배됨으로써 저주를 받아 말년은 Florence에서 은둔생활을 하게 되었다. 이 기간 동안 Two New Sciences를 저술하였으며, 1642년에 사망하여 Florence에 묻혔다.]

5-4 See Ref. 1-1, pp. 11~47 and 135~141, and Ref. 1-2. [주: 보이론의 역사가 이 참고문헌들에 기술되어 있다. Edam Mariotte(1620~1684)는 동역학, 유체정역학, 광학, 역학의 발전을 이룩한 프랑스 물리학자이며, 보의 실험에서 하중의 부하능력을 계산하는 이론을 발

전시켰다. 그의 이론은 Galileo가 이룩한 업적의 발전이었으나 그리 정확하지는 못했다. Jacob Bernoulli(1654~1705)는 Ref. 1-4의 주에 기술되어 있으며, 처음으로 곡률이 굽힘모멘트에 비례한다고 결정하였으나 그의 비례정수는 잘못 되었었다. Leonhard Euler(1707~1783)는 보의 처짐곡선의 미분방정식을 얻어 크고 작은 처짐의 많은 문제를 해결하는데 적용하였다. 그의 생애와 업적은 Ref. 11-3의 주에 기술되어 있다. 보의 응력분포와 응력과 굽힘모멘트를 정확하게 연결한 첫 사람은 아마도 프랑스의 물리학자이며 수학자인 Antoine Parent(1666~1716)일 것이다. 후에 보의 응력과 변형률에 관한 정확한 조사는 Saint-Venant(1797~1886)에 의하여 이루어졌다. Ref. 3-2, 주 참조.]

5-5 *Manual of Steel Construction*, 8th Ed., American Institute of Steel Construction, Inc., 400 North Michigan Avenue, Chicago, Illinois 60611, 1980.

5-6 *Aluminum Construction Manual*, 4th Ed., Section 1, "Specifications for Aluminum Structures," The Aluminum Association, Inc., 818 Connecticut Ave., N.W., Washington, D.C. 20006, April 1982, 76 pages.

5-7 *Aluminum Construction Manual*, 4th Ed., Section 3, "Engineering Date for Aluminum Structures," Ibid., November 1981, 100 pages.

5-8 *National Design Specification for Wood Construction*, 1982 Edition, National Forest Products Association, 1619 Massachusetts Avenue, N. W., Washington, D.C. 20036, 81 pages.

5-9 *Wood Structural Design Data*, 1978 Edition, Ibid., 240 pages,

5-10 See Ref. 3-5, Chapter 6, for a discussion of lateral bucking of beams.

5-11 See Ref. 1-1, pp. 141~144 and Ref. 1-2, Vol. II, Part I, pp. 641~642. [주: D.J. Jourawski(1821~1891)는 러시아의 교량, 철도 기술자로서 현재 널리 사용되고 있는 보에 생기는 전단응력에 대한 근사이론을 발전시켰다. 한편 보에 생기는 전단응력에 대한 정확한 이론은 Saint-Venant에 의하여 주어졌으며 극히 특수한 경우만 사용된다. 그러므로 p. 642 의 Todhunter와 Pearson 등의 Jourawski 이론에 대한 혹평은 부당한 것으로 보여지고 있다. 보의 전단에 관한 Jourawski의 논문은 Ref. 5-12에 인용되어 있다.]

5-12 Jourawski, D. J., "Sur la résistance d'un corps prismatique…," *Annales des Ponts et Chaussées*, Mémoires et Documents, 3rd Servies, vol. 12, Part 2, 1856, pp. 328~351.

5-13 Zaslavsky, A., "On the limitations of the shearing stress formula," *International Journal of Mechanical Engineering Education*, vol. 8, no. 1, 1980, pp. 13~19.

5-14 See Ref. 2-1, pp. 358~359.

5-15 Maki, A. C., and Kuenzi, E. W., "Deflection and stresses of tapered wood beams," Research Paper FPL 34, U.S. Forest Service, Forest Products Laboratory, Madison, Wisconsin, September 1965, 54 pages.

5-16 See Ref. 2-1, pp. 110~111.

5-17 Plantema, F. J., *Sandwich Construction*, John Wiley and Sons, Inc., New York, 1966.

5-18 Nicholls, R., *Composite Construction Materials Handbook*, Prentice-Hall, Inc., Englewood Cliffs, New Jersey, 1976, 580 pages.

5-19 See Ref. 1-1, p. 147. [주: 프랑스 기술자 Jacques Antoine Charles Bresse(1822~1883)는 굽은 보와 아치에 대한 연구로 잘 알려져 있다.]

6-1 Gere, J. M., and Weaver, W., *Matrix Algebra for Engineers*, 2nd Ed., Brooks/Cole Engineering Division, Monterey, California, 1983, 232 pages.

6-2 See Ref. 1-1, pp. 107~111. [주: Augustin Louis Cauchy(1789~1857)는 가장 위대한 수학자 중의 한 사람이다. 그는 파리에서 태어나 16세에 Ecole Polytechnique에 들어가 Lagrange, Laplace, Fourier, Poisson에게 수학했다. 그는 수학솜씨를 인정받아 27세에 Ecole 교수가 되었으며 Academy of Sciences의 회원이 되었다. 순수수학에서의 그의 업적은 군론, 수론, 급수, 적분, 미분방정식, 해석함수에서 볼 수 있다. 응용수학에서 우리가 알고 있는 바와 같이 응력의 개념을 도입한 탄성이론을 개발했고 주응력과 주변형률의 개념을 도입했다. Ref. 1-2 전체에 탄성이론에 관한 그의 업적이 기술되어 있다: Vol. I, pp. 319~376 참조.]

6-3 See Ref. 1-1, pp. 229~242 [주: Saint-Venant는 탄성론에 관한 많은 면의 개척자이며, Todhunter와 Pearson은 "A History of the Theory of Elasticity, Ref. 1-2"를 그에게 바쳤다. Saint-Venant에 대한 더 많은 정보는 Ref. 3-2를 참조하라.]

6-4 See Ref. 1-1, pp. 197~202, and Ref. 1-2, Vol. II, Part I, pp. 86 and 287~322. [주: William John Macquorn Rankine(1820~1872)은 스코틀랜드의 Edinburgh에서 태어나 Glasgow 대학에서 엔지니어링을 가르쳤다. 1852년에 응력 변환식을 유도하였고 탄성이론과 응용역학에 많은 기여를 하였다. 그의 엔지니어링의 주제는 아치(arch), 옹벽, 구조이론이었다. 또한 유체, 광, 음향, 결정의 성질에 관련된 연구도 명성을 얻었다.]

6-5 See Ref. 1-1, pp. 283~288, Ref. 6-6, and Ref. 6-7. [주: 유명한 독일의 토목기술자 Otto Christian Mohr(1835~1918)는 이론가이자 실제적 설계자였으며, Stuttgart Polytechikum과 Dresden Polytechnikum의 교수였다. 그는 1882년에 응력의 원을 개발하였고(Ref. 6-6) 또한 그의 책에 저술하였다(Ref. 6-7, pp. 187~219).

Mohr는 트러스의 처짐에 대한 Williot-Mohr 선도, 보에 대한 모멘트-면적법, 부정정 구조물에 대한 Maxwell-Mohr법 등, 구조이론에 수많은 기여를 했다.]

6-6 Mohr, O., "Über die Darstellung des Spannungszustandes und des Deformationszustandes eines Körperelementes" *Zivilingenieur*, 1882, p. 113.

6-7 Mohr, O., *Abhandlungen aus dem Gebiete der technischen Mechanik*, Wilhelm Ernst and Sohn Berlin, 1906, 459 pages.

6-8 See Ref. 1-1, pp. 190~197. [주: Karl Culmann(1821~1881)은 유명한 독일의 교량과 철도의 엔지니어였다. 1849~1850년에 교량을 연구하기 위하여 영국과 미국을 여행하였고,

돌아와서 이에 대해 저술하였다. 그는 유럽에서 수많은 교량을 설계하였고 1855년에 새로 설립된 Zürich Polytechnicum의 구조학의 교수가 되었다. 많은 도식법을 개발하여 1866년에 Zürich에서 출판한 도식정역학의 첫 판에 실었다. 응력궤적(Stress trajectories)은 이 책의 topic 중의 하나이다. Culmann과 교량의 역사에 관한 정보는 Ref. 6-9 참조.]

6-9 Kuzmanovic, B. O., "History of the theory of bridge structures," *Proceedings of the American Society of Civil Engineers, Journal of the Structural Division*, vol. 103, no. ST5, May 1977, pp. 1095~1111.

6-10 Ranov, T., and Wolko, H. S., "The location of maximum principal stresses," *Proceedings of the American Society of Civil Engineers, Journal of the Structural Division*, vol. 84, ST3, Paper No. 1629, May 1958.

6-11 Hetényi, M., Editor, *Handbook of Experimental Stress Analysis*, John Wiley and Sons, Inc., New York, 1950.

6-12 Delly, J. W., and Riely, W. F., *Experimental Stress Analysis*, 2nd Ed., McGraw-Hill Book Co., Inc., New York, 1978, 571 pages.

7-1 See Ref. 1-1, pp. 27, 30~36. [주: Jacob Bernoulli, Euler와 기타 사람이 탄성곡선과 관련하여 Ref. 1-2에 논의되고 있다. 이것과 관련하여 Bernoulli 가계의 또 한 사람인 Daniel Bernoulli(1700~1782)는 Euler가 한 바와 같이 변형에너지를 최소로 하는 것으로 보의 처짐곡선에 대한 미분방정식을 얻었음을 Euler에게 제안하였다. Daniel Bernoulli는 Jacob Bernoulli의 조카이며 유체동역학, 기체운동론, 보의 진동, 기타 제목에 대한 연구업적으로 잘 알려져 있다. 그의 아버지 John Bernoulli(1667~1748)는 Jacob의 동생이며 수학자이고 과학자이다. 가상변위의 원리를 처음으로 공식화하였고 brachy-stochrone 문제를 풀었으며 분자 분모가 같이 0에 접근할 때의 극한값을 얻는 법칙을 입증하였다. 그는 이 법칙을 최초의 미적분 등을 저술한 G.F.A. de L'Hôpital(1661~1704)에게 통보하여 이 책에 실었다. 상기 극한값법칙이 오늘날 L'Hôpital의 법칙으로 불린다. (Ref. 7-2) Daniel의 조카인 Jacob Bernoulli(1759~1789)는 James 또는 Jacques의 별명을 갖고 있으며, 판의 굽힘과 진동에 대한 이론의 개척자이기도 하다. Bernoulli 가계의 여러 저명한 인사에 대한 흥미로운 많은 정보는 수학, 역학에 있어서의 여러 개척자와 같이 수학사에서 찾아볼 수 있다. 예컨대 Refs. 7-3, 7-4, 7-5]

7-2 Struik, D. J., "The origin of L'Hôpital's rule," *The Mathematics Teacher*, vol. 56, no. 4, April 1963, pp. 257~260.

7-3 Newman, J. R., *The World of Mathematics*, Vols. 1-4, Simon and Schuster, New York, 1956, 2469 pages.

7-4 Struik, D. J., *A Concise History of Mathematics*, 3rd Ed., Dover Publications, Inc., New York, 1967, 195 pages.

7-5 Cajori, F., *A History of Mathematics*, 3rd Ed., Chelsea Publishing Co., New York, 1980, 524 pages.

7-6   See Ref. 1-1, p. 137.

7-7   Saint-Venant, Barré de, notes and appendices to third edition of the book by Navier, *Résumé des Leçons données á l'école des ponts et chaussées sur l'application de la mécanique á l'établissement des constructions et des machines*, 1st Part, "De la Résistance des corps solides," Paris, 1864, p. 72.

7-8   See Ref. 1-1, p. 284.]

7-9   Mohr, O., "Beitrag zur Theorie der Holtz-und Eisen-Constructionen," *Zeitschrift des Architekten-und Ingenieur-Vereins zu Hannover*, vol. 14, 1868, pp. 19~51.

7-10   Greene, Charles E., *Graphical Method for the Analysis of Bridge Trusses*, D. Van Nostrand Co., Inc., New York, 1875. [주: 모멘트-면적법은 1873년에 Michigan 대학 교수인 Greene이 발견하여 그 해부터 학생에게 가르치기 시작하였다. 이 방법은 이 책의 pp. 35~40에 모멘트-면적법이라는 이름 아래 기록되어 있다.]

7-11   Macaulay, W. H., "Note on the deflection of beams," *The Messenger of Mathematics*, vol. XLVIII, May 1918~April 1919, Cambridge, 1919, pp. 129~130. [주: William Herrick Macaulay(1853~1936)는 영국의 수학자이고 Cambridge의 King's College의 fellow였다. 논문에서 그는 $\{f(x)\}_a$에서 x가 a보다 작을 때 x의 함수는 0이고, x가 a와 같거나 a보다 클 때 $f(x)$와 같다는 정의를 내렸다. 그리고 이를 보의 처짐에 적용할 때 어떻게 사용하는가를 보여 주었다. 불행히도 그는 Föppl과 Clebsch의 초기 업적에 관한 참고문헌을 남기지 않았다: Refs. 7-12~7-15 참조.]

7-12   Clebsch, A., *Theorie der Elasticität fester Körper*, B. G. Teubner, Leipzig, 1862, 424 pages. (Translated into French and annotated by Saint-Venant, *Théorie de l'Elasticité des Corps Solides*, Paris, 1883. Saint-Venant's notes increased Clebsch's book threefold in size.) [주: 불연속을 걸쳐서 적분하여 보의 처짐을 구하는 방법을 이 책에서 처음 선보였다: Ref. 1-1, pp. 258~259, Ref. 7-15. Rudolf Friedrich Alfred Clebsch(1833~1872)는 독일의 수학자이자 과학자였으며, Karlsruhe Polytechnicum에서 엔지니어링의 교수를 하였고 그 후 Göttingen 대학에서 수학교수를 역임했다.]

7-13   Föppl, A., *Vorlesungen über technische Mechanik*, Vol. III: Festigkeitslehre, B. G. Teubner, Leipzig, 1897. [주: 이 책에서 Föppl은 보의 처짐에 대한 Clebsch의 방법을 진전시켰다. August Föppl(1854~1924)은 독일의 수학자이자 엔지니어였다. 그는 Leipzig 대학을 거쳐 Polytechnic Institure of Munich의 교수를 역임했다. 매혹적인 그의 생애에 관해서는 Ref. 7-14 참조.]

7-14   Oravas, G. A., Introduction to *Drang und Zwang*, by A. Föppl and L. Föppl, Vol. 1, 3rd Ed. Johnson Reprint Corporation, New York, 1969(a reprint of the 3rd Ed., 1941, with a new biographical introduction by Oravas; 1st Ed. published by R. Oldenbourg Verlag, Munich, in 1920). [주: Carl Ludwig Föppl(1887~1976)은 August Föppl의 둘째 아들이다. 그의 형인 Otto Föppl은 1885년에 태어나 아버지와 함께

책을 공동으로 저술하였으며, 두 아들 모두 응용역학에서의 업적이 크다.]

7-15   Pilkey, W. D., "Clebsch's method fot beam deflections," *Journal of Engineering Education*, vol. 54, no. 5, January 1964, pp. 170~174. [주: 이 논문은 Clebsch의 방법에 대하여 기술하였으며 많은 참고문헌과 함께 매우 완전한 역사적 설명을 하고 있다. 이 방법의 확장에 대해서는 Refs. 7-16, 7-17 참조.]

7-16   Weissenburger, J. T., "Integration of discontinuous expressions arising in beam theory," *American Institute of Aeronautics and Astronautics Journal*, vol. 2, no. 1, January 1964, pp. 106~108.

7-17   Wittrick, W. H., "A generalization of Macaulay's method with applications in structural mechanics," *American Institute of Aeronautics and Astronautics Journal*, vol. 3, no. 2, February 1965, pp. 326~330.

7-18   See Ref. 2-1, p. 49.

7-19   See Ref. 2-1, p. 121.

7-20   See Ref. 1-1, pp. 89 and 201.

7-21   Cowper, G. R., "The shear coefficient in Timoshenko's beam theory," *Journal of Applied Mechanics*, vol. 33, no. 2, June 1966(*Transactions of the American Society of Mechanical Engineers*, vol. 88, Series E), pp. 335~340.

7-22   See Ref. 1-1, pp. 25, 30~36, 39~40. [주: 처짐곡선의 곡률과 굽힘모멘트와의 관계를 말하는 기초방정식은 Jacob Bernoulli(1654~1705)에 의해 시발되었으나 올바른 비례 상수는 찾지 못하였다. 그럼에도 불구하고 그의 연구는 보의 큰 처짐 문제 해결에 있어 최초의 공로자라고 말할 수 있다. 후에 Daniel Bernoulli, Euler가 처짐 곡선의 미분방정식을 재 유도함으로써 탄성론상의 여러 가지 문제를 풀게 되었다. (Ref. 1-1, p. 27; Ref. 1-2, Vol. I, pp. 30와 34. Ref. 1-3, p. 3. 참조.) Euler의 유명한 탄성곡선에 대한 논문이 Ref. 7-23에 인용되어 있다. Joseph Louis Lagrange(1736~1813)는 유명한 프랑스의 수학자이며 프랑스의 Turin에서 태어난 이태리계인이다. 그는 최초로 가상일의 원리를 명언하였고 동역학에 공헌이 크며, 탄성론연구에 있어 두 번째의 인사라고 말할 수 있다. 그는 외팔보를 연구하였다.(Ref. 1-1, pp. 39~40, Ref. 1-2, Vol. I, pp. 58~61을 참조하라.) Lagrange의 논문은 Ref. 7-24에 인용되어 있고 Ref. 7-4, p. 132와 Ref. 7-5, p. 250에 그의 소전기가 기록되어 있다. 탄성학에 대한 또 한 사람의 최초 연구자로 Giovanni Antonio Amaedo Plana(1781~1864)는 Lagrange의 조카이며, 그는 탄성론에 대한 Lagrange 연구 논문의 과오를 수정하였다. (Ref. 1-2, Vol. I, pp. 89~90) Plana의 논문은 Ref. 7-25에 인용되어 있고 Ref. 7-5에 소전기가 있다. 적분법에 의한 탄성론연구가 Max Born의 논문에 실려 있다. (Ref. 2-5, pp. 927~928과 932; Ref. 7-26, Ref. 7-27, p. xxviii.) Max Born(1882~1970)은 저명한 물리학자였으며, 그는 현대 파동역학을 창립하였고 양자론과 상대성이론에 있어서 중요한 연구업적이 있다. 그의 논문에서 그는 탄성의 새로운 진동원리를 설립하였다.]

7-23   Euler, L., "Methodus inveniendi lineas curvas maximi minimive proprietate

gaudentes⋯," Appendix I, "De curvis elasticis," Bousquet, Lausanne and Geneva, 1744. (English translation: Oldfather, W. A., Ellis, C. A., and Brown, D. M., *Isis*, vol. 20, 1933, pp. 72~160. Also, republished in *Leonhardi Euleri Opera Omnia*, series 1, vol. 24, 1952.)

7-24 Lagrange, J. L., "Sur la force des ressorts pliés," *Mémoires de l'Académie Royale des Sciences et Belles-Lettres de Berlin*, vol. 25, 1771. (Reprinted in "Oeuvres de Lagrange," Gauthier-Villars, Paris, vol. 3, 1869, pp. 77~110.)

7-25 Plana, G. A. A., "Equation de la courbe formée par une lame élastique," *Memoirs of the Royal Society of Turin*, vol. 18, 1809~1810, pp. 123~155.

7-26 Born, M., "Untersuchungen über der Stabilität der elastichen Linie in Ebeneund Raum unter verschiedenen Grenzbedingungen," Dissertation, Göttingen, 1906.

7-27 Oravas, G. A., "Historical Review of Extremum Principles in Elastomechanics," an introductory section (pp. xx-xlvi) of the book *The Theory of Equilibrium of Elastic Systems and Its Applications*, by C. A. P. Castigliano, translated by E. S. Andrews, Dover Publications, Inc., New York, 1966. [주: Castigliano의 저서는 1879년 Turin에서 출판되었고, 뒤따라 1886년에 독일어로 번역되었으며 1919년에는 영어로 번역되었다. E.S. Andrews에 의한 영어 번역판은 "구조물에 있어서 탄성응력"이라는 서명으로 London Scott, Greenwood, and Son 출판사에 의하여 출판되었다. Dover판은 Oravas의 새로운 사적 서론이 부기된 영어번역판이다: Refs. 12-16으로부터 12-20까지를 보라.]

7-28 See Ref. 1-3, pp. 401~412.

7-29 See Ref. 3-5, pp. 76~82.

7-30 Southwell, R. V., *An Introduction to the Theory of Elasticity*, 2nd Ed., Oxford University Press, London, 1941, pp. 429~436. [주: Richard Vynne Southwell(1888~1970)은 영국의 수학자, 엔지니어, 교육가였다. 그는 응용역학을 포함한 많은 엔지니어링의 여러 분야에서 문제를 해결하는 이완법을 개발하였다.]

7-31 Frisch-Fay, R., *Flexible Bars*, Butterworth and Co., Ltd., 1962, 220 pages.

7-32 Eisley, J. G., "Nonlinear deformation of elastic beams, rings, and strings," *Applied Mechanics Reviews*, vol. 16, no. 9, September 1963, pp. 677~680.

7-33 Jahnke, E., and Emde, F., *Tables of Higher Functions*, 6th Ed., revised by F. Lösch, McGraw-Hill Book Co., Inc., New York, 1960, 318 pages.

7-34 Rojahn, C., "Large deflections of elastic beams," thesis for the Degree of Engineer, Stanford University, June 1968.

7-35 Bisshopp, K. E., and Drucker, D.C., "Large deflection of cantilever beams," *Quarterly of Applied Mathematics*, vol. 3, 1945, pp. 272~275.

7-36 Barten, H. J., "On the deflection of a cantilever beam," *Quarterly of Applied Mathematics*, vol. 2, 1944, pp. 168~171, and *Ibid.*, vol. 3, 1945, pp. 275~276. [주:

제2장은 초판의 오류를 정정한 것임.]

7-37　Rohde, F. V., "Large deflections of a cantilever beam with uniformly distributed load," *Quarterly of Applied Mathematics*, vol. 11, 1953, pp. 337~338.

7-38　Kirchhoff, G. R., "Ueber das Gleichgewicht und die Bewegung eines unendlich dünnen elastischen Stabes," *Journal für die reine und angewandte Mathematik*, vol. 56, 1859, pp. 285~313. [주: Gustav Robert Kirchhoff(1824~1887)는 저명한 독일의 물리학자이며 전기 회로망의 법칙과 판의 굽힘 이론으로 잘 알려져 있다.]

7-39　See Ref. 3-5, p. 77; Ref. 1-3, pp. 23~24 and 399~402; Ref. 1-2, Vol. II, Part II, pp. 65~66; and Ref. 7-30, p. 431.

8-1　Navier, L. M. H., *Résumé des Leçons données à l'école des ponts et chaussées sur l'application de la Mécanique à l'établissement des constructions et des machines*, 1st Ed., 1826, 2nd Ed., 1833, 3rd Ed. (with notes and appendices by Saint- Venant), Paris, 1864. [주: Navier는 두 판을 썼고, 제3판은 Navier 서거 후 Saint- Venant가 저술하였다. Saint-Venant의 추가판은 원저분량의 10배가 된다. 이 유명한 책에 대한 논의는 Ref. 8-2를 보라.]

8-2　See Ref. 1-1, pp. 73~77 and 232~233 and Ref. 1-2, Vol. I, pp. 144~146, Vol. II, Part I, pp. 105~135.

8-3　See Ref. 1-1, pp. 144~146. [주: B. P. E. Clapeyron(1799~1864)은 프랑스 기술자이며 그는 교량에 대한 연구와 관련하여 3모멘트 정리를 전개하였다. 그는 또 일(work)의 변형에 너지의 정리로 알려져 있다. (Ref. 2-11 참조) Clapeyron의 3모멘트 정리에 대한 논문이 Ref. 8-4에 인용되어 있다. 프랑스 기술자의 한 사람인 Bertot는 3모멘트 정리를 오늘날의 꼴로 표현한 사람의 하나이고 Ref. 8-5에 그의 논문이 실려 있다. 그러나 Bertot의 논문이 Clapeyron에 앞서 출판되었으나 Clapeyron이 이 방법을 수년 앞서 사용하였고, Ref. 1-1에서 지적한 바와 같이 방정식의 진정한 창안자로 인증되어 있다.]

8-4　Clapeyron, B. P. E., "Calcul d'une poutre élastique reposant librement sur des appuis inégalement espacés," *Comptes Rendus*, vol. 45, 1857, pp. 1076~1080.

8-5　Bertot, H., *Mémoires et compte-rendu des travaux de la Société des Ingénieurs Civils*, vol. 8, 1855, p. 278.

8-6　Zaslavsky, A., "Beams on immovable supports," *Publications of the International Association for Bridge and Structural Engineering*, vol. 25, 1965, pp. 353~362.

9-1　Timoshenko, S. P., and Gere, J. M., *Theory of Elastic Stability*, 2nd Ed., McGraw-Hill Book Company, Inc., New York, 1961, 541 pages.

9-2　Bleich, F., *Buckling Strength of Metal Structures*, McGraw-Hill Book Company, Inc., New York, 1952, 508 pages.

9-3　Euler, L., "Methodus inveniendi lineas curvas maximi minimive proprietate gaudentes⋯," Appendix I, "De curvis elasticis," Bousquet, Lausanne and Geneva,

1744. (English translation: Oldfather, W. A., Ellis, C. A., and Brown, D. M., Isis, vol. 20, 1933, pp. 72~160. Also, republished in *Leonhardi Euleri Opera Omnia*, series 1, vol. 4, 1952.)

[주: Leonhard Euler(1707~1783)는 수학과 역학에 있어서 괄목할 만한 공헌을 하였다. 그는 수학사상 연구업적이 가장 많으며(Ref. 7-4, p. 120) Newman은 그를 수학계의 영웅이라 말하였다(Ref. 7-3. p. 150). 그의 이름은 오늘날 사용되는 교과서에 자주 나오며 예컨대 강체에 있어서의 Euler의 운동방정식, Euler의 각, 유체유동의 Euler 방정식, 기둥의 좌굴에서의 Euler 하중 등, 이 외에도 수학에 있어서 유명한 Euler 상수, Euler의 수, Euler 항등식($e^{i\theta} = \cos\theta + i\sin\theta$ 등), 그리고 Euler 공식($e^{i\pi} + 1 = 0$), Euler 미분방정식, 변분법에 있어서의 Euler 방정식, Euler의 구적법, Euler 합산공식, 제차함수에 대한 Euler 정리, Euler 적분, Euler의 정방배열 등이 있다.

응용역학에 있어서 Euler는 가늘고 긴 기둥의 한계좌굴하중의 유도와 탄성의 문제를 푼 최초의 사람이다. 이 업적은 인용된 바와 같이 1744년에 출판되었으며, 기둥은 하단이 고정되고 상단이 자유로운 상태를 다루었다(Ref. 9-4). 그의 여러 저서에는 탄성역학, 운동학, 유체역학 등이 있으며 논문집에는 보와 판의 진동에 관한 것이 있다.

수학분야에 있어서 Euler는 삼각법, 대수, 수론, 미적분학, 무한계수, 해석기하, 미분방정식, 변분법 등 많은 분야에 대하여 현저한 공헌이 있다. 그는 삼각함수를 수의 비로 나타내는 개념과 방정식 $e^{i\theta} = \cos\theta + i\sin\theta$로 표현한 최초의 사람이다. 그의 수학저서는 후세의 고전문헌이 되었고, $n = 3$과 $n = 4$에 대한 Fermat의 '최종정리'의 증명과 같은 흥미로운 변분법의 창시를 볼 수 있다. 그는 유명한 Königsberg의 칠교문제를 위상기하(Topology) 문제로 보고 풀었으며 그가 개척한 또 하나의 분야이기도 하다.

Euler는 스위스의 Basel 부근에서 태어나 Basel 대학에서 공부하였고 그 곳에서 John Bernouelli(1667~1748)의 지도를 받았다. 1727년부터 1741년까지 St. Petersburg에서 살면서 연구하였고, 수학자로서의 명성을 확립하였다. 1741년 Prussia 대왕인 Frederick의 초청으로 Berlin으로 이거하였다. 그는 Berlin에서 1766년까지 수학연구를 계속하고 러시아 여왕인 Catherine II세의 요청에 따라 St. Pertersburg로 돌아왔다. Euler는 Petersburg에서 76세로 서거할 때까지 풍부한 연구업적을 남겼다. 그의 말년에 발표한 논문수는 400편이고 전 생애에 연구된 논문편수는 886에 달한다. 그의 유고는 St. Peterburg에 있는 러시아 과학원에 의하여 사후 47년 동안 출판되었다. 이 거대한 업적이 1735년에 한 눈이 멀고 1766년에 나머지 한 눈도 먼 망인의 처지에서 이루어졌다는 사실이다. Euler 생애에 대한 전기는 Ref. 1-1, pp. 28~30과 Ref. 7-3, pp. 148~151에 실려 있으며 역학에 대한 공헌은 Ref. 1-1, pp. 30~36에 기재되어 있다.]

9-4 Euler, L. "Sur la force des colonnes," *Histoire de L' Académie Royale des Sciences et Belles Lettres*, 1757, published in *Memoires* of the Academie, vol. 13, Berlin, 1759, pp. 252~282. [주: 이 논문의 번역과 논평은 Ref. 9-5를 보라.]

9-5 Van den Broek, J. A., "Euler's classic paper 'On the strength of columns,'"

American Journal of Physics, vol. 15, no. 4, July–August 1947, pp. 309~318.

9-6 Hoff, N. J., "Buckling and Stability," The Forty-First Wilbur Wright Memorial Lecture, *Journal of the Royal Aeronautical Society*, vol. 58, January 1954, pp. 3~52.

9-7 Johnston, B. G., "Column buckling theory: historical highlights," *Journal of Structural Engineering*, Structural Division, American Society of Civil Engineers, vol. 109, no. 9, September 1983, pp. 2086~2096.

9-8 Johnston, B. G., editor, *Guide to Stability Design Criteria for Metal Structures*, 3rd Ed., John Wiley and Sons, New York, 1976, 616 pages.

9-9 Brush, D. O., and Almroth, B. O., *Buckling of Bars, Plates, and Shells*, McGraw-Hill Book Co., New York, 1975, 379 pages.

9-10 Chajes, A., *Principles of Structural Stability Theory*, Prentice-Hall, Inc., Englewood Clifts, New Jersey, 1974, 336 pages.

9-11 Keller, J. B., "The shape of the strongest column," *Archive for Rational Mechanics and Analysis*, vol. 5, no. 4, 1960, pp. 275~285.

9-12 Yong, D. H., "Rational design of steel columns," *Transactions of the American Society of Civil Engineers*, vol. 101, 1936, pp. 422~451. [주: Donovan Harold Young(1904~1980)은 유명한 엔지니어요 교육가이며, Michigan 대학과 Stanford 대학의 교수였다. S.P. Timosenko와 더불어 저술한 응용역학분야의 5개의 교과서들은 많은 언어로 번역되어 세계에서 이용되고 있다.]

9-13 Lamarle, A. H. E., "Mémoire sur la flexion du bois," *Annales des Travaux Publiques de Belgique*, Part 1, vol. 3, 1845, pp. 1~64, and Part 2, vol. 4, 1846, pp. 1~36. [주: Ref. 1-1, p. 208 참조 Anatole Henri Ernest Lamarle(1806~1875)는 엔지니어요 교수였다. 그는 Calais에서 태어나 파리에서 수학하고 벨기에의 Univ. of Gand or Ghent의 교수가 되었다.]

9-14 Considère, A., "Résistance des pièces comprimées," *Congrès International des Procédés de Construction*, Paris, September 9-14, 1889, proceedings published by Librairie Polytechnique, Paris, vol. 3, 1891, p. 371. [주: Armand Gabriel Considère (1841~1914)는 프랑스의 엔지니어였다.]

9-15 Engesser, F., "Ueber die Knickfestigkeit gerader Stäbe," *Zeitschrift für Architektur und Ingenieurwesen*, vol. 35, no. 4, 1889, pp. 455~462. [주: Friedrich Engesser (1848~1931)는 독일의 철도와 교량의 엔지니어이며, 후에 Karlsruhe Polytechnical Institute의 교수가 되었다. 여기서 특히 좌굴과 에너지법에 있어 구조이론상의 중요한 진전을 보였다. Ref. 1-1, pp. 292와 297~299 참조.]

9-16 Engesser, F., "Knickfragen," *Schweizerische Bauzeitung*, vol. 25, no. 13, March 30, 1895, pp. 88~90.

9-17 Jasinski, F., "Noch ein Wort zu den 'Knickfragen,'" *Schweizerische Bauzeitung*, vol. 25, no. 25, June 22, 1895, pp. 172~175. [주: Félix S. Jasinski(1856~1899)는 Warsaw에서 태어나 러시아에서 수학하였다. 그는 지금의 Leningrad인 St. Petersburg의 Institute of Engineers of Way of Communication의 교수가 되었다.]

9-18 Engesser, F., "Ueber Knickfragen," *Schweizerische Bauzeitung*, vol. 26, no. 4, July 27, 1895, pp. 24~26.

9-19 von Kármán, T., "Die Knickfestigkeit gerader Stäbe," *Physikalische Zeitschrift*, vol. 9, no. 4, 1908, pp. 136~140. [주: 이 논문은 또한 Ref. 9-21의 Vol. I에 있다. Theodore von Kármán(1881~1963)은 헝가리에서 출생하여 후에 Göttingen 대학에서 공기역학분야에서 일을 하였다. 1929년 미국으로 건너가 jet 추진 연구소를 건립하여 항공기와 로켓문제를 개척하였다. 또한 기둥의 비탄성 좌굴과 셸(shell)의 안정에 관해서도 연구하였다.]

9-20 von Kármán, T., "Untersuchungen über Knickfestigkeit," *Mitteilungen über Forschungsarbeiten auf dem Gebiete des Ingenieurwesens, Verein Deutscher Ingenieure*, Berlin, Heft 81, 1910. [주: 이 논문은 Ref. 9-21에도 나온다.]

9-21 *Collected Works of Theodore von Kármán*, Vols. I-IV, Butterworths Scientific Publications, London, 1956.

9-22 Southwell, R. V., "The strength of struts," *Engineering*, vol. 94, August 23, 1912, pp. 249~250.

9-23 Shanley, F. R., "The column paradox," *Journal of the Aeronautical Sciences*, vol. 13, no. 12, December 1946, p. 678. [주: Francis Reynolds Shanley(1904~1968)는 Los Angeles의 California 대학의 교수였다.]

9-24 Shanley, F. R., "Inelastic column theory," Journal of the Aeronautical Sciences, vol. 14, no. 5, May 1947, pp. 261~267.

9-25 Duberg, J. E., and Wilder, T. W., "Column behavior in the plastic strength range," *Journal of the Aeronautical Sciences*, vol. 17, no. 6, June 1950, pp. 323~327.

9-26 Duberg, J. E., and Wilder, T. W., "Inelastic column behavior," *National Advisory Committee for Aeronautics*, Technical Note No. 2267, January 1951.

9-27 Wilder, T. W., Brooks, W. A., Jr., and Mathauser, E. E., "The effects of initial curvature on the strength of an inelastic column," *National Advisory Committee for Aeronautics*, Technical Note No. 2872, January 1953.

9-28 Larsson, L. H., "Inelastic column buckling," *Journal of the Aeronautical Sciences*, vol. 23, no. 9, September 1956, pp. 867~873.

9-29 Ylinen, A., "A method of determining the buckling stress and the required cross-sectional area for centrally loaded straight columns in elastic and inelastic range," *Publications of the International Association for Bridge and Structural Engineering*, vol. 16, 1956, pp. 529~550.

9-30 Malvick, A. J., and Lee, L. H. N., "Buckling behavior of an inelastic column," *Transactions of the American Society of Civil Engineers*, vol. 131, 1966, pp. 692~693(Paper 4372, Journal of the Engineering Mechanics Division, *Proceedings of the American Society of Civil Engineers*, vol. 91, no. EM-3, June 1965, pp. 113~127).

9-31 Huddleston, J. V., "Analysis of an inelastic column," *Transactions of the American Society of Civil Engineers*, vol. 131, 1966, p. 787(Paper 3992, Journal of the Engineering Mechanics Division, *Proceedings of the American Society of Civil Engineers*, vol. 90, no. EM-4, August 1964, pp. 1~21).

9-32 Hoff, N. J., "The idealized column," *Ingenieur-Archiv*, vol. 28, 1959(Festschrift Richard Grammel), pp. 89~98.

10-1 Maxwell, J. C., "On the calculation of the equilibrium and stiffness of frames," *Philosophical Magazine*, series 4, vol. 27, 1864, pp. 294~299. (Republished in *The Scientific Papers of James Clerk Maxwell*, Cambridge University Press, Vol. 1, 1890, pp. 598~604; see Ref. 10-3.) [주: James Clerk Maxwell(1831~1879)은 이 논문에서 탄성 트러스의 처짐을 발견하기 위하여 단위하중법을 도입하였고, 상반변위정리와 유차도법에 의하여 부정정 트러스의 과잉력을 산출하는 방법이 기록되어 있다. 10년 후 Otto Mohr가 처짐 변형을 알아내는 Maxwell법을 재발견하였고(Ref. 10-4) 동시에 부정정트러스의 과잉력을 알아내는 방법을 발표하였다(Ref. 10-13). Maxwell은 구조역학에서 응력해석의 방법으로 광탄성법을 도입하는 등의 중요하고 많은 연구가 있으며, 탄성학에 관한 연구도 많다. 그의 업적과 그의 소전기에 관한 것은 Ref. 1-1, pp. 202~208과 268~275를 보라. Maxwell은 과학적 연구로 가장 잘 알려져 있고, 광학, 기체분자론, 전기, 자기학연구로도 유명하다. 이 유명한 수학자이며 물리학자에 대한 생애의 기록은 Ref. 10-2를 보라.]

10-2 Campbell, L., and Garnett, W., *The Life of James Clerk Maxwell*, Macmillan and Co., London, 1882.

10-3 Maxwell, J. C., *The Scientific Papers of James Clerk Maxwell*, Vols. 1 and 2, edited by W. D. Niven, Cambridge University Press, 1890.

10-4 Mohr, O., "Beitrag zur Theorie der Bogenfachwerksträger," *Zeitschrift des Architekten- und Ingenieur-Vereins zu Hannover*, vol. 20, no. 2, 1874, pp. 223~238. [주: 이 논문은 트러스의 변형을 찾는 단위하중법에 대한 것이다.]

10-5 Betti, E., "Teoria della Elasticita," *Il Nuovo Cimento*, series 2, vols. 7 and 8, 1872. [주: Enrico Betti(1823~1892)는 이태리의 수학자이며 엔지니어였다.]

10-6 Reyleigh, Lord, "Some general theorems relating to vibrations," *Proceedings of the London Mathematical Society*, vol. 4, 1873, pp. 357~368. (Republished in *Scientific Papers*, by John William Strutt, Vol. 1, Cambridge University Press, 1899, pp. 170~181.) [주: Lord Rayleigh는 이 논문에서 두 점에 조화적으로 변동하는 힘이 작용하는 진동계에 대한 상호정리를 발표하였다. 또 그는 2력계의 경우, 힘의 작용시간을 무한대로 함으

로 정력학적 상반일정리를 얻었다. 1874와 1875년에 발표한 논문(Ref. 10-7)에서 유연성과 강성에 대한 상반정리를 얻었다. 이 논문은 학술용어를 사용치 않고 일반해설로 되어 있다. 그 후 1877년에 출판한 '음향이론(*The Theory of Sound*: Ref. 10-8 참조)'에서 그는 두 쌍의 역계와 변위에 대한 일의 정리를 명백하게 진술하였다.

　　Lord Rayleigh(1842~1919)의 아들 John William Strutt는 영국의 유명한 물리학자였다. 그의 가장 잘 알려져 있는 연구는 음향, 광, 전기에 관한 것이고, 음향이론은 고전적이며 아직 사용되고 있다. 그의 과학논문은 6권에 달하며 2회 재판되었다(Refs. 10-9와 10-10을 참조). Lord Rayleigh는 Trinity Cambridge 대학에서 공부하였고 수학자인 E. J. Routh 와 G. G. Stocks 밑에서 연구하였다. 그는 이론연구와 더불어 많은 실험을 하였다. 그는 1879년 Cambridge에 있는 Cavendish 연구소의 교수가 되었다. 후에 영국왕립학회의 자연철학교수로 근무하였다. 국립물리연구소의 설문을 도왔고 1909년 항공학회를 시작할 때부터 철거할 때까지 고문단장으로 있었다. 이밖에도 국립학회의 회장이었고 Cambridge 대학의 이사장이기도 하였다. 1902년 "Order of Merit" 외에 많은 상을 받았으며 1904년에 Nobel 물리학상을 받았다. 이 상은 1895년 William Ramsay와 희유가스 아르곤(argon)의 발견에 대한 것이었다. 그의 발견은 많으며 하늘이 왜 푸른가를 설명한 최초의 사람으로 우리가 잘 알고 있다. Rayleigh는 미국을 두 차례 방문했고 두 번째는 1884년 Kelvin경의 유명한 Baltimore lectures에 참석하기 위해서였다. Rayleigh경의 전기는 Refs. 1-1, 10-8, 10-11, 10-12 참조.]

10-7 Rayleigh, Lord, "A statical theorem," *Philosophical Magazine*, 4th series, vol. 48, 1874, pp. 452~456; 4th series, vol. 49, 1875, pp. 183~185. (Republished in *Scientific Papers*, by John William Strutt, Vol. 1, Cambridge University Press, 1899, pp. 223~229.)

10-8 Strutt, John William(Baron Rayleigh), *The Theory of Sound*, Vols. 1 and 2, 2nd Ed., Dover Publications, Inc., 1945. [주: 이 재판은 사적 서론과 Robert Bruce Lindsay 가 쓴 전기가 들어있다. 초판은 Vol. 1, 1877; Vol. 2, 1878로 되어 있고 재판은 Vol. 1, 1894; Vol. 2, 1896이 London의 Macmillan Co.에서 출판되었다.]

10-9 Strutt, John William(Baron Rayleigh), *Scientific Papers*, Cambridge University Press, Vol. 1, 1899; Vol. 2, 1900; Vol. 3, 1902; Vol. 4, 1903; Vol. 5, 1912; Vol. 6, 1920. (Republished in 1964 by Dover Publications, Inc.; see Ref. 10-10).

10-10 Rayleigh, Lord, *Scientific Papers*, Dover Publications, Inc., New York, 1964. (A republication of the six volumes originally published by the Cambridge University Press from 1899 to 1920; however, it is bound in three volumes.)

10-11 Strutt, Robert John (Fourth Baron Rayleigh), *John William Strutt, Third Baron Rayleigh*, Edward Arnold and Co., London, 1924, 403 pages. (A biography of Lord Rayleigh by his eldest son.)

10-12 Strutt, Robert John(Fourth Baron Rayleigh), *Life of John William Strutt, Third*

Baron Rayleigh, University of Wisconsin Press, 1968, 439 pages. (This republication of the biography originally published in 1924 by Edward Arnold and Co. contains annotations by the author and a foreword by John N. Howard.)

10-13 Mohr, O., "Beitrag zur Theorie des Fachwerks," *Zeitschrift des Architekten-und Ingenieur-Vereins zu Hannover*, vol. 20, no. 4, 1874, pp. 509~526, and vol. 21, no. 1, 1875, pp. 17~38. [주: 이 논문은 부정정계의 트러스에 대한 유연도법을 다룬 것이다.]

10-14 Charlton, T. M., *Energy Principles in Theory of Structures*, Oxford University Press, London, 1973, 118 pages.

10-15 Gregory, M. S., *An Introduction to Extremum Principles*, Butterworth and Co., London, 1969, 196 pages.

10-16 Castigliano, A., *Théorie de l'équilibre des systèmes élastiques et ses applications*, A. F. Negro, Turin, 1879, 480 pages. [주: 이 책에서 Castigliano 구조해석의 원리와 많은 개념을 완전한 체계로 기술하였다. Castigliano는 이태리 사람이었으나 그의 연구에 대한 많은 독자를 얻기 위하여 프랑스어로 쓰였으며 독일어와 영어로 번역되었다(Refs. 10-17과 10-18 참조). 1966년 Dover 출판사의 영역판은 Gunhard A. Oravas가 서론을 씀으로써 특색을 지었다(Refs. 10-19, 7-27 참조). Castigliano의 제1, 제2정리가 1966년 판의 pp. 15~16에 실려 있다. 그는 이 정리가 내부일의 미분계수 정리의 제1부와 제2부에 해당됨을 확증하였다. 이 정리의 진술은 아래와 같다:

"1부. 구조물의 내적 일량이 그 절점에 작용된 외적 힘의 상대적 변위로 표현되면, 이 일량의 변위에 대한 미분계수가 작용력과 같다."

"2부. 역으로 구조물의 내부 일량이 외적 작용력의 함수로 주어지면, 일량의 작용력에 대한 미분계수는 힘의 작용점의 상대변위와 같다."

이 두 진술은 통상 Castigliano의 제1, 제2정리라 불리나 한 정리의 2부로는 취급하지 않는다고 주장하면서 Castigliano는 이 책에서 많은 경우에 이 정리를 적용하였다. 이 정리의 수식형은

$$F_p = \frac{dW_i}{dr_p} \text{ 와 } r_p = \frac{dW_i}{dF_p}$$

이며, 여기서 W_i는 내부일량(또는 strain energy)이고 F_p는 주의의 한 외력이며 r_p는 F_p의 작용점의 변위이다.

Castigliano는 제1정리가 완전히 독창적이라고 주장하지는 않지만 그는 이 책의 서론에서 그의 주장과 진술을 증명에 앞서 발표된 어느 것보다도 일반성이 있다고 주장하였다.

제2정리는 독창적이었으며, 1873년 Turin 공과대학의 공학박사(토목학) 학위를 위한 논문의 일부분이었다(Ref. 10-20 참조).

'최소일의 원리(Principle of least work)'는 1873년 발표된 논문에서 Castigliano에 의하여 증명되었고 이 책에도 실려 있다. 이 원리 창안권에 대한 Castigliano와 Ménabréa 사이

의 논쟁기가 1966년 판의 Oravas가 쓴 서론에 기술되어 있다(Ref. 10-19).

Carlo Alberto Pio Castigliano는 1847년 가난한 가정에서 태어났고 그의 많은 학문적 업적에도 불구하고 1884년 폐렴으로 요절하였다. Oravas에 의한 그의 생애에 대한 전기는 1966년 판에 기록되어 있고, 훈서와 수상에 대한 일람표가 실려있다. 그의 업적은 Refs. 2-5, 1-1, 10-21에 수록되어 있다. 그는 저서에서 Alberto Castigliano란 이름을 사용하기도 하였다.]

10-17 Hauff, E., *Theorie des Gleichgewichtes elastischer Systeme und deren Anwendung*, Carl Gerold's Sohn, Vienna, 1886. (A translation of Castigliano's book, Ref. 10-16.)

10-18 Andrews, E. S., *Elastic Stresses in Structures*, Scott, Greenwood and Son, London, 1919. (A translation of Castigliano's book, Ref. 10-16.)]

10-19 Castigliano, C. A. P., *The Theory of Equilibrium of Elastic Systems and Its Applications*, translated by E. S. Andrews with a new introduction and biographical portrait section by G. A. Oravas, Dover Publications, Inc., New York, 1966. (A republication of Ref. 10-18.)

10-20 Castigliano, A., "Intorno ai sistemi elastici," thesis presented to the Reale Scuola d'Applicazione degli Ingegneri in Torino for the civil engineering degree in 1873, published by Vincenzo Bona, Turin, 1873, 52 pages.

10-21 Grüning, M., "Theorie der Baukonstruktionen," *Encyklopädie der Mathematischen Wissenschaft*, Leipzig, Vol. 4, Part 4, 1907~1914, pp. 419~534.

10-22 Weaver, W., Jr., and Gere, J. M., *Matrix Analysis of Framed Structures*, 2nd Ed., D. Van Nostrand Co., New York, 1980, 492 pages.

10-23 Crotti, F., "Esposizione del Teorema Castigliano e suo raccordo colla teoria dell' elasticità," *Atti del Collegio degli Ingegneri ed Architetti in Milano*, vol. 11, sect. 4, part 2, 1878, p. 225. (Also published in *Il Politecnico*, vol. 27, 1879, p. 45) [주: Francesco Crotti(1839~1896)는 이태리의 철도기술자였고 Castigliano와 친교가 있었다. 이 논문에서 그는 Crotti-Engesser 정리를 처음으로 발표하였다. 그러나 공액에너지법에 관한 연구에 힘을 기울였다. Crotti의 공액에너지에 관한 기초이론과 원리는 1877년부터 발표하기 시작하여 1888년의 발표논문에서 절정에 달했다. (Ref. 10-24) Crotti의 연구는 Ref. 2-5의 pp. 922~925와 Ref. 7-27의 pp. xxv~xxvii에 기록되어 있고, Oravas가 쓴 그의 소전기는 Ref. 7-27의 p. xliii에 기록되어 있다.]

10-24 Crotti, F., *La Teoria dell' elasticità né suoi Principi Fondamentali e nelle sue Applicazioni Pratiche alle Costruzioni*, Ulrico Hoepli, Milan, 1888.

10-25 Engesser, F., "Ueber statisch unbestimmte Träger bei beliebigem Formänderungs--Gesetze und über den Satz von der kleinsten Ergänzungsarbeit," *Zeitschrift des Architekten-und Ingenieur-Vereins zu Hannover*, vol. 35, 1889, pp. 733~744. [주: Friedrich Engesser(1848~1931)는 '공액일'의 학술어를 도입하여 Crotti-Engesser 정리를

유도하였다. 그는 Crotti보다 일반적인 원리에 의한 접근을 하지 못한 것 같이 보여지고 있다. (Ref. 2-5의 pp. 925~926과 Ref. 7-27의 p. xxvii을 참조.]

10-26 Oden, J. T., and Ripperger, E. A., *Mechanics of Elastic Structures*, 2nd Ed., McGraw-Hill Book Co., Inc., New York, 1981.

10-27 Hoff, N. J., *The Analysis of Structures*, John Wiley and Sons, Inc., New York, 1956, 493 pages.

10-28 Westergaard, H. M., "On the method of complementary energy," *Transactions of the American Society of Civil Engineers*, vol. 107, 1942, pp. 765~793.

10-29 Westergaard, H. M., "One hun ed fifty years advance in structural analysis," *Transactions of the American Society of Civil Engineers*, vol. 94, 19, pp. 226~240.

10-30 Charlton, T. M., "Maxwell, Jenkin and Cotterill and the theory of statically-indeterminate structures," *Notes and Records of the Royal Society of London*, vol. 26, no. 2, December 1971, pp. 233~246.

10-31 Ménabréa, L. F., "Nouveau principe sur la distribution des tensions dans les systèmes élastiques," *Comptes Rendus*, vol. 46, 1858, pp. 1056~1060. [주: 이 논문에서 Ménabréa는 트러스의 부재에 있어서의 과잉력은 최소 변형 에너지를 갖는다는 개념을 제언하였으나 이것을 정확히 증명하지는 않았다. (Ref. 7-27의 p. xxii과 Ref. 2-5 p. 655와 Ref. 1-1의 p. 289를 참조.) Luigi Frederico Ménabréa(1809~1896)는 이태리 소설가, 장군 및 엔지니어였으며 그의 소전은 Ref. 7-27의 p. xl에서 볼 수 있다.]

10-32 Weaver, W., Jr., and Johnston, P. R., *Finite Eiements for Structural Analysis*, Prentice-Hall, Inc., Englewood Cliffs, New Jersey, 1984, 403 pages.

부 록

A 단위계

B 유효숫자

C 평면도형의 도심과 관성모멘트

D 평면도형의 성질

E 구조용 형강의 단면성질

F 구조용 목재의 단면성질

G 보의 처짐과 경사

H 재료의 기계적 성질

부록 A   단위계

A.1   개 설

수세기에 걸쳐서 수많은 측정계열이 고찰되었으나 오늘날에 있어서는 단지 두 계가 공학과 과학적인 연구에 중요하게 되었다. 그 하나는 국제단위계(International System of Units; Systéme International d'Unités)인 SI이고, 다른 하나는 미국관용단위계(USCS) 또는 영국계이다. 국제단위계는 질량, 길이, 시간을 기본적인 양으로 하고 있으며, 측정하는 장소에 무관하기 때문에 **절대계**라 불린다. 반면에 미국 관용계는 힘, 길이, 시간을 기본적인 양으로 하며, 힘(pound)의 단위는 어떤 표준질량의 무게로 정의된다. 따라서 무게는 중력 작용에 좌우되어 장소에 따라 변화하므로 USCS는 **중력계**라 불리게 된다. 절대계에서 힘은 유도량(뉴턴의 제2법칙 $F = Ma$의 질량에서 구함)이며, 반면 중력계에서는 상황이 바뀌어 질량이 유도량이 된다.

미터계란 용어는 종종 SI를 의미하는데 엄격한 의미에서는 다르다. 구미터계의 많은 단위들은 SI와 같으나, SI는 이전에 미터계에 포함되지 않는 새롭고 중요한 특징을 가지고 있어, 개량되고 현대화된 미터계이다.

SI에서 질량의 기본단위는 **kilogram**이며, 대응되는 힘의 단위는 **newton**이다.[*] 1 newton 은 1 kilogram 질량의 물체에 $1 \, m/s^2$의 가속도를 부여하는데 요구되는 힘이다. 이에 대해, USCS에서는 힘의 기본단위는 **pound**이고, 대응되는 질량의 단위는 **slug**이다. 1 slug는 1 pound의 힘에 의하여 $1 \, ft/s^2$로 가속되는 질량으로 정의된다.

A.2   SI 단위

국제단위계는 다른 모든 단위가 유도되는 몇 개의 기본단위가 있다. 역학에서 중요한 기

---

[*] 작은 사과의 무게는 대략 1 newton이다.

본단위는 질량을 kilogram(kg), 길이를 meter(m), 시간을 second(s), 온도를 Kelvin(K)으로 하고 있다. 역학에서 필요한 다른 단위는 기본단위에서 유도된다. 예를 들어 식 $F = Ma$에서 힘의 단위를 얻으며

$$1\,\text{newton} = (1\,\text{kilogram})(1\,\text{meter}/\text{seond}^2)$$

그러므로 newton(N)은 식에 의하여 기본단위의 항으로 주어진다.

$$1\,\text{N} = 1\text{kg} \cdot \text{m}/\text{s}^2$$

역학에서 중요한 SI 단위에 대한 부호와 식들이 표 A-1에 수록되어 있다. 몇몇 유도단위는 특별한 이름을 가지고 있다. 예를 들어 힘은 newton(N)으로, 압력은 pascal(Pa)로 측정된다. 면적이나 모멘트와 같은 다른 양의 단위들은 특별한 명칭이 없으며, 기본단위와 다른 유도단위의 항으로 표현된다.

물체의 **무게**는 물체에 대한 중력의 힘이므로, 무게는 N으로 측정된다. 불행히도 **무게**란 말은 대중적인 용법에서 다른 의미를 가지고 있기 때문에 그 의미가 항상 분명한 것은 아니다. 예를 들어 우주비행사가 궤도에서 "무게가 없다(무중력 상태)"고 하고, 공기 중에서보다 물 속에서 몸의 "무게가 가볍다"고 읽는다. 그러나 중력의 힘은 여전히 우주비행사에 작용하고 있으며, 몸에 작용하는 중력도 공기 중에서나 물 속에서도 마찬가지이다. 심지어 '무게'가 대중에 의해 '질량'과 동의어로 쓰여지고도 있다. 그러므로 공학에서는 이의 혼돈을 피하기 위하여 **무게**를 **중력의 힘**으로 쓴다. 이 힘은 지구에 대한 물체의 위치에 따라 좌우되므로 무게는 변하는 특성을 가지고 있다. 반면에 물체의 질량은 위치에 따라서는 변하지 않는다.

g로 표시되는 **중력의 가속도**는 고도와 위도에 따라 변하나, 일상적으로 사용할 경우에는 지구표면상의 것인 다음의 값으로 가정할 수 있다.

$$g = 9.81\,\text{m}/\text{s}^2 \tag{A-1}$$

물체의 질량과 중력은 다음과 같은 관련이 있다.

$$W = Mg \tag{A-2}$$

여기서 W는 newton 단위의 무게, M은 kilogram 단위의 질량, g는 식 (A-1)에서 주어진다. 그러므로 1 kilogram 질량의 물체는 9.81 newton의 무게를 갖는다.

SI 단위는 **접두어**(prefixes)를 붙여 표 A-2와 같이 10의 승수를 표현한다. 접두어의 사용은 유별나게 크거나 작은 수의 표시를 피할 수 있게 한다. 예를 들어, 봉의 지름을 milimeter(mm)로, 보의 집중하중을 kilonewton(kN)으로 표현하는 것이 편리하다는 것을 알 수 있다.

온도는 kelvin(K)의 단위로 SI에서는 표현하는데, 일반적으로는 Celsius도(℃)를 쓰는 것이 관례이다. kelvin과 Celsius도의 눈금의 크기는 같으나(즉, 1 kelvin＝1 degree Celsius), 측정의 원점이 다르다. 즉, K의 원점은 절대 0의 온도이고 Celsius 눈금(이전 미국서는 centigrade 눈금이라고 함)의 원점은 물의 결빙점으로 하고 있다. 또한 Celsius 척도는 정상조건하에서 물이 끓는 점을 100으로 하고 있다. 이들 사이의 상호관계는 다음과 같다.

$$\text{Celsius도 온도} = \text{kelvin 온도} - 273.15$$

또는

$$T(\text{℃}) = T(\text{K}) - 273.15 \tag{A-3}$$

여기서 T는 온도이고, 온도차나 눈금 간격에 대해서만 같이 쓸 수 있다.*

A.3 미국관용단위

미국에서 주로 사용되는 단위계는 전통적인 영국계에서 왔다. 이 단위들은 법적 의미에서 정부에서 행정적으로 채택하는 것은 아니므로 보다 좋은 명칭이 없어 '관용'이라 부른다. 이 계에서 역학에 관련된 기본단위들은 힘은 pound(lb), 길이는 foot(ft), 시간은 second(s), 온도는 Fahrenheit도(℉)이다.

질량의 단위는 식 $M = F/a$에서 유도된다.

$$1\,\text{slug} = \frac{1\,\text{pound}}{1\,\text{ft/s}^2}$$

그러므로 slug는 다음 식에 의하여 기본단위의 항으로 표현된다.

$$1\,\text{slug} = 1\,\text{lb} \cdot \text{s}^2/\text{ft}$$

---

* SI는 매우 자세한 법칙과 추천에 의하여 관리된다. 완전한 통보를 얻기 위해서는 다음 문서를 참조하라: *ASTM Standard for Metric Practice*, Publication E380-79, American Society for Testing and Materials, 1916 Race Street, Philadelphia, Pennsylvania 19103; and Milton, H.J., *Recommended Practice for the Use of Metric (SI) Units in Building Design and Construction*, Technical Note 938, Natoinal Bureau of Standards, U.S. Department of Commerce, Washington, D.C., 1977, 39 pages (available from U.S. Government Printing Office, Washington, D.C. 20402, Stock Number 003-003-01761-2).

무게를 아는 물체의 질량을 구하기 위하여 먼저 USCS에서의 지구표면상의 **중력의 가속도**를 알아야 하며, 이는

$$g = 32.2 \text{ ft/s}^2 \tag{A-4}$$

이며, 그리고 식 (A-2)를 다음과 같은 형태로 바꾸어 이용한다. 즉

$$M = \frac{W}{g} \tag{A-5}$$

표 A-1 역학에서 사용되는 기본단위

내 용	국제단위계(SI)			미국관용단위계(USCS)		
	단 위	기호	식	단 위	기호	식
Acceleration, angular	radian per second squared		rad/s^2	radian per second squared		rad/s^2
Acceleration, linear	meter per second squared		m/s^2	foot per second squared		ft/s^2
Area	square meter		m^2	square foot		ft^2
Density(mass)	kilogram per cubic meter		kg/m^3	slug per cubic foot		slug/ft^3
Energy	joule	J	$\text{N} \cdot \text{m}$	foot-pound		ft-lb
Force	newton	N	$\text{kg} \cdot \text{m/s}^2$	pound	lb	(base unit)
Frequency	hertz	Hz	s^{-1}	hertz	Hz	s^{-1}
Impulse, angular	newton meter second		$\text{N} \cdot \text{m} \cdot \text{s}$			ft-lb-s
Impulse, linear	newton second		$\text{N} \cdot \text{s}$	pound-second		lb-s
Intensity of force	newton per meter		N/m	pound per foot		lb/ft
Length	meter	m	(base unit)	foot	ft	(base unit)
Mass	kilogram	kg	(base unit)	slug		$\text{lb-s}^2/\text{ft}$
Moment of a force; torque	newton meter		$\text{N} \cdot \text{m}$	foot-pound		ft-lb
Moment of inertia (mass)	kilogram meter squared		$\text{kg} \cdot \text{m}^2$	slug foot squared		slug-ft^2
Moment of inertia (second moment of area)	meter to fourth power		m^4	inch to fourth power		in.^4
Power	watt	W	J/s	foot-pound per second		ft-lb/s
Pressure	pascal	Pa	N/m^2	pound per square foot	psf	lb/ft^2
Section modulus	meter to third power		m^3	inch to third power		in.^3
Specific weight (weight density)	newton per cubic meter		N/m^3	pound per cubic foot	pcf	lb/ft^3
Stress	pascal	Pa	N/m^2	pound per square inch	psi	lb/in.^2

(계속)

표 A-1 (계속)

내 용	국제단위계(SI)			미국관용단위계(USCS)		
	단 위	기호	식	단 위	기호	식
Time	second	s	(base unit)	second	s	(base unit)
Velocity, angular	radian per second		rad/s	radian per second		rad/s
Velocity, linear	meter per second		m/s	foot per second	fps	ft/s
Volume(liquids)	liter	L	$10^{-3}\,m^3$	gallon	gal.	$231\,in.^3$
Volume(solids)	cubic meter		m^3	cubic foot	cf	ft^3
Work	joule	J	$N \cdot m$	foot-pound		ft-lb

주 1. SI 단위 간의 상호관계:

1 joule(J)=1 newton meter(N·m)=1 watt second(W·s)

1 hertz(Hz)=1 cycle per second(cps)

1 watt(W)=1 joule per second(J/s)

1 pascal(Pa)=1 newton per meter squared(N/m^2)

1 liter(L)=0.001 cubic meter($10^{-3}\,m^3$)=1000 cubic centimeters(1000 cm^3)

주 2. SI 단위와 통상 metric 단위 간의 상호관계:

1 hectare(ha)=10,000 square meters(m^2)

1 erg=10^{-7} joules(J)

1 dyne=10^{-5} newtons(N)

1 kilowatt-hour(kWh)=3.6 megajoules(MJ)

1 centimeter(cm)=10^{-2} meters(m)

1 gram(g)=10^{-3} kilogram(kg)

1 metric ton(t)=1 megagram(Mg)=1000 kilograms(kg)

1 watt(W)=10^7 ergs per second(erg/s)

1 gal=1 centimeter per second squared(cm/s^2); for example, g=981 gals

주 3. USCS 단위의 부가:

1 inch(in.)=1/12 foot(ft)

1 yard(yd)=3 feet(ft)

1 mile=5280 feet(ft)

1 kip(k)=1000 pounds(lb)

1 ounce(oz)=1/16 pound(lb)

1 ton=2000 pound(lb)

1 kilowatt-hour(kWh)=2,655,220 foot-pounds(ft-lb)

1 British thermal unit(Btu)=778.171 foot-pounds(ft-lb)

1 mechanical horsepower(hp)=500 foot-pounds per second(ft-lb/s)

1 kilowatt(kW)=737.562 foot-pounds per second(ft-lb/s)

=1.34102 horsepower(hp)

1 pound per square inch(psi)=144 pounds per square foot(psf)

1 revolution per minute(rpm)=$2\pi/60$ radians per second(rad/s)

1 mile per hour(mph)=22/15 feet per second(fps)

1 quart(qt)=1/4 gallon(gal.)

1 cubic foot(cf)=576/77 gallons=7.48052 gallons(gal.)

주 4. 국제단위계에서 사용되는 liter의 기호는 소문자의 1이나 활자로 쓰는 경우 숫자의 1과의 혼돈을 피하기 위하여 미표준국에서 대문자 L을 쓸 것을 추천하고 있다.

여기서 M은 slug 단위의 질량, W는 pound 단위의 무게이며, g는 식 (A-4)에 의해 주어진다. 이 두 식에서 1 slug 질량의 물체는 지구표면에서 32.2 lb의 무게가 될 것이다. 질량의 다른 단위로는 pound mass(lb mass)가 있으며, 이는 무게가 1 lb가 되는 물체의 질량이다. 그러므로 1 lb mass는 1/32.2 slug와 같다.

여러 가지 USCS 단위에 대한 부호와 식들은 표 A-1에 수록되어 있으며, 표의 주 3에 언급된 단위들 중의 kilopound 또는 kip는 미터법에서 기원된 표기법이며 1000 pound와 같다.

온도에 대한 관용단위는 Fahrenheit도(°F)이다. Fahrenheit의 눈금은 물의 결빙점을 32로 하고, 끓는 점을 212로 하고 있다. 그러므로 각 Fahrenheit도는 kelvin 또는 Celsius도의 5/9이며, 이들 사이의 변환식은 다음과 같다.

$$T(°F) = \frac{9}{5}T(℃) + 32 \tag{A-6}$$

$$T(°F) = \frac{9}{5}T(K) - 459.67 \tag{A-7}$$

$$T(℃) = \frac{9}{5}[T(°F) - 32] \tag{A-8}$$

$$T(K) = \frac{5}{9}[T(°F) - 32] + 273.15 \tag{A-9}$$

여기서 T는 앞에서와 같이 해당눈금에서의 온도이다.

표 A-2 SI 단위 접두어

접두어	기 호	승 수
tera	T	10^{12} = 1 000 000 000 000
giga	G	10^{9} = 1 000 000 000
mega	M	10^{6} = 1 000 000
kilo	k	10^{3} = 1 000
hecto	h	10^{2} = 100
deka	da	10^{1} = 10
deci	d	10^{-1} = 0.1
centi	c	10^{-2} = 0.01
milli	m	10^{-3} = 0.001
micro	μ	10^{-6} = 0.000 001
nano	n	10^{-9} = 0.000 000 001
pico	p	10^{-12} = 0.000 000 000 001

주 : 접두어 hecto, deka, deci, centi는 10의 멱수가 3의 배수가 아니므로 SI에서는 추천되지 않고 있다.

A.4 변환

각 단위계의 양들은 표 A-3의 **변환계수**에 의하여 쉽게 변환시킬 수 있다. 만약, 주어진 수가 미국 관용단위라면 변환계수를 곱함으로써 SI 단위로 변환시킬 수 있다. 예를 들어 표의 첫 줄로부터 $1\ \mathrm{ft/s^2}$의 가속도는 $0.3048\ \mathrm{m/s^2}$로 변환됨을 찾아볼 수 있다. 지금 실제의 가속도가 $12.9\ \mathrm{ft/s^2}$라면 그 변환은

$$(12.9\ \mathrm{ft/s^2})(0.3048) = 3.93\ \mathrm{m/s^2}$$

표 A-3 미관용단위와 SI 단위의 환산

관용단위		환산계수		등가 SI 단위	
		엄밀	실용		
Acceleration					
foot per second squared	$\mathrm{ft/s^2}$	0.3048*	0.305	meter per second squared	$\mathrm{m/s^2}$
inch per second squared	$\mathrm{in./s^2}$	0.0254*	0.0254	meter per second squared	$\mathrm{m/s^2}$
Area					
square foot	$\mathrm{ft^2}$	0.09290304*	0.0929	square meter	$\mathrm{m^2}$
square inch	$\mathrm{in.^2}$	645.16*	645	square millimeter	$\mathrm{mm^2}$
Density(mass)					
slug per cubic foot	$\mathrm{slug/ft^3}$	515.379	515	kilogram per cubic meter	$\mathrm{kg/m^3}$
Energy; work					
foot-pound	ft-lb	1.35582	1.36	joule	J
kilowatt-hour	kWh	3.6*	3.6	megajoule	MJ
British thermal unit	Btu	1055.06	1055	joule	J
Force					
pound	lb	4.44822	4.45	newton	N
kip(1000 pounds)	k	4.44822	4.45	kilonewton	kN
Intensity of force					
pound per foot	lb/ft	14.5939	14.6	newton per meter	N/m
kip per foot	k/ft	14.5939	14.6	kilonewton per meter	kN/m
Length					
foot	ft	0.3048*	0.305	meter	m
inch	in.	25.4*	25.4	millimeter	mm
mile		1.609344*	1.61	kilometer	km
Mass					
slug		14.5939	14.6	kilogram	kg

(계속)

표 A-3 (계속)

관용단위		환산계수		등가 SI 단위	
		엄밀	실용		
Moment of a force; torque					
foot-pound	ft-lb	1.35582	1.36	newton meter	N·m
inch-pound	in.-lb	0.112985	0.113	newton meter	N·m
foot-kip	ft-k	1.35582	1.36	kilonewton meter	kN·m
inch-kip	in.-k	0.112985	0.113	kilonewton meter	kN·m
Moment of inertia(mass)					
slug foot squared		1.35582	1.36	kilogram meter squared	$kg·m^2$
Moment of inertia (second moment of area)					
inch to fourth power	in.^{4}	416,231	416,000	millimeter to fourth power	mm^4
inch to fourth power	in.^{4}	0.416231×10^{-6}	0.416×10^{-6}	meter to fourth power	m^4
Power					
foot-pound per second	ft-lb/s	1.35582	1.36	watt	W
foot-pound per minute	ft-lb/min	0.0225970	0.0226	watt	W
horsepower (550 foot-pounds per second)hp		745.701	746	watt	W
Pressure; stress					
pound per square foot	psf	47.8803	47.9	pascal(N/m^2)	Pa
pound per square inch	psi	6894.76	6890	pascal	Pa
kip per square foot	ksf	47.8803	47.9	kilopascal	kPa
kip per square inch	ksi	6894.76	6890	kilopascal	kPa
Section modulus					
inch to third power	in.^{3}	16,387.1	16,400	millimeter to third power	mm^3
inch to third power	in.^{3}	16.3871×10^{-6}	16.4×10^{-6}	meter to third power	m^3
Specific weight(weight density)					
pound per cubic foot	lb/ft^3	157.087	157	newton per cubic meter	N/m^3
pound per cubic inch	lb/in.^{3}	271.447	271	kilonewton per cubic meter	kN/m^3
Velocity					
foot per second	ft/s	0.3048*	0.305	meter per second	m/s
inch per second	in./s	0.0254*	0.0254	meter per second	m/s
mile per hour	mph	0.44704*	0.447	meter per second	m/s
mile per hour	mph	1.609344*	1.61	kilometer per hour	km/h
Volum					
cubic foot	ft^3	0.0283168	0.0283	cubic meter	m^3
cubic inch	in.^{3}	16.3871×10^{-6}	16.4×10^{-6}	cubic meter	m^3
cubic inch	in.^{3}	16.3871	16.4	cubic centimeter	cm^3
gallon	gal.	3.78541	3.79	liter	L
gallon	gal.	0.00378541	0.00379	cubic meter	m^3

*정확한 환산계수
주: SI 단위를 미관용단위로 환산할 경우에는 환산계수로 나눌 것.

이 과정을 역으로 하면(즉, SI에서 관용단위로 바꾸려면) SI 단위의 수를 계수로 나누면 된다. 예를 들어 가속도가 $9.81\,\text{m/s}^2$ 라면

$$\frac{(9.81\ \text{m/s}^2)}{0.3048} = 32.2\ \text{ft/s}^2$$

계수 0.3048은 엄밀한 값이며, 표에 수록된 대부분의 변환계수는 첫 예의 경우, 6자리의 유효숫자를 잡았고 두 번째 예의 경우는 세 자리의 유효숫자를 택한 것이다.

표 A-4는 SI 단위와 USCS 단위의 몇몇 중요한 **물리적 성질**을 수록하고 있다.

표 A-4 SI 및 USCS 단위에서의 물리적 성질

물리적 성질	SI	USCS
Water(fresh)		
specific weight	$9.81\,\text{kN/m}^3$	$62.4\,\text{lb/ft}^3$
mass density	$1000\,\text{kg/m}^3$	$1.94\,\text{slugs/ft}^3$
Sea water		
specific weight	$10.0\,\text{kN/m}^3$	$63.8\,\text{lb/ft}^3$
mass density	$1020\,\text{kg/m}^3$	$1.98\,\text{slugs/ft}^3$
Aluminum		
specific weight	$26.6\,\text{kN/m}^3$	$169\,\text{lb/ft}^3$
mass density	$2710\,\text{kg/m}^3$	$5.26\,\text{slugs/ft}^3$
Steel		
specific weight	$77.0\,\text{kN/m}^3$	$490\,\text{lb/ft}^3$
mass density	$7850\,\text{kg/m}^3$	$15.2\,\text{slugs/ft}^3$
Reinforced concrete		
specific weight	$23.6\,\text{kN/m}^3$	$150\,\text{lb/ft}^3$
mass density	$2400\,\text{kg/m}^3$	$4.66\,\text{slugs/ft}^3$
Acceleration of gravity		
(on the earth's surface)		
Recommended value	$9.81\,\text{m/s}^2$	$32.2\ \text{ft/s}^2$
Standard international value	$9.80665\,\text{m/s}^2$	$32.1740\ \text{ft/s}^2$
Atmospheric pressure		
(at sea level)		
Recommended value	$101\,\text{kPa}$	14.7 psi
Standard international value	$101.325\,\text{kPa}$	14.6959 psi

부록 B   유효숫자

공학계산의 중요한 점은 모든 치수의 상대적 정확도이다. 대부분의 계산은 칼큘레이터 (calculator)와 컴퓨터에 의하여 수행하므로 수치가 타당치 않은 정확도로 나올 수 있다.

예를 들어 계산결과 보의 반력이 $R = 6287.46\,\text{lb}$라 하자. 이 크기는 $6000\,\text{lb}$ 이상의 양인데 비하여 $1/100\,\text{lb}$까지의 근사값으로 산출되고 있음을 의미하므로 이 형태는 읽음의 잘못이 있다. 이는 대략 $1/600{,}000$의 정확도와 $0.01\,\text{lb}$의 정도를 의미하는데 그 어느 쪽도 타당하지 않다. 계산된 반력의 정확도는 계산에 사용된 하중, 치수 및 기타 data가 얼마만큼의 정확도로 알려지고 있었는가에 달려 있다. 실제로 이 예에서는 $1/1000$이거나 $1/100$이 될 것이다. 따라서 반력은 $10\,\text{lb}$의 자리가 근사값이거나 아마도 $100\,\text{lb}$의 자리까지가 근사값이 되어 6290이거나 $6300\,\text{lb}$가 되어야 한다. 이 경우, 제시된 숫자의 마지막 몇 자리는 타당성이 없다. 예를 들어 제시된 결과의 네 번째 자리는 7이나 9나 비슷하다. 주어진 수치가 얼마나 정확한가를 결정하기 위해서는 다음 절에서 설명된 유효숫자의 결정에 따르는 것이 타당하다.

B.1   유효숫자

일상의 관례에서, 수의 정확도는 값을 기록하는데 쓰이는 유효숫자에 의해 나타난다. 유효숫자는 1에서 9의 숫자와 0(소수점의 위치를 나타내기 위해서 쓰는 0은 제외)이다. 예를 들어, 316, 7.23, 3.70, 0.00347은 모두 세 유효숫자를 갖는다. 그러나 52,000과 같은 수의 정확도는 분명하지 않다. 여기서 두 자리의 유효숫자를 갖는다면 3개의 0은 단지 소수점의 위치를 나타내는데 쓰이는 것이며, 3, 4 또는 5개의 유효숫자를 갖는다면 하나 내지 그 이상의 0이 정확한 것이 된다. 10의 멱수를 사용함으로써 52,000 같은 수의 정확도를 보다 명확히 표시할 수 있다. 즉, 52×10^3으로 쓰면 이 수는 2개의 유효숫자를 갖는 것을 의미하며, 520×10^2이나 52.0×10^3으로 쓰면 3자리의 유효숫자를 가진다.

일반적으로 수의 정도는 마지막 유효숫자에 대응하는 단위수의 반의 정, 부의 값이다. 그러므로 316은 ±0.5의 정도를, 7.23은 ±0.005의 정도를 가진다.

계산에 의하여 얻어진 수의 정확도는 계산에 쓰여진 수들의 정확도에 좌우된다. 곱셈과 나눗셈이 포함된 계산에 대한 경험에 의한 법칙은 다음과 같다. 즉, 결과의 유효숫자는 계산에서 사용된 수들에서 가장 작은 유효숫자와 같다. 예를 들어 (2743.1)(31.6)은 칼큘레이터에 의한 곱셈을 시행하는 경우, 8자리 숫자로 86,681.960이다. 그러나 이 수를 8자리로 표현하는 것은 원래의 수들이 보증하는 것보다 더 많은 정확도를 나타내고 있으므로 잘못이다. 이는 3.16이 3자리의 유효숫자를 가지고 있으므로 적절한 결과의 표기는 86,700이거나 86.7×10^3이다.

덧셈이나 뺄셈에 대해서는 더하거나 빼는 모든 수 가운데서 가장 작은 유효숫자를 갖는 수의 마지막 예에서 결과의 유효숫자의 끝 자리로 정한다. 즉, 결과의 마지막 유효숫자 자리는 가장 정도가 작은 수의 마지막 자리와 일치한다. 이를 명확히 하기 위하여 다음 예를 보자.

	142.734	127.58	945,000
	+ 9.8	− 6	+ 11.230
칼큘레이터로부터	152.534	121.58	956,230
결과는	152.5	122	956,000

첫 예에서 수 142.734는 6자리의 유효숫자를 가지고, 수 9.8은 2자리의 유효숫자를 가진다. 더한 결과는 8이 있는 예에서 오른쪽의 숫자는 의미가 없으므로 결과의 유효숫자는 4자리이다. 두 번째의 예에서 수 6을 단지 한 유효숫자에서 정확하다고 가정(즉, 이는 정밀한 수가 아님)하면, 결과는 3개의 유효숫자에서 정확하고 122로 기록된다. 세 번째 예에서 수 945,000은 세 유효숫자에서 정확하다고 가정하면 결과는 콤마의 오른쪽은 의미가 없다.

공학의 문제에서, 숫자들이 불필요하게 길고 물리적 의미가 없다고 판정되면 중간계산들을 어느 정도의 바람직한 숫자적 정확도까지 수행할 수 있다(칼큘레이터는 보통 8 혹은 그 이상의 자리의 계산을 수행). 따라서 칼큘레이터에서 얻는 최종결과의 숫자자리는 의미가 있는 수까지로 제한해야 한다. 재료역학에서 문제에 대한 자료(하중, 치수 등)는 일반적으로 2 또는 3개의 유효숫자의 정확도를 가지므로 최종결과도 같은 정확도로 내어야 한다.

이 책에서는 거의 모든 예들을, 자료가 3개 유효숫자의 정확도를 갖는다고 가정하고 풀었다. 그러므로 보통 중간계산은 4개 유효숫자로 하고 3개 유효숫자로 해답을 구하였다.

비록 유효숫자의 사용은 공학적인 작업에서 편리하기는 하지만 이것이 수의 정확도를 나타내는 정확한 방법은 아니라는 것을 명심하여야 한다. 이 점을 밝히기 위하여 수 999와

101을 생각해 보자. 이들은 각기 3개의 유효숫자를 가지고 있으며, 첫 수는 1/999 혹은 0.1%의 정확도를, 둘째 수는 1/101 또는 1.0%의 정확도를 갖는다는 것이다. 그러므로 계산된 결과의 진정한 정확도를 아는 일이 중요하다면 계산에 사용된 모든 수의 정확도를 계산하여야 한다.

전형적인 공학계산에 쓰이는 몇몇의 수는 정확하다(예를 들어 보의 처짐에 관한 식 PL^3 /EI 중의 48). 정확한 수는 무한의 유효숫자를 가진다고 생각할 수 있으며, 따라서 계산결과의 정확도에 영향을 주지 않는다.

B.2 수의 끝마무리

중요하지 않는 수는 버리고 유효한 숫자만을 취하는 과정을 수의 끝마무리(rounding off)라고 한다. 이 과정을 예시하기 위하여 한 수를 3개 유효숫자로 끝마무리한다고 해 보자. 이는 다음과 같은 법칙에 따른다.

(a) 4번째 수가 5보다 작으면 처음 3개의 숫자를 그대로 두고, 다음 모든 수는 0으로 놓는다. 예를 들어 22.34의 끝마무리는 22.3, 576.234의 끝마무리는 576,000으로 한다.

(b) 4번째 수가 5보다 크거나, 4번째 숫자가 5이고 0이 아닌 숫자가 그 뒤에 있으면 3번째 수를 하나 증가시키고 나머지는 0으로 놓는다. 예를 들어 31.56의 끝마무리는 31.6, 28,172의 끝마무리는 28,200, 1.755001은 1.76으로 한다.

(c) 끝으로 4번째의 숫자가 정확히 5이면 짝수가 되게끔 끝마무리를 한다. 예를 들어 22.45는 22.4로 67.75는 67.8로 끝마무리를 한다. 유효숫자의 끝자리수가 짝수이거나 홀수일 가능성은 무작위(random)이므로, 반올림에서 올림과 내림으로 인하여 축적되는 오차가 이 법을 사용함으로써 줄어들게 된다.(역자주: 반올림에서 5와 5보다 큰 수를 올림처리를 하는 경우는 5~9의 다섯 개의 수가 되고 내림처리로 하는 수는 1~4의 네 개가 되어 올림처리의 축적오차가 커진다. 많은 칼큘레이터는 끝 수가 정확히 5일 때 우수법칙 대신에 반올림을 택하고 있다.)

위의 예에서 보여 준 3개 유효숫자의 끝마무리의 법칙은 다른 어느 자리의 끝마무리의 경우에도 마찬가지로 적용된다.

부록 C 평면도형의 도심과 관성모멘트

C.1 면적의 도심

평면도형의 **도심**의 위치는 면적의 중요한 기하학적 성질이다.[*] 도심의 좌표를 정의하기 위하여 그림 C-1의 면적 A와 x, y좌표계로 논의하자. 그림에는 미소요소 dA와 그 좌표 x, y가 도시되어 있다. 전면적 A는 다음의 적분으로 정의된다.

$$A = \int dA \tag{C-1}$$

부가하여 x, y축에 관한 면적의 **1차 모멘트**(first moment)는 각기

$$Q_x = \int y dA \quad Q_y = \int x dA \tag{C-2}$$

로 되며, 도심 C(그림 C-1)의 좌표 $\overline{x}, \overline{y}$는 1차 모멘트를 자체면적으로 나눈 것과 같다.

$$\overline{x} = \frac{\int x dA}{\int dA} = \frac{Q_y}{A} \quad \overline{y} = \frac{\int y dA}{\int dA} = \frac{Q_x}{A} \tag{C-3}$$

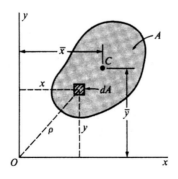

그림 C-1 전면적 A와 도심 C

---

[*] 일반적인 용어법에 의해서 '면적'이란 용어를 평면표면(plane surface)을 의미하는데 사용하고 있다. 그러나 엄격한 의미에서는 면적이란 표면의 크기의 측정이고 표면 자체는 아니다.

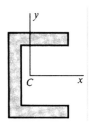

그림 C-2 한 축에 대해 대칭인 면적

만약 면적의 경계가 단순한 수학적인 식으로 정의될 수 있다면 폐곡선형의 식 (C-3)은 적분이 가능하여 $\bar{x}, \bar{y}$에 대한 식을 얻게 된다. 이런 방식에 의하여 얻은 식들의 표가 부록 D에 실려 있다.

만약 면적이 **축에 관하여 대칭**이면 이 축에 관한 1차 모멘트는 0이므로 도심은 이 축상에 놓이게 된다. 예를 들어 그림 C-2에서와 같이 단순대칭면적의 도심은 대칭축인 x축상에 있어야 한다. 그러므로 C의 위치는 단지 하나의 거리만을 계산하면 된다. 면적이 그림 C-3의 단면과 같이 두 개의 대칭축을 가진다면 도심의 위치는 도심축의 교점에 있으므로 시찰에 의하여 결정할 수가 있다. 그림 C-4와 같은 형의 면적은 **점에 관하여 대칭**이다. 이는 대칭축은 없으나 한 점을 지나는 면적 내의 모든 선이 이 점에 대하여 대칭이다(**대칭중심**이라 함).

따라서 도심은 대칭중심과 일치하며 시찰에 의하여 결정할 수 있다.

면적의 경계가 수학적인 표현에 의해 정의될 수 없는 불규칙한 곡선으로 이루어지고 있다면 근사수치법에 의하여 식 (C-3)의 적분을 수행할 수 있다. 가장 간단한 방법은 면적을 ΔA_i의 미소요소로 나누어 적분을 합산의 방법으로 바꾸는 것이다.

$$A = \sum_{i=1}^{n} \Delta A_i \quad Q_x = \sum_{i=1}^{n} y_i \Delta A_i \quad Q_y = \sum_{i=1}^{n} x_i \Delta A_i \qquad \text{(C-4)}$$

여기서 n은 면적요소의 전체 개수이며, y_i는 ΔA_i의 중심의 y좌표, x_i는 ΔA_i의 중심의

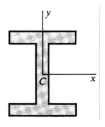

그림 C-3 두 축에 대해 대칭인 면적

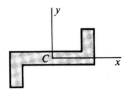

그림 C-4 점에 관해 대칭인 면적

x좌표이다. $\bar{x}$와 $\bar{y}$의 계산의 정확도는 선택한 요소가 실제면적에 얼마나 가까워지는가에 달렸다.

예제 ①

그림 C-5와 같이 포물선 반활꼴형 OAB는 x, y축에 의해 경계가 지어진다. 곡선의 식은

$$y = f(x) = h\left(1 - \frac{x^2}{b^2}\right) \tag{a}$$

여기서 b는 밑변, h는 반궁형의 높이이다. 이 반활꼴형의 도심위치를 찾아라.

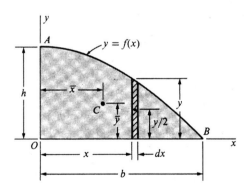

그림 C-5 예제. 포물선 반활꼴형의 도심

풀이 그림과 같이 폭 dx, 높이 y인 요소를 선택하면 그 면적은

$$dA = ydx = h\left(1 - \frac{x^2}{b^2}\right)dx$$

그러므로 활꼴형의 면적은

$$A = \int dA = \int_0^b h\left(1 - \frac{x^2}{b^2}\right)dx = \frac{2bh}{3} \tag{b}$$

어떤 축에 관한 면적의 1차 모멘트는 요소의 면적에 도심에서 축까지의 거리를 곱함으로써 얻을 수 있다. 요소의 도심의 x, y좌표는 x와 $y/2$이므로 1차 모멘트는

$$Q_x = \int \frac{y}{2} dA = \int_0^b \frac{h^2}{2} \left(1 - \frac{x^2}{b^2}\right)^2 dx = \frac{4bh^2}{15}$$

$$Q_y = \int x \, dA = \int_0^b hx \left(1 - \frac{x^2}{b^2}\right) dx = \frac{b^2 h}{4}$$

따라서 도심 C의 좌표는 다음과 같다.

$$\bar{x} = \frac{Q_y}{A} = \frac{3b}{8} \qquad \bar{y} = \frac{Q_x}{A} = \frac{2h}{5} \tag{c}$$

이 문제는 면적의 요소 dA를 높이 dy와 다음과 같은 수평 띠를 잡아서 구할 수도 있다. 즉

$$x = b\sqrt{1 - \frac{y}{h}}$$

이는 y항을 x로 해서 식 (a)를 풀어 얻을 수 있다. 또한 폭 dx, 높이 dy의 사각형요소를 취해서도 문제의 해를 얻을 수 있으며, 이 경우에는 A, Q_x, Q_y의 표현은 이중적분의 형태가 된다.

C.2 복합도형의 도심

공학에서는 자주 기하학적 성질을 잘 알고 있는 형상(사각형, 삼각형, 광폭의 프렌지 단면 등)들의 복합도형에 대한 면적의 도심을 구해야 할 때가 생긴다. 이러한 **복합도형**의 예로 보의 단면을 들 수 있으며 이는 사각형의 복합으로 구성된다(예로 그림 C-2, C-3, C-4 참조). 이들의 면적과 1차 모멘트는 각 부위의 대응되는 성질의 합산으로 구할 수 있다. 즉

$$A = \sum_{i=1}^n A_i \qquad Q_x = \sum_{i=1}^n y_i A_i \qquad Q_y = \sum_{i=1}^n x_i A_i \tag{C-5}$$

여기서 A_i는 i번째 부위의 면적이며 x_i, y_i는 i번째 부위의 도심의 좌표이고, n은 부위의 전 개수이다. 복합도형의 구성에 있어서 면적의 공백이 생긴 경우에는 '부의 면적'으로 보아 합산하는 방식도 택할 수 있다. 예를 들어 이 개념은 구멍이 없었다면 정상적인 기하학적 모양이었을 경우의 구멍의 처리에 유용하다. 식 (C-5)에서 A, Q_x, Q_y를 구하면 식 (C-3)으

로부터 도심의 좌표를 결정할 수 있다.

이 과정을 설명하기 위하여 쉽게 두 부위로 나눌 수 있는 복합도형의 특별한 경우를 들어 보자. 즉 그림 C-6의 L형면적은 A_1, A_2의 사각형 면적으로 나눌 수 있으며 각 사각형은 알고 있는 좌표 (x_1, y_1)과 (x_2, y_2)로 바로 도심 C_1, C_2가 정해진다. 따라서 식 (C-5)로부터 다음과 같은 식을 얻는다.

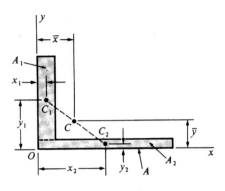

그림 C-6 복합도형의 도심

$$A = A_1 + A_2 \quad Q_x = y_1 A_1 + y_2 A_2 \quad Q_y = x_1 A_1 + x_2 A_2$$

그러므로 도심 C의 좌표는 다음과 같다[식 (C-3) 참조].

$$\bar{x} = \frac{Q_y}{A} = \frac{x_1 A_1 + x_2 A_2}{A_1 + A_2} \qquad \bar{y} = \frac{Q_x}{A} = \frac{y_1 A_1 + y_2 A_2}{A_1 + A_2} \tag{C-6}$$

면적을 단지 두 부위로 나누면 전면적의 도심 C는 그림과 같이 도심 C_1과 C_2를 맺는 선 상에 있게 된다.

예제 ①

그림 C-7과 같이 $6 \times \frac{1}{2}$ in의 덮개판을 상부프렌지에 용접한 $W18 \times 71$단면은 하부프렌지에 $C10 \times 30$의 [형강을 용접하여 보의 단면을 구성하고 있다. 이 단면의 도심위치를 정하라.

풀이 덮개판, 광폭프렌지단면, [형 단면의 도심을 C_1, C_2, C_3라 하면 대응면적들은

$$A_1 = (6 \text{ in})(0.5 \text{ in}) = 3.0 \text{ in}^2$$
$$A_2 = 20.8 \text{ in}^2 \quad A_3 = 8.82 \text{ in}^2$$

면적 A_2, A_3는 부록 E의 표 E-1, E-3에서 얻는다. x, y축의 원점을 C_2에 잡으면 세 면적의 도심거리는

$$y_1 = \frac{18.47 \text{ in}}{2} + \frac{0.5 \text{ in}}{2} = 9.485 \text{ in}$$

$$y_2 = 0 \quad y_3 = \frac{18.47 \text{ in}}{2} + 0.649 \text{ in} = 9.884 \text{ in}$$

여기서 단면들의 적절한 치수도 표 E-1, E-3에서 얻는다.

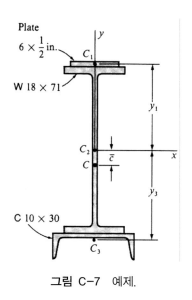

그림 C-7 예제.

전단면의 면적 A와 1차 모멘트 Q_x는

$$A = A_1 + A_2 + A_3 = 32.62 \text{ in}^2$$
$$Q_x = y_1 A_1 + y_2 A_2 - y_3 A_3 = (9.485 \text{ in})(3.0 \text{ in}^2) + 0 - (9.884 \text{ in})(8.82 \text{ in}^2)$$
$$= -58.72 \text{ in}^3$$

도심 C까지의 좌표 $\bar{y}$는 다음 식에서 얻는다.

$$\bar{y} = \frac{Q_x}{A} = -\frac{58.72 \text{ in}^3}{32.62 \text{ in}^2} = -1.80 \text{ in}$$

$\bar{y}$의 정방향은 좌표축의 정의 방향과 같으므로 부의 부호는 도심 C가 x축의 아래 쪽에 위치함을 의미한다(그림 참조). 그러므로 x축과 도심 C 사이의 거리는

$$\bar{C} = -\bar{y} = 1.80 \text{ in}$$

여기서 x축위치의 선택은 어느 곳이라도 좋으나 이같이 하는 것이 편리하다.

C.3 · 면적의 관성모멘트

평면도형(그림 C-1 참조)의 x, y축에 대한 관성모멘트는 다음과 같은 적분으로 정의한다.

$$I_x = \int y^2 dA \quad I_y = \int x^2 dA \qquad \text{(C-7)}$$

여기서 x, y는 면적의 미소요소 dA의 좌표이다. dA에 거리의 제곱을 곱한 것이므로, 관성모멘트는 면적의 **2차 모멘트**라고도 불린다.

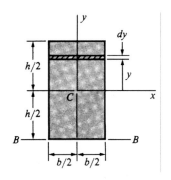

그림 C-8 사각형의 관성모멘트

관성모멘트를 구하는 과정을 그림 C-8의 사각형의 예를 가지고 논의하자. x, y축의 원점을 도심에 잡고, 면적의 요소를 폭 b, 높이 dy인 수평띠를 취하면 $dA = bdy$가 된다. 그러면 x축에 대한 관성모멘트는

$$I_x = \int_{-h/2}^{h/2} y^2 bdy = \frac{bh^3}{12} \qquad \text{(a)}$$

이고, 유사한 방법인 수직띠로 dA요소를 잡으면 y축에 대한 관성모멘트는 다음과 같이 된다.

$$I_y = \int_{-b/2}^{b/2} x^2 hdx = \frac{hb^3}{12} \qquad \text{(b)}$$

축을 다른 곳으로 잡으면 관성모멘트의 값은 달라진다. 예를 들어 사각형의 밑변인 BB축을 잡을 경우, 거리 y는 BB축에서 면적요소 dA까지의 거리가 되어 관성모멘트는

$$I_{BB} = \int y^2 dA = \int_0^h y^2 bdy = \frac{bh^3}{3} \qquad \text{(c)}$$

이 되며, 이는 도심에 x축을 취한 때보다 더 커지고 있음에 유의하자. 일반적으로 기준축을 도심으로부터 보다 멀리 평행이동시키면 관성모멘트는 증가한다. 또한 관성모멘트는 x나 y의 제곱이기 때문에 선택하는 축에 관계 없이 양의 양을 가진다[식 (C-7) 참조].

특수축에 대한 복합도형의 관성모멘트는 같은 축에 대한 각 부분의 관성모멘트의 합이다.

그림 C-9(a)를 예로 들어 보면, 도심을 지나는 x축은 대칭축이 되므로 x축에 대한 관성모멘트는 안, 바깥의 두 사각형의 관성모멘트 간의 차와 같다.

$$I_x = \frac{bh^3}{12} - \frac{b_1 h_1^3}{12} \tag{d}$$

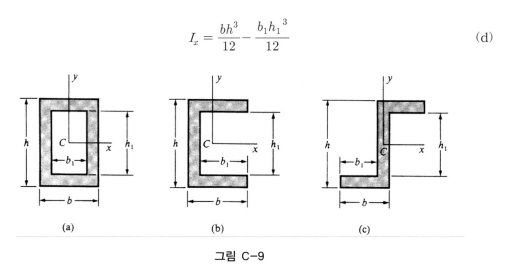

그림 C-9

이와 같은 식은 (b), (c) 그림의 [형 단면과 Z형단면에도 적용된다. 같은 방식이 그림 C-9(a)의 I_y를 구하는데 사용될 수 있으나, [형 단면과 Z형단면의 경우에는 다음 절에서 논의될 평행축의 정리를 사용하는 것이 보다 쉽다.

보편적인 면적에 관한 관성모멘트의 값이 부록 D에서 수록되어 있으므로 평행축의 정리 (C.4절)와 함께 이용하면 당면하는 대부분의 형태의 관성모멘트를 얻을 수 있다. 그러나 불규칙한 형태의 면적인 경우에는 수치해석의 방법에 의존하여야 하며, 이는 면적을 미소요소 ΔA로 세분한 후 이 미소면적에 거리의 제곱을 곱하고 이들을 합산하면 관성모멘트를 얻을 수 있다.

회전반지름(Radius of gyration). 면적의 **회전반지름**으로 알려진 거리가 역학에서 자주 쓰인다. 이는 관성모멘트를 면적으로 나눈 값의 제곱근으로 정의된다. 따라서

$$r_x = \sqrt{\frac{I_x}{A}} \quad r_y = \sqrt{\frac{I_y}{A}} \tag{C-8}$$

여기서 r_x, r_y는 x축과 y축에 대한 회전반지름이며, I는 길이의 4승이고 A는 길이의 2승

이므로 회전반지름은 길이의 단위를 가진다. 회전반지름은 축으로부터, 원래면적의 관성모멘트와 같은 관성모멘트값을 갖는, 전면적이 집중되어 있다고 생각되는 점까지의 거리이다.

예제 1

그림 C-5의 포물선 반활꼴형 OAB의 관성모멘트 I_x, I_y를 결정하라. 포물선 경계의 식은 C.1절의 예제에서 주어진 바와 같은 다음 식으로 주어진다.

$$y = f(x) = h\left(1 - \frac{x^2}{b^2}\right)$$

풀이 면적의 요소 dA를 그림 C-5의 수직띠로 하면

$$dA = ydx = h\left(1 - \frac{x^2}{b^2}\right)dx$$

면적요소의 모든 점은 y축으로부터 같은 거리 x에 있으므로 y축에 대한 요소의 관성모멘트는 $x^2 dA$이다. 그러므로 전면적의 y축에 대한 관성모멘트는 다음과 같다.

$$I_y = \int x^2 dA = \int_0^b x^2 h\left(1 - \frac{x^2}{b^2}\right)dx = \frac{2hb^3}{15} \tag{e}$$

면적요소 dA의 x축에 대한 관성모멘트는 $\frac{1}{3}(dx)y^3$ [식 (c) 참조]이므로 전체면적의 x축에 대한 관성모멘트는

$$I_x = \int_0^b \frac{y^3}{3}dx = \int_0^b \frac{h^3}{3}\left(1 - \frac{x^2}{b^2}\right)^3 dx = \frac{16bh^3}{105} \tag{f}$$

이는 수평띠의 요소를 사용하거나, $dA = dxdy$인 사각형 면적요소를 사용하여 이중적분을 시행해서도 같은 결과를 얻는다.

C.4 관성모멘트에 대한 평행축 정리

면적이 놓인 평면상의 임의축에 대한 관성모멘트는 이 축과 평행한 도심축에 대한 관성모멘트와 **수평축의 정리**에 의하여 관련지어진다. 매우 유용한 이 정리를 유도하기 위하여 그림 C-10의 면적을 생각하고 x_c, y_c축의 원점을 도심 C에 잡자. 여기서 x, y축은 x_c, y_c에 평행

하고 0을 원점으로 하면 대응축 간의 거리는 d_1, d_2이다. 그러면 관성모멘트의 정의에 의하여 x축에 관한 관성모멘트 I_x는 다음과 같이 된다.

$$I_x = \int (y+d_1)^2 dA = \int y^2 dA + 2d_1 \int y dA + d_1{}^2 \int dA$$

식의 우변 첫 적분항은 x_c축에 관한 관성모멘트 I_{xc}이며 둘째 적분항은 x_c축의 도심을 지나므로 0이 되고 셋째 적분항은 그림의 면적이다. 따라서 앞의 식은 다음과 같이 된다.

$$I_x = I_{xc} + Ad_1{}^2 \tag{C-9a}$$

y축에 관해서도 같은 방법으로 다음 식을 얻는다.

$$I_y = I_{yc} + Ad_2{}^2 \tag{C-9b}$$

식 (C-9)는 관성모멘트에 대한 평행축의 정리이다. 즉,

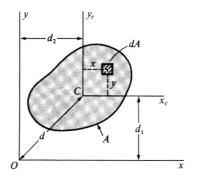

C-10 평행축의 정리의 유도

평면의 어떤 축에 관한 관성모멘트는 이에 평행한 도심축에 관한 관성모멘트에, 면적과 두 축 사이의 거리의 자승의 곱을 더한 값과 같다.

평행축의 정리에서 관성모멘트는 축이 도심으로부터 평행하게 멀리 움직이면 증가하므로 도심축에 관한 관성모멘트가 가장 작다(주어진 축방향에 대해서).

평행축의 정리는 복합면적의 경우의 관성모멘트를 구하는데 매우 유용하다. 이 정리를 이용할 때, 두 평행축 중 하나는 도심축이어야만 한다는 것을 명심하여야 한다. 이 점을 보여주기 위하여 그림 C-8의 사각형을 다시 보자. 도심을 지나는 x축에 대한 관성모멘트가 $bh^3/12$(C.3절의 식 참조)라는 것을 알면 사각형의 밑변에 관한 관성모멘트 I_{BB}를 즉시

결정할 수 있으며

$$I_{BB} = I_x + Ad^2 = \frac{bh^3}{12} + bh\left(\frac{h}{2}\right)^2 = \frac{bh^3}{3}$$

이고, 이 결과는 이전에 적분에 의해 구한 결과와 같다[C.3절의 식 (c)].

한 비도심점에 대한 관성모멘트 I_2를 알 때, 다른 비도심(서로 평행한)축에 관한 관성모멘트 I_1을 구하려고 할 경우에는 평행축의 정리를 두 번 적용하면 된다. 먼저, 이 정리를 이용해서 I_2로부터 도심의 관성모멘트를 찾는다. 그 후, 도심의 관성모멘트로 I_1을 구한다.

복합면적의 경우, 면적의 각 부분의 특정한 축에 대한 관성모멘트를 구한 후 이를 더하여 전면적의 관성모멘트를 얻는다. 예를 들어 그림 C-9(c)의 Z단면에서 I_y를 구한다고 하자. 먼저 면적을 3개의 사각형으로 나누면 이들의 도심은 시찰에 의해 알 수 있다. y축에 평행하고 도심을 지나는 축에 관한 사각형들의 관성모멘트는 일반적인 식 $I = bh^3/12$으로 얻으며, y축에 관한 관성모멘트는 평행축의 정리로 구해진다. 이 관성모멘트들을 합하면 전면적에 대한 I_y가 된다.

예제 ①

그림 C-11의 포물선 반활꼴형 OAB에 대한 도심축에 대한 관성모멘트 I_{xc}, I_{yc}를 구하라.

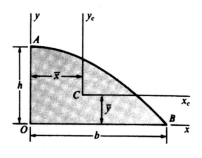

C-11   예제 1, 평행축의 정리

풀이   반활꼴형의 면적은 $2bh/3$, 도심의 $\overline{x} = 3b/8$, $\overline{y} = 2h/5$이고 x, y축에 관한 관성모멘트는

$$I_x = \frac{16bh^3}{105} \quad I_y = \frac{2hb^3}{15}$$

이다(부록 D, 경우 18 참조)

x_c축에 관한 관성모멘트를 얻기 위해 평행축의 정리를 다음과 같이 적용한다.

$$I_x = I_{xc} + A\overline{y}^2$$

따라서 관성모멘트 I_{xc}는

$$I_{xc} = I_x - A\overline{y}^2 = \frac{16bh^2}{105} - \frac{2bh}{3}\left(\frac{2h}{5}\right)^2 = \frac{8bh^3}{175}$$

같은 방법으로 y_c축에 관한 관성모멘트는

$$I_{yc} = I_y - A\overline{x}^2 = \frac{2hb^3}{15} - \frac{2bh}{3}\left(\frac{3b}{8}\right)^2 = \frac{19bh^3}{480}$$

그러므로 원하는 관성모멘트가 구해진 셈이다.

예제 ②

C.2절의 예제의 그림 C-7에서 보의 단면의 도심 C를 지나는 수평축에 관한 관성모멘트 I_c를 구하라(관성모멘트는 보의 응력과 처짐을 구할 때에 필요함).

풀이 복합면적의 도심관성모멘트 I_c를 구하기 위하여 면적을 (1) 덮개판 (2) 광폭플렌지단면, (3) I형 단면의 세 부분으로 생각하자. 또한 C.2절의 예제로부터 치수와 크기를 다음과 같이 취한다.

$$A_1 = 3.0\,\text{in}^2 \quad A_2 = 20.8\,\text{in}^2 \quad A_3 = 8.82\,\text{in}^2$$
$$y_1 = 9.485\,\text{in} \quad y_3 = 9.884\,\text{in} \quad \overline{c} = 1.80\,\text{in}$$

각 부분의 자체도심에 관한 관성모멘트는

$$I_1 = \frac{bh^3}{12} = \frac{1}{12}(6.0\,\text{in})(0.5\,\text{in}) = 0.063\,\text{in}^4$$
$$I_2 = 1170\,\text{in}^4 \quad I_3 = 3.94\,\text{in}^4$$

여기서 I_2와 I_3는 표 E-1, E-3에서 얻는다.

이제 세 부분의 도심축 C를 지나는 축들에 관하여 관성모멘트를 구하기 위하여 평행축의 정리를 이용할 수 있으며, 이는

$$I_{c1} = I_1 + A_1(y_1 + \overline{c})^2 = 0.063 + 3.0(11.28)^2 = 382\,\text{in}^4$$
$$I_{c2} = I_2 + A_2\overline{c}^2 = 1170 + 20.8(1.80)^2 = 1237\,\text{in}^4$$
$$I_{c3} = I_3 + A_3(y_3 - \overline{c})^2 = 3.94 + 8.82(8.084)^2 = 580\,\text{in}^4$$

가 되고, 이들 관성모멘트의 합은

$$I_c = I_{c1} + I_{c2} + I_{c3} = 2200\,\text{in}^4$$

이며, 이 값이 전단면의 도심축 관성모멘트이다.

C.5 극관성모멘트

앞절에서 논의한 관성모멘트들은 그림 C-1의 x, y축과 같이 면적 자체의 평면상에 있는 축에 관한 것이었다. 이 절에서는 면적평면에 수직이고 원점 O에서 평면과 교차하는 축에 대하여 생각하자. 이 축에 관한 관성모멘트를 **극관성모멘트** I_p라 부르며, 다음과 같은 적분으로 정의된다.

$$I_p = \int \rho^2 dA \tag{C-10}$$

여기서 ρ는 O점에서 면적요소 dA까지의 거리이며(그림 C-1 참조), $\rho^2 = x^2 + y^2$이고 x, y는 요소 dA의 직각좌표이므로 위의 I_p는

$$I_p = \int \rho^2 dA = \int (x^2 + y^2) dA$$

그러므로

$$I_p = I_x + I_y \tag{C-11}$$

즉, 점 O에서 평면에 수직으로 세운 축에 관한 극관성모멘트는, 평면의 같은 점을 지나는 직교좌표축 x, y에 관한 관성모멘트의 합과 같음을 의미한다. 우리는 통상 I_p를 점 O에 관한 극관성모멘트라고 한다.

극관성모멘트에 대한 평행축의 정리는 여러 점들에 관한 극관성모멘트를 계산하는데 대단히 편리하다. 이 정리는 그림 C-10을 참조함으로써 유도할 수 있으며, 원점 O와 도심 C에 대한 극관성모멘트를 I_{po}, I_{pc}로 놓으면 다음과 같이 쓸 수 있다[식 (C-11) 참조].

$$I_{po} = I_x + I_y \quad I_{pc} = I_{xc} + I_{yc} \tag{a}$$

다음, C.4절에서 유도된 평행축의 정리[식 (C-9) 참조]로

$$I_x = I_{xc} + A{d_1}^2 \quad I_y = I_{yc} + A{d_2}^2 \tag{b}$$

두 식을 합하면 다음을 얻는다.

$$I_x + I_y = I_{xc} + I_{yc} + A(d_1{}^2 + d_2{}^2)$$

여기에 식 (a)를 대입하고 그림 C-10에서 $d^2 = d_1{}^2 + d_2{}^2$임을 감안하면

$$I_{po} = I_{pc} + Ad^2 \qquad\qquad (\text{C-12})$$

이 식은 극관성모멘트에 대한 평행축의 정리이며, 이는

평면의 임의점 O에 관한 면적의 극관성모멘트는 도심 C에 관한 극관성모멘트에다 그 면적과 OC 간의 거리의 제곱을 곱한 것을 더하면 된다.

극관성모멘트를 구하는 방법을 예시하기 위하여 그림 C-12와 같은 반지름이 r인 원을 들어 보자. 반지름 ρ, 두께 $d\rho$인 얇은 고리형의 면적요소 dA를 취하면, $dA = 2\pi\rho d\rho$이다. 이 요소상의 모든 점은 원의 중심 C로부터 같은 거리 ρ에 있기 때문에 C에 관한 요소의 극 관성모멘트는 $\rho^2 dA$ 또는 $2\pi\rho^3 d\rho$이다. 전체 원에 대한 극관성모멘트를 얻기 위하여 다음과 같이 적분한다.

$$I_p = \int \rho^2 dA = \int_0^r 2\pi\rho^3 d\rho = \frac{\pi r^4}{2} \qquad\qquad (\text{c})$$

원주상의 임의점 B에 관한 극관성모멘트는 평행축의 정리에 의하여 다음과 같이 얻어진다.

$$I_{pb} = I_{pc} + Ad^2 = \frac{\pi r^4}{2} + \pi r^2(r^2) = \frac{3\pi r^4}{2} \qquad\qquad (\text{d})$$

식 (C-11)을 이용하여 흔히 일어나는 지름축에 관한 원의 관성모멘트는 쉽게 구할 수 있으며 그림 C-12의 경우

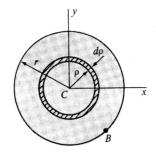

그림 C-12 원의 극관성모멘트

$$I_x = I_y = \frac{I_p}{2} = \frac{\pi r^4}{4} \tag{e}$$

원은 극관성모멘트가 적분에 의하여 쉽게 결정되는 분명히 특별한 경우이다. 그러나 공학에 취급되는 대부분의 형태가 이와 같이 되지는 못한다. 대신, 극관성모멘트는 일반적으로 두 직각축에 대한 관성모멘트의 합으로 얻는다[식 (C-11)]. 후자의 관성모멘트는 C.3 및 C.4절에서 언급한 방법으로 구해진다.

C.6 관성승적

평면도형의 관성승적은 도형이 있는 평면상에 놓인 직각축에 관하여 정의되며, 그림 C-1 의 면적 A를 참조하면 x, y축에 관한 **관성승적**은 다음과 같이 된다.

$$I_{xy} = \int xy\,dA \tag{C-13}$$

이 정의로부터 각 면적요소 dA는 자체 좌표의 적(積)과 곱해지고 있음을 알 수 있다. 따라서 관성승적은 면적에 관한 x, y축의 위치에 따라서 양, 음, 0이 될 수 있다. 만약, 전면적이 제1상한에 있다면(그림 C-1의 경우와 같이) 모든 요소 dA는 x, y가 양이므로 관성승적은 양이며, 제2상한에 있다면 음의 x좌표와 양의 y좌표가 되므로 관성승적은 부이고, 같은 방법으로 제3상한과 제4상한에서의 관성승적은 양과 음이 된다. 면적이 한 상한 이상에 걸쳐 있는 경우에는 각 상한에 있는 면적의 분포에 따라서 관성승적의 부호가 좌우된다.

축 중의 하나가 면적의 대칭축이 될 때는 특별한 경우가 생긴다. 예를 들어 y축에 대해 대칭인 그림 C-13의 면적의 경우, 모든 요소 dA는 x, y의 좌표를 가지나 이들은 y좌표는 같고 x좌표의 양, 음만 다른 대칭적인 쌍들로 묶어볼 수 있으며, 이렇게 하면 $xy\,dA$는 서로

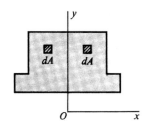

그림 C-13 한 축이 대칭축일 때, 관성승적은 0

상쇄되어 식 (C-13)의 적분은 없어진다. 그러므로

한 축을 대칭축으로 갖는 좌표축에 관한 면적의 관성승적은 0이다.

예를 들어 그림 C-7, C-8, C-9(a), C-9(b), C-12의 면적에 대한 관성승적 I_{xy}는 0이며, 반면에 그림 C-6, C-9(c), C-11의 면적은 0이 아닌 양의 관성승적값을 갖는다. 이 결론들은 도시된 특정 x, y축에 관해서 성립되며, 축이 다른 곳으로 움직이면 변한다.

면적의 관성승적은 서로 평행을 이루는 좌표축들에 의하여 평행축의 정리와 상관을 가지게 되며, 이는 극관성모멘트와 관성모멘트 사이의 상응관계와 유사하다. 이 정리를 얻기 위하여 그림 C-10의 면적을 들어 도심의 x_c, y_c축에 관한 관성승적을 I_{xcyc}라 하자. x_c, y_c축에 각각 평행한 축들에 관한 관성승적 I_{xy}는

$$I_{xy} = \int (x + d_2)(y + d_1) dA$$
$$= \int xy\,dA + d_1 \int x\,dA + d_2 \int y\,dA + d_1 d_2 \int dA$$

여기서 d_1, d_2는 x, y축에서의 도심 C의 좌표이다(d_1, d_2는 양 또는 음의 값). 가장 좌측의 식에서 첫 항의 적분은 도심축들에 관한 관성승적 I_{xcyc}이고, 두 번째와 세 번째 항의 적분은 도심축에 관한 1차 모멘트이므로 O이며, 끝의 적분은 면적 A이다. 그러므로 앞의 식은 다음과 같이 줄일 수 있다.

$$I_{xy} = I_{xcyc} + A d_1 d_2 \tag{C-14}$$

이 식이 관성승적에 대한 **평행축의 정리**이다. 즉

한 평면의 어떤 좌표축에 관한 관성승적은 이들과 서로 평행한 도심축에 관한 관성 승적에 면적과 도심좌표들을 곱한 값을 더한 것과 같다.

평행축의 정리를 이용하는 예시를 위하여 그림 C-14와 같이 한 정점을 원점으로 하는 x, y축에 관한 직사각형의 관성승적을 구해 보자. 도심의 축들인 x_c와 y_c에 관한 관성승적은 이 축들이 대칭축이므로 O이다. 또한 x, y좌표축에서의 도심의 좌표는

$$d_1 = \frac{h}{2} \quad d_2 = \frac{b}{2}$$

이며, 식 (C-14)에 대입하면 다음과 같다.

$$I_{xy} = I_{xcyc} + A d_1 d_2 = 0 + bh\left(\frac{h}{2}\right)\left(\frac{b}{2}\right) = \frac{b^2 h^2}{4} \tag{a}$$

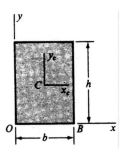

그림 C-14 관성승적에 대한 평행축의 정리

이 관성승적은 전면적이 제1상한에 있으므로 양이나, x, y축의 원점이 B점으로 수평이동
을 하면 전면적이 제2상한에 오게 되므로 관성승적은 $-b^2h^2/4$이 된다.

예제 ①

그림 C-15와 같이 90°의 정점을 원점으로 하는 직각삼각형의 x, y축에 관한 관성승적 I_{xy}를
구하고, 이와 평행한 도심축에 관한 관성승적 $I_{x_cy_c}$를 결정하라.

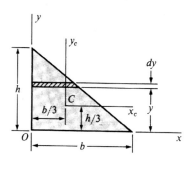

그림 C-15 예제 1.

풀이 면적의 요소 dA를 그림과 같이 높이 dy인 얇은 띠로 잡으면 그 폭은

$$\frac{(h-y)b}{h}$$

가 된다. 띠 자체의 도심을 지나고 x, y축에 평행한 좌표축에 관한 띠(사각형으로 간주됨)
의 관성승적은 0이다(대칭이므로). 그러므로 이의 x, y축에 관한 관성승적 dI_{xy}는 평행축
의 정리에 의하여

$$dI_{xy} = dAd_1d_2 = \left[\frac{(h-y)bdy}{h}\right][y]\left[\frac{(h-y)b}{2h}\right] = \frac{b^2}{2h^2}(h-y)^2ydy$$

삼각형의 관성승적 I_{xy}는 적분에 의해 구해진다.

$$I_{xy} = \int dI_{xy} = \frac{b^2}{2h^2} \int_0^h (h-y)^2 y\,dy = \frac{b^2 h^2}{24} \qquad \text{(b)}$$

평행한 도심축에 관한 관성승적은 이제 평행축의 정리로부터 결정할 수 있다. 즉

$$I_{xcyc} = I_{xy} - Ad_1 d_2 = \frac{b^2 h^2}{24} - \frac{bh}{2}\left(\frac{h}{3}\right)\left(\frac{b}{3}\right) = -\frac{b^2 h^2}{72} \qquad \text{(c)}$$

이 결과는 부록 D, 경우 6, 7에 실려 있다.

예제 2

그림 C-9(c)와 같은 Z단면의 관성승적 I_{xy}를 구하라.

풀이 단면을 3개의 직사각형으로 분할한다. 즉 폭 $b-b_1$, 높이 h인 web와 폭 b_1, 높이 $(h-h_1)/2$인 2개의 직사각형 플랜지로 한다. 직사각형 web의 관성승적은 (대칭으로 인하여)0이며, 상부플랜지의 관성승적 $(I_{xy})_1$은 평행축의 정리를 이용하여 다음과 같이 결정한다.

$$(I_{xy})_1 = I_{xcyc} + Ad_1 d_2 = 0 + b_1\left(\frac{h-h_1}{2}\right)\left(\frac{h+h_1}{4}\right)\left(\frac{b}{2}\right) = \frac{bb_1}{16}(h^2 - h_1{}^2)$$

하부플랜지의 관성승적도 이와 같으므로 전 Z단면의 관성승적은

$$I_{xy} = \frac{bb_1}{8}(h^2 - h_1{}^2) \qquad \text{(d)}$$

이 관성승적은 플랜지가 제1과 제3상한에 놓여 있으므로 양의 값이 된다.

C.7 축의 회전

평면도형의 관성모멘트는 기준축의 위치에 달려 있을 뿐만 아니라 원점에 관하여 축이 회전할 때 관성모멘트와 관성승적의 값은 변화한다. 그들이 변하는 방법, 최대 최소값의 크기에 대하여 이 절과 다음 절에서 논의하자.

그림 C-16의 평면도형에서 x, y축이 임의로 주어진 기준축이라 하면 x, y축에 관한 관성

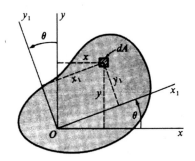

그림 C-16 축의 회전

모멘트와 관성승적은 다음과 같다.

$$I_x = \int y^2 dA \quad I_y = \int x^2 dA \quad I_{xy} = \int xy dA \tag{a}$$

여기서 x, y는 면적의 요소 dA의 좌표이다. x_1, y_1축은 원점을 기준으로 하여 반시계방향으로 θ의 각도만큼 회전시킨 축들이며, 이들에 관한 관성모멘트를 I_{x_1}, I_{y_1}, 관성승적을 $I_{x_1 y_1}$이라 하자. 이들의 양을 구하기 위해서 요소 dA의 새로운 좌표 x_1, y_1이 필요하며, 이는 x, y좌표와 각도 θ를 써서 다음과 같이 표현할 수 있다.

$$x_1 = x \cos \theta + y \sin \theta \quad y_1 = y \cos \theta - x \sin \theta \tag{b}$$

그러면 x_1축에 관한 관성모멘트는

$$I_{x1} = \int y_1{}^2 dA = \int (y \cos \theta - x \sin \theta)^2 dA$$
$$= \cos^2 \theta \int y^2 dA + \sin^2 \theta \int x^2 dA - 2 \sin \theta \cos \theta \int xy dA$$

또는 식 (a)를 써서

$$I_{x1} = I_x \cos^2 \theta + I_y \sin^2 \theta - 2I_{xy} \sin \theta \cos \theta \tag{c}$$

여기에 다음과 같은 삼각함수의 관계

$$\cos^2 \theta = \frac{1}{2}(1 + \cos 2\theta) \quad \sin^2 \theta = \frac{1}{2}(1 - \cos 2\theta)$$
$$2 \sin \theta \cos \theta = \sin 2\theta$$

를 도입하면 식 (c)는 다음과 같이 된다.

$$I_{x1} = \frac{I_x + I_y}{2} + \frac{I_x - I_y}{2} \cos 2\theta - I_{xy} \sin 2\theta \qquad \text{(C-15a)}$$

이와 유사한 방법으로 x_1, y_1축에 관한 관성승적을 구할 수 있다.

$$I_{x1y1} = \int x_1 y_1 dA = \int (x \cos \theta + y \sin \theta)(y \cos \theta - x \sin \theta) dA$$
$$= (I_x - I_y) \sin \theta \cos \theta + I_{xy}(\cos^2 \theta - \sin^2 \theta)$$

다시 삼각함수의 관계를 적용하면

$$I_{x1y1} = \frac{I_x - I_y}{2} \sin 2\theta + I_{xy} \cos 2\theta \qquad \text{(C-15b)}$$

그러므로 식 (C-15)들은 원래의 축에 관한 관성모멘트와 관성승적의 항으로 회전한 축에 관한 관성모멘트 I_{x1}과 관성승적 I_{x1y1}을 준다. 이러한 식들을 **관성모멘트와 관성승적에 대한 변환식**이라고 부른다. 또 이에는 평면응력에 대한 변환식[6.2절의 식 (6-4)]과 같은 형태, 즉 σ_{x_1}에 대응하는 I_{x1}, τ_{x1y1}에 대응하는 I_{x1y1}, σ_x에 대응하는 I_x, σ_y에 대응하는 I_y, τ_{xy}에 대응하는 $-I_{xy}$를 갖는다는 것에 유의하자. 그러므로 Mohr의 원(6.4절 참조)을 이용하여 관성모멘트와 관성승적을 해석할 수도 있다.

관성모멘트 I_{y1}도 I_{x1}과 I_{x1y1}을 얻을 때 사용한 같은 방법으로써 얻어질 수 있다. 이는

$$I_{y1} = \int x_1^2 dA = \int (x \cos \theta + y \sin \theta)^2 dA$$
$$= I_x \sin^2 \theta + I_y \cos^2 \theta + 2I_{xy} \sin \theta \cos \theta$$

삼각함수의 관계를 도입하여 치환하면

$$I_{y_1} = \frac{I_x + I_y}{2} - \frac{I_x - I_y}{2} \cos 2\theta + I_{xy} \sin 2\theta \qquad \text{(C-16)}$$

I_{x1}과 I_{y1}을 합하면 다음과 같은 관계를 얻는다.

$$I_{x1} + I_{y1} = I_x + I_y \qquad \text{(C-17)}$$

이 식은 좌표축인 한 쌍의 축에 관한 관성모멘트의 합이 원점주위를 회전하여도 일정하다는 사실을 입증하고 있다.

C.8 관성주축

면적의 관성모멘트와 관성승적의 변환식을 앞절에서 유도하였다[식 (C-15) 참조]. 이 식들은 회전각 θ가 변화함에 따라 어떻게 관성의 양이 변하는가를 보여 준다. 특히 관성모멘트의 최대, 최소값에 대해 관심을 모으게 되며 이 값을 **주관성모멘트**라고 하고 대응하는 축을 **관성주축**이라고 한다.

관성모멘트 I_{x1}의 최대 또는 최소값을 만드는 각도를 구하기 위하여 식 (C-15a)의 우변을 θ에 관하여 미분하고 0으로 놓으면

$$(I_x - I_y)\sin 2\theta + 2I_{xy}\cos 2\theta = 0 \tag{a}$$

이를 θ에 대하여 풀면

$$\tan 2\theta_p = -\frac{2I_{xy}}{I_x - I_y} \tag{C-18}$$

여기서 θ_p는 관성주축을 정의하는 각이다. 같은 결과는 I_{y1}[식 (C-16)]의 미분에서도 얻어진다. 0에서 360°까지의 범위에서 각도 $2\theta_p$의 2개의 값은 식 (C-18)에서 얻어지며, 180°의 각도차를 이룬다. 따라서 θ_p의 값은 90°의 차가 있으므로, 두 개의 직교축을 지칭하는 것이 되고, 이 중의 하나가 최대 관성모멘트이고 다른 하나가 최소 관성모멘트가 된다.

θ의 변화에 따르는 관성승적 I_{x1y1}의 변화[식 (C-15b)]는, $\theta = 0$일 때 예상한대로 $I_{x1y1} = I_{xy}$이고, $\theta = 90°$이면 $I_{x1y1} = -I_{xy}$를 얻는다. 이는 90°를 회전하는 사이에 부호가 바뀌므로 어떤 위치에서는 관성승적의 값이 0이 됨을 의미한다. 이 위치를 결정하기 위하여 I_{x1y1}[식 (C-15b)]을 0으로 놓으면

$$(I_x - I_y)\sin 2\theta + 2I_{xy}\cos 2\theta = 0$$

이는 식 (a)와 같으므로 θ는 주축의 각도 θ_p로 정의된다. 그러므로

주축에 대한 관성승적은 0이다.

라고 결론지워진다.

C.6절에서 임의의 좌표축 중의 어느 한 축이 대칭축이면 이들 축에 관한 면적의 관성승적은 0임을 보였다. 이는 면적이 대칭축을 가지면 그 축과 이에 수직인 축이 한 쌍의 주축을 형성함을 말한다.

앞의 관찰을 요약하면 다음과 같다.

(1) 원점 0을 지나는 주축들은 관성모멘트가 최대와 최소가 되는 한 쌍의 직교축이다.

(2) 주축의 위치는 식 (C-18)로부터 각도 θ_p로 주어진다.

(3) 주축에 대한 관성승적은 0이다.

(4) 대칭축은 항상 주축이다.

지금 주어진 점 O를 지나는 한 쌍의 주축을 생각하자. 만약 같은 점을 지나는 다른 한 쌍의 주축이 있다면 그 점을 지나는 모든 쌍의 축들은 주축들의 조를 이루게 되며, 더더욱 관성모멘트는 각도 θ가 변화하여도 일정하다. 이 사실들은 I_{x1}에 대한 변환식[식 (C-15a)]의 특성에 따른다. 그 이유는, 이 식이 각도 2θ의 삼각함수를 포함하고 있으므로 2θ가 360° 범위에서 변하거나 또는 θ가 180°의 범위에서 변화할 때, I_{x1}에는 한 개의 최대값과 최소값만 있기 때문이다. 만약 두 개의 최대값이 존재한다면 이는 I_{x1}이 정수일 때에만 가능한 일이며, 그것이 사실이라면 모든 쌍의 축들은 전부가 주축이고 모든 관성모멘트는 같다는 것을 의미한다.

이러한 상태의 예로 그림 C-17의 폭 $2b$, 높이 b인 직사각형을 들어보자. x, y축은 O점을 원점으로 하며 y축에 대칭이므로 직사각형의 주축들이다. 같은 원점의 x', y'축은 관성승적 $I_{x'y'}$이 0이므로(이유는 삼각형은 축들에 관하여 대칭적인 위치에 놓여 있으므로), 이 또한 주축들이다. 그러므로 O를 지나는 모든 쌍의 축들은 주축들의 조이며, 모든 관성모멘트는 같다($= 2b^4/3$).

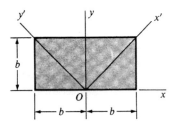

그림 C-17 O점을 지나는 모든 축이 주축인 예

앞의 두 항에서 설명된 서술의 유용한 결과는 면적의 도심 C를 지나는 축에 적용된다. 서로 다른 두 쌍의 축이 면적의 도심을 지나고 각 쌍의 도심축 중 적어도 한 쪽이 대칭축이라면 이 도심축들은 모두 주축이고 관성모멘트도 같은 값이다. 정사각형과 등변삼각형의 두 예가 그림 C-18에 표시되고 있으며, 각 경우에는 x, y축 중 적어도 하나가 대칭축이 되어 있으므로 x, y축은 주축들이다. 또 다른 한 쌍의 축(x', y'축)들도 최소 하나의 대칭축을 가

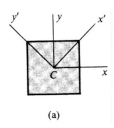
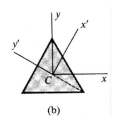

(a)   (b)

그림 C-18   모든 도심축이 주축인 면적: (a) 정사각형 (b) 등변삼각형

지고 있다. 그러므로 x, y축들과 x', y'축들 모두가 주축들이고 따라서 C를 지나는 모든 축은 주축이고 같은 관성모멘트를 갖게 된다.

만약 면적이 세 개의 다른 대칭축을 가지면 전항에 언급한 조건들은 자동적으로 충족된다 (조건은 단지 축들이 직각이 아니고 두 개의 서로 다른 대칭축이면 만족된다). 그러므로 면적이 세 개 또는 그 이상의 대칭축을 가진다면 모든 도심축들은 주축이며 관성모멘트는 모두 같다고 결론지을 수 있다. 이 조건들은 원과 정다각형(등변삼각형, 정사각형, 정오각형, 정육각형 등)에 대하여 충족된다.

I_x, I_y 및 I_{xy}를 알고 있을 경우의 주관성모멘트를 구하는 방법을 논의하자. 그 한 방법은 식 (C-18)로부터 θ_p의 두 개의 값(90°마다 다른)을 결정하고, I_{x1}을 구하기 위하여 이를 식 (C-15a)에 대입하면 I_1과 I_2로 쓰이는 두 개의 주관성모멘트를 얻는다. 이 방법의 장점은 두 주각도 θ_p에서 어느 것이 각기의 주관성모멘트와 대응하는가를 알 수 있는 것이다.

주관성모멘트에 대한 일반적인 공식을 얻는 것도 가능하다. 식 (C-18)과 그림 C-19로부터

$$\cos 2\theta_p = \frac{I_x - I_y}{2R} \quad \sin 2\theta_p = \frac{-I_{xy}}{R} \tag{C-19a, b}$$

여기서

$$R = \sqrt{\left(\frac{I_x - I_y}{2}\right)^2 + I_{xy}{}^2} \tag{C-20}$$

R을 계산할 때에는 항상 양의 제곱근을 취한다. 이제 $\cos 2\theta_p$와 $\sin 2\theta_p$를 식 (C-15a)에 대입하여 I_1으로 표현되는 수적으로 큰 주관성모멘트를 얻는다.

$$I_1 = \frac{I_x + I_y}{2} + \sqrt{\left(\frac{I_x - I_y}{2}\right)^2 + I_{xy}{}^2} \tag{C-21a}$$

I_2로 표시되는 수적으로 작은 주관성모멘트는 다음 식[식 (C-17) 참조]으로 얻을 수 있으며

$$I_1 + I_2 = I_x + I_y$$

이는 I_1을 위의 식에 대입하여 I_2에 대해 풀면 된다. 즉

$$I_2 = \frac{I_x + I_y}{2} \sqrt{\left(\frac{I_x - I_y}{2}\right)^2 + I_{xy}{}^2} \tag{C-21b}$$

식 (C-21)들은 주관성모멘트를 계산하는데 편리한 방법이다.

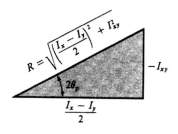

그림 C-19

예제 ①

그림 C-20의 Z단면에 대한 주 도심축의 위치와 주 도심관성모멘트의 크기를 구하라. 다음의 data를 이용하라. $h = 16\,\text{in}$, $b = 7\,\text{in}$, $t = 1.1\,\text{in}$

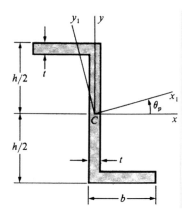

그림 C-20 예제. Z단면의 주축

풀이 그림 C-20의 도심 C를 지나는 기준축인 x, y축을 이용하면 이들 축에 관한 관성모멘트와 관성승적은 면적을 3개의 직사각형으로 분할하고 평행축의 정리로 얻을 수 있다. 이 계산의 결과는 다음과 같다.

$$I_x = 1097 \text{ in}^4 \quad I_y = 198.4 \text{ in}^4 \quad I_{xy} = -338.5 \text{ in}^4$$

이 값들을 각도 θ_p의 식 (C-18)에 대입하면

$$\tan 2\theta_p = -\frac{2I_{xy}}{I_x - I_y} = 0.7534 \quad 2\theta_p = 37.0° \text{ 및 } 217.0°$$

그러므로 θ_p의 두 값은 다음과 같다.

$$\theta p = 18.5° \text{ 및 } 108.5°$$

I_{x1}에 대한 변환식 (C-15a)에 θ_p들을 넣으면 $I_{x1} = 1210 \text{ in}^4$와 85 in^4를 얻게 되며, 이와 같은 결과는 식 (C-21)을 이용하여서도 얻을 수 있다. 따라서 주관성모멘트와 이에 대응하는 각들은 다음과 같이 된다.

$$I_1 = 1210 \text{ in}^4 \quad \theta_{p1} = 18.5°$$
$$I_2 = 85 \text{ in}^4 \quad \theta_{p2} = 108.5°$$

이 주축인 x_1, y_1을 그림 C-20에 도시하였다.

문제

이 문제는 부록 C.1절에 관한 것이며, 적분에 의하여 해가 얻어진다.

C.1-1. 부록 D, 경우 6의 직각삼각형은 밑변이 b, 높이가 h이다. 도심 C의 거리 $\bar{x}, \bar{y}$를 구하라.

C.1-2. 부록 D, 경우 8의 사다리꼴은 위, 아랫변의 길이가 a, b이고 높이가 h이다. 도심 C의 거리 $\bar{y}$를 구하라.

C.1-3. 부록 D, 경우 11의 반원은 반지름이 r이다. 도심 C의 거리 $\bar{y}$를 구하라.

C.1-4. 부록 D, 경우 19의 포물선 의(擬)삼각형은 밑변이 b이고 높이가 h이다. 도심 C의 거리 $\bar{x}, \bar{y}$를 구하라.

C.1-5. 부록 D, 경우 20의 n차 반 세그멘트는 밑변이 b, 높이가 h이다. 도심 C의 거리 $\bar{x}, \bar{y}$를 구하라.

이 문제는 C.2절에 관한 것이며, 합성면적의 식을 써서 풀 수 있다.

C.2-1. 부록 D, 경우 8의 사다리꼴은 위, 아랫변의 길이가 a, b이고 높이가 h이다. 사다리꼴을 2개의 삼각형으로 나누는 방법으로 사다리꼴의 도심 C의 거리 $\bar{y}$를 구하라.

C.2-2. 그림의 [형강 단면의 치수는 $a = 6\,\text{in}, b = 1\,\text{in}, c = 2\,\text{in}$이다. 도심 C의 거리 $\bar{y}$를 구하라.

C.2-3. 그림의 [형강에서 도심 C의 위치가 직선 BB선상에 있으려면, 치수 a, b, c 사이의 관계는 어떠한가?

C.2-4. 그림에서 한 변의 길이가 a인 정사각형의 $\dfrac{1}{4}$을 절취한 나머지 면적의 도심 C의 $\bar{x}, \bar{y}$를 구하라.

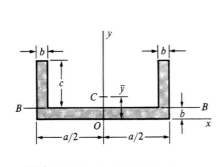

문제 C.2-2, C. 2-3. C.4-2

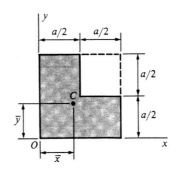

문제 C.2-4, C.4-4

C.2-5. 그림과 같은 면적의 도심 C의 거리 $\bar{y}$를 구하라.

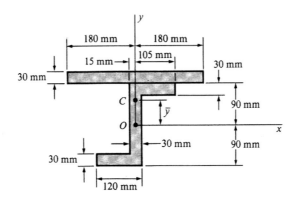

문제 C.2-5, C.4-5, C.6-5

C.2-6. 그림과 같은 L형강 단면의 도심 C의 좌표 $\bar{x}, \bar{y}$를 구하라.

C.2-7. 그림과 같은 단면의 도심 C의 좌표 $\bar{x}, \bar{y}$를 구하라.

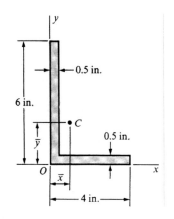
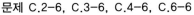

문제 C.2-6, C.3-6, C.4-6, C.6-6

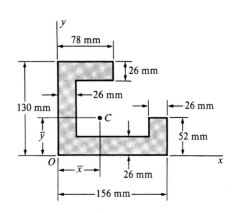

문제 C.2-7, C.4-7, C.6-7

문제 C.3-1 ~ C.3-4는 적분에 의하여 해가 얻어진다.

C.3-1. 부록 D, 경우 4의 삼각형은 밑변이 b, 높이가 h이다. 밑변에 관한 관성모멘트 I_x를 구하라.

C.3-2. 부록 D, 경우 8의 사다리꼴의 위, 아랫변의 길이는 a, b이고 높이는 h이다. 밑변 b에 관한 사다리꼴의 관성모멘트 I_{BB}를 구하라.

C.3-3. 부록 D, 경우 19의 포물선 의삼각형은 밑변이 b, 높이가 h이다. 밑변에 관한 관성모멘트 I_x를 구하라.

C.3-4. 부록 D, 경우 9의 반지름 r인 원의 지름에 관한 관성모멘트를 구하라.

문제 C.3-5 ~ C.3-8은 성질을 알고 있는 면적의 합성으로써 해를 얻을 수 있다.

C.3-5. 각 변의 길이가 a, b인 직사각형의 대각선에 관한 관성모멘트 I를 구하라.

C.3-6. 문제 C.2-6의 그림과 같은 L형강 면적의 x, y축에 관한 관성모멘트 I_x, I_y를 구하라.

C.3-7. 그림과 같은 반지름 150 mm의 반원에서 50 mm×100 mm의 직사각형을 도려 냈다. x, y축에 관한 관성모멘트 I_x, I_y를 구하라.

C.3-8. 부록 E, 표 E-1에 주어진 $W16 \times 100$의 단면치수를 이용하여 이의 관성모멘트 I_1, I_2를 구하라. (fillets 단면적은 무시한다.)

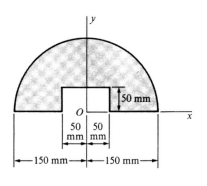

문제 C.3-7.

C.4절의 문제는 평행축의 정리를 이용함으로써 해를 얻을 수 있다.

C.4-1. $W12 \times 50$의 단면의 밑변에 관한 관성모멘트 I_b를 구하라.

C.4-2. 문제 C.2-2에서 다룬 〔형강에 관한 관성모멘트 I_x, I_y를 구하라.

C.4-3. $L4 \times 4 \times \frac{1}{2}$인 L형강의 leg의 외측변에 연하는 축에 관한 관성모멘트 b를 구하라. (부록 E, 표 E-4의 data를 쓰라.)

C.4-4. 문제 C.2-5와 같은 그림에서 한 변에 평행하고 도심 C를 지나는 축에 관한 관성모멘트 I_c 를 구하라.

C.4-5. 문제 C.2-5와 같은 그림의 합성단면에서 x축에 평행하고 도심을 지나는 축에 관한 관성모 멘트 I_c를 구하라.

C.4-6. 문제 C.2-6과 같은 그림의 L형강에서 x, y축에 평행하고 도심을 지나는 축들에 관한 도심 축의 관성모멘트 I_{xc}, I_{yc}를 구하라.

C.4-7. 문제 C.2-7에 보인 면적에 관한 관성모멘트 I_x, I_y를 구하라.

C.4-8. 그림과 같은 삼각형의 1-1축에 관한 관성모멘트는 $90 \times 10^3 \, \text{mm}^4$이다.

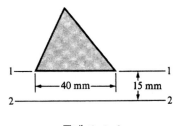

문제 C.4-8

2-2축에 관한 관성모멘트 I_2를 구하라.

C.5-1. 밑변이 b, 높이 h인 이등변삼각형의 정점에 관한 극관성모멘트를 구하라.

C.5-2. $W8 \times 21$ 단면의 가장 먼 모서리 중의 하나에 관한 극관성모멘트를 구하라.

C.5-3. 부록 D, 경우 13과 같은 사분원 의삼각형의 도심에 관한 극관성모멘트 I_{pc}를 구하라.

C.5-4. 부록 D, 경우 14와 같은 선형면적의 도심 C에 관한 극관성모멘트 I_{pc}를 구하라.

C.6-1. 그림 C-11과 같은 포물선 Semisegment OAB의 도심축에 관한 관성승적 I_{xcyc}를 구하라.

C.6-2. 그림과 같은 반원과 삼각형의 복합원형의 관성승적 I_{xy}를 0으로 만들기 위한 반지름 r과 변 b와의 관계를 구하라.

C.6-3. 그림과 같은 등변 L형단면의 관성승적 I_{xy}에 관한 식을 구하라.

C.6-4. 부록 D, 경우 13의 사분원 의삼각형의 관성승적 I_{xy}를 결정하라.

C.6-5. 문제 C.2-5의 그림과 같은 면적에 관한 관성승적 I_{xy}를 구하라.

C.6-6. 문제 C.2-6의 L형강 단면에 관한 관성승적 I_{xy}를 구하라.

C.6-7. 문제 C.2-7의 그림과 같은 면적의 관성승적 I_{xy}를 구하라.

C.6-8. 부록 E, 표 E-4의 $L6 \times 6 \times 1\,\text{in}$ L형강 단면의 도심축 1-1, 2-2에 관한 관성승적 I_{12}를 구하라(fillet의 단면적은 무시한다).

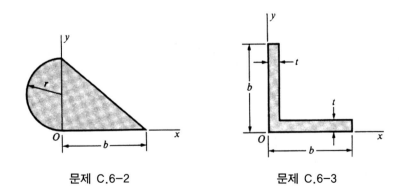

문제 C.6-2   문제 C.6-3

C.7의 문제들은 관성모멘트와 관성승적의 변환공식을 이용함으로써 해를 얻을 수 있다.

C.7-1. 그림과 같은 정방형에 대한 관성모멘트 I_{x1}, I_{y1}과 관성승적 I_{x1y1}을 구하라. 여기서 x_1, y_1은 도심축 x, y를 도심 C를 중심으로 θ만큼 회전한 축이다.

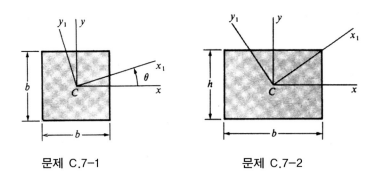

문제 C.7-1　　　　　　　　문제 C.7-2

C.7-2. 그림과 같은 직사각형의 x_1, y_1축에 관한 관성모멘트와 관성승적을 구하라. 여기서 x_1축은 직사각형의 대각선을 지난다.

C.7-3. 그림과 같은 L형 단면의 관성모멘트 I_{x1}과 관성승적 I_{x1y1}을 구하라. 여기서 $a = 150\,\mathrm{mm}$, $b = 100\,\mathrm{mm}, t = 15\,\mathrm{mm}, \theta = 30°$라 가정한다.

C.8-1. 그림 C-15의 직각삼각형에서 $b = 60\,\mathrm{mm}, h = 80\,\mathrm{mm}$인 때, 원점 O를 지나는 주축의 방향을 결정하고, 주관성모멘트 I_1, I_2를 구하라.

C.8-2. 그림 C-20의 Z단면에서 $h = 10\,\mathrm{in}, b = 5\,\mathrm{in}, t = 1\,\mathrm{in}$인 때, 이 단면의 도심주축의 방향과 주관성모멘트의 크기 I_1, I_2를 구하라.

C.8-3. $h = 200\,\mathrm{mm}, b = 130\,\mathrm{mm}, t = 20\,\mathrm{mm}$인 경우의 위의 문제를 풀어라.

C.8-4. 그림과 같은 L형 단면이 $a = 6\,\mathrm{in}, b = 4\,\mathrm{in}, t = 1\,\mathrm{in}$인 때, 원점 O를 지나는 주축의 방향과 주관성모멘트 값 I_1, I_2를 구하라.

C.8-5. $a = 140\,\mathrm{mm}, b = 120\,\mathrm{mm}, t = 20\,\mathrm{mm}$인 경우 위의 문제를 풀어라.

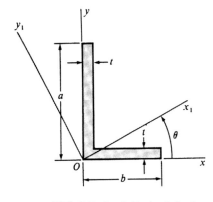

문제 C.7-3, C.8-4, C.8-5

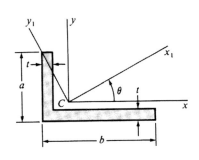

문제 C.8-6, C.8-7

C.8-6. 그림과 같은 L형 단면에서 $a = 4\,\text{in}, b = 6\,\text{in}, t = 1\,\text{in}$인 때, 도심 주축의 방향과 도심 주관성모멘트 I_1, I_2를 구하라.

C.8-7. $a = 50\,\text{mm}, b = 100\,\text{mm}, t = 10\,\text{mm}$인 경우의 위의 문제를 풀어라.

부록 D | 평면도형의 성질

기호: A = 면적

$\overline{x}, \overline{y}$ = 도심 C까지의 거리

I_x, I_y = x, y축에 관한 관성모멘트

I_{xy} = x, y축에 관한 관성승적

$I_p = I_x + I_y$ = 극관성모멘트

$I_{BB} = B - B$축에 관한 관성모멘트

1

직사각형(도심이 축원점)

$$A = bh \qquad \overline{x} = \frac{b}{2} \qquad \overline{y} = \frac{h}{2}$$

$$I_x = \frac{bh^3}{12} \qquad I_y = \frac{hb^3}{12}$$

$$I_{xy} = 0 \qquad I_p = \frac{bh}{12}(h^2 + b^2)$$

2

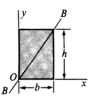

직사각형(모서리가 축원점)

$$I_x = \frac{bh^3}{3} \qquad I_y = \frac{hb^3}{3}$$

$$I_{xy} = \frac{b^2 h^2}{4} \qquad I_p = \frac{bh}{3}(h^2 + b^2) \qquad I_{BB} = \frac{b^3 h^3}{6(b^2 + h^2)}$$

3

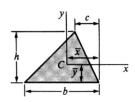

삼각형(도심이 축원점)

$$A = \frac{bh}{2} \qquad \overline{x} = \frac{b+c}{3} \qquad \overline{y} = \frac{h}{3}$$

$$I_x = \frac{bh^3}{36} \qquad I_y = \frac{bh}{36}(b^2 - bc + c^2)$$

$$I_{xy} = \frac{bh^2}{72}(b - 2c) \qquad I_p = \frac{bh}{36}(h^2 + b^2 - bc + c^2)$$

4

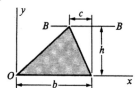

삼각형(정점이 축원점)

$$I_x = \frac{bh^3}{12} \qquad I_y = \frac{bh}{12}(3b^2 - 3bc + c^2)$$

$$I_{xy} = \frac{bh^2}{24}(3b - 2c) \qquad I_{BB} = \frac{bh^3}{4}$$

5

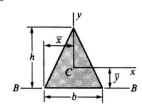

정삼각형(도심이 축원점)

$$A = \frac{bh}{2} \qquad \bar{x} = \frac{b}{2} \qquad \bar{y} = \frac{h}{3}$$

$$I_x = \frac{bh^3}{36} \qquad I_y = \frac{hb^3}{48} \qquad I_{xy} = 0$$

$$I_p = \frac{bh}{144}(4h^2 + 3b^2) \qquad I_{BB} = \frac{bh^3}{12}$$

(주: $h = \sqrt{3}\,b/2$)

6

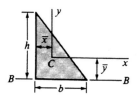

직각삼각형(도심이 축원점)

$$A = \frac{bh}{2} \qquad \bar{x} = \frac{b}{3} \qquad \bar{y} = \frac{h}{3}$$

$$I_x = \frac{bh^3}{36} \qquad I_y = \frac{hb^3}{36} \qquad I_{xy} = -\frac{b^2h^2}{72}$$

$$I_p = \frac{bh}{36}(h^2 + b^2) \qquad I_{BB} = \frac{bh^3}{12}$$

7

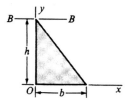

직각삼각형(정점이 축원점)

$$I_x = \frac{bh^3}{12} \qquad I_y = \frac{hb^3}{12} \qquad I_{xy} = \frac{b^2h^2}{24}$$

$$I_p = \frac{bh}{12}(h^2 + b^2) \qquad I_{BB} = \frac{bh^3}{4}$$

8

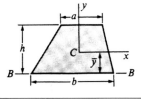

사다리꼴형(도심이 축원점)

$$A = \frac{h(a+b)}{2} \qquad \bar{y} = \frac{h(2a+b)}{3(a+b)}$$

$$I_x = \frac{h^3(a^2 + 4ab + b^2)}{36(a+b)} \qquad I_{BB} = \frac{h^3(3a+b)}{12}$$

9

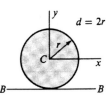

원(중심이 축원점)

$$A = \pi r^2 = \frac{\pi d^2}{4} \qquad I_x = I_y = \frac{\pi r^4}{4} = \frac{\pi d^4}{64}$$

$$I_{xy} = 0 \qquad I_p = \frac{\pi r^4}{2} = \frac{\pi d^4}{32} \qquad I_{BB} = \frac{5\pi r^4}{4} = \frac{5\pi d^4}{64}$$

10

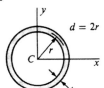

원환(圓環; 중심이 축원점)

t가 적을 때의 근사공식

$$A = 2\pi rt = \pi dt \qquad I_x = I_y = \pi r^3 t = \frac{\pi d^3 t}{8}$$

$$I_{xy} = 0 \qquad I_p = 2\pi r^3 t = \frac{\pi d^3 t}{4}$$

11

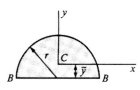

반원(도심이 축원점)

$$A = \frac{\pi r^2}{2} \qquad \bar{y} = \frac{4r}{3\pi}$$

$$I_x = \frac{(9\pi^2 - 64)r^4}{72\pi} \approx 0.1098r^4 \qquad I_y = \frac{\pi r^4}{8}$$

$$I_{xy} = 0 \qquad I_{BB} = \frac{\pi r^4}{8}$$

12

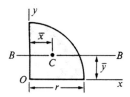

사분원(원중심이 축원점)

$$A = \frac{\pi r^2}{4} \qquad \bar{x} = \bar{y} = \frac{4r}{3\pi}$$

$$I_x = I_y = \frac{\pi r^4}{16} \qquad I_{xy} = \frac{r^4}{8}$$

$$I_{BB} = \frac{(9\pi^2 - 64)r^4}{144\pi} \approx 0.05488r^4$$

13

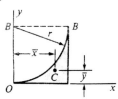

사분원형 의삼각형(정점이 축원점)

$$A = \left(1 - \frac{\pi}{4}\right)r^2$$

$$\bar{x} = \frac{2r}{3(4-\pi)} \approx 0.7766r \qquad \bar{y} = \frac{(10-3\pi)r}{3(4-\pi)} \approx 0.2234r$$

$$I_x = \left(1 - \frac{5\pi}{16}\right)r^4 \approx 0.01825r^4 \qquad I_y = I_{BB} = \left(\frac{1}{3} - \frac{\pi}{16}\right)r^4 \approx 0.1370r^4$$

14

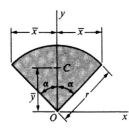

부채꼴형(원 중심이 축원점)

$$\alpha = \text{angle in radians} \quad \left(\alpha \leq \frac{\pi}{2}\right)$$

$$A = \alpha r^2 \qquad \bar{x} = r\sin\alpha \qquad \bar{y} = \frac{2r\sin\alpha}{3\alpha}$$

$$I_x = \frac{r^4}{4}(\alpha + \sin\alpha\cos\alpha) \qquad I_y = \frac{r^4}{4}(\alpha - \sin\alpha\cos\alpha)$$

$$I_{xy} = 0 \qquad I_p = \frac{\alpha r^4}{2}$$

15

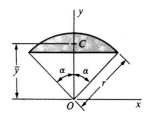

활꼴형(원의 중심이 축원점)

$$\alpha = \text{angle in radians} \quad \left(\alpha \leq \frac{\pi}{2}\right)$$

$$A = r^2(\alpha - \sin\alpha\cos\alpha) \qquad \bar{y} = \frac{2r}{3}\left(\frac{\sin^3\alpha}{\alpha - \sin\alpha\cos\alpha}\right)$$

$$I_x = \frac{r^4}{4}(\alpha - \sin\alpha\cos\alpha + 2\sin^3\alpha\cos\alpha) \qquad I_{xy} = 0$$

$$I_y = \frac{r^4}{12}(3\alpha - 3\sin\alpha\cos\alpha - 2\sin^3\alpha\cos\alpha)$$

16

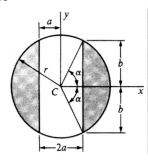

핵이 제거된 원(원의 중심이 축원점)

α =angle in radians $\left(\alpha \leq \dfrac{\pi}{2}\right)$

$\alpha = \arccos\dfrac{a}{r}$ $b = \sqrt{r^2 - a^2}$

$A = 2r^2\left(\alpha - \dfrac{ab}{r^2}\right)$ $I_{xy} = 0$

$I_x = \dfrac{r^4}{6}\left(3\alpha - \dfrac{3ab}{r^2} - \dfrac{2ab^3}{r^4}\right)$ $I_y = \dfrac{r^4}{2}\left(\alpha - \dfrac{ab}{r^2} + \dfrac{2ab^3}{r^4}\right)$

17

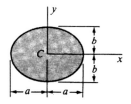

타원(중심이 축원점)

$A = \pi ab$ $I_x = \dfrac{\pi ab^3}{4}$ $I_y = \dfrac{\pi ba^3}{4}$

$I_{xy} = 0$ $I_p = \dfrac{\pi ab}{4}(b^2 + a^2)$

Circumference $\approx \pi\left[1.5(a+b) - \sqrt{ab}\,\right]$

18

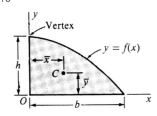

포물선(모서리가 축원점)

$y = f(x) = h\left(1 - \dfrac{x^2}{b^2}\right)$

$A = \dfrac{2bh}{3}$ $\bar{x} = \dfrac{3b}{8}$ $\bar{y} = \dfrac{2h}{5}$

$I_x = \dfrac{16bh^3}{105}$ $I_y = \dfrac{2hb^3}{15}$ $I_{xy} = \dfrac{b^2h^2}{12}$

19

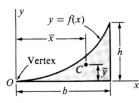

포물선형 의삼각형(정점이 축원점)

$y = f(x) = \dfrac{hx^2}{b^2}$

$A = \dfrac{bh}{3}$ $\bar{x} = \dfrac{3b}{4}$ $\bar{y} = \dfrac{3h}{10}$

$I_x = \dfrac{bh^3}{21}$ $I_y = \dfrac{hb^3}{5}$ $I_{xy} = \dfrac{b^2h^2}{12}$

20

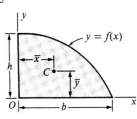

n차 반활꼴형(모서리가 축원점)

$y = f(x) = h\left(1 - \dfrac{x^n}{b^n}\right)$ $n > 0$

$A = bh\left(\dfrac{n}{n+1}\right)$ $\bar{x} = \dfrac{b(n+1)}{2(n+2)}$ $\bar{y} = \dfrac{hn}{2n+1}$

$I_x = \dfrac{2bh^3n^3}{(n+1)(2n+1)(3n+1)}$

$I_y = \dfrac{hb^3n}{3(n+3)}$ $I_{xy} = \dfrac{b^2h^2n^2}{4(n+1)(n+2)}$

21

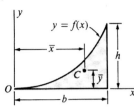

n차 의삼각형(정점이 축원점)

$$y = f(x) = \frac{hx^n}{b^n} \qquad n > 0$$

$$A = \frac{bh}{n+1} \qquad \overline{x} = \frac{b(n+1)}{n+2} \qquad \overline{y} = \frac{h(n+1)}{2(2n+1)}$$

$$I_x = \frac{bh^3}{3(3n+1)} \qquad I_y = \frac{hb^3}{n+3} \qquad I_{xy} = \frac{b^2 n^2}{4(n+1)}$$

22

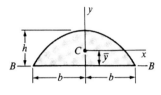

Sine 곡선(도심이 축원점)

$$A = \frac{4bh}{\pi} \qquad \overline{y} = \frac{\pi h}{8}$$

$$I_x = \left(\frac{8}{9\pi} - \frac{\pi}{16} \right) bh^3 \approx 0.08659 bh^3 \qquad I_y = \left(\frac{4}{\pi} - \frac{32}{\pi^3} \right) hb^3 \approx 0.2412 hb^3$$

$$I_{xy} = 0 \qquad I_{BB} = \frac{8bh^3}{9\pi}$$

구조용 형강의 단면성질

본서 내의 문제 해답에 있어 독자에게 도움이 되도록 구조용강재의 단면성질을 다음 표에 초록하였다.

이 표는 1980 미국의 강구조협회에서 발간된 강구조편람(8판)의 많은 자료에서 초록한 것이다.

표에서 사용된 기호

$I = $ 관성모멘트

$S = $ 단면계수

$r = \sqrt{\dfrac{I}{A}} = $ 회전반지름

표 E-1 (W형) WF형 단면의 성질(초록)

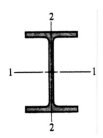

호칭기호	척당 무게	면적	깊이	웨브 두께	프렌지 폭	프렌지 두께	축 1-1 I	축 1-1 S	축 1-1 r	축 2-2 I	축 2-2 S	축 2-2 r
	lb	in.^{2}	in.	in.	in.	in.	in.^{4}	in.^{3}	in.	in.^{4}	in.^{3}	in.
W30×211	211	62.0	30.94	0.775	15.105	1.315	10300	663	12.9	757	100	3.49
W30×132	132	38.9	30.31	0.615	10.545	1.000	5770	380	12.2	196	37.2	2.25
W24×162	162	47.7	25.00	0.705	12.955	1.220	5170	414	10.4	443	68.4	3.05
W24×94	94	27.7	24.31	0.515	9.065	0.875	2700	222	9.87	109	24.0	1.98
W18×119	119	35.1	18.97	0.655	11.265	1.060	2190	231	7.90	253	44.9	2.69
W18×71	71	20.8	18.47	0.495	7.635	0.810	1170	127	7.50	60.3	15.8	1.70
W16×100	100	29.4	16.97	0.585	10.425	0.985	1490	175	7.10	186	35.7	2.51
W16×77	77	22.6	16.52	0.455	10.295	0.760	1110	134	7.00	138	26.9	2.47
W16×57	57	16.8	16.43	0.430	7.120	0.715	758	92.2	6.72	43.1	12.1	1.60
W16×31	31	9.12	15.88	0.275	5.525	0.440	375	47.2	6.41	12.4	4.49	1.17
W14×120	120	35.3	14.48	0.590	14.670	0.940	1380	190	6.24	495	67.5	3.74
W14×82	82	24.1	14.31	0.510	10.130	0.855	882	123	6.05	148	29.3	2.48
W14×53	53	15.6	13.92	0.370	8.060	0.660	541	77.8	5.89	57.7	14.3	1.92
W14×26	26	7.69	13.91	0.255	5.025	0.420	245	35.3	5.65	8.91	3.54	1.08
W12×87	87	25.6	12.53	0.515	12.125	0.810	740	118	5.38	241	39.7	3.07
W12×50	50	14.7	12.19	0.370	8.080	0.640	394	64.7	5.18	56.3	13.9	1.96
W12×35	35	10.3	12.50	0.300	6.560	0.520	285	45.6	5.25	24.5	7.47	1.54
W12×14	14	4.16	11.91	0.200	3.970	0.225	88.6	14.9	4.62	2.36	1.19	0.753
W10×60	60	17.6	10.22	0.420	10.080	0.680	341	66.7	4.39	116	23.0	2.57
W10×45	45	13.3	10.10	0.350	8.020	0.620	248	49.1	4.32	53.4	13.3	2.01
W10×30	30	8.84	10.47	0.300	5.810	0.510	170	32.4	4.38	16.7	5.75	1.37
W10×12	12	3.54	9.87	0.190	3.960	0.210	53.8	10.9	3.90	2.18	1.10	0.785
W8×35	35	10.3	8.12	0.310	8.020	0.495	127	31.2	3.51	42.6	10.6	2.03
W8×28	28	8.25	8.06	0.285	6.535	0.465	98.0	24.3	3.45	21.7	6.63	1.62
W8×21	21	6.16	8.28	0.250	5.270	0.400	75.3	18.2	3.49	9.77	3.71	1.26
W8×15	15	4.44	8.11	0.245	4.015	0.315	48.0	11.8	3.29	3.41	1.70	0.876

주: 축 1-1, 2-2는 도심주축

표 E-2 I형보 단면의 성질(S형; 초록)

호칭기호	척당 무게	면적	깊이	웨브 두께	프렌지		축 1-1			축 2-2		
					폭	두께	I	S	r	I	S	r
	lb	in.^{2}	in.	in.	in.	in.	in.^{4}	in.^{3}	in.	in.^{4}	in.^{3}	in.
S24×100	100	29.3	24.00	0.745	7.245	0.870	2390	199	9.02	47.7	13.2	1.27
S24×80	80	23.5	24.00	0.500	7.000	0.870	2100	175	9.47	42.2	12.1	1.34
S20×96	96	28.2	20.30	0.800	7.200	0.920	1670	165	7.71	50.2	13.9	1.33
S20×75	75	22.0	20.00	0.635	6.385	0.795	1280	128	7.62	29.8	9.32	1.16
S18×70	70	20.6	18.00	0.711	6.251	0.691	926	103	6.71	24.1	7.72	1.08
S18×54.7	54.7	16.1	18.00	0.461	6.001	0.691	804	89.4	7.07	20.8	6.94	1.14
S15×50	50	14.7	15.00	0.550	5.640	0.622	486	64.8	5.75	15.7	5.57	1.03
S15×42.9	42.9	12.6	15.00	0.411	5.501	0.622	447	59.6	5.95	14.4	5.23	1.07
S12×50	50	14.7	12.00	0.687	5.477	0.659	305	50.8	4.55	15.7	5.74	1.03
S12×35	35	10.3	12.00	0.428	5.078	0.544	229	38.2	4.72	9.87	3.89	0.980
S10×35	35	10.3	10.00	0.594	4.944	0.491	147	29.4	3.78	8.36	3.38	0.901
S10×25.4	25.4	7.46	10.00	0.311	4.661	0.491	124	24.7	4.07	6.79	2.91	0.954
S8×23	23	6.77	8.00	0.441	4.171	0.426	64.9	16.2	3.10	4.31	2.07	0.798
S8×18.4	18.4	5.41	8.00	0.271	4.001	0.426	57.6	14.4	3.26	3.73	1.86	0.831
S6×17.25	17.25	5.07	6.00	0.465	3.565	0.359	26.3	8.77	2.28	2.31	1.30	0.675
S6×12.5	12.5	3.67	6.00	0.232	3.332	0.359	22.1	7.37	2.45	1.82	1.09	0.705
S4×9.5	9.5	2.79	4.00	0.326	2.796	0.293	6.79	3.39	1.56	0.903	0.646	0.569
S4×7.7	7.7	2.26	4.00	0.193	2.663	0.293	6.08	3.04	1.64	0.764	0.574	0.581

주: 축 1-1, 2-2는 도심주축

표 E-3 ㄷ형 단면의 성질(초록)

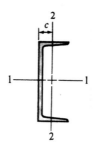

호칭기호	척당 무게	면적	깊이	웨브 두께	프렌지		축 1-1			축 2-2			
					폭	두께	I	S	r	I	S	r	c
	lb	in.^{2}	in.	in.	in.	in.	in.^{4}	in.^{3}	in.	in.^{4}	in.^{3}	in.	in.
C15×50	50.0	14.7	15.00	0.716	3.716	0.650	404	53.8	5.24	11.0	3.78	0.867	0.798
C15×40	40.0	11.8	15.00	0.520	3.520	0.650	349	46.5	5.44	9.23	3.37	0.886	0.777
C15×33.9	33.9	9.96	15.00	0.400	3.400	0.650	315	42.0	5.62	8.13	3.11	0.904	0.787
C12×30	30.0	8.82	12.00	0.510	3.170	0.501	162	27.0	4.29	5.14	2.06	0.763	0.674
C12×25	25	7.35	12.00	0.387	3.047	0.501	144	24.1	4.43	4.47	1.88	0.780	0.674
C12×20.7	20.7	6.09	12.00	0.282	2.942	0.501	129	21.5	4.61	3.88	1.73	0.799	0.698
C10×30	30.0	8.82	10.00	0.673	3.033	0.436	103	20.7	3.42	3.94	1.65	0.669	0.649
C10×25	25	7.35	10.00	0.526	2.886	0.436	91.2	18.2	3.52	3.36	1.48	0.676	0.617
C10×20	20.0	5.88	10.00	0.379	2.739	0.436	78.9	15.8	3.66	2.81	1.32	0.692	0.606
C10×15.3	15.3	4.49	10.00	0.240	2.600	0.436	67.4	13.5	3.87	2.28	1.16	0.713	0.634
C8×18.75	18.75	5.51	8.00	0.487	2.527	0.390	44.0	11.0	2.82	1.98	1.01	0.599	0.565
C8×13.75	13.75	4.04	8.00	0.303	2.343	0.390	36.1	9.03	2.99	1.53	0.854	0.615	0.553
C8×11.5	11.5	3.38	8.00	0.220	2.260	0.390	32.6	8.14	3.11	1.32	0.781	0.625	0.571
C6×13	13.0	3.83	6.00	0.437	2.157	0.343	17.4	5.80	2.13	1.05	0.642	0.525	0.514
C6×10.5	10.5	3.09	6.00	0.314	2.034	0.343	15.2	5.06	2.22	0.866	0.564	0.529	0.499
C6×8.2	8.2	2.40	6.00	0.200	1.920	0.343	13.1	4.38	2.34	0.693	0.492	0.537	0.511
C4×7.25	7.25	2.13	4.00	0.321	1.721	0.296	4.59	2.29	1.47	0.433	0.343	0.450	0.459
C4×5.4	5.4	1.59	4.00	0.184	1.584	0.296	3.85	1.93	1.56	0.319	0.283	0.449	0.457

주: 1. 축 1-1과 2-2는 도심주축
   2. 거리 c는 도심으로부터 외변까지의 거리
   3. S값은 축 2-2에 대한 단면계수 중 작은 값.

표 E-4   등변 L형 단면의 성질(초록)

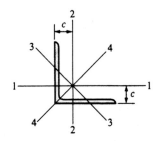

호칭기호	척당 무게	면적	축 1-1 축 2-2				축 3-3
			I	S	r	c	r_{min}
in.	lb	in.^{2}	in.^{4}	in.^{3}	in.	in.	in.
L 8×8×1	51.0	15.0	89.0	15.8	2.44	2.37	1.56
L 8×8×$\frac{3}{4}$	38.9	11.4	69.7	12.2	2.47	2.28	1.58
L 8×8×$\frac{1}{2}$	26.4	7.75	48.6	8.36	2.50	2.19	1.59
L 6×6×1	37.4	11.0	35.5	8.57	1.80	1.86	1.17
L 6×6×$\frac{3}{4}$	28.7	8.44	28.2	6.66	1.83	1.78	1.17
L 6×6×$\frac{1}{2}$	19.6	5.75	19.9	4.61	1.86	1.68	1.18
L 5×5×$\frac{7}{8}$	27.2	7.98	17.8	5.17	1.49	1.57	0.973
L 5×5×$\frac{1}{2}$	16.2	4.75	11.3	3.16	1.54	1.43	0.983
L 5×5×$\frac{3}{8}$	12.3	3.61	8.74	2.42	1.56	1.39	0.990
L 4×4×$\frac{3}{4}$	18.5	5.44	7.67	2.81	1.19	1.27	0.778
L 4×4×$\frac{1}{2}$	12.8	3.75	5.56	1.97	1.22	1.18	0.782
L 4×4×$\frac{3}{8}$	9.8	2.86	4.36	1.52	1.23	1.14	0.788
L 3$\frac{1}{2}$×3$\frac{1}{2}$×$\frac{3}{8}$	8.5	2.48	2.87	1.15	1.07	1.01	0.687
L 3$\frac{1}{2}$×3$\frac{1}{2}$×$\frac{1}{4}$	5.8	1.69	2.01	0.794	1.09	0.968	0.694
L 3×3×$\frac{1}{2}$	9.4	2.75	2.22	1.07	0.898	0.932	0.584
L 3×3×$\frac{1}{4}$	4.9	1.44	1.24	0.577	0.930	0.842	0.592

주: 1. 축 1-1, 2-2는 변에 나란한 도심축
     2. 거리 c와 d는 각도심에서 외변까지의 거리
     3. 표중 S값은 축 1-1, 2-2에 대한 단면계수 중에서 작은 값
     4. 축 3-3, 4-4는 도심주축
     5. 축 3-3에 대한 관성모멘트는 두 주관성모멘트 중 작은 값이며 $I_{33} = Ar^2_{min}$ 으로 계산된다.
     6. 축 4-4에 대한 관성모멘트는 두 주관성모멘트 중 큰 것이고 $I_{44} + I_{33} = I_{11} + I_{22}$ 로 계산된다.

표 E-5 부등변 L형 단면의 성질(초록)

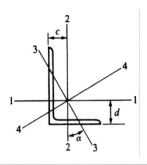

호칭기호	척당무게	면적	축 1-1				축 2-2				축 3-3	
			I	S	r	d	I	S	r	c	r_{min}	$\tan \alpha$
in.	lb	in.^{2}	in.^{4}	in.^{3}	in.	in.	in.^{4}	in.^{3}	in.	in.	in.	
L8×6×1	44.2	13.00	80.8	15.1	2.49	2.65	38.8	8.92	1.73	1.65	1.28	0.543
L8×6×$\frac{1}{2}$	23.0	6.75	44.3	8.02	2.56	2.47	21.7	4.79	1.79	1.47	1.30	0.558
L7×4×$\frac{3}{4}$	26.2	7.69	37.8	8.42	2.22	2.51	9.05	3.03	1.09	1.01	0.860	0.324
L7×4×$\frac{1}{2}$	17.9	5.25	26.7	5.81	2.25	2.42	6.53	2.12	1.11	0.917	0.872	0.335
L6×4×$\frac{3}{4}$	23.6	6.94	24.5	6.25	1.88	2.08	8.68	2.97	1.12	1.08	0.860	0.428
L6×4×$\frac{1}{2}$	16.2	4.75	17.4	4.33	1.91	1.99	6.27	2.08	1.15	0.987	0.870	0.440
L5×3$\frac{1}{2}$×$\frac{3}{4}$	19.8	5.81	13.9	4.28	1.55	1.75	5.55	2.22	0.977	0.996	0.748	0.464
L5×3$\frac{1}{2}$×$\frac{1}{2}$	13.6	4.00	9.99	2.99	1.58	1.66	4.05	1.56	1.01	0.906	0.755	0.479
L5×3×$\frac{1}{2}$	12.8	3.75	9.45	2.91	1.59	1.75	2.58	1.15	0.829	0.750	0.648	0.357
L5×3×$\frac{1}{4}$	6.6	1.94	5.11	1.53	1.62	1.66	1.44	0.614	0.861	0.657	0.663	0.371
L4×3$\frac{1}{2}$×$\frac{1}{2}$	11.9	3.50	5.32	1.94	1.23	1.25	3.79	1.52	1.04	1.00	0.722	0.750
L4×3$\frac{1}{2}$×$\frac{1}{4}$	6.2	1.81	2.91	1.03	1.27	1.16	2.09	0.808	1.07	0.909	0.734	0.759
L4×3×$\frac{1}{2}$	11.1	3.25	5.05	1.89	1.25	1.33	2.42	1.12	0.864	0.827	0.639	0.543
L4×3×$\frac{3}{8}$	8.5	2.48	3.96	1.46	1.26	1.28	1.92	0.866	0.879	0.782	0.644	0.551
L4×3×$\frac{1}{4}$	5.8	1.69	2.77	1.00	1.28	1.24	1.36	0.599	0.896	0.736	0.651	0.558

주: 1. 축 1-1, 2-2는 변에 나란한 도심축
    2. 거리 c와 d는 각도심에서 외변까지의 거리
    3. 표중 S값은 축 1-1, 2-2에 대한 단면계수 중에서 작은 값
    4. 축 3-3, 4-4는 도심주축
    5. 축 3-3에 대한 관성모멘트는 두 주관성모멘트 중 작은 값이며 $I_{33} = Ar^2{}_{min}$ 으로 계산된다.
    6. 축 4-4에 대한 관성모멘트는 두 주관성모멘트 중 큰 것이고 $I_{44} + I_{33} = I_{11} + I_{22}$로 계산된다.

부록 F 구조용 목재의 단면성질

목재의 성질(초록)

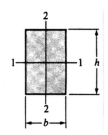

공칭치수 $b \times h$	정상치수 $b \times h$	면 적 $A = bh$	축 1-1		축 2-2		척 당 무 게
			관성모멘트 $I_1 = \dfrac{bh^3}{12}$	단면계수 $S_1 = \dfrac{bh^2}{6}$	관성모멘트 $I_2 = \dfrac{hb^3}{12}$	단면계수 $S_2 = \dfrac{hb^2}{6}$	$(\nu = 35\,\text{lb/ft}^3)$
in.	in.	in.^{2}	in.^{4}	in.^{3}	in.^{4}	in.^{3}	lb
2×4	1.5×3.5	5.25	5.36	3.06	0.98	1.31	1.3
2×6	1.5×5.5	8.25	20.80	7.56	1.55	2.06	2.0
2×8	1.5×7.25	10.88	47.63	13.14	2.04	2.72	2.6
2×10	1.5×9.25	13.88	98.93	21.39	2.60	3.47	3.4
2×12	1.5×11.25	16.88	177.98	31.64	3.16	4.22	4.1
3×4	2.5×3.5	8.75	8.93	5.10	4.56	3.65	2.1
3×6	2.5×5.5	13.75	34.66	12.60	7.16	5.73	3.3
3×8	2.5×7.25	18.13	79.39	21.90	9.44	7.55	4.4
3×10	2.5×9.25	23.13	164.89	35.65	12.04	9.64	5.6
3×12	2.5×11.25	28.13	296.63	52.73	14.65	11.72	6.8
4×4	3.5×3.5	12.25	12.51	7.15	12.51	7.15	3.0
4×6	3.5×5.5	19.25	48.53	17.65	19.65	11.23	4.7
4×8	3.5×7.25	25.38	111.15	30.66	25.90	14.80	6.2
4×10	3.5×9.25	32.38	230.84	49.91	33.05	18.89	7.9
4×12	3.5×11.25	39.38	415.28	73.83	40.20	22.97	9.6
6×6	5.5×5.5	30.25	76.3	27.7	76.3	27.7	7.4
6×8	5.5×7.5	41.25	193.4	51.6	104.0	37.8	10.0
6×10	5.5×9.5	52.25	393.0	82.7	131.7	47.9	12.7
6×12	5.5×11.5	63.25	697.1	121.2	159.4	58.0	15.4
8×8	7.5×7.5	56.25	263.7	70.3	263.7	70.3	13.7
8×10	7.5×9.5	71.25	535.9	112.8	334.0	89.1	17.3
8×12	7.5×11.5	86.25	950.5	165.3	404.3	107.8	21.0

주: 축 1-1, 축 2-2는 도심주축

부록 G 보의 처짐과 경사

표 G-1 외팔보의 처짐과 경사

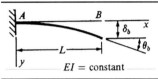

$v = y$방향의 처짐
$v' = dv/dx =$처짐곡선의 경사
$\delta_b = v(L) =$보의 우단의 처짐
$\theta_b = v'(L) =$보의 우단경사각

1

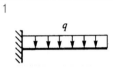

$$v = \frac{qx^2}{24EI}(6L^2 - 4Lx + x^2)$$

$$v' = \frac{qx}{6EI}(3L^2 - 3Lx + x^2)$$

$$\delta_b = \frac{qL^4}{8EI} \quad \theta_b = \frac{qL^3}{6EI}$$

2

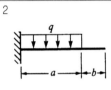

$$v = \frac{qx^2}{24EI}(6a^2 - 4ax + x^2) \quad 0 \le x \le a$$

$$v' = \frac{qx}{6EI}(3a^2 - 3ax + x^2) \quad 0 \le x \le a$$

$$v = \frac{qa^3}{24EI}(4x - a) \quad v' = \frac{qa^3}{6EI} \quad a \le x \le L$$

At $x = a$: $\quad v = \frac{qa^4}{8EI} \quad v' = \frac{qa^3}{6EI}$

$$\delta_b = \frac{qa^3}{24EI}(4L - a) \quad \theta_b = \frac{qa^3}{6EI}$$

3

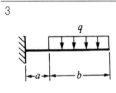

$$v = \frac{qbx^2}{12EI}(3L = 3a - 2x) \quad 0 \le x \le a$$

$$v' = \frac{qbx}{2EI}(L + a - x) \quad 0 \le x \le a$$

$$v = \frac{q}{24EI}(x^4 - 4Lx^3 + 6L^2x^2 - 4a^3x + a^4) \quad a \le x \le L$$

$$v' = \frac{q}{6EI}(x^3 - 3Lx^2 + 3L^2x - a^3) \quad a \le x \le L$$

At $x = a$: $v = \frac{qa^2b}{12EI}(3L + a) \quad v' = \frac{qabL}{2EI}$

$$\delta_b = \frac{q}{24EI}(3L^4 - 4a^3L + a^4) \quad \theta_b = \frac{q}{6EI}(L^3 - a^3)$$

4

$$v = \frac{Px^2}{6EI}(3L - x) \quad v' = \frac{Px}{2EI}(2L - x)$$

$$\delta_b = \frac{PL^3}{3EI} \quad \theta_b = \frac{PL^2}{2EI}$$

5

$$v = \frac{Px^2}{6EI}(3a-x) \quad v' = \frac{Px}{2EI}(2a-x) \quad 0 \le x \le a$$

$$v = \frac{Pa^2}{6EI}(3x-a) \quad v' = \frac{Pa^2}{2EI} \quad a \le x \le L$$

At $x = a$: $\quad v = \dfrac{Pa^3}{3EI} \quad v' = \dfrac{Pa^2}{2EI}$

$$\delta_b = \frac{Pa^2}{6EI}(3L-a) \quad \theta_b = \frac{Pa^2}{2EI}$$

6

$$v = \frac{M_0 x^2}{2EI} \quad v' = \frac{M_0 x}{EI}$$

$$\delta_b = \frac{M_0 L^2}{2EI} \quad \theta_b = \frac{M_0 L}{EI}$$

7

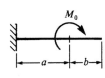

$$v = \frac{M_0 x^2}{2EI} \quad v' = \frac{M_0 x}{EI} \quad 0 \le x \le a$$

$$v = \frac{M_0 a}{2EI}(2x-a) \quad v' = \frac{M_0 a}{EI} \quad a \le x \le L$$

At $x = a$: $\quad v = \dfrac{M_0 a^2}{2EI} \quad v' = \dfrac{M_0 a}{EI}$

$$\delta_b = \frac{M_0 a}{2EI}(2L-a) \quad \theta_b = \frac{M_0 a}{EI}$$

8

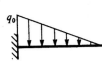

$$v = \frac{q_0 x^2}{120 L EI}(10L^3 - 10L^2 x + 5Lx^2 - x^3)$$

$$v' = \frac{q_0 x}{24 L EI}(4L^3 - 6L^2 x + 4Lx^2 - x^3)$$

$$\delta_b = \frac{q_0 L^4}{30EI} \quad \theta_b = \frac{q_0 L^3}{24EI}$$

9

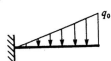

$$v = \frac{q_0 x^2}{120 L EI}(20L^3 - 10L^2 x + x^3)$$

$$v' = \frac{q_0 x}{24 L EI}(8L^3 - 6L^2 x + x^3)$$

$$\delta_b = \frac{11 q_0 L^4}{120EI} \quad \theta_b = \frac{q_0 L^3}{8EI}$$

표 G-2 외팔보의 처짐과 경사

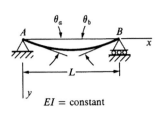

$v = y$방향의 처짐

$v' = dv/dx =$처짐 곡선의 경사

$\delta_c = v(L/2) =$보 중앙부의 처짐

$x_1 =$최대처짐의 A로부터의 거리

$\delta_{\max} = v_{\max} =$최대처짐

$\theta_a = v'(0) =$보의 좌단에서의 각도

$\theta_b = -v'(L) =$보의 우단에서의 각도

$EI = \text{constant}$

1

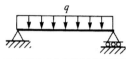

$$v = \frac{qx}{24EI}(L^3 - 2Lx^2 + x^3)$$

$$v' = \frac{q}{24EI}(L^3 - 6Lx^2 + 4x^3)$$

$$\delta_c = \delta_{\max} = \frac{5qL^4}{384EI} \quad \theta_a = \theta_b = \frac{qL^3}{24EI}$$

2

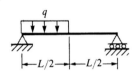

$$v = \frac{qx}{384EI}(9L^3 - 24Lx^2 + 16x^3) \quad 0 \leq x \leq \frac{L}{2}$$

$$v' = \frac{q}{384EI}(9L^3 - 72Lx^2 + 64x^3) \quad 0 \leq x \leq \frac{L}{2}$$

$$v = \frac{qL}{384EI}(8x^3 - 24Lx^2 + 17L^2x - L^3) \quad \frac{L}{2} \leq x \leq L$$

$$v' = \frac{qL}{384EI}(24x^2 - 48Lx + 17L^2) \quad \frac{L}{2} \leq x \leq L$$

$$\delta_c = \frac{5qL^4}{768EI} \quad \theta_a = \frac{3qL^3}{128EI} \quad \theta_b = \frac{7qL^3}{384EI}$$

3

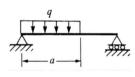

$$v = \frac{qx}{24LEI}(a^4 - 4a^3L + 4a^2L^2 + 2a^2x^2 - 4aLx^2 + Lx^3) \quad 0 \leq x \leq a$$

$$v' = \frac{q}{24LEI}(a^4 - 4a^3L + 4a^2L^2 + 6a^2x^2 - 12aLx^2 + 4Lx^3) \quad 0 \leq x \leq a$$

$$v = \frac{qa^2}{24LEI}(-a^2L + 4L^2x + a^2x - 6Lx^2 + 2x^3) \quad a \leq x \leq L$$

$$v' = \frac{qa^2}{24LEI}(4L^2 + a^2 - 12Lx + 6x^2) \quad a \leq x \leq L$$

$$\theta_a = \frac{qa^2}{24LEI}(2L - a)^2 \quad \theta_b = \frac{qa^2}{24LEI}(2L^2 - a^2)$$

4

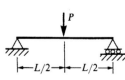

$$v = \frac{Px}{48EI}(3L^2 - 4x^2) \quad 0 \leq x \leq \frac{L}{2}$$

$$v' = \frac{P}{16EI}(L^2 - 4x^2) \quad 0 \leq x \leq \frac{L}{2}$$

$$\delta_c = \delta_{\max} = \frac{PL^3}{48EI} \quad \theta_a = \theta_b = \frac{PL^2}{16EI}$$

5

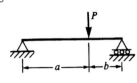

$$v = \frac{Pbx}{6LEI}(L^2 - b^2 - x^2) \quad 0 \le x \le a$$

$$v' = \frac{Pb}{6LEI}(L^2 - b^2 - 3x^2) \quad 0 \le x \le a$$

$$\theta_a = \frac{Pab(L+b)}{6LEI} \quad \theta_b = \frac{Pab(L+a)}{6LEI}$$

If $a \ge b, \quad \delta_c = \frac{Pb(3L^2 - 4b^2)}{48EI}$

If $a \ge b, \quad x_1 = \sqrt{\frac{L^2 - b^2}{3}} \quad \text{and} \quad \delta_{\max} = \frac{Pb(L^2 - b^2)^{3/2}}{9\sqrt{3}\,LEI}$

6

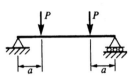

$$v = \frac{Px}{6EI}(3aL - 3a^2 - x^2) \quad 0 \le x \le a$$

$$v' = \frac{P}{2EI}(aL - a^2 - x^2) \quad 0 \le x \le a$$

$$v = \frac{Pa}{6EI}(3Lx - 3x^2 - a^2) \quad a \le x \le L - a$$

$$v' = \frac{Pa}{2EI}(L - 2x) \quad a \le x \le L - a$$

$$\theta_a = \theta_b = \frac{Pa(L-a)}{2EI} \quad \delta_c = \delta_{\max} = \frac{Pa}{24EI}(3L^2 - 4a^2)$$

7

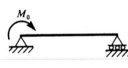

$$v = \frac{M_0 x}{6LEI}(2L^2 - 3Lx + x^2)$$

$$v' = \frac{M_0}{6LEI}(2L^2 - 6Lx + 3x^2)$$

$$\delta_c = \frac{M_0 L^2}{16EI} \quad \theta_a = \frac{M_0 L}{3EI} \quad \theta_b = \frac{M_0 L}{6EI}$$

$$x_1 = L\left(1 - \frac{\sqrt{3}}{3}\right) \quad \text{and} \quad \delta_{\max} = \frac{M_0 L^2}{9\sqrt{3}\,EI}$$

8

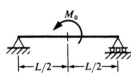

$$v = \frac{M_0 x}{24LEI}(L^2 - 4x^2) \quad 0 \le x \le \frac{L}{2}$$

$$v' = \frac{M_0}{24LEI}(L^2 - 12x^2) \quad 0 \le x \le \frac{L}{2}$$

$$\delta_c = 0 \quad \theta_a = \frac{M_0 L}{24EI} \quad \theta_b = -\frac{M_0 L}{24EI}$$

9

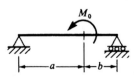

$$v = \frac{M_0 x}{6LEI}(6aL - 3a^2 - 2L^2 - x^2) \quad 0 \le x \le a$$

$$v' = \frac{M_0}{6LEI}(6aL - 3a^2 - 2L^2 - 3x^2) \quad 0 \le x \le a$$

At $x = a$: $\quad v = \frac{M_0 ab}{3LEI}(2a - L)$

At $x = a$: $\quad v' = \frac{M_0}{3LEI}(3aL - 3a^2 - L^2)$

$$\theta_a = \frac{M_0}{6LEI}(6aL - 3a^2 - 2L^2) \quad \theta_b = \frac{M_0}{6LEI}(3a^2 - L^2)$$

10

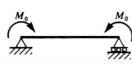

$$v = \frac{M_0 x}{2EI}(L - x)$$

$$v' = \frac{M_0}{2EI}(L - 2x)$$

$$\delta_c = \delta_{max} = \frac{M_0 L^2}{8EI} \qquad \theta_a = \theta_b = \frac{M_0 L}{2EI}$$

11

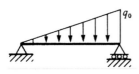

$$v = \frac{q_0 x}{360 LEI}(7L^4 - 10L^2 x^2 + 3x^4)$$

$$v' = \frac{q_0}{360 LEI}(7L^4 - 30L^2 x^2 + 15x^4)$$

$$\delta_c = \frac{5q_0 L^4}{768 EI} \qquad \theta_a = \frac{7q_0 L^3}{360 EI} \qquad \theta_b = \frac{q_0 L^3}{45 EI}$$

$$x_1 = 0.5193L \qquad \delta_{max} = 0.00652 \frac{q_0 L^4}{EI}$$

12

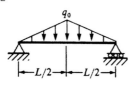

$$v = \frac{q_0 x}{960 LEI}(5L^2 - 4x^2)^2 \quad 0 \leq x \leq \frac{L}{2}$$

$$v' = \frac{q_0}{192 LEI}(5L^2 - 4x^2)(L^2 - 4x^2) \quad 0 \leq x \leq \frac{L}{2}$$

$$\delta_c = \delta_{max} = \frac{q_0 L^4}{120 EI} \qquad \theta_a = \theta_b = \frac{5q_0 L^3}{192 EI}$$

재료의 기계적 성질

주: 재료의 성질은 제조과정, 화학적 성분, 내부결함, 온도, 시험판의 치수 및 다른 여러 가지 인자에 의해 상당히 변화된다. 그러므로 표시된 데이터는 그 재료의 대표적인 양이지 특수한 응용에 필요한 절대적인 양은 아니다. 어떤 경우에는 가능한 그 성질의 변화량을 보이기 위하여 값의 범위가 표에 주어지지만, 표에 표시된 값이 없으면 그 기계적 성질과 탄성계수들은 재료의 인장에 대한 값들이다.

표 H-1 비중과 밀도

재 료	비 중 γ		밀 도 ρ	
	lb/ft³	kN/m³	slugs/ft³	kg/m³
Aluminum(pure)	169	26.6	5.26	2710
Aluminum alloys	160-180	26-28	5.2-5.4	2600-2800
2014-T6	175	28	5.4	2800
6061-T6	170	26	5.2	2700
7075-T6	175	28	5.4	2800
Brass	520-540	82-85	16-17	8400-8600
Red brass(80% Cu, 20% Zn)	540	85	17	8600
Naval brass	525	82	16	8400
Brick	110-140	17-22	3.4-4.4	1800-2200
Bronze	510-550	80-86	16-17	8200-8800
Manganese bronze	520	82	16	8300
Cast iron	435-460	68-72	13-14	7000-7400
Concrete				
Plain	145	23	4.5	2300
Reinforced	150	24	4.7	2400
Lightweight	70-115	11-18	2.2-3.6	1100-1800
Copper	556	87	17	8900
Glass	150-180	24-28	4.7-5.4	2400-2800
Magnesium(pure)	109	17	3.4	1750
Alloys	110-114	17-18	3.4-3.5	1760-1830
Monel(67% Ni, 30% Cu)	550	87	17	8800
Nickel	550	87	17	8800
Nylon	70	11	2.2	1100
Rubber	60-80	9-13	1.9-2.5	960-1300
Steel	490	77.0	15.2	7850
Stone				
Granite	165	26	5.1	2600
Limestone	125-180	20-28	3.9-5.6	2000-2900
Marble	165-180	26-28	5.1-5.6	2600-2900
Quartz	165	26	5.1	2600
Titanium	280	44	8.7	4500
Tungsten	1200	190	37	1900
Wood(air dry)				
Ash	35-40	5.5-6.3	1.1-1.2	560-640
Douglas fir	30-35	4.7-5.5	0.9-1.1	480-560
Oak	40-45	6.3-7.1	1.2-1.4	640-720
Southern pine	35-40	5.5-6.3	1.1-1.2	560-640
Wrought iron	460-490	72-77	14-15	7400-7800

표 H-2 탄성계수와 푸아송비

재 료	탄성계수 E		전단탄성계수 G		푸아송비
	ksi	GPa	ksi	GPa	ν
Aluminum(pure)	10,000	70	3,800	26	0.33
Aluminum alloys	10,000-11,400	70-79	3,800-4,300	26-30	0.33
2014-T6	10,600	73	4,000	28	0.33
6061-T6	10,000	70	3,800	26	0.33
7075-T6	10,400	72	3,900	27	0.33
Brass	14,000-16,000	96-110	5,200-6,000	36-41	0.34
Red brass(80% Cu, 20% Zn)	15,000	100	5,600	39	0.34
Naval brass	15,000	100	5,600	39	0.34
Brick (compression)	1,500-3,500	10-24			
Bronze	14,000-17,000	96-120	5,200-6,300	36-44	0.34
Manganese bronze	15,000	100	5,600	39	0.34
Cast iron	12,000-25,000	83-170	4,600-10,000	32-69	0.2-0.3
Gray cast iron	14,000	97	5,600	39	0.25
Concrete(compression)					0.1-0.2
Low strength	2,600	18			
Medium strength	3,600	25			
High strength	4,400	30			
Copper (pure)	16,000-18,000	110-120	5,800-6,800	40-47	0.33-0.36
Beryllium copper(hard)	18,000	120	6,800	47	0.33
Glass	7,000-12,000	48-83	2,800-5,000	19-34	0.20-0.27
Magnesium(pure)	6,000	41	2,200	15	0.35
Alloys	6,500	45	2,400	17	0.35
Monel(67% Ni, 39% Cu)	25,000	170	9,500	66	0.32
Nickel	30,000	210	11,400	80	0.31
Nylon	300-400	2.1-2.8			0.4
Rubber	0.1-0.6	0.0007-0.004	0.03-0.2	0.0002-0.001	0.45-0.50
Steel	28,000-30,000	190-210	10,800-11,800	75-80	0.27-0.30
Stone(compression)					
Granite	6,000-10,000	40-70			0.2-0.3
Limestone	3,000-10,000	20-70			0.2-0.3
Marble	7,000-14,000	50-100			0.2-0.3
Titanium(pure)	15,500	110	5,800	40	0.33
Alloys	15,000-17,000	100-120	5,600-6,400	39-44	0.33
Tungsten	50,000-55,000	340-380	21,000-23,000	140-160	0.2
Wood(bending)					
Ash	1,500-1,600	10-11			
Douglas fir	1,600-1,900	11-13			
Oak	1,600-1,800	11-12			
Southern pine	1,600-2,000	11-14			
Wrought iron	28,000	190	10,800	75	0.3

표 H-3 기계적 성질

재 료	항복응력 σ_y		극한응력 σ_u		신장률(%) (2 in 게이지 길이)
	ksi	MPa	ksi	MPa	
Aluminum(pure)	3	20	10	70	60
Aluminum alloys	5-70	35-500	15-80	100-550	1-45
2014-T6	60	410	70	480	13
6061-T6	40	270	45	310	17
7075-T6	70	480	80	550	11
Brass	10-80	70-550	30-90	200-620	4-60
Red brass(80% Cu, 2% Zn); hard	70	470	85	590	4
Red brass (80% Cu, 20% Zn); soft	13	90	43	300	50
Naval brass; hard	60	410	85	590	15
Naval brass; soft	25	170	59	410	50
Brick (compression)			1-10	7-70	
Bronze	12-100	82-690	30-120	200-830	5-60
Manganese bronze; hard	65	450	90	620	10
Manganese bronze; soft	25	170	65	450	35
Cast iron(tension)	17-42	120-290	10-70	69-480	0-1
Gray cast iron	17	120	20-60	140-410	0-1
Cast iron(compression)			50-200	340-1,400	
Concrete(compression)			1.5-10	10-70	
Low-strength			2	14	
Medium-strength			4	28	
High-strength			6	41	
Copper					
Hard-drawn	48	330	55	380	10
Soft(annealed)	8	55	33	230	50
Beryllium copper(hard)	110	760	120	830	4
Glass			5-150	30-1,000	
Plate glass			10	70	
Glass fibers			1,000-3,000	7,000-20,000	
Magnesium(pure)	3-10	20-70	15-25	100-170	5-15
Alloys	12-40	80-280	20-50	140-340	2-20
Monel(67% Ni, 30% Cu)	25-160	170-1,100	65-170	450-1,200	2-50
Nickel	20-90	140-620	45-110	310-760	2-50
Nylon			6-10	40-70	50

(계속)

표 H-3 (계속)

재 료	항복응력 σ_y		극한응력 σ_u		신장률(%) (2 in 게이지 길이)
	ksi	MPa	ksi	MPa	
Rubber	0.2-1.0	1-7	1-3	7-20	100-800
Steel					
High-strength	50-150	340-1,000	80-180	550-1,200	5-25
Machine	50-100	340-700	80-125	550-860	5-25
Spring	60-240	400-1,600	100-270	700-1,900	3-15
Stainless	40-100	280-700	60-150	400-1,000	5-40
Tool	75	520	130	900	8
Steel, structural	30-100	200-700	50-120	340-830	10-40
ASTM-A36	36	250	60	400	30
ASTM-A572	50	340	70	500	20
ASTM-A514	100	700	120	830	15
Steel wire	40-150	280-1,000	80-200	550-1,400	5-40
Stone(compression)					
Granite			10-40	70-280	
Limestone			3-30	20-200	
Marble			8-25	50-180	
Titanium(pure)	60	400	70	500	25
Alloys	110-130	760-900	130-140	900-970	10
Tungsten			200-600	1,400-4,000	0-4
Wood(bending)					
Ash	6-10	40-70	8-14	50-100	
Douglas fir	5-8	30-50	8-12	50-80	
Oak	6-9	40-60	8-14	50-100	
Southern pine	6-9	40-60	8-14	50-100	
Wood(compression) parallel to grain)					
Ash	4-6	30-40	5-8	30-50	
Douglas fir	4-8	30-50	6-10	40-70	
Oak	4-6	30-40	5-8	30-50	
Southern pine	4-8	30-50	6-10	40-70	
Wrought iron	30	210	50	340	35

표 H-4 열팽창계수

재 료	열팽창계수	
	$10^{-6}/°F$	$10^{-6}/°C$
Aluminum and aluminum alloys	13	23
Brass	10.6-11.8	19.1-21.2
Red brass	10.6	19.1
Naval brass	11.7	21.1
Brick	3-4	5-7
Bronze	9.9-11.6	18-21
Manganese bronze	11	20
Cast iron	5.5-6.6	9.9-12.0
Gray cast iron	5.6	10.0
Concrete	4-8	7-14
Medium-strength	6	11
Copper	9.2-9.8	16.6-17.6
Beryllium copper	9.4	17.0
Glass	3-6	5-11
Magnesium(pure)	14.0	25.2
Alloys	14.5-16.0	26.1-28.8
Monel(67% Ni, 30% Cu)	7.7	14
Nickel	7.2	13
Nylon	40-60	75-100
Rubber	70-110	130-200
Steel	5.5-9.9	10-18
High-strength	8.0	14
Stainless	9.6	17
Structural	6.5	12
Stone	3-5	5-9
Titanium(alloys)	4.5-5.5	8-10
Tungsten	2.4	4.3
Wrought iron	6.5	12

문제해답

Chapter 1

1.2-1 $\sigma_{ab} = 52364$ kPa, $\sigma_{bc} = 133.666$ MPa

1.2-2 $P = 13.8$ kN **1.2-3** $\sigma_{\max} = 52364$ kPa

1.2-4 $\sigma_c = 113.685$ MPa

1.2-5 $\sigma_{ab} = 29902.6$ kPa, $\sigma_{bc} = 67246.4$ MPa

1.2-6 $\bar{x} = 0.45$ m, $\bar{y} = 0.6$ m, $\sigma_c = 20.8$ MPa

1.2-7 $\epsilon = 3.12 \times 10^{-3}$ **1.2-8** $\delta = 3.0$ mm

1.2-9 $\sigma = 102$ MPa, $\epsilon = 500 \times 10^{-6}$

1.2-10 $\sigma_{ab} = 104$ MPa (tension),

$\sigma_{bc} = 50$ MPa (compression), $\epsilon_{ab} = 520 \times 10^{-6}$,

$\epsilon_{bc} = 248 \times 10^{-6}$ **1.2-11** $\sigma_y = \gamma y$

1.2-12 $\sigma_x = \dfrac{\gamma \omega^2}{2g}(L^2 - x^2)$, $\sigma_{\max} = \dfrac{\gamma \omega^2 L^2}{2g}$

1.3-1 $L_s = 3233$ m, $L_a = 4636$ m

1.3-2 (a) %elong. = 6.5%, %reduct. = 8.1%, brittle;

(b) 24%, 38%, ductile; (c) 39%, 75%, ductile

1.3-3 $\sigma_{pl} = 444.405$ MPa, $\sigma_y = 468.52$ MPa,

$\sigma_u = 875.03$ MPa, %elong. = 21%, %reduct. = 46%

1.5-1 $E = 105$ GPa **1.5-2** $P = 73425$ N

1.5-3 $E = 73723$ MPa, $\sigma_{pl} = 413.4$ MPa

1.5-4 $E = 71.5$ GPa **1.5-5** $\epsilon_a = 750 \times 10^{-6}$,

$\epsilon_s = 240 \times 10^{-6}$ **1.5-6** $P = 16242.5$ N

1.5-7 $P = 110$ kN **1.5-8** $P = 524$ kN

1.5-9 $E = 23426 \times 10^6$ Pa, $\nu = 0.12$

1.5-10 $\delta = 0.6096$ mm, $\Delta d = 0.01143$ mm,

$\Delta t = 7.62 \times 10^{-4}$ mm **1.5-11** Slope $\dfrac{b(1 - \nu\sigma/E)}{L(1 + \sigma/E)}$

1.5-12 $\delta = 0.62$ mm, $\Delta = 0.020$ mm,

$\Delta V = 6500$ mm³ (increase)

1.5-13 $\Delta d = 0.015494$ mm, $\Delta V = 360.515$ mm³

1.5-14 $\Delta V = \dfrac{WL(1 - 2\nu)}{2E}$ **1.6-1** $\tau_{\text{aver}} = 2928.25$ kPa

1.6-2 $\tau_{\text{aver}} = 87.0$ MPa **1.6-3** $\tau_{\text{aver}} = 28.042$ MPa

1.6-4 $P = 69$ kN **1.6-5** $\tau_{\text{aver}} = 482.3$ kPa

1.6-6 $\tau_{\text{aver}} = 516.75$ kPa **1.6-7** $P = 264$ kN

1.6-8 $P = 91$ kN **1.6-9** $\tau_{\text{aver}} = 1460.68$ kPa

1.6-10 $\tau_{\text{aver}} = 34.357$ MPa **1.6-11** $\tau_{\text{aver}} = 43$ MPa

1.6-12 $\tau_{\text{aver}} = 106$ MPa **1.6-13** $\gamma_{\text{aver}} = 0.004$,

$V = 89.6$ kN **1.6-14** $\gamma = 1/3$, $\delta = 3.33$ mm,

$k = 4.8$ MN/m **1.6-15** $\tau = \dfrac{P}{2\pi rh}$, $\delta = \dfrac{P}{2\pi hG}\ln\dfrac{b}{d}$

1.7-1 $L = \sigma_t/\gamma$ **1.7-2** $d = 153$ mm

1.7-3 $d = 16.0$ mm **1.7-4** $d = 16.764$ mm

1.7-5 $n = 12$ **1.7-6** $P = 53845$ N **1.7-7** $P = 34.2$ kN

1.7-8 $P = 21.2$ kN **1.7-9** $d = 15.748$ mm

1.7-10 $d = 310$ mm **1.7-11** $h = \dfrac{b^2 \sigma_c - P}{\gamma b^2}$

1.7-12 $A = \dfrac{M_1 L \omega^2}{\sigma_t}$ **1.7-13** $A = \dfrac{2M_1 L \omega^2}{2\sigma_t - \rho L^2 \omega^2}$

1.7-14 $\theta = 45°$ **1.7-15** $\theta = 54.7°$

1.7-16 $d = 3.843$ m, $V_p = 1.02 V$

1.7-17 $b_x = \dfrac{P}{\sigma_t t}\exp\left(\dfrac{\gamma x}{\sigma_t}\right)$, $V = \dfrac{P}{\gamma}\left[\exp\left(\dfrac{\gamma L}{\sigma_t}\right) - 1\right]$

Chapter 2

2.2-1 Final length = 0.553 m **2.2-2** Min. $d = 103$ mm

2.2-3 $x = LL_1/(L_1 + L_2)$ **2.2-4** $\delta = \dfrac{PL}{\pi E}\left(\dfrac{1}{d_1^2} + \dfrac{1}{d_2^2}\right)$

2.2-5 $\delta_{\text{upper}} = 2.07$ mm, $\delta_{\text{lower}} = 2$ mm

2.2-6 $\delta = 2.24$ mm **2.2-7** $\delta = 1.16$ mm elongation

2.2-8 $\delta = 1.35$ mm elongation **2.2-9** $P_1 = 39$ kN

2.2-10 (a) $\delta = 1.87$ mm; (b) $\delta = 1.59$ mm

2.2-11 $\delta = 6.16$ mm **2.2-12** $\dfrac{P_2}{P_1} = \dfrac{L_3}{L_4}\left(1 + \dfrac{A_1 L_2}{A_2 L_1}\right)$

2.2-13 $L_1 = 0.6858$ m, $L_2 = 0.2286$ m, $\delta = 0.437$ mm

2.2-14 $P = 195.8$ N **2.2-15** $\delta = -0.022$ mm,

$x = 3.05$ m **2.2-16** $\delta = WL/2EA$

2.2-17 $\delta = 0.0048$ mm **2.2-18** $\delta = fL^2/2EA$

2.2-19 $\delta = 0.70$ mm **2.2-20** $\delta = PL/2Ed^2$

2.2-21 (a) $\delta = \dfrac{PL}{Et(b_2 - b_1)}\ln\dfrac{b_2}{b_1}$; (b) $\delta = 0.082$ m

2.2-22 $\delta = \gamma L^2/6E$ **2.2-23** $\delta = \rho \omega^2 L^3/3E$

2.2-24 $\delta = 20P/9k$ **2.3-1** $\delta_h = 0.0293$ in. (to the right),

$\delta_v = 0.0470$ in. (downward)

2.3-2 $\delta_h = 0.744$ mm (to the right),

$\delta_v = 1.19$ mm (downward) **2.3-3** $\delta_h = 4.24$ mm,

$\delta_v = 0.45$ mm **2.3-4** $\delta_h = PL^3/2d^2 EA$, $\delta_v = 0$

2.3-5 $\dfrac{P_1}{P_2} = \dfrac{A_1 L_2^2}{A_2 L_1^2}$ **2.3-6** $\delta_h = \dfrac{PL}{\sqrt{3}\,EA}$ to the left,

$\delta_v = \dfrac{5PL}{3EA}$ downward   **2.3-7** $\theta = \arctan(1/\sqrt{2}) = 35.3°$

2.3-8 $\theta = 45°$ **2.3-9** $2\theta = \arctan(-1\sqrt{2})$, $\theta = 72.4°$

2.3-10 $\theta = 55.65°$ **2.4-1** $P = 439.6$ N

2.4-2 $R_a = \dfrac{b_2 A_1 P}{b_1 A_2 + b_2 A_1}$, $R_b = \dfrac{b_1 A_2 P}{b_1 A_2 + b_2 A_1}$

2.4-3 $P_c/P = 1/2$ **2.4-4** $P = 980$ kN

2.4-5 $P = 3782.5$ kN   **2.4-6** $\sigma = 24$ MPa

2.4-7 $P = 2647.75$ kN   **2.4-8** $\sigma = 75$ MPa

2.4-9 $T_c = \dfrac{2PaL}{2a^2 + b^2}$, $T_d = \dfrac{PbL}{2a^2 + b^2}$

2.4-10 $T_c = 5.36$ kN, $T_d = 5.15$ kN

2.4-11 $e = \dfrac{b(E_2 - E_1)}{2(E_2 + E_1)}$, $P_1 = \dfrac{PE_1}{E_1 + E_2}$, $P_2 = \dfrac{PE_2}{E_1 + E_2}$

2.4-12 $\delta_c = 0.215$ mm   **2.4-13** $F_a = 2P/5$ (tension),

$F_b = F_c = P\sqrt{3}/5$ (compression), $\delta = 2PL/5EA$

2.4-14 $F_{ad} = \dfrac{P(1 + 4\cos^3 \beta)}{2(1 + 2\cos^3 \beta)}$ (tension),

$F_{bd} = \dfrac{P\cos\beta}{1 + 2\cos^3\beta}$ (tension),

$F_{cd} = -\dfrac{P}{2(1 + 2\cos^3\beta)}$ (compression),

$\delta_h = \dfrac{PH\cos^2\beta}{EA(\sin\beta)(1 + 2\cos^3\beta)}$ (to the right),

$\delta_v = \dfrac{PH}{2EA\sin^2\beta}$ (downward)

2.4-15 If $x = 0$: $F_a = F_b = F_c = W$; if $x = b$: $F_a = 0$,

$F_b = W$, $F_c = 2W$; if $x = 3b/2$: $F_a = F_b = 0$, $F_c = 3W$

2.5-2 $\sigma_a = 10.2$ MPa, $\sigma_s = 58.2$ MPa

2.5-3 $\delta_d = PL/6EA_1$, $R_a = 2R_b = 2P/3$

2.5-5 $\delta = PL/2EA$, $F_a = F_c = P/2\sqrt{2}$, $F_b = P/2$

2.5-7 $\delta = \dfrac{PL}{EA(1 + 2\cos^2\beta)}$, $F_a = F_c = \dfrac{P\cos\beta}{1 + 2\cos^2\beta}$,

$F_b = \dfrac{P}{1 + 2\cos^2\beta}$ **2.5-8** $\delta = PL/3EA$,

$F_a = F_e = P/6$, $F_b = F_d = P\sqrt{3}/6$, $F_c = P/3$

2.5-9 $x = L/4$ **2.6-1** $T = 63.5°$C and $8.9°$C

2.6-2 $d = 85.52$ ft   **2.6-3** $e = 3\alpha(\Delta T)$

2.6-4 $\delta = (\Delta T)L\left[\alpha_m + (\alpha_m - \alpha_t)\dfrac{b}{a}\right]$

2.6-5 Final position: $P = 160$ kN, $\delta = 0.500$ mm

2.6-6 $\dfrac{P}{E_c A_c(\alpha_c - \alpha_s)}$ **2.6-7** $\sigma_c = E\alpha(\Delta T_1)/3$

2.6-8 $\Delta T = 50°$C   **2.6-9** $\sigma = 88.8$ MPa, $T = 30.2°$C

2.6-10 $\sigma = 63.8$ MPa   **2.6-11** $\sigma = 113$ MPa

2.6-12 $P = 162.87$ kN, $\sigma = 126.087$ MPa (compression),

$\delta = 0.07366$ mm (to the left)

2.6-13 $\sigma = -\dfrac{2EA_2\alpha(\Delta T)}{A_1 + A_2}$, $\delta = -\dfrac{\alpha(\Delta T)(L)(A_2 - A_1)}{2(A_1 + A_2)}$

2.6-14 $P = 1.56$ MN   **2.6-15** $\Delta T = 152°$F,

$\sigma = 89.57$ MPa (compression)   **2.6-16** $\Delta T = 56.1°$C

2.6-17 $\tau_{\text{aver}} = 174412$ kPa

2.6-18 $\sigma_s = 110.919$ MPa (tension),

$\sigma_c = 55809$ kPa (compression)

2.6-19 $\sigma_s = 647$ MPa (tension),

$\sigma_c = 22$ MPa (compression)

2.6-20 $n = \dfrac{\sigma_0 L}{2pE_b}\left(1 + \dfrac{E_b A_b}{2E_c A_c}\right)$

2.6-21 If $h/L = 0$: $P_a = 6$ kN, $P_b = 0$; if $h/L = 1/3$:

$P_a = 6$ kN, $P_b = 0$; if $h/L = 1$: $P_a = 10$ kN, $P_b = 4$ kN

2.6-22 $\sigma_s = \dfrac{E_c E_s (\alpha_c - \alpha_s) \Delta T}{E_c + 2E_s}$ (tension),

$\sigma_c = 2\sigma_s$ (compression)

2.6-23 $F_1 = \dfrac{EA\alpha(\Delta T)\cos^2\beta}{1 + 2\cos^3\beta}$ (tension),

$F_2 = -\dfrac{2EA\alpha(\Delta T)\cos^3\beta}{1 + 2\cos^3\beta}$ (compression)

2.6-24 $F_1 = 22.1$ kN (tension),

$F_2 = -31.3$ kN (compression)   **2.6-25** $n = 1.32$ turns

2.6-26 $\sigma_s = 95082$ kPa (tension)

2.7-1 $\tau_{\max} = 61.1$ MPa   **2.7-2** $\tau_{\max} = 103.35$ MPa

2.7-3 $P = 495$ kN   **2.7-4** $P = 356$ N

2.7-5 $\sigma_\theta = 51675$ kPa, $\tau_\theta = -51675$ kPa

2.7-6 $\sigma_\theta = -51675$ kPa, $\tau_\theta = 51675$ kPa

2.7-7 $\sigma_\theta = 75$ MPa, $\tau_\theta = -43.3$ MPa

2.7-8 $\sigma_\theta = -75$ MPa, $\tau_\theta = 43.3$ MPa

2.7-9 $\sigma_\theta = 6.7$ MPa, $\tau_\theta = -25$ MPa

2.7-10 $\tau_{\max} = 63319.1$ kPa

2.7-11 $\sigma_\theta = -132.977$ MPa, $\tau_\theta = 76.479$ kPa

2.7-12 (a) $\sigma_x = -122.4$ MPa; (b) $\sigma_\theta = -61.2$ MPa,

$\tau_\theta = 61.2$ MPa   **2.7-13** $\sigma_x = 90$ MPa, $\theta = 18.4°$

2.7-14 $\theta = 35.3°$, $\tau_\theta = 58.5$ MPa, $\sigma_x = 124.02$ MPa,

$\tau_{\max} = 62.01$ MPa   **2.7-15** $\sigma_\theta = -40$ MPa,

$\tau_\theta = 40$ MPa   **2.7-16** $\theta = 60°$ **2.7-17** $\theta = 26.6°$,

$P = 16687.5$ N   **2.8-1** $U = 0.1695$ N·m

2.8-2 $U = \dfrac{5P^2 L}{16EA}$, Increase $= \dfrac{15P^2 L}{16EA}$

2.8-3 $U = P^2 L/EA$ **2.8-4** $U = \dfrac{35P^2 H}{2EA} = 788$ J

2.8-5 Mild steel: $u_r = 148.824$ kPa, $u = 1.93$ m

2.8-6 $U = \dfrac{\pi d^2 \gamma^2 L^3}{360E}$ **2.8-7** $\delta = \dfrac{4PL}{\pi E d_1 d_2}$

2.8-8 $\delta = \dfrac{PL}{Et(b_2 - b_1)}\ln\dfrac{b_2}{b_1}$ **2.8-9** $U = \dfrac{2\rho^2 A\omega^4 L^5}{15E}$

2.8-10 $U = \dfrac{a}{2EA}\left(4P_1^2 + \dfrac{32}{3}P_1 P_2 + 21P_2^2\right)$

2.8-11 $P = 270$ kN, $\delta = 1.321$ mm, $U = 243$ J

2.8-12 $\delta = \dfrac{PL}{\sqrt{2}EA}$ **2.8-13** $\delta = \dfrac{3 + 2\sqrt{2}}{2}\left(\dfrac{PL}{EA}\right)$

2.8-14 $U = \dfrac{P^2 L}{4EA \sin\beta \cos^2\beta}$, $\beta = 35.26°$.

$\delta = \dfrac{3\sqrt{3}\,PL}{4EA}$ **2.8-15** $\delta_d = \dfrac{PH}{EA(1+2\cos^2\beta)}$

2.9-1 $\sigma = \dfrac{W}{A}\left[1 + \left(1 + \dfrac{2EA}{W}\right)^{1/2}\right]$ **2.9-2** 16.12 MPa

2.9-3 $h = 0.135$ m **2.9-4** $h = 537$ mm

2.9-5 $\Delta = 0.139$ m **2.9-6** $\sigma_2 = \sigma_1/2$

2.9-7 $\delta = \dfrac{4M_2 g}{x}\left[1 + \left(1 + \dfrac{kh}{2M_2 g}\right)^{1/2}\right]$

2.9-8 $\sigma = 33.3$ MPa **2.9-9** $v = 18$ m/s

2.9-10 $\delta = 0.289$ mm, $\sigma = 178$ MPa

2.9-11 $\delta = 0.348$ m, $\sigma = 211.523$ MPa

2.9-12 $\delta = 0.277$ mm, $\sigma = 27.7$ MPa

2.10-1 $P_y = P_u = 2\sigma_y A \sin\theta$, $\delta_y = \delta_u = \dfrac{\sigma_y L}{E\sin\theta}$

2.10-2 $A_{ab} = 693$ mm², $A_{bc} = 800$ mm²

2.10-3 $\delta_b = 15.75$ mm **2.10-4** If $P = 106.8$ kN:
$\delta_b = 9.144$ mm; if $P = 178$ kN: $\delta_b = 34.544$ mm

2.10-5 $\delta_h = 1.86$ m, $\delta_v = 3.302$ mm

2.10-6 $\delta_b = \dfrac{L}{k\sin\theta}\left(\dfrac{P}{2A\sin\theta}\right)^m$; if $P = 1178$ kN:

$\delta_b = 23$ mm **2.10-7** $\delta = \dfrac{\gamma^m L^{m+1}}{k(m+1)}$

2.10-8 $\delta = 528$ mm **2.10-9** $P_u = 56.5$ kN

2.10-10 $P_u = 95.7$ kN **2.10-11** $P_u = 3.73\sigma_y A$

2.10-12 $P_u = \dfrac{4}{3}P_y = \dfrac{4\sigma_y A}{3}$, $\delta_u = 2\delta_y = \dfrac{3\sigma_y L}{E}$

2.10-13 $P_y = 186$ kN, $\delta_y = 2.25$ mm, $P_u = 211$ kN, $\delta_u = 4.00$ mm

Chapter 3

3.2-1 $\tau_{max} = 40$ MPa, $\gamma_{max} = 0.0005$ rad

3.2-2 $L = 1.13$ m **3.2-3** $L = 10.8$ m

3.2-4 $T = 86.67$ N·m **3.2-5** $T = 24.97$ N·m, $\phi = 31.5°$

3.2-6 $\tau_1 = 32.8$ MPa, $\tau_2 = 46.9$ MPa

3.2-7 $G = 27.8$ GPa **3.2-8** $T = 9.175$ kN·m

3.2-9 $d = 171.12$ mm **3.2-10** $\tau_{max} = 30.6$ MPa, $G = 28.0$ GPa **3.2-11** $\phi = 0.096$ rad, $d = 2.98$ in

3.2-12 $\dfrac{d_H}{d_S} = 1.19$, $\dfrac{W_H}{W_S} = 0.51$

3.2-13 % area $= 100\beta^2$, % torque $= 100\beta^4$

3.3-1 $\phi = 2.44°$ **3.3-2** $T = 204.53$ N·m

3.3-3 $d_{ab} = 39.37$ mm, $d_{bc} = 43.69$ mm, $d_{cd} = 37.59$ mm

3.3-4 $d_{ab} = 41.4$ mm, $d_{bc} = 45.21$ mm, $d_{cd} = 39.88$ mm

3.3-5 $d = 81.3$ mm **3.3-6** $\dfrac{d_b}{d_a} = 1.45$

3.3-7 $\phi = \dfrac{3TL}{2\pi G t d_a^3}$ **3.3-8** $\phi = \dfrac{qL^2}{2GI_p}$ **3.3-9** $\phi = \dfrac{q_0 L^2}{6GI_p}$

3.4-1 $\tau_{max} = 46.78$ MPa **3.4-2** $d = 37.34$ mm

3.4-3 $\sigma_{max} = 56$ MPa, $T = 10.3$ kN·m

3.4-4 $\sigma_{max} = 64$ MPa, $T = 25.0$ kN·m

3.5-1 $\gamma_{max} = 2.09\times10^{-3}$, $\epsilon_{max} = 1.04\times10^{-3}$

3.5-2 $\gamma = 0.00173$ **3.5-3** $G = 80$ GPa

3.5-4 $G = \dfrac{8T}{\pi d^3 \epsilon}$ **3.5-5** $\epsilon = 0.91\times10^{-3}$, $\gamma = 1.82\times10^{-3}$ **3.6-1** $P = 14.2$ kW

3.6-2 $P = 89.7$ hp **3.6-3** $H = 7400$ hp

3.6-4 $d = 115$ mm **3.6-5** $d = 103.12$ mm

3.6-6 $d = 110$ mm **3.6-7** $d = 0.19$ m

3.6-8 $d = 0.1046$ m **3.6-9** $d = 122$ mm

3.6-10 $d_1 = 1.221d$ **3.7-1** $T_a = \dfrac{T_1(b+c)+T_2(c)}{L}$

3.7-2 $T_a = T_d = \dfrac{T_0}{3}$, $\phi_b = \dfrac{T_0 L}{9GI_p}$, $\phi_m = 0$

3.7-3 $P = 5963$ N **3.7-4** $\phi = \dfrac{2b\tau_{allow}}{Gd}$

3.7-5 $T = 639$ N·m **3.7-6** $T = 110.288$ N·m

3.7-7 $a = \dfrac{d_a L}{d_a + d_b}$ **3.7-8** $\dfrac{a}{L} = \left(\dfrac{d_1}{d_2}\right)^4$

3.7-9 $x = \dfrac{L}{4}\left(3 - \dfrac{I_{pb}}{I_{pa}}\right)$ **3.7-10** $T = \dfrac{2GI_p bck}{GI_p + 2c^2 kL}$

3.7-11 $\tau_t = 32.73$ MPa, $\tau_b = 21.77$ MPa, $\phi = 0.41°$,

$k = 2.85\times10^5$ N·m/rad **3.7-12** $T_a = \dfrac{q_0 L}{6}$, $T_b = \dfrac{q_0 L}{3}$

3.7-13 $\tau_s = 77.3$ MPa, $\tau_b = 25.1$ MPa

3.7-14 $\tau_s = 80$ MPa, $\tau_b = 31$ MPa, $\phi = 1.39°$

3.7-15 $T = 5260$ N·m **3.7-16** $T = 63.51$ kN·m

3.7-17 $T_1 = 12.9$ kN·m, $T_2 = 19.6$ kN·m, $T_3 = 5.39$ kN·m, $T = 5.39$ kN·m **3.8-1** $U = 445$ J

3.8-2 $U = 0.504$ N·m **3.8-3** $U = \dfrac{q_0^2 L^3}{40GI_p}$

3.8-4 $U = \dfrac{T^2 L(d_a + d_b)}{\pi G t d_a^2 d_b^2}$ **3.8-5** $U = \dfrac{19T_0^2 L}{32GI_p}$

3.8-6 $U = \dfrac{\beta^2 GI_{pa}I_{pb}}{2(L_a I_{pb} + L_b I_{pa})}$

3.9-1 (a) $\tau_{max} = 65.8$ MPa, (b) $\tau_{max} = 71.66$ MPa

3.9-2 $\dfrac{\phi_1}{\phi_2} = 1 + \dfrac{1}{4\beta^2}$ **3.9-3** $\dfrac{U_1}{U_2} = 2$

3.9-4 (a) $t = 3.63$ mm, (b) $t = 3.73$ mm

3.9-5 $\tau = 20$ MPa **3.9-6** $T = 9.35$ kN·m, $\theta = 0.0173$ rad/m **3.9-7** $\tau = 35.0$ MPa, $\phi = 0.0100$ rad

3.9-8 $\tau = 45.68$ MPa, $\theta = 5.92\times10^{-6}$ rad/m

3.9-9 $t = 3.56$ mm **3.9-10** $\tau = \dfrac{2T(1+\beta)^2}{tL_m^2 \beta}$

3.9-11 $\theta = \dfrac{4T(1+\beta)^4}{GtL_m^3 \beta^2}$ **3.9-12** $\phi = \dfrac{2TL(d_a + d_b)}{\pi Gt d_a^2 d_b^2}$

3.10-2 $\tau_{\max} = \dfrac{Tr}{I_p}\left(\dfrac{3n+1}{4n}\right)$

3.10-3 $\dfrac{T_u}{T_y} = \dfrac{4(1-\beta^3)}{3(1-\beta^4)}$, $\beta = \dfrac{r_1}{r_2}$

3.10-4 $T = \dfrac{T_y}{3}\left[4 - \left(\dfrac{\gamma_y}{\gamma_{\max}}\right)^3\right]$

3.10-6 $\tau_{\max} = 64.5\,\text{MPa}$

Chapter 4

4.2-1 $V = 4.45\,\text{kN}$, $M = 54.4\,\text{kN·m}$ **4.2-2** $V = 6\,\text{kN}$,
$M = -12\,\text{kN·m}$ **4.2-3** $V = 1.25\,\text{kN}$, $M = 11.6\,\text{kN·m}$
4.2-4 $V = 2Pa/b$, $M = 0$ **4.2-5** $V = -9167\,\text{N}$,
$M = -8024\,\text{N}$ **4.2-6** $V = -1.25\,\text{kN}$, $M = -7.75\,\text{kN·m}$
4.2-7 $M_{\max} = 544\,\text{N·m}$ **4.2-8** $N = P\sin\theta$,
$V = P\cos\theta$, $M = Pr\sin\theta$ **4.2-9** $V = 1.6\,\text{kN}$,
$M = 11.2\,\text{kN·m}$ **4.2-10** (a) $V_b = 26700\,\text{N}$,
$M_b = 16320\,\text{N·m}$ (b) $V_m = 0$, $M_m = 32640\,\text{N·m}$
4.2-11 $\dfrac{a}{L} = \dfrac{1}{4}$ **4.2-12** $V = 27wL^2\alpha/4g$,
$M = 107wL^3\alpha/15g$ **4.4-1** $V_{\max} = P$, $M_{\max} = Pa$
4.4-2 $V_{\max} = qL$, $M_{\max} = -qL^2/2$
4.4-3 $V_{\max} = M_0/L$, $M_{pos} = M_0 a/L$,
$M_{neg} = -M_0(1-a/L)$ **4.4-4** $V_{pos} = 5P/12$,
$M_{\max} = 7PL/36$ **4.4-5** $V_{\max} = P/2$, $M_{\max} = 3PL/8$
4.4-6 $V_{pos} = 9.6\,\text{kN}$, $M_{\max} = 46.1\,\text{kN·m}$
4.4-7 $V_{\max} = -3M_1/L$, $M_{pos} = M_1$
4.4-8 $V_{\max} = P$, $M_{\max} = -Pa$
4.4-9 $V_{\max} = 4.0\,\text{kN}$, $M_{\max} = -13.0\,\text{kN·m}$
4.4-10 $V_{pos} = 1780\,\text{N}$, $M_{\max} = -5440\,\text{N·m}$
4.4-11 $V_{pos} = 31.15\,\text{kN}$, $M_{\max} = 55.08\,\text{kN·m}$
4.4-12 $V_{\max} = 6.0\,\text{kN}$, $M_{\max} = -18.0\,\text{kN·m}$
4.4-13 $V_{pos} = 5.25\,\text{kN}$, $M_{\max} = 11.63\,\text{kN·m}$
4.4-14 $V_{pos} = 2Pa/b$, $M_{pos} = Pa$
4.4-15 $V_{\max} = 13038\,\text{N}$, $M_{pos} = 11750.4\,\text{N·m}$
4.4-16 $V_{\max} = 9.0\,\text{kN}$, $M_{\max} = -9.0\,\text{kN·m}$
4.4-17 $V = -\dfrac{q_0 x^2}{2L}$, $M = -\dfrac{q_0 x^3}{6L}$
4.4-18 $a = 0.586L$, $V_{\max} = 0.293qL$, $M_{\max} = 0.0214qL^2$
4.4-19 $V_{\max} = 4.0\,\text{kN}$, $M_{\max} = 11.2\,\text{kN·m}$
4.4-20 $V_{\max} = 13350\,\text{N}$, $M_{\max} = -26928\,\text{N·m}$
4.4-21 $V_{\max} = -27.0\,\text{kN}$, $M_{\max} = -38.25\,\text{kN·m}$
4.4-22 $V_{\max} = -q_0 L/3$, $M_{\max} = q_0 L^2/9\sqrt{3}$
4.4-23 $V_{\max} = -31150\,\text{N}$, $M_{\max} = 30410\,\text{N·m}$
4.4-24 $V_{\max} = q_0 L/6$, $M_{\max} = 0.01604q_0 L^2$
4.4-25 $V_{\max} = -756.5\,\text{N}$, $M_{\max} = 756.16\,\text{N·m}$
4.4-26 $V_{pos} = 7.5\,\text{kN}$, $M_{\max} = 20.0\,\text{kN·m}$

4.4-27 $V_{\max} = -1733\,\text{lb}$, $M_{pos} = 556\,\text{ft-lb}$
4.4-28 $V_{\max} = 32.97\,\text{kN}$, $M_{\max} = 61.15\,\text{kN·m}$
4.4-29 $V_{\max} = 55.625\,\text{kN}$, $M_{pos} = 106.216\,\text{kN·m}$
4.4-30 $V_{\max} = -12.0\,\text{kN}$, $M_{\max} = -24.0\,\text{kN·m}$
4.4-31 $V_{\max} = 7qL/6$, $M_{pos} = qL^2/72$, $M_{neg} = -2qL^2/3$
4.4-32 $V_{\max} = 2.5\,\text{kN}$, $M_{\max} = 5.0\,\text{kN·m}$
4.4-33 $V_{pos} = 0.1857q_0 L$, $V_{neg} = -0.3276q_0 L$,
$M_{\max} = 0.05263q_0 L^2$ **4.4-34** $M_{\max} = 27200\,\text{N·m}$
4.4-35 $M_{\max} = 30.0\,\text{kN·m}$
4.4-36 $q_b = 5q_a = 10P/3L$, $M_{\max} = -\dfrac{3PL}{16}$
4.4-37 $M_{\max} = \dfrac{PL}{8}\left(\dfrac{n+2}{n+1}\right)$ for n even,
$M_{\max} = \dfrac{PL}{8}\left(\dfrac{n+1}{n}\right)$ for n odd
4.4-38 $V_{\max} = P\left(2 - \dfrac{d}{L}\right)$ with $x = 0$ or $x = L-d$,
$M_{\max} = \dfrac{P}{2L}\left(L - \dfrac{d}{2}\right)^2$ with $x = \dfrac{L}{2} - \dfrac{d}{4}$
4.4-39 (a) $x = 6.4\,\text{m}$, $V_{\max} = 16.8\,\text{kN}$;
(b) $x = 2.67\,\text{m}$, $M_{\max} = 31.4\,\text{kN·m}$
4.4-40 $x = 7.32\,\text{m}$, $M_{\max} = 727.6\,\text{kN·m}$

Chapter 5

5.3-1 $\sigma_{\max} = 322.452\,\text{MPa}$ **5.3-2** $\sigma_{\max} = 388.299\,\text{MPa}$
5.3-3 $\sigma_{\max} = 251\,\text{MPa}$ **5.3-4** $\sigma_{\max} = 9301\,\text{kPa}$
5.3-5 $L = 3.68\,\text{m}$ **5.3-6** (a) 0.5; (b) 0.7374
5.3-7 $\sigma_{\max} = 61.39\,\text{MPa}$ **5.3-8** $\sigma_{\max} = 7751.25\,\text{kPa}$
5.3-9 $\sigma_{\max} = 2.32\,\text{MPa}$ **5.3-10** $\sigma_{\max} = 140.556\,\text{MPa}$
5.3-11 (a) $M_{\max} = \sigma_{allow}\left(\dfrac{15\pi d^3}{64}\right)$;
(b) $M_{\max} = \sigma_{allow}\left(\dfrac{\pi d^3\sqrt{2}}{64}\right)$
5.3-12 (a) $M_{\max} = \sigma_{allow}\left(\dfrac{b^3}{32}\right)$;
(b) $M_{\max} = \sigma_{allow}\left(\dfrac{13bh^2}{60}\right)$
5.3-13 $\sigma_{\max} = 732\,\text{MPa}$ (compression)
5.3-14 $\sigma_t = 29.21\,\text{MPa}$, $\sigma_c = -102.661\,\text{MPa}$
5.3-15 $P = 3.25\,\text{kN}$ **5.3-16** $\sigma_t = 56.43\,\text{MPa}$,
$\sigma_c = 100.594\,\text{MPa}$ **5.3-17** $P = 17.4\,\text{kN}$
5.3-18 $P = 17.3\,\text{kN}$ **5.3-19** $P = 282.575\,\text{kN}$
5.4-1 $S = 2.44\times10^{-4}\,\text{m}^3$, W8×21
5.4-2 $S = 3.23\times10^{-4}\,\text{m}^3$, W8×28
5.4-3 $S = 2.52\times10^{-4}\,\text{m}^3$, S10×25.4
5.4-4 $b = 136\,\text{mm}$ **5.4-5** $d = 215\,\text{mm}$
5.4-6 $S = 3.11\times10^{-4}\,\text{m}^3$, use 2×10 in. joists
5.4-7 $s = 0.33\,\text{m}$ **5.4-8** $s = 1.83\,\text{m}$

5.4-9 $b = \dfrac{d}{\sqrt{3}}$, $h = d\sqrt{\dfrac{2}{3}}$ **5.4-10** $\dfrac{S_2}{S_1} = \dfrac{2d_2^2 - d_1^2}{d_1 d_2}$

5.4-11 $t = 50.8$ mm **5.4-12** $b = 200$ mm

5.4-13 $b = 259$ mm **5.4-14** $\dfrac{b_1}{b_2} = \dfrac{2\alpha - 1}{2 - \alpha}$, $\dfrac{1}{2} < \alpha < 2$

5.4-15 $1 : 1.260 : 1.408$ **5.4-16** $\beta = 0.1304$, 9.23%

5.5-2 $\tau_{\max} = 387.218$ kPa **5.5-3** $\tau_{\max} = 1033.5$ kPa

5.5-4 $\tau_{\max} = 589$ kPa

5.5-5 (a) $\tau_{\max} = \sigma_{\max}\left(\dfrac{h}{L}\right)$; (b) $\tau_{\max} = \sigma_{\max}\left(\dfrac{h}{2L}\right)$

5.5-6 $\tau_{\max} = 750$ kPa **5.5-7** $\tau_{\max} = 30571.5$ N

5.5-8 $L_0 = 1.64$ m **5.5-9** $L_0 = \dfrac{\sigma_{\text{allow}}}{\tau_{\text{allow}}}\left(\dfrac{h}{2}\right)$

5.5-10 $P = 4005$ N, $\sigma_{\max} = 9301.5$ N

5.6-1 $\tau_{\max} = 40444.3$ kPa, $\tau_{\text{aver}} = 39341.9$ kPa

5.6-2 $\tau_{\max} = 45.2$ MPa, $\tau_{\min} = 27.9$ MPa,
$\tau_{\text{aver}} = 40.2$ MPa, $V_{\text{web}} = 270$ kN

5.6-3 $\tau_{\max} = 77857$ kPa, $\tau_{\text{aver}} = 74412$ kPa

5.6-4 $\tau_{\max} = 38170.6$ kPa, $\tau_{\text{aver}} = 39341.9$ kPa

5.6-5 $q = 133$ kN/m **5.6-6** $\tau_{\max} = 12.6$ MPa

5.6-7 $\tau_{\max} = 21.4$ MPa **5.6-8** $\tau_{\max} = 9783.8$ kPa

5.8-1 $F = 393$ kN/m **5.8-2** $V = 1873.45$ kN

5.8-3 $s = 120.9$ N **5.8-4** $V = 11.1$ kN

5.8-5 $V = 7698.5$ N **5.8-6** (a) $s = 71.12$ mm;

(b) $s = 35.56$ mm **5.8-7** $s = 81$ mm

5.8-8 $s = 140.2$ mm **5.8-9** $V = 69.87$ kN

5.9-1 $x = \dfrac{L}{4}$, $\sigma_{\max} = \dfrac{64PL}{27\pi d_a^3}$, $\dfrac{\sigma_{\max}}{\sigma_b} = 2$

5.9-2 $1 \le \dfrac{d_b}{d_a} < 1.5$ **5.9-3** $x = \dfrac{L}{2}$, $\sigma_{\max} = \dfrac{8PL}{9h^3}$,

$\dfrac{\sigma_{\max}}{\sigma_b} = \dfrac{32}{27}$ **5.9-4** $x = 8612.5$ kPa, $\sigma_{\max} = 8618.5$ kPa,

$\dfrac{\sigma_{\max}}{\sigma_b} = \dfrac{25}{24}$ **5.9-5** At $x = 0$, $\tau_{\max} = 206.7$ kPa,
at $x = 0.254$ m, $\tau_{\max} = 214.968$ kPa;
at $x = 0.508$ m, $\tau_{\max} = 206.7$ kPa

5.9-6 $b = \dfrac{6Px}{h^2 \sigma_{\text{allow}}}$ **5.9-7** $h = x\sqrt{\dfrac{3q}{b\sigma_{\text{allow}}}}$

5.9-8 $h = \left[\dfrac{q_0 L^2}{4b\sigma_{\text{allow}}}\left(1 - \dfrac{8x^3}{L^3}\right)\right]^{1/2}$

5.9-9 $h = \left[\dfrac{3PL}{2b\sigma_{\text{allow}}}\left(1 - \dfrac{4x^2}{L^2}\right)\right]^{1/2}$

5.10-1 $\sigma_s = 94.393$ MPa, $\sigma_w = 4547.4$ kPa

5.10-2 $\sigma_s = 62.3$ MPa, $\sigma_w = 2.3$ MPa

5.10-3 $M_{\max} = 102.9$ kN·m **5.10-4** $M_{\max} = 63.1$ kN·m

5.10-5 $M_{\max} = 22.26$ kN·m **5.10-6** $t = 14.86$ mm

5.10-7 $M = \dfrac{\pi d^3 \sigma_s}{512}\left(15 + \dfrac{E_a}{E_s}\right)$ **5.10-8** $\sigma_s = 41.8$ MPa,
$\sigma_w = 5.6$ MPa **5.10-9** $\sigma_s = 59.047$ MPa,

5.10-10 $\sigma_a = 23.29$ MPa,
$\sigma_c = 30.52$ MPa **5.10-11** $\sigma_s = 122$ MPa

5.10-12 $S = 51.95$ mm^3; Metal A

5.10-13 $M_{\max} = 26.22$ kN·m

5.10-14 $M_{\max} = 34.69$ kN·m

5.10-15 $M_{\max} = 49.9$ kN·m

5.11-1 $\sigma_t = 8P/a^2$, $\sigma_c = -4P/a^2$

5.11-2 $\sigma_t = 9.11P/a^2$, $\sigma_c = -6.36P/a^2$

5.11-3 $\sigma_t = 18.47$ MPa, $\sigma_c = -19.29$ MPa

5.11-4 $\sigma_t = 11.8$ MPa, $\sigma_c = -12.3$ MPa

5.11-5 $t = 12.4$ mm

5.11-6 $\alpha = \arcsin\left(\dfrac{d_2^2 + d_1^2}{4hd_2}\right)$

5.11-7 (a) $\sigma_t = 606.32$ kPa, $\sigma_c = -0.734$ m;

(b) $d = 28.9$ in. **5.11-8** $d = 0.065$ m

5.11-9 $b = 0.501$ m **5.11-10** $s = \dfrac{L}{2} - \dfrac{d \tan \alpha}{8}$

5.11-11 $s = \dfrac{h^2}{12(L - x)}$ **5.11-12** $P_{\max} = 131.72$ kN

5.11-13 $\sigma_t = 48919$ kPa, $\sigma_c = -72345$ kPa

5.11-14 $\sigma_t = 90529$ kPa

5.11-17 Equilateral triangle with same centroid and
side of length $b/4$

5.11-18 Rhombus with diagonals of lengths 11.0
and 36.576 mm

Chapter 6

6.2-1 $\sigma_{x_1} = 34.1$ MPa, $\tau_{x_1 y_1} = 21.4$ MPa,
$\sigma_{y_1} = -83$ MPa **6.2-2** $\sigma_{x_1} = 50.6$ MPa,
$\tau_{x_1 y_1} = -47.9$ MPa, $\sigma_{y_1} = -13.6$ MPa

6.2-3 $\sigma_{x_1} = 41.1$ MPa, $\tau_{x_1 y_1} = 25.7$ MPa,
$\sigma_{y_1} = -25.28$ MPa **6.2-4** $\sigma_{x_1} = -104$ MPa,
$\tau_{x_1 y_1} = -17$ MPa, $\sigma_{y_1} = -35$ MPa

6.2-5 $\sigma_x = -206.7$ MPa, $\sigma_y = -68.9$ MPa,
$\tau_{xy} = -48.23$ MPa **6.2-6** $\sigma_x = 30$ MPa, $\sigma_y = -10$ MPa,
$\tau_{xy} = -12$ MPa **6.2-7** $\sigma_b = 20.67$ MPa, $\theta_1 = 33.7°$

6.2-8 $\sigma_b = -61.0$ MPa, $\theta_1 = 67.0°$

6.3-1 $\sigma_1 = 44.58$ MPa, $\sigma_2 = -17$ MPa, $\theta_{p_1} = 148.3°$,
$\tau_{\max} = 30.8$ MPa **6.3-2** $\sigma_1 = 97.1$ MPa,
$\sigma_2 = -37.1$ MPa, $\theta_{p_1} = 31.7°$, $\tau_{\max} = 67.1$ MPa

6.3-3 $\sigma_1 = 33.28$ MPa, $\sigma_2 = 5.71$ MPa, $\theta_{p_1} = 67.5°$,
$\tau_{\max} = 19.5$ MPa **6.3-4** $\sigma_1 = 4.30$ MPa,
$\sigma_2 = -52.3$ MPa, $\theta_{p_1} = 16.0°$, $\tau_{\max} = 28.3$ MPa

6.3-5 $\sigma_1 = 119.9$ MPa, $\sigma_2 = 31.7$ MPa, $\theta_{p_1} = 19.3°$,
$\tau_{\max} = 44.1$ MPa **6.3-6** $\sigma_1 = 65.1$ MPa,
$\sigma_2 = -115.1$ MPa, $\theta_{p_1} = 106.8°$, $\tau_{\max} = 90.1$ MPa

6.3-7 $\sigma_1 = 0$, $\sigma_2 = 103.35$ MPa, $\theta_{p_1} = 26.6°$, $\tau_{max} = 51.68$ MPa **6.3-8** $\sigma_1 = -11.7$ MPa, $\sigma_2 = -128.3$ MPa, $\theta_{p_1} = 119.5°$, $\tau_{max} = 58.3$ MPa

6.3-9 $\sigma_1 = 26.46$ MPa, $\sigma_2 = -12.6$ MPa, $\theta_{p_1} = 157.5°$, $\tau_{max} = 19.5$ MPa **6.3-10** $\sigma_1 = 191$ MPa, $\sigma_2 = -91$ MPa, $\theta_{p_1} = 112.5°$, $\tau_{max} = 141$ MPa

6.4-5 $\sigma_{x_1} = 41.34$ MPpa, $\tau_{x_1y_1} = 23.84$ MPa, $\sigma_{y_1} = 13.78$ MPa, $\tau_{max} = 27.56$ MPa

6.4-6 $\sigma_{x_1} = -52.5$ MPa, $\tau_{x_1y_1} = 30.3$ MPa, $\sigma_{y_1} = -17.5$ MPa, $\tau_{max} = 35$ MPa

6.4-7 $\sigma_{x_1} = 12.4$ MPa, $\tau_{x_1y_1} = -21.5$ MPa, $\sigma_{y_1} = -12.4$ MPa, $\sigma_1 = 24.8$ MPa, $\sigma_2 = -24.8$ MPa

6.4-8 $\sigma_{x_1} = -22.5$ MPa, $\tau_{x_1y_1} = 39.0$ MPa, $\sigma_{y_1} = 22.5$ MPa, $\sigma_1 = 45$ MPa, $\sigma_2 = -45$ MPa

6.4-9 $\sigma_{x_1} = 4120$ psi, $\tau_{x_1y_1} = -2120$ psi, $\sigma_{y1} = -120$ psi, $\tau_{max} = 3000$ psi

6.4-10 $\sigma_{x_1} = -81.2$ MPa, $\tau_{x_1y_1} = 21.2$ MPa, $\sigma_{y_1} = -38.8$ MPa, $\tau_{max} = 30$ MPa

6.4-19 $\sigma_{x_1} = -17.9$ MPa, $\tau_{x_1y_1} = 4.74$ MPa, $\sigma_{y_1} = -15.15$ MPa **6.4-20** $\sigma_{x_1} = 68.6$ MPa, $\tau_{x_1y_1} = 48.7$ MPa, $\sigma_{y_1} = 91.4$ MPa

6.5-1 $\sigma_x = 179.1$ MPa, $\sigma_y = 91.1$ MPa

6.5-2 $\sigma_x = 116$ MPa, $\sigma_y = 55$ MPa

6.5-3 (a) $\epsilon_z = -\dfrac{v}{1-v}(\epsilon_x + \epsilon_y)$; (b) $\epsilon_z = -90 \times 10^{-6}$

6.5-4 $F = vP$ **6.5-5** $\gamma_{max} = 433 \times 10^{-6}$

6.5-6 $\gamma_{max} = 715 \times 10^{-6}$

6.5-7 $\Delta t = -0.002794$ mm, $\Delta V = 1115.2$ mm^3

6.5-8 $\Delta t = -0.00126$ mm, $\Delta V = 538$ mm^3

6.5-9 $\Delta V = 419.84$ mm^3, $U = 1.6272$ N·m

6.5-10 $\Delta V = -56$ mm^3, $U = 4.04$ J

6.5-11 $\Delta V = 693.72$ mm^3, $U = 42.149$ N·m

6.5-12 $\Delta V = 2640$ mm^3, $U = 67$ J

6.5-13 $\sigma_x = 206.7$ MPa, $\sigma_y = -103$ MPa, $\tau_{xy} = 103$ MPa **6.5-14** $\sigma_x = 75$ MPa, $\sigma_y = -45$ MPa, $\tau_{xy} = 75$ MPa **6.6-1** $p = 18.5$ MPa

6.6-2 $t = 5.63$ mm **6.6-3** $f = 5256$ kN/m

6.6-4 $\tau = 0$, $\tau_{max} = 36$ MPa **6.6-5** $\tau = 0$, $\tau_{max} = 17.6$ MPa **6.6-6** $\sigma_{max} = 15$ MPa

6.6-7 $t = 12.45$ mm **6.6-8** $n = 7.34$

6.6-9 $t = 2.794$ mm **6.6-10** $h = 15.3$ m

6.6-11 $\sigma = 33$ MPa, $\sigma_c = 66$ MPa, $\sigma_w = 33.1$ MPa

6.6-12 (a) $t = 5.00$ mm; (b) $t = 3.75$ mm

6.6-13 (a) $\sigma_1 = 121.26$ MPa, $\sigma_2 = 60.63$ MPa; (b) $\tau_{max} = 30.31$ MPa; (c) $\tau_{max} = 60.63$ MPa

6.6-14 (a) $\sigma_1 = 48$ MPa, $\sigma_2 = 24$ MPa; (b) $\tau_{max} = 12$ MPa; (c) $\tau_{max} = 24$ MPa

6.6-15 (a) $\sigma_1 = 55.12$ MPa, $\sigma_2 = 27.56$ MPa (b) $\tau = 13.78$ MPa; (c) $\tau = 28.39$ MPa; (d) $\sigma_{x_1} = 29.42$ MPa, $\tau_{x_1y_1} = 6.29$ MPa, $\sigma_{y_1} = 53.26$ MPa **6.6-16** (a) $\sigma_1 = 75$ MPa, $\sigma_2 = 37.5$ MPa; (b) $\tau = 18.8$ MPa; (c) $\tau = 38.4$ MPa; (d) $\sigma_{x_1} = 46.9$ MPa, $\tau_{x_1y_1} = 16.2$ MPa, $\sigma_{y_1} = 65.6$ MPa

6.6-17 $p = 3.45$ MPa **6.6-18** $F = 3\pi pr^2$

6.7-1 $\sigma_t = 66.7$ MPa, $\sigma_c = 22.8$ MPa, $\tau_{max} = 44.71$ MPa **6.7-2** $\sigma_t = 4.0$ MPa, $\sigma_c = -36.0$ MPa, $\tau_{max} = 20.0$ MPa

6.7-3 $\sigma_{max} = 52.02$ MPa, $\tau_{max} = 26.1$ MPa, $P = 1758$ N **6.7-4** $\tau_a = 68.3$ MPa, $\tau_b = 17.8$ MPa, $\tau_c = 21.0$ MPa **6.7-5** $\sigma_t = 16.95$ MPa, $\sigma_c = -7.65$ MPa, $\tau_{max} = 12.26$ MPa **6.7-6** $\sigma_{max} = 85.44$ MPa, $\tau_{max} = 57.67$ MPa **6.7-7** $\phi_{max} = 31.6°$

6.7-8 (a) $\sigma_x = 25.0$ MPa, $\sigma_y = 50.0$ MPa, $\tau_{xy} = -14.1$ MPa; (b) $\sigma_{max} = 56.4$ MPa, $\tau_{max} = 25.0$ MPa **6.7-9** $P = 7648$ N

6.7-10 $\sigma_t = 29.2qR^2/d^3$, $\sigma_c = -8.8qR^2/d^3$, $\tau_{max} = 19.0qR^2/d^3$ **6.8-1** $\sigma_1 = 454.7$ kPa, $\sigma_2 = -10.4$ MPa, $\theta_{p1} = 78.2°$, $\tau_{max} = 5.42$ MPa

6.8-2 $\sigma_1 = 13.8$ MPa, $\sigma_2 = -0.3$ MPa, $\theta_{p1} = 8.3°$, $\tau_{max} = 7.05$ MPa **6.8-3** (a) $\sigma_1 = 0$, $\sigma_2 = 111.13$ MPa, $\tau_{max} = 55.53$ MPa; (b) $\sigma_1 = 3.72$ MPa, $\sigma_2 = -111$ MPa, $\tau_{max} = 57.18$ MPa; (c) $\sigma_1 = 33.07$ MPa, $\sigma_2 = -33.07$ MPa, $\tau_{max} = 33.07$ MPa

6.8-4 (a) $\sigma_1 = 0$, $\sigma_2 = -68.9$ MPa, $\tau_{max} = 34.4$ MPa; (b) $\sigma_1 = 3.8$ MPa, $\sigma_2 = -63.4$ MPa, $\tau_{max} = 33.6$ MPa; (c) $\sigma_1 = 19.3$ MPa, $\sigma_2 = -19.3$ MPa, $\tau_{max} = 19.3$ MPa

6.8-5 (a) $\sigma_1 = 0$, $\sigma_2 = -96.2$ MPa, $\tau_{max} = 48.1$ MPa; (b) $\sigma_1 = 26.4$ MPa, $\sigma_2 = -0.3$ MPa, $\tau_{max} = 13.3$ MPa

6.8-6 Top: $\sigma_1 = 0$, $\sigma_2 = 48.23$ MPa, $\tau_{max} = 24.12$ MPa; N.A.: $\sigma_1 = 5.19$ MPa, $\sigma_2 = -5.19$ MPa, $\tau_{max} = 5.19$ MPa **6.8-7** Top: $\sigma_1 = 0$, $\sigma_2 = -146$ MPa, $\tau_{max} = 73.0$ MPa; N.A.: $\sigma_1 = 29.2$ MPa, $\sigma_2 = -29.2$ MPa, $\tau_{max} = 29.2$ MPa

6.9-1 $\tau_{max} = 55.12$ MPa, $\Delta a = 0.2$ mm, $\Delta b = -0.073$ mm, $\Delta c = 0.0274$ mm, $\Delta V = 270.6$ mm^3, $U = 77.4$ N·m **6.9-2** $\tau_{max} = 10$ MPa, $\Delta a = -0.0540$ mm, $\Delta b = -0.0075$ mm, $\Delta c = -0.0075$ mm, $\Delta V = -1890$ mm^3, $U = 50.0$ J

6.9-3 $\sigma_x = -28.93$ MPa, $\sigma_y = -14.47$ MPa, $\sigma_z = -14.47$ MPa, $\tau_{max} = 7230$ kPa,

$\Delta V = -314.88\ \text{mm}^3$, $U = 3.9889$ N·m

6.9-4 $\sigma_x = -64.8$ MPa, $\sigma_y = -43.2$ MPa,

$\sigma_z = -43.2$ MPa, $\tau_{\max} = 10.8$ MPa, $\Delta V = -532\ \text{mm}^3$,

$U = 14.8$ J **6.9-5** (a) $p = \dfrac{4vF}{\pi d^2(1-v)}$;

(b) $p = 1.79$ MPa (compression)

6.9-6 (a) $p = vp_0$; (b) $e = -\dfrac{p_0}{E}(1+v)(1-2v)$;

(c) $e = -\dfrac{p_0}{E}(1+v)\left[1-2v+\dfrac{vp_0}{E}(1-v^2)\right]$;

(d) $p = 1.32$ MPa (compression), $e = -0.282$

6.9-7 $p = 861.25$ MPa, $K = 172.25$ GPa,

$U = 3988.9$ N·m **6.9-8** $d = 3000$ m, increase $= 0.060\%$

6.9-9 $\epsilon_0 = 300\times 10^{-6}$, $e = 900\times 10^{-6}$, $u = 40.5$ kPa

6.11-1 $\epsilon_{x_1} = 434\times 10^{-6}$, $\gamma_{x_1y_1} = 307\times 10^{-6}$,

$\epsilon_{y_1} = 306\times 10^{-6}$ **6.11-2** $\epsilon_{x_1} = 335\times 10^{-6}$,

$\gamma_{x_1y_1} = -537\times 10^{-6}$, $\epsilon_{y_1} = -75\times 10^{-6}$

6.11-3 $\epsilon_1 = 575\times 10^{-6}$, $\epsilon_2 = 65\times 10^{-6}$, $\theta_{p_1} = 157.5°$,

$\gamma_{\max} = 510\times 10^{-6}$ **6.11-4** $\epsilon_1 = 164\times 10^{-6}$,

$\epsilon_2 = -614\times 10^{-6}$, $\theta_{p_1} = 166.2°$, $\gamma_{\max} = 778\times 10^{-6}$

6.11-5 (a) $\epsilon_{x_1} = 163\times 10^{-6}$, $\gamma_{x_1y_1} = -582\times 10^{-6}$,

$\epsilon_{y_1} = 387\times 10^{-6}$; (b) $\epsilon_1 = 587\times 10^{-6}$, $\epsilon_2 = -37\times 10^{-6}$,

$\theta_{p_1} = 24.5°$; (c) $\gamma_{\max} = 624\times 10^{-6}$

6.11-6 (a) $\epsilon_{x_1} = -385\times 10^{-6}$, $\gamma_{x_1y_1} = 672\times 10^{-6}$,

$\epsilon_{y_1} = -1295\times 10^{-6}$; (b) $\epsilon_1 = -274\times 10^{-6}$,

$\epsilon_2 = -1406\times 10^{-6}$, $\theta_{p_1} = 68.2°$; (c) $\gamma_{\max} = 1130\times 10^{-6}$

6.11-7 (a) $\epsilon_{x_1} = -830\times 10^{-6}$, $\gamma_{x_1y_1} = 995\times 10^{-6}$,

$\epsilon_{y_1} = 267\times 10^{-6}$; (b) $\epsilon_1 = 459\times 10^{-6}$,

$\epsilon_2 = -1022\times 10^{-6}$, $\theta_{p_1} = 98.9°$; (c) $\gamma_{\max} = 1480\times 10^{-6}$

6.11-8 (a) $\epsilon_{x_1} = -1641\times 10^{-6}$, $\gamma_{x_1y_1} = -656\times 10^{-6}$,

$\epsilon_{y_1} = -768\times 10^{-6}$; (b) $\epsilon_1 = -658\times 10^{-6}$,

$\epsilon_2 = -1751\times 10^{-6}$, $\theta_{p_1} = 168.4°$; (c) $\gamma_{\max} = 1093\times 10^{-6}$

6.11-9 $\epsilon_1 = 587\times 10^{-6}$, $\epsilon_2 = -137\times 10^{-6}$,

$\gamma_{\max} = 724\times 10^{-6}$ **6.11-10** $\epsilon_1 = 316\times 10^{-6}$,

$\epsilon_2 = -196\times 10^{-6}$, $\gamma_{\max} = 511\times 10^{-6}$ **6.11-11** $\epsilon_x = \epsilon_a$,

$\epsilon_y = \dfrac{1}{3}(2\epsilon_b + 2\epsilon_c - \epsilon_a)$, $\gamma_{xy} = \dfrac{2}{\sqrt{3}}(\epsilon_b - \epsilon_c)$

Chapter 7

7.3-2 $q = q_0 x/L$ **7.3-3** $q = q_0 \sin\dfrac{\pi x}{L}$

7.3-4 $\delta = 9.1694$ mm, $\theta = 0.00602$ rad

7.3-5 $h_2/h_1 = 2$ **7.3-6** $\delta/L = 1/300$ **7.3-7** $L = 4.0$ m

7.3-8 $h = 101.6$ mm **7.3-9** $\delta = 14.3$ mm

7.3-10 $\dfrac{\theta_a}{\theta_b} = \dfrac{2-\dfrac{a}{L}}{1+\dfrac{a}{L}}$ **7.3-11** $\dfrac{\delta_c}{\delta_{\max}} = \dfrac{3\sqrt{3}\,s}{16 t^{3/2}}$ in which

$s = -1 + \dfrac{8a}{L} - \dfrac{4a^2}{L^2}$ and $t = \dfrac{2a}{L} - \dfrac{a^2}{L^2}$

7.3-15 $v = \dfrac{mx^2}{6EI}(3L-x)$, $\delta_b = \dfrac{mL^3}{3EI}$, $\theta_b = \dfrac{mL^2}{2EI}$

7.3-18 $\delta_b = \dfrac{41qL^4}{384EI}$, $\delta_c = \dfrac{7qL^4}{192EI}$

7.4-4 $v = \dfrac{q_0 Ls}{3\pi^4 EI}$ in which

$s = 48L^3 \cos\dfrac{\pi x}{2L} - 48L^3 + 3\pi^3 Lx^2 - \pi^3 x^3$

7.4-5 $\delta = \dfrac{q_0 L^4}{\pi^4 EI}$ **7.4-6** $\delta_b = \dfrac{19q_0 L^4}{360EI}$, $\theta_b = \dfrac{q_0 L^3}{15EI}$

7.4-11 For $0 \le x \le L$: $v = -\dfrac{qLx}{48EI}(L^2 - x^2)$;

for $L \le x \le \dfrac{3L}{2}$:

$v = \dfrac{q}{48EI}(L-x)(7L^3 - 17L^2 x + 10Lx^2 - 2x^3)$;

$\delta_c = \dfrac{11qL^4}{384EI}$, $\theta_c = \dfrac{qL^3}{16EI}$ **7.5-4** $\theta_b = \dfrac{PL^2}{2EI} - \dfrac{M_0 L}{EI}$,

$\delta_b = \dfrac{PL^3}{3EI} - \dfrac{M_0 L^2}{2EI}$ **7.5-5** $\theta_b = \dfrac{7qL^3}{162EI}$, $\delta_b = \dfrac{23qL^4}{648EI}$

7.5-6 $\delta_b = 11.25$ mm, $\delta_c = 3.4798$ mm

7.5-7 $\delta_b = 11.8$ mm, $\delta_c = 4.10$ mm

7.5-10 $P = 66.75$ kN

7.5-11 $\theta_a = \dfrac{Pa}{6LEI}(L-a)(L-2a)$, $\delta_1 = \dfrac{Pa^2}{6LEI}(L-2a)^2$,

$\delta_2 = 0$ **7.5-12** $\theta_a = \dfrac{M_0 L}{6EI}$, $\theta_b = 0$, $\delta_{\max} = \dfrac{M_0 L^2}{27EI}$

7.5-13 $\delta_{\max} = 20.72$ mm **7.5-14** $\delta_c = \dfrac{Pa^2}{3EI}(L+a)$

7.5-15 $\dfrac{P}{Q} = 4$ **7.5-16** $\delta_c = \dfrac{qL^4}{128EI}$

7.5-17 $\theta_b = \dfrac{PL^2}{12EI}$, $\delta_a = \dfrac{PL^3}{12EI}$, $\delta_e = 0$

7.5-18 $P = \dfrac{3qL}{4}$ **7.6-1** $\delta_b = \dfrac{2PL^3}{9EI}$ **7.6-2** $\delta = \dfrac{19PL^3}{384EI}$

7.6-3 (a) $\dfrac{a}{L} = \dfrac{2}{3}$; (b) $\dfrac{a}{L} = \dfrac{1}{2}$ **7.6-4** $y = -\dfrac{Px^3}{3EI}$

7.6-8 $\theta_b = \dfrac{q_0 L^3}{10EI}$, $\delta_b = \dfrac{13q_0 L^4}{180EI}$ **7.6-9** $\dfrac{\delta_2}{\delta_1} = n^2$

7.6-10 $\theta_a = \dfrac{q}{24EI}(L^3 - 6La^2 + 4a^3)$,

$\delta = \dfrac{q}{384EI}(5L^4 - 24L^2 a^2 + 16a^4)$ **7.6-13** $\delta = \dfrac{3q_0 L^4}{1280EI}$

7.6-14 $\delta_b = \dfrac{L^2}{48EI}(QL - 3Pa)$, $\dfrac{P}{Q} = \dfrac{L}{3a}$

7.6-15 $\delta_d = \dfrac{Pa^2}{3EI}(L+a) - \dfrac{QL^2 a}{16EI}$, $\dfrac{P}{Q} = \dfrac{3L^2}{16a(L+a)}$

7.6-16 $\theta_a = \dfrac{qL}{24EI}(L^2 - 2a^2)$ **7.6-19** $\delta = \dfrac{19WL^3}{31104EI}$

7.6-20 $\theta_a = \dfrac{427qL^3}{3456EI}$ **7.6-21** $\delta = \dfrac{5Pb^3}{2EI}$

7.6-22 $\delta_e = \dfrac{5Pb^3}{3EI}$ **7.6-23** $\delta_c = 4.6482$ mm

7.6-24 $\delta_c = \dfrac{39PL^3}{1024EI}$ **7.6-25** $\delta_h = \dfrac{Pcb^2}{2EI}$,

$\delta_v = \dfrac{Pc^2}{3EI}(c+3b)$ **7.6-26** $\delta = \dfrac{PL^2}{3EI}(2L+3a)$

7.7-1 $\delta_b = \dfrac{PL^3}{24E}\left(\dfrac{7}{I_2}+\dfrac{1}{I_1}\right)$, $r = \dfrac{1}{8}\left(1+\dfrac{7I_1}{I_2}\right)$

7.7-2 $\delta_b = \dfrac{17qL^4}{256EI}$ **7.7-3** $\delta_b = \dfrac{qL^4}{128EI}\left(1+\dfrac{15I_1}{I_2}\right)$

7.7-4 $\theta_a = \dfrac{PL^2}{64EI_1}+\dfrac{3PL^2}{64EI_2}$, $\delta_c = \dfrac{PL^3}{384EI_1}+\dfrac{7PL^3}{384EI_2}$

7.7-5 $\theta_a = \dfrac{7qL^3}{256EI}$, $\delta_c = \dfrac{31qL^4}{4096EI}$

7.7-6 $\delta_b = 6.542\dfrac{PL^3}{Ebd_a^3}$ **7.7-7** $\delta_b = \dfrac{6PL^3 t}{Eb(d_b-d_a)^3}$

in which $t = \left(\dfrac{d_b}{d_a}-3\right)\left(\dfrac{d_b}{d_a}-1\right)+2\ln\dfrac{d_b}{d_a}$

7.7-8 $\delta_b = 1.388\dfrac{PL^3}{Etd_a^3}$ **7.7-9** $\delta_c = \dfrac{11PL^3}{64Ebh^3}$

7.8-1 $U = \dfrac{P^2 L^3}{96EI}$ **7.8-2** $U = \dfrac{P^2 a^2 (L+a)}{6EI}$

7.8-3 $U = 31.414\,\text{N}$ **7.8-4** $\dfrac{U_2}{U_1} = n^5$

7.8-5 $U = \dfrac{4bhL\sigma_{max}^2}{45E}$ **7.8-6** $U = \dfrac{32EI\delta^2}{L^3}$

7.8-7 $U = \dfrac{\pi^4 EI\delta^2}{4L^3}$

7.8-8 $U = \dfrac{P^2 L^3}{96EI}+\dfrac{PM_0 L^2}{16EI}+\dfrac{M_0^2 L}{6EI}$

7.8-9 $\sigma_{max} = \sqrt{\dfrac{18WEh}{AL}}$

7.8-10 $\dfrac{\sigma_{max}}{\sigma_{st}} = 1+\left(1+\dfrac{2h}{\sigma_{st}}\right)^1$

7.8-11 $\delta = 17.9578\,\text{mm}$, $\sigma_{max} = 197.05\,\text{MPa}$

7.8-12 $\text{W}14\times53$ **7.8-13** $d_{min} = 281\,\text{mm}$

7.8-14 $R = \sqrt{\dfrac{3EIWr^2\omega^2}{2gL^3}}$

7.9-1 $q = -P\langle x\rangle^{-1}+Pa\langle x\rangle^{-2}+P\langle x-a\rangle^{-1}$

7.9-2 $q = -qb\langle x\rangle^{-1}+\dfrac{qb}{2}(2a+b)\langle x\rangle^{-2}+$ $q\langle x-a\rangle^0-q\langle x-L\rangle^0$

7.9-3 $q = -16\langle x\rangle^{-1}+864\langle x\rangle^{-2}+\dfrac{1}{6}\langle x\rangle^0-\dfrac{1}{6}$ $\langle x-72\rangle^0+4\langle x-108\rangle^{-1}$, $x = \text{in.}$, $q = \text{k/in.}$

7.9-4 $q = -\dfrac{Pb}{L}\langle x\rangle^{-1}+P\langle x-a\rangle^{-1}-\dfrac{Pa}{L}\langle x-L\rangle^{-1}$

7.9-5 $q = -\dfrac{M_0}{L}\langle x\rangle^{-1}+M_0\langle x-a\rangle^{-2}+\dfrac{M_0}{L}\langle x-L\rangle^{-1}$

7.9-6 $q = -P\langle x\rangle^{-1}+P\langle x-a\rangle^{-1}+$ $P\langle x-L+a\rangle^{-1}-P\langle x-L\rangle^{-1}$

7.9-7 $q = -33.75\langle x\rangle^{-1}+30\langle x\rangle^{-2}+$ $80\langle x-5\rangle^{-1}-46.25\langle x-8\rangle^{-1}$, $x = \text{m}$, $q = \text{kN/m}$

7.9-8 $q = -\dfrac{qa}{2L}(2L-a)\langle x\rangle^{-1}+q\langle x\rangle^0-q\langle x-a\rangle^0-$

$\dfrac{qa^2}{2L}\langle x-L\rangle^{-1}$

7.9-9 $q = -180\langle x\rangle^{-1}+20\langle x\rangle^0-20\langle x-10\rangle^0+$ $120\langle x-15\rangle^{-1}-140\langle x-20\rangle^{-1}$, $x = \text{m}$, $q = \text{kN/m}$

7.9-10 $q = -\dfrac{2q_0 L}{27}\langle x\rangle^{-1}+\dfrac{3q_0}{L}\left\langle x-\dfrac{L}{3}\right\rangle^1-$

$\dfrac{3q_0}{L}\left\langle x-\dfrac{2L}{3}\right\rangle^1-q_0\left\langle x-\dfrac{2L}{3}\right\rangle^0-\dfrac{5q_0 L}{54}\langle x-L\rangle^{-1}$

7.9-11 $q = 3\langle x\rangle^{-1}+144\langle x-72\rangle^{-2}-$ $11\langle x-144\rangle^{-1}+8\langle x-216\rangle^{-1}$, $x = \text{in.}$, $q = \text{k/in.}$

7.9-12 $q = 2.4\langle x\rangle^{-1}+10\langle x-1.2\rangle^1-10\langle x-2.4\rangle^1$ $12\langle x-2.4\rangle^0-24\langle x-2.4\rangle^{-1}+12\langle x-2.4\rangle^0-$ $12\langle x-3.6\rangle^0$, $x = \text{m}$, $q = \text{kN/m}$

7.10-1 $EIv = \dfrac{Px^2}{6}(3a-x)+\dfrac{P}{6}\langle x-a\rangle^3$

7.10-2 $EIv = \dfrac{qbx^2}{12}(3L+3a-2x)+\dfrac{q}{24}\langle x-a\rangle^4$

7.10-3 $EIv = \dfrac{1}{144}(x^4-384x^3+62{,}208x^2-\langle x-72\rangle^4)$, $x = \text{mm}$, $v = \text{mm}$, $EI = 1.378\times10^{10}\,\text{kN·mm}^2$, $\theta_b = 0.00702\,\text{rad}$, $\delta_b = 13.8176\,\text{mm}$

7.10-4 $EIv = \dfrac{Pbx}{6L}(L^2-b^2-x^2)+\dfrac{P}{6}\langle x-a\rangle^3$

7.10-5 $EIv = \dfrac{M_0 x}{6L}(6aL-3a^2-2L^2-x^2)+$ $\dfrac{M_0}{2}\langle x-a\rangle^2$

7.10-6 $EIv = \dfrac{Px}{6}(3aL-3a^2-x^2)+\dfrac{P}{6}\langle x-a\rangle^3+$ $\dfrac{P}{6}\langle x-L+a\rangle^3$

7.10-7 $EIv = -5.625x^3+15x^2+195x+\dfrac{40}{3}\langle x-5\rangle^3$, $x = \text{m}$, $v = \text{m}$, $EI = 64{,}050\,(\text{kN·m}^2)$, $\theta_a = 0.00304\,\text{rad}$, $\delta_d = 10.1\,\text{mm}$

7.10-8 $EIv = \dfrac{qx}{24L}[a^2(2L-a)^2-2a(2L-a)x^2+Lx^3]-$ $\dfrac{q}{24}\langle x-a\rangle^4$

7.10-9 $EIv = 5625x-30x^3+\dfrac{5}{6}x^4-\dfrac{5}{6}\langle x-10\rangle^4+$ $20\langle x-15\rangle^3$, $x = \text{m}$, $v = \text{m}$, $EI = 500\times10^3\,(\text{kN·m}^2)$, $\theta_b = 0.0111\,\text{rad}$, $\delta_d = 49.6\,\text{mm}$

7.10-10 $EIv = \dfrac{47q_0 L^3 x}{4860}-\dfrac{q_0 Lx^3}{81}+\dfrac{q_0}{40L}\left\langle x-\dfrac{L}{3}\right\rangle^5-$

$\dfrac{q_0}{40L}\left\langle x-\dfrac{2L}{3}\right\rangle^5-\dfrac{q_0}{24}\left\langle x-\dfrac{2L}{3}\right\rangle^4$,

$\theta_b = \dfrac{101q_0 L^3}{9720EI}$, $\delta_d = \dfrac{121q_0 L^4}{43740EI}$

7.10-11 $EIv = \dfrac{x^3}{2}-12960x+72\langle x-72\rangle^2-$

$\dfrac{11}{6}\langle x-144\rangle^3$, $x = \text{mm}$, $v = \text{mm}$,

$EI = 2.153\times10^{10}\,\text{kN·mm}^2$,

$\delta_c = 2.5273\,\text{mm (upward)}$,

$\delta_d = 10.3124$ mm (downward)

7.10-12 $EIv = 0.4x^3 - 2.3904x + \dfrac{1}{12}\langle x-1.2\rangle^5 -$

$\dfrac{1}{12}\langle x-2.4\rangle^5 - 4\langle x-2.4\rangle^3$, $x = $ m, $v = $ m,

$EI = 2400\,(\text{kN·m}^2)$, $\delta_c = -0.9072$ mm, $\delta_d = 3.989$ mm

7.11-1 $v = \dfrac{\alpha(T_2-T_1)(x)(L-x)}{2h}$, $\theta = \dfrac{\alpha L(T_2-T_1)}{2h}$,

$\delta = \dfrac{\alpha L^2(T_2-T_1)}{8h}$ **7.11-2** $\theta = -\dfrac{\alpha L(T_2-T_1)}{h}$,

$\delta = -\dfrac{\alpha L^2(T_2-T_2)}{2h}$ **7.11-3** $\delta_c = -\dfrac{\alpha a(L+a)(T_2-T_1)}{2h}$

7.11-4 $\delta_{\max} = \dfrac{\alpha T_0 L^3}{9\sqrt{3}\,h}$

Chapter 8

8.2-1 $v = \dfrac{qx^2}{48EI}(3L^2-5Lx+2x^2)$,

$\delta_{\max} = 0.005416\dfrac{qL^4}{EI}$ at $x = 0.5785L$

8.2-2 $V = \dfrac{5qL}{8} - qx$, $M = \dfrac{5qLx}{8} - \dfrac{qL^2}{8} - \dfrac{qx^2}{2}$

8.2-3 $\delta_{\max} = \dfrac{PL^3}{192EI}$, $V_{\text{pos}} = \dfrac{P}{2}$, $M_{\text{neg}} = -\dfrac{PL}{8}$,

$M_{\text{pos}} = \dfrac{PL}{8}$ **8.2-4** $v = \dfrac{M_0 x^2}{4LEI}(L-x)$,

$R_a = -R_b = \dfrac{3M_0}{2L}$, $M_a = \dfrac{M_0}{2}$

8.2-5 $v = \dfrac{\Delta x^2}{2L^3}(3L-x)$, $R_a = R_b = \dfrac{3EI\Delta}{L^3}$,

$M_a = \dfrac{3EI\Delta}{L^2}$ **8.2-6** $v = \dfrac{qx^2}{24EI}(L-x)^2$,

$R_a = R_b = \dfrac{qL}{2}$, $M_a = M_b = \dfrac{qL^2}{12}$

8.2-7 $v = \dfrac{q_0 x^2}{240LEI}(7L^3-9L^2x+2x^3)$, $R_a = \dfrac{9q_0 L}{40}$,

$R_b = \dfrac{11q_0 L}{40}$, $M_a = \dfrac{7q_0 L^2}{120}$ **8.2-8** $R_a = R_b = \dfrac{q_0 L}{4}$,

$M_a = M_b = \dfrac{5q_0 L^2}{96}$, $\delta_{\max} = \dfrac{7q_0 L^4}{3840EI}$

8.2-9 $R_a = \dfrac{7q_0 L}{20}$, $R_b = \dfrac{3q_0 L}{20}$, $M_a = \dfrac{q_0 L^2}{20}$, $M_b = \dfrac{q_0 L^2}{30}$,

$v = \dfrac{q_0 x^2}{120LEI}(3L^3-7L^2x+5Lx^2-x^3)$

8.3-1 $R_a = \dfrac{5qL}{8}$, $R_b = \dfrac{3qL}{8}$, $M_a = \dfrac{qL^2}{8}$

8.3-2 $R_a = 2R_b = \dfrac{4P}{3}$, $M_a = \dfrac{PL}{3}$

8.3-3 $R_a = -R_b = -1648.48$ N, $M_a = -1977.58$ N

8.3-4 $R_a = -R_b = \dfrac{3M_0 a}{2L^3}(L+b)$,

$M_a = -\dfrac{M_0}{2L^2}(2L^2-6aL+3a^2)$,

$a_1 = \dfrac{2L}{3}$, $a_2 = L\left(1-\dfrac{1}{\sqrt{3}}\right)$

8.3-5 $R_b = 2R_a = 80$ kN, $M_a = 40$ kN·m

8.3-6 $R_a = R_b = \dfrac{qL}{2}$, $M_a = M_b = \dfrac{qL^2}{12}$, $\delta_{\max} = \dfrac{qL^4}{384EI}$

8.3-7 $R_a = R_b = P$, $M_a = M_b = \dfrac{Pa}{L}(L-a)$,

$\delta_{\max} = \dfrac{Pa^2}{24EI}(3L-4a)$ **8.3-8** $R_a = R_b = \dfrac{q_0 L}{4}$,

$M_a = M_b = \dfrac{5q_0 L^2}{96}$, $\delta_{\max} = \dfrac{7q_0 L^4}{3840EI}$

8.3-9 $R_a = \dfrac{Pb^2}{L^3}(L+2a)$, $M_a = \dfrac{Pab^2}{L^2}$, $\delta = \dfrac{Pa^3 b^3}{3L^3 EI}$

8.3-10 $M_a = M_b = \dfrac{5PL}{48}$, $\delta_{\max} = \dfrac{11PL^3}{3072EI}$

8.3-11 $M_a = M_b = \dfrac{PL}{6}$, $\delta_{\max} = \dfrac{PL^3}{256EI}$

8.4-3 $R_a = \dfrac{2q_0 L}{5}$, $R_b = \dfrac{q_0 L}{10}$, $M_a = \dfrac{q_0 L^2}{15}$

8.4-4 $R_a = \dfrac{P}{16L}(11L-24a)$, $R_b = \dfrac{3P}{16L}(7L+8a)$,

$M_a = \dfrac{P}{16}(3L-8a)$ **8.4-6** $R_a = \dfrac{qL}{8}$, $R_b = \dfrac{33qL}{16}$,

$R_c = \dfrac{13qL}{16}$ **8.4-8** $T = \dfrac{3qAL^4}{8AL^3+24HI}$

8.4-9 $F = \dfrac{5PI_2}{2(I_1+I_2)}$ **8.4-10** $R_a = R_d = \dfrac{2qL}{5}$,

$R_b = R_c = \dfrac{11qL}{10}$ **8.4-11** $R_b = 10.42$ kN

8.4-12 $R_a = \dfrac{31qL}{48}$, $R_b = \dfrac{17qL}{48}$, $M_a = \dfrac{7qL^2}{48}$

8.4-13 $\Delta = \dfrac{7qL^4}{72EI}$ **8.4-16** $R_a = R_b = \dfrac{6EI\theta}{L^2}$,

$M_a = 2M_b = \dfrac{4EI\theta}{L}$ **8.4-17** $R_a = R_b = \dfrac{12EI\Delta}{L^3}$,

$M_a = M_b = \dfrac{6EI\Delta}{L^2}$ **8.4-18** $R_a = \dfrac{13qL}{30}$, $R_b = \dfrac{13qL}{20}$,

$R_c = -\dfrac{qL}{10}$, $R_d = \dfrac{qL}{60}$ **8.4-19** $R_a = -5722.7$ N,

$R_b = 36236$ N, $R_c = 22886$ N, $M_a = 6994$ N·m,

$V_{\max} = 9325$ N·m, $M_{\max} = 17979$ N·m

8.4-20 $F = \dfrac{P}{4L}(2L+3a)$ **8.4-21** $F = 12954$ N,

$M_{ab} = 23759$ N·m, $M_{de} = 11006$ N·m

8.4-22 $k = 89.63\dfrac{EI}{L^3}$

8.4-23 $H_a = qL$, $V_a = -\dfrac{qL}{8}$, $M_a = \dfrac{3qL^2}{8}$, $V_c = \dfrac{qL}{8}$

8.4-24 $\delta_h = \dfrac{Pa^2}{4EI}(L+2a)$ (to the left),

$\delta_v = \dfrac{Pa^2}{12EI}(3L+16a)$ (downward)

8.5-3 $M = -\dfrac{qL^2}{8} + \dfrac{3EI\Delta}{L^2}$

8.5-4 $R = \dfrac{7P}{20}$, $V_{\max} = \dfrac{13P}{20}$, $M_{\max} = \dfrac{7PL}{40}$

8.5-5 $R_1 = 17.63$ kN, $R_2 = 24.44$ kN, $R_3 = 5.93$ kN,

$V_{\text{pos}} = 17.63$ kN, $V_{\text{neg}} = -22.37$ kN,

$M_{\text{pos}} = 15.54 \text{ kN·m}, \ M_{\text{neg}} = -14.22 \text{ kN·m}$

8.5-7 $R = \dfrac{11qL}{28}, \ V_{\max} = \dfrac{17qL}{28}, \ M_{\text{pos}} = \dfrac{121qL^2}{1568},$

$M_{\text{neg}} = -\dfrac{3qL^2}{28}$ **8.5-9** $M_1 = 3M_2 = -\dfrac{3qL^2}{28}$

8.5-10 $M_1 = -18.06 \text{ kN·m}, \ R_1 = 20.84 \text{ kN},$

$R_2 = 30.13 \text{ kN}, \ R_3 = 4.03 \text{ kN}$

8.5-11 $M_1 = -\dfrac{Pa}{7}, \ M_2 = \dfrac{2Pa}{7}, \ M_3 = -Pa$

8.5-12 $M_1 = -13.6 \text{ kN·m}, \ M_2 = -22.74 \text{ kN·m}$

$M_3 = -36 \text{ kN·m}$ **8.5-13** $M_1 = -\dfrac{5qL^2}{56},$

$M_2 = -\dfrac{qL^2}{14}, \ M_3 = -\dfrac{qL^2}{8}$ **8.5-14** $M_2 = M_7 = \dfrac{qL^2}{284},$

$M_3 = M_6 = \dfrac{qL^2}{71}, \ M_4 = M_5 = -\dfrac{15qL^2}{284}$

8.5-15 $M_1 = -251.6 \text{ kN·m}, \ M_2 = -176.8 \text{ kN·m},$

$M_3 = 109.072 \text{ kN·m}$ **8.5-16** $M_n = M_0(\sqrt{3} - 2)^n$

8.6-1 $M_a = R_a L = -R_b L = \dfrac{3\alpha EI(T_2 - T_1)}{2h}$

8.6-2 $R_b = -2R_a = -2R_c = \dfrac{3EI\alpha(T_2 - T_1)}{hL}$

8.6-3 $S = \dfrac{48EIAH\alpha T}{AL^3 + 48IH}$ **8.7-1** $H = \dfrac{\pi^2 EA\delta^2}{4L^2},$

$\sigma = 1.89 \text{ MPa}$ **8.7-2** $\lambda = \dfrac{17q^2 L^7}{40320 E^2 I^2}, \ \sigma_1 = 826.8 \text{ kPa},$

$\sigma_2 = 124.71 \text{ MPa}$

Chapter 9

9.1-1 $P_{\text{cr}} = \dfrac{\alpha}{L}$ **9.1-2** $P_{\text{cr}} = \beta L + \dfrac{\alpha}{L}$

9.1-3 $P_{\text{cr}} = \dfrac{\beta a^2}{L}$ **9.1-4** $P_{\text{cr}} = \dfrac{\beta L}{2}$

9.1-5 $P_{\text{cr}} = \dfrac{\beta aL}{L + a}$ **9.2-1** $P_{\text{cr}} = 2492 \text{ kN}$

9.2-2 $P_{\text{cr}} = 3827 \text{ kN}$ **9.2-3** W12×50

9.2-4 W10×60 **9.2-5** $t = 4.05 \text{ mm}$

9.2-6 $t = 7.112 \text{ mm}$ **9.2-7** $P_{\text{cr}} = 1788.9 \text{ kN}$

9.2-8 L5×5×$\dfrac{3}{8}$ **9.2-9** L4×4×$\dfrac{3}{8}$

9.2-10 1.209 : 1.047 : 1 **9.2-11** $\dfrac{h}{b} = 2$

9.2-12 $Q = 12.7 \text{ kN}$ **9.2-13** $Q = \dfrac{3\pi^2 EI}{4L^2}$

9.2-14 $\Delta T = \dfrac{\pi^2 I}{\alpha AL^2}$ **9.2-15** $P = 1691 \text{ N}$

9.2-16 $\theta = \arctan(\cot^2 \beta)$ **9.2-17** $\theta = 26.57°$

9.3-1 $P_1 = 2451.95 \text{ kN}, \ P_2 = 614.1 \text{ kN},$

$P_3 = 5028.5 \text{ kN}, \ P_4 = 9790 \text{ kN}$

9.3-2 $P_1 = 1700 \text{ kN}, \ P_2 = 422.75 \text{ kN}, \ P_3 = 3475.45 \text{ kN},$

$P_4 = 6808.5 \text{ kN}$ **9.3-3** $P_1 = 831 \text{ kN}, \ P_2 = 208 \text{ kN},$

$P_3 = 1700 \text{ kN}, \ P_4 = 3330 \text{ kN}$ **9.3-4** $t = 12.2 \text{ mm}$

9.3-5 (a) $Q_{\text{cr}} = 14.5 \text{ kN}$; (b) $Q_{\text{cr}} = 22.8 \text{ kN}, \ a = 0.253 \text{ m}$

9.3-6 $P_{\text{cr}} = \dfrac{4\pi^2 EI}{L^2}, \ v = C\left(1 - \cos\dfrac{2\pi x}{L}\right)$

9.3-7 $P_{\text{cr}} = 4.856\dfrac{EI}{L^2}$

9.4-1 $M = Pe\left(\tan\dfrac{kL}{2} \sin kx + \cos kx\right), \ M_{\max} = \sqrt{2} \, Pe$

9.4-2 $\delta = e(\sec kL - 1), \ M_{\max} = Pe \sec kL$

9.4-3 $\delta = 8.87 \text{ mm}, \ M_{\max} = 2.03 \text{ kN·m}$

9.4-4 $\delta = 3.56 \text{ mm}, \ M_{\max} = 278 \text{ N·m}$

9.4-5 $L = 2.98 \text{ m}$ **9.4-6** $P = 29.949 \text{ kN}$

9.4-7 $P = 44.367 \text{ kN}$ **9.5-1** $\sigma_{\text{cr}} = 133 \text{ MPa},$

$\sigma_{\max} = 78.55 \text{ MPa}, \ P_1 = 56.515 \text{ kN}$

9.5-2 $\sigma_{\text{cr}} = 117 \text{ MPa}, \ \sigma_{\max} = 55.6 \text{ MPa}, \ P_1 = 33.3 \text{ kN}$

9.5-3 $\sigma_{\max} = 86.8 \text{ MPa}, \ P_{\text{allow}} = 13.973 \text{ kN}$

9.5-4 $\sigma_{\max} = 38.3 \text{ MPa}, \ P_{\text{allow}} = 32.4 \text{ kN}$

9.5-5 $\sigma_{\max} = 71.66 \text{ MPa}, \ P_{\text{allow}} = 123.71 \text{ kN}$

9.5-6 $\sigma_{\max} = 84.3 \text{ MPa}, \ P_{\text{allow}} = 97.4 \text{ kN}$

9.5-7 $\sigma_{\max} = 129.5 \text{ MPa}, \ P_y = 805.45 \text{ kN}$

9.5-8 $\sigma_{\max} = 78.9 \text{ MPa}, \ P_{\text{allow}} = 890 \text{ kN}$

9.5-9 $\sigma_{\max} = 139.18 \text{ MPa}, \ n = 1.68$

9.5-10 $\sigma_{\max} = 134.36 \text{ MPa}, \ n = 1.87$

9.5-11 $L = 3.3855 \text{ m}$ **9.5-12** $P_2 = 153.08 \text{ kN}$

9.6-2 $\sigma_{\max} = 5877 \text{ kPa}, \ n = 2.17$

9.6-3 $\sigma_{\max} = 114 \text{ MPa}, \ P_{\text{allow}} = 106 \text{ kN}$

9.6-4 $\sigma_{\max} = 99905 \text{ kPa}, \ n = 2.06$

9.6-5 $\sigma_{\max} = 90259 \text{ kPa}, \ P_{\text{allow}} = 502.85 \text{ kN}$

9.6-6 $P_{\text{allow}} = 79.21 \text{ kN}$

9.9-1 $P = 1099.15 \text{ kN}, \ 801 \text{ kN}, \ 430.315 \text{ kN}, \ 242.08 \text{ kN}$

9.9-2 $P = 1459.6 \text{ kN}, \ 1081.35 \text{ kN}, \ 596.3 \text{ kN}, \ 335.09 \text{ kN}$

9.9-3 $P = 1602 \text{ kN}, \ 992.35 \text{ kN}, \ 454 \text{ kN}, \ 254.54 \text{ kN}$

9.9-4 $P = 5954.8 \text{ kN}, \ 2307.2 \text{ kN}, \ 1237.1 \text{ kN}, \ 694.2 \text{ kN}$

9.9-5 $P = 262.105 \text{ kN}, \ 191.35 \text{ kN}, \ 103.24 \text{ kN}, \ 57.85 \text{ kN}$

9.9-6 $P = 707.55 \text{ kN}, \ 542.9 \text{ kN}, \ 324.4 \text{ kN}, \ 182.45 \text{ kN}$

9.9-7 $P = 385 \text{ kN}, \ 300 \text{ kN}, \ 186 \text{ kN}, \ 104 \text{ kN}$

9.9-8 $P = 1070 \text{ kN}, \ 906 \text{ kN}, \ 692 \text{ kN}, \ 438 \text{ kN}$

9.9-9 $L = 4.24 \text{ m}$ **9.9-10** $L = 4.392 \text{ m}$

9.9-11 $L = 7.38 \text{ m}, \ 4.48 \text{ m}$

9.9-12 $d = 99 \text{ mm}$ **9.9-13** $b = 53 \text{ mm}$

9.9-14 $P = 671.95 \text{ kN}, \ 507.3 \text{ kN}, \ 239.41 \text{ kN}, \ 134.84 \text{ kN}$

9.9-15 $P = 640.8 \text{ kN}, \ 516.2 \text{ kN}, \ 326.185 \text{ kN}, \ 183.34 \text{ kN}$

9.9-16 $L = 0.52 \text{ m}, \ 1.24 \text{ m}$ **9.9-17** $d = 32.26 \text{ mm}$

9.9-18 $P = 161.535 \text{ kN}, \ 134.835 \text{ kN}, \ 67.64 \text{ kN}, \ 38.27 \text{ kN}$

9.9-19 $P = 100 \text{ kN}, \ 72.05 \text{ kN}, \ 46.28 \text{ kN}, \ 32.94 \text{ kN}$

9.9-20 $L = 2.81 \text{ m}, \ 3.53 \text{ m}, \ 4.99 \text{ m}$

9.9-21 $b = 143 \text{ mm}$

Chapter 10

10.3-1 $\delta_v = \dfrac{2PL}{EA}$ (downward), $\delta_h = 0$,

$\theta_{ab} = \dfrac{\sqrt{3}\,P}{EA}$ (clockwise)

10.3-2 $\delta_v = \alpha L(\Delta T)$ (downward),

$\delta_h = \dfrac{\alpha L(\Delta T)}{\sqrt{3}}$ (to the right), $\theta_{ab} = \dfrac{\alpha(\Delta T)}{\sqrt{3}}$ (clockwise)

10.3-3 $\delta_v = \dfrac{PL}{\sqrt{2}\,EA}$ (downward), $\delta_h = 0$,

$\theta_{ab} = \dfrac{P}{\sqrt{2}\,EA}$ (clockwise)

10.3-4 $\delta_v = 7.62\dfrac{PL}{EA}$ (downward),

$\delta_h = 1.73\dfrac{PL}{EA}$ (to the left)

10.3-5 $\delta_v = 3.83\dfrac{PL}{EA}$ (downward), $\delta_h = \dfrac{PL}{EA}$ (to the left)

10.3-6 $\delta_{bd} = 2\alpha L(\Delta T)$; Distance decreases when temperature decreases

10.3-7 $\delta_h = 1.3$ mm (to the right),

$\delta_v = 2.276$ mm (downward)

10.3-8 $\delta_h = 0.794$ mm (to the right),

$\delta_v = 1.672$ mm (downward) **10.3-9** $\Delta L = 0.3$ in.

10.3-10 $\delta_v = 6.22\dfrac{Pb}{EA}$ (downward),

$\delta_{ae} = 1.85\dfrac{Pb}{EA}$ (increase)

10.3-11 $\delta_v = 2.189$ mm (downward),

$\delta_h = 0.6985$ mm (to the right)

10.3-12 $\theta_{bc} = 35.2 \times 10^{-6}$ rad (counterclockwise),

$\delta_{bg} = 3.5 \times 10^{-5}$ m (decrease)

10.3-13 $\delta_v = 5.08$ mm (downward),

$\delta_h = 1.27$ mm (to the right) **10.3-16** $\delta_c = \dfrac{19PL^3}{384EI}$

10.3-17 $\delta_c = \dfrac{7PL^3}{162EI}$, $\delta_d = \dfrac{7PL^3}{54EI}$, $\delta_b = \dfrac{2PL^3}{9EI}$

10.3-18 $\delta_c = \dfrac{Pb^2}{3EI}(L+b)$, $\theta_c = \dfrac{Pb}{6EI}(2L+3b)$

10.3-19 $\delta = \dfrac{PbL^2}{16EI}$, $\theta = \dfrac{PbL}{6EI}$

10.3-20 $\delta = \dfrac{\alpha(T_2 - T_1)L^2}{8h}$, $\theta_a = \dfrac{\alpha(T_2 - T_1)(L+2b)}{2h}$,

$\theta_b = \dfrac{\alpha(T_2 - T_1)L}{2h}$ **10.3-21** $\delta_b = \dfrac{41qL^4}{384EI}$, $\delta_c = \dfrac{7qL^4}{192EI}$

10.3-23 $\delta = \dfrac{2PL^3}{3EI}$ **10.3-24** $\delta_h = \dfrac{PHL^2}{8EI_2}$ (to the left),

$\theta = \dfrac{PL^2}{16EI_2}$ (clockwise) **10.3-25** $\delta_h = \dfrac{PL^3}{3EI}$ (to the

right), $\delta_v = \dfrac{PL^3}{2EI}$ (upward) **10.3-26** $\delta_h = \dfrac{PL^3}{EI}$ (to the

left), $\delta_v = \dfrac{5PL^3}{3EI}$ (downward), $\theta = \dfrac{2PL^2}{EI}$ (clockwise)

10.3-27 $\delta_v = \dfrac{33Pb^3}{EI}$ (downward),

$\theta = \dfrac{33Pb^2}{2EI}$ (counterclockwise)

10.3-28 $\Delta = \dfrac{2PL^3 \sin^2 \beta}{3EI} + \dfrac{2PL \cos^2 \beta}{EA}$

10.3-29 $\delta_h = \dfrac{\alpha(T_2 - T_1)H^2}{2h}$ (to the left),

$\delta_v = \dfrac{\alpha(T_2 - T_1)(L)(L+2H)}{2h}$ (upward),

$\theta = \dfrac{\alpha(T_2 - T_1)(L+H)}{h}$ (counterclockwise)

10.3-30 $\delta = \dfrac{PL^3}{6EI}(n)(4n^2 + 3n + 1)$

10.3-31 $\delta_h = \dfrac{PR^3}{4EI}(3\pi - 8)$ (to the right),

$\delta_v = \dfrac{PR^3}{2EI}$ (downward), $\theta = \dfrac{PR^2}{2EI}(\pi - 2)$ (clockwise)

10.3-32 $\delta_h = \dfrac{2PR^3}{EI}$ (to the left), $\delta_v = \dfrac{3\pi PR^3}{2EI}$

(downward), $\theta = \dfrac{\pi PR^2}{EI}$ (clockwise)

10.3-33 $\delta_c = \dfrac{PR^3}{8EI}(3\pi - 8)$ (downward),

$\delta_b = \dfrac{PR^3}{2EI}$ (to the right)

10.3-34 $\Delta = \dfrac{2PL^3}{3EI} + \dfrac{PR}{2EI}(2\pi L^2 + 8LR + \pi R^2)$

10.3-35 $\delta_h = \dfrac{PR}{2EI}(L+R)^2$ (to the right),

$\delta_v = \dfrac{PR^2}{4EI}(4L + \pi R)$ (downward),

$\theta = \dfrac{PR}{EI}(L+R)$ (clockwise) **10.3-36** $M_{max} = \dfrac{2EIe}{3\pi R^2}$

10.3-37 $\delta_v = \dfrac{\pi PR^3}{4EI} + \dfrac{(3\pi - 8)PR^3}{4GI_p}$,

$\phi = \dfrac{\pi PR^2}{4EI} + \dfrac{(\pi - 4)PR^2}{4GI_p}$ **10.3-38** $\delta_v = 76.8$ mm,

$\phi = 0.0150$ rad **10.3-39** $\Delta = \dfrac{5PL^3}{6EI} + \dfrac{3PL^3}{2GI_p}$

10.4-2 $\delta_{dc} = \delta_{cd} = \dfrac{PbL^2}{16EI}$ **10.4-3** $M\theta_{bc} = P\delta_{cb} = \dfrac{PMbL}{EI_1}$

10.4-4 $\theta_{dc} = \theta_{cd} = -\dfrac{ML}{96EI}$ **10.4-7** $\delta_{12} = \delta_{21} = -\dfrac{PL}{EA}$

10.6-1 $\delta = \dfrac{PL}{EA(1 + 2\cos^3 \beta)}$, $N_{ad} = \dfrac{P\cos^2 \beta}{1 + 2\cos^3 \beta}$,

$N_{bd} = \dfrac{P}{1 + 2\cos^3 \beta}$ **10.6-2** $D_1 = \dfrac{PL}{EA\tan\theta}$,

$D_2 = \dfrac{PL(1 + \cos^3 \theta)}{EA(\cos\theta \sin^2 \theta)}$ **10.6-3** $\delta = \dfrac{PL}{16EA}$

10.6-4 $\delta = \left(\dfrac{L}{B\sin\beta}\right)\left(\dfrac{P}{2A\sin\beta}\right)^n$

10.7-1 $\delta = \left(\dfrac{L}{B\sin\beta}\right)\left(\dfrac{P}{2A\sin\beta}\right)^n$

10.7-2 $\delta_h = \dfrac{P^2 L}{A^2 B^2}$ **10.7-3** $\delta = \dfrac{\gamma^n L^{n+1}}{B(n+1)}$

Appendix C

C.2-2 $\bar{y} = 27.94\,\text{mm}$ **C.2-3** $2c^2 = ab$

C.2-4 $\bar{x} = \bar{y} = \dfrac{5a}{12}$ **C.2-5** $\bar{y} = 52.5\,\text{mm}$

C.2-6 $\bar{x} = 25.146\,\text{mm},\ \bar{y} = 50.546\,\text{mm}$

C.2-7 $\bar{x} = 59.0\,\text{mm},\ \bar{y} = 51.0\,\text{mm}$

C.3-5 $I = \dfrac{a^3 b^3}{6(a^2 + b^2)}$ **C.3-6** $I_x = 1.5 \times 10^{-5}\,\text{m}^4,$
$I_y = 4.5 \times 10^{-6}\,\text{m}^4$ **C.3-7** $I_x = I_y = 195 \times 10^6\,\text{mm}^4$

C.3-8 $I_1 = 6.16 \times 10^{-4}\,\text{m}^4,\ I_2 = 7.74 \times 10^{-5}\,\text{m}^4$

C.4-1 $I_b = 3.91 \times 10^{-4}\,\text{m}^4$ **C.4-2** $I_1 = 8.03 \times 10^{-6}\,\text{m}^4,$
$I_2 = 1.8 \times 10^{-5}\,\text{m}^4$ **C.4-3** $I_b = 4.495 \times 10^{-6}\,\text{m}^4$

C.4-4 $I_c = \dfrac{11a^4}{192}$ **C.4-5** $I_c = 105.7 \times 10^6\,\text{mm}^4$

C.4-6 $I_{x_c} = 7.24 \times 10^{-6}\,\text{m},\ I_{y_c} = 2.62 \times 10^{-6}\,\text{m}$

C.4-7 $I_x = 39.5 \times 10^6\,\text{mm}^4,\ I_y = 51.3 \times 10^6\,\text{mm}^4$

C.4-8 $I_2 = 405 \times 10^3\,\text{mm}^4$ **C.5-1** $I_p = \dfrac{bh}{48}(b^2 + 12h^2)$

C.5-2 $I_p = 9.698 \times 10^{-5}\,\text{m}^4$

C.5-3 $I_{p_c} = \dfrac{(176 - 84\pi + 9\pi^2)r^4}{72(4 - \pi)}$

C.5-4 $I_{p_c} = \dfrac{(9\alpha^2 - 8\sin^2\alpha)r^4}{18\alpha}$ **C.6-1** $I_{x_c y_c} = -\dfrac{b^2 h^2}{60}$

C.6-2 $b = 2r$ **C.6-3** $I_{xy} = \dfrac{t^2}{4}(2b^2 - t^2)$

C.6-4 $I_{xy} = \dfrac{r^4}{24}$ **C.6-5** $I_{xy} = 24.3 \times 10^6\,\text{mm}^4$

C.6-6 $I_{xy} = 1.344 \times 10^{-6}\,\text{m}^4$

C.6-7 $I_{xy} = 18.85 \times 10^6\,\text{mm}^4$

C.6-8 $I_{12} = -8.53 \times 10^{-6}\,\text{m}^4$

C.7-1 $I_{x_1} = I_{y_1} = \dfrac{b^4}{12},\ I_{x_1 y_1} = 0$

C.7-2 $I_{x_1} = 2b^2 h^2 \alpha,\ I_{y_1} = (b^4 + h^4)\alpha,$
$I_{x_1 y_1} = bh(h^2 - b^2)\alpha,\ \alpha = \dfrac{bh}{12(b^2 + h^2)}$

C.7-3 $I_{x_1} = 12.44 \times 10^6\,\text{mm}^4,\ I_{x_1 y_1} = 6.03 \times 10^6\,\text{mm}^4$

C.8-1 $I_1 = 3.11 \times 10^6\,\text{mm}^4,\ \theta_{p_1} = 150.1°,$
$I_2 = 0.89 \times 10^6\,\text{mm}^4,\ \theta_{p_2} = 60.1°$

C.8-2 $I_1 = 1.176 \times 10^{-4}\,\text{m}^4,\ \theta_{p_1} = 22.1°,$
$I_2 = 1.036 \times 10^{-6}\,\text{m}^4,\ \theta_{p_2} = 112.1°$

C.8-3 $I_1 = 65.0 \times 10^6\,\text{mm}^4,\ \theta_{p_1} = 31.6°,$
$I_2 = 7.3 \times 10^6\,\text{mm}^4,\ \theta_{p_2} = 121.6°$

C.8-4 $I_1 = 3.17 \times 10^{-5}\,\text{m}^4,\ \theta_{p_1} = 166.5°,$
$I_2 = 8.283 \times 10^{-6}\,\text{m}^4,\ \theta_{p_2} = 76.5°$

C.8-5 $I_1 = 20.0 \times 10^6\,\text{mm}^4,\ \theta_{p_1} = 157.5°,$
$I_2 = 10.4 \times 10^6\,\text{mm}^4,\ \theta_{p_2} = 67.5°$

C.8-6 $I_1 = 1.45 \times 10^{-5}\,\text{m}^4,\ \theta_{p_1} = 67.5°,$
$I_2 = 2.747 \times 10^{-6}\,\text{m}^4,\ \theta_{p_2} = 157.5°$

C.8-7 $I_1 = 1.50 \times 10^6\,\text{mm}^4,\ \theta_{p_1} = 75.7°,$
$I_2 = 0.16 \times 10^6\,\text{mm}^4,\ \theta_{p_2} = 165.7°$

찾아보기

Betti-Rayleigh의 상반정리 721
Castigliano의 제1정리 736
Castigliano의 제2정리 759
Clapeyron의 정리 716
Clebsch 방법 535
Crotti-Engesser 정리 747
elastica 553
Euler 곡선 654, 660
Euler 하중 636
Hooke의 법칙(Hooke's law in shear) 24, 31
Kirchhoff의 동역학적 상이성 557
Lüder's bands 104
Macaulay 함수 524
Macaulay 함수와 특이함수 524
Maxwell의 상반정리 719
Mohr원 400, 446
Piobert's bands 104
S는 단면계수 652
secant 공식 654, 661
Williot 선도(Williot diagram) 71
Young 계수 24

ㄱ

가로변형률(lateral strain) 24
가로수축(lateral contraction; 작용하중
        방향에 대하여 수직으로) 24
가상변위 693
가상변위의 원리 693
가상일 693
가상일의 방법 698

가상일의 원리 696
가역적(reversible) 88
가하중법 698
감소계수 665
감소계수이론 665
강도(strength) 33, 629
강도설계(strength design) 35
강성도(stiffness) 63, 426, 629, 738
강성도법(stiffness method) 73, 81, 737
강성도상수 738
강성법 597
강성지지(rigid support) 73
강판항 322
결합비 659
경사단면(inclined section) 99, 383
고유변형률 12
고정단모멘트 597
고정단반력 597
곡률 282, 477, 543
곡률반지름 281, 477
곡률에 대한 정확한 식 481
곡률중심 281, 477
공액에너지 724
공액에너지밀도 724
공액일 724
공액적(complementary) 73
공액전단응력 306
공칭응력 12
공학응력 12
과대한 처짐, 결함, 비탄성거동의 영향 638
과잉반력(redundant reaction) 74

구응력 433
구조용강 669
구조해석의 기타 방법 763
구형단면 665
구형압력용기 415
굽힘강도 479
굽힘강성 291
굽힘공식 292
굽힘면 281
굽힘모멘트 249
굽힘모멘트선도 259
굽힘우력 249
굽힘평면 245
균일강도의 보 333
균일단면봉 4
균일열변형률(uniform thermal strain) 88
균질 7, 411
극한응력(ultimate stress) 14, 35
극한하중(ultimate load) 130
극한하중설계(ultimate-load design) 35
기계적 성질 19
기둥의 유효길이 644
기변형률(prestrain) 96
기본구조물(primary structure) 74
기본형 636
기울기 478
기응력(prestressed) 96
기하학적 비선형성 722

ㄴ

내력 248
내면 417, 420
내부가상일 696
내부일(internal work) 107

내우력 248
네킹 14

ㄷ

단면 5
단면감소백분율 17
단면계수 292
단면의 핵 349
단순보 245
단순전단(simple shear) 29
단순지지보 245
단위 doublet 527
단위경사함수 525
단위계단함수 525
단위길이당의 비틀림각(angle of twist per unit length) 178
단위모멘트 527
단위임펄스함수 527
단위체적변화 432
단위하중법 698
단위하중식 766
단위힘 527
도심주축 290
독립체적변화 413
돌출부 246
동질(homogeneous) 24
동하중(dynamic load) 115
두께가 얇은 원형관(thin-walled, circular tubes) 217
등방성(isotropic) 87, 411
등분포응력 652
등분포하중 246
등쇄설성곡률 287
등응력선 428

ㄹ

레질리언스계수(modulus of resilience) 110
롤러지점 579
링크(clevis) 28

ㅁ

막응력 416
매트릭스 구조해석법 763
맥스웰-모어법 698
모멘트-면적법 493, 514
모멘트-면적법 제1정리 495
모멘트-면적법 제2정리 496
모멘트분배법 597
목재 673
무게를 중력의 힘 806
미분방정식 543
미소요소(differential element) 65

ㅂ

반력 246
반쇄설성곡률 287
변곡점 503
변압응력(bearing stress) 28
변위(displacement) 69
변위법(displacement method) 81, 737
변위선도(displacement diagram) 69
변위의 적합조건(compatibility of
          displacement) 75
변형경화 14
변형률 6, 7
변형부호규약 250
변형에너지(strain energy) 106, 207, 723

변형에너지밀도 414, 432, 723
보 281
보의 처짐 공식표 508
복원모멘트 630
부정정(statically indeterminate) 73, 579
부정정 차수 579
부호규약(sign convention) 63, 250, 282,
          382, 478, 701
분기점 631
분포하중 246
불균일분포 비틀림(nonuniform torson) 184
불안정 630, 633
불연속함수에 대한 보의 하중 표시법 528
비가역성(irreversible) 88
비균일굽힘 283
비균일비틀림(nonuniform torsion) 208
비례한도 13
비탄성 변형에너지(inelastic strain energy)
          108
비탄성좌굴 661, 662
비탄성좌굴의 Shanley 이론 666
비틀림(torsion) 177
비틀림각(angle of twist) 178, 185
비틀림강성(torsional rigidity) 181, 216
비틀림모멘트(twisting moments) 177
비틀림상수(torsion constant) 214
비틀림우력(twisting couples) 177
비틀림유연성(torsional flexibility) 181
비틀림식(torsion formula) 181

ㅅ

사용응력(working stress) 34
3모멘트식 601
3차원 557

3축응력 429
3축응력에 대한 Hooke의 법칙 431
상반변위정리 715
상반일정리 719
상자형보 322
샌드위치보 552
선형탄성(linearly elastic) 23
선형탄성구조물 700
선형탄성역(linearly elastic range) 73
설계(design) 61
세장비 654
소성(plasticity) 21
소성해석(plastic analysis) 128
소성흐름(plastic flow) 21
수직변형률 7
수직응력 5, 326, 652
순수굽힘 283
순수비틀림(pure torsion) 178
순수전단 387
셸 415
스트레인게이지 449
스트레인로제트 449
스페이서 343
스프링상수(spring constant) 63
슬립밴드(slip bands) 103
승적분의 계산 703
시행착오법(trial-and error method) 129
신장량(elongation) 63
신장백분율 16

ㅇ

아교로 붙인 보 322
안전경계계수(margin of safety) 35
안전계수(factor of safety) 33, 662

안정 632
알루미늄 672
알루미늄 합금 15
압축(compression) 18
압축변형률 7
압축응력 5
압출공정 300
양단고정보 579
에너지보존(conservation of energy) 117
연성재료 15
연속보 580
연속적분법 482
연직성분(vertical component) 71
열응력(thermal stress) 89
열팽창계수(coefficient of thermal
        expansion) 88
영구변형률(permanent strain) 20
영구셋트(permanent set) 20
오프셋 방법 15
오프셋 항복응력 16
온도차 543
완전소성(perfect plasticity) 14, 127
왜곡 294
외면 417, 419
외부가상일 696
외팔기둥 672
외팔보 245
우력 246
원주방향응력 418
원통형 압력용기 418
유리(glass) 17
유연도(flexibility) 64, 763
유연도계수 763
유연도법(flexibility method) 73, 75, 592,
        747, 756, 761

유한요소법 763

유효길이 644

응력 5

응력궤적 428

응력법 592, 747, 755, 756

응력변환 381

응력불변상수 436

응력에너지 725

응력요소(stress element) 99, 381

이상구조물 629

이상기둥 632

이상화한 응력-변형률선도(idealized
        stress-strain diagram) 127

이완구조물(released structure) 74, 579

인성(toughness) 110

인성계수(moduls of toughness) 110

인장 4

인장변형률 7

인장응력 5

일반화된 Hooke의 법칙 437

1축응력(uniaxial stress) 7, 104, 387

2개직선형선도(bilinear diagram) 128

2차형식 728

2축응력 387

임계하중 631, 633, 636

ㅈ

잔류응력(residual stress) 132, 222

잔유변형률(residual strain) 20

잠수함 형 639

재래응력 12

재료의 비선형성 722

재료의 이완(relaxation) 23

적합방정식 592

전단강도 545, 766

전단계수 545

전단력 249

전단력선도 259

전단변형(shear distorsion) 192, 544

전단변형률(shear strain) 30

전단변형에너지 552

전단응력 5, 327

전단탄성계수(shear modulus of elasticity) 31

전단형상계수 766

전단흐름(shear flow) 212, 323

전복모멘트 630

절대계 805

절대최대전단응력 430

접선계수 663

접선계수이론 663

접선계수하중 663

정수응력 434

정역학적 과잉량(statical redundant) 74

정역학적 과잉력 579

정역학적 부호규약 250

정정(statically determinate) 73, 246

정하중(static load) 106

조립보 321

조합하중 424

종방향응력 418

좌굴 629

좌굴방정식 647

좌굴의 기본형 641

주응력 391, 429, 436

주평면 391

중공원형단면봉(Hollow circular bars) 182

중력계 805

중력의 가속도 808

중립면 285

중립축 285
중립평형상태 631, 633
중실요소 308
중앙선(median line) 213
중첩 264
중첩법 509, 515
직선적인 변화하중 246
직접전단(direct shear) 29
진변형률 12
진응력 12
진응력-변형률 선도 14
집중하중 246

ㅊ

처짐(deflection) 69, 477
처짐곡선 281, 477
체적변형률 432
체적탄성계수 434
최대전단응력(maximum shear stress) 181,
   394, 429, 436
최대하중능력 639
최소공액에너지의 원리 757
최소변형에너지의 정리 762
최적구조물(optimun structure) 40
최적기둥 639
최적화(optimization) 61
축강도(axial rigidity) 63
축방향응력 418
축변환 381
축차근사법(method of successive
   approximations) 129
축하중 부재(axially loaded member) 61
충격계수(impact factor) 122
충격에 의한 처짐 522

충격하중(impact load) 115
취성재료(brittle material) 17, 121

ㅋ

캠버(camber) 23
컴플라이언스(compliance) 63
크리프(creep) 22

ㅌ

탄성(elasticity) 20
탄성계수(modulus of elasticity) 23
탄성변형에너지(elastic strain energy) 108
탄성한도 21
탄성한도하중(elastic limit load) 108
탄-소성재료(elastic- plastic material) 128
테이퍼(taper) 65
토크(torque) 177
트러스(truss) 69, 701
특이함수 527

ㅍ

파단 14
팽창(dilatation) 27
팽창률 432
편심비 654
편심축하중 347
평균수직응력 6
평면내주응력 394
평면변형률 439
평면변형률에 대한 변환공식 444
평면응력(plane stress) 104, 382
평면응력에 대한 Hooke의 법칙 413

평면응력의 변환공식 385
평형방정식 738
푸아송의 비(Poisson's radio) 24
프라임 480
핀 지점 579
필러 343

ㅎ

하단고정단 상단 핀연결기둥 646
하중계수(load factor) 35
하중법(force method) 75
하중-변위선도(load-deflection diagram) 106
한계강도 661
합성봉(composite bars) 203

합응력 249
항복 14
항복응력 14
항복점 14
항복하중(yield load) 129
해석(analysis) 61
핵 350
허용응력(allowable stress) 34
허용하중 648
환산단면법 338
회전각 477
회전반지름 653
횡방향응력 418
횡변형률 286
휨공식 652

재료역학

2009년 9월 15일 1판 1쇄 펴냄 | 2019년 8월 31일 1판 5쇄 펴냄
지은이 한문식
펴낸이 류원식 | 펴낸곳 (주)교문사(청문각)

편집부장 김경수 | 제작 김선형 | 홍보 김은주 | 영업 함승형 · 박현수 · 이훈섭
주소 (10881) 경기도 파주시 문발로 116(문발동 536-2)
전화 1644-0965(대표) | 팩스 070-8650-0965
등록 1968. 10. 28. 제406-2006-000035호
홈페이지 www.cheongmoon.com | E - mail genie@cheongmoon.com
ISBN 978-89-6364-027-3 (93550) | 값 36,000원

역학에서 사용되는 주요단위

양	국제단위계(SI)			전통적인 미국단위계(USCS)		
	단위	기호	표기식	단위	기호	표기식
각가속도	radian per second squared		rad/s^2	radian per second squared		rad/s^2
선가속도	meter per second squared		m/s^2	foot per second squared		ft/s^2
면적	square meter		m^2	square foot		ft^2
밀도(질량)	kilogram per cubic mter		kg/m^3	slug per cubic foot		$slug/ft^3$
에너지	joule	J	N·m	foot-pound		ft-lb
힘	newton	N	$kg \cdot m/s^2$	pound	lb	(base unit)
진동수	hertz	Hz	s^{-1}	heta	Hz	s^{-1}
각역적	newton meter second		N·m·s	foot-pound-second		ft-lb-s
선역적	newton second		N·s	pound-second		lb-s
힘의 세기	newton per meter		N/m	pound per foot		lb/ft
길이	meter	m	(base unit)	foot	ft	(base unit)
질량	kilogram	kg	(base unit)	slug		lb-s^2/ft
힘의 모멘트, 토크	newton meter		N·m	foot-pound		ft-lb
관성능률 (질량)	kilogram meter squared		$kg \cdot m^2$	slug foot squared		slug-ft^2
관성능률 (면적 2차 모멘트)	meter to fourth power		m^4	inch to fourth power		in.^{4}
동력	watt	W	J/s	foot-pound per second		ft-lb/s
압력	pascal	Pa	N/m^2	pound per square foot	psf	lb/ft^2
단면계수	meter to third power		m^3	inch to third power		in.^{3}
비중량 (질량밀도)	newton per cubic meter		N/m^3	pound per cubic foot	pcf	lb/ft^3
응력	pascal	Pa	N/m^2	pound per square inch	psi	$lb/in.^2$
시간	second	s	(base unit)	second	s	(base unit)
각속도	radian per second		rad/s	radian per second		rad/s
선속도	meter per second		m/s	foot per second	fps	ft/s
질량(액체)	liter	L	$10^{-3}m^3$	gallon	gal.	231 in.^{3}
체적(고체)	cubic meter		m^3	cubic foot	cf	ft^3
일	joule	J	N·m	foot-pound		ft-lb

SI 및 USCS 단위의 물리적인 성질

성 질	SI	USCS
순수		
비중량	$9.81 \, \text{kN/m}^3$	$62.4 \, \text{lb/ft}^3$
질량밀도	$1000 \, \text{kg/m}^3$	$1.94 \, \text{slugs/ft}^3$
해수		
비중량	$10.0 \, \text{kN/m}^3$	$63.8 \, \text{lb/ft}^3$
질량밀도	$1020 \, \text{kg/m}^3$	$1.98 \, \text{slugs/ft}^3$
알루미늄		
비중량	$26.6 \, \text{kN/m}^3$	$169 \, \text{lb/ft}^3$
질량밀도	$2710 \, \text{kg/m}^3$	$5.26 \, \text{slugs/ft}^3$
강		
비중량	$77.0 \, \text{kN/m}^3$	$490 \, \text{lb/ft}^3$
질량밀도	$7850 \, \text{kg/m}^3$	$15.2 \, \text{slugs/ft}^3$
보강콘크리트		
비중량	$23.6 \, \text{kN/m}^3$	$150 \, \text{lb/ft}^3$
질량밀도	$2400 \, \text{kg/m}^3$	$4.66 \, \text{slugs/ft}^3$
중력가속도		
(지표면)		
추천치	$9.81 \, \text{m/s}^2$	$32.2 \, \text{ft/s}^2$
국제표준치	$9.80665 \, \text{m/s}^2$	$32.1740 \, \text{ft/s}^2$
대기압		
(해면상)		
추천치	$101 \, \text{kPa}$	$14.7 \, \text{psi}$
국제표준치	$101.325 \, \text{kPa}$	$14.6959 \, \text{psi}$

SI 접두어

접두어	기 호	배 수
tera	T	10^{12} = 1 000 000 000 000
giga	G	10^{9} = 1 000 000 000
mega	M	10^{6} = 1 000 000
kilo	k	10^{3} = 1 000
hecto	h	10^{2} = 100
deka	da	10^{1} = 10
deci	d	10^{-1} = 0.1
centi	c	10^{-2} = 0.01
milli	m	10^{-3} = 0.001
micro	μ	10^{-6} = 0.000 001
nano	n	10^{-9} = 0.000 000 001
pico	p	10^{-12} = 0.000 000 000 001

주: 접두어 hecto, deka, deci 및 centi는 SI 단위계에서 사용하지 않는 것이 좋다.